326A . 33 - 113

460

LES MARÉCHAUX
de
NAPOLÉON III

DU MEME AUTEUR

Les enfants naturels de Louis XV. Etude critique. Biographie. Descendance. 1953. Epuisé.

Le sang des Bonaparte, préface de Raoul de Warren. 1954. Epuisé.

Les maréchaux du 1er Empire, leur famille et leur descendance. 1957, préface d'Antoine Bouch alias Philippe du Puy de Clinchamps (ouvrage couronné par l'Académie française). Epuisé.

Carnet des familles nobles ou d'apparence en 1956. 1957. Epuisé.

Carnet des familles nobles ou d'apparence en 1957. 1958. Epuisé.

Carnet des familles nobles ou d'apparence en 1958. 1959.

Les princes et ducs du 1er Empire, non maréchaux, leur famille et leur descendance. 1959, préface de Marcel Dunan, de l'Académie des sciences morales et politiques (ouvrage couronné par l'Académie des sciences morales et politiques et l'Institut international de généalogie et d'héraldique de Madrid). Epuisé.

Carnet des familles nobles ou d'apparence en 1959. 1960.

Les maréchaux de la Restauration et de la Monarchie de juillet, leur famille et leur descendance, préface de Paul Fleuriot de Langle. 1962. Epuisé.

Table de l'Intermédiaire des chercheurs et curieux (1951-1960). 1962. Epuisé.

Rainier III est-il le souverain légitime de Monaco ? Etude de droit dynastique, 1964. Epuisé.

La descendance naturelle de Napoléon Ier. Le comte Léon. Le comte Walewski, préface du docteur Paul Ganière. 1964. Epuisé.

Les prétendants aux trônes d'Europe, préface de Monsieur le duc de Castries, de l'Académie française. 1967. Epuisé.

Los pretendientes a los tronos de Europa. 1970.

Les Say et leurs alliances. L'étonnante aventure d'une famille cévenole, préface d'André Chamson, de l'Académie française. 1971 (ouvrage couronné par l'Académie française ; prix de l'Association *Les pays protestant,* 1972). Epuisé.

Les Laborde de Monpezat et leurs alliances. 1975.

JOSEPH VALYNSEELE

LES MARÉCHAUX

DE

NAPOLÉON III

LEUR FAMILLE ET LEUR DESCENDANCE

Préface du professeur JEAN TULARD
président de l'Institut Napoléon

8, RUE CANNEBIÈRE
PARIS XIIe

IL A ÉTÉ TIRÉ DE CET OUVRAGE CINQUANTE
EXEMPLAIRES NUMÉROTÉS DE I A L SUR
PAPIER INGRES MBM ARCHES SIGNÉS PAR
L'AUTEUR ET DÉDICACÉS AU NOM DES SOUS-
CRIPTEURS

ISBN 2-901065-02-3

*Au baron Edouard de Nervo,
dont le rôle a été considérable
dans le renouveau des études
généalogiques en France, ces
dernières années.*

PREFACE

Les fastes guerriers du Second Empire n'ont pas éclipsé, il s'en faut, les éclatantes victoires du premier des Napoléonides, et Sedan, en condamnant Napoléon III, a jeté, non sans injustice, un voile sur Magenta et Solférino.

Faut-il, dans ces conditions, négliger les campagnes des deux premières décennies de la seconde moitié du XIXe siècle, et reléguer dans l'ombre les chefs militaires d'une période généralement mal vue des historiens français ?

M. Joseph Valynseele, à juste titre, ne le pense pas. Aux maréchaux de Napoléon, puis de la Restauration et de Louis-Philippe, objets de deux livres désormais classiques, il ajoute les grandes figures du Second Empire. La continuité est évidente. Beaucoup ont débuté sous la Révolution, commandé dans la Grande Armée, subi une éclipse à l'époque pacifique des monarchies constitutionnelles et retrouvé une activité importante après 1850.

Le régime, né alors d'un coup d'Etat militaire conduit par Saint-Arnaud, n'a guère pourtant suscité d'enthousiasme au départ chez les Castellane, Baraguey d'Hilliers et autres Magnan. Barail note même, qu'après la réussite de l'opération, bien des officiers haut placés inscrivirent un vote négatif sur les registres du plébiscite. Et il convient de rappeler avec M. Raoul Girardet, dans sa pénétrante étude sur le monde de l'armée de 1815 à 1939, que d'origine militaire, le gouvernement du Second Empire ne fut nullement le gouvernement des militaires. Ni dans le domaine de la politique extérieure, ni dans celui de la politique intérieure, on n'aperçoit d'intervention, de pression de quelque importance de la part de l'armée. C'est en dehors des milieux militaires qu'ont été prises les grandes décisions du règne. Le coup d'Etat accompli, s'observe un effacement des officiers qui l'avaient réussi, effacement sur le plan politique bien sûr. Le Second Empire ne se confond nullement avec les dictatures militaires d'Amérique latine dont l'histoire est jalonnée de pronunciamentos. L'armée sera absente, le 4 septembre 1870, en pleine déroute il est vrai. Crainte de la guerre civile ou des responsabilités politiques (pourtant Mac-Mahon saura les assumer plus tard) ? Faisons intervenir aussi le réflexe de soumission au pouvoir légal hérité du temps où le comité de Salut public envoyait à la guillotine les généraux récalcitrants ou vaincus, et rappelons que le premier Empereur savait se faire *obéir de ses maréchaux, trop peut-être, puisque la plupart étaient incapables, en l'absence du Maître, de la moindre initiative. Bref l'armée n'a pas de rôle vraiment politique pendant le Second comme le Premier Empire, même si l'on trouve des maréchaux sous les lambris dorés du Sénat.*

Abondants et précis, les renseignements contenus dans les précieuses notices du livre de M. Valynseele, confirment, pour une petite élite, les observations développées par M. William Serman dans sa belle thèse sur le corps des officiers français sous la IIᵉ République et le Second Empire : une majorité d'officiers sortis du rang, les grandes écoles assurant toutefois leur prépondérance dans le génie et l'artillerie ; un déclin des vocations militaires dans la noblesse, la cavalerie exceptée ; une très forte montée des classes moyennes. La société militaire s'est profondément transformée depuis 1789.

Ce que M. Valynseele apporte de neuf, par rapport aux travaux précédents, c'est l'étude du jeu des alliances. Se mariait-on entre familles de militaires, au hasard des garnisons ? Ou d'autres facteurs intervenaient-ils ? Si le mouvement des fortunes n'apparaît pas ici, la stratégie matrimoniale contribue parfois à l'éclairer. Et que dire de l'intérêt de posséder la liste des descendants ? A travers les héritiers, ce sont les papiers de famille, les documents iconographiques, les mémoires inédits que l'on peut atteindre.

Remercions donc M. Valynseele de nous avoir donné un nouvel instrument de travail qui s'ajoute à la liste déjà longue de ses publications. On s'arrache à prix d'or celles qui sont épuisées : c'est reconnaître leur importance. Il n'est pas de plus belle consécration que de voir ses livres traqués de bouquinistes en bouquinistes par une élite de chercheurs et de bibliophiles.

Jean TULARD
Président de l'Institut Napoléon

Tout d'abord, nous dirons à M. le professeur Jean Tulard, président de l'Institut Napoléon, notre gratitude pour la préface qu'il a bien voulu donner à ce livre, nous apportant le patronage du grand maître de l'histoire napoléonienne qu'il est à l'heure actuelle et, au travers de sa personne, celui de l'Université et de l'Ecole pratique des hautes études.

Le Service historique de l'armée à Vincennes a été l'une de nos sources principales d'information au cours de la préparation de cet ouvrage. Que de dossiers et de cartons n'y a-t-on pas sortis à notre intention. Que de vérifications n'a-t-on pas faites sur notre demande. C'est avec une cordialité toute particulière que nous remercions le lieutenant-colonel Michel Turlotte, chef de la section moderne, Mme Anna Combe, présidente de salle, et ceux qui les entourent, de leur accueil toujours si ouvert et de leur complaisance inlassable. Le Minutier central des notaires, aux Archives nationales, fut, de son côté, l'objet de nos visites répétées. Là aussi, nous exprimons notre reconnaissance à ceux et celles qui nous ont guidés et ont facilité notre tâche : Mme Catherine Grodecki et Mlle Geneviève Etienne particulièrement. Nous avons une dette également à l'égard de M. Bernard Mahieu, conservateur en chef du Service de renseignements des Archives nationales, et de Mme Jean Favier qui ont bien voulu faire procéder à tant de recherches et d'enquêtes en notre faveur. Nous voulons citer encore Mme d'Huart et Mme Bonazzi qui nous ont conduit dans le dédale des nombreux fonds d'archives privées, objet de leur vigilance et de leurs explorations.

Mais, quel qu'ait pu être le labeur déployé par l'auteur — un nombre respectable de milliers d'heures —, un ouvrage aussi nourri de détails, touchant à autant de domaines et de régions n'aurait pu être mené à bien sans le concours de très nombreux érudits, généalogistes, spécialistes divers, sans la bienveillance aussi des directeurs d'archives départementales ou municipales, des conservateurs de bibliothèques qui, si souvent, sont allés, pour nous aider, bien au-delà de ce à quoi les obligeaient leurs fonctions. Nous signalerons dans le courant du volume les contributions portant sur tel ou tel chapitre. Nous remercions ici celles et ceux auxquels nous avons eu le plus souvent recours : notre déjà vieil ami, quoique bien jeune encore, Alain Giraud, co-auteur avec Michel Huberty, François et Robert Magdelaine, d'une merveilleuse série, en cours de publication, sur L'Allemagne dynastique, mais dont l'érudition ne se borne pas à ce domaine ; Mme Odette Basbois, la dévouée animatrice de L'intermédiaire des chercheurs et curieux, *grâce à la compréhension de laquelle nous avons pu recourir aussi souvent qu'il était nécessaire à cet outil de recherche exceptionnel ;* Vincent Laloy *dont les étonnantes connaissances témoignent que l'inculture n'est pas aussi générale qu'on le dit dans la jeune génération ;* Mlle B. Adam, *des Archives départementales de Nancy ; le colonel* Etienne Arnaud, *qui nous a permis de bénéficier de son si précieux* Répertoire de généalogies françaises imprimées, *bien avant qu'il ne soit édité ;* M. F.-X. Amprimoz ; M. Christian Arbaud ; M. Jean-Denis Bergasse ; M. Edouard Borowski, *éminent spécialiste des familles polonaises ;* M. Patrick Chevassu ; Mme Nicole Coisel, *conservateur à la Bibliothèque nationale, qui nous a révélé cette source extraordinaire que sont les factums ;* M. Guy Coutant de Saisseval ; M. Arnaud Chaffanjon ; M. Hubert Cuny ; M. Jean Debest ; M. Jacques Dell'Acquo-Bascourt, *co-auteur avec Michel Authier et Alain Galbrun d'un bien utile* Etat de la noblesse française subsistante, *dont les tomes sont attendus avec impatience ;* M. François Demartini, *dont les dossiers sur les familles corses nous ont été si utiles et qui, de surcroît, a illustré la couverture de ce volume ;* M. Edmond Derreumaux, *président du Groupement généalogique de la région du Nord ;* MM. Marcel Dietschy *et* Pierre-Philippe Recordon, *qui nous ont apporté leur aide lorsque nous avions un problème en Suisse ;* M. Hervé Douxchamps, *notre si efficace correspondant bruxellois ;* M. Adrien Eche ; M. Maurice Etienne ; Mme Nicole Felkay ; M. Jacques Ferrand, *qui sait tout sur les familles russes ;* M. Gabriel Girod de l'Ain ; M. Fabien Gandrille ; M. Denis Grando ; M. Pierre d'Harville ; M. Stephen Higgons, *grâce à qui nous avons pu régler les problèmes touchant l'Angleterre ;* M. Eric Jayet ; Me Roland Jousselin, *avocat au Conseil d'Etat et à la Cour de cassation, dont les avis nous ont bien souvent été précieux ;* M. Jacques Juillet ; M. René Joumel ; M. Labar, *président de salle de la bibliothèque du Service historique de la marine ; le professeur* Jean-Pierre Labatut ; M. Carlo de La Brassinne ; M. l'abbé Aloys de Laforcade *qui, cette fois encore, en dépit de ses lourdes charges pastorales, nous a tiré d'embarras lorsque se présentait un problème touchant le Béarn ;* M. Hubert Lamant, *l'auteur-éditeur de l'*Armorial et nobiliaire français ; *le comte* Eric-Philippe de Lavergne de Cerval ; M. Henri Lebreton ; M. Philippe Lemelletier ; M. André Loquet ; M. Georges Lubin, *le savant éditeur de la correspondance de George Sand ;* M. François Magdelaine ; M. Eric Marchal ; *le docteur* J.-C. Maury-Lascoux ; M. Alain Moreau ; *la comtesse* Christian de Maynard ; M. Jean Migeon ; M. Camille de Mons, *qui tant et tant de fois a interrogé pour nous une collection de billets de part sans égale ;* M. Ernest Montrot ; M. J.-H. Moreau ; M. Guy Muleau ; *le baron* Edouard de Nervo, *à qui ce volume est dédié ;* M. *et* Mme Pierre Nicolas ; M. Jacques d'Orfond ; *le colonel* Perret du Cray ; M. Pierre-François Pinaud ; *le baron* Hervé Pinoteau ; M. Guy Quincy, *directeur des Archives départementales de* la Corrèze ; M. Michel Richard, qui connaît si bien le monde protestant au dix-neuvième siècle ; le prince Ludovico Rospigliosi, qui nous a apporté son aide pour les problèmes italiens ; M. Georges Rougeron ; M. A. Ruchier ; notre ami et confrère Jacques Saillot, président de l'Association généalogique et archéologique de l'Anjou ; Mgr Sauget, de la Bibliothèque vaticane ; le grand érudit qu'est Jean Savant ; M. Bernard Savouret, conservateur des Archives municipales de Dijon ; M. Michel Sémentery ; Etienne de Séréville ; le prince Michel Sturdza ; notre confrère allemand Paul Treiber ; M. Charles Tribout de Morembert, directeur du Dictionnaire de biographie brançaise ; M. Eugène Trotabas ; notre ami Szabolcs de Vajay, si précieux lorsqu'on rencontre une alliance hongroise ; M. Jean Vanel, président des Amis du musée Murat ; M. François de Vaux de Foletier, directeur honoraire des Archives de la Seine et de la ville de Paris, chez qui l'affabilité égale la science ; M. Rémy Villand, des Archives départementales de la Manche ; notre ami Gérard de Villeneuve, le dévoué secrétaire général de la Fédération des sociétés françaises de généalogie, d'héraldique et de sigillographie ; M. Michel Vinot Préfontaine qui ouvre si généreusement aux chercheurs sa belle collection de faire-part et de documents ; le comte Raoul de Warren ; M. Christian Wolff, archiviste aux Archives départementales du Bas-Rhin et secrétaire du Cercle généalogique d'Alsace, qui réserve toujours un accueil amical à nos demandes concernant sa région ; M. Walter Zurbuchen, archiviste d'état à Genève ; M. Jean-Louis Kleindienst ; le docteur Bernard Van den Bosch.

Les descendants et parents plus ou moins proches des maréchaux nous ont, de leur côté, et très nombreux, apporté une aide substantielle, consultant leurs archives à notre intention ou nous ouvrant libéralement celles-ci, s'occupant de réunir, à grand-peine parfois, les précisions qui pouvaient nous manquer, pour la période contemporaine notamment. A eux aussi, nous exprimons nos très vifs remerciements. Nous indiquerons, au fil des chapitres, les contributions les plus importantes.

J.V.

ABREVIATIONS ET SIGNES UTILISES

arch.   : archives
arch. fam.   : archives familiales
A.C.   : Archives communales
A.D.   : Archives départementales
A.M.   : Archives municipales
A.N.   : Archives nationales
A.P.   : Archives de Paris
B.N.   : Bibliothèque nationale
chap.   : chapitre
c.   : circa (environ)
dép.   : départemental
Départ.   : Département
d.i.   : décret impérial
E.C.R.   : Etat civil reconstitué
jug.   : jugement
l.p.   : lettres patentes
M.C.   : Minutier central
N.   : remplace un prénom ou un nom inconnu
ord.   : ordonnance
p.c.   : par contrat
s.a.   : sans alliance
s.a.a.   : sans alliance actuelle
S.H.A.T.   : Service historique de l'armée de terre
S.H.M.   : Service historique de la marine
s.p.   : sans postérité
s.p.a.   : sans postérité actuelle
t.   : tribunal
t.c.   : tribunal civil
vol.   : volume
†   : décédé
✗   : mort au combat

QUELQUES REMARQUES

Classement des maréchaux

Nous avons classé ceux-ci en fonction de leur date de promotion dans le maréchalat.

Carrière

Le curriculum des différents maréchaux a été mis au point à partir de leur dossier administratif au Service historique de l'armée, les éléments de ce dernier étant complétés par des sources diverses dans le cas de services civils.

Les chiffres romains, placés entre parenthèses après certains événements, indiquent le mois durant lequel ceux-ci se sont produits.

Ecrits des maréchaux

Nous n'avons retenu que les écrits publiés.

Ascendance

Les degrés que nous donnons ont été établis exclusivement à l'aide d'actes d'état civil, d'actes notariés, de lettres patentes ou de preuves admises par les généalogistes du roi. La nature des documents utilisés a été chaque fois indiquée en note de manière très précise.

Descendance

Les générations successives sont introduites par les différents signes ci-après :

chiffres romains (I, II, III, etc...), pour les enfants du maréchal,
lettres capitales (A, B, C, etc...), pour ses petits-enfants,
chiffres arabes (1, 2, 3, etc...), pour ses arrière-petits-enfants,
lettres minuscules (a, b, c, etc...), pour ses arrière-arrière-petits-enfants,

tirets (—), pour la cinquième génération,
point (•), pour la sixième génération,
deux points (••), pour la septième génération.

Ainsi, dans une filiation, les personnages précédés d'un signe de nature semblable appartiennent à la même génération.

Le travail a été tenu à jour de manière systématique jusque courant 1979. Les événements survenus postérieurement à cette date ont cependant été indiqués lorsque nous en avons eu connaissance, soit que les familles nous en aient informé, soit qu'ils aient été annoncés dans la presse.

Les date et lieu des alliances sont ceux du mariage civil. Nous ne donnons les références de la cérémonie religieuse que dans le cas de circonstances particulières, et toujours en note.

Nous employons les formules s.a.a. (sans alliance actuelle) et s.p.a. (sans postérité actuelle), la première lorsque l'intéressé est en vie et, par conséquent, est susceptible, fût-ce théoriquement, de contracter une alliance dans l'avenir, et la seconde lorsqu'un ménage, sans enfants jusque-là, est encore en mesure d'en avoir, c'est-à-dire, de manière pratique, lorsque l'épouse est âgée de moins de cinquante ans. Il nous a paru superflu de porter la mention s.a.a. pour les personnes âgées de moins de vingt ans à la date de publication de l'ouvrage et la mention s.a. pour celles qui sont mortes avant d'avoir atteint cet âge.

Pour la France, nous ne précisons le département que quand il existe plusieurs communes de même nom.

Dans le cas de patronymes composés (Lacroix de Vimeur de Rochambeau, par exemple), dont une partie seulement est employée de manière usuelle (Rochambeau, dans le cas cité), nous n'indiquons le patronyme entier qu'à la première mention, nous bornant ensuite à la partie usuelle.

Nous avons donné aux porteurs du nom des différents maréchaux, les seuls titres auxquels ils avaient ou ont strictement droit.

Généralement, la même règle a été suivie en ce qui concerne les titres des familles étrangères.

Quant aux Français porteurs de patronymes autres que ceux des maréchaux, nous leur avons laissé les titres pris dans les annuaires mondains, au moins lorsque cela était consacré par un certain usage. On sait la confusion qui règne en France dans le domaine des titres : le nombre des familles apparaissant dans l'ouvrage interdisait de procéder à une étude critique pour chacune d'elles.

Selon une pratique courante, nous avons placé le titre après le prénom pour les chefs de famille, ou de branche, et devant le prénom, pour les cadets.

IX

Notes

Peut-être quelques-uns des descendants ou arrière-neveux de nos personnages qui liront ces pages tiendront-ils pour assez éloignés du sujet certains des développements donnés en note. Nous nous sommes pliés à cet égard aux normes de la généalogie moderne, désormais discipline s'apparentant aux sciences exactes et non plus, comme naguère, aimable divertissement mondain : ces normes exigent que soient établies avec le maximum de soin les tenants et les aboutissants des personnages et des familles étudiés.

ESQUISSE D'UNE SYNTHESE

A la vérité, quatre des maréchaux de Napoléon III avaient été nommés alors que celui-ci n'était encore que le prince-président : le roi Jérôme, Exelmans, Harispe et Vaillant. C'est la raison pour laquelle le titre de l'ouvrage parle de Napoléon III, plutôt que du Second empire.

Mais, ceci est plus important. Quatre des maréchaux du deuxième empereur se trouvaient déjà généraux de division à la chute du premier : Jérôme Bonaparte, Exelmans, Harispe (celui-ci avait vu le jour sous Louis XV !) et Ornano. A cette même date, Castellane était lieutenant-colonel, Vaillant, Magnan, Baraguey d'Hilliers, Regnaud de Saint-Jean d'Angély, capitaines, et Randon, lieutenant. A l'inverse, Canrobert, Bosquet, Mac Mahon, Bazaine et Le Bœuf naissent alors que le soleil napoléonien amorce son déclin. La période concernée déborde ainsi très largement les limites suggérées par le titre de l'ouvrage.

Origines

De nos dix-neuf personnages, le maréchal Magnan est le seul dont on puisse dire qu'il était un fils du peuple. Encore, faut-il n'être pas trop exigeant en la matière : son père avait été valet de pied, puis limonadier, et son grand-père laboureur, terme qui, en principe, désignait un paysan aisé.

La noblesse a la part un peu plus belle : elle compte six représentants. Pour simplifier les choses, nous rangeons dans cette catégorie Ornano, bien que la branche dont était le maréchal n'ait pas été reconnue noble par le Conseil supérieur de Corse, et le roi Jérôme, que la fortune de sa famille, depuis la Révolution, met hors classement. Castellane appartenait à la noblesse d'extraction, c'est-à-dire la plus antique, et Mac Mahon était d'ancienne noblesse. Fils d'un comte de l'empire, Baraguey d'Hilliers ne figure que de justesse à côté des précédents. Il est plus aventuré encore — ou en aura la raison plus loin — d'y mettre Regnaud de Saint-Jean d'Angély, fils lui aussi d'un comte de l'empire.

Tous les autres étaient de source bourgeoise. C'est dans l'ordre des choses en un siècle qui fut l'âge d'or de la bourgeoisie. Il importe tout de même de distinguer trois groupes. Bourgeoisie, sans plus, convient pour Saint-Arnaud, Pélissier, Bosquet, Forey, Bazaine et Le Bœuf. Il faut parler de petite-bourgeoisie pour Exelmans et Harispe et, au contraire, de bonne bourgeoisie pour Vaillant, Randon, Canrobert et Niel.

Regnaud de Saint-Jean d'Angély et Bazaine, au vrai, étaient des enfants naturels. Mais, reconnus de jure pour le premier, de facto pour le second, ils furent l'un et l'autre élevés dans la condition de leur père.

Six seulement des dix-neuf maréchaux avaient une hérédité *militaire : Castellane, fils et petit-fils d'officiers généraux ; Baraguey d'Hilliers et Mac Mahon, fils de généraux de division ; Pélissier, fils d'un commissaire de première classe des Poudres et salpêtres ; Canrobert, fils et neveu d'officiers ; Forey, dont le père et le grand-père maternel étaient officiers. On peut à la rigueur y ajouter Niel qui eut plusieurs oncles officiers, l'un d'eux colonel.*

Il est amusant de signaler qu'à l'époque révolutionnaire, le père et les oncles de Canrobert, de même que le père de Mac Mahon et celui de Forey avaient combattu du côté de l'émigration.

La répartition entre les régions est assez largement ouverte avec, cependant, une dominante pour le midi : Corse pour Jérôme Bonaparte et Ornano, Barrois (plus anciennement Limbourg belge) pour Exelmans, pays basque pour Harispe, Bourgogne pour Vaillant, Mac Mahon (plus anciennement Irlande) et Forey, Paris pour Saint-Arnaud, Baraguey d'Hilliers (plus anciennement Normandie) et Regnaud de Saint-Jean d'Angély (en dépit de son nom), Ile-de-France pour Magnan, Dauphiné pour Castellane (plus anciennement Provence) et pour Randon (plus anciennement Languedoc), Guyenne pour Pélissier et Canrobert, Languedoc pour Niel et Bosquet, Lorraine pour Bazaine et Champagne pour Le Bœuf.

Sur le plan confessionnel, tous appartiennent au culte catholique, de façon traditionnelle au moins, à l'exception de Randon dont la famille était protestante depuis la Réforme.

Carrières

Les différentes armes ou spécialités sont représentées de manière assez équilibrée. Exelmans, Regnaud de Saint-Jean d'Angély, Ornano étaient des cavaliers. Harispe, Saint-Arnaud, Magnan, Canrobert, Forey et Bazaine venaient de l'infanterie. Pour l'artillerie, il y a Le Bœuf, pour le génie Vaillant et Niel. Pélissier a fait toute sa carrière dans les états-majors ou comme officier d'ordonnance et aide de camp jusqu'au premier grade d'officier général. Quelques-uns ont appartenu successivement à plusieurs armes. Ainsi, Castellane et Randon allèrent de l'infanterie à la cavalerie, Bosquet de l'artillerie à l'infanterie et Baraguey d'Hilliers de la cavalerie à l'infanterie, Mac Mahon de l'état-major à l'infanterie. Jérôme Bonaparte avait servi tout d'abord dans la marine : il fut promu général de division, étant contre-amiral. Il est intéressant de noter que Mac Mahon et Bazaine passèrent le premier trois ans, le second sept ans à la Légion étrangère.

Exelmans, Harispe, Magnan, Castellane, Randon et Bazaine étaient sortis du rang. Vaillant, Bosquet, Niel et Le Bœuf avaient fait l'Ecole polytechnique. Saint-Cyr a donné Pélissier, Canrobert, Mac Mahon et Forey. Regnaud de Saint-Jean d'Angély avait été formé à l'Ecole militaire de cavalerie de Saint-Germain. Faveur ou fait des circonstances, Jérôme Bonaparte, Ornano, Saint-Arnaud et Baraguey d'Hilliers débutèrent comme officiers sans avoir fait aucune école.

On constatera que l'entrée par la petite porte débouche sur une carrière dans l'infanterie, à la rigueur dans la cavalerie, armes moins savantes.

Si l'on met à part les quatre doyens, Jérôme Bonaparte, Exelmans, Harispe et Ornano, tous les maréchaux de Napoléon III, à la seule exception de Regnaud de Saint-Jean d'Angély, ont fait une partie et, souvent, une partie très importante de leur carrière en Algérie. Saint-Arnaud et Bosquet y sont restés, le premier quatorze ans, le second près de vingt ans, sans autre interruption que de courtes permissions. Mac Mahon y resta vingt-quatre ans, Randon dix-neuf ans, Pélissier dix-sept ans, Bazaine seize ans, Canrobert quatorze ans, Forey huit ans, répartis en périodes successives. Les autres y firent des séjours allant de quelques mois à deux ou trois ans. Cette circonstance sera l'une des causes de la défaite de 1870. Habituée aux opérations d'embuscade, aux coups de main, bref à l'improvisation, l'armée sera décontenancée devant un type de guerre entièrement différent, fondé sur la méthode et la rigueur. La catastrophe n'avait été évitée en Crimée et en Italie qu'en raison du manque d'organisation de l'adversaire.

Quelques particularités ou incidents des carrières méritent d'être relevés. Magnan passa sept ans, de 1832 à 1839, en Belgique, prêté par Louis-Philippe au jeune royaume pour l'aider à mettre sur pied son armée. De même, Bazaine sera trois ans au service de l'Espagne, de 1835 à 1838, avec la Légion étrangère, cédée à la reine Isabelle II, ce qui lui vaudra d'être nommé capitaine au titre espagnol. Encore sous-lieutenant à trente-trois ans, à la suite de frasques de jeunesse, Saint-Arnaud n'en sera pas moins ministre de la guerre à cinquante-trois ans et maréchal de France un an plus tard. En 1848, son ami Lamoricière étant ministre de la guerre, Bosquet passa général de brigade après seulement dix mois dans le grade de colonel.

Bosquet sera le plus jeune maréchal à quarante-six ans. Canrobert le suit de près à quarante-sept ans. A l'opposé, Harispe obtient le prestigieux bâton à quatre-vingt-trois ans, Ornano à soixante-dix-sept et Exelmans à soixante-seize. Pour les autres, la nomination se situe dans la cinquantaine ou la soixantaine.

La plupart de nos dix-neuf personnages, arrivés au faîte des honneurs, occupèrent des fonctions tout à fait étrangères à l'état militaire ou ne s'y rattachant que de façon indirecte : ambassadeur, député, ministre, gouverneur de l'Algérie, grand chancelier de la Légion d'honneur ou... président de la république avec Mac Mahon. Le fait n'est pas propre au Second empire. Il s'agit là d'une tradition constante du maréchalat. La devise de celui-ci n'est-elle pas terror belli, decus pacis *!*

Trois maréchaux, nés roturiers, acquirent la noblesse sous Napoléon III : Pélissier en recevant le titre de duc de Malakoff, Randon et Regnaud de Saint-Jean d'Angely en obtenant confirmation, le premier du titre de comte de son oncle le général Marchand, le second de celui de son père naturel. Exelmans, Harispe et Ornano avaient été titrés sous le Premier empire. Dans cet ordre d'idée, il faut signaler que Vaillant fut fait comte romain et que la veuve du maréchal Niel et son fils bénéficièrent de la même faveur. Mac Mahon reçut de Napoléon III le titre de duc de Magenta, mais il était déjà noble.

Aucun des dix-neuf maréchaux de Napoléon III ne mourra au combat. Toutefois, Saint-Arnaud sera emporté par le choléra alors qu'il commande en chef en Crimée et Bosquet meurt des suites d'une grave blessure reçue devant Sébastopol, mais on verra que le fait a été contesté. Niel, par ailleurs, ne résiste pas à une opération à la vessie, pour une part au moins, en raison de la grande fatigue résultant de deux ans et demi passés au ministère de la guerre dans des circonstances difficiles. Exelmans est tué à l'occasion d'une chute de cheval, mais en dehors du service. Les autres finissent dans leur lit de maladies diverses ou tout simplement de vieillesse, à l'exception de Baraguey d'Hilliers qui se suicide pour échapper à la déchéance physique, qu'il juge incompatible avec la dignité de maréchal de France. Le record de longévité est remporté par Harispe, avec quatre-vingt-sept ans. Canrobert atteindra quatre-vingt-six ans, Mac Mahon quatre-vingt-cinq, Baraguey d'Hilliers quatre-vingt-trois et Vaillant quatre-vingt-deux ans. Exelmans ne sera maréchal qu'un an, Saint-Arnaud et Ornano deux ans. En revanche, Canrobert le restera trente-neuf ans et Mac Mahon trente-quatre ans. Des dix-neuf maréchaux nommés par Napoléon III, huit seulement vivent encore lorsque se produit l'effondrement du 4 septembre : Vaillant, Baraguey d'Hilliers, Randon, Canrobert, Mac Mahon, Forey, Bazaine et Le Bœuf.

Neuf des maréchaux de Napoléon III ont été inhumés aux Invalides : Jérôme Bonaparte, Exelmans, Saint-Arnaud, Baraguey d'Hilliers, Pélissier, Canrobert, Mac Mahon, Regnaud de Saint-Jean d'Angély, Ornano. Les autres reposent en des lieux divers, choisis par eux-mêmes ou par leur entourage en fonction de raisons affectives ou des circonstances.

Le choix de l'empereur

Jérôme Bonaparte, Exelmans, Harispe et, plus tard, Ornano durent le célèbre bâton à leur qualité de vétérans du Premier empire et également, pour le premier nommé et le dernier, aux liens du sang. C'était pour le neveu se placer dans le sillage de l'oncle.

En ce qui concerne Saint-Arnaud, Magnan et Castellane, il s'agit d'un geste de reconnaissance après une participation particulièrement active à la réussite du coup d'état du 2 décembre. Il est juste, cependant, de noter que Saint-Arnaud eut à cœur de justifier sa nouvelle dignité sur un plan rigoureusement militaire en acceptant le commandement en chef de l'expédition de Crimée, en dépit d'une santé chancelante, et en remportant avant de mourir la victoire de l'Alma. Chez Vaillant, le prince-président récompense le ralliement d'une personnalité de premier plan dans sa spécialité (le génie).

La promotion de Baraguey d'Hilliers couronna son succès à Bomarsund, l'empereur tenant compte également, avec un peu de retard, de son attitude en 1851. Pélissier gagna son bâton en enlevant Malakoff, Mac Mahon sur le champ de bataille de Magenta, Regnaud de Saint-Jean d'Angély et Niel en prenant une part décisive respectivement aux victoires de Magenta et de Solferino. Pour Canrobert, ce fut la récompense de son commandement en chef en Crimée après la mort de Saint-Arnaud et de l'abnégation avec laquelle il se retira spontanément en faveur de Pélissier, afin que la décision pût être enlevée plus vite et dans de meilleures conditions. Dans le cas de Bosquet, la dignité suprême vint honorer le général grièvement blessé lors de l'assaut de Malakoff, avec, chez l'empereur, l'arrière-pensée de consolider et de rendre définitif le ralliement du républicain fervent qu'avait été le bénéficiaire.

Napoléon III conféra le maréchalat à Randon, Bazaine et Le Bœuf parce que cela était convenable étant donné les fonctions qu'ils occupaient : gouverneur de l'Algérie pour le premier, commandant en chef du corps expéditionnaire du Mexique pour le second, ministre de la guerre pour le troisième. Forey le dut apparemment à la prise de Puebla.

Ecrits

L'œuvre littéraire des maréchaux de Napoléon III est modeste. Seul émerge l'extraordinaire Journal *du maréchal de Castellane. Les mémoires de Mac Mahon n'ont pas la même qualité, encore qu'il soit difficile de porter un jugement définitif à leur sujet, une petite partie seulement ayant été publiée. Dans un autre registre, la correspondance de Saint-Arnaud et celle de Bosquet constituent d'excellents et fort intéressants témoignages.*

Le reste n'est que broutilles ou documents de seconde main plus ou moins accommodés par les éditeurs.

Les épouses

Trois des dix-neuf maréchaux sont demeurés célibataires : Baraguey d'Hilliers, Bosquet et Forey. Quatre, en revanche, contractèrent deux alliances : le roi Jérôme, Saint-Arnaud, Randon et Bazaine, la seconde union intervenant à la suite d'un divorce dans le premier cas et après le décès de la première épouse pour les trois autres.

A ne considérer que la première union, un (Pélissier) se maria après soixante ans, trois (Vaillant, Canrobert, Regnaud de Saint-Jean d'Angély) entre cinquante et soixante ans, trois (Mac Mahon, Niel, Bazaine) entre quarante et cinquante ans, six (Exelmans, Saint-Arnaud, Magnan, Randon, Ornano, Le Bœuf) entre trente et quarante ans, deux (Harispe et Castellane) avant trente ans, un (Jérôme Bonaparte) avant vingt ans.

Toujours en ne retenant que la première union, si Vaillant et Regnaud de Saint-Jean d'Angély épousèrent des veuves, âgées respectivement de quarante-six et quarante-quatre ans, les autres s'allièrent tous à des femmes ayant moins de vingt-cinq ans, à l'exception de Pélissier dont l'épouse avait trente ans, lors du mariage.

Quoique, dans la plupart des cas, leur situation ait été bien assurée déjà au moment de leur premier ou de leur second mariage, maréchaux ou futurs maréchaux ne cherchèrent qu'assez modérément à prendre femme dans l'aristocratie. On ne dénombre, en effet, que sept mariages nobles : Exelmans, Harispe, Vaillant, Saint-Arnaud (seconde union), Pélissier, Mac Mahon, Ornano. Encore, cinq des intéressés étaient-ils nobles, avaient eux-mêmes été anoblis ou devaient l'être, fût-ce par le pape, comme Vaillant. Nous laissons de côté la situation très particulière de Jérôme Bonaparte.

La grosse dot ne paraît pas non plus avoir été un élément très déterminant. Il n'existe qu'un cas vraiment significatif à cet égard, celui du maréchal de Castellane.

Le plus grand nombre des épouses appartiennent à la bourgeoisie, moyenne ou bonne, la première femme de Bazaine, d'origine populaire et que celui-ci avait fait éduquer avant de se décider à lui donner son nom, constituant l'exception.

Une circonstance semble avoir, à différentes reprises, joué un rôle déterminant dans le choix de la compagne : les attaches familiales de celle-ci avec le monde militaire. La maréchale Exelmans était fille et sœur d'officiers, la maréchale Magnan fille de général et petite-fille d'un chirurgien aux armées. Vaillant épousa la veuve du général Haxo sous les ordres duquel il avait longtemps servi. La première femme de Saint-

Arnaud était fille d'un officier de marine. La maréchale Canrobert appartenait à une famille d'officiers. La maréchale Pélissier avait pour père un contre-amiral, la maréchale Le Bœuf un officier supérieur d'artillerie, ancien élève de Polytechnique. L'épouse de Mac Mahon était l'arrière-petite-fille du maréchal de Castries.

Si la majorité des conjointes étaient françaises, on dénombre parmi elles une proportion respectable d'étrangères. La première femme de Jérôme Bonaparte est américaine et la seconde allemande. Saint-Arnaud épouse une belge en secondes noces. La maréchale Pélissier est espagnole et la maréchale Canrobert écossaise. Bazaine s'allie tout d'abord à une espagnole, puis à une mexicaine. Celle qui n'aura pas le temps de devenir la maréchale d'Ornano, Marie Walewska, était polonaise.

Sur le plan confessionnel, la première épouse de Jérôme Bonaparte était presbytérienne et la seconde luthérienne, la maréchale Canrobert anglicane.

Neuf des épouses survécurent au maréchal, celles d'Exelmans, de Saint-Arnaud, de Pélissier, de Randon, de Mac Mahon, de Regnaud de Saint-Jean d'Angély, de Niel, de Bazaine et de Le Bœuf. Les maréchales de Saint-Arnaud, Niel et Pélissier moururent respectivement cinquante-et-un, trente-deux et vingt-six ans après leur mari. Aucune des épouses ne se remaria.

Descendance

Sur les seize maréchaux ayant contracté mariage, trois n'ont pas eu de postérité de leur union : Harispe, Vaillant, Regnaud de Saint-Jean d'Angély. Pour un autre, Pélissier, la descendance est éteinte à l'heure actuelle. Deux, Randon et Le Bœuf, n'ont pas eu de fils et n'ont pu, ainsi, transmettre leur nom. Sur les dix restant, cinq seulement ont toujours une postérité en ligne masculine : le roi Jérôme, Castellane, Mac Mahon, Niel, Ornano.

On ne trouve guère de familles nombreuses. Le record est détenu par Exelmans et Magnan avec six enfants ayant atteint l'âge adulte. Viennent ensuite Jérôme Bonaparte, Castellane et Mac Mahon avec quatre enfants. Encore, pour le roi Jérôme, faut-il préciser que l'un d'eux était né de sa première union.

Si les maréchaux de Napoléon III n'ont montré qu'une propension fort modérée à prendre leur compagne dans la noblesse, parvenus désormais au sommet des honneurs, ils y ont plus souvent marié leurs enfants, les filles particulièrement. Il en résulte que les descendances se situent assez fréquemment à un niveau supérieur à celui de la famille du maréchal, voire de son épouse. Ainsi, la postérité de Saint-Arnaud, de Randon, de Canrobert, de Le Bœuf appartiennent, dans une très large mesure, à la *noblesse. Il en est de même pour toute une partie de la descendance de Magnan.*

On observe, de manière générale, une homogénéité sociale assez marquée de la postérité immédiate du maréchal à la période actuelle, cela n'excluant pas des alliances avec des familles nouvelles, entrées dans la bourgeoisie ou parvenues à la notoriété au cours des dernières décennies. Les dérapages sont rares et presque toujours très circonscrits.

L'atavisme militaire apparaît indiscutablement dans les premières générations, celui-ci se manifestant pour les filles par le choix du conjoint, dans la mesure évidemment où, à l'époque, il reflétait le sentiment des intéressées. Un fils d'Exelmans est vice-amiral. L'un de ses petits-fils l'est également et un autre général de brigade. La fille de Saint-Arnaud épouse un colonel de cavalerie. Un fils de Magnan est général de brigade et deux de ses gendres sont respectivement colonel de cavalerie et d'artillerie. Le fils cadet de Castellane fait carrière dans l'armée, n'allant pas, il est vrai, plus loin que le grade de capitaine. Le gendre de Randon est général de division. La fille de Canrobert épouse un officier de marine et son fils est officier supérieur de cavalerie. Deux des fils de Mac Mahon sont généraux de brigade et son petit-fils lieutenant-colonel d'aviation. Le fils de Niel est général de brigade, son gendre général de division et ses petits-fils officiers de cavalerie. Le gendre de Le Bœuf est général de division et l'une de ses petites-filles épouse un général de brigade.

Au-delà, le courant s'étiole rapidement. On rencontre, bien sûr, maints officiers et quelques généraux ou amiraux épars dans les descendances en ligne féminine. Mais, la proportion, généralement, ne dépasse guère ce qui est habituel dans les milieux sociaux concernés. Certaines situations particulières ont des explications spécifiques, qui ne doivent rien au maréchal, aïeul plus ou moins éloigné. Si la postérité allemande de Castellane est toute constellée d'officiers prussiens et autres, ce qui doit faire s'éjouir dans sa tombe le chef implacable qu'il fut, c'est là l'effet du goût prononcé de la caste nobiliaire d'outre-Rhin pour l'état militaire. Qu'on dénombre une vingtaine d'officiers de marine, dont huit amiraux, parmi les descendants d'Exelmans ou leurs alliés, tient à une certaine tradition d'endogamie chez les officiers de la Royale, phénomène qui mériterait une étude approfondie.

Frères et sœurs

Trois des dix-neuf maréchaux étaient fils uniques : Exelmans, Castellane et Regnaud de Saint-Jean d'Angély. En sens inverse, les parents de Jérôme Bonaparte et de Pélissier avaient eu douze enfants, ceux d'Ornano onze, de Mac Mahon dix, quelques-uns étant, il est vrai, morts plus ou moins jeunes.

Plusieurs ont des frères et sœurs et des demi-frères et sœurs. Veufs, le père de Vaillant, celui de Canrobert et la mère de Saint-Arnaud s'étaient remariés et avaient eu de nouveaux enfants de leur seconde union. Le père de Baraguey d'Hilliers s'était allié à une divorcée qui avait des enfants de son premier mariage. Après avoir eu trois enfants naturels, nés de la même mère, le père de Bazaine avait contracté mariage et une fille était venue de celui-ci.

Harispe, Saint-Arnaud, Magnan, Le Bœuf étaient des aînés, Vaillant et Randon les aînés des enfants ayant atteint l'âge adulte, Baraguey d'Hilliers l'aîné du second mariage de sa mère. Pélissier n'avait qu'un frère avant lui. A l'opposé, Jérôme Bonaparte, Canrobert, Bosquet, Forey, Mac Mahon et Ornano étaient des benjamins ou se trouvaient parmi les plus jeunes.

On constate indéniablement, dans un certain nombre de cas, un phéno-mène de mimétisme à l'égard du métier des armes au sein de la fratrie. Les premiers succès du frère aîné décident les plus jeunes à choisir la même voie. Quelques-unes des sœurs épousent des militaires. Il arrive aussi que ce soit un frère aîné qui ait déterminé la vocation du futur maréchal. Les quatre frères d'Harispe s'engagent à sa suite en 1793 : la mort ou les blessures interrompront leur carrière assez tôt. Une demi-sœur de Baraguey épouse le général Foy et sa sœur le général de Dam-rémont. Son demi-frère tombe au combat en 1810. Le frère aîné de Pélis-sier meurt en Algérie étant chef de bataillon. Un autre de ses frères est officier de marine. Son plus jeune frère deviendra général de division. Une de ses sœurs épouse un capitaine de vaisseau. Le frère de Magnan entame une carrière, que ses blessures ne lui permettent pas de poursuivre. Un demi-frère de Canrobert est tué à Fleurus en 1815. Un frère d'Ornano meurt en Espagne en 1809. Le frère de Le Bœuf est sous-intendant mili-taire : il est emporté par le choléra en Crimée. Trois des frères de Mac Mahon font carrière plus ou moins longtemps dans l'armée. Parfois, l'influx se prolonge jusqu'à la génération des neveux, voire des petits-neveux. Un neveu de Pélissier tombe à Solferino. Plusieurs des neveux de Bazaine suivent le métier des armes : l'un d'eux sera général de division. Des petits-neveux de Magnan sont officiers et officiers supérieurs. Lorsqu'une hérédité militaire existe dans la famille, il est malaisé évidemment de discerner la part de celle-ci et du mimétisme.

L'entourage familial bénéficie très largement de la puissance tutélaire du maréchal. Le neveu par alliance de Bosquet doit aux interventions opportunes de celui-ci son avancement dans la magistrature. Forey donne un coup de pouce à la carrière militaire du fils d'une petite cousine. Au 2 décembre, Baraguey d'Hilliers évite la déportation à l'un de ses neveux. La protection parfois se poursuit par-delà la mort, grâce à la très grande bonté de Napoléon III. Ainsi, le frère et le demi-frère de Saint-Arnaud percevront, durant tout le Second empire, les dividendes du 2 décembre *et de l'Alma. Il y aurait une étude bien intéressante à écrire sur le népotisme et la recommandation !*

Il arrive que de proches parents du maréchal soient du bord opposé. Vaillant est à couteaux tirés avec le mari de l'une de ses sœurs, républicain et anticlérical. Le frère de Bazaine est, lui aussi, républicain, mais cela n'empêche pas des relations affectueuses avec le maréchal.

Bien d'autres points encore pourraient être examinés. Il aurait, par ailleurs, été possible d'approfondir davantage tel ou tel aspect. Mais, ce n'est pas là l'objet essentiel du présent travail.

I

Jérôme Bonaparte, roi de Westphalie

1-I-1850

CARRIERE

1784 : naissance à Ajaccio, Corse (9-XI),
1800 : aspirant de marine de 2e classe,
1801 : aspirant de marine de 1re classe,
1802 : enseigne de vaisseau (4-III), lieutenant de vaisseau (2-XI),
1805 : capitaine de frégate (2-VI), capitaine de vaisseau (1-XI),
1806 : contre-amiral (19-IX), reconnu prince français (24-IX)[1], commande la 2e division bavaroise (8-X), puis les deux divisions bavaroises et la division wurtembergeoise sous le nom d'armée des alliés (8-XI),
1807 : commande le 9e corps de la Grande armée (5-I), général de division (14-III), roi de Westphalie (8-VII)[2],
1809 : commande le 10e corps de la Grande armée en Allemagne,
1812 : commande le 8e corps (1-IV), commande l'aile droite de l'armée en Russie (22-IV); mécontent d'être placé sous les ordres de Davout, quitte son commandement (14-VII),
1813 : est contraint d'abandonner son royaume de Westphalie pour se retirer en France (26-X),
1814 : accompagne l'impératrice Marie-Louise à Blois (29-III), quitte la France pour Berne, puis Graz (16-VI), s'établit à Trieste (7-VIII),
1815 : quitte Trieste en secret (25-III), rejoint Murat (28-III), débarque au Golfe Juan (22-V), pair de France (2-VI), commande la 6e division du 2e corps (10-VI), blessé légèrement d'une balle au côté gauche aux Quatre-Bras (16-VI), puis d'un coup de feu à la tête à Waterloo (18-VI), rejoint l'empereur à Paris (23-VI), est invité par Fouché à quitter la capitale (26-VI), se réfugie au Wurtemberg (22-VIII),
1816 : fait prince de Montfort par le roi Frédéric Ier de Wurtemberg, son beau-père (31-VII)[3]; s'établit en Autriche (7-VIII),
1819 : s'établit à Trieste,
1823 : s'établit à Rome,
1832 : s'établit à Florence,
1836 : s'établit à Quarto (Toscane),
1847 : est autorisé à faire en France un séjour de trois mois[4],
1848 : réintégré dans le grade de général de division (11-X), gouverneur des Invalides (23-XII),
1850 : maréchal de France (1-I),
1852 : sénateur (26-I), président du Sénat (28-I), prince français (2-XII), gouverneur honoraire des Invalides (29-XII),
1860 : mort au château de Villegenis à Massy, Essonne (24-VI), d'une bronchite; inhumé aux Invalides.

ECRITS

- *Détail officiel annonçant le rachat de 231 esclaves tant français qu'italiens et liguriens, suivi de la lettre envoyée à son excellence le ministre de la marine et des colonies, par le frère de s.m. l'empereur et roi, Jérôme Bonaparte, capitaine de vaisseau, commandant une division dans la Méditerranée, à bord de la Pomone, en rade à Gênes, le 13 fructidor an XIII* (Paris, s.d., 4 p.).

● Une correspondance assez abondante publiée dans les deux ouvrages ci-après : *Mémoires et correspondance du roi Jérôme et de la reine Catherine* (Paris, 1861-1866, 7 volumes ; en dépit du titre, il ne s'agit pas de mémoires, mais d'une biographie du roi Jérôme, parue sans nom d'auteur [5], donnant en fin de chapitre des pièces justificatives) et *Briefwechsel der Köningin Katharina und des Königs Jerome von Westphalen, sowie des Kaisers Napoleon I, mit dem König Friedrich von Württemberg. Herausgegeben von Dr August von Schlossberger* (Stuttgart, 1886-1887, 3 volumes, l'introduction et les notes sont en allemand, le texte des lettres en français).

● *Demande d'une pension viagère pour le prince Jérôme Bonaparte (prince de Montfort), adressée au roi des Français, au ministère et aux chambres législatives* (Paris, 1844, 16 pages).

LE CADRE FAMILIAL

Ascendance [6]

I - Jérôme BONAPARTE, propriétaire de la Tour des Salines, y ayant fermier et domaine aux environs, procureur des nobles anciens de la ville d'Ajaccio [7], dont

II - François BONAPARTE, inhumé à Ajaccio le 28-V-1633, membre du Conseil des anciens d'Ajaccio, capitaine (d'après un acte de 1626), dont

III - Sébastien BONAPARTE, membre du Conseil des anciens d'Ajaccio, greffier de la commune d'Ajaccio, allié 1) à Ajaccio le 12-IX-1623 à Angela-Felice TROLIO-LUBERO, fille d'un capitaine de ce nom, 2) à Ajaccio le 19-V-1630 à Maria RASTELLI, fille de Dominique, dont du second mariage

IV - Charles-Marie BONAPARTE, baptisé à Ajaccio le 1-XI-1637, inhumé à Ajaccio le 26-VIII-1692, membre du Conseil des anciens d'Ajaccio, allié à Ajaccio le 10-VI-1657 à Virginia ODONE, fille de Pierre, dont

V - Joseph-Marie BONAPARTE, né à Ajaccio le 24-II-1663, inhumé à Ajaccio le 24-X-1703, membre du Conseil des anciens d'Ajaccio, allié à Ajaccio le 20-XII-1682 à Maria BOZZI, inhumée à Ajaccio le 16-X-1704 à 36 ans environ, dont

VI - Sébastien BONAPARTE, né à Ajaccio le 29-IX-1683, mort à Ajaccio le 24-XI-1760, membre du Conseil des anciens d'Ajaccio, allié à

Maria-Anna Tusoli, morte à Ajaccio le 17-IX-1760 à 70 ans, dont

VII - Joseph-Marie Bonaparte, né à Ajaccio le 31-V-1713 [8], mort à Ajaccio le 13-XII-1763, membre du Conseil des anciens d'Ajaccio, allié à Ajaccio le 5-III-1741 à Maria-Saveria Paravisino [9], fille de Joseph-Marie, dont

VIII - Charles Bonaparte, né à Ajaccio le 27-III-1746, mort à Montpellier le 20-II-1785, avocat au Conseil supérieur de Corse [10], assesseur de la juridiction royale des province et ville d'Ajaccio, reconnu noble de noblesse prouvée au-delà de 200 ans par le Conseil supérieur de Corse (1771), député de la noblesse pour la pïeve [11] d'Ajaccio aux Etats de Corse, député de la noblesse de Corse auprès du roi (1779), allié à Ajaccio le 1-VI-1764 à Maria-Letizia Ramolino, née à Ajaccio le 24-VIII-1750 [12], morte à Rome le 2-II-1836, fille de Jean-Jérôme [13], capitaine d'infanterie et de cavalerie, puis inspecteur général des routes et des ponts de la province d'Ajaccio [14], et de Angèle-Marie Pietrasanta [15].

Collatéraux [16]

On trouve trace dans les registres de baptêmes, mariages et décès d'Ajaccio de très nombreux collatéraux des personnages figurant à la rubrique précédente. Nous limitant à la période récente, nous mentionnerons : Napoléon Bonaparte, décédé à Corte le 17-VIII-1767, âgé de 50 ans environ, membre du Conseil des anciens d'Ajaccio, capitaine commandant la ville, allié à Ajaccio le 4-XI-1743 à Marie-Rose Bozzi [17], fille de Jean-Baptiste [18], et Lucien Bonaparte (Ajaccio 8-I-1718 - Ajaccio 15-X-1791), prêtre, archidiacre d'Ajaccio, reconnu noble de noblesse prouvée au-delà de 200 ans par le Conseil supérieur de Corse (1771), tous deux frères du degré VII.

ARMES

Etant roi de Westphalie, écartelé : I de gueules au cheval gai et effrayé d'argent (Westphalie ; armes traditionnelles de la Basse-Saxe, donc du Hanovre) ; II contre-écartelé : a) de gueules à 2 léopards d'or (Dietz), b) coupé de sable et d'or, à 1 étoile d'argent à 6 rais sur le sable (Ziegenhayn), c) coupé de sable et d'or à 2 étoiles d'argent à 6 rais, accostées, sur le sable (Nidda), d) d'or au léopard lionné de gueules armé, lampassé et couronné d'azur (Katzenelnbogen), sur le tout : d'azur au lion burellé d'argent et de gueules (couronné d'or) de 10 pièces (Hesse-Cassel) ; III gironné de gueules (croix et sautoir) et d'argent de 16 pièces, ayant sur le tout un écu d'or au lion de gueules (qui n'est pas Hombourg) ; IV contre-écartelé : a) de gueules à 2 lions léopardés d'or, armés, lampassés d'azur (Brunswick), b) d'or au lion de gueules couronné d'azur (Diepholz), c) d'or semé de cœurs de gueules au lion d'azur brochant (Lunebourg), d) de gueules au lion couronné d'or (ou au lion d'argent ; serait Lauterbourg ?) ; sur le tout des IV quartiers : d'empire.

Comme prince de Montfort, à partir de 1816, parti : I d'argent à la bannière ecclésiastique (genre gonfanon) de gueules frangée et attachée à 3 anneaux d'or (ancien comté de Montfort) ; II d'or à la ramure de cerf de sable soutenu du même champ au lion léopardé de sable lampassé de gueules (meubles venant du blason de Wurtemberg).

Sous le Second empire, Jérôme Bonaparte reprit les armes de Westphalie et les posa sur deux bâtons de maréchal de France [19].

LES EPOUSES

1er mariage

A Baltimore, Maryland [20], le 24-XII-1803 [21], avec Elisabeth PATTERSON (Baltimore 6-II-1785 - Baltimore 4-IV-1879), fille de William, négociant, armateur, président de la Banque de Maryland, et de Dorcas SPEAR, mariage déclaré nul par décrets impériaux des 2-III-1805 et 21-III-1805 [22], puis par sentences des officialités diocésaine et métropolitaine de Paris respectivement des 6-X et 8-X-1806 [23], enfin par un acte de l'assemblée générale de l'état de Maryland [24] en date du 2-I-1813 [25].

De confession presbytérienne, les Patterson se sont établis en Amérique du Nord avec William (Fanad, Irlande, 1-XI-1752 - Baltimore 7-VII-1835), le père d'Elisabeth. Fils d'autre William, métayer, et d'Elisabeth PEOPLES, anglo-écossais installés en Irlande, celui-ci est parti pour le nouveau monde à l'âge de quinze ans. Tout d'abord commis chez un négociant, il a bientôt fondé sa propre affaire et, rapidement, a réalisé une fortune considérable, grâce notamment au commerce avec la France durant la Guerre d'indépendance [26]. En dépit d'une réussite récente encore, la famille est bien alliée : Marguerite SPEAR, sœur de Dorcas (femme de William PATTERSON), a épousé en 1778 Samuel SMITH (Carlisle, Pennsylvanie, 27-VII-1752 - Baltimore 22-IV-1839), brigadier général, membre de la Chambre des représentants et du Sénat, maire de Baltimore, lequel était le frère de Robert SMITH (Lancaster, Pennsylvanie, 3-XI-1757 - 26-XI-1842), secrétaire à la marine, puis secrétaire d'état [27].

2ᵉ mariage

A Paris le 22-VIII-1807, avec s.a.r. la princesse Catherine de WUR-
TEMBERG, duchesse de Souabe et de Teck (Saint-Petersbourg 21-II-1783 -
Lausanne 29-XI-1835), fille de Frédéric Iᵉʳ roi de WURTEMBERG ²⁷ᵃ et de
la princesse Auguste de BRUNSWICK-WOLFENBUTTEL ²⁸.

De confession luthérienne ²⁹, la maison de WURTEMBERG remonte sa
filiation jusqu'au début du 13ᵉ siècle. Tout d'abord comté, ses possessions
deviennent duché en 1495. A la faveur de son alliance avec la France, le
père de la princesse Catherine obtint au recès de 1803 la dignité électorale,
puis en 1805, à la paix de Presbourg, le titre de roi, en même temps que se
trouvait doublée l'étendue de ses états ³⁰.

DESCENDANCE

du 1ᵉʳ mariage

I - Jérôme-Napoléon BONAPARTE (Camberwell, Surrey, 7-VII-1805 - Baltimore 17-VI-1870), propriétaire ³¹, allié Baltimore 3-XI-1829 à
Susan-May WILLIAMS (Baltimore 2-IV-1812 - Baltimore 15-IX-1881),
fille de Benjamin, négociant, et de Sally MORTON, dont

A - Jérôme-Napoléon BONAPARTE (Baltimore 5-XI-1830 - Pride's
Crossing, Massachusetts, 4-IX-1893), propriétaire, lieutenant-colonel de cavalerie (France) ³², allié Newport, Rhode Island, 7-IX-
1871 à Caroline-Leroy APPLETON (Boston, Massachusetts, 3-X-
1840 - Washington 19-XI-1911), fille de Samuel, négociant, et de
Julia WEBSTER ³³ [Caroline-Leroy APPLETON avait épousé précédemment, le 28-XI-1860, Newbold EDGAR (17-VI-1819 - Ems,
Allemagne, 26-VII-1869), fils de William et de Cornélia N. ³⁴],
dont

1 - Louise-Eugénie BONAPARTE (Baltimore 7-II-1873 - Bayonne
22-I-1923) alliée Washington 29-XII-1896 à Adam comte de
MOLTKE-HUITFELDT (Paris 31-VII-1864 ³⁵ - Copenhague 19-X-
1944) ³⁶, licencié en droit, secrétaire de légation, chambellan
à la cour de Danemark, fils de Gebhard-Léon comte de
MOLTKE-HUITFELDT, ministre de Danemark à Paris, chambellan à la cour de Danemark, et de la comtesse Marie von
SEEBACH ³⁷, dont

a - comtesse Marie de MOLTKE-HUITFELDT (Paris 16ᵉ 7-XI-
1897) alliée Biarritz 14-VIII-1940 à Raimundo FERNANDEZ-
VILLAVERDE, 2ᵉ marquis de POZO-RUBIO (Madrid 19-II-

1889 - Madrid 1-III-1948), avocat, député, fils de Raimundo FERNANDEZ-VILLAVERDE, député, ministre et président du conseil, gouverneur civil de la province de Madrid, et de Angeles ROCA de TOGORES, 1re marquise de POZO-RUBIO [38], s.p.,

b - Léon comte de MOLTKE-HUITFELDT (Paris 16e 14-XI-1898 - Glorup, Danemark, 11-I-1976), ingénieur agronome, propriétaire, administrateur de la Danske Provinsbank et du Musée des arts décoratifs, veneur et chambellan à la cour de Danemark, allié Copenhague 6-II-1929 à la comtesse Tove DANNESKIOLD-SAMSÖE (Rungsted, Danemark, 31-V-1909), fille du comte Knud, capitaine de cavalerie, président national de la Société des hussards de la garde, et d'Alice HASSELBALCH [39], dont

— comtesse Alice de MOLTKE-HUITFELDT (Copenhague 11-III-1930) alliée Glorup 24-IV-1952 au baron Niels ROSENKRANTZ (Rosenholm, Danemark, 7-VI-1921), licencié en droit, cadre de banque, fils de Hans baron ROSENKRANTZ, propriétaire, président de sociétés industrielles et de compagnies d'assurances, président du collège et du domaine de Herlufsholm [40], veneur et chambellan à la cour de Danemark, et de Esther LYSABILD, dont

• baronne Marianne ROSENKRANTZ (Hellerup, Danemark, 23-VI-1954) alliée Glorup 14-IX-1979 à Ole ANDERSEN (Copenhague 10-VIII-1953), fils d'Einar, négociant en bois, et de Bianca ANDERSEN,

• baron Iver ROSENKRANTZ (Hellerup 15-X-1955 - Slagelse, Danemark, 28-X-1974 [41]), s.a.,

• baronne Irène ROSENKRANTZ (Hellerup 25-XII-1959), chanoinesse au chapitre noble de Gisselfeld [42], s.a.a.,

— comtesse Marcellita de MOLTKE-HUITFELDT (Copenhague 15-V-1931) [43] alliée Glorup 22-VIII-1957 à Mogens WASSARD (Copenhague 12-X-1928), propriétaire agriculteur, fils de Mathias, licencié en droit, ambassadeur de Danemark [44], et de la baronne Esther WEDELL-WEDELLSBORG, dont

• Hans WASSARD (Copenhague 15-X-1960), s.a.a.

• Alice WASSARD (Copenhague 25-III-1970),

— comtesse Nina de MOLTKE-HUITFELDT (Copenhague

2-I-1937), quelque temps directrice de jardin d'enfants, alliée Copenhague 13-II-1965 à Ulrick BRETTON-MEYER (Copenhague 23-III-1933), architecte, fils de Jörgen, architecte, et de Paola THOMSEN, dont

- Klaus-Noël BRETTON-MEYER (Svendborg, Danemark, 24-XII-1965),

- Marie-Louise BRETTON-MEYER (Copenhague 11-II-1968),

- Ulrikka BRETTON-MEYER (Copenhague 6-VII-1971),

— comtesse Berta de MOLTKE-HUITFELDT (Copenhague 12-II-1938), correspondancière commerciale et artiste peintre, s.a.a.,

c - comte Jérôme de MOLTKE-HUITFELDT (Paris 16ᵉ 14-I-1902 - Rude, Danemark, 28-VII-1949), chef de département à la Croix rouge danoise, allié Copenhague 17-VII-1929 à Ebba OELLGAARD (Aalborg, Danemark, 11-VIII-1906 - Copenhague 30-XII-1974), fille de Christian-Ernst, colonel (garde royale), chambellan à la cour de Danemark, et de Fanny FAURSCHOU [Ebba OELLGAARD s'est remariée à Copenhague le 4-II-1953 à Ivan SCHIOELER (Copenhague 6-I-1906), avocat de cour d'appel, fils de Carl, licencié en philosophie, professeur (secondaire), et de Carla BIRCH [45]], s.p.,

d - Adam comte de MOLTKE-HUITFELDT (Paris 16ᵉ 17-V-1908), ambassadeur de Danemark [46], allié Washington 26-V-1945 à la comtesse Margit von ROSEN (Stockholm 12-I-1917), fille du comte Eugène, grand-maître des cérémonies à la cour de Suède, et d'Eléonore WIJK [47], dont

— comtesse Margrete de MOLTKE-HUITFELDT (Washington 28-IX-1948 - Copenhague 7-VII-1979), chanoinesse au chapitre noble de Vallö [42], s.a.,

— comtesse Elizabeth de MOLTKE-HUITFELDT (Stockholm 16-VIII-1950), chanoinesse au chapitre noble de Vallö [42], s.a.a.,

— comte Adam de MOLTKE-HUITFELDT (Copenhague 22-VIII-1954), propriétaire agriculteur, s.a.a.,

e - comte Eiler de MOLTKE-HUITFELDT (Glorup 22-X-1909), propriétaire, allié New Castel, New York, 25-VI-1936 à Elena VALAORY (Bucarest 7-II-1905 - Bormes-les-mimosas

11-III-1973), fille de Julien, professeur de droit à l'Université de Bucarest, ministre de l'instruction publique, et de
Marie STOICESCU [Elena VALAORY s'était alliée précédemment à Bucarest en XI-1919 à Georges METAXA, né à
Bucarest, mort aux Etats-unis vers 1950, avocat, puis
artiste lyrique, fils de Nicolas, avocat, et d'Emilia N.,
mariage dissous par jug. de divorce à Morales, Mexique],
s.p. [48].

2 - Jérôme BONAPARTE (Paris 8e 26-II-1878 - New York 10-XI-
1945), propriétaire [49], allié New York 8-IV-1914 à Blanche
PIERCE (Newtonville, Massachusetts, 6-IX-1872 - Greenwich,
Connecticut, 28-VII-1950), fille d'Edward, avocat, et d'Amelia
HILL [50] [Blanche PIERCE avait épousé précédemment à Boston
le 6-XII-1899 Harold STREBEIGH (New York VIII-1866 - Nassau County, New York, XII-1935), propriétaire, fils de Robert
et d'Agnès CHICHESTER, mariage dissous par jug. de divorce
le 3-IV-1914] [51], s.p.,

B - Charles-Joseph BONAPARTE (Baltimore 9-VI-1851 - Bella Vista,
Baltimore County, 28-VI-1921), avocat, secrétaire à la marine
(1905), attorney général (1906) [52], allié Newport 1-IX-1875 à Ellen-
Channing DAY (Hartford, Connecticut, 25-IX-1852 - Washington
23-VI-1924), fille de Thomas-Mills, avocat, puis propriétaire-
directeur de journal [53], et d'Anne-Jones DUNN, s.p. [54],

du 2e mariage

II - prince Jérôme de MONTFORT (Trieste 24-VIII-1814 - Florence 12-V-
1847), colonel d'infanterie (Wurtemberg), s.a. [55],

III - s.a.i la princesse Mathilde (Trieste 27-V-1820 - Paris 8e 2-I-1904),
princesse française (1852) [56], alliée Florence 1-XI-1840 à Anatole-
Nicolaïevitch DEMIDOFF, comte (23-II-1837), puis prince (20-X-1840)
de SAN DONATO [57] (Moscou 5-IV-1813 - Paris 8e 29-IV-1870) gentilhomme de la chambre de l'empereur de Russie, conseiller d'état
actuel, fils de Nicolas, conseiller privé et chambellan de l'empereur
de Russie, et de la baronne Elisabeth STROGONOFF [58], séparation prononcée par décision personnelle du tsar Nicolas Ier de fin 1847,
s.p. [59],

IV - s.a.i. le prince Napoléon dit le prince Napoléon (Jérôme) [60] (Trieste
9-IX-1822 - Rome 17-III-1891), député de la Corse (1848), député de
la Sarthe (1849), ministre plénipotentiaire à Madrid (1849), prince
français (1852), sénateur (1852), général de division (1853) [61], ministre

de l'Algérie et des colonies (1858-1859), comte de Moncalieri à titre personnel par diplôme italien du I-XI-1870, conseiller général de la Corse (1871), député de la Corse (1876) [62], allié Turin 30-I-1859 à s.a.r. la princesse Clotilde de Savoie (Turin 2-III-1843 - Moncalieri, Italie, 25-VI-1911), fille de Victor-Emmanuel II, roi de Sardaigne, puis d'Italie, et de s.a.i. et r. l'archiduchesse Adélaïde d'Autriche [63], dont [64]

A - s.a.i. Victor prince Napoléon (Paris 1er 18-VII-1862 - Bruxelles 3-V-1926) allié Moncalieri, 14-XI-1910 à s.a.r. la princesse Clémentine de Belgique, duchesse de Saxe, princesse de Saxe-Cobourg-Gotha (Laeken, Belgique, 30-VII-1872 - Nice 8-III-1955), fille de Léopold II roi des Belges et de s.a.i. et r. l'archiduchesse Marie-Henriette d'Autriche [65], dont

1 - s.a.i. la princesse Marie-Clotilde Napoléon (Bruxelles 20-III-1912) alliée Londres 17-X-1938 à Serge de Witt (Moscou 30-XII-1891) [66], collaborateur d'architecte, puis propriétaire agriculteur, capitaine de cavalerie (Russie), aide de camp du maréchal Mannerheim [67], fils de Oscar, conseiller d'état, et de Lydia de Fidler [68], dont

a - Marie-Eugénie de Witt (Boulogne-Billancourt 29-VIII-1939), directrice de galerie d'art [69], alliée 1) Paris 16e 8-XI-1961 au comte Pierre Chérémeteff (Rabat 13-IX-1931), architecte diplômé de l'Ecole spéciale d'architecture, fils du comte Pierre, ingénieur agricole, représentant au Maroc d'une firme fabriquant des machines agricoles, et de Marina Levchine [70], mariage dissous par jug. du t. c. de Paris le 10-VII-1975, 2) Paris 7e 24-X-1975 au comte Hélie de Pourtalès (Neuilly-sur-Seine 25-XI-1938), gérant de banque [71], fils du comte James, propriétaire [72], et de Violette de Talleyrand-Périgord, duchesse de Sagan [73] [le comte Hélie de Pourtalès avait, de son côté, épousé précédemment à Paris 7e le 28-IV-1962 Dalité Matossian (Lausanne 17-X-1937), fille de Tigrane, industriel, et de Joséphine Hernarscott Routch, mariage dissous par arrêt de la cour de justice civile de la République de Genève le 13-XII-1974], s.p. du 1er mariage, s.p.a. du 2d,

b - Hélène de Witt (Sousse, Tunisie, 22-XI-1941) alliée Paris 16e 16-X-1959 à Henri marquis du Lau d'Allemans (Paris 16e 17-III-1925) [74], propriétaire agriculteur, fils d'Armand marquis du Lau d'Allemans, ancien élève de l'Ecole des hautes études commerciales, propriétaire éleveur, et de Françoise de Ludre [75], dont

— Jean du LAU d'ALLEMANS (Périgueux 18-XII-1960), s.a.a.

— Alexandre du LAU d'ALLEMANS (Périgueux 19-V-1962),

— Astrid du LAU d'ALLEMANS (Périgueux 16-IX-1963),

c - Napoléon-Serge de WITT (Sousse 2-XI-1942 - Sousse 6-XI-1942)

d - Yolande de WITT (Sousse 9-XI-1943 - Sousse 6-VII-1945)

e - Véra-Geneviève de WITT (Monastir, Tunisie, 7-XI-1945) alliée Urval 9-IV-1966 à Godefroy marquis de COMMARQUE (Urval 18-XII-1938), ancien élève de l'Ecole supérieure d'agriculture de Purpan, diplômé de l'Institut d'études politiques de Toulouse et de l'Institut d'études internationales et des pays en voie de développement, propriétaire agriculteur, gérant de groupement forestier, fils de Gérard marquis de COMMARQUE ✕ [76], propriétaire agriculteur, et de Marguerite PINEL, dont

— Grégoire de COMMARQUE (Périgueux 22-IV-1967),

— Cyril de COMMARQUE (Périgueux 12-VIII-1970),

f - Baudoin-Napoléon de WITT (Sousse 24-I-1947), propriétaire agriculteur, allié Cendrieux 24-VIII-1968 à Isabelle de ROCCA-SERRA (Vienne, Autriche, 8-I-1950), fille de Henry [77], général de brigade (air) [78], et de Suzanne RYS, dont

— Alexandra de WITT (Castelsarrazin 13-III-1969),

— Jean-Emmanuel de WITT (Périgueux 2-IX-1970),

— Laetitia de WITT (Périgueux 11-X-1974),

g - Isabelle de WITT (Cendrieux 27-I-1949) alliée Paris 16ᵉ 16-X-1970 à Remmert LAAN (Bloemendaal, Pays-bas, 29-VII-1942), maître en droit de l'Université de Leyde, diplômé de l'Institut européen d'administration des affaires, directeur de société, fils de Raymond, directeur de société, et d'Elisabeth VAN DER LEE, dont

— Constantin LAAN (Neuilly-sur-Seine 11-X-1974),

— Adrien LAAN (Neuilly-sur-Seine 12-III-1977),

h - Jean-Jérôme de WITT (Cendrieux 12-IV-1950) [79], agent général de société [80], allié Rhode-Saint-Genèse, Belgique, 21-X-1970 à Véronique DE DRYVER (Uccle, Belgique, 26-

XII-1950), fille de Freddy, officier de la marine marchande, puis directeur de société, et de Christiane-Paule BURNET, artiste sculpteur, dont

— Alexandre de WITT (Ixelles 9-III-1971),

— Marie-Clotilde de WITT (Uccle 8-XII-1977),

i - Vladimir de WITT (Cendrieux 26-I-1952), ancien élève de l'Ecole des cadres, cadre de banque, allié Hainburg-sur-Danube, Autriche, 30-IV-1976 [81], à Marguerite MAUTNER de MARKHOF (Vienne 15-III-1954), fille du chevalier Manfred, président et administrateur de sociétés, professeur de publicité à l'Université de Vienne [82], et de la comtesse Margareta CASSIS-FARAONE [83], dont

— Elena de WITT (Neuilly-sur-Seine 4-XII-1977),

j - Anne de WITT (Bergerac 28-III-1953), diplômée de l'Ecole d'interprétariat, interprète secrétaire trilingue [84], alliée Cendrieux 7-VI-1975 à Henry ROBERT de RANCHER (Fez 15-XII-1949), diplômé de l'Ecole supérieure de commerce de Bordeaux et de l'Université Harvard (Etats-unis), cadre administratif (Bourse de New York), fils de René, directeur administratif dans l'industrie (papeterie), et de Cécile SAINMONT, s.p.a.,

2 - s.a.i. Louis prince NAPOLÉON (Bruxelles 23-I-1914), administrateur de sociétés [85], capitaine d'infanterie [86], allié Linières-Bouton 16-VIII-1949 à Alix de FORESTA (Marseille 4-IV-1926), fille du comte Albéric, administrateur de société [87], propriétaire, et de Geneviève FRÉDET [88], dont

a - s.a.i. le prince Charles NAPOLÉON (Boulogne-Billancourt 19-X-1950) [89], titulaire d'une licence de gestion, d'une maîtrise d'économie appliquée et d'un diplôme d'études supérieures d'économétrie, docteur en sciences économiques, cadre supérieur, allié Paris 5e 19-XII-1978 à s.a.r. la princesse Béatrice de BOURBON-SICILES (Saint-Raphaël, Var, 16-VI-1950), titulaire d'une maîtrise de sociologie et psychologie, diplômée d'interprétariat international, attachée de presse, fille de s.a.r. le prince Ferdinand de BOURBON-SICILES, duc de CASTRO, propriétaire agriculteur, et de Chantal de CHEVRON-VILLETTE,

b - s.a.i. la princesse Catherine NAPOLÉON (Boulogne-Billancourt 19-X-1950) [90] alliée Nyon, Suisse, 4-VI-1974 à Nicolo

SAN MARTINO d'AGLIE di SAN GERMANO (Campiglione, Italie, 3-VII-1948), propriétaire agriculteur, président des Jeunes agriculteurs du Piémont [91], fils de Casimiro SAN MARTINO d'AGLIE marquis de SAN GERMANO, ingénieur agricole, propriétaire agriculteur, et de donna Maria-Cristina RUFFO di CALABRIA [92], s.p.a.,

   c - s.a.i. la princesse Laure NAPOLÉON (Paris 16e 8-X-1952) [93], cadre commercial [94], s.a.a.,

   d - s.a.i. le prince Jérôme NAPOLÉON (Saint-Cloud 14-I-1957) [95], s.a.a.,

B - s.a.i. le prince Louis NAPOLÉON (Meudon 16-VII-1864 - Prangins, Suisse, 14-X-1932), général-major dans l'armée impériale russe, s.a.,

C - s.a.i. la princesse Letizia NAPOLÉON (Paris 1er 20-XII-1866 - Moncalieri 25-X-1926) alliée Turin 11-IX-1888 à s.a.r. le prince Amédée de SAVOIE, duc d'AOSTE (Turin 30-V-1845 - Turin 18-I-1890), roi d'Espagne sous le nom d'Amédée Ier de 1870 à 1873, fils de Victor-Emmanuel II, roi de Sardaigne, puis d'Italie, et de s.a.i. et r. l'archiduchesse Adélaïde d'AUTRICHE [96] [le prince Amédée de SAVOIE avait épousé précédemment à Turin le 30-V-1867 donna Marie-Victoire dal POZZO della CISTERNA (Paris 9-VIII-1847 - San Remo 8-XI-1876), fille d'Emmanuel prince dal POZZO della CISTERNA, chambellan de la princesse Pauline princesse et duchesse de Guastalla (1806-1814), sénateur du royaume de Sardaigne (1848), et de la comtesse Louise-Ghislaine de MÉRODE [97]], dont uniquement

   s.a.r. le prince Humbert de SAVOIE-AOSTE, comte de SALEMI (Turin 22-VI-1889 - Crespano-Veneto, Italie, 19-X-1918), lieutenant de cavalerie, s.a. [98]

FRERES ET SŒURS

1 - Napoléon, né et décédé en 1765 [99],

2 - Marie-Anne, née à Corte 3-I-1767, décédée la même année,

3 - Joseph (Corte 7-I-1768 - Florence 28-VII-1844), député du Golo au Conseil des cinq-cents (1797), sénateur (1802), prince français (1804), grand électeur (1804), général de division (1806), roi de Naples et de Sicile (1806-1808), roi des Espagnes et des Indes (1808-1813), lieutenant général de l'empire et commandant en chef de la garde nationale (1814), pair de France (2-VI-1815), allié Cuges-les-pins 1-VIII-1794

à Julie CLARY (Marseille 26-XII-1771 - Florence 7-IV-1845), fille de
François, fabricant de savon et négociant en denrées coloniales,
échevin de Marseille, et de Rose SOMIS [100], dont une postérité en ligne
féminine subsistante (voir, du même auteur, *Le sang des Bonaparte*),

4 - Napoléon (Ajaccio 15-VIII-1769 - Longwood, île de Sainte-Hélène,
5-V-1821), général de division (1795), Ier consul (1799), consul à vie
(1802), médiateur de la Confédération suisse (1803), empereur héréditaire (1804), roi d'Italie (1805), protecteur de la Confédération du
Rhin (1806), allié 1) Paris 9-III-1796 à Rose dite Joséphine de TAS-
CHER de LA PAGERIE (Trois-Ilets, Martinique, 23-VI-1763 - Rueil-
Malmaison 29-V-1814), duchesse de Navarre (1810), fille de Joseph-
Gaspard, capitaine de dragons, puis propriétaire de plantations à La
Martinique, et de Rose-Claire des VERGERS de SANOIS, mariage dissous par sénatus consulte spécial du 16-XII-1809 et déclaré nul par
sentences des officialités diocésaine et métropolitaine de Paris respectivement des 9-I et 12-I-1810 [Joséphine de TASCHER de LA PAGERIE
avait épousé précédemment à Noisy-le-grand le 13-XII-1779 Alexandre vicomte de BEAUHARNAIS (Fort-de-France, Martinique, 28-V-
1760 [101] - Paris 23-VII-1794 [102]), député de la noblesse (bailliage de
Blois) aux Etats généraux, général de division (1793), fils de François
marquis de BEAUHARNAIS, chef d'escadre des armées navales [103], gouverneur lieutenant général des Iles-du-vent, lieutenant général à la
Martinique, et de Marie-Henriette PYVART de CHASTULLÉ], 2) Saint-
Cloud 1-IV-1810 à s.a.i. et r. l'archiduchesse Marie-Louise
d'AUTRICHE (Vienne 12-XII-1791 - Parme 17-XII-1847), duchesse de
Parme, Plaisance et Guastalla (1814), fille de François Ier empereur
d'Autriche et de s.a.r. la princesse Marie-Thérèse de BOURBON-
SICILES [s.a.i. et r. l'archiduchesse Marie-Louise d'AUTRICHE s'est
remariée 1) Parme 8-VIII-1821 [104] à s.a. ill. Adam-Adalbert comte de
NEIPPERG (Vienne 8-IV-1775 - Parme 22-II-1829), lieutenant-général
(Autriche), puis (1816) cavalier d'honneur de la duchesse de Parme,
chargé du département de la guerre, du commandement supérieur des
troupes et des affaires étrangères du duché de Parme, fils de s.a. ill.
Léopold comte de NEIPPERG, chambellan et ambassadeur impérial, et
de la comtesse Marie-Wilhelmine de HATZFELDT-WILDENBURG [105],
2) Parme 17-II-1834 [106] à Charles-René comte de BOMBELLES (Versailles
6-XI-1785 - Versailles 30-V-1856), colonel d'infanterie (Autriche),
lieutenant-colonel d'infanterie (France), gentilhomme de la chambre
des rois Louis XVIII et Charles X, puis (1833) président du conseil
des conférences extraordinaires, chef de l'administration militaire et
grand maître de la cour du duché de Parme, fils de Marc-Marie
marquis de BOMBELLES, maréchal de camp, ambassadeur, puis —
étant entré dans les ordres après la mort de sa femme — aumônier

de la duchesse de Berry (1816), évêque d'Amiens (1819), et d'Angélique de MACKAU, dame de Madame Elisabeth [107]], s.p. du 1er mariage,
dont du 2d mariage uniquement Napoléon-François-Joseph-Charles
(Paris 20-III-1811 - Schönbrunn 22-VII-1832), prince impérial, roi de
Rome, puis duc de REICHSTADT (1818), s.a.,

5 - Marie-Anne (Ajaccio 14-VII-1771 - Ajaccio XII-1771),

6 - une fille née et morte en 1773,

7 - Lucien (Ajaccio 21-V-1775 - Viterbe 29-VI-1840), député du Liamone
au Conseil des cinq-cents (1798), président de cette assemblée (1799),
ministre de l'intérieur (1799), ambassadeur à Madrid (1800), membre
du Tribunat (1802), sénateur (1802-1810), membre de l'Institut, classe
de langue et de littérature françaises (1803), prince de Canino et de
Musignano (18-VIII-1814, titre pontifical), prince français (22-III-
1815), pair de France (2-VI-1815), allié 1) Saint-Maximin, Var, 4-V-
1794 à Catherine-Eléonore dite Christine BOYER (6-VII-1773 [107a] - Paris
14-V-1800), fille de Pierre, aubergiste, et de Rosalie FABRE, 2) Chamant 26-X-1803 [108] à Alexandrine JACOB de BLESCHAMP (Calais 23-II-
1778 - Sinigaglia, Etats pontificaux, 12-VII-1855), fille de Charles,
commissaire principal de la marine, et de Philiberthe BOUVET
[Alexandrine JACOB de BLESCHAMP avait épousé précédemment à
Paris par contrat du 29-XII-1798 [109] Hippolyte JOUBERTHON (Naples
2-IV-1763 - Port-au-prince, Haïti, 15-VI-1802 [110]), agent de change,
fils de Jean-Louis, docteur en médecine, médecin consultant auprès
du comte d'Artois [111], et de Marie de GRADO [112]], dont, du 1er mariage,
une postérité en ligne féminine subsistante et, du 2d mariage, une
postérité en ligne masculine éteinte et une postérité en ligne féminine
subsistante (voir, du même auteur, *Le sang des Bonaparte*),

8 - Marie-Anne dite Elisa (Ajaccio 3-I-1777 - Villa Vicentina, Italie [113],
7-VIII-1820), princesse française (1804), princesse de Lucques et de
Piombino (1805), grande-duchesse ayant le gouvernement général des
départements de la Toscane (1809), dite après 1814 la comtesse de
Compignano, alliée Marseille 1-V-1797 à Félix BACIOCCHI (Ajaccio
18-V-1762 - Bologne 27-IV-1841), général de brigade (1804), sénateur
(1804), prince de Lucques et Piombino (1805), général de division
(1809), commandant la 29e division militaire à Florence (1809), fils
de François, propriétaire, membre du Conseil des anciens d'Ajaccio,
et de Flaminia BENIELLI, dont postérité en lignes masculine et féminine, éteinte (voir, du même auteur, *Le sang des Bonaparte*),

9 - Louis (Ajaccio 2-IX-1778 - Livourne, Italie, 25-VII-1846), général de
brigade (1803), général de division (1804), prince français (1804),

connétable de l'empire (1804), roi de Hollande (1806-1810), pair de France (2-VI-1815), dit après 1814 le comte de Saint-Leu, allié Paris 3-I-1802 à Hortense de BEAUHARNAIS (Paris 10-IV-1783 - Arenenberg, Suisse, 5-X-1837), duchesse de Saint-Leu (30-V-1814)[114], fille d'Alexandre vicomte de BEAUHARNAIS et de Joséphine de TASCHER de LA PAGERIE (voir supra), dont une postérité en ligne masculine, éteinte (voir, du même auteur, *Le sang des Bonaparte*),

10 - Marie-Paulette dite Pauline (Ajaccio 10-X-1780 - Florence 7-VI-1825), princesse française (1804), princesse et duchesse de Guastalla (1806), alliée 1) Mombello, Italie, 14-VI-1897 à Victor-Emmanuel LECLERC (Pontoise 17-III-1772 - Cap Français, Saint-Domingue, 2-XI-1802), général de brigade (1797), général de division (1799), commandant en chef de l'expédition de Saint-Domingue (1801), fils de Jean-Paul, négociant en grains, et de Louise MUSQUINET[115], 2) Mortefontaine, Oise, 6-XI-1803 à Camille prince BORGHÈSE, prince de Sulmona (Rome 15-VII-1775 - Florence 10-IV-1832), prince et duc de Guastalla (1806), général de brigade (1807), général de division (1808), gouverneur général des départements au-delà des Alpes (1808)[116], fils de Marc-Antoine prince BORGHÈSE, prince de Sulmona, et de donna Anne-Marie SALVIATI, dont un fils mort jeune du 1er mariage, s.p. du second,

11 - Marie-Annonciade dite Caroline (Ajaccio 25-III-1782 - Florence 18-V-1839), princesse française (1804), dite après 1814 comtesse de Lipona, alliée Plailly 20-I-1800 à Joachim MURAT (La Bastide-For-tunière, Lot, 25-III-1767 - Le Pizzo, royaume de Naples, 13-X-1815), général de brigade (1796), général de division (25-VII-1799), gouverneur de Paris (1804), maréchal d'empire (1804), député du Lot au Corps législatif (1804), prince grand amiral de France (1805), grand-duc de Berg et de Clèves (1806), roi des Deux-Siciles (1808), fils de Pierre, marchand et aubergiste, et de Jeanne LOUBIÈRE[117], dont postérité en lignes masculine et féminine subsistante (voir, du même auteur, *Le sang des Bonaparte*)[118].

NOTES

1 Constitutionnellement, un sénatus-consulte avec ratification par le peuple était nécessaire pour donner plein effet à la décision de Napoléon d'introduire Jérôme dans la famille impériale, dont il avait tout d'abord été exclu en raison de son union américaine (voir infra) : celui-ci, pour lequel un projet avait été établi, ne fut jamais réalisé (voir Frédéric Masson, *Napoléon et sa famille*, t. III, p. 373).

2 Jérôme Bonaparte fut reconnu roi de Westphalie par le traité de Tilsit.

3 Titre héréditaire — Montfort était le nom d'un château proche de Langenargen en Wurtemberg —, le chef de maison étant *Fürst*, les cadets *Prinz*, les femmes

Prinzessin, tous ayant la qualité d'altesse sérénissime (précisions dues à l'obligeance du Dr Eberhard Gönner, directeur des Archives centrales de l'état de Bade-Wurtemberg, à Stuttgart).

4 Selon le *Dictionnaire des parlementaires* de Robert et Cougny, lorsqu'éclata la révolution de 1848, on trouva sur le bureau du roi Louis-Philippe deux ordonnances qui n'attendaient que sa signature, l'une accordant à Jérôme Bonaparte une pension de 100 000 F, l'autre le nommant pair de France.

5 Le catalogue de la Bibliothèque nationale attribue ce travail à Albert baron Ducasse, lequel fut de 1849 à 1854 aide de camp du roi Jérôme.

6 Du degré II au degré VIII, la filiation a été établie exclusivement à partir des actes de baptême, mariage et décès. Pour le degré I, nous nous appuyons sur la reconnaissance de noblesse prouvée au-delà de 200 ans, accordée en 1771 à l'archidiacre Lucien Bonaparte et à son neveu Charles (père de Napoléon) par le Conseil supérieur de Corse (A.D. d'Ajaccio, B²⁰, f° 15-17 ; on trouvera le texte de cette reconnaissance dans Xavier Versini *M. de Buonaparte ou le livre inachevé,* Paris 1977, p. 193), qui fait débuter la filiation retenue avec ce personnage et, par ailleurs, sur une délibération du conseil des anciens d'Ajaccio de 1616 (A.C. d'Ajaccio, série DD liasse 2, 1616-1657) qui mentionne Francesco Bonaparte, membre du conseil, fils de feu Jérôme. L'inventaire des pièces produites devant d'Hozier en 1779 — les pièces elles-mêmes, rendues à la famille comme il était d'usage, n'existent plus aujourd'hui — en vue de l'entrée de Napoléon à l'école royale militaire de Brienne (A.N., AEI 13 n° 1 ; on trouvera le texte dans *Le sang des Bonaparte* de l'auteur du présent ouvrage, p. 137) fait état de deux degrés antérieurement à ce Jérôme : Gabriel et François. Nous n'avons pas cru pouvoir tenir pour tout à fait assurés les deux degrés en question car, comme il n'était exigé pour les écoles militaires que 4 générations de noblesse (l'impétrant, son père, son grand-père et son arrière-grand-père), il n'est pas acquis que d'Hozier ait vérifié la totalité de la filiation présentée. Les titres et fonctions indiqués sont donnés d'après les actes d'état civil, la reconnaissance de noblesse de 1771, l'inventaire des pièces produites en 1779 en vue de l'entrée à Brienne et, pour quelques cas, de documents divers faisant partie des A.C. d'Ajaccio (voir Célestin Bosc, *Inventaire sommaire des archives communales d'Ajaccio,* Draguignan 1896, qui analyse de façon détaillée ce qui concerne la famille Bonaparte). Toutes ces sources se bornent à indiquer les fonctions publiques, le plus souvent non lucratives. On peut raisonnablement penser que les ancêtres corses de Napoléon tiraient leurs moyens d'existence de propriétés plus ou moins importantes situées dans la région, y cultivant notamment la vigne et l'olivier. C'était, en effet, le cas du père de Napoléon, Charles Bonaparte, lequel devait en outre quelques revenus à ses activités d'avocat et de magistrat — voir à son sujet l'ouvrage très documenté de Xavier Versini cité plus haut — et son mode de vie ne devait pas être très différent de celui des générations précédentes. Sans doute, pour certains au moins, faut-il y ajouter le négoce : il y a à cet égard des allusions transparentes dans plusieurs documents, tout particulièrement dans des pièces relatives à des litiges avec l'administration (voir Célestin Bosc, op. cit.). De nombreux auteurs ont publié des généalogies remontant beaucoup plus haut et, le plus souvent, donnant aux Bonaparte des ancêtres d'un rang considérable. Il ne s'agit là, de façon générale, que d'affabulations inspirées par la courtisanerie. Il y a lieu de faire une place à part, cependant, aux travaux de Domenico-Maria Bernucci. Né en 1753 à Sarzane, aux confins de la Ligurie et de la Toscane, dont il fut maire de 1808 à 1814, historien local, grand fouilleur d'archives, celui-ci commença à s'intéresser à la famille Bonaparte lorsque, un peu avant la Révolution, le futur roi Joseph, alors étudiant à Pise, désireux d'être reçu dans l'ordre toscan de Saint-Etienne, voulut se rattacher aux Bonaparte de Florence : le notaire auquel il s'était adressé à cet effet soumit le problème à Bernucci. Ce dernier ne parvint pas au résultat souhaité, mais relia les Bonaparte de Corse à une famille de même nom ayant vécu à Sarzane. Quelques années plus tard, la gloire naissante du général Bonaparte l'incita à reprendre le travail. Explorant les fonds de notaires de Sarzane

et de la région, il remonta peu à peu jusqu'au 12ᵉ siècle, ne rencontrant aucun personnage marquant, mais une suite de tabellions et de robins modestes, n'ayant jamais quitté la petite ville. Bernucci a rédigé plusieurs textes récapitulant les résultats de ses recherches, chacun complétant le précédent, à mesure de ses nouvelles trouvailles. L'un d'eux, établi lorsque, en 1802, les habitants de Sarzane voulurent élever une statue au Iᵉʳ consul, se trouve aux A.N. (AEI 13 nº 28). La Bibliothèque universitaire de Gênes en possède un autre : *Genealogia della famiglia Bonaparte della città di Sarzana, dall'anno 1200 sino all'epoca in cui nel secolo XVI si vede trasferita nella città di Ajaccio nel regno di Corsica, descritta da Domenico-Maria Bernucci, sarzanese, nell'anno 1805.* La version la plus complète, la seule qui ait été imprimée — encore est-ce en italien —, a été publiée, précédée d'une introduction de Giovanni Sforza, sous le titre *Gli antenati di Napoleone I in Lunigiana,* dans *Miscellanea di storia italiana,* Turin, 17ᵉ vol. de la 3ᵉ série, 48ᵉ vol. de l'ensemble, 1915 (B. N., K 12549). Bernucci travaille sérieusement : il produit les documents sur lesquels il s'appuie et ne cherche pas à enjoliver les faits. Certes, des vérifications, des recoupements raient souhaitables, dans la mesure où cela est encore possible aujourd'hui. D'ores et déjà, nous ne sommes pas éloignés de croire que la généalogie établie par ses soins pourrait bien constituer l'authentique ascendance de l'empereur Napoléon au-delà de ses ancêtres ajacciens.

7 *Le conseil des anciens était composé de 6 membres élus par le conseil général de la municipalité. C'est à eux seuls, sauf en des cas importants, qu'incombait toute l'administration municipale* (Célestin Bosc, op. cit.).

8 Le registre des baptêmes d'Ajaccio pour 1713 manque. La date figure dans la reconnaissance de noblesse de 1771. Le contexte permet de penser que le lieu est Ajaccio.

9 Le nom de l'épouse de Joseph-Marie Bonaparte est orthographié, selon les auteurs, Paravicino, Paravisini, Paravisino : nous avons retenu la forme utilisée dans l'acte de mariage des intéressés.

10 Cour de justice ayant pratiquement les attributions des parlements dans la France continentale, instituée lors du rattachement de la Corse à la France.

11 Subdivision administrative de l'importance de nos cantons.

12 On ne possède pas l'acte de naissance de la mère de Napoléon : les registres de baptêmes d'Ajaccio manquent pour les années 1745 à 1759. La date que nous avons retenue est celle qui figure dans l'*Almanach impérial* pendant tout le Premier empire, à l'exception de 1807, où l'on trouve le 13-I-1745, sans doute à la suite d'une erreur matérielle.

13 On pourra consulter sur la famille de Madame mère : *La famille maternelle de Napoléon Iᵉʳ : les Ramolino et leur généalogie* par Fernand Beaucour (Amiens, 1973).

14 Nous nous appuyons pour les qualités données à Jean-Jérôme Ramolino sur un document figurant dans un dossier présenté par Nicolas Ramolino à la fin du Second empire en vue d'obtenir confirmation du titre de comte de Coll'Alto (A.N., BB¹¹ 1119, dossier 3979X9). Ce dossier contient notamment un *Mémoire sur la généalogie de la famille Ramolino et le titre de comte de Coll'Alto.* En annexe de celui-ci, se trouve une liste intitulée *Nomenclature des pièces authentiques numérotées au dossier ci-joint,* au nombre de 31. La pièce nº 9 y est ainsi décrite : *Copie d'un brevet authentique du grade de capitaine d'infanterie et de cavalerie du noble Jean-Jérôme Ramolino, fils de Jean-Augustin, en date du 7-XII-1743. Certifié conforme à l'original déposé aux archives de s.a.i. le prince Napoléon Bonaparte, en traduction* et la pièce nº 10 comme suit : *Copie d'une lettre patente authentique, du 23-V-1750, de la nomination, en qualité d'inspecteur général des routes et ponts de la province d'Ajaccio. Certifié conforme à l'original déposé dans les archives du prince Napoléon Bonaparte, en traduction.* Les pièces elles-mêmes ne sont pas au dossier : sans doute ont-

elles été rendues à l'impétrant. Célestin Bosc signale (op. cit. : Série BB. Administration communale. Registre 28. 1741-1743) une mention de Jean-Jérôme
Ramolino où celui-ci est intitulé *capitano della terra o sia della citta.*

15 Devenue veuve en 1755, Angèle-Marie Pietrasanta épousera en 2des noces en
1757 François Fesch, né à Bâle, Suisse, le 2-VIII-1711, mort vers 1775, capitaine
dans la marine gênoise : de cette union, naîtra Joseph Fesch (Ajaccio 3-I-1763 -
Rome 13-V-1839), archevêque de Lyon, cardinal, grand aumônier de l'empereur.

16 Sources : actes d'état civil, reconnaissance de noblesse de 1771, documents
divers appartenant aux Archives communales d'Ajaccio (voir Célestin Bosc,
op. cit.).

17 Selon Léonce de Brotonne, in *Les Bonaparte et leurs alliances* (Paris, 1901),
celle-ci était la cousine germaine de son mari.

18 De Napoléon Bonaparte et Marie-Rose Bozzi, naquit Isabelle Bonaparte :
celle-ci épousa Louis d'Ornano, père du maréchal, lequel était ainsi le cousin
issu de germain de Napoléon (voir chapitre XVI).

19 Descriptions empruntées à la *Note sur l'héraldique napoléonienne* de Hervé
Pinoteau, publiée en annexe de Joseph Valynseele *Le sang des Bonaparte.*

20 Servant dans la marine, Jérôme se trouva bloqué à La Martinique par la
flotte anglaise, en raison de la rupture de la paix d'Amiens. Il gagna bientôt
les Etats-Unis grâce à un navire de ce pays, avec l'intention de rentrer ensuite
en France par le même moyen. C'est dans ces circonstances qu'il fut amené
à rencontrer celle qui devait être sa première épouse.

21 Le mariage fut célébré par Mgr John Carroll, premier évêque catholique des
Etats-unis, plus tard archevêque de Baltimore et primat de l'église catholique
aux Etats-unis, cousin de Charles Carrol of Carrollton dont il est question
aux notes 26 et 27.

22 Dès que la nouvelle lui en est parvenue, en juin 1804, Napoléon a refusé
d'admettre cette union contractée à son insu : elle est un défi à son autorité
et bouleverse ses plans. Le 8-VIII-1804, Talleyrand écrivait au ministre de
France aux Etats-unis : *Comme sa majesté ne peut reconnaître ce mariage,
contracté contre les lois de la France, son ministre plénipotentiaire doit prendre
dans ce refus d'adhésion la règle de sa conduite et, continuant d'avoir pour
M. Jérôme Bonaparte les égards dus aux frères de sa majesté, il ne peut point se
permettre de voir son épouse et il doit éviter de se rencontrer avec elle* (in *La
vérité sur le procès Paterson*, Paris 1861, B.N. 8° Fm 2325). Le 1er décret constate
que le mariage de Jérôme Bonaparte est nul, deux des conditions exigées par le
code civil n'ayant pas été observées : publication au lieu du domicile de
l'intéressé et consentement de sa mère, celui-ci ayant moins de 25 ans, et en
conséquence fait défense à tous officiers de l'état civil de l'empire de le trans-
crire : cette formalité devait être accomplie dans les trois mois suivant le
retour sur le territoire national, pour que le mariage soit reconnu en France.
Le 2^d décret reprend approximativement la teneur du 1er en y ajoutant que
les enfants nés ou à naître d'une telle union sont réputés illégitimes. Seul le
1er décret fut inséré au *Moniteur.* L'affaire était normalement du ressort des
tribunaux, le code stipulant qu'une action en nullité doit être entreprise par
les parents avant un an écoulé depuis qu'ils ont eu connaissance du mariage.
Napoléon s'appuya pour régler celle-ci par décret, à moindre bruit, sur
l'article 13 du sénatus-consulte organique du 28 floréal an XII (constitution
de l'an XII) lui donnant des pouvoirs très étendus à l'égard des membres de
sa famille. On trouvera le texte des deux décrets ci-dessus dans *Pièces à
consulter pour s.a.i. le prince Napoléon contre Mme Elisabeth Paterson et
M. Jérôme Bonaparte (Paterson)*, Paris 1861 (B.N. 4° Fm 22921). Les documents
imprimés auxquels nous renvoyons dans cette note sont des factums publiés
à l'occasion des procès auxquels donna lieu la succession du roi Jérôme.

23 Entre les dispositions prises sur le plan civil et les sentences rendues par l'autorité religieuse, Jérôme est rentré en Europe et, sommé par l'empereur de choisir entre une existence obscure aux côtés de son épouse américaine et un avenir doré s'il accepte de s'en séparer, a pris le parti de s'incliner devant son frère. Avant de porter l'affaire devant les tribunaux ecclésiastiques de Paris, Napoléon s'était adressé au pape, en date du 24-V-1805, insistant tout particulièrement sur le fait que Miss Patterson était protestante. Pie VII avait répondu le 17-VI qu'en dépit de son vif désir d'être agréable à l'empereur des Français, aucune circonstance susceptible d'entraîner la nullité du mariage ne lui était apparue au cours d'une étude approfondie de la cause. Les deux lettres ont été publiées dans *A family lawsuit* de Sidney A. Mitchell (New York 1958) : l'auteur, malheureusement, n'indique pas où se trouvent les originaux de celles-ci. Les sentences des juges ecclésiastiques parisiens reprennent grosso modo les arguments invoqués sur le plan civil, non sans laisser percer quelque embarras. Le texte en est donné dans l'ouvrage cité à la fin de la note 22.

24 Il est précisé dans cet acte que celui-ci ne peut *être entendu comme devant entraîner l'illégitimité de l'enfant né dudit mariage.* Il semble qu'en le sollicitant, Elisabeth Patterson ait voulu ôter à Jérôme tout droit sur elle-même, son fils et ses biens. Avait-elle, dès ce moment, pressenti la chute de l'empire et les retournements de situations qui pouvaient en résulter ?

25 Ayant accompagné son mari en Europe, Elisabeth Patterson ne fut pas autorisée à débarquer lorsque le bateau se présenta à Lisbonne, le 8-V-1805 : Jérôme put seul mettre pied à terre. Le même accueil lui ayant été réservé dans divers ports du continent, elle dut, en raison de la naissance imminente de l'enfant qu'elle attendait, chercher refuge en Angleterre. Comprenant bientôt, au travers des rares nouvelles qu'elle en recevait, que Jérôme avait cédé aux pressions de l'empereur et qu'elle se trouvait abandonnée, elle regagna l'Amérique. Après quelque temps, Napoléon lui fera servir une rente annuelle de 60 000 F : celle-ci sera versée jusqu'en 1814. En 1808, Jérôme, désormais roi de Westphalie, lui proposa de venir s'y installer avec leur fils : ils porteraient le titre de princesse et prince de Smalkade et disposeraient d'un vaste domaine. Elle refusa en disant que le royaume de Westphalie n'était pas assez grand pour que deux reines puissent s'y trouver à la fois. Après 1814, elle se rendra à différentes reprises en Europe, y demeurant chaque fois plusieurs années. Elle réside en France, en Angleterre, en Suisse, en Italie, fréquentant de nombreux salons où elle obtient un succès de curiosité. Elle ne reverra jamais son mari, si ce n'est, un jour, par hasard, dans la galerie du palais Pitti, à Florence, celui-ci étant accompagné de la reine Catherine. En dépit du sort cruel qui lui a été fait, Elisabeth Patterson se montra toujours une fervente admiratrice de l'empereur Napoléon qui, l'ayant appris à Sainte-Hélène, dira à son sujet : *Ceux auxquels j'ai fait du mal m'ont pardonné et ceux que j'ai comblés de faveurs m'ont abandonné.*

26 Le 4-XI-1803, le président Thomas Jefferson s'exprimait de la sorte au sujet de William Patterson dans une lettre au ministre des Etats-unis à Paris : *M. Patterson est le président de la banque de Baltimore. C'est l'homme le plus riche du Maryland et peut-être des Etats-unis, excepté M. Carroll* — il s'agit de Charles Carroll of Carrollton dont il sera question à la note 27. *C'est un homme de grande vertu et de grande respectabilité... La position de cette famille est donc des premières de la société des Etats-unis. De telles conditions déterminent le rang dans un pays où il n'y a point de titres héréditaires* (in *La vérité sur le procès Paterson,* Paris 1861, voir note 22).

27 Elisabeth Patterson eut pour belle-sœur une future belle-sœur du duc de Wellington. Son frère, Robert Patterson (Baltimore 16-VII-1781 - 24-X-1822), épousa vers 1808 Marianne Caton, née vers 1790, décédée le 17-XII-1853, fille de Richard, négociant à Baltimore, et de Mary Carroll of Carrollton (cette dernière fille de Charles Carroll of Carrollton, l'un des signataires de la déclaration d'indépendance, sénateur du Maryland, dont il est question à la note 26). Veuve, Marianne Caton devint à Dublin le 29-X-1825 la seconde épouse

de Richard Wellesley 2ᵉ comte de Mornington (20-VI-1760 - 26-IX-1842), gouverneur général des Indes, lord lieutenant d'Irlande, frère aîné du vainqueur de Napoléon à Waterloo. Deux autres demoiselles Caton, sœurs de la précédente, se marièrent également dans l'aristocratie anglaise : Louisa-Catherine Caton († 8-IV-1874) s'allia 1) le 24-IV-1817 à sir Felton-Elwell Hervey-Bathurst 1ᵉʳ baronet (24-VI-1782 - 24-IX-1819), colonel, aide de camp de Wellington à Waterloo, 2) le 24-IV-1828 à Francis-Godolphin-d'Arcy Osborne 7ᵉ duc de Leeds (21-V-1798 - 4-V-1859) et Elisabeth Caton († 22-X-1862) fut la seconde femme de sir Georges-William Stafford-Jerningham 8ᵉ baron Stafford (27-IV-1771 - 4-X-1851). Ces trois demoiselles Caton signèrent à l'acte de baptême (Baltimore 9-V-1809) de Jérôme-Napoléon Bonaparte, fils de Jérôme et d'Elisabeth Patterson : la 1ʳᵉ comme marraine, les deux autres comme témoins (voir *A family lawsuit* de S. Mitchel, p. 100).

27ᵃ La reine Catherine était, du fait du mariage de la princesse Sophie de Wurtemberg, sœur de son père, avec le tsar Paul Iᵉʳ, la cousine germaine des empereurs Alexandre Iᵉʳ et Nicolas Iᵉʳ.

28 En dépit des nombreuses infidélités du roi Jérôme, sa seconde union fut heureuse et résista à l'épreuve des années difficiles qui suivirent 1814. Généralement sévère pour son plus jeune frère, Napoléon dira à ce propos à Sainte-Hélène : *Il existait un beau témoignage en sa faveur : c'est l'amour qu'il avait inspiré à sa femme et rendra cet hommage à la reine Catherine : La conduite de celle-ci, lorsque, après ma chute, son père, ce terrible roi de Wurtemberg, si despotique, si dur, a voulu la faire divorcer, est admirable. Cette princesse s'est inscrite dès lors de ses propres mains dans l'histoire* (in *Mémorial* 19-V-1816).

29 Les représentants actuels de la maison de Wurtemberg, issus d'un frère du roi Frédéric Iᵉʳ, sont catholiques depuis quelques générations (voir au sujet de celle-ci *L'Allemagne dynastique*, t. II, 1979, de Michel Huberty, Alain Giraud, François et Bruno Magdelaine).

30 Selon divers auteurs, le roi Jérôme, après la mort de la reine Catherine, aurait contracté un mariage de conscience avec une noble italienne qui partagea sa vie durant un certain nombre d'années, à Florence, puis à Paris : Justine Pecori-Giraldi (Florence 27-XI-1811 - Florence 30-I-1903), dame de la cour grand-ducale de Toscane, fille de Bernard et de Julie Niccolini, alliée précédemment (Pistoia 31-III-1829) au marquis Louis Bartolini-Baldelli (5-X-1803 - 10-VII-1837), chambellan du grand-duc de Toscane, fils de Joseph et de Laure Bartolini-Salimbeni. Pour les uns, le mariage aurait eu lieu à Florence autour de 1840, pour d'autres à Paris le 19-I-1853. Une phrase figurant dans une lettre d'Odilon Barrot écrite en 1848 (catalogue n° 690 de mai 1954 de la maison Charavay) montre que le fait était tenu pour avéré par les contemporains : *L'ex-roi Jérôme a contracté un mariage morganatique, c'est-à-dire seulement à l'église, avec une italienne qui dirige sa maison et m'a paru fort bien.* On ne possède, toutefois, à l'heure actuelle, aucun document établissant formellement l'existence de cette union. On trouvera des précisions intéressantes sur Justine Pecori-Giraldi dans *I Bonaparte a Firenze* d'Andrea Carsini, Florence 1961, et dans un article de John-Charles Sharp publié par la *Revue générale de généalogie et d'héraldique* (1ʳᵉ année, n° 3, sans date, mais probablement autour de 1960, Bruxelles) : *The marchesa Bartolini-Baldelli : a sister-in-law of Napoléon.* Celle-ci se remaria le 3-XI-1861 au comte Louis Foschi, lieutenant de cavalerie, beaucoup plus jeune qu'elle. Guillaume comte Pecori-Giraldi (1856-1941), maréchal d'Italie, sénateur du royaume, qui se distingua contre les Autrichiens au cours de la guerre 1914-1918, était le petit-fils d'un frère du père de Justine, prénommé lui aussi Guillaume.

31 Jérôme-Napoléon Bonaparte fut élevé dans le catholicisme : sa mère tenait que c'était la religion des rois et elle avait les plus grandes ambitions pour son fils. En 1819, âgé de 14 ans, il traverse l'Atlantique et passe quelques années en Europe. Il est tout d'abord élève d'une institution genevoise, puis

voyage. En Italie, il rencontre la famille impériale : la plupart de ses membres y résident à cette époque. On le traite de la façon la plus affectueuse. Son père, le roi Jérôme, n'y fait pas exception. Il est bientôt question de le marier à la princesse Charlotte, fille du roi Joseph. Le 31-XII-1821, la reine Catherine, alors à Trieste, écrit à ce dernier : *Cet événement me rendrait personnellement heureuse, puisque cette alliance mettrait Jérôme dans une position naturelle vis-à-vis de moi et de mes enfants* (in *La vérité sur le procès Paterson*). De son côté, Madame Mère manifeste le plus vif enthousiasme à l'égard de ce projet, dans une lettre à Joseph également : *Vous aviez raison d'être décidé à la réunir avec le fils de Jérôme. Ce jeune homme est ici depuis deux mois ; j'en suis émerveillée ; il n'est pas possible de trouver son aplomb et son bon sens à son âge et sans doute Charlotte serait heureuse* (ibid.). En 1823, Jérôme-Napoléon regagne les Etats-unis. Il y suit les cours de l'Université Harvard à Cambridge (Massachusetts). Il se rend à Point-Breeze où le roi Joseph vit en gentleman-farmer. Il noue des relations avec ses cousins Achille et Lucien Murat établis en Amérique. Finalement, sans qu'on en connaisse bien la raison, le projet de mariage avec la princesse Charlotte n'aboutit pas : celle-ci épousera un autre cousin germain, Napoléon-Louis, frère aîné du futur Napoléon III. En 1826, Jérôme-Napoléon est de retour en Europe. Il voit de nouveau toute sa famille paternelle et passe de longues semaines avec le roi Jérôme. Sa mère s'ingénie à lui trouver une épouse de haute naissance. Il fait la sourde oreille. L'idée de passer toute sa vie en Europe ne lui sourit guère. Lors de son premier séjour, il écrivait à son grand-père Patterson : *Depuis que je suis en Europe, j'ai dîné avec des princes et des princesses, mais je n'ai trouvé aucun plat autant à mon goût que le rosbif et le bifteck que je mangeais South Street* (E.M. Oddie in *The Bonaparte in the new world*, Londres 1932). Il est bientôt une fois encore de retour à Baltimore. A l'insu de sa mère et à la grande colère de celle-ci, il y épouse la fille d'un important négociant, presque aussi riche que les Patterson. Les relations avec la famille Bonaparte vont peu à peu s'espacer, mais ne seront jamais interrompues. Il l'informe de la naissance de son premier-né en 1830 et en reçoit des compliments. En 1835, le roi Jérôme lui fait part de la mort de la reine Catherine. En 1840, le prince Napoléon (Jérôme) lui annonce le mariage de leur sœur Mathilde avec Anatole Demidoff. Le 1ᵉʳ-I-1853, Jérôme-Napoléon envoie à Napoléon III ses félicitations pour le rétablissement de l'empire. Peu après, il passe de nouveau l'Atlantique, accompagné de son fils aîné. L'empereur l'accueille avec bienveillance : il l'invite à dîner à Saint-Cloud. Le 30-IV-1854, un décret le réintègre dans la qualité de français. Craignant de possibles prétentions de leur demi-frère, le prince Napoléon (Jérôme) et la princesse Mathilde adressent à ce propos une protestation à l'empereur. L'affaire est portée devant le conseil de famille, chargé de trancher les litiges pouvant s'élever à l'intérieur de la famille impériale. Une sentence de celui-ci en date du 4-VII-1856 fixe de façon très précise la situation de Jérôme-Napoléon. La nullité du mariage de 1803 est confirmée, *mais, attendu que ledit défendeur a constamment, depuis sa naissance, porté le nom de Bonaparte ; que ce nom lui a été donné dans son acte de naissance et de baptême, dans tous les actes de la vie civile, dans les relations du monde et enfin par tous les membres de la famille impériale ; que, dans une telle situation, on ne peut lui enlever le droit de continuer à porter le nom qui ne lui a jamais été contesté ; par ces motifs : le conseil de famille maintient au défendeur le nom de Bonaparte sous lequel il a toujours été connu, sans qu'il en résulte pour lui le droit de se prévaloir du bénéfice des articles 201 et 202 du Code Napoléon*, c'est-à-dire sans les effets civils (*Pièces à consulter pour s.a.i. le prince Napoléon contre Mᵐᵉ Elisabeth Paterson et M. Jérôme Bonaparte (Paterson)*, déjà cité). Le 17-IV-1855, était partie à destination de Jérôme-Napoléon, rentré à Baltimore, une lettre d'Achille Fould, ministre d'état, ainsi libellée : *Monsieur, l'empereur m'a donné l'ordre de vous faire connaître son désir que vous preniez à votre retour en France le titre de duc de Sartène. Je n'ai pas besoin d'insister sur les motifs qui ont fait adopter à sa majesté ce moyen de mettre un terme à des différends que vous connaissez. L'intention de l'empereur est que votre fils porte le nom de comte de Sartène* (in *La vérité sur le procès Paterson,* déjà cité). La réponse avait été négative : plutôt que d'être duc, Jérôme-Napoléon préférait garder le nom illustre de Bonaparte. Après le décès du roi Jérôme, Jérôme-Napoléon entreprit conjointement avec sa mère une action judiciaire en vue d'avoir part à la succession du défunt. Tous deux vinrent une dernière fois en Europe à cette occasion. Le 5-VII-1860, le conseil de famille, confirmant sa sentence du 4-VII-1856, décida qu'il devait être passé outre à leur opposition à la levée des scellés apposés au Palais royal et au château de Villegenis hors de leur présence. Le prince Napoléon (Jérôme) ayant désiré que l'affaire suive ensuite le cours ordinaire, celle-ci fut jugée le 15-II-1861 par le tribunal civil de la Seine, puis en appel par la cour de Paris le 1-VII-1861. Jérôme-Napoléon et sa mère furent déboutés les deux fois. Ils avaient eu pour défenseur le célèbre avocat légitimiste Antoine Berryer. A la tête d'une fortune considérable, venue à la fois des Patterson et de sa femme, Jérôme-Napoléon n'eut pas d'activité professionnelle : il s'occupa de la gestion de ses biens et, ceux-ci comprenant un important domaine agricole, se consacra à l'étude des problèmes de culture et de fertilisation. Il mourut d'un cancer de la gorge.

32 Entré à l'Ecole militaire de West Point le 1-VI-1848, sous-lieutenant le 15-VI-1852, Jérôme-Napoléon le fils servit avec ce grade dans l'armée des Etats-unis, au 1er régiment de tirailleurs à cheval, jusqu'au 16-VIII-1854. Il passe au service de la France le 5-IX-1854 comme sous-lieutenant au 7e régiment de dragons. Son dossier au S.H.A.T. contient une amusante dépêche datant de cette époque, du maréchal Vaillant, ministre de la guerre, au général commandant la 9e division à Marseille : *Le jeune Bonaparte, petit-fils du prince Jérôme, part ce soir pour aller s'embarquer à Marseille et rejoindre son régiment de dragons en Orient. Vous me ferez plaisir en envoyant un officier le recevoir à la gare et le piloter dans les courses qu'il aura à faire avant de s'embarquer.* Le 5-VI-1855, il est promu lieutenant. Le 23-IV-1856, il passe au 1er régiment de chasseurs d'Afrique. Il y est capitaine le 5-V-1859. Le 28-II-1860, il est muté au 1er régiment de carabiniers. Le 13-VIII-1865, il est chef d'escadrons au 3e régiment de cuirassiers et le 16-III-1867 au régiment de dragons de l'impératrice. Le 27-VIII-1870, lieutenant-colonel, il commande le 2e régiment de marche de dragons, puis, le 1-XI-1870, le 14e régiment de dragons. Chevalier de la légion d'honneur le 10-XI-1855, il a été fait officier le 31-X-1868. Il démissionne le 31-III-1871. Le rapport fait au ministre à ce propos, le 10-III, s'exprime de la sorte : *M. le colonel Bonaparte fait connaître que, par suite de la mort de son père, il est devenu chef de sa famille et qu'il a, en Amérique, des intérêts très importants qu'il ne pourrait sauvegarder en restant au service et qu'il n'a pas hésité à négliger pour prendre part à la guerre.* Il mourut d'un cancer de l'estomac.

33 Julia Webster était la fille de Daniel (1782-1852), avocat, membre de la Chambre des représentants et du Sénat, secrétaire d'état. Celui-ci avait été à de nombreuses reprises l'hôte du roi Joseph à Point-Breeze.

34 L'acte de décès de Newbold Edgar précise que celui-ci était en cure à Ems lors de sa mort, qu'il appartenait au culte anglican, qu'il avait eu trois enfants de son mariage avec Caroline-Le Roy Appleton et que ses restes seront transférés à Paris. La notice nécrologique publiée dans le *New York Times,* le 20-XI-1911, après la mort de Caroline-Leroy Appleton, énumère comme suit les trois enfants nés de son 1er mariage : Newbold-Leroy Edgar, de New York, le commandant Webster-Appleton Edgar, de la marine des Etats-unis, sœur Marie-De Sales Edgar, du couvent de la Visitation.

35 Les annuaires danois indiquent Paris comme lieu de naissance : nous n'avons trouvé l'acte dans aucun des vingt arrondissements de Paris. Peut-être la naissance a-t-elle été enregistrée uniquement au consulat de Danemark à Paris ?

36 Il s'agit de la même famille que celle à laquelle appartenaient Helmuth comte de Moltke (1800-1891), feld-maréchal prussien, à la tête de l'armée prussienne

lors de la guerre franco-allemande de 1870-1871. La parenté, cependant, est éloignée : l'ancêtre commun vivait au 16ᵉ siècle.

37 Le général comte Fleury cite au tome II de ses *Souvenirs* (1859-1867) parmi les habitués des *séries* de Compiègne *le comte de Moltke, ministre de Danemark, et l'élégante comtesse de Moltke, née de Seebach.*

38 Angeles Roca de Togores, faite marquise de Pozo-Rubio en 1887 (grandesse en 1910), était fille de Mariano Roca de Togores (Albacete, Murcie, 17-VIII-1812 - Lequeito, Biscaye, 4-IX-1889), créé marquis de Molins avec grandesse le 15-IX-1848, d'une famille d'ancienne noblesse, ministre d'état, de la marine et du commerce, de l'instruction, des travaux publics, ambassadeur (auprès du Saint-Siège et à Paris), député, sénateur à vie, homme de lettres, l'une des personnalités les plus marquantes du 19ᵉ siècle, en Espagne.

39 La famille Danneskiold-Samsöe est issue d'un fils naturel du roi Christian V de Danemark (1646-1699), né de Sophie-Amélie Moth.

40 Institution prestigieuse, longtemps réservée à la noblesse et à la bonne société danoise.

41 Victime d'un accident de la circulation.

42 Il existe à l'heure actuelle, au Danemark, sept chapitres nobles. Dépourvus de tout caractère religieux, ceux-ci assurent une rente et, à partir d'un certain âge, un logement aux demoiselles qui y sont admises. Selon le cas, ces avantages sont assurés grâce aux revenus des biens fonciers dont dispose le chapitre ou sont subordonnés au versement d'un certain capital au moment de la naissance des intéressées. A la vérité, outre la noblesse, ces chapitres sont aujourd'hui ouverts également aux filles de divers dignitaires et hauts fonctionnaires. Le mariage entraîne la perte de la qualité de chanoinesse et des droits correspondants.

43 Celle-ci ne doit pas être confondue avec une autre comtesse Marcellita de Moltke-Huitfeldt (3-II-1900), alliée à Paris 16ᵉ le 27-V-1926 au baron Robert Goury du Roslan (6-IX-1893 - 2-IV-1958), qui, soit seule, soit en collaboration, a traduit en français de nombreux ouvrages anglais, américains, danois ou suédois. Cette dernière est la tante à la mode de Bretagne de la comtesse Marcellita que nous avons ici : elle est en effet fille du comte Léon de Moltke-Huitfeldt, frère cadet d'Adam époux de Louise-Eugénie Bonaparte.

44 A La Haye et à Oslo.

45 Ivan Schiöler avait, de son côté, épousé en 1ʳᵉˢ noces, à Ramlöse, Danemark, le 8-VII-1934, Grethe Laurielsen (Lögstör 2-II-1910), fille de Hans-Peter-Christian, ingénieur, et de Katty Lassen (mariage dissous par jug. du 22-XII-1952).

46 En Iran et au Pakistan.

47 La comtesse Margit von Rosen est la sœur de la comtesse Elsa (Stockholm 7-II-1904) alliée en 2ᵈᵉˢ noces à Fridhem le 6-VII-1937 (mariage dissous, Stockholm 11-I-1951) au prince Charles de Suède duc d'Oestergötland (Stockholm 10-I-1911), frère de la reine Astrid, privé de ses titres et droits à la suite de cette union et fait prince Bernadotte par son beau-frère le roi Léopold III (6-VII-1937), la demi-sœur de la comtesse Christina (24-II-1939) alliée le 21-X-1967 à Gustave Fouché 7ᵉ duc d'Otrante (Elghammar, Suède, 27-XI-1912), chambellan à la cour de Suède, capitaine de cavalerie, la demi-sœur également de la comtesse Charlotte (26-IX-1940) alliée à Vendel, Suède, le 17-X-1965 au comte Gérard de Roquette-Buisson (Paris 8-XI-1933), la cousine germaine du comte Charles-Gustave (19-VIII-1909), qui s'est acquis une célébrité mondiale en combattant comme officier aviateur contre les Italiens en Ethiopie, puis contre les Soviétiques en Finlande, en organisant le transport de la force d'urgence de l'O.N.U. destinée au Congo ex-belge, enfin en prenant la tête de la *force suédoise privée* au service du Biafra.

48 Nous devons à l'obligeant concours du baron Alexandre de Bertouch-Lehn d'avoir pu mettre au point la partie danoise de la descendance du roi Jérôme.

49 *Grand, mince, portant moustache, habillé avec goût, alerte,* Jérôme Bonaparte, indiquent Clarence-Edward Macartney et Gordon Dorrance dans *The Bonapartes in America* (Philadelphie 1939), *a pratiqué l'escrime, la boxe, le golf, la pêche et l'automobile. Alors qu'il était célibataire, il vécut quelque temps à Washington où on l'estimait beaucoup. Après son mariage, il se rendit à différentes reprises en Europe, en compagnie de sa femme. Ils firent notamment des séjours à Biarritz et à Deauville. La société leur réserva le meilleur accueil. Les journaux de Paris les appelaient prince et princesse. Le ménage possède un appartement à Park Avenue, une villa à Palm Beach et une résidence d'été à Newport.* Le journaliste américain Nerin E. Gun rapporte de la sorte les circonstances de la mort du dernier des Bonaparte américain dans un article intitulé *Les Bonaparte ont deux patries : la France et les Etats-unis,* publié dans *Le Figaro littéraire* du 27-I/2-II-1969 : *Alors qu'il promenait le chien de sa femme... dans le Central Park, il se prit les pieds dans la laisse et heurta du front le bord d'un bassin où les gosses jouaient avec leurs voiliers miniatures. La mort fut instantanée.*

50 Amelia Hill était fille de Charles J. Hill, maire de Rochester (New York).

51 L'article nécrologique publié par le *Greewich Time* à l'occasion du décès de Mme Jérôme Bonaparte née Blanche Pierce (numéro du 31-VII-1950) indique que celle-ci mourut à l'hôpital Blythewood, route de Stanwich, après une longue maladie. Il signale par ailleurs qu'elle avait une sœur, Mrs Harriet Cole, habitant Boston, et qu'elle laissait, issus de son 1er mariage, deux filles, Mrs James-Dobson Altemus, à New York, et Miss Barbara Strebeigh, à Birchrunville (Pennsylvanie), ainsi que deux petits-fils, Julian R. Sloan et Andrew Carnegie III.

52 Charles-Joseph Bonaparte a été aux Etats-unis une personnalité de tout premier plan. Etant jeune avocat à Baltimore, il fut indigné par la corruption qui régnait dans l'administration américaine et résolut de travailler autant qu'il le pourrait à l'assainissement de celle-ci. Avec l'aide de quelques personnes qui partageaient ses sentiments, il fonda à cet effet la *Baltimore reform league* et, peu après, un journal hebdomadaire *The civil reformer.* Il devint assez rapidement le président de l'association et fut l'un des principaux collaborateurs et le bailleur de fonds du journal. En peu d'années, le mouvement fit tache d'huile et toucha l'ensemble des Etats-unis. Grâce aux efforts de Charles-Joseph Bonaparte et de quelques autres, les associations nées ici et là se réunirent bientôt en une puissante organisation : la *National civil service reform league,* publiant un journal *Good governement,* diffusé dans le pays tout entier. A la faveur de cette action, Charles-Joseph Bonaparte avait rencontré Théodore Roosevelt, alors que celui-ci était commissaire pour le service public. Lorsqu'il devint président des Etats-unis, en 1901, Roosevelt, qui avait été frappé par sa détermination, fit de Charles-Joseph Bonaparte l'un des membres du bureau des affaires indiennes. Ce dernier fut, par la suite, nommé conseiller spécial chargé de poursuivre les fraudes dans le service postal. En juillet 1905, il entrait dans le cabinet comme secrétaire à la marine. Au mois de décembre 1906, il était promu attorney général, c'est-à-dire ministre de la justice. L'accès du petit-neveu de Napoléon à ces fonctions importantes fit quelque bruit. A ce poste, Charles-Joseph Bonaparte apporta au président un concours efficace dans la lutte que celui-ci avait entreprise contre les trusts. Il avait fait sensation en annonçant à son arrivée dans le cabinet qu'il n'accepterait des compagnies de chemins de fer aucun billet de transport gratuit, pour lui ou les siens. Charles-Joseph Bonaparte quitta le service de l'état en même temps que Théodore Roosevelt, en 1909, et redevint avocat à Baltimore. Figure marquante du catholicisme américain, il occupa les fonctions d'administrateur de l'Université catholique d'Amérique et fut le protecteur et le bienfaiteur de nombreuses institutions catholiques. Une longue amitié le lia au cardinal Gibbons. La B.N. possède une brochure publiée sous son nom, intitulée *Some duties and responsabilities of american catholics* (1904, 32 p.). Il aimait répéter dans ses discours : *Aucun*

américain ne peut être à la fois un bon catholique et un mauvais citoyen.
Charles-Joseph Bonaparte mourut d'une affection cardiaque. Il n'était jamais
allé en Europe. Un important ouvrage lui a été consacré : *Charles-Joseph Bona-*
parte. His life and public services par Joseph-Bucklin Bishop (New York 1922,
304 p.). Il y a, par ailleurs, une longue notice à son sujet au tome II du
Dictionary of american biography.

53 L'ouvrage de Joseph-Bucklin Bishop cité à la note précédente apporte des
précisions intéressantes sur l'épouse de Charles-Joseph Bonaparte et sa famille :
Bonaparte rencontra Ellen-Channing Day en 1871, alors qu'il était étudiant
à Harvard, à l'occasion d'une visite que celle-ci faisait à des amis de Cambridge.
Elle était la fille de Thomas-Mills Day, appartenant à l'une des familles les
plus distinguées du Connecticut. Le père de celui-ci, Thomas Day, était le frère
de Jérémie Day, président de l'Université de Yale de 1817 à 1846. Juriste
éminent, Thomas Day avait été lui-même durant plusieurs années assesseur du
tribunal du comté de Hartford, puis pendant six ans juge principal. On lui
doit de nombreux ouvrages de droit... Il fut, d'autre part, l'un des fondateurs
de la Société historique du Connecticut, qu'il présida fort longtemps. Son fils,
Thomas-Mills Day, le père de Mme Bonaparte, était diplômé de Yale (promo-
tion 1837). Celui-ci exerça un moment le métier d'avocat. Par la suite, il acheta
le Hartford Courant qu'il dirigea de 1855 à 1866, date à laquelle il vendit le
journal pour se retirer de la vie active. Frederick A. Virkus indique dans
The abridged compendium of american genealogy (volume I, 1925) qu'un demi-
frère d'Ellen-Channing Day, Clive Day, né à Hartford le 11-II-1871, professeur
d'histoire économique à l'University de Yale, fut le chef de la division des
Balkans dans la commission américaine chargée de négocier la paix à Paris en
1918-1919.

54 Nous sommes redevable à M.W.M. Addams Reitwiesner d'une partie importante
des précisions apportées sur les Bonaparte américains.

55 Né après la disparition du royaume de Westphalie et la chute du Premier
empire, mort avant l'établissement du Second, l'aîné des enfants du roi Jérôme
et de la reine Catherine ne porta jamais que les nom et titre de prince de
Montfort, utilisés par ses parents sous la Restauration et la Monarchie de
juillet (voir note 3).

56 La princesse Mathilde est célèbre pour son amour passionné des lettres et des
arts. Elle tint de longues années un salon réputé où elle accueillait les écrivains
et les peintres les plus en vue : ouvert peu après l'élection de son cousin à
la présidence de la république, en 1848, celui-ci survécut aux événements de
1870 et ne disparut qu'avec elle. Peignant elle-même, la princesse exposa à
plusieurs reprises tableaux et aquarelles.

57 Ces titres lui furent conférés par le grand-duc de Toscane : San Donato était
le nom de l'importante propriété que la famille Demidoff possédait aux environs
de Florence.

58 L'histoire de la famille Demidoff tient du conte de fées. Au début du 18e siècle,
Nikita Demiditch était forgeron dans la région de Toula. Le tsar Pierre-le-grand,
dont les fréquentations populaires sont célèbres, le remarqua pour son habileté.
Il se l'attacha, l'anoblit sous le nom de Demidoff (1720) et bientôt lui concéda
d'immenses domaines dans l'Oural, en vue de la création d'une industrie
métallurgique. En quelques générations, les Demidoff se trouvèrent à la tête
d'une fortune fabuleuse. Ils vécurent désormais le plus souvent à l'étranger,
notamment à Paris, à Rome, à Florence, étonnant le monde par leur luxe et
leurs excentricités. Nous citerons, à cet égard, le passage des *Promenades*
dans Rome, où Stendhal évoque, à la date du 15-I-1828, le père de celui qui
devint le mari de la princesse Mathilde : *M. Demidoff, cet homme singulier,*
si riche et si bienfaisant, qui faisait collection de têtes de Greuze et de reliques
de Saint-Nicolas, avait une troupe de comédiens français et faisait jouer au
palais Ruspoli des vaudevilles du gymnase... Pendant qu'il habitait le palais

Ruspoli, M. Demidoff disait un jour en ma présence que, voulant laisser un monument de son séjour à Rome, il pourrait bien faire enlever les dix ou douze pieds de terre qui couvrent le pavé du Forum, depuis le Capitole jusqu'à l'arc de Titus. Le gouvernement mettait à sa disposition 500 galériens, que M. Demidoff devait payer à raison de cinq sous par jour. Il comptait que, pendant l'hiver, il aurait autant de paysans des Abruzzes qu'il en voudrait, en les payant dix sous par jour.

59 Avant de s'allier à Anatole Demidoff, la princesse Mathilde avait été fiancée à son cousin le futur Napoléon III. La rupture fut le fait du roi Jérôme : la tentative de Strasbourg avait totalement déconsidéré Louis-Napoléon à ses yeux. Le mariage de la princesse Mathilde fut pour une large part l'œuvre de Jules Janin. Le célèbre critique avait été l'hôte du roi Jérôme à l'occasion de séjours en Italie. Demidoff, d'autre part, était pour lui, depuis des années, un compagnon de plaisirs. Sachant la jeune fille amoureuse de ce dernier et s'étant pris pour elle de sympathie, il résolut de s'employer à combler ses vœux. Demidoff fut séduit par une union qui ferait de lui le neveu à la mode de Bretagne de son souverain (voir note 27ª). Toujours désargenté, le roi Jérôme, pour son compte, ne put résister à la perspective d'avoir un gendre aussi colossalement riche. On trouvera ce sujet des précisions intéressantes dans *Les amours de Jules Janin et le mariage du critique. Une correspondance inédite* de Mergier-Bourdeix (Paris 1968, voir pp. 121 et 143) et *Jules Janin. 735 lettres à sa femme*, textes décryptés, classés et annotés par Mergier-Bourdeix (T. I, Paris 1973, voir p. 580). La princesse devait être rapidement déçue par les excentricités et les brutalités de Demidoff : la séparation fut bientôt la seule issue. En prononçant celle-ci, le tsar — il y mit un certain empressement : il avait assez mal pris, en effet, la prétention de Demidoff de devenir son parent — imposa à ce dernier le paiement d'une pension annuelle de 200 000 F à la princesse. L'*Almanach de Gotha* de 1879 fit état d'un second mariage de la princesse Mathilde, en décembre 1871, avec Claudius-Marcel Popelin (Paris 2-XI-1825 - Paris 8ᵉ 17-V-1892), artiste peintre et écrivain, fils d'Antoine, négociant, et de Philiberte Ducarre, veuf de Marie-Thérèse Anquetil (Paris 1-IX-1836 - Paris 8ᵉ 20-II-1869), qui partageait sa vie depuis quelques années. Il y eut à ce propos une protestation de la princesse sous la forme d'un article qu'elle inspira, intitulé *L'Almanach de Gotha et Madame la princesse Mathilde*, publié dans le numéro du *Figaro* du 5-I-1879. Les Goncourt font allusion à l'affaire dans leur *Journal*, à la date du 30-XII-1878 : *Frédéric Masson m'apprend que le Gotha de 1879 annonce le mariage de la princesse avec Popelin.* Popelin croit à une méchanceté de Nieuwerkerke, puis du 8-I-1879 : *La petite Abbatucci* — demoiselle de compagnie de la princesse — *me confiait que* celle-ci *avait été mise dans un état terrible par l'annonce de son mariage avec Popelin dans le Gotha...*

60 A la requête de Napoléon III, le prince Napoléon prit l'habitude, sous le Second empire, d'ajouter entre parenthèses le prénom de son père au sien dans sa signature afin de la distinguer de celle de l'empereur et il fut désormais désigné par ce double nom.

61 Le prince Napoléon devint général de division sans être passé par aucun des grades inférieurs. Sa nomination se fit en deux temps. Un décret du 24-I-1853 décida qu'il aurait le titre et le rang de général de division et en porterait l'uniforme et les insignes. Le 26-II-1854, il reçut le commandement du corps de réserve, devenu par la suite la 3ᵉ division, de l'armée d'Orient. Les termes du décret de 1853 parurent à ce moment ambigus à certains : ceux-ci soutinrent qu'il ne conférait pas effectivement le grade de général de division, mais assimilait la position du prince à celle d'un général de division. Un nouveau décret fut donc pris le 9-III-1854 le nommant à ce grade sans aucune équivoque possible. L'empire disparu, le prince fut rayé des contrôles de l'armée par une décision ministérielle en date du 17-VI-1873, s'appuyant sur le fait que sa nomination n'avait pas respecté les dispositions de la loi du 14-IV-1832 sur les grades militaires : en conséquence de cette décision, il ne sera plus mentionné

dans l'Annuaire de l'armée de 1873, première édition publiée depuis 1870. L'affaire fut portée par le prince devant le Conseil d'état : sa requête devait être rejetée par décision du 12-II-1875.

62 Le prince Napoléon (Jérôme) fut un personnage assez étonnant. Elu député sous la Seconde république, il siège sur les bancs de l'extrême gauche et combat la politique de son cousin, le prince-président : cela lui vaut le surnom de prince de la montagne. L'empire rétabli, s'il accepte diverses fonctions officielles, il manifeste une opposition constante au régime. Il fait montre, par ailleurs, d'un anticléricalisme véhément. C'est au point qu'à son lit de mort, il refusera les derniers sacrements : ceux-ci ne lui seront administrés, à la demande de ses proches, qu'après que les progrès de la maladie l'auront mis hort d'état de s'y opposer. Les convictions républicaines et l'anticléricalisme du prince Napoléon (Jérôme) firent que, devenu le chef de la maison impériale après la mort du prince impérial — la postérité de Lucien ayant été écartée par le Second empire comme elle l'avait été par le premier, la période des Cent jours exceptée —, le parti bonapartiste se refusa dans sa grande majorité à le reconnaître comme prétendant et se rallia autour de son fils aîné le prince Victor. Un excellent ouvrage a été consacré au prince Napoléon (Jérôme) : *Le vrai prince Napoléon* par François Berthet-Leleux (Paris 1932, 330 p.).

63 La princesse Clotilde était aussi différente qu'il se pouvait de son mari. Sa grande piété était connue de tous sous le Second empire. On montre encore, au Palais royal, demeure de la branche cadette de la maison impériale, comme elle avait été jadis celle des Orléans, le petit oratoire qu'elle s'était fait aménager, afin d'aller s'y recueillir dans le courant de la journée. Après la chute de l'empire, retirée au château de Moncalieri, en Italie, elle y mena désormais une existence totalement vouée aux pratiques de dévotion et aux œuvres de charité. Lorsqu'elle mourra, une procédure de béatification sera entamée en sa faveur.

64 La descendance du prince Napoléon (Jérôme) porte comme patronyme le nom de Napoléon. Il n'existe à ce propos aucun texte. Il s'agit simplement d'un état de fait qui s'est établi après la chute du Second empire. Sous ce dernier, les enfants du prince Napoléon (Jérôme) n'étaient désignés que par leur prénom. L'adoption de ce patronyme est venue de ce que le nom de l'auteur de la branche était Napoléon et aussi de l'usage, pour les membres de la famille impériale, sous le Premier comme sous le Second empire, d'avoir Napoléon pour second prénom. En outre, les intéressés ont voulu, par ce moyen, se distinguer des représentants de la branche de Lucien, lesquels portaient le nom de Bonaparte. L'état civil a entériné les choses.

65 Léopold II, craignant des difficultés avec le gouvernement français, s'opposa durant près de dix ans, jusqu'à sa mort, à la réalisation de cette union. Albert Ier, son successeur, y consentit aussitôt monté sur le trône, à la condition, toutefois, que le prince Victor voulût bien s'engager à ne se livrer à aucune propagande à partir de la Belgique. Grâce à ce mariage, le roi Louis-Philippe est le trisaïeul du prince Napoléon, alors qu'il n'est que le quadriaïeul du comte de Paris : Léopold II grand-père du prince Napoléon avait en effet pour mère la princesse Louise, fille du roi des Français.

66 Le mariage de la princesse Marie-Clotilde et de Serge de Witt fut célébré en l'église catholique Notre-dame-des-victoires, Kensington high street à Londres. Il eut pour témoins le prince Vsevolod de Russie et le prince Vladimir Galitzine. L'acte correspondant indique que le marié était veuf : il ne nous a pas été possible d'obtenir d'autres précisions sur la première union de Serge de Witt. L'annonce du mariage dans le numéro du *Figaro* du 18-X-1938 était accompagnée du communiqué ci-après : *S.a.i. le prince Napoléon nous fait savoir qu'il n'a pas donné son assentiment au mariage de la princesse Marie-Clotilde Napoléon, sa sœur, avec M. de Witt, récemment célébré à Londres.*

67 Avant la révolution de 1917, Serge de Witt était lieutenant au 12e régiment de lanciers (Belgorodski). Il obtint le grade de capitaine en 1918, alors qu'il

servait aux *gardes blancs,* en Finlande, sous les ordres de Mannerheim : en qualité d'ancien aide de camp de ce dernier, il fut l'un des informateurs de l'historien anglais John Screen tandis que celui-ci préparait, il y a quelques années, un ouvrage sur le maréchal finlandais. Engagé volontaire dans l'armée française en 1939, Serge de Witt fut affecté au 1er régiment étranger de cavalerie, en Tunisie, avec le grade de lieutenant.

68 Serge de Witt appartient à une famille originaire des Pays-bas, où ce nom est très répandu, établie en Russie sans doute sous le règne de Pierre-le-grand qui recruta de nombreux Hollandais en vue de sa gigantesque entreprise d'occidentalisation du pays. Elle ne doit pas être confondue avec celle de Serge-Iouliévitch comte Witte (1849-1915), président du conseil des ministres sous Nicolas II. La qualité de conseiller d'état est donnée à Oscar-Jules-Alexandre de Witt, père de Serge, dans l'acte du mariage de ce dernier avec la princesse Marie-Clotilde. Ce titre ne correspondait pas, à proprement parler, à une fonction, mais à l'un des 14 tchins ou échelons de la hiérarchie administrative établie par Pierre-le-grand et toujours en vigueur en 1917 : les conseillers d'état se situaient au 5e rang. Ce dernier était l'un de ceux qui conféraient la noblesse héréditaire.

69 Fervente de Salvador Dali et amie de longue date de celui-ci, Marie-Eugénie de Witt organisa et mit en scène l'extraordinaire repas surréaliste donné en décembre 1979, lors de l'ouverture de l'exposition rétrospective de l'œuvre de ce peintre présentée au Centre Pompidou.

70 Les Chéréméteff sont l'une des plus vieilles familles de boyards de Moscou. Leur représentant le plus illustre fut Boris-Petrovitch (1652-1719), ami et proche collaborateur de Pierre-le-grand, maréchal de Russie, ambassadeur en Pologne, créé comte de l'empire russe en 1706 : le comte Pierre, 1er époux de Marie-Eugénie de Witt, est son descendant au 6e degré.

71 Hélie de Pourtalès a été successivement fondé de pouvoirs (1970), directeur (1971) et gérant (1973) chez MM. Lazard frères et cie, banquiers à Paris.

72 Remarié après divorce à Ema Sanchez de Larragoiti, elle-même divorcée de Pierre marquis de Ségur (voir chapitre VI consacré au maréchal Magnan).

73 Violette de Talleyrand-Périgord (Paris 16e 18-II-1915) est l'arrière-petite-fille d'Edmond duc de Talleyrand, de Dino et de Sagan, neveu et héritier du prince de Talleyrand. Elle a pris le titre de duchesse de Sagan après la mort du dernier mâle de sa maison, Hélie duc de Talleyrand, de Dino et de Sagan (Florence 20-I-1882 - Rome 20-III-1968), cousin issu de germain de son père. A défaut d'héritier mâle, le duché de Sagan était, en effet, transmissible par les femmes : c'est de la sorte, du reste, qu'il vint aux Talleyrand-Périgord (voir notre ouvrage précédent, *Les princes et ducs du Premier empire,* chap. XVI, notes 28 et 30). Divorcée (Paris 20-I-1969) du comte James de Pourtalès, elle a épousé en 2des noces à Paris 6e le 20-III-1969 Gaston Palewski (Paris 9e 20-III-1901), député de Seine, ministre, ambassadeur, président du Conseil constitutionnel, membre de l'Académie des beaux-arts.

74 Henri du Lau d'Allemans est le frère d'Hélène (Paris 27-VI-1926), alliée le 17-VI-1972 à Peter Ustinov (Londres 16-IV-1921), auteur et artiste dramatique, metteur en scène, dont elle est la 3e épouse.

75 Françoise de Ludre appartient à la descendance de Claude-Ambroise Regnier duc de Massa, grand juge (ministre de la justice) sous le Consulat et le Premier empire (voir chap. XIV de notre ouvrage cité à la note 73).

76 Entré dans la Résistance, Gérard marquis de Commarque fut arrêté à la suite d'une dénonciation et envoyé à Buchenwald, où il mourut le 16-II-1944.

77 Neveu à la mode de Bretagne de Camille de Rocca-Serra (Zicavo, Corse, 16-VIII-1880 - 28-II-1963), docteur en médecine, président du conseil général

et député de la Corse, et cousin issu de germain de Jean-Paul de Rocca-Serra (Bonifacio, Corse, 11-X-1911), docteur en médecine, président du conseil général, sénateur et député de la Corse, fils du précédent.

78 Le général de Rocca-Serra fut notamment gouverneur militaire de la région de Blida et attaché militaire à Vienne.

79 Jean-Jérôme de Witt a opté pour la nationalité belge en date du 26-III-1971.

80 Représentant en Belgique d'une firme suédoise réalisant des maisons préfabriquées.

81 Le mariage religieux fut célébré par le cardinal Franz König, archevêque de Vienne, en l'église des franciscains de cette ville, le 26-VI.

82 La famille Mautner de Markhof occupe en Autriche, depuis près d'un siècle et demi, une position de tout premier plan dans le monde des affaires. Arrivé à Vienne en 1840, Adolphe-Ignace Mautner (Smiritz, Bohème, 26-XII-1800 - Vienne 24-XII-1889) y créa une brasserie. Grâce à l'emploi de procédés nouveaux, celle-ci conquit rapidement une place prépondérante sur le marché. Par la suite, Adolphe-Ignace Mautner s'intéressa à d'autres branches de l'industrie alimentaire : levures, liqueurs, vinaigre, etc... A la tête bientôt d'une fortune considérable, il en consacra une partie aux œuvres de bienfaisance : il fonda notamment un hôpital pour enfants, des asiles pour vieillards, des orphelinats. Né israélite, Adolpe-Ignace Mautner avait épousé une coreligionnaire, Julie Kadisch (1812-1887). Tous deux se firent catholiques dès 1846. En 1872 (15-V), Adolphe-Ignace Mautner fut anobli et reçut le titre de chevalier de Markhof. Ses descendants ont poursuivi les mêmes activités. La famille est toujours à la tête d'importantes entreprises du secteur alimentaire en Autriche : la principale est, à l'heure actuelle, la Brasserie Schwechat, du nom de l'endroit où se trouvent les usines. Elle possède, d'autre part, des intérêts dans de nombreuses sociétés dans le pays et à l'étranger. Les Mautner de Markhof sont demeurés fidèles aux préoccupations philanthropiques d'Adolphe-Ignace : aujourd'hui retiré des affaires, l'arrière-petit-fils de celui-ci, Manfred, né en 1903, est le président de la Maison des concerts de Vienne. Le père de Mme Vladimir de Witt, prénommé Manfred également, né en 1927, est le fils de ce dernier. Nous remercions le professeur docteur Hanns Jäger-Sunstenau, de Vienne, d'avoir bien voulu nous procurer les éléments de cette note.

83 Les Pharaon alias Faraone sont une excellente famille de Syrie, appartenant à la communauté grecque catholique : ils sont toujours représentés de façon distinguée à Beyrouth. La branche qu'on a ici pris le nom de Cassis-Faraone, pour être issue d'un prêtre : cassis, en effet, veut dire prêtre en arabe. Elle vint s'établir en Europe à la fin du 18e s. avec deux frères : Antoine et Joseph. Ceux-ci avaient occupé durant de longues années de hautes fonctions dans l'administration ottomane en Egypte et y avaient acquis une fortune considérable : Antoine était fermier général des douanes au Caire. Ils quittèrent le pays en raison de la situation difficile créée par les luttes opposant les Mameluks. Installé en Autriche, Antoine y fut fait comte le 30-VI-1783. Fixé en Italie, Joseph obtint le 13-IV-1796, du pape Pie VI, le titre de comte palatin et le 10-XI-1798, de l'empereur, celui de chevalier dans les possessions autrichiennes. Le pape Pie VII accorda à son fils, par brefs des 4-V et 13-VIII-1802, un titre de marquis pouvant être porté par les représentants des deux sexes. Les titres du rameau de Joseph ont été confirmés par le roi d'Italie en date du 22-II-1893. La comtesse Margareta Cassis-Faraone appartient au rameau d'Antoine. Elle est la sœur de la comtesse Léontine (Vught, Pays-bas, 3-VIII-1933) alliée à Vienne le 12-V-1962 à s.a.s. le prince Albert de Hohenberg (Artstetten, Autriche, 4-II-1931), petit-fils de l'archiduc héritier François-Ferdinand et de la comtesse Sophie Chotek. Nous devons à l'obligeance de M. Max Karkegi l'essentiel des éléments de cette note.

84 Anglais, allemand, italien.

85 Le prince Napoléon est administrateur de la Compagnie financière européenne et d'outre-mer (Finoutremer), naguère Compagnie financière du Katanga, important omnium de valeurs coloniales ayant son siège à Bruxelles, et de la Société cotonnière franco-tchadienne Cotonfran, dont le siège est à N'Djamena (Tchad).

86 Nous renvoyons, en ce qui concerne la biographie du prince Napoléon et notamment sa participation à la Résistance au cours de la dernière guerre, au long chapitre qui lui est consacré dans notre ouvrage *Les prétendants aux trônes d'Europe*.

87 Le comte Albéric de Foresta est administrateur des Tuileries de Marseille et de la Méditerranée.

88 Les Foresta sont issus de Christophe Foresta, médecin de Louis XII, maître de l'hôtel du roi, gentilhomme du dauphin, originaire de Ligurie. Celui-ci ayant acquis la baronnie de Trets, ses descendants se fixèrent en Provence. En 1651, la terre de La Roquette est érigée en marquisat en faveur de la branche cadette. La famille est maintenue noble en 1668. La branche cadette s'étant éteinte, le titre de marquis est confirmé à la branche aînée en 1821. Toujours établis en Provence, les Foresta sont propriétaires notamment d'un vaste domaine en Camargue : ils ont pris une part considérable à l'essor de la culture du riz dans cette région, au lendemain de la dernière guerre. La princesse Napoléon a une sœur, Hedwige (Paris 16e 7-IV-1937), alliée Paris 16e 7-IV-1964 à Hély comte de La Roche-Aymon (Saint-Aignan, Loir-et-Cher, 26-X-1921), diplômé de l'Ecole des sciences politiques, fils de Raoul marquis de La Roche-Aymon, membre de l'Académie d'agriculture, et de la princesse Madeleine de Broglie.

89 Baptisé en l'église Saint-Louis des Invalides par Mgr Roncalli, futur pape Jean XXIII, alors nonce à Paris, le prince Charles Napoléon eut pour parrain le prince Charles de Belgique, comte de Flandre, frère cadet du roi Léopold III, et pour marraine la princesse Clémentine, sa grand-mère paternelle.

90 Baptisée par le futur pape Jean XXIII en même temps que son frère Charles, la princesse Catherine eut pour parrain le comte Albéric de Foresta, son grand-père maternel, et pour marraine la reine Elisabeth de Belgique, épouse du roi Albert Ier.

91 L'une des sœurs de Nicolo San Martino d'Aglie di San Germano, Antonella (Pinerolo, Italie, 27-IX-1943), a épousé à Campiglione le 2-VII-1970 Ippolito Calvi di Bergolo (Turin 14-I-1936), architecte et urbaniste, fils de Vittorio, général de division, neveu de Giorgio-Carlo Calvi comte di Bergolo, général de division, chef de famille, époux de la princesse Yolande de Savoie (sœur du roi Humbert II), neveu également de Mathilde, épouse du prince Aage de Danemark. Une autre sœur du marquis Nicolo, Giovanna (Campiglione 10-IV-1945), s'est alliée à Campiglione le 22-V-1974 à don Alvaro d'Orléans (Rome 1-III-1947), fils du prince Alvaro d'Orléans, duc de Galliera, lequel était l'arrière-petit-fils du duc de Montpensier (10e enfant et dernier fils du roi Louis-Philippe) et de l'infante Marie-Louise (seconde fille du roi Ferdinand VII d'Espagne, sœur cadette de la reine Isabelle II).

92 Donna Maria-Cristina Ruffo di Calabria est la sœur aînée de donna Paola (Forte dei Marmi, Italie, 11-IX-1937) alliée à Bruxelles le 2-VII-1959 au prince Albert de Belgique, prince de Liège, frère du roi Baudouin. Toutes deux appartiennent à la descendance de La Fayette (voir *La Fayette et sa descendance* par Arnaud Chaffanjon, Paris 1976).

93 Baptisée à Saint-Louis des Invalides par Mgr Blanchet, recteur de l'Institut catholique de Paris, la princesse Laure eut pour parrain le prince Louis Murat et pour marraine la princesse Joséphine-Charlotte de Belgique, sœur du roi Baudouin, aujourd'hui épouse du grand-duc Jean de Luxembourg.

94 Après avoir étudié quelque temps la restauration de tableaux à Rome, la princesse Laure a fait plusieurs stages dans la presse. Elle est aujourd'hui collaboratrice d'une société spécialisée dans l'octroi de prêts aux membres du corps médical.

95 Baptisé par le cardinal Feltin, archevêque de Paris, au domicile de ses parents, le prince Jérôme eut pour parrain le prince Xavier de Bourbon-Parme et pour marraine la comtesse Albéric de Foresta, sa grand-mère maternelle.

96 Le prince Amédée de Savoie était le propre oncle de la princesse Letizia Napoléon.

97 Emmanuel dal Pozzo della Cisterna (1789-1864) avait été fait, sous le régime napoléonien, baron de l'empire par l.p. du 9-III-1810. Quelques années plus tard, professant des idées libérales, il conspira contre le régime absolu du royaume sarde. Arrêté le 3-III-1821, un mouvement révolutionnaire lui rendit la liberté peu après. L'ordre rétabli, il fut condamné à mort par contumace le 10-VIII-1821. Réfugié en Suisse, puis en France, il ne rentra en Italie qu'en 1848, à la faveur du régime constitutionnel établi par le roi Charles-Albert. C'est à ce moment qu'il fut nommé sénateur. Il était le dernier mâle de sa famille : du Piémont, d'ancienne noblesse, celle-ci avait reçu le titre de prince pour l'aîné du pape Clément X le 11-X-1670. Marie-Victoire et sa mère furent créées altesses par décret royal du 20-IV-1867.

98 Le comte de Salemi fut emporté par la grippe espagnole, contractée sur le front.

99 On peut être étonné de ce qu'on ne soit pas mieux renseigné sur certains des frères et sœurs de Napoléon. C'est que, tout d'abord, l'état civil d'Ajaccio présente des lacunes assez importantes, à la suite de la disparition d'un certain nombre de registres. D'autre part, les premières années de l'union de Charles Bonaparte et de Maria-Letizia Ramolino correspondent à une période assez agitée de l'histoire corse : il se peut ainsi que des naissances et des décès se soient produits en dehors d'Ajaccio, au gré de déplacements imposés par les circonstances, et n'aient pas été enregistrés ou l'aient été ailleurs, sans qu'on en connaisse exactement le lieu.

100 Sœur de Désirée, mariée à Bernadotte.

101 Baptisé en l'église Saint-Sulpice, à Paris, le 15-I-1770 (avait été ondoyé en l'église Saint-Louis de Fort-de-France le 10-VI-1760).

102 Sur l'échafaud révolutionnaire.

103 C'est-à-dire contre-amiral.

104 Dans une lettre à Metternich en date du 17-III-1829, Marie-Louise indique que son mariage avec Neipperg a été béni en septembre 1821. C'est dans une note rédigée par Alfred de Neipperg, fils aîné d'Adam-Adalbert, qu'on trouve la date du 8-VIII. Le premier de ces documents figure dans *Le fils de Napoléon* de Jean de Bourgoing (Paris, 1950). Le second est reproduit en appendice de l'ouvrage du même auteur : *Le cœur de Marie-Louise* (Paris 1939).

105 Neipperg s'était allié précédemment à Lamotta, Italie, le 4-II-1805 à la comtesse Thérésia Pola (Trévise 2-IV-1778 - Schwaigern, Wurtemberg, 23-IV-1815), fille du comte Antoine et de la comtesse Maria-Antonia von Thurn-Valsassina. Thérésia Pola avait contracté un 1er mariage à Trévise le 14-IV-1799 avec le comte Jean-Baptiste Remondini (1768 - Castel-Tesino, province de Trente, XI-1810), fils du comte Joseph, propriétaire de la célèbre imprimerie et maison d'édition de son nom à Bassano (fondée vers 1650, celle-ci ne disparut qu'en 1860), et de Thérèse Gaudio : cette union fut déclarée nulle par l'évêque de Trévise le 7-II-1805. Le 1er mariage de Neipperg avec Thérésia Pola, qui en 1805 avait été béni par un aumônier militaire, fut célébré à

nouveau, pour confirmation, le 21-XII-1810, après la mort de Jean-Baptiste Remondini, cette fois à Vienne, devant le vicaire général Joseph Baur. Nous sommes redevable des précisions données dans cette note à l'obligeance du comte Neipperg et du docteur Paulus, archiviste de la famille Neipperg.

106 La date de cette union figure dans les deux testaments de Marie-Louise, en dates respectivement des 25-V-1837 et 22-V-1844 (voir *Les maris de Marie-Louise* du docteur Max Billard, Paris 1908, p. 253 note2 et p. 301).

107 Bombelles s'était allié précédemment à Marseille le 4-XI-1816 à Caroline de Poulhariez (Nice 15-V-1792 - Vienne 18-XII-1819), fille de Jean-Baptiste-André de Poulhariez de Saint-André marquis de Cavanac et de Louise-Béatrix de La Braze.

107ᵃ Contrairement à ce qu'on trouve souvent, Christine Boyer n'est pas née à Saint-Maximin. Son acte de mariage, qui donne à Lucien Bonaparte le prénom de Brutus et le fait naître le 21-V-1768, indique la date de sa naissance mais non le lieu.

108 Un mariage religieux aurait eu lieu antérieurement, le 25-V-1803, à Paris, lors du baptême du premier enfant du ménage (voir Frédéric Masson *Napoléon et sa famille*, tome II, p. 271).

109 Chez maître Drugeon à Paris (l'acte de mariage ne figure pas dans l'état civil reconstitué de Paris).

110 Le décès d'Hippolyte Jouberthon n'est pas établi avec certitude. La date et le lieu que nous donnons figurent dans *Napoléon et sa famille* (T II, p. 271) de Frédéric Masson, sans indication de source. Paul Fleuriot de Langle signale dans son livre *Alexandrine-Lucien Bonaparte, princesse de Canino* (Paris 1939) qu'il n'a pu retrouver l'acte correspondant dans les registres de l'ancienne colonie.

111 Ce fut Jean-Louis Jouberthon qui vaccina le jeune duc de Normandie, futur Louis XVII.

112 De ce 1ᵉʳ mariage d'Alexandrine Jacob de Bleschamp naquit une fille, Anne Jouberthon (Paris 28-X-1799 - Rome 29-IV-1845), alliée 1) Rome 7-IV-1818 au prince Alphonse Hercolani (Rome 29-VI-1799 - Bologne 17-II-1827), 2) Bologne 27-X-1833 au prince Maurice Jablonowski (Krysowice, Galicie, 27-X-1808 - Asnières, Seine, 31-III-1868), général (Autriche).

113 A une quarantaine de kilomètres de Trieste, d'une tumeur maligne.

114 Ce titre lui fut conféré par Louis XVIII sur les instances du tsar Alexandre : on trouvera le texte des lettres correspondantes dans *Napoléon et sa famille* (T. X, p. 148) de Frédéric Masson.

115 Victor-Emmanuel Leclerc était le frère d'Aimée, épouse du maréchal Davout, duc d'Auerstaedt, prince d'Eckmühl ; de Louise-Françoise-Charlotte, épouse de Louis Friant, général de division, comte de l'empire ; de Jean-Louis, membre du Corps législatif, préfet, comte de l'empire ; de Nicolas-Martin Leclerc des Essarts, général de division, comte de l'empire (voir Albert Révérend *Armorial du Premier empire*).

116 C'est-à-dire du Piémont.

117 Selon certains auteurs, Caroline Bonaparte aurait contracté après 1815 un mariage de conscience avec François Macdonald (Pescara 19-II-1770 - Florence 19-VIII-1837) qui, vivant dans son entourage, fit toujours montre de dévouement à son égard : lieutenant général dans l'armée napolitaine, celui-ci avait

été ministre de la guerre et de la marine du roi Joachim et en avait reçu un titre de baron.

118 Les deux brochures ci-après du baron Hervé Pinoteau : *Les Bonaparte avant 1789* (Braga, 1962) et *Le dossier nobiliaire et héraldique des Bonaparte* (Braga, 1966) ainsi que les pages consacrées par celui-ci à la famille Bonaparte dans *Le sang de Louis XIV* (Braga, 1961), ouvrage collectif, nous ont été précieuses pour la mise au point du présent chapitre, notamment en ce qui concerne la rubrique *ascendance* et les problèmes de titulature. Nous le remercions d'avoir bien voulu en outre nous faire bénéficier de ses avis sur un certain nombre de points.

II

Rémy-Joseph-Isidore comte Exelmans

10-III-1851

CARRIERE

1775 : naissance à Bar-le-duc (13-XI),
1791 : volontaire au 3ᵉ bataillon de la Meuse, compagnie d'artillerie (jusqu'en 1794),
1792 : à l'armée de la Moselle (jusqu'en 1794), sergent-major,
1794 : à l'armée de Sambre-et-Meuse (jusqu'en 1797), 34ᵉ régiment d'infanterie (jusqu'en 1796),
1796 : sous-lieutenant, au 43ᵉ régiment d'infanterie (jusqu'en 1798),
1798 : à l'armée d'Angleterre, lieutenant (19-VI), à l'armée d'Italie, à l'armée de Rome, à l'armée de Naples (jusqu'en 1799), aide de camp du général Jean-Baptiste Eblé (22-X),
1799 : aide de camp du général Jean-Baptiste Broussier (21-VII, jusqu'en 1800), capitaine à titre provisoire (13-IV, à la suite du 16ᵉ régiment de dragons), à l'armée d'Italie (jusqu'en 1800),
1800 : à l'armée de réserve (Italie), confirmé capitaine (8-VII, à la suite du 16ᵉ régiment de dragons),
1801 : à l'armée d'observation du midi, Toscane et Naples (jusqu'en 1802), au 15ᵉ régiment de chasseurs à cheval, aide de camp de Murat (21-V, jusqu'en 1805),
1803 : chef d'escadrons, 1ᵉʳ aide de camp de Murat,
1805 : à la Grande armée (jusqu'en 1808), est à Austerlitz, colonel (27-XII), au Iᵉʳ régiment de chasseurs à cheval (27-XII, jusqu'en 1807),
1807 : est à Eylau, général de brigade (14-V), aide de camp de Murat (16-V, jusqu'en 1808), est à Friedland,
1808 : à l'armée d'Espagne, baron de l'empire (d.i. du 19-III), fait prisonnier (16-VI), détenu successivement à Valence, à Majorque et en Angleterre (jusqu'en 1811),
1811 : s'évade d'Angleterre et rentre en France, grand écuyer du roi de Naples,
1812 : confirmé baron de l'empire (l.p. du 19-III), major des grenadiers à cheval de la garde impériale (9-VII), sert en Russie, général de division (8-IX), commande la 2ᵉ division de cavalerie légère du 2ᵉ corps de cavalerie (9-IX), est blessé d'un coup de feu à la cuisse près de Wilna (10-XII),
1813 : reçoit le commandement de la 4ᵉ division de cavalerie légère de la Grande armée au 2ᵉ corps de cavalerie, à Mayence (15-II) ; en raison de la blessure précitée, ne peut rejoindre la Grande armée (en Saxe) que début mai, comte de l'empire (d.i. du 28-IX)[1], se distingue à Bautzen, commande le 2ᵉ corps (4-XII),
1814 : bat en retraite en direction de la Champagne, sert à la défense de Châlons-sur-Marne, à Méry-sur-Seine, à Berry-au-bac, Craonne ; commande la 3ᵉ division de la garde (12 et 13-III), puis la 2ᵉ division de cavalerie de la garde (15-III), sert à Méry-sur-Seine, Plancy, Arcis-sur-Aube ; se rallie à la monarchie restaurée, inspecteur général de cavalerie dans la 1ʳᵉ division militaire (12-VI) ; mis en non-activité (10-XII), une lettre écrite par lui à Murat ayant été saisie par la police sur un voyageur ; invité à quitter Paris dans les 24 heures et à se retirer à Bar-le-duc, refuse d'obéir et est décrété d'arrestation (20-XII) ; s'échappe (21-XII),
1815 : traduit devant le conseil de guerre de la 16ᵉ division militaire à Lille sous l'inculpation de correspondance avec l'ennemi, d'espionnage, d'offenses envers le roi, etc..., se constitue prisonnier à la citadelle de Lille (14-I), est acquitté à l'unanimité (23-I) ; après le retour de l'île d'Elbe, travaille activement à rallier à la cause de l'empereur les officiers en demi-solde, est chargé par Napoléon de poursuivre Louis XVIII jusqu'à la frontière belge, commande la 1ʳᵉ division de cavalerie du 2ᵉ corps de l'armée du nord (31-III), pair de France (2-VI), commande le 2ᵉ corps de cavalerie

(dragons) à l'armée de Belgique (5-VI), sert à Fleurus, à Ligny, à Wavre, se retire sur Paris, prend position à Versailles et bat une division de cavalerie prussienne à Vélizy et à Rocquencourt (1-VII) ; exilé en vertu de l'article 2 de l'ordonnance du 24-VII, s'établit à Bruxelles qu'il quittera bientôt pour Liège, puis pour Bréda et enfin le duché de Nassau,

1819 : autorisé à rentrer en France (15-I), compris comme disponible dans le cadre de l'état-major général (1-IX),

1828 : inspecteur général de cavalerie pour 1828 dans les 9e, 10e, 12e et 21e divisions militaires,

1830 : dirige avec le général comte Pajol la marche des insurgés parisiens contre Rambouillet où s'est retiré Charles X (3-VIII), chargé d'une inspection générale extraordinaire (8-VIII), disponible (1-XI),

1831 : pair de France,

1834 : se prononce pour l'abrogation de la loi du 27-II-1832 interdisant le territoire français à la famille Bonaparte (10-IV), déclare devant la chambre des pairs que la condamnation de Ney a été un assassinat juridique (16-XII),

1840 : maintenu définitivement dans le cadre d'activité de l'état-major général,

1849 : grand chancelier de la Légion d'honneur,

1851 : maréchal de France (10-III),

1852 : sénateur (26-I) ; mort à Sèvres, Hauts-de-Seine, des suites d'une chute de cheval (22-VII) ; inhumé dans le caveau des gouverneurs et des maréchaux aux Invalides [2].

ECRITS

Il n'a été publié aucun écrit du maréchal Exelmans.

LE CADRE FAMILIAL

Ascendance [3]

I - Michel SNEPERS, dit EXELMANS après son mariage, décédé avant 1635, allié à Judith EXELMANS, héritière d'une terre du nom d'Exelmans, sise à Grote-Brogel dans le comté de Looz (Limbourg belge) [4], dont

II - Jean I EXELMANS, décédé avant 1683, propriétaire de la terre du nom d'Exelmans, échevin de Grote-Brogel, allié à Mathilde HEULKENS, décédée avant 1683, dont

III - Jean II EXELMANS [5], établi à Saint-Hubert-Lille (Limbourg), décédé à Saint-Hubert-Lille le 24-VII-1691 [6], allié 1) à N. COX, 2) à Catherine HOOL, décédée le 1-XII-1697, dont du 1er mariage

IV - Guillaume EXELMANS, établi à Neerpelt (Limbourg) et à Saint-Hubert-Lille, décédé à Saint-Hubert-Lille le 28-X-1718, allié 1) à Elisabeth SMETS, 2) à Martine SAERS, dont du 1er mariage

V - Michel EXELMANS, baptisé à Neerpelt le 23-IX-1685, décédé à Bar-le-duc le 19-IV-1775, marchand à Bar-le-duc, allié 1) à Marie-Anne GEORGES, née le 9-IX-1692, décédée à Bar-le-duc le 8-IX-1723, fille de Nicolas et de Marie HUMBERT, 2) le 8-II-1724 à Marie-Anne

LIGIER, née à Bar-le-duc le 10-XII-1697, fille de François et de Marie LESAGE, dont du 2ᵉ mariage

VI - Guillaume-Isidore EXELMANS, baptisé à Bar-le-duc le 19-II-1744, décédé avant 1809, négociant à Bar-le-duc, allié à Bar-le-duc le 6-II-1771 à Françoise BELHOMME, baptisée à Bar-le-duc le 13-V-1743, décédée à Longeville-en-Barrois, Meuse, le 30-I-1819, fille de Gaspard et d'Anne RAILLARD.

Collatéraux [3]

Un frère de Jean II, Michel, fut curé de Berbroek (1670), puis de Neerpelt (1673) et enfin doyen de Beringen [7]. Un frère de Michel, Théodore, est marchand à Saint-Hubert-Lille.

ARMES

Ecartelé : I d'argent au cheval cabré de sable ; II des barons militaires : de gueules à l'épée haute en pal d'argent ; III parti d'azur à la ruche d'or et d'azur à la croix d'or ; IV d'argent à trois merlettes de sable.

L'EPOUSE

Le maréchal Exelmans s'est allié à Paris le 31-I-1808 à *Amélie-Marie-Josèphe* de LACROIX de RAVIGNAN (Bayonne 9-V-1788 - Bayonne 6-I-1862), fille de Bernard, propriétaire, capitaine d'infanterie, maire de Bayonne [8], et de Catherine-Rose-Henriette MEL de SAINT-CÉRAN [9].

La famille à laquelle appartenait la maréchale Exelmans est connue depuis Arnaud de LACROIX, vivant en 1650, ouvrier brasier [10] à l'Hôtel des monnaies de Bayonne. Le fils de ce dernier, Dominique de Lacroix († Saint-Laurent-de-Gosse 24-VI-1700), est fondeur dans le même établissement. Celui-ci a deux fils. L'aîné, Jean de LACROIX (Bayonne 28-X-1680 - Bayonne 6-III-1731), est directeur de l'Hôtel des monnaies de Bayonne et s'occupe, par ailleurs, de commerce maritime et de course. Il meurt sans alliance, ayant acheté en 1715 la charge anoblissante de conseiller secrétaire du roi. Le 2ᵈ, prénommé Jean également (Bayonne 27-VI-1695 - Saint-Laurent-de-Gosse 20-VII-1770), sert quelque temps dans l'armée où il atteint le grade de capitaine. Il obtient la survivance de la charge de conseiller secrétaire du roi acquise par son frère et assure ainsi définitivement l'accession de sa famille à la noblesse. Le 13-X-1732, il achète au dernier des de Mesmes la baronnie de Ravignan, dont il portera désormais le nom. Il épouse, à Bayonne le 15-II-1733, une importante héritière, Thérèse VANDUFFEL, d'une famille d'origine hollandaise installée à Bayonne, enrichie dans le négoce. Ce 2ᵈ Jean de Lacroix fut le père de Bernard, père lui-même de la maréchale Exelmans. Cette dernière était la sœur de Jean-Hippolyte de LACROIX de RAVIGNAN (Saint-Laurent-de-Gosse 16-X-1791 - Perquie 9-II-1873), chef d'escadrons de cavalerie, aide de camp du général comte de Flahaut, baron de l'empire par d.i. du 23-III-1814 [11], et de Xavier de LACROIX de RAVIGNAN (Bayonne 1-XII-1795 - Paris 26-II-1858), membre de la Compagnie de Jésus, successeur de Lacordaire dans la chaire de Notre-dame de Paris [12].

DESCENDANCE [13]

I - Charles-Joachim EXELMANS (Paris 25-V-1812 - Louviers 20-IV-1845 [14]), receveur particulier des finances [15], allié Paris 14-V-1839 à Nathalie-Rose CAMPION (Granville 6-XII-1814 - Saint-Laurent-de-Gosse 30-XII-1894), fille de Jacques, négociant et armateur à Granville, membre de la chambre de commerce de la Manche, président du tribunal de commerce de l'arrondissement, et de Marie-Marguerite ELIE [Nathalie-Rose CAMPION avait épousé précédemment à Granville le 26-X-1830 Joseph-Eugène VARIN (Granville 4-VII-1806 - Granville 22-VII-1833), négociant, membre du conseil d'arrondissement, capitaine dans la garde nationale, fils de Joseph-Marie, négociant, membre de la chambre de commerce de la Manche, président du tribunal de commerce de l'arrondissement, et de Françoise-Thérèse PIGEON [16]] dont uniquement

Edmond 2ᵉ comte EXELMANS (Paris 15-III-1840 - Paris 16ᵉ 16-IV-1907), propriétaire, sous-lieutenant de cavalerie, s.a. [17].

II - Amélie EXELMANS (Paris 1815 - Bayonne 1-XII-1848) alliée Paris 6-IX-1834 à Adelbert baron LE BARBIER de TINAN (Paris 2-V-1803 - Paris 6ᵉ 18-XII-1876) [18], vice-amiral, fils de Jean-Marie baron LE BARBIER de TINAN, intendant militaire [19], et de Marguerite DERIS, dont

A - Georgina de TINAN (Paris 15-X-1835 - Le Havre 14-XII-1862) alliée Paris 5-V-1856 à Camille CLERC (Graville-Sainte-Honorine 16-XII-1828 - Paris 17ᵉ 25-XI-1882), ancien élève de l'Ecole polytechnique, ingénieur des Ponts-et-chaussées, industriel [20], fils de Joseph, industriel, président de la chambre de commerce du Havre, membre du Conseil supérieur du commerce [21], et d'Alexandrine KAYSER [22] [Camille CLERC s'est remarié à Paris 8ᵉ le 8-VII-1865 à Marie DEPRET (Dresde 30-VI-1840 - Paris 17ᵉ 1-XI-1919) [23], fille de Philippe, négociant, et de Modeste ROUGÉ [24]] [25], dont

1 - Amélie CLERC (Le Havre 10-II-1857 - Le Havre 22-IX-1862).

2 - Adelbert CLERC (Le Havre 4-II-1858 - Nice 20-I-1943), capitaine d'artillerie, allié Versailles 9-VII-1891 à Pauline de ROUSSEL (Versailles 4-VI-1870 - Nice 25-VII-1941), fille d'Anselme, ingénieur de 1re classe de la marine, et de Marie-Léonie CARRÉ [26], dont

    a - Philippe CLERC (Vincennes 22-IX-1892 - Alger 21-VI-1894),

    b - Raymond CLERC (Alger 5-VI-1894 - Annecy 9-VIII-1948 [27]), représentant en France d'une importante aciérie étrangère, allié Megève 17-III-1943 à Francine-Marguerite DESNOYERS (Saint-Etienne 29-V-1913), fille de Jean, négociant, et de Catherine-Augustine VAILLANT, mariage dissous par jug. du t.c. d'Annecy le 13-X-1945 [Francine-Marguerite DESNOYERS s'est remariée à Annecy le 31-X-1946 à Frédérik HACKETT (Paris 11e 12-XII-1911), négociant, fils de Georges-Osbourn et de Marthe-Berthe SIABAS, commerçante], s.p.

3 - Gustave CLERC (Le Havre 24-XII-1859 - Menton 15-IV-1878), s.a.,

B - Berthe de TINAN (Paris 17-VI-1839 - Paris 16e 8-VII-1903) [28] alliée Paris 6e 24-I-1860 à Georges POCHET (Ingouville [29] 4-X-1834 - Sainte-Adresse 20-VIII-1901), fondé de pouvoir dans une société de négoce (cotons) [30], fils de Louis, négociant, et de Mathilde DELAROCHE [31], dont

1 - Marie POCHET (Le Havre 12-XI-1860 - Sainte-Adresse 25-XII-1928) alliée Le Havre 24-I-1880 à Maurice TACONET (Melun 26-X-1853 - Sainte-Adresse 27-VI-1923), courtier maritime, président des courtiers maritimes de France et d'Algérie, membre de la chambre de commerce du Havre, président de la Société des régates du Havre [32], fils d'Auguste, courtier maritime, et de Jenny RÉGNIER, dont

    a - Lionel TACONET (Le Havre 15-XI-1880 - Rennes 7-II-1922), courtier maritime, puis propriétaire agriculteur, allié Rennes 25-II-1911 à Marie-Thérèse de LABORDE-NOGUEZ (Ustaritz 15-VII-1885 - Rennes 23-II-1960), cousine issue de germain de sa mère (voir plus loin), s.p.

    b - Berthe TACONET (Le Havre 7-IV-1882 - Le Havre 23-XII-1976) alliée Sainte-Adresse 10-XI-1912 à Emile THIEUL-

LENT (Le Havre 11-III-1872 - Le Havre 2-VIII-1956), négociant (cotons), fils d'Ernest, négociant (cotons)[33], et de Marie MIONNET[34] [Emile THIEULLENT avait épousé précédemment au Havre le 14-XI-1898 Emilienne HUMBERT (Le Havre 12-XII-1875 - Epouville 19-VII-1907), fille de Charles-Ernest, industriel, et d'Augustine-Emilienne POTEL[35]] dont

— Marie THIEULLENT (Le Havre 4-XII-1913) alliée Le Havre 26-XI-1938 à François GAUTIER (Paris 11e 28-VIII-1910), directeur dans une société industrielle (bois et métaux), fils de Justin, industriel (fabricant de bois contre-plaqué), et de Marie DENOUETTE, dont

• Monique GAUTIER (Le Havre 16-IX-1939), secrétaire (industrie pharmaceutique), s.a.a.

• Chantal GAUTIER (Versailles 11-X-1947) alliée Châtillon-sous-Bagneux 11-I-1969 à Gérard MORAINE (Châtillon-sous-Bagneux 31-X-1944), agent commercial, fils de Lucien, technicien supérieur, et de Simone THUAULT, dont

•• Alexandre MORAINE (Versailles 6-III-1970),

•• Sandrine MORAINE (Versailles 12-XI-1971),

• Elisabeth GAUTIER (Versailles 9-XI-1949) alliée Versailles 24-VI-1971 à Yves HAZARD (Viroflay 31-VIII-1948), expert-comptable, fils d'Alfred, antiquaire décorateur, et de Madeleine DURAND, dont

•• Cédric HAZARD (Versailles 1-IX-1972),

•• Karine HAZARD (Versailles 9-X-1973),

•• Candice HAZARD (Versailles 5-I-1974),

• Brigitte GAUTIER (Versailles 11-X-1952) alliée Versailles 25-II-1974 à Luc HAZARD (Versailles 18-II-1950), ébéniste d'art, frère de Yves précité, dont

•• Cyrille HAZARD (Versailles 27-III-1976),

— Henri THIEULLENT (Le Havre 13-I-1915), notaire[36], président de la chambre départementale des notaires de Seine-maritime, allié Rouen 24-VII-1944 à Suzanne THIERRY (Rouen 1-XII-1919), fille d'Emile, docteur en médecine, chirurgien gynécologue, et de Marcelle DUMONT, dont

• Patrick Thieullent (Rouen 22-XI-1949), journaliste [37] allié Paris 8ᵉ 10-V-1975 à Bénédicte Dalmas (Neuilly-sur-Seine 11-II-1952), fille de Pierre, ingénieur conseil, et de Marie-Thérèse dite Maïté Roulin, dont

•• Claire Thieullent (Reims 11-XI-1979),

• Anne Thieullent (Rouen 7-VII-1951) alliée Paris 16ᵉ 22-II-1975 à Gérard Celier (Kehl, Allemagne, 8-VIII-1947), ingénieur de l'Ecole spéciale de mécanique et d'électricité, ingénieur dans l'industrie (constructions métalliques), fils de Henri, ancien élève de l'Ecole polytechnique, chef d'escadron d'artillerie, puis ingénieur en chef, et de Marguerite Altmayer [38], dont

•• Thibault Celier (Paris 16ᵉ 6-X-1975),

•• Laure Celier (Paris 16ᵉ 30-VI-1978),

• Gaëlle Thieullent (Rouen 1-X-1960),

— Agnès Thieullent (Gonneville-la-Mallet 17-VIII-1916) alliée Gonneville-la-Mallet 20-V-1944 à Yves Chegaray (Le Havre 7-XII-1914), agent d'assurances maritimes, administrateur de sociétés d'assurances et de navigation, fils de Pierre, agent d'assurances maritimes, et de Germaine Delcroix [39], dont

• Anne Chegaray (Sainte-Adresse 17-V-1951) alliée Villerville-sur-mer 2-II-1974 à Philippe de La Porte des Vaux (Saint-Brieuc 11-VI-1945), ingénieur artisan, fils d'Olivier, employé aux Mines domaniales de potasse d'Alsace, et de Jeanne Prevost, dont

•• Nicolas de La Porte des Vaux (Paris 16ᵉ 19-VI-1974)

• Laura Chegaray (Deauville 3-VIII-1952) alliée Quessoy 16-III-1974 à Jean-François de La Porte des Vaux (Sfax 2-X-1943), apiculteur, frère de Philippe précité, dont

•• Olivia de La Porte des Vaux (Yssingeaux 11-VIII-1974),

• Pierre-Yves Chegaray (Le Havre 23-VI-1954), employé d'assurances maritimes, s.a.a.,

— Raymond Thieullent (Le Havre 20-XII-1918), négociant importateur de cotons bruts, allié Nantes 27-IX-1946 à Annick DECRÉ (Nantes 4-X-1924), fils de Jean, administrateur de sociétés [40], et de Madeleine LAUPRÊTRE, dont

● François THIEULLENT (Sainte-Adresse 6-VIII-1947), inspecteur général d'assurances, allié Paris 8e 8-VII-1972 à Frédérique VARIN-BERNIER (Paris 5-II-1951), fille de Roland, docteur en droit, banquier [41], et de Nicole DANGELZER, dont

●● Cédrick THIEULLENT (Paris 8e 3-VI-1974),

●● Geoffroy THIEULLENT (Caudéran 25-VII-1977),

●● Marie THIEULLENT (Caudéran 23-IX-1978),

● Jérôme THIEULLENT (Sainte-Adresse 9-VII-1948), graphiste publicitaire, s.a.a.,

● Blandine THIEULLENT (Sainte-Adresse 4-IX-1950), assistante médicale, alliée Sainte-Adresse 11-VI-1977 à Jean-Philippe comte de LESPINAY (Paris 17e 19-VI-1946), informaticien, fils de Jacques marquis de LESPINAY, cadre commercial (électronique), capitaine de cavalerie, et de Irène de ROUGÉ,

● Thierry-Olivier THIEULLENT (Sainte-Adresse 14-III-1952), attaché commercial, allié Mettray, Indre-et-Loire, 4-VIII-1978 à Monique de RENTY (Paris 16e 12-I-1959), fille du baron Gaston, cadre commercial, et de Stéphanette BUSSIÈRE de NERCY de VESTU,

— Thérèse THIEULLENT (Le Havre 11-III-1923) alliée Gainneville 4-IV-1945 à Philippe RENARD (Rouen 5-IX-1922), ingénieur de l'Ecole centrale de Paris, directeur général de société (construction de grues, réparation de navires) [42], fils de Paul, agréé près le tribunal de commerce de Rouen, et de Simone CAILLARD, dont

● Christian RENARD (Le Havre 29-XII-1945), cadre d'assurances, allié Neuilly-sur-Seine 10-X-1969 à Monique BARATTE (Neuilly-sur-Seine 28-IV-1946), fille de Jacques, ingénieur de l'Ecole centrale de Paris, gérant de société (caoutchouc manufacturé), et de Thérèse DUSART, dont

●● Arnauld RENARD (Paris 20e 27-IX-1970),

•• Anne-Charlotte RENARD (Paris 17ᵉ 26-XI-1971),

•• Laetitia RENARD (Paris 16ᵉ 12-II-1977),

• Didier RENARD (Le Havre 12-III-1947 - Le Havre 18-III-1975) allié Le Havre 17-IX-1971 à Christine WILBERT (Paimpol 13-VII-1948), fille de Daniel-Robert, capitaine au long cours, et d'Annick HUCHET du GUERMEUR [Christine WILBERT s'est remariée à Saint-Mandrier-sur-mer le 28-VIII-1976 à Thierry CHALOT (Sainte-Adresse 23-IV-1947), directeur administratif, fils de Gérard, président-directeur général de société, et d'Annick VOISIN [43]], s.p.,

• Guy RENARD (Le Havre 26-IV-1950), ingénieur (automobile), s.a.a.,

• Bruno RENARD (Le Havre 25-I-1954), ingénieur de l'Ecole nationale supérieure de mécanique de Nantes, s.a.a.,

— Bernadette THIEULLENT (Gainneville 8-VIII-1924) alliée Gainneville 31-X-1944 à Jean THILLARD (Le Havre 17-VI-1921), juriste d'entreprise, fils d'Alfred, avoué au Havre, et de Suzanne BILLARD, dont

• Anne-Claire THILLARD (Sainte-Adresse 21-III-1946), éducatrice spécialisée, s.a.a.,

• Alain THILLARD (Sainte-Adresse 23-VI-1948), contrôleur de gestion, allié Leuglay 8-VI-1974 à Christine LANDEL (Fianarantsoa, Madagascar, 28-V-1951), fille de François, colonel d'infanterie, puis directeur administratif, et de Brigitte SAGE, dont

•• Stéphanie THILLARD (Le Chesnay 18-IX-1976),

•• Caroline THILLARD (Le Chesnay 19-XI-1977),

• Isabelle THILLARD (Sainte-Adresse 24-XII-1950), hôtesse de l'air, alliée Paris 6ᵉ 29-IX-1976 à Remy BOMMELAËR (Neuilly-sur-Seine 25-IX-1948), directeur commercial, fils de Michel, docteur en médecine, et de Gisèle LE FRANÇOIS, dont

•• Aurélie BOMMELAËR (Paris 13ᵉ 25-IV-1978),

• Pascale THILLARD (Sainte-Adresse 28-VI-1955), éducatrice, s.a.a.,

● Dominique " THILLARD (Sainte-Adresse 3-XII-1956), s.a.a.,

— Elisabeth THIEULLENT (Le Havre 6-XI-1927) alliée Le Havre 17-XII-1949 à Jacques TURBAN (Dieppe 7-VI-1924), électronicien, fils d'André, président de cour d'appel, et de Madeleine TOUFFET du MESNIL, dont

● Philippe TURBAN (Sainte-Adresse 7-X-1950), s.a.a.,

● Odile TURBAN (Sainte-Adresse 20-XI-1952) alliée Sainte-Adresse 4-IX-1971 à Jean-Pierre LACHÈVRE (Le Havre 15-VI-1945), commerçant, fils de Roger-Gaston, commerçant, et d'Elisabeth-Jeanne MARILLIER, mariage dissous par jug. du t.c. du Havre le 16-IV-1976, dont uniquement

●● Laurence LACHÈVRE (Sainte-Adresse 24-II-1973),

● Rémi TURBAN (Sainte-Adresse 25-X-1954), s.a.a.,

● Catherine TURBAN (Sainte-Adresse 2-X-1958), s.a.a.,

c - Gabriel TACONET (Le Havre 17-II-1885 - Le Havre 7-X-1972), courtier maritime, membre de la chambre de commerce et d'industrie du Havre, allié 1) Cannes 16-II-1921 à Ethel CARY (Londres 21-IV-1885 - Le Havre 15-X-1971), fille de William et d'Ada-Judite HEARDER, 2) Le Havre 24-XII-1971 à France TÉTEREL (Cauville-sur-mer 29-IX-1916), fille de Ferdinand, cultivateur, et de Louise-Eugénie TÉTREL, s.p. du 1er mariage, dont du second

— Gabriel TACONET (Le Havre-Graville 7-V-1947), kinési-thérapeute, allié Harfleur 16-IX-1968 à Annick LECOQ (Harfleur 27-VI-1948), pédicure, fille de Robert, charcutier, et d'Henriette LOISEL, dont

● Delphine TACONET (Le Havre 3-IX-1969),

— Francis TACONET (Le Havre 26-IV-1949), électricien, allié Paris 20e 1-II-1975 à Françoise LE COCQ (Clichy-la-Garenne 20-X-1955), agent de bureau, fille de Marcel-André, peintre en bâtiment, et d'Emilienne-Marie CAUCHOIS, dont

● Sophie TACONET (Paris 20e 4-XI-1976),

— Marie-France TACONET (Le Havre 26-IV-1949), secrétaire sténodactylographe, alliée Le Havre 1-XII-1978 à

Philippe FOUCAUT (Saint-Omer 4-V-1951), attaché de direction, fils de Jean-Victor, cadre à la S.N.C.F., et de Micheline-Laure CARON,

— Raymond TACONET (Le Havre 15-V-1951), représentant, allié Becerril-de-la-sierra, province de Madrid, 16-VII-1973 à Maria-del-pilar dite Pily MARTIN (Santiago, Chili, 27-IV-1952), fille d'Emilio, propriétaire d'une cafeteria à Madrid, et de Maria-del-Carmen CASTILLO, dont

● Christian TACONET (Madrid 22-X-1974),

d - Marguerite TACONET (Sainte-Adresse 1-IX-1886 - Sainte-Adresse 25-XII-1972) alliée Sainte-Adresse 7-V-1912 à Henri LECOQ (Le Havre 15-VII-1884 - Sainte-Adresse 7-III-1970), courtier maritime, fils d'Alfred, négociant en cotons, et de Jeanne BEGOUËN DEMEAUX [45], dont

— Suzanne LECOQ (Longueil 23-III-1913) alliée Sainte-Adresse 28-IX-1935 à Henri FRANQUE (Toulouse 25-V-1911), assureur maritime, fils de Paul, propriétaire, compositeur de musique (orgue), et de Henriette VELLAS, dont

● Chantal FRANQUE (Le Havre 9-VIII-1936), fondé de pouvoir de son père, s.a.a.,

● Xavier FRANQUE (Le Havre 25-VIII-1937), ancien élève de l'Ecole polytechnique de Zurich, ingénieur civil à l'arsenal de Rennes, allié Saint-Léry 30-VII-1970 à Anne-Françoise DESGRÉES du LOU (Rennes 18-VI-1936), fille de François, directeur de journal [46], et d'Anne des PREZ de LA MORLAIS, dont

●● Sibylle FRANQUE (Versailles 10-IX-1971),

●● Jean-Emmanuel FRANQUE (Versailles 10-X-1973),

●● Marie-Trinité FRANQUE (Rennes 31-VII-1975),

● Jacqueline FRANQUE (Le Havre 26-XI-1939 - Montauban 27-II-1941),

● Thérèse FRANQUE (Le Havre 31-I-1944), bibliothécaire documentaliste [47], s.a.a.,

● Michel FRANQUE (Le Havre 22-VII-1945), cadre dans une compagnie d'assurances, allié Chantilly 2-VII-1973 à Véronique ANGEBAULT (La Comelle 16-I-

1946), fille de Patrice, directeur de l'Institut du bois (Paris), et de Ivane Repoux, dont

•• Iovane Franque (Paris 13ᵉ 20-XII-1973),

• Isabelle Franque (Sainte-Adresse 27-VII-1947), bibliothécaire documentaliste [48], s.a.a.,

• Benoît Franque (Sainte-Adresse 26-I-1950), agriculteur, s.a.a.,

• Bernard Franque (Sainte-Adresse 8-IX-1957), s.a.a.,

— Yvonne Lecoq (Sainte-Adresse 31-VII-1914) alliée Sainte-Adresse 13-XI-1937 à Philippe Poussin (Rouen 18-VIII-1912), cadre dans une compagnie d'assurances [49], fils de Jean, ingénieur électricien, et de Suzanne Fauquet, dont

• Odile Poussin (Sainte-Adresse 1-X-1938) alliée Neuilly-sur-Seine 15-IX-1962 à François Weiser (Sainte-Menehould 22-XII-1931), capitaine de l'armée de l'air (pilote de chasse), puis pilote civil (aviation d'affaires), fils de René, général de division (air), et d'Elisabeth Challe [50], dont

•• Florence Weiser (Arcachon 7-IX-1964),

•• Emmanuel Weiser (Arcachon 14-III-1967),

•• Isabelle Weiser (Senlis 20-II-1971),

• Jean-François Poussin (Neuilly-sur-Seine 14-XII-1939), ancien élève de l'Ecole supérieure des sciences économiques et commerciales, cadre commercial [51], allié Villemur-sur-Tarn 11-IX-1964 à Béatrice Jacobé de Naurois (Toulouse 25-XI-1944), fille d'Antoine, directeur commercial d'une société organisant des séminaires de recyclage, et de Geneviève de Ocampo [52], dont

•• Charles-Eric Poussin (Boulogne-Billancourt 4-VIII-1965),

•• Virginie Poussin (Boulogne-Billancourt 15-IX-1966),

•• Alexandre Poussin (Bruxelles 28-IV-1970),

•• Stanislas Poussin (Bruxelles 7-XI-1972),

• Nicole POUSSIN (Neuilly-sur-Seine 3-IX-1944), décoratrice, alliée Neuilly-sur-Seine 16-XII-1967 à Michel LAFEUILLE (Paris 17ᵉ 19-XII-1943), artiste créateur[53], fils de Georges, industriel (fonderie), et d'Alice DESPRÉS, dont

•• Luce LAFEUILLE (Neuilly-sur-Seine 29-VIII-1968),

• Olivier POUSSIN (Neuilly-sur-Seine 12-X-1947), employé de banque, s.a.a.,

• Yves POUSSIN (Paris 14ᵉ 22-I-1954), ingénieur de l'Ecole supérieure de mécanique et d'électricité, allié Neuilly-sur-Seine 6-IX-1978 à Barbara AUGER (Paris 15ᵉ 28-XI-1955), fille de Jean-Pierre, directeur de sociétés, et de Monique BRUNET.

— Jacqueline LECOQ (Sainte-Adresse 8-V-1916 - Sainte-Adresse 8-X-1918),

— Maurice LECOQ (Sainte-Adresse 18-X-1917 - Sainte-Adresse 29-VII-1948[54]), agent maritime[55], allié Le Havre 8-V-1943 à Monique THIEULLENT (Le Havre 7-VIII-1919), fille de Henri, négociant (cotons), président du Syndicat du commerce des cotons, président de la chambre de commerce du Havre, vice-président du conseil d'administration du Port autonome du Havre, membre du Conseil national économique[56], et de Madeleine LECADRE[57] [Monique THIEULLENT s'est remariée à Sainte-Adresse le 16-IV-1963 à Laurent BEGOUËN DEMEAUX (Paris 15ᵉ 5-XII-1911)[58], secrétaire général de la chambre de commerce du Havre, fils de Maurice, ingénieur de l'Ecole centrale des arts et manufactures, directeur d'une entreprise de travaux publics[59], et d'Hélène DUCROCQ[60]], dont

• Béatrice LECOQ (Paris 17ᵉ 20-VI-1944) alliée Le Havre 30-VII-1966 à Jean CHEGARAY (Le Havre 20-X-1937), importateur de produits alimentaires, fils de Bernard, importateur de produits alimentaires, et d'Elisabeth FERNET[61], dont

•• Gabriel CHEGARAY (Paris 8ᵉ 30-VIII-1970),

•• Paul CHEGARAY (Le Havre 23-VIII-1972),

•• Maurice CHEGARAY (Le Havre 10-III-1975),

● Sabine LECOQ (Le Havre 28-V-1946), infirmière puéricultrice, alliée Paris 16ᵉ 13-IX-1975 à Xavier CROSNIER-LECONTE (Parny-sur-Saulx 3-IX-1943), directeur administratif de société, fils de Jean, ingénieur de l'Ecole centrale des arts et manufactures, contrôleur général à la direction générale d'Electricité de France, et d'Annick DELHOUMEAU, dont

●● Thibault CROSNIER-LECONTE (Paris 14ᵉ 12-III-1976),

●● Pierre CROSNIER-LECONTE (Paris 14ᵉ 12-IV-1978),

● Marie-Noëlle LECOQ (Le Havre 28-XII-1948 - Auch 12-VIII-1962),

— Monique LECOQ (Sainte-Adresse 27-I-1919) alliée Sainte-Adresse 13-XI-1937 à Noël CHEGARAY (Héronchelles 25-XII-1911), président directeur général de compagnies d'assurances, administrateur de sociétés, fils de Pierre, agent d'assurances maritimes, et de Germaine DELCROIX [61], dont

● Hubert CHEGARAY (Le Havre 26-XI-1938), assureur maritime et président directeur général de compagnie d'assurances, allié Les Andelys 20-IV-1963 à Marie-Hélène GORÉ (Vernon 21-IV-1941), fille de Raymond, agriculteur, et de Renée TOURARD, dont

●● Carole CHEGARAY (Paris 19-II-1964),

●● Sylvain CHEGARAY (Paris 4-VIII-1965),

● Denis CHEGARAY (Sainte-Adresse 24-II-1940), réalisateur à la radio-télévision, s.a.a.,

● Alain CHEGARAY (Paris 17ᵉ 25-IX-1942), informaticien, allié Grez-sur-Loing 29-IX-1964 à Claudette VALLÉE (Tunis 17-V-1939), fille de Marcel, ingénieur dans les travaux publics, et de Marcelle BRUNIER, dont

●● Sophie CHEGARAY (Paris 17ᵉ 22-X-1966),

●● Frédérique CHEGARAY (Paris 17ᵉ 22-X-1966),

● Laurent CHEGARAY (Paris 17ᵉ 21-II-1944 - Paris 17ᵉ 24-V-1944),

● Bruno CHEGARAY (Paris 17ᵉ 10-IV-1945), inspecteur d'assurances, allié Boulogne-sur-mer 11-I-1975 à Sylvie

DEFONTENAY (Boulogne-sur-mer 14-VII-1952), fille de Jean, ingénieur, et de Ginette DEVULDER, dont

•• Adrien CHEGARAY (Deauville 12-VII-1978),

• Annick CHEGARAY (Paris 17ᵉ 6-XI-1946), éducatrice, alliée Paris 18ᵉ 21-VII-1978 à Joseph FISCHER (Ohlungen 28-II-1941), fonctionnaire au ministère de l'éducation nationale, fils de Joseph et d'Eugénie ROLLET,

• Hervé CHEGARAY (Paris 17ᵉ 1-I-1949), employé de bureau, s.a.a.,

— Antoinette LECOQ (Sainte-Adresse 1-III-1920) alliée 1) Sainte-Adresse 10-VIII-1939 à Antoine CHEGARAY (Le Havre 4-III-1912 - ✕ Dortmund, Allemagne, 28-III-1945 [62]), importateur de produits alimentaires, fils de René, importateur de produits alimentaires, et d'Yvonne RICHELOT [61], 2) Paris 16ᵉ 6-IV-1948 à Jacques LAURENT (Saint-Mihiel 18-VI-1912) [63], cadre d'agence maritime, fils de Paul, chef de bataillon d'infanterie, et de Germaine PLESSE, s.p. du 1ᵉʳ mariage, dont du second

• Brigitte LAURENT (Paris 16ᵉ 16-I-1949) alliée Serans, Oise, 29-VII-1972 à Michel MURAT (Neuilly-sur-Seine 17-XI-1950), professeur agrégé de lettres classiques, fils de Jean, professeur agrégé d'allemand, et de Madeleine ROBERT, professeur agrégé d'allemand, dont

•• Raphaël MURAT (Paris 12ᵉ 12-II-1974),

•• Sophie MURAT (Sidi-Bou-Saïd, Tunisie, 9-I-1976),

• Patrice LAURENT (Paris 16ᵉ 18-I-1951), concepteur-réalisateur en audio-visuel, s.a.a.,

• Catherine LAURENT (Neuilly-sur-Seine 12-VI-1954), infirmière, s.a.a.,

• Christophe LAURENT (Paris 16ᵉ 21-IX-1959), s.a.a.,

— Guy LECOQ (Sainte-Adresse 7-IX-1921), chef de travaux (bâtiment), allié Rabat 3-I-1947 à Marguerite HENRION (Casablanca 9-XII-1926), fille de Maurice, notaire à Rabat, et d'Elisabeth FORICHON, dont

• Florence LECOQ (Rabat 16-II-1948) alliée Aix-en-Provence 10-IX-1971 à Etienne SEGRÉTAIN (Guer 10-VIII-1947), publicitaire, fils de Pierre, commandant d'infanterie, et d'Elisabeth ROSSIGNOL, dont

•• Clarisse Segrétain (Paris 14ᵉ 2-I-1973),

•• Rémi Segrétain (Paris 14ᵉ 8-V-1975),

• Véronique Lecoq (Rabat 14-XI-1950), s.a.a.,

• Didier Lecoq (Rabat 15-V-1953), s.a.a.,

• Frédéric Lecoq (Mirande, Gers, 17-IV-1959), s.a.a.,

— François Lecoq (Sainte-Adresse 1-IV-1923), courtier maritime, allié Sainte-Adresse 30-IX-1947 à Marie-Louise David (Chartres 24-IX-1924), fille de René, agent d'assurances, et de Raymonde Lange, dont

• Anne Lecoq (Sainte-Adresse 30-IX-1948), restauratrice de tableaux, alliée Sainte-Adresse 3-VI-1978 à Michel Gaisne (Le Mans 12-III-1949), ingénieur, fils de André-Paul, notaire, et de Marie-Hélène Dubois,

• Christine Lecoq (Sainte-Adresse 22-XI-1949), secrétaire de direction, alliée Paris 17ᵉ 3-IV-1976 à Dominique Hamelle (Montpellier 2-VIII-1949), attaché commercial, fils d'Olivier-Georges, agent d'assurances, et de Micheline-Amadoure Jourda, dont

•• Olivier Hamelle (Paris 1-I-1978),

• Philippe Lecoq (Sainte-Adresse 15-VIII-1952), ingénieur de l'Ecole spéciale des travaux publics, s.a.a.,

• Claire Lecoq (Paris 18ᵉ 17-VI-1964),

— Geneviève Lecoq (Sainte-Adresse 4-V-1925), fille de la charité de saint Vincent de Paul,

— Marie-Thérèse Lecoq (Sainte-Adresse 9-IV-1927) alliée Sainte-Adresse 19-IV-1958 à Jean-Louis Quignard (Le Havre 13-XI-1921), chef de service (assurances), fils de André, négociant (cafés), et de Thérèse Aufray, dont

• Thierry Quignard (Sainte-Adresse 10-I-1960), s.a.a.,

• Nicolas Quignard (Sainte-Adresse 8-VI-1962),

e - Henri Taconet (Sainte-Adresse 30-VIII-1888 - Sainte-Adresse 5-V-1900),

f - Noël Taconet (Sainte-Adresse 3-I-1892 - Sainte-Adresse 3-I-1892),

g - Raymond Taconet (Sainte-Adresse 5-VII-1893 - ✕ Roselies, Belgique, 22-VIII-1914), caporal (infanterie), s.a., h - Suzanne Taconet (Sainte-Adresse 13-V-1895 - Sainte-Adresse 16-III-1905),

2 - Georgina Pochet (Le Havre 16-I-1863 - Le Havre 20-I-1863),

3 - Charles Pochet-Le Barbier de Tinan (Le Havre 16-IX-1864 - Fontainebleau 2-XII-1951)[65], général de division[66] allié Provins 7-XI-1894 à la comtesse Geneviève de Caraman-Chimay (Paris 6e 29-IV-1870 - Fontainebleau 20-IV-1961)[67], fille de Joseph de Riquet, 3e prince de Chimay, 2e prince de Caraman, gouverneur du Hainaut, membre de la Chambre des représentants et ministre des affaires étrangères de Belgique[68], et de Marie de Montesquiou-Fezensac[69], s.p.,

4 - Maxime-Alfred Pochet-Le Barbier de Tinan (Le Havre 10-VII-1872 - Arcachon 19-III-1901)[70], propriétaire, s.a.,

5 - Louis Pochet-Le Barbier de Tinan (Le Havre 10-IV-1878 - ✕ Neuville-saint-Vaast 17-VI-1915)[70], ingénieur électricien, sous-lieutenant d'infanterie, allié Buenos-Ayres 20-III-1909 à Mathilde Louize (Caen 23-IX-1875 - Sainte-Adresse 21-IX-1959), fille d'Adolphe, industriel (distillateur), et de Marie-Emilie Sireude, dont

a - Georges de Tinan (Buenos-Ayres 16-VII-1908)[71], expert immobilier fédéral (Etats-unis), allié 1) Cannes 17-I-1933 à Mollie Mac Gowan (Chicago, Illinois, 30-IX-1907 - North Hollywood, Californie, 17-I-1963), fille de Dorrel, major dans l'armée des Etats-unis, et de Roxanna Buckbee, 2) Burbank, Californie, 21-VI-1963 à Katherine-Milda Grigg (Los Angeles, Californie, 15-V-1924), fille de Edouard-Stanley, plombier, et de Gertrude Nordby [Katherine-Milda Grigg avait, de son côté, épousé précédemment à Hollywood, Californie, le 19-V-1945 William-Baker Snyder, fils de John-Philip et de Virginia-Dare Baker, mariage dissous par jug. de divorce], s.p. de part et d'autre,

b - Suzanne Pochet-Le Barbier de Tinan (Buenos-Ayres 12-XII-1911)[70], alliée Sainte-Adresse 4-XI-1932 à Jean-Pierre Lagourgue (Paris 16e 18-XII-1900), directeur de banque[72], fils de Charles, chef d'orchestre[73], et de Marthe Farthouat, dont

— Philippe Lagourgue (Boulogne-Billancourt 25-VIII-1933), fondé de pouvoir de banque, allié Paris 16e

8-VII-1960 à Adeline SIMON-LORIÈRE (Neuilly-sur-Seine 26-I-1938), fille de Guy, ingénieur de l'Ecole centrale des arts et manufactures, secrétaire général de société, et de France LARIVIÈRE [74], dont

- Edouard LAGOURGUE (Neuilly-sur-Seine 17-VI-1961),

- Thomas LAGOURGUE (Neuilly-sur-Seine 28-VI-1963),

- Christel [75] LAGOURGUE (Caen 9-VIII-1964),

- Hombeline LAGOURGUE (Caen 17-VII-1969),

- Jean-Brice LAGOURGUE (Neuilly-sur-Seine 15-VII-1970),

— Jacqueline LAGOURGUE (Neuilly-sur-Seine 19-IV-1936) alliée Caen 22-V-1959 à François VOISIN (Sainte-Adresse 6-X-1933), ingénieur, directeur des travaux dans une compagnie d'assurances, fils de Marin, courtier en cotons [76], et d'Isabelle LAMBIN d'ANGLEMONT de TASSIGNY [77], dont

- Rémi VOISIN (Sainte-Adresse 3-X-1960), s.a.a.,

- Renaud VOISIN (Versailles 12-VIII-1963),

- Loïc VOISIN (Reims 12-V-1965),

- Marie VOISIN (Chartres 13-II-1973),

- Sophie VOISIN (Chartres 30-IX-1977),

— Monique LAGOURGUE (Neuilly-sur-Seine 14-IV-1938) alliée Sainte-Adresse 12-VII-1958 à Christian VOISIN (Sainte-Adresse 15-V-1931), directeur des achats dans une société [78], frère de François précité, dont

- Isabelle VOISIN (Sainte-Adresse 10-V-1959), s.a.a.,

- Corinne VOISIN (Sainte-Adresse 26-XI-1961),

- Laurence VOISIN (Le Havre 28-XI-1963),

- Fabrice VOISIN (Le Havre 29-X-1968),

- Sabine VOISIN (Sainte-Adresse 14-II-1976),

— Patrice LAGOURGUE (Caudéran 1-XII-1943), orthophoniste, allié Bordeaux 24-III-1973 à Anne FRÉOUR (Caudéran 2-II-1947), fille de Paul, docteur en médecine, professeur à la faculté de médecine de Bordeaux, et de Geneviève VIOLE, dont

- Aurélie Lagourgue (Caudéran 14-XI-1973),

- Romain Lagourgue (Bordeaux 1-III-1976),

— Jean-Louis Lagourgue (Arès 1-IX-1945), avocat à la cour d'appel de Paris, allié Bréville-les-monts 20-IX-1969 à Brigitte Le Chevrel (Paris 17e 2-XII-1944), fille de Bertrand, docteur en médecine, chirurgien, et de Geneviève Chaperon, dont

- Mathilde Lagourgue (Vire 8-VII-1970),

- Justine Lagourgue (Vire 9-VI-1972),

- Antonine Lagourgue (Vire 25-XI-1975),

- Hermès Lagourgue (Paris 17e 22-V-1979),

6 - Gaston Pochet-Le Barbier de Tinan (Le Havre 1-I-1881 - Paris 16e 25-IX-1958) [70], administrateur de sociétés, lieutenant (train), allié Paris 16e 25-I-1911 à Hélène dite Dolly Bardac (Paris 8e 20-VI-1892) [79], fille de Sigismond, banquier [80], et d'Emma Moyse [81], dont

a - Françoise Pochet-Le Barbier de Tinan (Paris 16e 18-II-1912 - Paris 16e 7-II-1959), secrétaire de direction [82], s.a.,

b - Madeleine Pochet-Le Barbier de Tinan (Paris 16e 28-III-1913), quelque temps directrice d'une maison de haute couture, alliée 1) Paris 16e 4-II-1936 à Guy Mortier (Bordeaux 7-V-1897 - Sanary-sur-mer 27-VIII-1972), directeur commercial, fils de Marie-Henri, propriétaire, et de Marie-Elisabeth Vauquelin, mariage dissous par jug. du t. c. de la Seine le 17-I-1938 [Guy Mortier s'est remarié à Vétheuil le 11-XII-1939 à Elisabeth-Marie Carémil (Grasse 3-IX-1913), artiste de cinéma, fille de Auguste-Jules et de Marie-Louise Ricord], 2) à Bouzon-Gellenave 31-XII-1966 à Jean Bruère (Paris 16e 18-VI-1920), administrateur de société, fils d'André, ministre plénipotentiaire, et de Marie-Suzette Delame-Lelièvre [Jean Bruère avait épousé précédemment à Paris 16e le 24-IV-1940 Françoise Barbery de Langlade (Paris 16e 24-XII-1920), fille de François-Marie, propriétaire, et de Gabrielle-Almaïde Knight, mariage dissous par jug. du t. c. de la Seine le 22-V-1946], s.p. de part et d'autre,

7 - Marie-Amélie Pochet-Le Barbier de Tinan (Le Havre 13-V-

1884 - Cannes 7-VI-1973) alliée Ustaritz 12-I-1909 à André de LABORDE-NOGUEZ (Ustaritz 15-II-1878 - Ustaritz 21-I-1944), colon en Amérique du sud, puis agent commercial, son cousin issu de germain (voir plus loin), dont

a - Simone de LABORDE-NOGUEZ (Buenos-Ayres 2-I-1910) alliée 1) Cannes 11-V-1940 à Jacques CALDAIROU (Castres, Tarn, 23-I-1913), expert maritime, fils d'Antoine-Albert, avoué, et de Marie-Joséphine CAZAL, mariage dissous par jug. du t. c. de Grasse le 22-VII-1947 [Jacques CALDAIROU s'est remarié 1) à Narbonne le 22-VI-1949 à Monique-Rose LELU-DEBRACH (Narbonne 15-XI-1924), fille de Jean-Léonce LELU et de Rose-Louise CARLES [83], mariage dissous par jug. du t. c. de Toulon 12-VI-1962, 2) à La Londe-les-Maures le 13-IV-1963 à Christiane-Marie BAYLE (Annecy 27-VI-1930), représentante, fille de Jean-Armand et de Lucie-Louise LAVERRIÈRE, mariage dissous par jug. du t. c. de Paris le 7-I-1974], 2) Biot 28-XII-1949 à Albert KRIPPENDORF (Cincinnati, Ohio, 29-IV-1877 - Cannes 11-VII-1967), négociant [84], fils de Charles, négociant [84], et de Mary BAUER [Albert KRIPPENDORF avait épousé précédemment Gertrude CRANE, dont il était veuf], s.p. du 2d mariage, dont du 1er uniquement

— Catherine CALDAIROU (Cannes 14-V-1943) alliée Londres 21-IV-1965 à Ralph-Herbert HARRISSON (Londres 29-X-1939), directeur de sociétés, fils de Henry, directeur de société (import-export), et d'Ann FISHER, dont

• Nathalie HARRISSON (Londres 3-IV-1966),

• Charles HARRISSON (Paris 16e 23-I-1974),

b - Maurice de LABORDE-NOGUEZ (Campo Alvear, province de Mendoza, Argentine, 22-V-1914 - ✕ Hyères 23-VIII-1944), cadre commercial, s.a. [85],

III - Maurice EXELMANS (Ixelles, Belgique, 19-IV-1816 - Rochefort-sur-mer 25-VII-1875), vice-amiral, préfet du 4e arrondissement maritime (Rochefort), aide de camp du prince-président, puis de Napoléon III, conseiller général de la Loire [86], allié 1) Paris 15-IV-1844 à Henriette de BERTRAND de BEAUMONT (Grez-sur-Loing 18-VII-1822 - Paris 29-VIII-1849), fille d'Adrien-Gabriel marquis de BERTRAND de BEAUMONT, auditeur au conseil d'état, sous-préfet, capitaine de cavalerie, et de Marie-Adèle DOURIF, 2) Lyon 8-IX-1851 à Marie-Françoise VINCENT de SAINT-BONNET (Lyon 22-III-1831 - Saint-Bonnet-les-Oules 31-VII-1908), fille d'Octave, avocat à la cour d'appel de Lyon, bâtonnier de l'ordre, conseiller général de la Loire, et d'Antoinette NEYRON de SAINT-JULIEN, dont

du 1er mariage

A - Marie-Lucie EXELMANS (Paris 4-II-1845 - Paris 1-III-1846),

du 2e mariage

B - Louis-Napoléon EXELMANS (Lyon 10-VIII-1852 - Toulon 14-XII-1863).

C - Octave 3e comte EXELMANS (Lyon 20-VII-1854 - Tendu 25-VIII-1935), général de brigade, allié Châteauroux 20-X-1886 à Simone BALSAN (Châteauroux 28-VI-1866 - Tendu 1-XI-1960) [87], fille de Charles, manufacturier (drap) [88], administrateur de compagnie d'assurances, régent de la Banque de France, député de l'Indre, conseiller municipal et président du tribunal de commerce de Châteauroux, et de Thérèse DUPUYTREM [89], dont

1 - Marguerite EXELMANS (Châteauroux 17-I-1889 - Levallois-Perret 13-XII-1943) alliée Paris 8e 21-IV-1914 à Jacques LEVEQUE de VILMORIN (Paris 7e 1-VIII-1882 - Paris 8e 22-III-1933), gérant de la Société Vilmorin Andrieux et Cie, docteur de l'Université de Paris (botanique), membre de l'Académie d'agriculture [90], fils de Maurice, gérant de la Société Vilmorin Andrieux et Cie [91], président de l'Académie d'agriculture et de la Société botanique de France [92], et de Madeleine VINGTAIN [93], dont

a - Marie de VILMORIN (Paris 7e 17-VI-1916 - Paris 7e 17-VI-1916),

b - Michel de VILMORIN (Châteauroux 12-VIII-1918), chef de sélection des plantes de grande culture, puis conseiller technique et administrateur à la Société Vilmorin Andrieux et Cie, allié Paris 16e 5-III-1949 à Anne-Marie DROZ (La Baule 25-VII-1926), directrice de boutique de décoration, fille de Pierre [94], gérant de sociétés, et de Marguerite de COYNART, dont

— Jacques de VILMORIN (Neuilly-sur-Seine 25-XII-1949), diplômé de l'Ecole supérieure de commerce et d'administration des entreprises (Amiens), s.a.a.,

— Patrick de VILMORIN (La Baule 17-X-1951), ingénieur de l'Ecole nationale supérieure des industries agricoles, s.a.a.,

— Alban de VILMORIN (La Baule 22-VIII-1958), s.a.a.,

— Marguerite de VILMORIN (Boulogne-Billancourt 29-I-1964),

c - Simone de VILMORIN (Paris 7ᵉ 10-VIII-1919), ingénieur de l'Institut supérieur d'optique, alliée Paris 7ᵉ 25-VI-1953 à Raoul CHEVREUL (Dijon 28-I-1922), licencié en droit, cadre supérieur (banque), lieutenant-colonel d'infanterie (réserve), fils de Louis-Henry, propriétaire [95], et de Marguerite-Clémentine BOUILLET, dont

— Marguerite CHEVREUL (Paris 16ᵉ 6-IV-1955), s.a.a.,

— Hubert CHEVREUL (Neuilly-sur-Seine 23-X-1956), s.a.a.,

— Henri CHEVREUL (Neuilly-sur-Seine 6-IV-1961),

d - Marie-Thérèse de VILMORIN (Paris 7ᵉ 6-I-1921 - Versailles 14-VI-1974) alliée Paris 7ᵉ 11-X-1946 à Pierre GANDOLPHE (Sousse, Tunisie, 9-X-1918), archéologue [96], puis administrateur de société (pétrole), capitaine d'infanterie, fils de Théodore, avocat défenseur au barreau de Tunis, et de Yvonne PÉPIN [Pierre GANDOLPHE s'est remarié à Paris 8ᵉ le 10-XI-1977 à Claude d'ARJUZON (Paris 8ᵉ 26-IV-1934), assistante sociale, fille de Henri comte d'ARJUZON, associé d'agent de change [97], et de Jacqueline GILBERT-BOUCHER], dont uniquement

— Yves GANDOLPHE (Sousse 2-VIII-1947), employé de banque, allié Versailles 20-IV-1971 à Chantal de WITTE (Chartres 1-XII-1947), secrétaire, fille du baron Michel, administrateur d'hôpital privé, et d'Anne de POULPIQUET de BRESCANVEL, dont

• Maxence GANDOLPHE (Versailles 10-XI-1971),

e - Françoise de VILMORIN (Paris 7ᵉ 21-IV-1923 - Metz 2-VI-1973) alliée Paris 7ᵉ 11-VII-1947 à Hervé BURIN des ROZIERS (Vannes 22-VI-1917), général de brigade, fils de Louis, général de brigade, et d'Isabelle de GRAFFENRIED-VILLARS [Hervé BURIN des ROZIERS s'est remarié à Paris 7ᵉ le 24-VI-1974 à Nicole FRÉMY (Montbouy 30-V-1929) [98], fille d'Elphège comte FRÉMY, archiviste paléographe, licencié en droit, avocat à la cour d'appel de Paris, président et administrateur de sociétés, et de Marthe de FOUCAULT [99]], dont

— Henri BURIN des ROZIERS (Hardricourt, Yvelines, 7-III-1958), s.a.a.,

— Anne-Marie BURIN des ROZIERS (Paris 12ᵉ 26-VII-1960), s.a.a.,

f - Benoît de VILMORIN (Paris 7ᵉ 5-XI-1924 - Montreux, Suisse, 22-XII-1928),

2 - Maurice 4ᵉ et dernier comte EXELMANS (Châteauroux 8-VI-1892 - Tendu 26-IV-1962 [100]), ingénieur de l'Ecole centrale des arts et manufactures, président-directeur général, vice-président et administrateur de sociétés [101], allié 1) Paris 8ᵉ 26-IV-1922 à Hélène BERTHEMY (Fontainebleau 4-XI-1900 - Barbey, Seine-et-Marne, 14-IX-1932 [100]), fille de Jules baron BERTHEMY, propriétaire, et de Marie-Thérèse ROULLET de LA BOUILLERIE, 2) Paris 7ᵉ 9-X-1934 à Marguerite-Marie ROULLET de LA BOUILLERIE (Paris 8ᵉ 3-I-1900) [102], fille du comte Pierre [103], propriétaire agriculteur, capitaine de cavalerie, et d'Antoinette MOREAU de LA ROCHETTE, s.p.

3 - Marie-Madeleine EXELMANS (Châteauroux 20-VI-1896) alliée Paris 8ᵉ 6-X-1923 au comte Michel de TOUCHET (Aire-sur-la-Lys 11-III-1892 - Paris 12ᵉ 29-XI-1965) [104], propriétaire agriculteur, chef d'escadrons de cavalerie, fils de Gabriel-Victor marquis de TOUCHET, lieutenant-colonel de cavalerie, et de Marie HENNECART, dont

a - Ange de TOUCHET (Guerquesalles 28-VII-1924 - Guerquesalles 28-VII-1924),

b - Elisabeth de TOUCHET (Guerquesalles 13-VIII-1925) alliée Guerquesalles 21-IX-1955 à Michel DUFRESNE (Alençon 11-I-1924), président-directeur général d'une société commerciale, fils de Pierre, agent d'assurances, et d'Amélie MAUREL, dont

— Véronique DUFRESNE (Caen 12-II-1957) s.a.a.,

— Gilles DUFRESNE (Caen 16-VII-1959), s.a.a.,

— Anne-Brigitte DUFRESNE (Caen 26-VII-1960), s.a.a.,

— Jean-Baptiste DUFRESNE (Caen 7-II-1965 - Lisieux 20-X-1968),

c - comte Richard de TOUCHET-EXELMANS (Guerquesalles 27-IX-1926), capitaine de frégate, puis industriel, allié Saint-Priest, Creuse, 23-V-1956 à Anne-Marie HENRYS d'AUBIGNY d'ESMYARDS (La Baule 30-VII-1933), fille de Louis, propriétaire agriculteur, et de Henriette de BARRY, dont [105]

— Frédéric de TOUCHET-EXELMANS (Lorient 8-II-1957), s.a.a.,

— Anne-Christine de TOUCHET-EXELMANS (Lorient 24-IX-1958), s.a.a.,

— Nathalie de TOUCHET-EXELMANS (Lorient 12-X-1959), s.a.a.,

— Elisabeth de TOUCHET-EXELMANS (Cherbourg 29-I-1965),

— Olivier de TOUCHET-EXELMANS (Cherbourg 14-II-1967),

d - comte Dominique de TOUCHET (Guerquesalles 21-II-1928 - L'Aigle 24-XII-1963 [100]), ingénieur agronome, propriétaire agricole, s.a.,

e - comte Pierre de TOUCHET (Guerquesalles 7-X-1930), propriétaire exploitant forestier et agent commercial, allié Argentan 4-I-1957 à Françoise REGAUD (Orgères, Orne, 19-XII-1937), fille de Félix-Francisque, ingénieur agricole, et de Anne-Marie LE MASSON, mariage dissous par jug. du t. c. de Paris le 12-XI-1971, dont

— Stéphanie de TOUCHET (Boulogne-Billancourt 21-XI-1957), s.a.a.,

— Richard de TOUCHET (Boulogne-Billancourt 26-II-1960), s.a.a.,

— Lætitia de TOUCHET (Boulogne-Billancourt 8-X-1967),

D - Amélie EXELMANS (Saint-Bonnet-les-Oules 19-IX-1856 - Montbrison 15-V-1953) alliée Saint-Bonnet-les-Oules 1-V-1879 à Gaston SERRES de GAUZY (Castelnaudary 21-X-1851 - Fendeille 22-II-1922), magistrat [106], puis avocat, fils de Pierre, avocat [107], et de Louise d'ANDRÉOSSY [108], dont uniquement

— Yvonne SERRES de GAUZY (Saint-Bonnet-les-Oules 28-II-1880 - Montbrison 13-V-1962) alliée Castelnaudary 12-VIII-1903 à Félix BELBÈZE (Dôle 19-VII-1876 - Montbrison 19-III-1941), directeur d'agence de banque [109], fils de Clément, général de brigade, et de Berthe MOUREAU, dont

a - Henri BELBÈZE (Saint-Etienne, Loire, 28-XII-1904 - ✗

Kaiserslautern, Allemagne, 16-X-1939), capitaine de l'armée de l'air, allié Toulouse 27-X-1932 à Anne-Marie GAZEL (Dax 28-VIII-1905), fille de Georges, receveur de l'enregistrement, et de Marie DOAT [Anne-Marie GAZEL s'est remariée à Versailles le 27-V-1948 à Xavier COTTREAU (Paris 15ᵉ 14-II-1903), administrateur en chef de la France d'outre-mer, fils de Pierre, chef du service des titres à la Compagnie du P.L.M., et de Marie-Louise MALOUIN], dont

— Michel BELBÈZE (Toulouse 26-VII-1934), assureur conseil, allié La Palisse, Allier, 26-V-1962 à Annick VADON (Roanne 26-I-1940), fille de Paul, assureur conseil, et de Gabrielle BOUVARD, dont

  • Pascal BELBÈZE (Lyon 1-IX-1966),

  • Sébastien BELBÈZE (Annecy 25-III-1972),

— Claude BELBÈZE (Montbrison 20-IV-1938) alliée Paris 6ᵉ 25-V-1970 à Christian DUMAS (Toulouse 29-IV-1940), ingénieur de l'Ecole supérieure d'électricité, ingénieur dans l'industrie électronique, fils d'Albert, colonel de cavalerie, et d'Anne-Marie CROUZILLAC, dont

  • Sophie DUMAS (Paris 16ᵉ 7-X-1970),

  • Laurent DUMAS (Paris 16ᵉ 30-IV-1972),

  • Benoît DUMAS (Paris 16ᵉ 28-III-1976),

b - Louise BELBÈZE (Béziers 7-III-1907), directrice de maison de retraite, s.a.,

c - Jacqueline BELBÈZE (Saint-Etienne 14-I-1911) alliée Montbrison 10-X-1931 à Louis GLEIZES (Bessan 20-V-1905), propriétaire viticulteur et propriétaire exploitant de carrières, fils de Louis, avocat au barreau de Béziers, propriétaire viticulteur et propriétaire exploitant de carrières, et de Mathilde PELISSIER, dont

— Louis-François GLEIZES (Bessan 1-I-1933), contrôleur (capitaine) de la navigation aérienne, allié Lentiol 18-VIII-1959 à Elisabeth de CRESPIN de BILLY (Lyon 2-III-1934), fille du vicomte Pierre, colonel (pyrotechnie), et de Clarisse ALLOUARD, dont

  • Anne-Sophie GLEIZES (Avignon 6-VI-1961),

- • Stéphane GLEIZES (Cognac 10-VIII-1963),

- • Pierre GLEIZES (Cognac 2-IX-1965),

- • Cécile GLEIZES (Avignon 12-X-1973),

— Jacques GLEIZES (Bessan 6-IX-1934), directeur d'usine (épuration d'eau), allié Forbach 2-III-1954 à Elisabeth SIAT (Forbach 6-XII-1934), fille de Joseph, directeur de travaux (Charbonnages de France), et de Léonie SEYER, dont

- • Gérard GLEIZES (Forbach 6-XII-1955), maquettiste dans un cabinet d'architecture, allié Paris 5ᵉ 26-V-1978 à Marie-Sophie LABAT (Arès 15-VII-1958), secrétaire assistante [110], fille de Bernard, inspecteur aux P.T.T., et de Nicole DUFOUR, commerçante.

— Etienne GLEIZES (Bessan 6-IV-1937), ancien élève de l'Institut de commerce de Nancy, directeur adjoint d'une société s'occupant d'études de marchés, allié Bessan 5-IV-1966 à Marie-Louise BRANDENSTEIN (Bonn-Obbendalendorf, Allemagne, 10-IV-1939) [111], fille de Hans, fonctionnaire au ministère des affaires étrangères (Allemagne), et de Catherina PUTZ, dont

- • Caroline GLEIZES (Rueil-Malmaison 20-VIII-1968),

- • Thibéry GLEIZES (Papeete, Tahiti, 15-IV-1975),

— Henriette GLEIZES (Bessan 8-V-1939), licenciée es lettres (histoire et géographie), professeur, alliée Bessan 10-VI-1966 à Michel de CAMBIAIRE (Montauban 5-X-1942), architecte, fils de Georges, commissaire de la marine, puis agent d'assurances, et de Marie-Thérèse MARLEAU, dont

- • Isabelle de CAMBIAIRE (Béziers 17-VII-1967),

- • Thierry de CAMBIAIRE (Montpellier 15-IV-1975),

— Marie-Amélie GLEIZES (Bessan 9-XII-1945), ancienne élève de l'Ecole nationale supérieure des arts décoratifs, commerçante (mobilier contemporain), s.a.a.,

— Maurice GLEIZES (Bessan 8-V-1948), ingénieur agricole (Ecole d'agriculture de Montpellier), propriétaire viticulteur et propriétaire exploitant de carrières, allié Sète 30-VI-1973 à Véronique ROUSSENQ (Chatou 30-V-1950), licenciée ès sciences, fille d'Alexandre, administrateur général de la marine, et de Françoise CHALEYAT, s.p.a.,

d - Maurice BELBÈZE (Montbrison 21-I-1921), ingénieur de l'Ecole technique d'aéronautique, ingénieur aux Charbonnages de France - chimie (section phosphates), allié Montgeron 8-VII-1950 à Servane DECOURTIVE (Sens-sur-Yonne 12-IX-1932), fille de Jacques, ingénieur de l'Ecole centrale des arts et manufactures, et de Monique MICHAUD [112], dont

— Henri BELBÈZE (Quierschied, Allemagne, 2-V-1951), conseiller en gestion, allié Montgeron 2-V-1975 à Marianne CASTIAUX (Waterloo, Belgique, 7-IX-1950), fille d'Etienne, fonctionnaire des colonies (Congo belge), et de Jacqueline DE RIDDER, dont

• Juliette BELBÈZE (Toulon 20-IV-1979),

— Mireille BELBÈZE (Forbach 1-V-1954), pilote d'avion, s.a.a.,

— Vincent BELBÈZE (Buenos Aires 6-XII-1960), s.a.a.,

E - Amédée EXELMANS (Saint-Bonnet-les-Oules, 20-VIII-1859 - 1910), licencié en droit, s.a. [113],

F - Antoine EXELMANS (Montpellier 23-I-1865 - Bohars 2-XI-1944), vice-amiral, préfet maritime de Bizerte [114], allié Brest 19-VI-1894 à Marie de PENFENTENYO de KERVÉRÉGUEN (Granville 31-VIII-1867 - Bohars 6-VI-1930), fille d'Auguste, contre-amiral, et de Gabrielle de GUEYDON [115], dont

1 - Françoise EXELMANS (Saint-Bonnet-les-Oules 6-V-1896) alliée Combrit 26-IX-1921 à Pierre comte du CREST de VILLENEUVE (Cherbourg 10-V-1891 - Paris 5e 9-IV-1965), général de brigade, fils de Henri comte du CREST de VILLENEUVE, capitaine de frégate, et d'Octavie SALLANDROUZE de LAMORNAIX, dont

a - Marie-Madeleine du CREST de VILLENEUVE (Damas 30-VIII-1922) alliée Paris 16e 7-VII-1945 au vicomte Gérard de CHAUNAC-LANZAC (Paris 16e 16-VI-1919), directeur général de banque [116], capitaine d'artillerie, fils du comte Raoul, directeur de banque, puis gérant de sociétés immobilières, et de Marguerite-Marie LA FONTA [117], dont

— Hugues de CHAUNAC-LANZAC (Baden-Baden 30-IV-1946), directeur d'écuries de courses automobiles, allié Paris 16e 29-VI-1970 à Sylvie CLERC (Paris 16e 7-XII-1946), fille de Raymond, président-directeur général de société (import-export), et de Claude CROCE-SPINELLI, dont

● Jérôme de Chaunac-Lanzac (Paris 16e 28-I-1972),

● Raphaël de Chaunac-Lanzac (Paris 16e 7-II-1974),

● Sébastien de Chaunac-Lanzac (Nevers 7-X-1977),

— Catherine de Chaunac-Lanzac (Rabat 31-XII-1948) alliée Paris 16e 17-X-1974 à Lionel Macaire (Paris 16e 22-XI-1952), professionnel de polo, fils de Jacques, professeur de polo, directeur du centre hippique de polo de Bagatelle, et de Jacqueline Charbonnier, dont

● Lætitia Macaire (Boulogne-Billancourt 1-VI-1978),

b - comte Xavier du Crest de Villeneuve (Damas 9-III-1924), directeur des centres commerciaux créés par un organisme bancaire [118], capitaine de cavalerie, allié Paris 7e 5-XI-1952 à Reine Bourlon de Sarty (Paris 7e 27-III-1930), fille de Henri, président-directeur général de sociétés, conseiller général de l'Aube, et d'Irène de Saporta, dont

— Anne du Crest de Villeneuve (Paris 14e 14-VIII-1953) alliée Paris 16e 17-VII-1975 à Dominique Jacquin de Margerie (Paris 15e 25-VI-1952), licencié en droit, diplômé de l'Institut d'études politiques de Paris, attaché de direction, fils de François, directeur général de banque, et de Marie-Sylvie Hellouin de Menibus, dont

● Isabelle de Margerie (Paris 9-II-1977),

— Laurence du Crest de Villeneuve (Rabat 24-IV-1956), libraire, alliée Vendeuvre-sur-Barse 6-X-1977 à Georges Pannier (Paris 15e 12-X-1954), fils d'Albert, ingénieur de l'Ecole supérieure d'électricité, et de Christiane-Lucy Bureau,

— Yves du Crest de Villeneuve (Paris 15e 31-V-1958 - Paris 14e 3-VII-1978 [100]), s.a.,

c - Anne du Crest de Villeneuve (Bohars 24-V-1927) alliée Baden-Baden 4-X-1946 à Hervé Arnault de La Ménardière (Brest 21-IV-1924), lieutenant-colonel d'infanterie, fils de Léon, consul des Pays-bas à Brest, et de Marie Le Gouais, dont uniquement

— Benoît de La Ménardière (Meknès 22-XI-1947), journaliste, allié Paris 15e 29-XI-1976 à Mona Le Lourec

(Morlaix 10-XII-1948), cadre commercial, fille d'André, gérant de magasin, et de Marie-Madeleine COAT, dont

● Léon de LA MÉNARDIÈRE (Paris 21-VII-1978),

d - Henri du CREST de VILLENEUVE (Metz 21-VI-1931), directeur de société (pétrole), allié 1) Birmandreis, Algérie, 16-X-1957 à Cécile LEVRAT (Paris 12e 17-V-1934), fille de Jean, directeur de société (pétrole), et de Colette MOREL, décoratrice, mariage dissous par jug. du t.c. de Paris le 29-IV-1972 et arrêt de la cour d'appel de Paris le 8-XII-1972, 2) Fort-Lamy, Tchad, 21-VI-1973 à Hélène GILBERT de VAUTIBAULT (Clermont-Ferrand 24-VII-1940), fille du comte Christian, propriétaire agriculteur, et de Jeanne COURCELLE, s.p. du 1er mariage, s.p.a. du second,

2 - Rémy EXELMANS (Douarnenez 22-VIII-1897 - Montbrison 3-XI-1940), lieutenant de vaisseau, allié Nantes 30-IX-1924 à Yvonne HARSCOUET de SAINT-GEORGES (Saint-Jean-du-bois 24-V-1903), adjoint au maire de Pont-Aven, fille de Raymond, propriétaire, et de Michelle CHAMILLART de LA SUZE, s.p., mais ont adopté suivant jug. du t. de Quimperlé en date du 7-VI-1940,

Jean-François EXELMANS (Paris 18e 30-V-1938), inspecteur de vente (pétrole), allié Senlis 22-VI-1963 à Colette DESFRICHES-DORIA (Senlis 29-IV-1942), fille de Jean marquis DESFRICHES-DORIA [119], greffier au tribunal de commerce de Senlis, et de Clotilde FARCY de PONTFARCY, dont

— Rémy EXELMANS (Paris 17e 5-V-1964),

— Antoine EXELMANS (Paris 17e 7-V-1965),

— Armelle EXELMANS (Paris 17e 7-V-1965),

— Philippe EXELMANS (Senlis 13-VI-1966),

— Olivier EXELMANS (Senlis 28-XII-1968),

— Frédérique EXELMANS (Senlis 20-I-1970),

— Gaëlle EXELMANS (Senlis 13-I-1972),

3 - Anne EXELMANS (Brest 27-XI-1898 - Plouharnel 4-VIII-1949), religieuse bénédictine,

4 - Germaine EXELMANS (Brest 28-V-1900) alliée Bohars 10-VIII-1928 à Raymond HOUETTE (Brest 9-IV-1885 - Bléneau 12-XII-1948 [100]), capitaine de frégate, fils d'Alfred, capitaine de vaisseau [120], et d'Elisabeth LAFONT [121] [Raymond HOUETTE avait

épousé précédemment à Paris 16ᵉ le 27-VI-1913 Cécile de
GUEYDON (Toulon 10-V-1888 - Brest 11-XII-1924), fille
d'Albert, contre-amiral, et de Noémie de TEISSIER de CA-
DILLAN [122]], dont

a - Antoine HOUETTE (Bléneau 11-VI-1929), capitaine de vaisseau, allié Versailles 23-IV-1954 à Marcelline GASQUET
(Nantes 13-II-1935), fille de François, ingénieur du génie
maritime, et de Rose-Mary PERBAL, dont

— Benoît HOUETTE (Toulon 10-II-1955), s.a.a.,

— Armelle HOUETTE (Hennebont 5-IV-1956) alliée Brest
1-VII-1977 à Fabrice MAGNAN de BORNIER (Montpellier
11-IX-1954), ingénieur, fils de Jacques, capitaine de
frégate [123], et de Monique de LA FOREST DIVONNE, dont

• Caroline MAGNAN de BORNIER (Angers 19-IV-1979),

• Renaud MAGNAN de BORNIER (Abidjan 16-V-1980),

— Thierry HOUETTE (Toulon 28-VI-1957) allié Mas-
Saintes-Puelles 19-VII-1980 à Isabelle-Marie COU-
LONDRES (Toulon 28-IX-1959), fille de Jacques, vice-
amiral d'escadre, préfet maritime, et d'Anne-Marie
ABET,

— Florence HOUETTE (Toulon 25-IV-1959), s.a.a.,

— Véronique HOUETTE (Toulon 5-X-1961) alliée Brest
28-VI-1980 à Philippe de CLARENS (Toulon 14-II-
1956), fils de Pierre, ingénieur, capitaine de vaisseau,
et de Jeannine-Marie OMNÈS,

— Nathalie HOUETTE (Lorient 7-IV-1963),

— Françoise HOUETTE (Montargis 7-IV-1966),

— Céline HOUETTE (Suresnes 17-III-1968),

— Thibault HOUETTE (Brest 24-XII-1973),

— Gabriel HOUETTE (Brest 15-III-1975),

b - Marie HOUETTE (Bléneau 17-VI-1930) alliée Bléneau 1-VI-
1950 à Jacques SAVOURÉ (Versailles 19-XII-1925), propriétaire agriculteur, fils de Joseph, notaire, président du
Conseil supérieur du notariat français, et de Germaine
BIGAULT, dont

— Elizabeth SAVOURÉ (Neuilly-sur-Seine 9-III-1958), s.a.a.,

— Xavier SAVOURÉ (Gien, Loiret, 24-IV-1959), s.a.a.,

— Maryelle SAVOURÉ (Gien 10-II-1961),

— Hervé SAVOURÉ (Briare 9-II-1964),

— Béatrice SAVOURÉ (Briare 5-V-1967),

— Pierre SAVOURÉ (Bléneau 27-V-1968),

— Loïc SAVOURÉ (Bléneau 19-XI-1970),

— Claire SAVOURÉ (Bléneau 28-III-1972),

c - Claude HOUETTE (Bléneau 17-XII-1931) alliée Bléneau 12-IX-1951 à Michel SAVOURÉ (Paris 7e 23-III-1924), notaire, frère de Jacques précité, dont

— Isabelle SAVOURÉ (Versailles 6-VII-1952) alliée Versailles 21-XII-1974 à Yves MENESSON (Lyon 6e 10-IV-1952), docteur en médecine, fils de Bernard, capitaine de frégate, puis ingénieur, et de Françoise PORTE.

— Jean-Charles SAVOURÉ (Versailles 26-IX-1953), juriste, allié Carolles 24-VI-1978 à Claire-Geneviève SIMON (Montréal, Canada, 10-IX-1958), fille de François, ingénieur de l'Ecole nationale supérieure des mines de Paris, directeur dans une société de construction de matériel industriel, et d'Anne THOMAS,

— Patrice SAVOURÉ (Versailles 16-III-1955) allié Versailles 25-XI-1978 à Aline-Claude WIBAUX (Paris 17e 5-V-1957), fille de Roger-Joseph, directeur commercial, et de Bernadette-Marie THOMAS,

— Dominique [44] SAVOURÉ (Versailles 6-III-1959), s.a.a.,

— Emmanuelle SAVOURÉ (Versailles 26-V-1961),

— Charles-Henri SAVOURÉ (Versailles 9-II-1963),

— Bertrand SAVOURÉ (Versailles 22-VI-1964),

— Stéphane SAVOURÉ (Versailles 18-I-1966),

— Anne-Christine SAVOURÉ (Versailles 27-X-1967),

— Arnaud SAVOURÉ (Versailles 28-IV-1971),

— Frédéric SAVOURÉ (Versailles 7-II-1974),

d - Bernard HOUETTE (Bléneau 15-VII-1933), capitaine de frégate, allié Paris 15ᵉ 23-VII-1968 à Isabelle BRAXMEYER (Marseille 16-III-1944), fille de Denis, capitaine de corvette, et de Bernadette ASTRAUD, dont

— Rémy HOUETTE (Paris 19ᵉ 9-IV-1969),

— Christian HOUETTE (Toulon 7-XI-1970),

— Sébastien HOUETTE (Brest 26-VII-1975),

e - Jeanne HOUETTE (Bléneau 1-IX-1935) alliée Bléneau 23-VII-1960 à Alain VUILLEMIN (Toulon 2-VIII-1931), professeur de lettres, fils de Marc, colonel, et d'Annic VAILLANT, dont

— Marie-Anne VUILLEMIN (Versailles 25-IV-1961),

— Marie-Dominique VUILLEMIN (Versailles 31-VIII-1962),

— Christophe VUILLEMIN (Versailles 17-V-1964),

— François-Régis VUILLEMIN (Versailles 17-IX-1965),

— Marie-Pascale VUILLEMIN (Versailles 21-XI-1967),

— Marie-Agnès VUILLEMIN (Versailles 11-II-1969),

— Laurent VUILLEMIN (Versailles 26-XII-1970),

f - Michel HOUETTE (Bléneau 21-XII-1936), ingénieur informaticien, allié Brest 24-VIII-1962 à Marie-France LE NOIR de LA COCHETIÈRE (Châteauroux 1-VII-1943), fille de Pierre, capitaine de vaisseau, et d'Alix COLAS des FRANCS, dont

— Arnaud HOUETTE (Metz 8-VIII-1963),

— Bruno HOUETTE (Metz 26-IV-1965),

— Vianney HOUETTE (II-1968),

— Stéphane HOUETTE (Metz 12-II-1970),

— Vincent HOUETTE (Drancy 29-VIII-1974),

g - Roselyne HOUETTE (Bléneau 6-XI-1938), s.a.a.,

h - Bénédicte HOUETTE (Bléneau 4-V-1944), licenciée en psychologie, éducatrice spécialisée, alliée Bléneau 15-IX-1969 à Voytek ROMANOWSKI (Lublin, Pologne, 8-XI-1924), licencié en psychologie, psychologue, fils de Casimir, ingénieur agronome, et d'Emilie von BEESSE, dont

— Anne-Wanda ROMANOWSKI (Lausanne 12-IX-1970),

— Chrystel ROMANOWSKI (Lausanne 31-XII-1971),

5 - Xavier EXELMANS (La Seyne-sur-mer, Var, 15-XI-1903 - Quimper 17-X-1905),

IV - Henriette EXELMANS (Offenbach, grand-duché de Hesse, 11-III-1818-1829)

V - Pauline EXELMANS (Paris 8-VIII-1822 - Pau 25-XII-1879 [124]) alliée Saint-Laurent-de-Gosse 10-VIII-1847 à Athanase de SILLÈGUE (Sauveterre-de-Béarn 31-VII-1809 - Pau 1-VII-1889), colonel de cavalerie, fils de Jean-François, propriétaire, et de Marthe LERTÈRE, dont

A - Marie de SILLÈGUE (1849 [125] - Pau 1-I-1880 [124]), s.a.,

B - Norbert de SILLÈGUE (Paris 7-VI-1850 - Saint-Laurent-de-Gosse 1-I-1939), colonel de cavalerie, allié Sainte-Geneviève-des-bois, Loiret, 25-VI-1881 à Louise LEVÊQUE de VILMORIN (Sainte-Geneviève-des-bois 13-I-1860 - Saint-Laurent-de-Gosse 30-VI-1937), fille de Pierre-Charles, lieutenant de vaisseau [126], et de Marie-Félicie HARDY [127], s.p.

C - Marguerite de SILLÈGUE (Paris 20-IX-1851 - Saint-Laurent-de-Gosse 2-I-1935), s.a.,

VI - Gabriel EXELMANS (Paris 14-XII-1823 - La Voulte, Ardèche, 15-X-1845), s.a. [128],

VII - Marie-Félicie EXELMANS (Paris 10-VIII-1827 - Bayonne 17-VIII-1855) alliée Saint-Laurent-de-Gosse 7-I-1847 à Amédée de LABORDE NOGUEZ (Bayonne 26-IV-1823 - Ustaritz 23-II-1910), propriétaire, licencié en droit, quelque temps avocat à Bayonne, conseiller général et député des Basses-Pyrénées, fils d'André-Nicolas, propriétaire [129], et de Dorothée d'ARTIGUE [130], dont

A - Gaston de LABORDE-NOGUEZ (Bayonne 18-I-1848 - Ustaritz 21-IX-1926), propriétaire, allié Paris 7e 20-XI-1876 à Marie-Louise dite Fanny LARRIEU (Bordeaux 30-VII-1857 - Rennes 13-II-1939), fille d'Emile, vice-amiral, préfet maritime de Rochefort [131], et de Julie de PRIGNY de QUÉRIEUX [132], dont

1 - André de LABORDE-NOGUEZ (Ustaritz 15-II-1878 - Ustaritz 21-I-1944), colon en Amérique du sud, puis agent commercial, allié Ustaritz 12-I-1909 à Marie-Amélie POCHET-LE BARBIER de TINAN (Le Havre 13-V-1884 - Cannes 7-VI-1973), sa cousine issue de germain, dont postérité (voir plus haut),

2 - Marie de LABORDE-NOGUEZ (Ustaritz 8-VI-1879 - Saint-Jean-

de-Luz 8-V-1966) alliée Ustaritz 4-X-1904 à Amédée CLAVERY (Paris 9e 15-I-1870 - ✕ Djebel-Arlal, Algérie, 8-XII-1928), général de brigade [133], fils de Paul, consul général de France (Anvers), puis ministre plénipotentiaire directeur des consulats et des affaires commerciales au ministère des affaires étrangères, et de Marie-Philiberte FERRON [134], dont

a - René CLAVERY (Ustaritz 6-VIII-1905 - ✕ Les Hauts-de-Tonteux, Vosges, 17-X-1944 [135]), propriétaire agriculteur en Algérie (Maison-carrée), lieutenant de cavalerie [136], allié Paris 8e 11-VIII-1930 à Gabrielle LORENZI (Alger 24-III-1907), fille de Claude, banquier à Alger [137], et de Marie de BONALD [138], dont

— Christine CLAVERY (Paris 16e 8-VIII-1931) alliée Alger 6-XI-1954 à François LEROY (Toulon 1-VIII-1930), géologue, fils de Jean, capitaine de frégate, et de Henriette ANGELI, dont

  • Bernard LEROY (Paris 16e 12-IX-1955), s.a.a.,

  • Bruno LEROY (Alger 9-VII-1957), s.a.a.,

  • Béatrice LEROY (Alger 11-VII-1958), s.a.a.,

  • Olivier LEROY (Alger 18-I-1960), s.a.a.,

  • Claude LEROY (Alger 15-VII-1966),

— Elisabeth CLAVERY (Alger 15-X-1933) alliée Alger 22-IV-1954 à Guy de PUTECOTTE de RENÉVILLE (Marseille 8-IX-1929), ingénieur, directeur dans une société de négoce de métaux non ferreux, fils de Henri, courtier en produits coloniaux, et de Gillette RICHOND, dont

  • Patrick de RENÉVILLE (Alger 4-IV-1955), employé d'équitation, allié Tosny 29-XII-1975 à Catherine RÉMY (Vernon, Eure, 27-XI-1951), loueur d'équidés, fille de Bernard-Albert, agriculteur, et d'Emma VAN-DECANDELAERE, dont

    •• Guillaume de RENÉVILLE (Les Andelys 13-III-1977),

  • Michel de RENÉVILLE (Alger 15-III-1957), s.a.a.,

  • Nicole de RENÉVILLE (Alger 25-II-1960), s.a.a.,

  • Brigitte de RENÉVILLE (Oran 24-VI-1966),

— Philippe CLAVERY (Alger 21-I-1935), agent commercial, allié Alger 11-X-1956 à Marie-Thérèse MENET (Alger

6-XII-1933), secrétaire, fille de Georges, directeur de société, et d'Andrée SIMIAN, mariage dissous par jug. du t. c. de Marseille le 29-X-1975, dont

- Florence CLAVERY (Alger 6-VII-1957), s.a.a.,

- Véronique CLAVERY (Alger 23-XII-1958), s.a.a.,

- Pascale CLAVERY (Nice 12-XI-1962),

— Bernard CLAVERY (Alger 3-X-1940), directeur de club nautique, s.a.a.,

— Jean-Marie CLAVERY (Alger 13-XII-1942), directeur commercial, s.a.a.,

— Brigitte CLAVERY (Alger 9-VI-1944) alliée Toulon 22-IV-1965 à François-Xavier JANNOT (Pau 8-IV-1941), employé de banque, fils d'André, général de division, et de Charlotte FORTIER, dont

- Hubert JANNOT (Toulon 7-II-1966),

- Marc JANNOT (Toulon 3-V-1970),

- Jérôme JANNOT (Toulon 3-IV-1973),

b - Olivier CLAVERY (Ustaritz 26-VII-1907), directeur commercial, allié Lamballe 11-VI-1935 à Françoise LE HARIVEL de GONNEVILLE (Tours 20-VII-1909), fille de Robert, officier des haras, et d'Annie LECOINTRE, dont

— Chantal CLAVERY (Paris 12ᵉ 7-VIII-1936), s.a.a.,

— Michel CLAVERY (Paris 12ᵉ 27-VIII-1938), ingénieur civil des Ponts-et-chaussées, lieutenant-colonel du génie, allié Pau 20-IV-1965 à Isabelle MARCOTTE de QUIVIÈRES (Pau 11-V-1941), fille de Jean, agent d'assurances, et de Marie-Thérèse O'QUIN [139], dont

- Olivier CLAVERY (Versailles 18-XII-1967),

- Matthieu CLAVERY (Versailles 28-I-1970),

- Thomas CLAVERY (Versailles 21-VI-1971),

- Rémi CLAVERY (Versailles 15-VI-1972),

c - Xavier CLAVERY (Ustaritz 7-VIII-1909), ingénieur agricole (Fribourg), attaché de direction (industrie laitière), allié Fribourg, Suisse, 30-XII-1935 à Emma ANDREY (Fribourg 15-III-1910), fille d'Alphonse, fonctionnaire, et d'Euphrasie GLANNAZ, dont uniquement

— Lionel CLAVERY (Lyon 23-VI-1936), licencié en droit (sciences économiques), chef de vente (métallurgie), s.a.a.,

d - Daniel CLAVERY (Aïn-Safra, Algérie, 31-VII-1928), ingénieur (électronique), allié Paris 7e 6-IV-1956 à Colette LONJON (Saint-Pargoire 13-I-1934), fille de Maurice, inspecteur général de l'Education nationale, et de Juliette THOMAS de TEREZ, dont

— Marie dite Maïten CLAVERY (Paris 16e 24-XII-1956), s.a.a.,

— Bénédicte CLAVERY (Paris 16e 22-VII-1959), s.a.a.,

— Jean CLAVERY (Bédarieux 19-VIII-1963),

— François CLAVERY (Bédarieux 2-VIII-1967),

— Guillemette CLAVERY (Paris 15e 9-IV-1971),

3 - Germaine de LABORDE-NOGUEZ (Ustaritz 8-VI-1879 - Ustaritz 1-IV-1946), infirmière (Croix-rouge) [140], s.a.,

4 - Elisabeth de LABORDE-NOGUEZ (Ustaritz 3-III-1881 - Ustaritz 27-IX-1941), infirmière major (Croix-rouge) [141], s.a.,

5 - Sabine de LABORDE-NOGUEZ (Ustaritz 14-VI-1883 - Paris 8e 1-X-1968) alliée Ustaritz 1-III-1905 à Ferdinand DUFAURE (Paris 8e 3-VIII-1881 - Paris 8e 21-I-1947), administrateur de sociétés, membre du comité de la Société des steeple-chases de France, fils d'Amédée, propriétaire, administrateur de société, député de Seine-et-Oise, conseiller général de la Seine, conseiller municipal de Paris [142], et de Nancy THOMAS, dont

a - Marie DUFAURE (Paris 8e 3-I-1906) alliée 1) Paris 8e 25-V-1926 à Claude marquis de MONTRICHARD (Montmédy 8-IX-1894 - Compiègne 22-II-1977), agriculteur, puis administrateur de société, fils de Gérard marquis de MONTRICHARD, inspecteur général des Eaux-et-forêts, et de Marie-Caroline COCHARD, mariage dissous par jug. du t. c. de la Seine le 9-XII-1935 [Claude marquis de MONTRICHARD s'est remarié à Paris 8e le 1-VII-1947 à Marie-Rose dite Catherine LARCIER (La Courneuve 12-V-1922 - Compiègne 20-X-1975), docteur en médecine, anesthésiste, fille de Fernand, directeur d'usine, puis administrateur de société, et de Marthe-Marguerite PANSIOT], 2) Paris 16e 23-VI-1936 à Guy DANTAN-MERLIN (Paris 16e 21-I-1897 - Trouville 7-VII-

1945), lieutenant-colonel de l'armée de l'air, fils de Gaston, docteur en médecine, chirurgien, et de Marguerite FENET, s.p. du 1er mariage, dont du 2d uniquement

— Gérard DANTAN-MERLIN (Boulogne-Billancourt 12-IV-1946), instructeur de pilotage, allié Trouville 5-VI-1972 à Christiane GUÉRET (Le Pré d'Auge 3-VII-1948), fille de Robert, industriel, et de Françoise GONDECH, dont

• Guy DANTAN-MERLIN (Boulogne-Billancourt 26-IV-1974),

• Gilles DANTAN-MERLIN (Boulogne-Billancourt 5-III-1978),

b - Christian DUFAURE (Biarritz 2-II-1908), directeur de société (pétroles), allié Paris 8e 4-IX-1934 à June O'MALLEY-KEYES (Londres 17-VI-1914 - Neuilly-sur-Seine 15-VI-1969), fille de Middleton et de Jane MALLEY, dont

— Alix DUFAURE (Neuilly-sur-Seine 16-XI-1935) alliée 1) Paris 8e 26-XII-1958 à Laurent LINDON (Paris 17e 11-V-1930) [143], directeur commercial (automobile), fils de Raymond, premier avocat général à la Cour de cassation [144], et de Thérèse BAUR [145], mariage dissous par jug. du t. c. de la Seine le 23-XI-1966 [Laurent LINDON s'est remarié à Paris 16e le 4-VII-1969 à Françoise-Jeannette ALLAIN (Charenton-le-pont 1-X-1938), fille de Gaston-Marcel, installateur, et de Louise-Marguerite KIRCHER [146]], 2) Paris 7e 16-XII-1970 à Pierre BENICHOU (Oran 1-III-1938), journaliste, fils d'André, agrégé de philosophie, professeur, et de Madeleine DAYAN, dont

du 1er mariage

• Vincent LINDON (Boulogne-Billancourt 15-VII-1959), s.a.a.,

• Sylvain LINDON (Neuilly-sur-Seine 29-XII-1962),

du 2e mariage

• Antoine BENICHOU (Paris 14e 19-XII-1972),

— Maureen DUFAURE (Neuilly-sur-Seine 19-I-1941) alliée 1) Paris 8e 2-X-1961 à Miguel CLEMENT (Rambouillet 7-VI-1935 - Gonesse 30-VIII-1978), entraîneur de chevaux, fils de Marc ✕, lieutenant de cavalerie, et de Donicha BROUSSAIN, mariage dissous par jug. du t. c.

de Paris le 9-VII-1969, 2) Paris 8ᵉ 18-VI-1974 à Alain de Acevedo (Bordeaux 20-VII-1927), assureur maritime, fils de Joseph-Christophe, correspondant de presse, et d'Yvonne-Marie Pelain [Alain de Acevedo avait épousé précédemment à Paris 16ᵉ le 11-X-1951 Sybil Montagnan (Paris 12ᵉ 21-XII-1927), fille de Robert-Dominique, industriel, et d'Anne-Alice Veysset, mariage dissous par jug. du t. c. de Paris le 4-V-1974], dont

du 1ᵉʳ mariage

● Marc Clement (Neuilly-sur-Seine 20-X-1962),

● Nicolas Clement (Neuilly-sur-Seine 11-I-1964),

● Christophe Clement (Neuilly-sur-Seine 1-XI-1965),

du 2ᵉ mariage

● Manuel de Acevedo (Neuilly-sur-Seine 5-I-1976),

— Eric Dufaure (Neuilly-sur-Seine 9-VII-1947), cadre de banque, diplômé de l'Institut d'études politiques de Paris et de Harvard business school, s.a.a.,

c - Chantal Dufaure (Biarritz 13-X-1918), journaliste, alliée Paris 8ᵉ 4-IV-1957 à Gérard Magdelain (Amiens 8-VIII-1914), directeur dans une société industrielle, fils de Maurice, industriel, et de Renée Aubert, dont

— Francis Magdelain (Montréal, Canada, 22-VII-1967),

— Sabine Magdelain (Montréal 4-II-1969),

6 - Marie-Thérèse de Laborde-Noguez (Ustaritz 15-VII-1885 - Rennes 23-II-1960) alliée Ustaritz 19-IV-1904 à Paul Terrier de Laistre (Quimper 30-III-1873 - Rennes 13-XI-1906), lieutenant d'artillerie, fils de Henri, magistrat, et de Berthe-Sébastienne Le Goaësbe de Bellée, 2) Rennes 25-II-1911 à Lionel Taconet (Le Havre 15-XI-1880 - Rennes 7-II-1922), courtier maritime, fils d'une cousine germaine (voir plus haut), s.p. de part et d'autre,

7 - Françoise de Laborde-Noguez (Ustaritz 11-VII-1887 - Toulon 21-IV-1958) alliée Ustaritz 21-IX-1909 à Joseph Mellet (Rennes 1-XII-1884 - Bourg-des-comptes 21-XII-1919), avocat au barreau de Rennes, fils de Henri, architecte [147], et de Nelly Mottier, dont

a - Jacques Mellet (Rennes 4-XI-1910 - ✕ Villingen, Allemagne, 21-IV-1945), capitaine de cavalerie [148], allié Paris 7ᵉ 17-VIII-1938 à Odette Hardouin (Quimper 23-XI-1912), fille de Elie, docteur en médecine, ophtalmo-oto-rhino-laryngologiste, et de Germaine de LOUSTAL, s.p.,

b - Henri MELLET (Rennes 16-XII-1911), cadre commercial, allié Paris 16ᵉ 7-XI-1938 à Jacqueline SAINTE-CLAIRE DEVILLE (Paris 17ᵉ 12-III-1918), secrétaire, fille de Henri, chef de service à la Compagnie des chemins de fer de l'est [149], et de Louise de LA FOURNIÈRE [150], dont

— François-Régis MELLET (Bourg-des-comptes 9-VII-1940), licencié en droit, directeur de centre culturel, s.a.a.,

— Pascal MELLET (Paris 3ᵉ 7-IV-1943), délégué hospitalier, allié Paris 15ᵉ 22-II-1969 à Laurence PLANIOL (Paris 17ᵉ 29-II-1944), déléguée médicale, fille de Michel, ingénieur de l'Ecole centrale de Paris, ingénieur dans l'industrie (construction mécanique) [151], et de Christiane COUDRY, déléguée médicale, mariage dissous par jug. du t. c. de Paris en date du 27-VI-1978, dont

• Sophie MELLET (Paris 14ᵉ 19-IX-1966),

• Stéphanie MELLET (Paris 10ᵉ 21-III-1970),

— Brigitte MELLET (Rennes 10-X-1945), secrétaire, alliée Le Cannet, Alpes-maritimes, le 12-VII-1974 à Robert-Holland PATTERSON (Los Angeles, Californie, 25-VIII-1929), constructeur de bateaux, fils de John-Paul, avocat, et de Lucile NEEL [Robert-Holland PATTERSON avait épousé précédemment Cecily BRUNDIN, mariage dissous par jug. de divorce], s.p.a.,

— Soëzic MELLET (Paris 8ᵉ 22-XI-1946), directeur de publicité, s.a.a.,

— Dominique MELLET (Paris 8ᵉ 19-V-1948), assistant à l'Université de Saint-Etienne (sciences), allié Lyon 1ᵉʳ 5-IV-1969 à Dominique POMMIER (Lyon 3ᵉ 30-V-1949), professeur (français, latin, grec), fille d'André, docteur en médecine, médecin du travail, et de Geneviève DORÉ, docteur en médecine, pédiatre, médecin du travail, dont

• Chrystèle MELLET (Tassin-la-demi-lune 16-V-1969),

• Kevin MELLET (Sainte-Foy-lès-Lyon 30-IV-1976),

c - Gilles MELLET (Rennes 5-IV-1913 - Toledo, Ohio, 3-XI-1976), capitaine de vaisseau, attaché naval adjoint à

Washington, puis inspecteur des transports maritimes pour
une société (métallurgie) [152], allié Béziers 7-V-1948 à Nicole
ROUZAUD (Béziers 1-I-1926), fille de Emile, notaire, et de
Marie-Antoinette CLUZEL, dont

— Nathalie MELLET (Saint-Mandé 22-VIII-1949) alliée
Larchmont, état de New York, 15-I-1972 à Léon DER
CALOUSDIAN ALWAND (Pau 14-VI-1940), industriel
(bijouterie), fils de Nersès, industriel, et de Emma
HAGOPIAN, dont

  • Grégoire DER CALOUSDIAN ALWAND (New York 29-
    VIII-1974),

  • Vanessa DER CALOUSDIAN ALWAND (New York 3-IX-
    1976),

— France MELLET (Toulon 6-IX-1950) alliée Larchmont
30-VIII-1969 à John-Bentley TUCKER (Baltimore,
Maryland, 2-II-1948), courtier en yachts, fils de Gilson-
Gwyn, vice-président de société, et de Nancy-Forsythe
BENTLEY, dont

  • Anna TUCKER (New York 24-III-1976),

  • Olivia TUCKER (New Rochelle, état de New York,
    29-X-1978),

— Lionel MELLET (Port-Lyautey 8-XII-1952), entraîneur
de chevaux de concours hippique, allié Middletown,
état de New York, 10-VI-1973 à Cecilia HAUNERT
(Covington, Kentucky, 25-VI-1947), fille de Clifford,
employé dans l'industrie automobile, et de Geneva
BUTCH, dont

  • Louis MELLET (Middletown 4-VIII-1974),

  • Herbert MELLET (Middletown 8-VIII-1975),

  • Cyril MELLET (Middletown 3-IX-1976),

  • Thérèse dite Daisy MELLET (Middletown 27-XII-1977),

— Olivier MELLET (Toulon 11-I-1954), ingénieur, allié
Middletown 8-VI-1975 à Leslie CARRIÈRE (Detroit,
Michigan, 10-III-1954), fille de Lester, industriel, et de
Mary-Lou de WITT, dont

  • Celeste MELLET (New Rochelle 29-V-1976),

- Olivier-Gilles MELLET (Middletown 7-VII-1977),

- Vincent-Herbert MELLET (Middletown 2-XII-1978),

— Fanny MELLET (Toulon 7-IX-1955), artiste peintre, alliée Larchmont 23-IX-1978 à William F. BERRY (Cleveland, Ohio, 16-XI-1949), cadre commercial (relations publiques), fils de Harry-Edwin, inventeur, et de Josephine JOSEPH,

— Yann MELLET (Bethesda, Maryland, 28-X-1957), s.a.a.,

— Sophie MELLET (New Rochelle 20-II-1961),

— Laurence MELLET (Montréal, Canada, 13-IX-1962),

d - Jean-François MELLET (Rennes 7-III-1915), ancien élève de l'Ecole des hautes études commerciales, directeur de société (droguerie), lieutenant-colonel de cavalerie (réserve), allié Angers 12-II-1946 à Anne CARRÉ de LUSANÇAY (La Chapelle-du-Noyer 12-XII-1912), fille du vicomte Gustave, chef d'escadrons de cavalerie, et d'Anne-Marie GAUTRET de LA MORICIÈRE, dont

— Philippe MELLET (Angers 20-XI-1946), cadre commercial (marketing), allié Paris 8ᵉ 11-X-1975 à Ghislaine LAPERCHE (Neustadt-an-der-Haardt, Allemagne, 1-IX-1948), fille de Jacques, lieutenant-colonel de cavalerie, et d'Agnès PILLOT de COLIGNY-CHATILLON, dont

- Soline MELLET (Boulogne-Billancourt 17-XI-1977),

— Anne-Françoise MELLET (Angers 13-VIII-1948), orthophoniste, alliée Montfaucon-sur-Moine 17-VII-1976 au baron Hubert SALLÉ de CHOU (Paris 20ᵉ 29-XI-1948), consultant dans un cabinet fiscal, fils du baron Paul, lieutenant-colonel d'infanterie, et de Nicole GUÉRIN de VAUX, dont

- Marie SALLÉ de CHOU (Paris 15ᵉ 23-IV-1977),

- Laure SALLÉ de CHOU (Paris 10-V-1979),

— Chantal MELLET (Rennes 25-VI-1950), attachée administrative, s.a.a.,

— Bruno MELLET (Rennes 22-IX-1953), lieutenant d'artillerie, s.a.a.,

e - Anne MELLET (Rennes 26-II-1917 - Paris 1-V-1980) alliée

Toulon 24-X-1940 à Maurice Houot (Vichy 23-X-1914), vice-amiral, attaché naval à Washington, puis commandant à l'Ecole de guerre navale, fils de Charles-Léon, entrepreneur, et de Marthe Chrétien, dont

— France-Caroline Houot (Toulon 21-IX-1942) alliée Toulon 30-VII-1964 à Pierre Pagezy (Paris 17ᵉ 28-X-1932),directeur général de banque [153], fils de Henri, ingénieur de l'Ecole nationale supérieure des mines de Paris, président de société, et d'Odette Abric, dont

  • Frédérique Pagezy (Paris 16ᵉ 25-IV-1966),

  • Olivier Pagezy (Paris 16ᵉ 2-IV-1968),

  • Julien Pagezy (Paris 16ᵉ 17-VII-1969),

— Luc-Henri Houot (Bourg-des-comptes 30-V-1944), lieutenant de vaisseau, allié Papeete, Tahiti, 17-VIII-1974 à Maeva Adam (Toulon 15-VIII-1948), fille de Joseph, fonctionnaire (Tahiti), et de Norma Grant, s.p.a.,

— Béatrice Houot (Bourg-des-comptes 20-I-1946) alliée Ollioules 12-XI-1966 à Hubert Lodin de Lépinay (Batna, Algérie, 28-III-1939), capitaine de corvette, fils de Ivan, général de brigade, et d'Elisabeth Bonamy de La Ville, dont

  • Yolaine de Lépinay (Toulon 3-XI-1967),

  • Fanny de Lépinay (Lorient 24-I-1970),

  • Sabine de Lépinay (Lorient 18-XI-1973),

  • Ivan de Lépinay (Lorient 8-VIII-1976),

f - Renaud Mellet (Rennes 9-IX-1919), inspecteur en chef chargé des relations et communications à l'intérieur de l'entreprise (Air France), allié Collioure 13-IX-1941 à Gisèle Fontaine (Le Havre 10-XII-1920), fille de Jacques, banquier [154], et de Germaine Hardy-Thé [155], dont

— Sabine Mellet (Alger 10-IX-1942), eurythmiste, alliée Aalen, Bade-Wurtemberg, 25-V-1973 à Thomas von Meissl (Baden-Baden 28-II-1942), employé (édition) [156], fils de Robert, représentant d'une société d'édition de luxe à Munich, et d'Elga Rienecke, dont [157]

● Wolfram von MEISSL (Vienne, Autriche, 28-XI-1973),

— Véronique MELLET (Alger 3-VI-1944) alliée Saint-Briac-sur-mer 4-IX-1972 à Michel ISSAVERDENS (Buhl, Bade, 15-XI-1946), capitaine de cavalerie, fils de Hubert baron ISSAVERDENS, lieutenant-colonel de cavalerie, et de Andrée DUBURQUOIS, dont

● Gabrielle ISSAVERDENS (Saumur 12-VI-1973),

● Anne ISSAVERDENS (Paris 12e 22-XI-1974),

● Olivier ISSAVERDENS (Lure, Haute-Saône, 15-IV-1976),

● Odile ISSAVERDENS (Lure 28-VI-1978),

— Bénédicte MELLET (Rennes 28-VII-1946) alliée Paris 17e 11-XII-1971 à Daniel CONDROYER (Aix-en-Provence 6-XI-1943), capitaine de l'armée de l'air, fils de Yves, contre-amiral, et de Marie-Pierre FERRAT, dont

● Valérie CONDROYER (Dijon 14-II-1973),

● Pierre CONDROYER (Dijon 28-XII-1974),

● Arnaud CONDROYER (Mont-de-Marsan 21-XI-1977),

● Xavier CONDROYER (Mont-de-Marsan 15-XII-1979),

— Claude MELLET (Rennes 29-XI-1950) alliée Saint-Briac-sur-mer 13-VII-1972 à Patrick JUVIN (Neuilly-sur-Seine 18-IX-1942), docteur en médecine (rhumatologue), fils d'Edmond, président-directeur général de société, et de Simone BOHERS, dont

● Christophe JUVIN (Suresnes 12-II-1970),

● Sébastien JUVIN (Suresnes 11-XI-1973),

● Jean-Baptiste JUVIN (Suresnes 8-IX-1975),

● Benoît JUVIN (Suresnes 19-IV-1980),

— Carole MELLET (Bangui, République centrafricaine, 7-III-1953) alliée Saint-Briac-sur-mer 29-VII-1974 à Patrick CHARPY (Brazzaville 6-IX-1952), ancien élève de l'Ecole des hautes études commerciales, cadre de banque, fils de Bernard, directeur de la société immobilière de la Caisse des dépôts et consignations, et de Françoise TOUTAIN, dont

- Stéphanie CHARPY (Dinard 27-VII-1978),

- Caroline CHARPY (Saint-Malo 30-VII-1979),

— Patricia MELLET (Bangui 3-VIII-1954) alliée Saint-Briac-sur-mer 24-VII-1976 à Pierre-Alain BONNOTTE (Fort-Lamy, Tchad, 16-I-1952), docteur en médecine, fils de Marcel, conservateur des Eaux-et-forêts, et de Marie-Rose CALMETTE, dont

  - Romain BONNOTTE (Sainte-Foy-lès-Lyon 6-VI-1978),

  - Fanny BONNOTTE (Sainte-Foy-lès-Lyon 14-II-1980),

— Nicolas MELLET (Dinard 20-IX-1963),

8 - Jean de LABORDE-NOGUEZ (Ustaritz 10-VIII-1888 - ✕ Chéry-Chartreuve 12-IX-1914), ingénieur électricien (université de Lausanne), sous-lieutenant de cavalerie, s.a.,

9 - Christine de LABORDE-NOGUEZ (Ustaritz 14-XII-1889) alliée Paris 8ᵉ 2-XII-1924 à Joseph HUSSENOT-DESENONGES (Paris 6ᵉ 14-II-1883 - Paris 7ᵉ 17-II-1949) [158], administrateur de société [159], puis propriétaire agriculteur, fils de Raoul, administrateur de société [159], et de Louise LORILLEUX, dont

a - Patrick HUSSENOT-DESENONGES (Paris 16ᵉ 7-X-1926 - ✕ Masevaux 20-X-1944), s.a.,

b - Cyril HUSSENOT-DESENONGES (Paris 16ᵉ 7-V-1930), administrateur de société [159], puis propriétaire agriculteur, allié Paris 16ᵉ 21-XI-1966 à Ghislaine WEIL (Neuilly-sur-Seine 6-V-1940), fille de Guy, représentant en industrie, et d'Elise LÉVY [Ghislaine WEIL avait épousé précédemment à Paris 16ᵉ le 26-XI-1958 Jacob ASSCHER (Amsterdam 13-XI-1925), directeur de société, fils d'Eliazer et de Stéphanie FISCHER, mariage dissous par jug. du t. c. de la Seine le 25-VI-1963], dont

  — Florence HUSSENOT-DESENONGES (Neuilly-sur-Seine 23-X-1967),

  — Eric HUSSENOT-DESENONGES (Neuilly-sur-Seine 13-I-1970),

10 - Simone de LABORDE-NOGUEZ (Ustaritz 3-XII-1891) alliée Ustaritz 20-IV-1914 à Henri HOVELACQUE (Balagny-sur-Thérain 21-X-1882 - Pau 8-XI-1956), administrateur de société [160], capitaine de cavalerie, fils d'Alexandre, avocat [161], puis adminis-

trateur délégué de société [160], et de Lucile POIRET [162], dont

a - Jean HOVELACQUE (Pau 4-IV-1915), diplômé de l'Ecole supérieure des sciences économiques et commerciales, directeur de société [160], puis commerçant [163], allié Galan 24-IX-1937 à Françoise LABROQUERE (Saint-Gaudens 20-I-1915), pianiste concertiste [164], fille d'Alexandre-Roger, diplômé de l'Ecole d'électricité de Grenoble, ingénieur en chef, et de Marguerite CHOPINET, dont

— Christian HOVELACQUE (Limoges 1-VII-1938), licencié en droit, diplômé de l'Institut d'études politiques de Paris, journaliste [165], puis commerçant [166], allié Hyères 10-VI-1966 à Najet HAMZA (Tunis 20-II-1940), fille de Ahmed, avocat, et de Behija BEN-CHEIKL,

● Alexandra HOVELACQUE (Paris 16ᵉ 17-III-1970),

● Stanislas HOVELACQUE (Paris 16ᵉ 28-IV-1972),

— Daniel HOVELACQUE (Neuilly-sur-Seine 8-XI-1943), agent commercial, allié Neuilly-sur-Seine 18-III-1978 à Eliane TAÏEB (Tunis 5-XI-1949), secrétaire de direction, fille de Maurice et de Messaouda-Dolly FREVA, secrétaire de direction, dont

● Alexandre HOVELACQUE (Paris 1978),

b - Patrick HOVELACQUE (Pau 20-X-1916), ancien élève de l'Ecole des hautes études commerciales, directeur commercial, allié Thionne 9-X-1948 à Annick CLAYEUX (Cosne d'Allier 28-I-1930), fille d'Antoine, propriétaire éleveur de chevaux, et d'Elisabeth RIANT, dont

— Agnès HOVELACQUE (Thionne 5-I-1950) alliée Thionne 4-X-1975 à Jean de MAUPEOU d'ABLEIGES (La Flèche 23-III-1946), ingénieur de l'Ecole nationale supérieure des industries agricoles, fils du comte Louis, lieutenant-colonel de cavalerie, et de Monique GUYON des DIGUÈRES, dont

● Laure de MAUPEOU d'ABLEIGES (Paris 14ᵉ 20-I-1977),

● Marie de MAUPEOU d'ABLEIGES (Paris 14ᵉ 14-I-1979),

— Gérald HOVELACQUE (Thionne 26-IV-1951), agent commercial, s.a.a.,

— Corine HOVELACQUE (Boulogne-Billancourt 2-II-1957), s.a.a.,

c - François Hovelacque (Pau 10-VI-1920), agent commercial, commandant de l'armée de l'air (réserve), allié Alger 28-IX-1942 à Fernande Sautel (Alger) 27-II-1922), fille de Ferdinand, orthopédiste militaire, et d'Anne-Marie Gonzalo, dont

— Armelle Hovelacque (Casablanca 20-V-1947) alliée Paris 8e 8-I-1970 au comte Robert Baudon de Mony-Pajol (Paris 8e 12-VII-1939), entraîneur de chevaux de course, fils de Victor-Emmanuel comte de Mony-Pajol [167], propriétaire éleveur, et de Marie Balsan [168] dont

• Diane de Mony-Pajol (Neuilly-sur-Seine 14-VII-1971),

• Laurent de Mony-Pajol (Bayonne 20-VIII-1973),

— Marc Hovelacque (Casablanca 14-XI-1948), commis d'agent de change, s.a.a.,

d - Monique Hovelacque (Pau 30-VIII-1922), s.a.a.,

e - Philippe Hovelacque (Pau 7-I-1928), entraîneur de chevaux de course, s.a.a.,

f - Brigitte Hovelacque (Pau 12-II-1934 - Pau 16-IV-1934),

11 - Bernard de Laborde-Noguez (Ustaritz 15-VIII-1894 - Paris 15e 26-VI-1975), quelque temps industriel [169], capitaine d'infanterie, allié Bordeaux 13-IV-1920 à Marie-Antoinette Philippart (Caudéran 16-II-1896), fille de Fernand, industriel (huilerie) [170], maire de Bordeaux, et de Marie-Louise Yver, mariage dissous par jug. du t. c. de Bayonne le 28-I-1952, dont

a - Monique de Laborde-Noguez (Bordeaux 15-I-1921) alliée Jatxou 25-II-1948 à Michel Doé de Maindreville (Beauvais 14-I-1897 - Paris 16e 12-III-1964) [171], ingénieur, fils de Charles-Maxime, colonel d'infanterie, et de Thérèse Aupépin de Lamothe-Dreuzy [Michel de Maindreville avait épousé précédemment à Paris 7e le 6-X-1923 Germaine Merveilleux du Vignaux (Paris 7e 30-XI-1900 - Paris 14e 31-XII-1945), fille de Jean, vice-amiral, et de Germaine de Mont de Benque], dont

— Anne de Maindreville (Bayonne 24-XI-1948), secrétaire médicale, alliée Paris 16e 28-I-1970 à Jean-Marie

LEFEVRE (Paris 6ᵉ 21-VIII-1945), ingénieur de l'Ecole nationale de chimie de Montpellier, licencié ès sciences, responsable de formation, fils d'André, cadre administratif (informatique), et de Suzanne JACQUOT, dont

● Alexia LEFEVRE (Mostaganem 23-XI-1970),

● Amélie LEFEVRE (Boulogne-Billancourt 22-X-1971),

● Agathe LEFEVRE (Calais 15-IX-1974),

— Sibylle de MAINDREVILLE (Bayonne 1-XII-1949) alliée Paris 16ᵉ 10-VI-1972 à Bernard MATHIEU (Neuilly-sur-Seine 1-XII-1947), ingénieur papetier, ingénieur de fabrication, fils de Pierre, président-directeur général de société, et de Simone PINTON, dont

● Baptiste MATHIEU (Saint-Denis, Seine-Saint-Denis, 10-III-1975),

— Marc de MAINDREVILLE (Bayonne 18-V-1952 - Chenoise, Seine-et-Marne, 25-IV-1954 [172]),

— Thierry de MAINDREVILLE (Paris 17ᵉ 8-XI-1954), cadre commercial, s.a.a.,

— Christophe de MAINDREVILLE (Boulogne-Billancourt 31-I-1960), s.a.a.,

b - Bernard de LABORDE-NOGUEZ (Bordeaux 5-XII-1924 - 5-XII-1924),

c - Dominique de LABORDE-NOGUEZ (Caudéran 8-VIII-1927), directeur d'une entreprise de publicité, allié 1) La Guerche-de-Bretagne 19-XI-1952 à Claude BARON (La Guerche-de-Bretagne 2-VI-1931), violoncelliste, fille de Raymond-Marie, docteur en médecine, et de Bernadette-Cécile COLLIN, mariage dissous par jug. du t. c. de la Seine le 29-VI-1961 et arrêt de la cour d'appel de Paris le 11-XII-1962, 2) Paris 5ᵉ 5-VII-1966 à Françoise VEYRINE (Paris 15ᵉ 30-III-1928), fille de André-Hippolyte, avocat à la cour d'appel de Paris, et de Flavie-Madeleine GOUZOU [Françoise VEYRINE avait épousé précédemment à Paris 7ᵉ le 25-VI-1948 Jean DELBET (La Fère, Aisne, 6-XI-1923), fonctionnaire (justice), fils de Edouard-Jean et de Renée-Amicie DROUET, mariage dissous par jug. du t. c. de la Seine le 20-V-1961], dont *du 1ᵉʳ mariage*

— Antoine de LABORDE-NOGUEZ (Dinard 25-VIII-1953), s.a.a.,

— Miguel de LABORDE-NOGUEZ (La Guerche-de-Bretagne 8-VIII-1955), s.a.a.,

du 2ᵉ mariage

— Mathieu de LABORDE-NOGUEZ (Paris 12ᵉ 16-VI-1970),

12 - Xavier de LABORDE-NOGUEZ (Ustaritz 29-II-1896 - Ustaritz 24-VI-1962 [100]), propriétaire, allié Bordeaux 29-VI-1920 à Denise CALVET (Arcachon 22-VIII-1898), fille d'Emile, négociant en vins [173], et de Marguerite SEGRESTAA, dont uniquement

Jean de LABORDE-NOGUEZ (Bordeaux 9-IV-1921), directeur de société [174], allié Paris 16ᵉ 25-X-1950 à Teresa de YTURBE (Biarritz 14-V-1921), fille de Miguel, propriétaire (Mexique), et de Maria-Teresa LIMANTOUR, dont

— Charles de LABORDE-NOGUEZ (Mexico 28-VII-1951), cadre de banque, allié Athènes 27-IX-1974 à Marina LASCARIS (Alexandrie, Egypte, 21-XI-1950), fille d'André, industriel (Athènes), et de Despina VENIZELOS [175], dont

• Jean-Claude de LABORDE-NOGUEZ (Mexico 2-XI-1978),

— Alain de LABORDE-NOGUEZ (Mexico 28-VII-1951 - Mexico 15-IX-1951),

— Isabelle de LABORDE-NOGUEZ (Mexico 5-IX-1953) alliée Mexico 10-VIII-1978 à Miguel de LARMINAT (Buenos Aires 16-II-1950), ingénieur (métallurgie) [176], fils d'André, président de société [177], et de Marie-Thérèse CASTRALE [178]

— Daniel de LABORDE-NOGUEZ (Mexico 10-X-1956), s.a.a.,

13 - Solange de LABORDE-NOGUEZ (Ustaritz 8-IX-1898 - Dinard 8-IX-1969), s.a.,

14 - Michel de LABORDE-NOGUEZ (Ustaritz 31-III-1901), licencié ès sciences, ingénieur de l'Ecole supérieure d'aéronautique, colonel de l'armée de l'air, allié Rabat 3-VII-1945 [179] à Yvonne BONIFACE (Châteauroux 2-III-1912), fille de Louis, voyageur de commerce, et de Marguerite MINDONNET [Yvonne BONIFACE avait épousé précédemment à Saint-Pierre-des-corps le 10-X-1929 Raymond BAUDIN (Sommières-du-Clain 28-III-1905),

sous-lieutenant de l'armée de l'air, fils d'Alexandre, journalier, et d'Irma-Eugénie Martinière, mariage dissous par jug. du t. c. d'Alger le 10-XI-1944], s.p., mais ont adopté suivant jug. du t. c. de Bayonne en date du 13-VI-1972,

Paulette Baudin de Laborde-Noguez (Châteauroux 28-IV-1930), fille de Raymond Baudin et d'Yvonne Boniface précités, alliée Châteauroux 27-X-1952 à Jacques Bougarel (Châteauroux 6-VI-1924), maître d'équitation, fils de Louis-Auguste, docteur en médecine, et de Madeleine-Angèle Camps, mariage dissous par jug. du t. c. de Châteauroux le 7-XII-1971 [Jacques Bougarel s'est remarié 1) à Saint-Maur, Indre, le 17-IX-1973 à Jeanne-Louise Rochard (Pavillons-sous-bois 25-VIII-1943), docteur en médecine, fille de Georges-Félix, ingénieur, et de Marie-Louise Ropers, mariage dissous par jug. du t. c. de Châteauroux le 4-XI-1976 [180], 2) à Saint-Maur le 13-X-1977 à Jeannine-Henriette Calvet (Broves, Var, 19-VI-1949), attachée d'intendance universitaire, fille d'Antoine-Pierre, directeur de collège d'enseignement secondaire, et de Huguette-Yvonne Gibelin], s.p.,

B - Paul de Laborde-Noguez (Bayonne 14-VII-1851 - Rouxmesnil-Bouteilles 29-IV-1924) [181], propriétaire, licencié en droit, conseiller général de la Seine-inférieure [182], sous-lieutenant d'artillerie, allié Paris 1er 27-XII-1884 à Marie La Chambre (Paris 8e 7-V-1860 - Rouxmesnil-Bouteilles 29-IV-1924), fille de Louis, négociant, banquier [183], et d'Adrienne Mouquet [184], s.p. [185].

FRERES ET SŒURS

Le maréchal Exelmans était l'unique enfant de ses parents [186].

NOTES

1 Ce titre ne donna pas lieu à lettres patentes.

2 Telles furent exactement, d'après une dépêche en date du 22-VII-1852 adressée par le chef de cabinet du ministre de la guerre à celui-ci, alors à Strasbourg, les circonstances de la mort d'Exelmans (dossier personnel au S.H.A.T.) : *Le maréchal Exelmans se rendant hier soir à cheval chez la princesse Mathilde a fait une chute en avant du Pont de Sèvres contre le trottoir de la route. Il y a eu fracture du crâne. Le maréchal n'a pas repris connaissance et est mort ce matin à 4 heures. On vient de rapporter son corps au palais de la Légion d'honneur.*

3 Les précisions données sous cette rubrique ont été tirées d'une étude très fouillée, appuyée exclusivement sur documents d'archives, publiée en langue

néerlandaise dans la revue *Het oude land van Loon* (le vieux pays de Looz), Hasselt 1966, p. 177 à 197, par Michel Bussels, docteur en histoire, conservateur des archives de la province du Limbourg belge : *De kempische afkomst van de franse maarschalk Exelmans* (les origines campinoises du maréchal français Exelmans).

4 Lors de sa vente en 1852 (voir note 5), cette terre est décrite de la sorte : une ferme avec maison, écurie, étable, grange, terres à labour, bois et prairies, mesurant 24 hectares, 12 ares et 20 centiares.

5 La terre du nom d'Exelmans passa à une sœur de Jean II, Margriet, mariée à Lambrecht Beckers, laquelle racheta les parts des cohéritiers. A leur tour, les descendants de ce ménage abandonnèrent le nom porté jusque-là pour adopter celui d'Exelmans. Cette branche conserva la terre jusqu'en 1852. Le bien fut alors acheté par un personnage du nom de Walter Ceyssens : il est resté jusqu'à aujourd'hui dans sa descendance. Le notaire chargé de la vente avait tout d'abord proposé la petite propriété au maréchal Exelmans : celui-ci ne s'était pas intéressé à l'affaire. La postérité issue de Lambrecht Beckers et Margriet Exelmans n'était pas éteinte lors de la vente de 1852. On peut penser que les porteurs du nom d'Exelmans dont on trouve trace en Belgique au 20ᵉ siècle s'y rattachent. Ainsi, le 29-XII-1904, un Pierre Exelmans, belge vivant à Paris, adressait au ministre de la guerre une lettre, figurant au dossier du maréchal, dans laquelle il exprimait le désir de faire valoir ses droits à la succession de celui-ci ! Plus près de nous, le 15-X-1965, était enterré avec les honneurs militaires, François-Eugène Exelmans, lieutenant aviateur dans l'armée belge, qui, tombé en panne, avait renoncé à faire fonctionner son siège éjectable afin d'éviter la chute de son appareil sur une agglomération.

6 Les actes dont on dispose ne donnent aucune qualification à Jean II Exelmans et à son fils Guillaume. Se fondant sur différentes considérations, le docteur Michel Bussels (voir note 3) pense que ceux-ci étaient des marchands ambulants. Ces derniers, qui allaient parfois très loin, étaient assez nombreux dans le Limbourg, où on les appelait des *teutes*. Cela expliquerait l'établissement de Michel Exelmans, fils de Guillaume et grand-père du maréchal, en Lorraine.

7 Le docteur Michel Bussels, dont il est parlé à la note 3, a consacré au doyen Exelmans un article intitulé : *Het testament van Michiel Exelmans, pastoor te Neerpelt en deken van het concilie Beringen* (le testament de Michel Exelmans, curé de Neerpelt et doyen de Beringen), publié dans la revue *Vlamsch Stam* (déc. 1966). A côté de nombreux legs à ses neveux et petits-neveux, ce frère du trisaïeul du maréchal Exelmans établit par son testament toute une série de bourses, les unes devant permettre à des jeunes gens méritants de poursuivre leurs études, les autres destinés à assurer la subsistance de béguines.

8 Né à Bayonne le 19-VIII-1736, mort dans la même ville le 11-IX-1810, Bernard de Lacroix de Ravignan en fut le maire de 1795 à 1798, puis de 1800 à 1803.

9 Fille de Pierre-Nicolas, avocat au parlement de Paris, puis receveur général des finances (Montauban), et d'Anne Dumas, Catherine-Rose-Henriette Mel de Saint-Céran (Bordeaux 24-IX-1765 - Bordeaux 24-IV-1843), devenue veuve, épousa en 2ᵈᵉˢ noces à Bayonne le 1-V-1813 Caprais Galien (Saint-Paulien, Haute-Loire, 24-IV-1760 - Paris 11-VII-1846), directeur des douanes à Bayonne, fils de Pierre-Damien, propriétaire, et d'Anne Paulze.

10 C'est-à-dire travaillant à la braise.

11 Titre non confirmé par lettres patentes.

12 L'essentiel des précisions apportées sur la famille Lacroix de Ravignan nous a été fourni par l'étude que lui a consacrée René Cuzacq : *Histoire des Ravignan* (Mont-de-Marsan, 1958, 35 p.). Les données de ce travail ont pu être complétées sur quelques points grâce aux recherches que M. l'abbé Aloys de Laforcade a bien voulu effectuer aux A. D. de Pau.

13 Nous n'avons pu établir la descendance du maréchal Exelmans, particulièrement importante, que grâce à l'aide très active qu'ont bien voulu nous apporter de nombreux représentants actuels de celle-ci. Nous les remercions de ce précieux concours et tout spécialement : la comtesse Exelmans, maître Henri Thieullent, M. François Lecoq, M. Olivier Clavery, MM. Maurice et Vincent Belbèze et le colonel Michel de Laborde-Noguez.

14 Théodore Aynard indique dans ses *Souvenirs historiques et quelques autres des personnes et des choses que j'ai vues de 1812 à 1890* (Lyon 1890) que la carrière du fils aîné du maréchal Exelmans *fut tristement interrompue par suite d'un accident à la salle d'armes ; un fleuret brisé lui était entré dans l'œil ; il en resta paralysé et mourut très jeune.*

15 A Millau, puis à Louviers.

16 De ce mariage, était née une fille, Alice-Rose Varin (Granville 6-VIII-1833 - Granville 20-V-1911), alliée Paris 28-IV-1852 à Edme-Gaston baron Gauthier d'Hauteserve (Paris 7-I-1827 - Paris 8e 11-II-1886), conseiller référendaire à la cour des comptes.

17 D'après une tradition de famille dont il nous a été fait part, Edmond Exelmans aurait eu un fils et une fille d'une longue liaison avec une dame mariée qu'il ne pouvait épouser : le fils serait devenu général. Un fait paraît s'inscrire en faux contre cette tradition : ainsi que nous avons pu le vérifier, Edmond Exelmans eut pour héritiers deux cousins germains, Gaston et Paul de Laborde-Noguez (voir plus loin), désignés comme légataires universels par testament olographe.

18 Le romancier Jean Le Barbier de Tinan (Paris 7e 18-I-1874 - Paris 7e 18-XI-1898) était le petit-fils du frère cadet d'Adelbert : Alfred allié à Mercedès Merlin de Thionville (fille du conventionnel).

19 Admis à la retraite avec le grade de lieutenant général le 20-XII-1829.

20 Ayant obtenu très rapidement un congé illimité de l'administration des Ponts-et-chaussées, Camille Clerc fut associé à la direction de l'affaire paternelle (voir note 21).

21 Joseph Clerc (Belfort 14-X-1793 - Saint-Cloud 23-IV-1877) se trouvait à la tête d'une importante raffinerie de sucre, au Havre : la Société Joseph Clerc, Kayser et Cie. *Caractère énergique, esprit lettré d'une grande distinction,* lit-on dans l'article nécrologique qui lui est consacré dans le numéro du *Journal des débats* du 1-V-1877, *sa carrière commerciale, à son début, fut traversée par les événements politiques de la fin de l'Empire. Chargé par le prince de Talleyrand et le duc de Dalberg de missions presque diplomatiques et militaires, il les remplit avec une vigueur et une résolution qui le placèrent en haute estime auprès de ces grands personnages. La paix le fit rentrer dans la carrière commerciale, à laquelle il appliqua toute son intelligence.*

22 Emile Clerc (Le Havre 11-VI-1827 - Paris 16e 30-III-1899), ingénieur en chef des Ponts-et-chaussées, directeur des travaux à la Compagnie des chemins de fer de l'ouest, frère aîné de Camille, eut entre autres enfants un fils Armand (Paris 7-I-1856 - Paris 16e 27-XI-1934), lieutenant de vaisseau, puis conseiller référendaire à la cour des comptes, qui épousa à Paris 16e le 23-II-1886 Clémence Jaurès (Cherbourg 26-X-1864 - Paris 11-IX-1932), fille de Benjamin, vice-amiral, sénateur, ambassadeur, ministre de la marine et des colonies, lequel était l'oncle à la mode de Bretagne de Jean Jaurès.

23 Un frère de Marie Depret, Camille, avait épousé Hélène Bixio, fille d'Alexandre (1808-1865), docteur en médecine, directeur de publications, député du Doubs (1848-1851), ministre de l'agriculture et du commerce du prince-président durant quelques jours (20-29-XII-1848), nièce de Girolamo dit Nino (1821-1873), l'un

des chefs du Risorgimento, général de division, député, puis sénateur du royaume d'Italie.

24 Modeste Rougé était la sœur de Pauline Rougé (1804-1865), épouse de Paulin Paris (1800-1881), membre de l'Académie des inscriptions et belles-lettres, professeur au Collège de France, spécialiste de la littérature médiévale : ceux-ci furent les parents de Gaston Paris (1839-1903), membre de l'Académie des inscriptions et belles-lettres et de l'Académie française, administrateur du Collège de France, le grand médiéviste.

25 Camille Clerc et sa seconde épouse, Marie Depret, qui tenaient un salon musical, l'hiver rue Monceau, l'été à Sainte-Adresse, puis à Villerville, furent très liés avec Gabriel Fauré. Celui-ci leur avait été présenté par son maître Saint-Saëns. Encore à ses débuts, doutant de lui, le musicien trouva auprès de Camille et Marie Clerc une seconde famille, dont il se disait l'enfant trouvé. C'est chez eux, en Normandie, qu'il composa ses meilleures œuvres, encouragé par leur chaude sympathie. Jean-Michel Nectoux, conservateur au département de la musique de la Bibliothèque nationale, a réuni, dans un volume paru en 1980, intitulé *Correspondance,* un certain nombre de lettres inédites de Fauré : beaucoup sont adressées à Camille et à Marie Clerc.

26 Fille de Marie-Léon Carré, juge au tribunal civil de Versailles.

27 Raymond Clerc mourut de façon assez dramatique : son corps fut retrouvé au milieu d'une mare de sang dans les bois de La Puya, à proximité d'Annecy, sans qu'on ait jamais pu savoir avec certitude s'il avait été assassiné ou s'il s'était suicidé.

28 Berthe de Tinan, connue sous le nom de Mme Pochet de Tinan, se consacra sa vie durant à de nombreuses œuvres philanthropiques, au Havre et dans la région. Elle se signala tout particulièrement par son dévouement au cours de la guerre de 1870 et de l'épidémie de choléra de 1892. Présidente des Œuvres de la mer, elle fit, en cette qualité, construire le premier navire hôpital, appelé à se rendre à Terre-neuve deux fois par an, pendant la campagne de pêche, avec un médecin, un aumônier et le courrier.

29 Aujourd'hui Le Havre.

30 La Société Latham et Cie : Elise Delaroche, sœur de sa mère, avait épousé Charles Latham.

31 Mathilde Delaroche était fille de Michel (1775-1852), négociant, maire du Havre, président de la chambre et du tribunal de commerce de cette même ville, conseiller général et député de Seine-inférieure (voir *Michel Delaroche, ses aïeux et ses descendants,* par Charles Rufenacht, Le Havre, 1963), et la nièce d'Alphonsine Delaroche (1778-1852), épouse de Jean-Honoré dit Horace Say, puis de Constant Duméril (voir Joseph Valynseele *Les Say et leurs alliances*).

32 A côté de différentes études techniques en rapport avec sa profession, Maurice Taconet a publié un petit livre de poèmes *L'aurore des temps nouveaux* (Paris 1897, 53 p.) et des *Souvenirs d'Algérie* (Le Havre 1885, 287 p.).

33 Emile Thieullent est le frère d'Henri qu'on trouvera plus loin. Tous deux succédèrent à leur père, en association, à la tête de l'affaire fondée par celui-ci en 1877.

34 La famille Thieullent est originaire de la région du Havre : avant Ernest, on trouve des artisans briquetiers et tuiliers.

35 De ce 1er mariage sont nées : Annette Thieullent (Le Havre 9-XII-1900 - Le Havre 28-III-1919), s.a., et Henriette Thieullent (Le Havre 15-IV-1902) alliée Le Havre 29-V-1923 à Pierre Voisin (Rouen 16-VIII-1900), négociant en bois exotiques, maire du Havre, président du tribunal de commerce du Havre.

La famille de ce dernier est différente de celle de même nom qu'on trouvera plus loin.

36 A Saint-Romain-de-Colbosc (Seine-maritime).

37 A l'Agence France-Presse.

38 Fille de René, général de corps d'armée.

39 Yves Chegaray est le frère de Noël, le cousin germain d'Antoine et l'oncle à la mode de Bretagne de Jean (fils de Bernard, lui-même frère d'Antoine), qu'on trouvera plus loin. Il est par ailleurs le frère de Jacques, explorateur, homme de lettres et cinéaste.

40 Notamment des grands magasins Decré à Nantes.

41 Directeur général adjoint de la Société nancéienne et Varin-Bernier.

42 La Société Caillard, au Havre.

43 Annick Voisin est la fille de Pierre et d'Henriette Thieullent, dont il est question à la note 35 : le second mari de Christine Wilbert est ainsi le neveu à la mode de Bretagne du premier.

44 Dominique est ici prénom masculin.

45 Grand-tante de Laurent, qu'on trouvera plus loin.

46 Confondateur, directeur adjoint et éditorialiste, puis cogérant statutaire de *Ouest-France*.

47 A la faculté de droit d'Aix-en-Provence.

48 A l'Institut national de recherche scientifique médicale (Paris).

49 D'après une tradition familiale qui n'a pu, jusqu'ici, être vérifiée, Philippe Poussin descendrait d'un frère du père du peintre Nicolas Poussin (1594-1665).

50 N'est pas parente du général Maurice Challe, l'un des organisateurs du putsch d'avril 1961, à Alger.

51 A Saint Gobain Pont-à-Mousson.

52 Béatrice de Naurois appartient à la descendance de Racine (voir Arnaud Chaffanjon *Jean Racine et sa descendance*, Paris, 1964) et à celle du maréchal Mouton comte de Lobau (voir Joseph Valynseele *Les maréchaux de la Restauration et de la Monarchie de juillet*).

53 C'est-à-dire inventeur de modèles, de formes, etc...

54 S'est noyé accidentellement au cours d'une baignade sur la plage du Havre.

55 Secrétaire de son oncle Gabriel Taconet, courtier maritime.

56 Voir note 33.

57 Monique Thieullent est la sœur de Maurice Thieullent (Le Havre 10-VIII-1898 - Sainte-Adresse 12-III-1974), président-directeur général de la firme familiale (voir note 33), président et administrateur de diverses sociétés, président de l'Association française du marché des cotons, président du conseil d'administration du port autonome du Havre, membre du Conseil économique et social.

58 Voir note 45.

59 Maurice Begouën Demeaux a publié un très beau travail sur sa parenté : *Mémorial d'une famille* (5 vol., Le Havre 1951-1967).

60 De son côté, Laurent Begouën Demeaux avait épousé précédemment, à Sainte-Adresse le 29-V-1937, Claude Voisin (Sainte-Adresse 28-II-1918 - Le Havre 31-X-1960), fille de Marin, agent d'assurances, et de Jeanne Duplat. Claude Voisin était la sœur de Marin, père de François et Christian, qu'on trouvera plus loin, alliés respectivement à Jacqueline et Monique Lagourgue. Sa mère, Jeanne Duplat, avait pour frère Emile-André-Henri Duplat, vice-amiral.

61 Voir note 39.

62 Victime d'un bombardement, alors qu'il était prisonnier.

63 Dit Laurent-Plesse.

65 Charles Pochet fut autorisé par décret du 26-I-1895 à ajouter à son nom celui de sa mère et à s'appeler désormais Pochet-Le Barbier de Tinan. Le décret accordait cette même faveur à ses frères cadets Maxime-Alfred, Louis et Gaston ainsi qu'à sa sœur Marie-Amélie, qu'on trouvera à la suite. En revanche, sa sœur aînée, Marie (Mme Maurice Taconet), qu'on a rencontrée plus haut, n'en bénéficia pas. Les pièces relatives à ce décret, conservées aux A.N. (BB[11] 780, 2109 et 2180), montrent que celui-ci ne fut pas obtenu sans mal. A trois reprises, en 1884, 1888 et 1891, il y eut opposition de la part de Maurice baron Le Barbier de Tinan, chef de famille (le père du romancier Jean de Tinan, voir note 18), cousin germain de la mère des demandeurs. Celui-ci donna finalement son accord en 1894.

66 Le général de Tinan fut assez lié avec le maréchal Lyautey : on trouve dans le dossier de ce dernier, au S.H.A.T., les photocopies de nombreuses lettres du maréchal à Charles Pochet-Le Barbier de Tinan, remises par la famille de celui-ci.

67 Sœur de la comtesse Elisabeth, alliée à Henri comte Greffulhe, qui fut l'une des femmes les plus en vue de la haute société parisienne à la *belle époque* et servit de modèle à Marcel Proust pour la duchesse de Guermantes.

68 Joseph 3e prince de Chimay était le fils d'Emilie Pellaprat, dont certains auteurs ont fait à tort une fille de Napoléon Ier. Son père, Joseph 2e prince de Chimay, avait lui-même eu pour mère Theresia Cabarrus, plus connue sous le nom de Madame Tallien.

69 Arrière-petite-fille de Louise-Charlotte Le Tellier de Courtanvaux de Montmirail, épouse d'Anne-Elisabeth-Pierre comte de Montesquiou-Fezensac, gouvernante du roi de Rome.

70 Voir note 65.

71 A obtenu aux Etats-unis, en 1941, de porter le seul nom de *de Tinan*.

72 De succursales de la Banque nationale de Paris, dans plusieurs villes de province, à Alger et au Proche-Orient.

73 Aux Etats-unis.

74 Adeline Simon-Lorière est une cousine germaine d'Aymeric (Paris 16e 30-VI-1944 - Paris 7e 21-IV-1977), maire de Sainte-Maxime, conseiller général et député du Var.

75 Prénom féminin.

76 Voir notes 35 et 60.

77 Nièce de Louise qu'on rencontrera au chap. III (Harispe) et d'Alexandre, allié à Jeanne Morel, descendante d'Ambroise Regnier duc de Massa (voir Joseph Valynseele *Les princes et ducs du Premier empire*).

78 Aux Ateliers et chantiers du Havre.

79 Sœur de Raoul Bardac (Paris 8e 30-III-1881 - Meyssac 30-VII-1950), auteur de mélodies et d'œuvres pour piano, Mme Gaston de Tinan, à qui Gabriel Fauré a dédié *Dolly*, l'une de ses pièces à quatre mains, est aujourd'hui l'héritière des droits de Claude Debussy, en tant qu'héritière de la fille de celui-ci, sa demi-sœur (voir note 81). A la fin de 1976, elle est intervenue en cette qualité auprès de l'Opéra de Paris, en vue de s'opposer à une mise en scène trop révolutionnaire de *Pelléas et Mélisande*.

80 En association avec ses deux frères.

81 Divorcée de Sigismond Bardac par jug. du t. c. de la Seine le 4-V-1905, Emma Moyse (Bordeaux 10-VII-1862 - Paris 16e 20-VIII-1934), fille de Jules-Isaac, négociant, et de Louise Iffa, épousa en 2des noces à Paris 16e le 20-I-1908 Claude Debussy (Saint-Germain-en-Laye 22-VIII-1862 - Paris 16e 25-III-1918), lui-même divorcé par jug. du t. c. de la Seine le 2-VIII-1905 de Rosalie dite Lily Texier (Chalon-sur-Saône 22-V-1873 - Paris 17e 17-XII-1932), ouvrière, fille de Germain, contrôleur des télégraphes aux chemins de fer, et de Marie-Rosalie Magne, qu'il avait épousée à Paris 17e le 19-X-1899. Du mariage d'Emma Moyse avec Claude Debussy, naquit une fille, Claude-Emma, dite Chouchou, Debussy (Paris 16e 30-X-1905 - Paris 8e 16-VII-1919), morte de la diphtérie. Nous devons une large partie des précisions données dans cette note à l'obligeance de Marcel Dietschy, auteur d'un excellent ouvrage intitulé *La passion de Claude Debussy* (Neuchâtel, 1962).

82 A été, pendant quelque temps, la secrétaire particulière du général Georges Vanier, ambassadeur du Canada à Paris.

83 Fille adoptive de Louis-Marie-Guillaume Debrach.

84 Associé dans une affaire de famille : C.C. Real Estate Trust (cuirs, mines, etc...).

85 Blessé mortellement en montant à l'assaut d'une position allemande dans le Var (était simple soldat).

86 Maurice Exelmans *fut pendant plusieurs années aide de camp de l'empereur Napoléon III, en remplissant en même temps les fonctions de commandant du yacht la Reine-Hortense... Il ne fit guère qu'assister, pendant la guerre de Crimée, au bombardement d'Odessa (avril 1854), mais il prit part à l'attaque et à la prise de Bomarsund, dans la Baltique. Plus tard, lors de la campagne d'Italie, il fut très activement employé sur la frégate l'Impétueux, qu'il commandait, et canonna avec vigueur les forts qui sont à l'entrée de Zara. Lorsque survint notre malheureuse guerre de 1870, il s'empressa d'offrir ses services au gouvernement, qui lui donna le commandement de la flottille des canonnières destinées à opérer sur le Rhin, à Strasbourg. Chacun se rappelle la part brillante qu'il eut à la défense de cette place* (T. Lamathière, in *Panthéon de la légion d'honneur*, T. XIII, 1891). Par le fait d'une extraordinaire coïncidence, l'amiral Exelmans fit une chute de cheval et se fractura le crâne très exactement vingt-trois ans, jour pour jour, après l'accident identique qui avait coûté la vie à son père, le maréchal : il mourut trois jours plus tard.

87 Cousine germaine de Jacques Balsan (Châteauroux 16-IX-1868 - New York 4-XI-1956), colonel de l'armée de l'air, allié Londres 4-VI-1921 à Consuelo Vanderbilt, de la famille des banquiers et grands industriels américains, épouse précédemment de Charles-Richard-John Spencer-Churchill 9e duc de Marlborough (cousin germain de sir Winston Churchill), tante à la mode Bretagne de l'explorateur François Balsan (Châteauroux 25-VI-1902 - Neuilly-sur-Seine 26-XI-1972) et de Marie Balsan, sœur de ce dernier, qu'on trouvera plus loin, alliée à Victor-Emmanuel Baudon de Mony-Pajol, tous deux enfants de Robert, un frère de Jacques précité.

88 A Châteauroux.

89 Thérèse Dupuytrem est la sœur de Raymond (Vauréal 9-IX-1863 - Bayonne 13-I-1927), conseiller général et député de la Vienne.

90 Outre sa thèse de doctorat intitulée *L'hérédité chez la betterave cultivée* (1923), Jacques de Vilmorin a publié un certain nombre d'articles sur des questions liées à la botanique et à l'agriculture, dont quelques-uns ont donné lieu à des tirés-à-part.

91 Auteur d'un *Catalogue des arbustes existant en 1904 dans la collection de M. Maurice Lévêque de Vilmorin, avec la description d'espèces nouvelles et d'introduction récente* (Paris, 1904, 284 p.), de plusieurs ouvrages sur le jardinage publiés anonymement par la Société Vilmorin Andrieux et Cie, de divers rapports sur des problèmes touchant à l'horticulture à l'intention des organismes officiels et de nombreux articles dont quelques-uns ont été publiés en tirés-à-part.

92 Maurice de Vilmorin, père de Jacques, est le cousin germain de Louise qu'on trouvera plus loin, alliée à Norbert de Sillègue. Il est, par ailleurs, le grand-oncle de la romancière Louise de Vilmorin (Verrières-le-buisson 4-IV-1902 - Verrières-le-buisson 26-XII-1969), petite-fille de son frère Henri.

93 Nièce de Léon Vingtain (Paris 5-X-1828 - Vitray-sous-Brézolles 5-VI-1879), propriétaire agriculteur, conseiller général et député d'Eure-et-Loir.

94 Petit-fils de Gustave Droz (Paris 9-VI-1832 - Paris 7e 23-X-1895), romancier et essayiste, lui-même fils de Jules-Antoine (Paris 12-III-1804 - Paris 6e 26-I-1872), sculpteur, à son tour fils de Jean-Pierre (La Chaux-de-Fonds, Suisse, 17-IV-1746 - Paris 2-III-1823), graveur de médailles et de monnaies, administrateur de la Monnaie des médailles, conservateur du Musée de la monnaie.

95 Louis-Henry Chevreul est l'arrière-petit-fils de Michel-Eugène (Angers 3-VIII-1786 - Paris 5e 9-IV-1889), chimiste et inventeur, directeur du Muséum, membre de l'Académie des sciences.

96 Pierre Gandolphe fut conservateur du musée et des catacombes de Sousse et conservateur au musée de Carthage. Il fit des fouilles à Sousse et à Carthage et anima les *Cahiers Byrsa,* édités par le musée de Carthage. Il a publié diverses études dans le bulletin de la Société de numismatique.

97 Henri comte d'Arjuzon est le neveu de Caroline d'Arjuzon (Paris 7e 10-III-1861 - Paris 8e 13-VII-1918), auteur d'un certain nombre d'ouvrages historiques et de romans pour la jeunesse, par ailleurs collaboratrice de la *Revue des deux mondes,* de la *Revue de Paris,* du *Gaulois,* etc...

98 Sœur de Dominique (Paris 5-V-1931), fondateur et directeur, avec sa femme née Michèle Darde, des encyclopédies *Quid.*

99 De son côté, Nicole Frémy avait épousé précédemment à Montbouy le 3-I-1962 Claude de Bengy de Puyvallée (Sainte-Solange 22-VIII-1915 - Sainte-Solange 24-XII-1967), propriétaire agriculteur, fils de Maurice, archiviste paléographe, et de Marie-Thérèse de Diesbach de Belleroche.

100 Des suites d'un accident de voiture.

101 Au lendemain de la guerre de 1914-1918, qu'il avait faite comme lieutenant dans l'artillerie, puis l'aviation, le comte Exelmans entra en qualité d'ingénieur à la Société Holophane, entreprise spécialisée dans l'éclairage public et privé, la signalisation et la fabrication des verreries destinées à l'industrie. Il en devint en 1930 administrateur délégué, puis en 1934 président-directeur général. Il fut, par ailleurs, vice-président de la S.A. des Etablissements Balsan (drap), avec laquelle il avait des liens du fait de sa mère, et administrateur de plusieurs sociétés françaises et étrangères fabriquant du matériel d'éclairage. Collection-

neur de timbres averti, il fit partie de l'Académie de philatélie et publia, dans ce domaine, deux études, en collaboration : *La poste locale au Maroc* (Amiens 1945, 40 p.), avec H. Hofstetter et R. Lesueur, et *Maroc, postes françaises* (Amiens 1948, 225 p.), avec le comte O. de Pomyers.

102 Présidente de la F.C.T.P. (formation chrétienne des tout petits), la comtesse Exelmans a écrit l'avant-propos d'une brochure de Jeanne-Marie Dingeon *La F.C.T.P. après vingt ans d'expérience* (Paris 1954, 40 p.), préfacée par Mgr Charles de Provenchères.

103 Pierre de La Bouillerie est le cousin germain de Marie-Thérèse.

104 Frère cadet d'Antoine marquis de Touchet, allié à Brigitte de Mac Mahon, petite-fille du maréchal (voir chapitre XIII).

105 Richard de Touchet et ses cinq enfants ont été autorisés à prendre le nom de Touchet-Exelmans par décret du 7-XI-1977. Maurice 4e et dernier comte Exelmans avait exprimé l'intention d'adopter son neveu Richard de Touchet et en avait été empêché par sa mort accidentelle.

106 Gaston Serres de Gauzy quitta la magistrature après les premières mesures hostiles aux congrégations religieuse (1882), afin de ne pas avoir à en requérir l'application : il était alors substitut du procureur de la république à Die (Drôme). En date du 24-VIII-1880, le procureur général de la cour d'appel de Grenoble écrivait à son sujet au garde des sceaux : *Ce magistrat reconnaît lui-même qu'en 1877 ou 1878, il aurait, sans y prendre garde, dit-il, et en se servant d'une expression qui se serait introduite parmi ses commentaires et lui était devenue trop familière, dit en parlant des républicains : ce sont des c...* (dossier de magistrat de l'intéressé, A.N., BB⁶ II 373).

107 Pierre Serres de Gauzy était lui-même le fils de Julien Serres, docteur en droit, avocat, puis magistrat, autorisé par ordonnance royale du 13-IX-1820 à ajouter à son nom celui de sa mère, née Jeanne-Marie de Gauzy, d'une famille anoblie par le capitoulat de Toulouse, éteinte avec un frère de celle-ci.

108 Louise d'Andréossy était l'arrière-petite-fille de Joseph-Pierre-Claude Andréossy, né à Ventenac, Aude, 20-IX-1744, ingénieur en chef du Canal du midi, fait baron de l'empire par l. p. du 8-IV-1813, et l'arrière-petite-nièce de Victor Andréossy (Ventenac 9-VIII-1747 - Antibes 14-XI-1819), général de brigade (génie), fait baron de l'empire par l. p. du 26-IV-1808, frère du précédent. Joseph-Pierre-Claude et Victor Andréossy étaient eux-mêmes les arrière-petits-fils de François Andréossy (Paris 10-VI-1633 - Castelnaudary 3-VI-1688), qui fut le principal collaborateur de Pierre-Paul de Riquet pour la réalisation du Canal du midi, et les cousins germains de François Andréossy (Castelnaudary 6-III-1761 - Montauban 10-IX-1828), général de division (artillerie), ambassadeur, conseiller d'état, fait comte de l'empire par l. p. du 24-II-1809. Originaire du duché de Lucques, la famille Andréossy vint s'établir en France au début du 17e siècle et y fut reconnue noble à la fin de celui-ci.

109 A la Société générale.

110 De radio-télévision.

111 Fut, avant son mariage, secrétaire dans les ambassades de la République fédérale d'Allemagne à Moscou, Washington, Londres et Paris.

112 Fille de Henri (Perpignan 15-VI-1875 - ✗ Buchenwald 24-I-1945), général de division (air), fils lui-même de Gaspard-Edmond (La Roche-sur-Yon 1-IV-1838 Paris 1er 27-XII-1907), général de division.

113 Amédée Exelmans fut frappé d'une fièvre cérébrale à la fin de ses études et mourut dans un clinique où il avait passé de longues années.

114 Peu après son arrivée au pouvoir, le gouvernement de gauche issu des élections du 11-V-1924 décida de rendre à l'U.R.S.S. les quelques bâtiments de la flotte du tsar amenés à Bizerte par les Russes blancs. Antoine Exelmans se démit plutôt que de livrer ces débris sans valeur navale, mais symboliques.

115 Gabrielle de Gueydon est la sœur d'Albert qu'on trouvera plus loin : tous deux étaient les enfants de Louis-Henri comte de Gueydon (Granville 22-XI-1809 - Landerneau 1-X-1886), vice-amiral, député de la Manche, gouverneur général de l'Algérie.

116 Directeur général (1976), puis administrateur-directeur général (1979) du Crédit à l'équipement électro-ménager (CETELEM).

117 D'une famille de riches propriétaires de la Gironde : le cru du château La Fonta jouit d'une réputation internationale.

118 La compagnie bancaire (Paris).

119 Neveu d'Arnauld comte Desfriches-Doria dit le comte Doria (Orrouy 26-XII-1890 - Paris 27-XII-1977), historien d'art et collectionneur, membre de l'Académie des beaux-arts.

120 Alfred Houette était le frère de Charles, inspecteur général des finances.

121 Fille de Jules Lafont (Fort-royal, Martinique, 24-IV-1825 - Paris 9e 31-I-1908), vice-amiral.

122 Voir note 115.

123 Jacques Magnan de Bornier est le fils de Jean Magnan, magistrat, qui, son père ayant épousé le 28-IV-1884 Ernestine de Bornier, fille de Henri de Bornier (Lunel 24-XII-1825 - Paris 4e 28-I-1901), homme de lettres, administrateur de la Bibliothèque de l'Arsenal, membre de l'Académie française, auteur notamment de *La fille de Roland,* fut autorisé par décret du 11-V-1919 à s'appeler Magnan de Bornier.

124 Morte de la fièvre typhoïde.

125 L'acte de décès de Marie de Sillègue indique qu'elle est née à Abbeville : en fait, on ne trouve pas trace de sa naissance dans les registres de cette ville.

126 Voir note 92.

127 Fille de Félix (Philippeville, Belgique, 1-VIII-1800 - ✗ devant Sébastopol 8-VI-1855), colonel d'infanterie, petite-fille de Jean (Mouzon, Ardennes, 19-V-1762 - Cap français, Saint-Domingue, 29-V-1802), Marie-Félicie Hardy avait épousé précédemment François-Alphonse-Eugène Barrière (Entraigues-sur-Sorgue 5-XII-1812 - Le Havre 7-III-1854), capitaine d'infanterie. Le fils né de ce 1er mariage, Félix Barrière, fut autorisé par décret du 1-VI-1872 à s'appeler Barrière-Lévêque de Vilmorin : celui-ci n'eut pas de postérité.

128 Gabriel Exelmans fut emporté par la typhoïde au cours d'un stage industriel, alors qu'il terminait ses études à l'Ecole centrale.

129 D'une famille anoblie par une charge de secrétaire du roi en 1750.

130 Marie-Félicie Exelmans était cousine de son mari au degré venant après issu de germain : ils avaient tous deux pour trisaïeul Nicolas Vanduffel (père de Thérèse : voir rubrique *Alliance*).

131 Frère d'Amédée Larrieu (Brest 2-II-1807 - Paris 8e 30-IX-1873), propriétaire viticulteur, préfet, conseiller général et député de la Gironde, conseiller municipal de Bordeaux.

132 Julie de Prigny de Quérieux était par sa mère la petite-fille de Charles-Alexandre-Léon Durand de Linois (Brest 27-I-1761 - Versailles 2-XII-1848), vice-amiral, vainqueur des Anglais à Algésiras (1801), comte de l'empire (1810).

133 Jusqu'en 1916, la carrière d'Amédée Clavery se déroula en Algérie et au Maroc, le plus souvent au service des affaires indigènes. Envoyé sur le front au mois de novembre de cette année, il y commanda tout d'abord un bataillon du 3e régiment de tirailleurs de marche, puis, devenu lieutenant-colonel, le 9e. Les 28 canons qui décoraient, le 14-VII-1919, la place de la concorde portaient cette inscription : *Prise du 9e tirailleurs algériens que commandait le colonel Clavery*. De retour en Afrique du nord, il devint chef du cabinet militaire du gouverneur de l'Algérie et, en cette qualité, fut désigné pour accompagner le roi Albert et la reine Elisabeth de Belgique, au cours du voyage qu'ils firent dans ce territoire au lendemain de la guerre. *Colonel le 25-III-1924, il fut placé hors cadres et affecté aux affaires indigènes... Le 10-XI-1928, il partait de Colomb-Béchar avec une petite colonne qui se proposait d'atteindre de bordj Laperrine, à Tamanrasset, dans le Hoggar. L'aller fut sans encombre, mais, au retour, en un point du Djebel-Arlab, le 8-XII, la colonne tomba dans un guet-apens; Amédée Clavery fut tué avec ses deux capitaines et deux de ses hommes. Un décret de la veille avait nommé le colonel Clavery général de brigade. Un monument a été élevé sur le lieu du drame, le 25-I-1932, et la promotion de l'école de Saint-Maixent de 1928 a reçu le 5-VIII-1929, le nom du général Clavery (in Dictionnaire de biographie française, T. 8).* Deux brochures ont été consacrées à ce dernier : *Le guet-apens du Djebel-Arlal. 8-XII-1928* (Metz 1929, 48 p.) et *Le général Clavery de l'armée d'Afrique 1870-1928* (Metz 1930, 49 p.), l'une et l'autre signées Outis, pseudonyme d'Edouard Clavery, ministre plénipotentiaire, frère d'Amédée.

134 Amédée Clavery était le frère de Henriette Clavery (Paris 9e 2-II-1878 - Le Vésinet 24-I-1953), alliée au Vésinet le 5-II-1907 à René Madelin (Lunéville 10-X-1868 - Auzouer 11-XII-1940), général de division, et de Marthe Clavery (Paris 9e 16-III-1881 - Paris 16e 19-X-1973), alliée Paris 9e 6-I-1912 à Louis Madelin (Neufchâteau 8-V-1871 - Paris 16e 18-VIII-1956), historien de la Révolution et de l'Empire, membre de l'Académie française, député des Vosges, René et Louis Madelin étant frères (fils de Sébastien-Amédée, docteur en droit, procureur de la république, puis avocat).

135 Acte de décès établi à Ventron le 13-X-1945.

136 René Clavery, alors jeune sous-officier (maréchal des logis au 3e spahis), se trouvait auprès de son père, lors de la mort tragique de celui-ci (voir note 133).

137 Il avait fondé la Banque C. Lorenzi, sise 3 bd Carnot à Alger.

138 Arrière-arrière-petite-fille de Louis vicomte de Bonald (1754-1840), philosophe (théoricien de l'absolutisme), membre de l'Académie française, député de l'Aveyron, pair de France, ministre d'état.

139 Voir sur la famille Marcotte la note 18 du chapitre III (Harispe).

140 Germaine de Laborde-Noguez exerça lors des inondations de Paris, en 1912, puis sur le front de Verdun, de 1914 à 1918 (hôpital de Vadelaincourt). Elle fut arrêtée pour résistance en 1941 et condamnée à six mois de prison.

141 En 1914-1918 et en 1939-1940.

142 Amédée Dufaure était le fils de Jules (Saujon 4-XII-1798 - Rueil-Malmaison 27-VI-1881), avocat, député, sénateur, ministre à de nombreuses reprises, plusieurs fois président du conseil, et le frère de Gabriel (Auvers-Saint-Georges 17-VIII-1846 - Paris 8e 1-III-1914), ingénieur civil des mines, député et conseiller général de la Charente-inférieure, comte romain.

143 Frère de Jérôme (Paris 9-VI-1925), président-directeur général des Editions de minuit.

144 *Avocat à la cour d'appel de Paris avant la guerre, Raymond Lindon... ne devint magistrat qu'à la Libération. D'abord conseiller à la cour, il fut commissaire du gouvernement à la cour de justice de la Seine. Il requit avec une extrême rigueur contre les pétainistes et fut, notamment, le magistrat accusateur de l'écrivain Henri Béraud et du journaliste Jean Luchaire, tous deux condamnés à mort. Il devint, par la suite, avocat général près la haute cour de justice (chargée de juger les ministres de Vichy), puis près la Cour de cassation...* (Henri Coston in *Dictionnaire de la politique française*, T. I).

145 Raymond Lindon est lui-même fils d'Alfred, négociant en perles, et de Fernande Citroën, laquelle était la sœur d'André, constructeur d'automobiles.

146 Françoise-Jeannette Allain avait, de son côté, épousé précédemment Alain-René Porthault (mariage dissous par jug. de divorce).

147 Henri Mellet était le frère de Jules (Rennes 23-X-1846 - Quarr-Abbey, Ile de Wight, 17-V-1917), tout d'abord architecte lui aussi, puis moine bénédictin à Solesmes (1884). A la demande de dom Paul Delatte, abbé de Solesmes, celui-ci dessina les plans de la nouvelle abbaye : il est l'auteur notamment du grand bâtiment qui domine la Sarthe.

148 Il commandait en 1945 un escadron du 1er régiment de spahis algériens de reconnaissance.

149 Henri Sainte-Claire Deville est le petit-fils de Henri (Saint-Thomas, Antilles, 11-III-1818 - Boulogne-Billancourt 1-VII-1881), chimiste, membre de l'Académie des sciences, le petit-neveu de Charles (Saint-Thomas 26-II-1814 - Paris 6e 10-X-1876), géologue, fondateur de l'observatoire de Montsouris, membre de l'Académie des sciences, le neveu d'Etienne (Paris 2-V-1857 - Paris 5e 26-III-1944), général de division, le cousin germain de Paul (Paris 17e 6-X-1874 - Paris 10-I-1950), directeur technique des Mines de la Sarre, historien (s'est occupé notamment de l'affaire Louis XVII).

150 Louise de La Fournière avait le maréchal Oudinot duc de Reggio, pour quadriaïeul (voir Joseph Valynseele *Les maréchaux du Premier empire*).

151 Michel Planiol est le petit-fils de Marcel Planiol (Nantes 23-IX-1853 - Paris 6e 31-VIII-1931), professeur à la faculté de droit de Paris (droit civil), auteur de nombreux articles et ouvrages, notamment sur l'ancien droit coutumier de Bretagne, et de traités de droit civil qui font toujours autorité. Du fait de sa mère, née Geneviève Trélat, il est d'autre part l'arrière-arrière-petit-fils d'Ulysse Trélat (Montargis 13-XI-1795 - Menton 29-I-1879), docteur en médecine, médecin à la Salpêtrière, député du Puy-de-Dôme, ministre des travaux publics durant quelques semaines en 1848.

152 Mort écrasé par une grue dans le port de Toledo, où il se trouvait du fait de ses activités professionnelles.

153 L'union européenne.

154 Associé d'une petite banque privée régionale à Rennes.

155 Gisèle Fontaine est la sœur d'Odile, épouse d'Yvon Bourges (Pau 29-VI-1921), député, ministre à différentes reprises sous la Cinquième république.

156 Travaille avec son père.

157 Sabine Mellet est par ailleurs mère de Raphaëlle Mellet (Stuttgart 25-XII-1969).

158 Oncle à la mode de Bretagne de Pierre qu'on trouvera au chap. III (voir note 155 de celui-ci).

159 La Société Lorilleux, aujourd'hui Lorilleux Lefranc (encres d'imprimerie, peintures).

160 Filatures de Saint-Epin (Laines du bon pasteur), à Balagny-Saint-Epin, commune de Balagny-sur-Thérain.

161 A Lille.

162 D'une famille de filateurs (celle-ci avait créé l'affaire dont il est question à la note 160).

163 Exploite en association avec son fils Christian une affaire de vente et de location de bateaux, à Bormes-les-mimosas (la société Ycis).

164 Premier prix du Conservatoire national supérieur de musique de Paris, Françoise Labroquère est, sous son nom de jeune fille, soliste des grandes associations symphoniques de Paris, de la radio et de la télévision françaises. Elle a, par ailleurs, participé à un certain nombre de tournées de concerts en France, en Europe, en Afrique du nord, etc...

165 Au quotidien Le monde.

166 Voir note 163.

167 Victor-Emmanuel de Mony-Pajol fut autorisé par décret du 22-VIII-1922 à relever le nom de sa grand-mère maternelle, éteint : née Marie Pajol (1845-1915), alliée en 1863 à Emmanuel Bocher (1835-1919), celle-ci était la fille de Victor comte Pajol (1812-1891), général de division, et la petite-fille de Claude-Pierre Pajol (1772-1844), général de division, comte de l'empire, ce dernier époux (1808) de Marie-Louise Oudinot de Reggio (1790-1832), fille de maréchal (voir Joseph Valynseele Les maréchaux du Premier empire).

168 Voir note 87.

169 Il a notamment exploité une petite usine produisant de la chaux agricole à Lahonce, en association avec André Hecht, époux de Thérèse Dollfus, petite fille par sa mère du baron Haussmann.

170 Fondateur de La grande huilerie bordelaise (marques Croix verte et Huilor).

171 Frère de Suzanne qu'on rencontrera au chap. III (Harispe) et cousin issu de germain de Marguerite figurant au chap. XIX (Le Bœuf).

172 Noyé accidentellement dans une mare.

173 Directeur-gérant de la Maison J. Calvet et Cie, très importante sur la place de Bordeaux, fondée au milieu du siècle dernier.

174 A la Maison J. Calvet et Cie (voir note 173).

175 Despina Venizelos, aujourd'hui Mme Alexandre Gripari, est la fille de Sophocle (1894-1964) et la petite-fille d'Eleutherios (1864-1936), l'un et l'autre premiers ministres de Grèce.

176 A la Société Creusot-Loire, dont il est le représentant pour le secteur commercial du nord de l'Amérique latine.

177 De la Société rurale de Neuquen (Argentine).

178 Le père d'André de Larminat était le cousin issu de germain d'Edgard de Larminat (Alès 29-XI-1895 - Paris 15e 1-VII-1962), général d'armée.

179 Il y a eu, pour ce mariage, une célébration religieuse catholique, l'union précédente d'Yvonne Boniface, contractée devant un pasteur protestant, n'ayant pas été tenue pour valide par les autorités de l'Eglise romaine.

180 Jeanne-Louise Rochard avait, de son côté, épousé précédemment Christian-Maurice Cros (mariage dissous par jug. de divorce).

181 François de Laborde-Noguez (27-IX-1916 - 13-V-1944), capitaine d'infanterie, compagnon de la Libération, qui se distingua dans les Forces françaises libres en Erythrée, Lybie, Tunisie et Italie, et fut mortellement blessé à l'attaque de Girofano, dans ce dernier pays, était le petit-fils d'un frère d'Amédée, allié à Marie-Félicie Exelmans.

182 Paul de Laborde-Noguez fut, par ailleurs, président local de nombreux organismes et sociétés d'intérêt social ou économique : habitations à bon marché, crédit agricole, crédit immobilier, etc...

183 Louis La Chambre, dont la famille avait fait fortune dans l'importation du guano, était le frère de Charles-Emile (Saint-Malo 25-X-1816 - Paris 1er 9-XI-1907), négociant et armateur, puis banquier, député d'Ille-et-Vilaine, lequel eut de son 1er mariage (voir note 184) Charles-Auguste dit Carl (Paris 8e 7-XI-1861 - Paris 16e 6-IV-1937), propriétaire agriculteur, député d'Ille-et-Vilaine, qui fut à son tour père de Guy (Paris 1er 5-VI-1898 - Neuilly-sur-Seine 25-V-1975), conseiller général et député d'Ille-et-Vilaine, maire de Saint-Malo, ministre sous les Troisième et Quatrième républiques.

184 Adrienne Mouquet avait une sœur, Clémence, qui épousa Charles-Emile La Chambre, frère de Louis (voir note 183) : elles étaient filles d'Auguste, receveur des finances à Dieppe, et de Laure Estancelin. Louis La Chambre et Clémence Mouquet étant l'un et l'autre décédés, Charles-Emile La Chambre se remaria avec sa belle-sœur Adrienne Mouquet.

185 Outre les enfants indiqués ci-dessus, le maréchal Exelmans aurait eu, selon divers auteurs, un certains nombre d'enfants morts jeunes. En raison à la fois de la disparition de l'état civil de Paris, où le maréchal eut longtemps sa résidence, et de son séjour à l'étranger durant quelques années sous la Restauration, il ne nous a pas été possible d'en retrouver la trace. L'un de ces enfants aurait porté le prénom de Jules-Alfred et un autre celui de Raoul. Ce dernier serait mort à neuf ans.

186 L'acte établi par Me Pierre, notaire à Bar-le-duc, le 31-III-1818, lors de la vente de la maison natale du maréchal par celui-ci et sa mère, précise qu'il en est propriétaire pour moitié *en qualité de seul et unique héritier du dit feu sieur Guillaume-Isidore Exelmans, son père* (Eugène André in *Le maréchal Exelmans 1775-1852,* Bar-le-duc 1898).

III

Jean-Isidore comte Harispe

11-XII-1851

CARRIERE

1768 : naissance à Saint-Etienne-de-Baïgorry (7-XII),

1793 : capitaine commandant une compagnie franche organisée à Saint-Jean-pied-de-port, participe aux opérations contre l'Espagne dans le secteur des Pyrénées occidentales (jusqu'en 1795),

1794 : aux chasseurs basques (jusqu'en 1801 [1]), chef de bataillon commandant le 2ᵉ bataillon (3-I), chef de brigade [2] provisoire à la tête de la demi-brigade constituée par les 3 bataillons de chasseurs basques (3-VI), confirmé chef de brigade (10-VI),

1795 : employé dans la 11ᵉ division militaire, en garnison à Bordeaux (jusqu'en 1799),

1799 : prend part aux opérations contre les insurgés de la Haute-Garonne,

1800 : à l'armée de réserve, puis à l'armée des Grisons,

1801 : employé auprès du général Moncey à l'armée d'Italie (jusqu'en 1802),

1802 : colonel du 16ᵉ régiment d'infanterie légère (jusqu'en 1807), en garnison à Angoulême,

1803 : au camp de Bayonne, puis de Brest avec le corps d'Augereau (jusqu'en 1805),

1805 : à la Grande armée (jusqu'en 1807),

1806 : blessé à Iéna [3],

1807 : général de brigade (29-I), blessé à Friedland, chef d'état-major au corps d'observation des Côtes de l'Océan (16-XII),

1808 : à l'armée d'Espagne (jusqu'en 1813), chef d'état-major sous Murat à Madrid (2-V), puis sous Moncey dans l'expédition de Valence (juin), chef d'état-major du 3ᵉ corps de l'armée d'Espagne sous Moncey (1-X), baron de l'empire (l. p. du 31-X) [4],

1809 : chef d'état-major du 3ᵉ corps sous Junot (2-I), puis sous Suchet (5-IV),

1810 : général de division, commande la 2ᵉ division du 3ᵉ corps (jusqu'en 1813),

1813 : comte de l'empire (d.i. du 13-I) [5], chef de la 8ᵉ division à l'armée des Pyrénées (25-XII),

1814 : chargé de la levée en masse dans les Basses-Pyrénées (8-I), occupe différents commandements sous Clauzel et Soult au cours des combats livrés dans le sud-ouest [6], blessé et fait prisonnier par les Anglais à la bataille de Toulouse (10-IV) [7], se rallie à la monarchie restaurée, commande la 11ᵉ division militaire (15-X),

1815 : se rallie à l'empereur (2-IV), commande la 26ᵉ division d'infanterie au corps d'observation des Pyrénées (11-V), mis en non activité (1-VIII), se retire dans les Basses-Pyrénées,

1818 : compris comme disponible dans la nouvelle organisation de l'état-major de l'armée,

1825 : admis à la retraite,

1830 : rappelé à l'activité (15-XII) comme commandant supérieur des Hautes et Basses Pyrénées (jusqu'en 1833),

1831 : élu député des Basses-Pyrénées,

1833 : commandant de la division active des Pyrénées occidentales (jusqu'en 1840),

1834 : réélu député des Basses-Pyrénées,

1835 : commandant de la 20ᵉ division militaire (1-XI, jusqu'en 1850), pair de France (15-XII),

1839 : maintenu définitivement dans la 1ʳᵉ section du cadre de l'état-major général,

1850 : mis en disponibilité sur sa demande,

1851 : maréchal de France (11-XII),
1852 : sénateur (26-I),
1855 : mort à Lacarre (26-V)[8], inhumé dans le cimetière de cette commune.

ECRITS

Il n'a été publié aucun écrit du maréchal Harispe.

LE CADRE FAMILIAL

Ascendance[9]

I - Jean HARISPE, décédé à Saint-Etienne-de-Baïgorry le 21-X-1775 âgé de quatre-vingts ans environ, négociant, allié à Françoise de SARRY, fille de Jean, propriétaire de la maison Elissabehere, dont

II - Jean-Isidore HARISPE, né à Saint-Etienne-de-Baïgorry le 26-III-1737, décédé à Saint-Etienne-de-Baïgorry le 9-III-1783, négociant, allié Saint-Etienne-de-Baïgorry 21-I-1768 à Marie HARISMENDY, baptisée à Saint-Etienne-de-Baïgorry le 24-IX-1751, décédée à Saint-Etienne-de-Baïgorry le 3-IX-1820, fille de Jean-Charles, maître de la maison Anchart, et de Jeanne OXALDE[10].

Collatéraux[9]

Un frère de Jean (degré I), Jean également, décédé à Ascarat le 21-V-1739, âgé de 56 ans, fut curé de cette commune. Jean-Isidore (degré II) eut notamment un frère, Jean, baptisé à Saint-Etienne-de-Baïgorry le 5-III-1739, décédé au même endroit le 19-XII-1804, qui fut curé de Irouléguy, puis de Saint-Etienne-de-Baïgorry, et une sœur, Marie, née à Saint-Etienne-de-Baïgorry le 11-IV-1743, décédée au même endroit le 1-III-1809, qui épousa à Saint-Etienne-de-Baïgorry le 24-XI-1772 Michel ETCHEVERRY, né à Saint-Etienne-de-Baïgorry le 19-III-1744, mort au même lieu le 10-XI-1811, notaire, fils de Jean, maître de la maison Matchirena, et de Marie d'ELIÇONDO[11].

ARMES

D'azur au cheval d'or, terrassé de sable et surmonté de deux étoiles d'argent en fasce ; au franc-quartier des barons militaires : de gueules à l'épée haute en pal d'argent.

L'EPOUSE

Le maréchal HARISPE s'est allié à Saint-Etienne-de-Baïgorry le 23-I-1795 à Jeanne-Marie-*Marguerite* de CAUPENNE (Lasse, Pyrénées atlantiques, 5-II-1772 - Saint-Etienne-de-Baïgorry 10-VI-1830), fille *de haut et puissant seigneur messire Bernard de Caupenne, chevalier, vicomte d'Echaux, et de haute et puissante dame Olympe-Denise-Françoise de Siry* [12], d'une maison de noblesse chevaleresque de Gascogne, connue depuis 1268 (filiation suivie à partir de 1391), maintenue dans sa noblesse en 1667, admise aux honneurs de la cour en 1766 [13] et 1778 [14].

DESCENDANCE

L'union ci-dessus ne donna qu'un seul enfant [15] : Jean-Louis-Hector HARISPE, né à Saint-Etienne-de-Baïgorry le 27-VII-1795, décédé en octobre 1796 [16].

Un fils de la sœur du maréchal (voir rubrique *Frères et sœurs*), tenu par ce dernier pour son fils adoptif et désigné par lui comme légataire universel, Adrien DUTEY (Saint-Etienne-de-Baïgorry 24-IX-1801 - Paris 8e 18-XII-1878), conseiller à la cour d'appel de Pau, fut autorisé par ordonnance du 6-X-1842 à prendre le nom de DUTEY-HARISPE [17]. Allié à Bayonne le 17-VIII-1836 à Magdelaine PRIEUR (Bayonne 14-XI-1817 - Lacarre 7-I-1858), fille de Pierre, négociant, et de Marie-Magdelaine BERGÉ, il en a eu la postérité ci-après :

A - Henriette DUTEY-HARISPE (Bayonne 25-III-1840 - Paris 8e 31-VII-1917) alliée Paris 8e 2-III-1863 à Henri MARCOTTE de SAINTE-MARIE (Paris 25-IX-1832 - Paris 8e 14-I-1922), receveur particulier des finances, propriétaire, fils de Marie, receveur particulier des finances, propriétaire [18], et de Suzanne-Clarisse de SALVAING de BOISSIEU [19], dont

1 - Marie MARCOTTE de SAINTE-MARIE (Paris 8e 22-I-1864 - Paris 8e 30-I-1865),

2 - Jeanne MARCOTTE de SAINTE-MARIE (Paris 8e 30-III-1865 - Angoulême 6-VII-1953) alliée Paris 8e 8-XI-1887 à André DARAS (Rochefort-sur-mer 27-VII-1855 - Angoulême 28-V-1932), lieutenant-colonel d'infanterie, fils d'Henri-Germain, ancien élève de l'Ecole polytechnique, lieutenant de vaisseau, et de Flora-Augusta PINET de LAVOCÉ, dont

a - Georges DARAS (Bourges 23-IV-1889 - Paris 15e 16-V-

1967), employé de gérant d'immeubles, puis administrateur de music-hall [20], hospitalier de Lourdes, allié Dijon 23-II-1925 à Marguerite FAULQUIER (Dijon 25-VI-1896 - Avallon 24-VIII-1977), fille d'Etienne, propriétaire, et de Marie DUMAY, dont

— Chantal DARAS (Dijon 28-I-1926) alliée Paris 16e 3-VI-1949 à Philippe ROGER [21] (Caudéran 29-III-1922), attaché de direction [22], fils de Michel-Dominique [23], directeur d'une filature et d'un tissage de jute, et d'Edmée GUILLEMAIN d'ECHON, dont uniquement

- Dominique ROGER [21] (Amiens 10-III-1951), docteur en médecine, allié Le Perreux-sur-Marne, Val-de-Marne, 6-XI-1975 à Véronique COZANET (Saint-Mandé, Val-de-Marne, 6-IV-1952), fille de Xavier, industriel (matériel de construction), et de Jeanine CUMUNEL, s.p.a.,

— Christian DARAS (Dijon 15-III-1928), agent commercial, allié Magny-la-campagne 14-VII-1951 à Thérèse de MARCÉ (Semallé 6-VII-1925), fille de Bernard vicomte de MARCÉ, propriétaire, et d'Aliette de SÉMALLÉ, dont

- Guillemette DARAS (Caen 9-VII-1952), secrétaire [24], alliée Paris 15e 6-V-1976 à Derek DUKE (Paris 15e 16-III-1948), titulaire d'une maîtrise de gestion, cadre administratif, fils de Jack DUKE 3e baron MERRIVALE, président et vice-président de sociétés, et de Colette WISE, s.p.a.,

- Thierry DARAS (Caen 1-VII-1955), ancien élève de l'Institut agricole de Beauvais, s.a.a.,

- Géraldine DARAS (Paris 25-VI-1960), s.a.a.,

— Michel DARAS (Paris 16e 17-III-1932), inspecteur commercial, allié Sainte-Foy-lès-Lyon 31-VII-1959 à Michelle IMBERT des GRANGES (Lyon 6e 30-XI-1936), fille de Pierre, ingénieur de l'Ecole centrale de Paris, ingénieur dans une société de travaux publics, et de Marguerite PUVIS de CHAVANNES [25], dont

- Sophie DARAS (Paris 17e 10-XII-1966),

b - Henriette DARAS (Angoulême 30-IX-1890 - Angoulême 1-IX-1974), fondatrice du louvetisme en Aunis, Saintonge et Angoumois, présidente de l'Hospitalité charentaise, s.a.,

c - Maurice DARAS (Bagnères-de-Bigorre 7-VIII-1892 - ✗ Angoulême 28-XI-1918), lieutenant de cavalerie, s.a.,

d - Michel DARAS (Bourges 22-VI-1894 - ✗ en mer [26] 26-II-1916), sous-lieutenant d'infanterie coloniale, s.a.,

3 - Georges baron MARCOTTE de SAINTE-MARIE (Lacarre 10-XII-1866 - ✗ Dixmude, Belgique, 7-XI-1914), capitaine de frégate, allié Paris 7ᵉ 27-II-1897 à Marie-Madeleine BARRY (Paris 7ᵉ 27-VII-1876 - Offranville 9-XII-1975), fille de Charles, avocat au Conseil d'état et à la Cour de cassation, et de Marthe JOUËT, dont

a - Jacques baron MARCOTTE de SAINTE-MARIE (Toulon 11-IX-1898), ancien élève de l'Ecole navale, administrateur civil au ministère des armées, allié Blois 7-X-1931 à Elisabeth DELAMARRE de MONCHAUX (Cheverny 17-IV-1905), fille de Maurice comte DELAMARRE de MONCHAUX, propriétaire agriculteur, président de la Société d'histoire naturelle et d'anthropologie de Loir-et-Cher, membre correspondant de l'Académie d'agriculture et du Muséum d'histoire naturelle [27], et d'Isore HURAULT de VIBRAYE, dont uniquement

— baron Stanislas MARCOTTE de SAINTE-MARIE (Paris 15ᵉ 3-X-1932), diplômé de l'Institut d'études politiques de Paris, directeur de département (banque), allié Montgeroult 2-VII-1973 à Chantal des COURTILS (Montgeroult 14-IX-1938), fille du comte François, propriétaire agriculteur, et d'Eliane de BRAY [28], dont

• Etienne MARCOTTE de SAINTE-MARIE (Paris 15ᵉ 4-V-1976),

• Isaure MARCOTTE de SAINTE-MARIE (Paris 16ᵉ 12-VIII-1978),

b - Yvonne MARCOTTE de SAINTE-MARIE (Paris 7ᵉ 17-I-1900 - Pontoise 1-XI-1971), religieuse carmélite [29],

c - baron Christian MARCOTTE de SAINTE-MARIE (Hautot-sur-mer 5-VIII-1902), ministre plénipotentiaire, s.a.a. [30],

d - Monique MARCOTTE de SAINTE-MARIE (Paris 7ᵉ 28-XI-1907) alliée Hautot-sur-mer 17-IX-1927 à Pierre GUEURY (Paris 4ᵉ 24-IX-1902 - Mortagne-au-Perche 16-VI-1949), industriel (constructions métalliques avicoles)³¹, fils d'André, industriel (constructions métalliques avicoles), président de la Fédération métallurgique française, président de chambre au tribunal de commerce de Paris, et d'Alice COVILLE³², dont

— Marie-Agnès GUEURY (Hautot-sur-mer 16-IX-1928) alliée Mortagne-au-Perche 22-IX-1951 au vicomte Yann de POULPIQUET du HALGOUËT (Aumale, Algérie, 8-VI-1910), fondé de pouvoir de banque, fils du vicomte Jean, capitaine d'infanterie coloniale, puis fonctionnaire dans les Chemins de fer de Tunisie, et de Germaine BÈS de BERC, dont

  • Ghislain du HALGOUËT (Reims 9-XI-1952), s.a.a.,

  • Patrice du HALGOUËT (Montagne-au-Perche 19-III-1954), s.a.a.,

— Jacques-André GUEURY (Hautot-sur-mer 5-IX-1929 - Hautot-sur-mer 2-XI-1975), conseiller juridique, allié Mortagne-au-Perche 19-IX-1953 à Anne-Marie HAËNTJENS (Neuilly-sur-Seine 20-VIII-1931), fille de Marcel, directeur de service dans une société (pétrole), et de Suzanne MAC LAUGHLIN de FRICK, mariage dissous par jug. du t. c. de Paris le 27-I-1970, dont

  • Stéphane GUEURY (Mortagne-au-Perche 21-IX-1954 - Hautot-sur-mer 28-X-1976³³), s.a.,

  • Marie-Ange GUEURY (Mortagne-au-Perche 3-II-1957), s.a.a.,

  • Corine GUEURY (Paris 16ᵉ 3-III-1960), s.a.a.,

— Jean-Dominique GUEURY (Artix, Pyrénées atlantiques, 25-VII-1941), secrétaire général d'organisme syndical³⁴, allié Radon 21-XII-1963 à Christiane PONTALIER (Alençon 6-I-1942), fille de Louis-Lucien et de Marie-Thérèse VICAIRE, mariage dissous par jug. du t. c. d'Alençon le 21-I-1969, s.p.,

4 - Pierre MARCOTTE de SAINTE-MARIE (Lacarre 7-IX-1868 - Paris 6ᵉ 23-II-1939), chef d'escadrons de cavalerie, hospitalier de Lourdes, allié Paris 7ᵉ 1-II-1898 à Hélène BARRY (Paris 7ᵉ 18-XI-1878 - Paris 15ᵉ 12-I-1946), sœur de Marie-Madeleine qu'on a rencontrée plus haut, dont

a - Germaine MARCOTTE de SAINTE-MARIE (Vincennes 30-XI-1899 - L'Hay-les-roses 25-XII-1973) alliée Rambouillet 23-V-1920 à Jacques CHARDON du RANQUET (Moissat 10-II-1887 - Riom 22-IX-1963), ingénieur de l'Ecole des mines de Saint-Etienne, ingénieur en chef aux Houillières du Nord et du Pas-de-Calais, fils de Louis, avocat au barreau de Clermont-Ferrand, propriétaire, et de Félicie de LACOSTE de LAVAL [35], dont

— Gonzague du RANQUET (Völklingen, Sarre, 27-II-1921 - Rambouillet 12-X-1928),

— Odile du RANQUET (Rambouillet X-1924 - 6-V-1925),

b - Simone MARCOTTE de SAINTE-MARIE (Sedan 15-II-1901 - Issoire 13-XI-1979) alliée Rambouillet 7-VII-1922 à Emmanuel TEILLARD d'EYRY (Mareughéol 18-XII-1892 - Briis-sous-Forges 13-VII-1965), propriétaire, quelque temps agent d'assurances, fils d'Olivier, propriétaire, et de Geneviève TEILLARD RANCILHAC de CHAZELLES [36], dont uniquement

— Christiane TEILLARD d'EYRY (Rambouillet 25-IV-1923), assistante sociale, alliée Paris 6e 4-III-1950 à Francis PINÉ des GRANGES (Paris 6e 26-XI-1920), ingénieur (pétrole), fils de Marcel, propriétaire, et de Jenny GRIVET, dont

• Jeanne-d'Arc des GRANGES (Saint-Mandé 11-II-1952), infirmière diplômée d'état, alliée Le Perray-en-Yvelines 15-V-1976 à Raymond LEBAIN (Sion-les-mines 10-VI-1951), électronicien, fils d'Albert-Marie, agriculteur, et d'Emilienne-Madeleine MAURICE,

• Geneviève des GRANGES (Saint-Mandé 2-V-1954), s.a.a.,

c - Robert MARCOTTE de SAINTE-MARIE (Sedan 5-V-1902 - Paris 7e 12-I-1904),

d - René MARCOTTE de SAINTE-MARIE (Sedan 30-I-1905 - Rambouillet 23-IV-1930), s.a.,

e - Louise MARCOTTE de SAINTE-MARIE (Chartres 21-XII-1911), fille de la charité de Saint Vincent de Paul [37],

5 - Paule MARCOTTE de SAINTE-MARIE (Lacarre 11-V-1870 - Rennes 31-XII-1956) alliée Paris 8e 16-IV-1892 à Ernest de

CAHOUET (Contrières 12-I-1860 - Tremblay, Ille-et-Vilaine, 26-VI-1927), propriétaire, capitaine d'infanterie, fils d'Ernest-Hippolyte, propriétaire, et de Rosalie POUSSIN du BOURGNEUF, dont

a - Léon de CAHOUET (Contrières 16-XII-1893 - Contrières 17-VIII-1952), général de brigade, allié Paris 7e 23-VII-1921 à Marie-Germaine TOURNOUËR (Paris 7e 7-IX-1899), fille de Henri, archiviste paléographe, quelque temps secrétaire d'ambassade, président de la Société historique et archéologique de l'Orne [38], conseiller général de l'Orne [39], et de Thérèse VOISIN [40], dont

— Jean de CAHOUET (Paris 7e 24-VII-1922 - Paris 16e 4-I-1980), attaché de direction, allié Orcines 19-VI-1954 à Isabelle TEILHARD de CHARDIN (Orcines 29-VI-1929), fille de Victor, propriétaire, capitaine d'infanterie [41], et de Marguerite CAILLARD d'AILLIÈRES, dont

• Aude de CAHOUET (Neuilly-sur-Seine 6-V-1956), titulaire d'une maîtrise de langues appliquées (anglais, espagnol), s.a.a.,

• Sibylle de CAHOUET (Chamalières 19-IX-1960), s.a.a.,

• Ludovic de CAHOUET (Paris 17e 26-III-1966),

— Marie de CAHOUET (Rennes 3-V-1924) alliée Contrières 17-XI-1950 à Hubert DESCHARD (Morlaix 8-IX-1913), lieutenant-colonel d'infanterie, fils de Hugues, général de brigade, et de Cécile de QUENGO de TONQUÉDEC, s.p.,

— Françoise de CAHOUET (Rennes 21-I-1928) alliée Contrières 9-VIII-1957 à Christian NICOLAZO de BARMON (Pontivy 29-XI-1926), propriétaire agriculteur, fils de René, chef d'escadrons de cavalerie, et d'Anne de MAILLÉ de LA TOUR-LANDRY, dont

• Armand de BARMON (Rennes 14-II-1959), s.a.a.,

• François de BARMON (Rennes 19-V-1962),

• Bruno de BARMON (Granville 29-IX-1965),

• Régis de BARMON (Redon 9-XII-1969),

— Anne de CAHOUET (Dinan 25-VIII-1935) alliée Contrières 7-XII-1957 à Claude NICOLAZO de BARMON (Pontivy

27-XI-1923), directeur commercial, frère de Christian précité, dont

● Laurence de BARMON (Lyon 17-XI-1958), s.a.a.,

● Eliane de BARMON (Lyon 18-X-1959), s.a.a.,

● Eric de BARMON (Rennes 13-VI-1961 - Orléans 18-VI-1963),

● Jeanne-Marie de BARMON (Lyon 7-V-1965),

b - Marie de CAHOUET (Contrières 31-VIII-1895 - Rennes 14-I-1924), religieuse (oblate de Saint Benoît),

c - Anne de CAHOUET (Contrières 13-XII-1898) alliée Tremblay 23-XI-1920 à Henri baron du BOISBAUDRY (Rennes 8-VI-1890 - Rennes 27-IX-1976), propriétaire, licencié en droit, lieutenant de cavalerie, fils de Jules baron du BOISBAUDRY, propriétaire, et d'Anna de LA TOUSCHE-LIMOUZINIÈRE, dont

— Cécile du BOISBAUDRY (Lecoussé 27-VII-1922) alliée Cerizay 16-V-1949 à Xavier LESCHALLIER de LISLE (Cerizay 13-VI-1921), employé de banque, fils d'Alfred, propriétaire, conseiller général des Deux-Sèvres, et d'Anne-Marie dite Madeleine d'ABOVILLE [42], dont

● Marie-José de LISLE (Rennes 28-II-1950), secrétaire-documentaliste, s.a.a.,

● Catherine de LISLE (Rennes 21-III-1951), secrétaire de direction [43], alliée Lecoussé 24-XII-1977 à Marc DELCROIX (Douai 25-VI-1953), ancien élève de l'Ecole des hautes études commerciales, fils de Jacques, négociant, et de Monique-Marie MIGNOT, dont

●● Emmanuel DELCROIX (Lecoussé 7-X-1978),

● Nicole de LISLE (Rennes 21-IV-1953), secrétaire, alliée Lecoussé 11-III-1978 à Philippe de ROUSSEL de PRÉVILLE (Thiès, Sénégal, 25-XI-1952), expert-comptable, fils de François, lieutenant-colonel des troupes de marine, et de Hélène LE MASNE de BRONS,

● Cécile de LISLE (Rennes 13-IX-1955), diplômée de l'Ecole supérieure de commerce de Nantes, s.a.a.,

● René de LISLE (Lecoussé 26-II-1959), s.a.a.,

— baron Xavier du BOISBAUDRY (Lecoussé 29-X-1923 -

Mesnard-la-Bacotière 31-III-1973 [44]), licencié en droit, directeur de banque [45], allié Cerizay 16-V-1949 à Jeanne LESCHALLIER de LISLE (Cerizay 2-I-1923), sœur de Xavier précité, dont

● Dominique baron du BOISBAUDRY (Vitré 12-II-1950), ingénieur de l'Ecole supérieure d'électronique de l'ouest, titulaire d'une maîtrise de droit privé, ingénieur dans l'industrie, s.a.a.,

● Hervé du BOISBAUDRY (Nantes 1-VI-1952), diplômé de l'Ecole supérieure de commerce et d'administration des entreprises et de l'Institut d'études politiques de Paris, cadre de banque, s.a.a.,

● Emmanuel du BOISBAUDRY (Nantes 4-IV-1955), titulaire d'une maîtrise de droit privé, diplômé de l'Institut d'administration des entreprises de Nantes, s.a.a.,

● Philippe du BOISBAUDRY (Nantes 1-VIII-1956), s.a.a.,

● Claire du BOISBAUDRY (Le Havre 14-III-1960), s.a.a.,

● Guy du BOISBAUDRY (Le Havre 17-VI-1962),

● Roselyne du BOISBAUDRY (Le Havre 13-VI-1965),

— Jacqueline du BOISBAUDRY (Tremblay 23-XII-1924) alliée Rennes 10-IX-1947 à Antoine LE GALLIC de KÉRIZOUËT (Vigneux-de-Bretagne 29-X-1917), propriétaire agriculteur, fils de Louis, propriétaire, et de Marie-Thérèse HERSART de LA VILLEMARQUÉ, dont

● Bertrand de KÉRIZOUËT (Locmalo 14-VIII-1948), agriculteur, allié Domerat 9-X-1976 à Josyane GIRAUDAT (Montluçon 30-VII-1953), secrétaire sténographe correspondancière, fille de Robert-Marcel, agent technico-commercial, et de Hélène CHUALEK, dont

●● Anne-Laure de KÉRIZOUËT (Pontivy 2-VII-1978),

● Christian de KÉRIZOUËT (Locmalo 8-XI-1949), cadre d'entreprise (pétrole), allié Languidic 18-XII-1976 à Isabelle de KERRET (Hennebont 1-IV-1953), fille de Hugues comte de KERRET, ingénieur agronome, et d'Edwige de MONTAIGNE de PONCINS, dont

●● Thibault de KÉRIZOUËT (Lorient 19-VI-1978),

- Hubert de KÉRIZOUËT (Locmalo 15-I-1951), cadre d'entreprise, s.a.a.,

- Patrick de KÉRIZOUËT (Locmalo 22-II-1952), cadre d'entreprise, s.a.a.,

- Marie-Antoinette de KÉRIZOUËT (Locmalo 15-VI-1954), secrétaire, s.a.a.,

- Marie-Hélène de KÉRIZOUËT (Locmalo 2-XI-1957), secrétaire, s.a.a.,

- Marie-Geneviève de KÉRIZOUËT (Locmalo 4-IV-1959), horticultrice, s.a.a.,

- Marie-Thérèse de KÉRIZOUËT (Locmalo 27-IV-1968),

— baron Bertrand du BOISBAUDRY (Lecoussé 6-VII-1926), religieux dans la Congrégation du Saint-Esprit [46],

— baron Henri du BOISBAUDRY (Lecoussé 17-IX-1929), cadre d'entreprise, allié Rémungol 6-II-1959 à Agnès de LANTIVY de TRÉDION (Vannes 14-I-1932), fille du comte Emmanuel, propriétaire, et de Golvine de LAMBILLY [47], dont

- Anne-Emmanuelle du BOISBAUDRY (Cahors 7-II-1960),

- Régis du BOISBAUDRY (Vannes 3-VII-1963),

- Golvine du BOISBAUDRY (Vannes 3-VII-1963),

— baron Jean du BOISBAUDRY (Lecoussé 24-VI-1931), cadre commercial, allié Saint-Didier, Ille-et-Vilaine, 13-X-1966 à Thérèse de SÈZE (Cancale 24-IV-1940), fille de Henri, chef de bataillon d'infanterie, et de Marie ALLÉNOU [48], dont

- Guillaume du BOISBAUDRY (Rennes 25-I-1969),

- Jérôme du BOISBAUDRY (Rennes 16-II-1971),

— Marie du BOISBAUDRY (Lecoussé 7-IX-1933) alliée Rennes 11-IV-1958 au comte Jehan de LANTIVY de TRÉDION (Vannes 26-III-1930), cadre commercial, fils de Maurice comte de LANTIVY de TRÉDION, lieutenant-colonel de cavalerie, et de Jeanne ROUILLÉ d'ORFEUIL [49], dont

- Gilles de LANTIVY de TRÉDION (Rennes 17-II-1959), s.a.a.,

● Yves de LANTIVY de TRÉDION (Rennes 11-II-1961),

● Clotilde de LANTIVY de TRÉDION (Rennes 9-II-1964),

— Michelle du BOISBAUDRY (Rennes 9-II-1937) alliée
Rennes 26-VI-1964 au comte Hugues de LANTIVY de
TRÉDION (Paris 7e 20-III-1928), propriétaire agriculteur,
frère de Jehan précité [49], dont

● Henry de LANTIVY de TRÉDION (Rennes 6-V-1965),

● Xavier de LANTIVY de TRÉDION (Rennes 9-VI-1967),

d - Denyse de CAHOUET (Rennes 6-II-1903), s.a.a.,

6 - Emmanuel MARCOTTE de SAINTE-MARIE (Lacarre 3-IX-1872 -
Paris 16e 29-III-1936), lieutenant-colonel d'artillerie, allié
Paris 7e 16-V-1899 à Geneviève de MARCILLAC (Paris 6e 29-I-
1878 - Versailles 4-IV-1953), fille de Marie-Charles, propriétaire, et de Marie-Armandine FAURAX, séparés de corps et
de biens par jug. du t. c. de la Seine le 30-I-1922, dont

a - Xavier MARCOTTE de SAINTE-MARIE (Versailles 28-IV-
1900 - Versailles 6-IV-1940), directeur commercial, allié
Boulogne-sur-mer 4-XI-1927 à Thérèse DELCOURT (Boulogne-sur-mer 4-VII-1907), fille de Henri, docteur en droit,
président de compagnie d'assurances [50] et de sociétés [51], trésorier, puis vice-président de la chambre de commerce de
Boulogne-sur-mer [52], et de Marguerite ROGELET [Thérèse
DELCOURT s'est remariée à Paris 7e le 25-VII-1947 au
comte Gabriel de ROCHECHOUART de MORTEMART (Paris 8e
12-II-1899), propriétaire agriculteur [53], trésorier général de
l'Association française de l'Ordre souverain de Malte [54], fils
du comte René, propriétaire, et d'Elisabeth de RIQUET de
CARAMAN [55]], dont

— Antonia MARCOTTE de SAINTE-MARIE (Boulogne-sur-
mer 25-IX-1928) alliée Sallenelles 15-IX-1947 à Charles-
Henri marquis de LEVIS-MIREPOIX (Paris 16e 4-I-1912),
capitaine de vaisseau, puis successivement inspecteur
général de l'aviation civile et commerciale et président
directeur général de sociétés [56], fils d'Antoine duc de
LEVIS-MIREPOIX, historien, membre de l'Académie
française, administrateur de sociétés (assurances), et de
Nicole de CHAPONAY, mariage dissous par jug du t. c.
de la Seine le 22-VI-1960 [Charles-Henri marquis de
LEVIS-MIREPOIX avait épousé précédemment à Washing-

ton le 20-I-1940 Laurette LEVISSE de MONTIGNY de JAUCOURT (Paris 7ᵉ 24-VI-1915), fille de Pierre marquis de JAUCOURT [57], propriétaire, et de Josefina de ATUCHA, mariage dissous par jug. du t. c. de la Seine le 13-III-1947 ; il s'est allié en 3ᵉ noces à Creton le 13-I-1962 à Françoise FOUCAULT (Paris 11ᵉ 26-II-1927), fille de Gaston, constructeur mécanicien, et de Jeanne BERTIN [58]], dont uniquement

- Elisabeth de LEVIS-MIREPOIX (Neuilly-sur-Seine 27-XI-1948), hôtesse trilingue, s.a.a.,

— Philippe MARCOTTE de SAINTE-MARIE (Buhl, Haut-Rhin, 1-X-1929 - Abidjan 7-IX-1973 [59]), inspecteur commercial (pétrole), allié Tananarive 13-XII-1952 à Françoise BRUNOX (Vatomandry, Madagascar, 22-XII-1934), fille d'Eugène, agent d'assurances, et de Eva LOUSIER, dont

- Béatrice MARCOTTE de SAINTE-MARIE (Tananarive 22-III-1953) alliée Gentilly le 5-X-1974 à Bruce BREPSON (Saïgon 11-VI-1950), gestionnaire, fils de Gérard, employé de commerce, et de Suzanne-Marie LE BIGOT, s.p.a.,

- Odile MARCOTTE de SAINTE-MARIE (Tananarive 30-IX-1958), secrétaire, s.a.a.

— François MARCOTTE de SAINTE-MARIE (Le Vésinet 30-XII-1930), chef du service Afrique de Radio France internationale, allié Paris 7ᵉ 24-III-1960 à Madeleine de SINÉTY (Chançay 13-XI-1934), fille du comte Roger, propriétaire agriculteur en Algérie, et d'Aldegonde de CALONNE d'AVESNES, mariage dissous par jug. du t. c. de Paris le 26-IV-1975, s.p.,

b - Etiennette MARCOTTE de SAINTE-MARIE (Versailles 6-X-1901 - Bastia 10-XII-1902)

c - Antonia MARCOTTE de SAINTE-MARIE (Bastia 26-IV-1903 - Pontoise 17-X-1977) alliée Paris 16ᵉ 19-IX-1933 à Jacques GUILBERT (Paris 7ᵉ 21-XII-1900 - Paris 16ᵉ 29-IV-1948), architecte diplômé par le gouvernement, fils d'Albert, architecte en chef des bâtiments civils et des palais nationaux, et d'Angèle-Marthe COVILLE [60], dont uniquement

— François GUILBERT (Paris 16ᵉ 10-VI-1934), agriculteur, allié Bastia 5-I-1960 à Isabelle ORENGA (Bastia 12-VII-

1940), fille de Charles-Toussaint et de Paule-Anna MURATI, mariage dissous par jug. du t. c. de Bastia le 2-XI-1966 [Isabelle ORENGA s'est remariée à Porto-vecchio le 21-VI-1969 à Raymond-Gabriel MARCHIONI (Bastia 31-III-1927), fils d'Ernest et de Marie-Antonine PASSALACQUA [61]], dont uniquement

- ● Jacques-Charles GUILBERT (Bastia 25-XI-1960),

d - Etienne MARCOTTE de SAINTE-MARIE (Poitiers 31-X-1904 - Boufarik, Algérie, 13-VI-1959), sous-lieutenant de cava-lerie, allié Médéa, Algérie, 18-VII-1929 à Armande-Marie SICARD (22-VIII-1911), fille de Pierre et de Dolorès SORIANO, mariage dissous par jug. du t. c. d'Alger le 21-X-1946, s.p.,

7 - Joseph MARCOTTE de SAINTE-MARIE (Lacarre 18-V-1874 - Paris 16e 31-VIII-1942), directeur de banque [62], capitaine de cavalerie, allié Paris 8e 14-V-1902 à Madeleine NEVEU-LEMAIRE (Clamecy 4-IV-1881 - Paris 20e 2-IV-1968), fille de Gabriel, sous-préfet, puis avocat, et d'Alphonsine-Marie GENEVE, dont

a - Gabriel MARCOTTE de SAINTE-MARIE (Paris 8e 5-III-1903 - Paris 17e 7-IV-1954), inspecteur des finances, contrôleur d'état des constructions aéronautiques, allié Blois 8-V-1929 à Anne-Marie de PANAFIEU (Pontivy 13-IV-1908), fille de Jacques-Roger, chef d'escadrons de cavalerie, et de Jeanne-Célestine de PARIS du BOISROUVRAY, dont

— Hubert MARCOTTE de SAINTE-MARIE (Boulogne-Billan-court 19-III-1930), cadre de banque, allié Lyons-la-forêt 27-II-1960 à Arlette de BRAY (Lyons-la-forêt 13-I-1931), fille de Baudry, ingénieur agricole [63], et de Carmen de COTIGNON, dont

- ● Alexandre MARCOTTE de SAINTE-MARIE (Paris 17e 22-IV-1961),

- ● Stéphane MARCOTTE de SAINTE-MARIE (Paris 17e 24-V-1964),

— Brigitte MARCOTTE de SAINTE-MARIE (Boulogne-Billan-court 6-II-1931) alliée Paris 17e 22-XII-1955 à Antoine de SAINT-LÉGER (Paris 16e 18-VIII-1929), cadre de banque, fils de Paul, ingénieur de l'Ecole centrale des arts et manufactures, ingénieur à la Société du gaz de Paris, et d'Antoinette BLADIER, dont

- Sophie-Caroline de SAINT-LÉGER (Paris 8ᵉ 27-III-1959), s.a.a.,

- Virginie-Laurence de SAINT-LÉGER (Paris 8ᵉ 13-II-1961),

- Jérôme de SAINT-LÉGER (Nantes 26-VIII-1962),

— Yves MARCOTTE de SAINTE-MARIE (Boulogne-Billancourt 29-XI-1932), décorateur, allié Paris 16ᵉ 23-VII-1957 à Françoise PIERROT (Paris 16ᵉ 8-IV-1933), fille de Gilbert, industriel (plomberie), et de Madeleine SCHOENDORFF, dont

- Véronique MARCOTTE de SAINTE-MARIE (Paris 16ᵉ 14-I-1959), s.a.a.,

- Nathalie MARCOTTE de SAINTE-MARIE (Boulogne-Billancourt 2-IV-1960), s.a.a.,

- Frédérique MARCOTTE de SAINTE-MARIE (Boulogne-Billancourt 24-III-1964),

- Anne MARCOTTE de SAINTE-MARIE (Paris 17ᵉ 5-III-1972),

— Jean MARCOTTE de SAINTE-MARIE (Boulogne-Billancourt 29-V-1935 - Paris 16ᵉ 22-X-1948)

— Denis MARCOTTE de SAINTE-MARIE (Boulogne-Billancourt 1-VI-1936), cadre de banque, allié Pornic 7-IX-1968 à Marie-Thérèse MASSERON (Pornic 1-III-1944), fille de Didier, directeur de société, et d'Annick LARAISON, dont

- Dorothée MARCOTTE de SAINTE-MARIE (Tours 29-X-1969),

- Arnaud MARCOTTE de SAINTE-MARIE (Pornic 8-VIII-1971),

- Daphné MARCOTTE de SAINTE-MARIE (Paris 15ᵉ 20-XI-1975),

— Michel MARCOTTE de SAINTE-MARIE (Blois 25-VIII-1940 - Nantes 2-I-1969), attaché commercial, allié Nantes 16-XI-1966 à Michèle GRENET (Nantes 24-V-1942), docteur en médecine, fille de André, greffier de justice de paix, et de Lucienne PLATEAU, greffier en chef de tribunal de grande instance [Michèle GRENET s'est remariée à Nantes le 7-IX-1971 à Bernard MORAULT (Nantes 28-IV-1935), représentant, fils de Charles-Marie, chirurgien-dentiste, et de Marie-Josèphe MUSQUER [64]], dont

● Sébastien MARCOTTE de SAINTE-MARIE (Nantes 23-VIII-1967),

● Emilie MARCOTTE de SAINT-MARIE (Nantes 6-XII-1968),

— Olivier MARCOTTE de SAINTE-MARIE (Paris 15e 6-V-1946), chef de publicité, allié Paris 7e 16-IX-1970 à Chantal DURY (Paris 15e 11-XI-1946), fille de Roger-Jean, agent commercial, et d'Arlette-Denyse GUERNE, dont

● Camille [65] MARCOTTE de SAINTE-MARIE (Clichy, Hauts-de-Seine, 14-XI-1972)

● Stéphanie MARCOTTE de SAINTE-MARIE (Clichy 26-I-1973),

● Julien MARCOTTE de SAINTE-MARIE (Clichy 14-III-1975),

— Antoine MARCOTTE de SAINTE-MARIE (Paris 8e 19-XI-1949), titulaire d'une maîtrise de gestion économique, cadre administratif (marketing), allié Neuilly-sur-seine 10-VI-1977 à Catherine METMAN (Paris 16e 29-VI-1951), assistante commerciale, fille de Jean-Louis, architecte, et de Monique-Marie DELOISON, dont

● Rodolphe MARCOTTE de SAINTE-MARIE (Paris 18e 18-X-1978),

● Dimitri MARCOTTE de SAINTE-MARIE (Paris 19-VII-1980),

b - Bernard MARCOTTE de SAINTE-MARIE (Joué-lès-Tours 23-VII-1904 - Paris 14e 10-IV-1954), comptable, s.a.,

c - Elisabeth MARCOTTE de SAINTE-MARIE (Paris 8e 1-I-1907) alliée 1) Asnois, Nièvre, 1-IX-1931 à Jean FAVREUL (Nantes 27-VII-1898 - ✕ en mer [66] 8-V-1940), capitaine de corvette, fils d'Ernest, capitaine de vaisseau, et de Louise RONARC'H [67] [Jean FAVREUL avait épousé précédemment à Saint-Aignan-grand-lieu le 4-VI-1923 Clotilde LEROUX (Nantes 27-III-1902 - Cherbourg 28-III-1929), fille de Marcel-Edouard, propriétaire, et de Clotilde-Thérèse GOURDON], 2) Rennes 3-III-1962 à Jacques SAUVAIN (Rennes 18-III-1902), directeur de banque, fils de Fernand, docteur en médecine, et de Mathilde JOUANIN, s.p. du 2ᵈ mariage, dont du 1ᵉʳ

— Nicolas FAVREUL (Paris 16ᵉ 6-VII-1932 - Nantes 2-XI-1939),

— Jacques FAVREUL (Paris 16ᵉ 2-IX-1933), capitaine de corvette, allié Paris 16ᵉ 6-VIII-1957 à Claude VIÉNOT de VAUBLANC (Anglet 30-X-1938), fille de Bernard, colonel de l'armée de l'air [68], et de Françoise BARBET-MASSIN [69], dont

 • Emmanuel FAVREUL (Marseille 6-IX-1958), s.a.a.,

 • Thierry FAVREUL (Agadir 24-XII-1959), s.a.a.,

 • Patricia FAVREUL (Brest 6-XI-1960), s.a.a.,

 • Philippe FAVREUL (Cherbourg 3-I-1962),

— Patrick FAVREUL (Toulon 18-II-1935 - Toulon 18-VII-1935),

— Anne-Marie FAVREUL (Brest 18-VI-1938) alliée Paris 16ᵉ 8-X-1960 à Claude LE GRAND de MERCEY (Lyon 21-IX-1930), ingénieur civil des Ponts-et-chaussées, fils de Robert baron LE GRAND de MERCEY, ingénieur de l'Ecole centrale de Paris, administrateur et directeur de sociétés, puis ingénieur conseil, et de Josèphe FAVIER, dont

 • Laurent de MERCEY (Neuilly-sur-Seine 21-XII-1961),

 • Stanislas de MERCEY (Neuilly-sur-Seine 2-IV-1963),

 • Elisabeth de MERCEY (Neuilly-sur-Seine 6-VI-1966),

 • Adrienne de MERCEY (Boulogne-Billancourt 18-II-1971),

d - Cécile MARCOTTE de SAINTE-MARIE (Paris 8ᵉ 23-VI-1910 - Paris 5ᵉ 22-IX-1968) alliée Asnois 16-VIII-1937 à Jacques du RIVAU (Le Mans 18-III-1904), directeur commercial [70], fils de Louis, propriétaire, et de Noémi FERAY [71], dont

— Xavier du RIVAU (Chang-Hai 21-II-1939), directeur commercial, allié Bayeux 12-I-1968 à Claire TURLOTTE (Bayeux 31-VII-1942), fille de Jacques, docteur en médecine, médecin chef à l'hôpital de Bayeux, et de Françoise LE ROUX, dont

 • Eudes du RIVAU (Paris 10ᵉ 10-II-1969)

- Guy du RIVAU (Paris 8ᵉ 1-IX-1971)

- Noémi du RIVAU (Paris 16ᵉ 30-V-1975)

— Eloi du RIVAU (Chang-Hai 6-I-1941), architecte-urbaniste, allié Luzech 1-IX-1965 à Marie-France CARLE (Paris 17ᵉ 14-IV-1943), fille d'André, président directeur général de compagnie d'assurances, conseiller général du Lot, et de Micheline MARCHAND, dont

  - Clarisse du RIVAU (Neuilly-sur-Seine 3-III-1969),

  - Alexis du RIVAU (Paris 16ᵉ 10-II-1971),

— Dominique du RIVAU (Chang-Hai 13-III-1944), agent commercial, allié Ver-sur-mer 3-X-1969 à Catherine de MONTESSUS de BALLORE (Boulogne-Billancourt 26-IV-1947), fille du vicomte André, ingénieur en chef à la S.N.C.F., et de Claude HAYAUX du TILLY, dont

  - Laure du RIVAU (Remiremont 9-IV-1971),

  - Sophie du RIVAU (Paris 15ᵉ 3-VII-1973)

  - Ségolène du RIVAU (Paris 17ᵉ 27-I-1976)

  - Nicolas du RIVAU (Paris 17ᵉ 15-I-1979)

— Christian du RIVAU (Paris 8ᵉ 12-I-1949), agent maritime, allié La Celle-Saint-Cloud 27-VI-1974 à Patricia HOUET (Boulogne-Billancourt 5-III-1952), fille de Claude, ingénieur dans les travaux publics, et de Nicole BIRON, dont

  - Guillaume du RIVAU (La Celle-Saint-Cloud 3-V-1975)

  - Frédéric du RIVAU (La Celle-Saint-Cloud 19-I-1977)

8 - Jean MARCOTTE de SAINTE-MARIE (Paris 8ᵉ 16-III-1877 - ✕ Sommepy-Tahure 6-X-1915 [72]), propriétaire agriculteur et industriel, sous-lieutenant d'infanterie, allié Reims 15-IV-1903 à Andrée HURAULT (Tinqueux 10-I-1881 - Tinqueux 19-X-1975), fille de Charles, courtier en vins de Champagne, président du tribunal de commerce de Reims, et de Thérèse HUART, dont

a - Marie-Thérèse MARCOTTE de SAINTE-MARIE (Tinqueux 10-III-1904 - Voiron 2-XII-1939), religieuse du Cénacle,

b - Geneviève MARCOTTE de SAINTE-MARIE (Tinqueux 11-I-1906) alliée Tinqueux 30-IV-1927 à Jean MARGUET (Reims 3-I-1899), agent général d'assurances, fils de Pol, propriétaire agriculteur, et de Louise LAMBIN d'ANGLEMONT de TASSIGNY [73], dont

— Jean-Pol MARGUET (Tinqueux 12-III-1928), directeur d'une coopérative de construction, allié Corbara, Corse, 30-VIII-1956 à Catherine PASSANI (Corbara 11-III-1932), fille de François, propriétaire, et de Marie-Jeanne MAR-TELLI, dont

• Jean-François MARGUET (Reims 30-V-1958), s.a.a.,

• Olivier-Guillaume MARGUET (Reims 10-I-1963),

• Antoine MARGUET (Reims 16-X-1965),

• Cyril MARGUET (Reims 25-VII-1967)

— Bernard MARGUET (Tinqueux 26-III-1931), agriculteur, s.a.a.,

— François MARGUET (Tinqueux 28-IX-1932), conducteur de poids lourds, allié Reims 23-I-1960 à Marie-José POUILLON (Reims 28-III-1933), ouvrière spécialisée, dont

• José-Gabriel MARGUET (Reims 7-VIII-1960), s.a.a.,

• Graziella-Félicie MARGUET (Reims 30-VII-1961),

• Françoise-José MARGUET (Reims 9-VIII-1963),

• Patricia-Agnès MARGUET (Reims 14-I-1965),

• Jean-François MARGUET (Reims 25-V-1966),

— Marie-Claire MARGUET (Tinqueux 7-VI-1934), puéricul-trice, alliée Canteleu, Seine-maritime, 30-III-1963 à Raymond DELAHAIS (Rouen 27-IV-1915), agent hospi-talier, puis surveillant de travaux, fils de Constant-Marcel, peintre en bâtiment, et de Jeanne-Marguerite HAGUES [Raymond DELAHAIS avait épousé précédem-ment à Rouen le 19-XII-1939 Jeanne-Marie ALYS (La Chapelle-neuve, Morbihan, 11-XII-1918 - Rouen 11-VII-1962), employée de maison], dont

• Thierry DELAHAIS (Rouen 3-I-1964),

• Florence DELAHAIS (Rouen 3-II-1965),

— Henri MARGUET (Tinqueux 4-VII-1936), prêtre,

— Christine MARGUET (Reims 6-VIII-1939), puéricultrice, alliée Tinqueux 28-VI-1968 à Jean-Marie HERRBACH

(Mancieulles 23-X-1946), chauffeur routier, fils de Camille-Eugène, professeur de langues, et d'Anne-Marie MANGEOL, mariage dissous par jug. du t. c. de Nancy le 12-V-1971 [Jean-Marie HERRBACH s'est remarié à Nancy le 15-IV-1972 à Jeannine-Lucie PIZELLE (Nancy 14-VII-1938), employée, fille de Jean-Victor et de Lucie-Jeanne CHAMANT [74]], dont uniquement

● Eric HERRBACH (Nancy 11-XI-1968),

— Denis MARGUET (Tinqueux 28-I-1944), comptable, allié Tinqueux 22-X-1966 à Andrée CORNET (Castillonnès 14-VIII-1944), secrétaire, fille de Julien, secrétaire général de la mairie de Reims, et d'Hélène PONTHUS, dont

● Jérôme MARGUET (Reims 5-V-1968),

● Elise MARGUET (Reims 5-I-1972),

— Benoît MARGUET (Tinqueux 9-III-1946), jardinier de la ville de Reims, allié Reims 27-IV-1973 à Lucienne THUILLIER (Reims 17-VII-1924), serveuse de restaurant, fille d'Alfred, employé à la S.N.C.F., et de Marie-Stéphanie ROBERT, couturière, s.p.,

— Xavier MARGUET (Tinqueux 19-VI-1948), mécanicien (automobile), allié Reims 20-X-1973 à Jeannine-Thérèse GLEIZES (Paris 12e 25-II-1929), lingère, fille de Victor-Frédéric, employé à la S.N.C.F., et de Marie-Cécile HODEL [Jeannine-Thérèse GLEIZES avait épousé précédemment 1) à Orconte le 19-X-1946 Albert-Robert CHASSAING (Pargny-sur-Saulx 10-IX-1925), employé à la S.N.C.F., fils de Robert-Edmond et de Marie-Valentine PILLARD, mariage dissous par jug. du t. c. de Châlons-sur-Marne le 16-XII-1959, 2) à Vitry-le-François le 5-VIII-1961 à René-Fernand VILLAUME (Vireux-Molhain 16-X-1910), employé à la S.N.C.F., fils de François-Joseph et de Julia MOINET, mariage dissous par jug. du t. c. de Châlons-sur-Marne le 22-III-1973] dont

● Nathalie MARGUET (Reims 9-X-1973),

c - dom Henri MARCOTTE de SAINTE-MARIE (Paris 9e 21-XI-1907), religieux bénédictin, abbé de Clervaux (Luxembourg) [75], puis prieur de l'abbaye Saint-Jérôme (Rome),

d - Jeanne MARCOTTE de SAINTE-MARIE (Tinqueux 28-I-1912) alliée Tinqueux 25-VIII-1936 à Jean LOCHET (Reims 29-

V-1907 - Paris 14ᵉ 8-XII-1949), directeur de banque[76], fils de Pierre, négociant en vins, et de Jeanne LEFORT, dont

— Pierre LOCHET (Boulogne-Billancourt 22-VI-1939), prêtre du diocèse de Paris,

— Marie-Thérèse LOCHET (Angoulême 12-VI-1940), professeur dans un cours privé, s.a.a.,

— Elisabeth LOCHET (Paris 7ᵉ 23-V-1942), psychologue, s.a.a.,

— Monique LOCHET (Paris 7ᵉ 10-VIII-1945), laborantine, s.a.a.,

— Emmanuel LOCHET (Paris 7ᵉ 9-X-1946), employé de bureau, s.a.a.,

— Rémy LOCHET (Paris 7ᵉ 26-I-1948), vétérinaire, s.a.a.,

B - Albert DUTEY-HARISPE (Pau 29-XI-1841 - Paris 8ᵉ 21-VI-1920), propriétaire, quelque temps avocat à la cour d'appel de Paris [77] allié Paris 9ᵉ 19-XII-1867 à Berthe LABBÉ (Paris 11-IV-1847 - Meudon 11-IV-1928), fille d'Edouard, propriétaire, et de Marie-Céline GRENIER [78], dont

1 - Adrien DUTEY-HARISPE (Paris 8ᵉ 25-V-1869 - Versailles 1-VII-1940), licencié en droit, avocat à la cour d'appel de Paris, puis administrateur et directeur de journaux [79], allié Paris 8ᵉ 18-XII-1894 à Henriette CASSIGNEUL (Paris 9ᵉ 19-IX-1872 - Paris 8ᵉ 24-I-1955), fille de Désiré, directeur-propriétaire de journal [80], et de Laure-Eugénie MARINONI [81], s.p.,

2 - Edouard DUTEY-HARISPE (Lacarre 25-III-1871 - Paris 17ᵉ 3-X-1961), secrétaire d'ambassade, puis administrateur de sociétés [82], allié Paris 8ᵉ 17-V-1900 à Cécile GOMEL (Versailles 29-IX-1880 - Paris 15ᵉ 23-V-1953), fille de Charles, maître des requêtes au Conseil d'état, président et administrateur de sociétés [83], et de Hélène-Rose MATHIEU-BODET [84], dont

a - Jacques DUTEY-HARISPE (Saint-Cloud 24-VII-1901 - Paris 7ᵉ 12-IV-1976), ancien élève de l'Ecole supérieure d'agriculture d'Angers, allié Paris 17ᵉ 7-XII-1921 à Magdeleine LASSERRE (Paris 8ᵉ 12-VI-1901), fille de Maurice, diplômé de l'Ecole des sciences politiques, avocat au barreau de Paris, directeur et rédacteur en chef de journal [85], député du Tarn-et-Garonne [86], et de Jeanne MESNET [87], dont

— Nicole DUTEY-HARISPE (Paris 8ᵉ 9-IX-1922 - Paris 8ᵉ 5-XI-1946), s.a. [88],

—Liliane Dutey-Harispe (Paris 8ᵉ 7-VI-1926) alliée Paris 8ᵉ 21-XII-1945 à Bernard Cornette (Paris 12ᵉ 9-I-1923 - Pointe-Noire, République du Congo, 19-IX-1949), lieutenant de l'armée de l'air [89], fils de Henri, ingénieur, et de Louise-Blanche Caramija, dont

• Martine Cornette (Jarnac 17-VII-1946), secrétaire, s.a.a.,

• Patrice Cornette (Saint-Nicolas-de-la-Grave 24-VII-1947), architecte, s.a.a.,

• Bernadette Cornette (Neuilly-sur-Seine 4-III-1950) alliée Paris 8ᵉ 22-IV-1968 à François Guillemard (Paris 14ᵉ 13-II-1945), conseiller juridique, fils d'André-Raoul, administrateur de société, et de Simone-Claire Wattinne, conseiller général de l'Yonne, mariage dissous par jug. du t. c. de Paris le 2-VII-1970 [François Guillemard s'est remarié à Paris 15ᵉ le 9-X-1971 à Marie-Anne Blondet (Saint-Fargeau, Yonne, 26-IX-1949), fille de Paul-Louis, docteur en médecine, et de Marie-Claudine Droux], dont uniquement

•• Perrine Guillemard (Boulogne-Billancourt 6-XI-1968),

— Claudine Dutey-Harispe (Behasque 15-IV-1932) alliée Paris 8ᵉ 23-VI-1956 à Jean-Louis Delvolvé (Paris 6ᵉ 30-X-1932), licencié en droit, avocat au barreau de Paris, fils de Jean, docteur en droit, magistrat, puis conseiller d'état, maire de Moissac [90], et de Jehanne Babled, dont

• Dominique Delvolvé (Neuilly-sur-Seine 30-V-1957) alliée Saint-Nicolas-de-la-Grave 15-IV-1978 à Bruno Adeline (Fontainebleau 11-III-1954), ingénieur, fils de Guy, ingénieur, et de Bernadette Lanquetot, dont

•• Thibaut Adeline (Angers 23-III-1980),

• Anne Delvolvé (Neuilly-sur-Seine 9-XII-1958), s.a.a.,

• Béatrice Delvolvé (Neuilly-sur-Seine 11-II-1962)

b - Yvonne Dutey-Harispe (Ris-Orangis 12-IX-1902) alliée Paris 17ᵉ 7-XII-1921 à Jacques Collin du Bocage [91] (L'Isle-Adam 13-IX-1900 - Paris 18ᵉ 30-VIII-1977), docteur en droit, diplômé de l'Ecole libre des sciences politiques de Paris, directeur de banque [92], président et administrateur de sociétés, vice-président de la Caisse d'épargne de Paris, président de chambre au tribunal de commerce de la Seine, fils de Louis, coulissier de rentes, et de Jeanne OUARNIER, dont

— Claude COLLIN du BOCAGE (Paris 16ᵉ 24-I-1923), ingénieur de l'Ecole centrale de Paris, diplômé du Centre de préparation aux affaires, directeur de sociétés, allié Paris 8ᵉ 27-V-1946 à Claude VIGNES (Paris 17ᵉ 8-VIII-1926), fille de Pierre, ingénieur, et de Germaine SICRE [93], dont

● Laurence COLLIN du BOCAGE (Neuilly-sur-Seine 16-IV-1948), attachée de direction (banque), alliée Vineuil-Saint-Firmin 17-III-1971 à Alexis GODILLOT (Paris 8ᵉ 14-III-1944), directeur des ventes (parfums) [94], fils de Thierry, président directeur général de société (parfums) [94], et de Claude de RAUCH [95], dont

●● Nathalie GODILLOT (Paris 16ᵉ 19-VI-1974),

●● Dorothée GODILLOT (Paris 16ᵉ 20-XII-1977),

● Patricia COLLIN du BOCAGE (Neuilly-sur-Seine 30-I-1950) alliée Paris 8ᵉ 15-XII-1972 à Erik PAINVIN (Paris 16ᵉ 15-XI-1945), master of arts (chimical engineering) de Rice University (Houston), cadre commercial, fils de Jean-Marie, ingénieur de l'Ecole centrale de Paris, administrateur et président-directeur général de sociétés, conseiller du commerce extérieur de la France [96], et de Geneviève MARIE-SAINT-GERMAIN, dont

●● Christophe PAINVIN (Paris 16ᵉ 20-VIII-1974)

●● Cyrille PAINVIN (Paris 16ᵉ 16-IX-1976)

● Arnaud COLLIN du BOCAGE (Paris 16ᵉ 16-II-1951), diplômé de l'Institut européen de coopération économique, allié Saint-Brieuc 14-VI-1975 à Madeleine CAILL (Malestroit 23-VI-1951), fille d'Yves, notaire, et d'Elisabeth QUEINNEC, s.p.a.,

● Pascale-Virginie COLLIN du BOCAGE (Paris 8ᵉ 24-I-1959), s.a.a.,

— Hervé COLLIN du BOCAGE (Paris 8ᵉ 7-XI-1925), ancien élève de l'Ecole des hautes études commerciales, président directeur général de société (construction), allié Paris 16ᵉ 22-I-1959 à Lilian CASWELL (Birmingham, Grande-Bretagne, 31-VIII-1924), fille de Charles, industriel, et de Renée PETRÉ [Lilian CASWELL avait épousé

précédemment à Paris 18ᵉ le 29-IV-1943 Christian-Léon
BELLEST (Paris 14ᵉ 8-IV-1922), compositeur de musique,
fils de Henri-Marie, courtier, et de Clotilde-Victoria
DORÉ, mariage dissous par jug. du t. c. de la Seine le
16-VI-1958 [97]], dont

● Perrine COLLIN du BOCAGE (Paris 8ᵉ 5-IV-1960), s.a.a.,

● Valérie COLLIN du BOCAGE (Paris 8ᵉ 27-VI-1961),

— Bertrand COLLIN du BOCAGE (Dinard 11-VII-1928 -
Paris 16ᵉ 29-XII-1974), ancien élève de l'Institut d'études
politiques de Paris, directeur de publications [98], allié
Paris 16ᵉ 26-IV-1969 à Arlette DOYNEL de LA SAUSSERIE
(Toulon 29-IX-1934), fille du vicomte Georges, proprié-
taire, lieutenant de cavalerie, et d'Yolande de LA
SAYETTE, dont uniquement

● Olivier COLLIN du BOCAGE (Paris 8ᵉ 10-III-1973),

c - André DUTEY-HARISPE (Ris-Orangis 21-IX-1909), agriculteur au Maroc, puis directeur commercial (distribution de
produits pétroliers), allié Lacarre 18-IV-1938 à Edith BER-
NEX (Rodez 12-XII-1910), fille de Pierre, directeur de
société financière, et de Camille MACKENEAU, dont

— Arnaud DUTEY-HARISPE (Casablanca 15-I-1942), journaliste, allié Paris 8ᵉ 8-IV-1971 à Catherine POMPANON
(Paris 7ᵉ 29-VIII-1938), journaliste, fille de Christian-
Jean, garagiste, et de Marie-Angèle MADOULE, mariage
dissous par jug. du t. c. de Paris le 16-VI-1978 [Cathe-
rine POMPANON avait épousé précédemment à Paris 7ᵉ
le 7-VI-1957 Bruno ROBERT (Besançon 22-V-1932),
architecte, fils de Pierre-François, entrepreneur de travaux publics, et de Marie-Antoinette ETIENNEY, mariage
dissous par jug. du t. c. de Paris le 25-III-1969 [99]], dont

● Marie DUTEY-HARISPE (Boulogne-Billancourt 23-VI-
1971),

— Béatrice DUTHEY-HARISPE (Tanger 20-III-1944) alliée
Caulaincourt 29-III-1968 au comte Louis-Amédée de
MOUSTIER (Paris 7ᵉ 12-I-1928), cadre de banque, fils du
comte Gérard, propriétaire agriculteur, et de Marie-
Thérèse de VIEL de LUNAS d'ESPEUILLES de CAULAIN-
COURT de VICENCE [100], dont

● Hortense de MOUSTIER (Neuilly-sur-Seine 29-X-1968),

● Angélique de MOUSTIER (Paris 7ᵉ 21-I-1975),

d - Marcel DUTEY-HARISPE (Paris 17e 7-V-1912), lieutenant-colonel de l'armée de l'air, puis propriétaire agriculteur [101] allié Angers 1-VI-1933 à Danielle LEMONIER (Draveil 11-V-1910), fille d'Edmond-Antoine, directeur d'entreprise (textile), et de Germaine FOREST, dont

— Serge DUTEY-HARISPE (Boulogne-Billancourt 24-XII-1933 - ✕ secteur de Tablat, Algérie, 24-II-1958), sous-lieutenant (parachutistes), s.a. [102],

— Alain DUTEY-HARISPE (Paris 7e 15-XII-1937), employé (industrie automobile), s.a.a.,

— Xavier DUTEY-HARISPE (Lacarre 3-VII-1943), docteur en chiropractie, allié Bordeaux 1-VIII-1967 à Marie-Christine FONTENILLE (Montpon-Ménestérol 24-IX-1948), fille de Lucien, négociant, et de Solange HERVO, caissière, dont

• Valérie DUTEY-HARISPE (Moline, Illinois, 26-VIII-1968),

• Pétian-Marie [103] DUTEY-HARISPE (Pau 24-I-1978)

— Brigitte DUTEY-HARISPE (Lacarre 8-X-1945) alliée Lacarre 22-VIII-1973 à Patrick DORDAIN (Aulnay-sous-bois 1-IX-1949), cadre commercial (marketing), fils de Pierre, président directeur général de société [104], et de Simone-Suzanne SOURY, dont

• Laetitia DORDAIN (Boulogne-Billancourt 7-III-1974),

• Marie-Isabelle DORDAIN (Boulogne-Billancourt 30-VII-1976)

3 - Marie DUTEY-HARISPE (Paris 8e 28-II-1873 - Paris 16e 29-VII-1942) alliée Paris 8e 10-VII-1894 à André ROLAND-GOSSELIN (Neuilly-sur-Seine 8-XII-1868 - La Baule 5-III-1921), administrateur d'immeubles, capitaine de cavalerie [105], fils de Léon, fondé de pouvoir d'agent de change, et de Clémence MARTIN du NORD [106], dont

a - Maurice ROLAND-GOSSELIN (Paris 8e 6-V-1895 - Louverné 29-VIII-1971), administrateur d'immeubles, allié Paris 8e 27-IV-1920 à Jeanne POTIER (Paris 8e 17-X-1896), fille de Francis, docteur en médecine, et de Madeleine HUGO, dont

— Yvonne ROLAND-GOSSELIN (Cormeilles-en-Parisis 29-VII-1921), secrétaire de direction, s.a.a.,

— André ROLAND-GOSSELIN (Paris 8ᵉ 4-II-1923), administrateur d'immeubles, allié Paris 8ᵉ 1-VII-1947 à Madeleine FLEURY (Paris 16ᵉ 2-VI-1924), fille de Paul-Albert,
ingénieur de l'Ecole centrale de Paris, directeur [107], puis
président-directeur général [108] de société, et de Maud
BARBET-MASSIN [109], dont

● Chantal ROLAND-GOSSELIN (Paris 17ᵉ 30-III-1948),
secrétaire médicale, alliée Paris 16ᵉ 6-I-1973 à Jacques
GARY (Avranches 19-XII-1947), docteur en médecine,
fils de Ferdinand, directeur d'entreprise, et de Jeanne
GIRARDEAU, dont

●● Marie-Aude GARY (Paris 15ᵉ 15-IV-1973),

●● Bertrand GARY (Paris 15ᵉ 2-III-1976),

●● Godefroy GARY (Rennes 31-XII-1978),

● Christine ROLAND-GOSSELIN (Neuilly-sur-Seine 7-VI-
1950), enseignante, alliée Paris 16ᵉ 9-X-1979 à François NIJDAM (Compiègne 6-VI-1951), cadre commercial
(presse), fils d'Eric, président-directeur général de
société, et de Jacqueline RUELLE,

● Isabelle ROLAND-GOSSELIN (Paris 8ᵉ 10-VIII-1954),
secrétaire médicale et instrumentiste, alliée Paris 16ᵉ
8-VI-1978 à Pierre VEAU de LANOUVELLE (Neuilly-sur-
Seine 25-XI-1953), diplômé de l'Institut supérieur de
gestion, cadre commercial, fils d'Henri, ingénieur de
l'Ecole navale et de l'Ecole supérieure d'électricité,
directeur de département (industrie électronique), capitaine de corvette, et de Marie-José LACAILLE d'ESSÉ,
dont

●● Frédéric de LANOUVELLE (Paris 16ᵉ 9-IX-1979),

● Bruno ROLAND-GOSSELIN (Paris 8ᵉ 10-X-1960), s.a.a.,

— Francis ROLAND-GOSSELIN (Cormeilles-en-Parisis 6-VII-
1924), secrétaire général de la Fédération nationale des
agents généraux d'assurances, chef d'escadrons de cavalerie, allié Paris 8ᵉ 16-XII-1954 à Brigitte GOSSET-
GRAINVILLE (Paris 8ᵉ 17-V-1928), fille de Jean, fondé de
pouvoir d'agent de change, et de Germaine LABAT, dont

● Chrystèle ROLAND-GOSSELIN (Paris 8ᵉ 9-X-1955 -
Paris 8ᵉ 29-X-1955),

- Hervé ROLAND-GOSSELIN (Paris 17e 30-IX-1956), s.a.a.,

- Miguel ROLAND-GOSSELIN (Paris 17e 3-XI-1958), s.a.a.,

- Florence ROLAND-GOSSELIN (Bône 19-II-1960), s.a.a.,

- Véronique ROLAND-GOSSELIN (Biarritz 23-VII-1962),

- Ségolène ROLAND-GOSSELIN (Laval 16-VIII-1969),

— Geneviève ROLAND-GOSSELIN (Versailles 31-V-1926), infirmière diplômée d'état, alliée Paris 8e 23-I-1961 à Michel marquis de BAYNAST de SEPTFONTAINES (Boulogne-Billancourt 27-VII-1930), licencié en droit, diplômé de l'Institut d'études politiques de Paris, attaché à la direction financière d'une grande banque [110], fils de Jean marquis de BAYNAST de SEPTFONTAINES, licencié en droit, directeur de la Caisse des dépôts et consignations d'Angers, et de Madeleine PIGEAUD, licenciée en droit, dont

- Guillaume de BAYNAST de SEPTFONTAINES (Paris 17e 19-IV-1962),

- Françoise de BAYNAST de SEPTFONTAINES (Paris 17e 28-III-1963),

- Hugues de BAYNAST de SEPTFONTAINES (Paris 17e 8-I-1966),

- Bénédicte de BAYNAST de SEPTFONTAINES (Paris 17e 24-VIII-1967),

— Philippe ROLAND-GOSSELIN (Versailles 29-VII-1928 - 17-VII-1953), étudiant en médecine, s.a. [111],

— Bernard ROLAND-GOSSELIN (Paris 8e 1-X-1931), administrateur d'immeubles, allié Ville d'Avray 28-IX-1956 à Marie-Laure BOCCON-GIBOD (Ville d'Avray 28-VII-1937), fille de François, ingénieur agronome, lieutenant de cavalerie ✗, et de Geneviève GOUDCHAUX, dont

- Anne ROLAND-GOSSELIN (Neuilly-sur-Seine 30-VI-1957), s.a.a.,

- Hubert ROLAND-GOSSELIN (Neuilly-sur-Seine 2-XI-1959), s.a.a.,

- Delphine ROLAND-GOSSELIN (Neuilly-sur-Seine 26-I-1961),

• Christian ROLAND-GOSSELIN (Neuilly-sur-Seine 19-III-1962),

• Sandrine ROLAND-GOSSELIN (Paris 15ᵉ 7-II-1970),

— Yves ROLAND-GOSSELIN (Paris 8ᵉ 28-X-1935), fonctionnaire international (Bruxelles) [112], alliée Paris 8ᵉ 3-VI-1966 à Jacqueline PALOC-TAURY (Bessan 23-VIII-1940), fille de Gabriel, propriétaire viticulteur, et de Juliette BERGON, dont

• Arnaud ROLAND-GOSSELIN (Bruxelles 5-VII-1967),

• Astrid ROLAND-GOSSELIN (Bruxelles 19-IV-1969),

• Cedric ROLAND-GOSSELIN (Bruxelles 10-IV-1973),

b - Marcel ROLAND-GOSSELIN (Paris 8ᵉ 29-IX-1897 - Paris 4ᵉ 20-VI-1980), agent de change près la Bourse de Paris, allié 1) Paris 7ᵉ 21-VI-1922 à Adrienne KELLER (Rougemont-le-château 10-X-1901 - Sierre, Suisse, 22-II-1938), fille de Pierre, président de société (métallurgie) [113], propriétaire forestier, et de Camille SIMON, 2) Paris 17ᵉ 6-I-1944 à Nicole CAHEN (Paris 17ᵉ 19-IX-1910) [114], fille d'Edouard, docteur en droit [115], directeur général de banque [116], et de Marie-Thérèse FUZIER-HERMAN, s.p. du 2ᵈ mariage, dont du 1ᵉʳ

— Jacqueline ROLAND-GOSSELIN (Paris 8ᵉ 10-V-1923) alliée Paris 16ᵉ 5-X-1946 à François MICHAUT (Baccarat 4-X-1922), délégué du Commissariat général au tourisme, fils de Pierre, ancien élève de l'Ecole polytechnique, administrateur directeur général de la Compagnie des cristalleries de Baccarat, et de Marguerite VAUTRIN, dont

• Joëlle MICHAUT (Neuilly-sur-Seine 8-XII-1949) alliée Paris 16ᵉ 25-VI-1971 à Jean-Didier DUJARDIN (Paris 18ᵉ 4-II-1948), licencié en droit, diplômé de l'Institut d'études politiques de Paris, cadre de banque, dont

•• Adrienne DUJARDIN (Niamey, Niger, 26-III-1972),

•• Alexis DUJARDIN (Neuilly-sur-Seine 29-V-1975),

• Bénédicte MICHAUT (Rome, Italie, 3-XI-1951), secrétaire médicale, s.a.a.,

• Pascale MICHAUT (Zurich, Suisse, 3-V-1954), infirmière, alliée Paris 16ᵉ 13-V-1977 à Christian LAUDET

(Casablanca 9-V-1953), technicien cynégétique, fils de Noël, directeur d'exploitation agricole, et de Françoise Sassot, dont

•• Cyril Laudet (Dax 13-IX-1978),

• Stéphane Michaut (Zurich 28-VIII-1955), s.a.a.,

• Laurence Michaut (Zurich 5-IX-1957), s.a.a.,

• Véronique Michaut (Zurich 11-I-1960), s.a.a.,

— Annie Roland-Gosselin (Paris 8ᵉ 6-IX-1924) alliée Paris 16ᵉ 5-X-1946 à Christian Brunet de Sairigné (Paris 7ᵉ 24-X-1921), gérant de propriété, fils de Gabriel baron Brunet de Sairigné, directeur de sanatorium, et de Marie Jegou d'Herbeline, dont

• Régis de Sairigné (Les Moutiers-les-Mauxfaits 18-IX-1947), président-directeur général de société [117], allié 1) Courbevoie 20-VI-1972 à Françoise Bérille (Paris 16ᵉ 5-IV-1949), fille de Pierre, docteur en médecine, conseiller municipal de Courbevoie, et de Jeanine Fagnart, mariage dissous par jug. du t. c. de Nanterre le 13-III-1975 [Françoise Bérille s'est remariée à Courbevoie le 4-XI-1977 à Gilles Lauriau [118] (Boulogne-Billancourt 22-X-1937), notaire, fils de Max, conseil juridique, et de Colette Mouchot [119]], 2) Beaulieu-sur-mer 8-V-1976 à Patricia Pagliani (Turin 10-VI-1950), fille d'Emmanuel, industriel, et d'Onorine Lavazza, s.p. du 1ᵉʳ mariage, s.p.a. du 2ᵈ

• Armelle de Sairigné (Saint-Rémy-de-Provence 24-XI-1948), éducatrice, alliée Lodève 26-IV-1975 à Michel Rouquette (Nîmes 19-XI-1949), instituteur éducateur, fils de Marcel-Henri, frigorifiste, et de Suzanne-Elise Garcin, dont

•• Sarah Rouquette (Bagnols-sur-Cèze 17-II-1978),

• Michel de Sairigné (Tarascon, Bouches-du-Rhône, 18-III-1950), armurier [120], allié Crozon, Finistère, 4-VIII-1975 à Chantal Moulin (Saint-Cirgues-La Loutre 29-VII-1944), secrétaire, fille de Joseph, comptable, et de Marie-Jeanne Chenillot, s.p.a.,

• Hugues de Sairigné (Tarascon 15-VII-1954), technicien, s.a.a.,

• Christine de Sairigné (Avignon 28-III-1959), s.a.a.,

• Valérie de SAIRIGNÉ (Avignon 1-X-1962),

— Monique-Marie ROLAND-GOSSELIN (Paris 16ᵉ 6-VIII-1926), secrétaire médicale, alliée Paris 16ᵉ 23-V-1946 à Jehan-Xavier PAVRET de LA ROCHEFORDIÈRE (Cholet 10-V-1921), cadre commercial (exportation), conseiller du commerce extérieur de la France, capitaine de cavalerie, fils de Xavier, chef d'escadrons de cavalerie, et d'Edith PELLAUMEIL, dont

   • Patrice de LA ROCHEFORDIÈRE (Paris 16ᵉ 9-VII-1947), juriste d'entreprise, allié Paris 7ᵉ 20-IV-1974 à Chantal BAVELIER (Paris 15ᵉ 8-XI-1951), fille de Louis, secrétaire général de société (pétrole)[121], et de Françoise MORILLOT, dont

      •• Julien de LA ROCHEFORDIÈRE (Paris 15ᵉ 11-VIII-1978),

   • Bruno de LA ROCHEFORDIÈRE (Saint-Mandé 8-IX-1949 - Paris 16ᵉ 30-IX-1961),

   • Ghislain de LA ROCHEFORDIÈRE (Varsovie 23-X-1954), s.a.a.,

   • Denis de LA ROCHEFORDIÈRE (Bühl, Bade, 18-X-1956), s.a.a.,

   • Benoît de LA ROCHEFORDIÈRE (Paris 15ᵉ 15-IX-1964),

— Michel ROLAND-GOSSELIN (Paris 16ᵉ 6-V-1929 - Paris 17ᵉ 19-II-1950 [33]), s.a.,

c - Roger ROLAND-GOSSELIN (Paris 8ᵉ 16-V-1903), agent de change, allié Reims 14-II-1927 à Hélène BRUGNON (Reims 30-I-1905), fille de Paul, producteur négociant de vins de Champagne, et de Mathilde BRUNESSEAUX, dont

— Nicole ROLAND-GOSSELIN (Paris 16ᵉ 6-IV-1929) alliée Paris 16ᵉ 19-IV-1951 à Louis CHAUCHAT (Paris 17ᵉ 18-VIII-1924), directeur de compagnie d'assurances[122], fils de Henri, ancien élève de l'Ecole polytechnique, directeur de société[123], et de Germaine MASQUELIER, dont

   • Dominique-Henri CHAUCHAT (Lille 28-I-1952), s.a.a.,

   • Florence CHAUCHAT (Lille 20-XII-1953), s.a.a.,

   • Thierry CHAUCHAT (Lille 17-XI-1955), s.a.a.,

— Denise ROLAND-GOSSELIN (Paris 16ᵉ 28-VIII-1931), secrétaire médicale, s.a.a.,

— Claude ROLAND-GOSSELIN (Paris 16ᵉ 15-IV-1935), directeur de société immobilière, allié Rouen 17-III-1967 à Claire VOISIN (Rouen 24-V-1945), fille de Jacques, industriel (textile), et de Janine BUGNOT, dont

● Olivia ROLAND-GOSSELIN (Paris 14ᵉ 7-IX-1967),

● Aude ROLAND-GOSSELIN (Levallois-Perret 5-XI-1970),

● François-Marie ROLAND-GOSSELIN (Neuilly-sur-Seine 23-XII-1973),

— Béatrice ROLAND-GOSSELIN (Paris 16ᵉ 28-XI-1947) alliée Paris 16ᵉ 29-V-1970 à Jean-Pierre JUSSEAU (Paris 16ᵉ 26-I-1946), représentant, fils de Pierre, industriel, et de Giselle MENANTEAU, dont

● Stéphanie JUSSEAU (Paris 15ᵉ 31-VII-1971),

● Laetitia JUSSEAU (Paris 14ᵉ 24-IV-1974),

● Aymeric JUSSEAU (Paris 14ᵉ 16-III-1978),

4 - Céline DUTEY-HARISPE (Eaubonne 22-IX-1875 - Paris 8ᵉ 30-X-1950) alliée Paris 8ᵉ 14-VI-1898 à Charles FROGER de MAUNY (Saint-Germain-en-Laye 13-VI-1867 - Paris 16ᵉ 16-VIII-1936), propriétaire agriculteur, membre de l'Académie d'agriculture, fils de Paul, magistrat, et d'Amélie FAUQUEUX [124], dont

a - René de MAUNY (Paris 8ᵉ 27-VIII-1899 - Paris 8ᵉ 9-I-1901),

b - Yvonne de MAUNY (Paris 8ᵉ 1-IV-1903) alliée Paris 8ᵉ 3-VI-1924 à Pierre baron LAMBOT de FOUGÈRES (Sommesnil 22-XI-1900), cadre de banque, puis avocat conseil, fils de Raoul, propriétaire agriculteur, et d'Anne-Marie COQUEREL d'IQUELON [125], mariage dissous par jug. du t. c. de la Seine le 19-VI-1930 [Pierre baron LAMBOT de FOUGÈRES s'est remarié 1) à Paris 16ᵉ le 4-I-1936 à Marie-Louise DAMOURETTE (Paris 10ᵉ 9-IV-1900 - morte avant 1958), fille de Henri-Martin, employé de banque, et de Eugénie-Marie GUIBERT, 2) Tessé-la-Madeleine 27-III-1958 à Thérèse-Danièle BABAYOU (Oradour-sur-Glane 15-II-1932), professeur de sciences, fille de Henri, inspecteur des finances, et de Camille-Marie RIVALLIER, institutrice, mariage dissous par jug. du t. c. de Caen le 10-III-1971], dont uniquement

— Monique de FOUGÈRES (Paris 6e 29-III-1925) alliée
Paris 8e 23-V-1951 à Maurice PÉROUSE (Saint-Rambert-
Ile-Barbe 24-III-1914), ingénieur de l'Ecole centrale
de Paris, inspecteur général des finances, directeur
général de la Caisse des dépôts et consignations, fils de
Jean, ingénieur civil des mines, et de Juliette BONNE-
TAIN, dont

● Denis PÉROUSE (Neuilly-sur-Seine 26-II-1952), ache-
teur dans une grande surface, allié Paris 17e 27-IV-
1978 à Violaine RICOUR LAGACHE de BOURGIES (Paris
17e 31-VIII-1952), agent commercial, fille du comte
Christian, publicitaire indépendant, et de Solange de
LESTRANGE, dont

●● Matthieu PÉROUSE (Paris 8-II-1980),

● Christian PÉROUSE (Neuilly-sur-Seine 2-IV-1953),
architecte, s.a.a.,

● Olivier PÉROUSE (Washington 11-XI-1954), contrôleur
financier, s.a.a.,

● Anne PÉROUSE (Neuilly-sur-Seine 11-IX-1960), s.a.a.,

C - Marie-Isabelle DUTEY-HARISPE (Pau 29-IV-1844 - Paris 8e 17-II-
1921) alliée Paris 8e 23-V-1864 à Eugène-Achille LACROIX de
VIMEUR marquis de ROCHAMBEAU (Beaucaire, Gard, 13-IV-1836 -
Thoré-la-Rochette 2-IX-1897), propriétaire, président de la
Société archéologique du Vendômois [126], fils d'Alexandre-
Edouard LACROIX, avocat au barreau de Montpellier, puis ins-
pecteur de l'enseignement primaire, et d'Antoinette TAVERNEL [127],
fils adoptif (acte passé le 29-III-1862 devant le juge de paix de
Vendôme, approuvé par jug. du t. de Vendôme du 4-IV-1862
et arrêt de la cour d'appel d'Orléans du 10-V-1862) [128] d'Auguste-
Philippe-Donatien de VIMEUR marquis de ROCHAMBEAU, colonel
de cavalerie, pair de France [129], et d'Elisa-Pauline de ROQUES de
CLAUSONNETTE [130], épouse du précédent, dont [131]

1 - Philippe marquis de ROCHAMBEAU (Thoré-la-Rochelle 13-XI-
1865 - Thoré-la-Rochette 13-VII-1899), officier des haras,
allié Pernay 4-II-1891 à Valentine AUVRAY (Tours 24-VI-
1870 - Thoré-la-Rochette 24-IV-1949), fille du baron Raoul,
propriétaire, et de Marie-Cécile GOÜIN [132], dont

a - Jean marquis de ROCHAMBEAU (Thoré-la-Rochette 14-IV-
1892 - ✕ Klinzrung, Haut-Rhin, 14-VI-1915 [133]), lieutenant
de cavalerie, s.a.,

b - Isabelle de ROCHAMBEAU (Thoré-la-Rochette 12-VIII-1893 Versailles 8-VII-1974) alliée Tours 8-VI-1920 à Pierre comte de BERNES de LONGVILLIERS (Saint-Omer 16-I-1886 - Versailles 29-IV-1948) [134], chef d'escadrons de cavalerie, fils d'Arnold marquis de BERNES de LONGVILLIERS, propriétaire, capitaine de cavalerie, et de Marguerite-Marie LE SERGEANT de MONNECOVE, dont

— Arnold marquis de LONGVILLIERS (Saumur 27-VII-1921), général de brigade (air), allié 1) Le Chesnay 13-VII-1946 à Jacqueline LE FORESTIER du BUISSON-SAINTE-MARGUERITE (Poitiers 5-IV-1924 - Le Chesnay 12-V-1947), fille de René, lieutenant-colonel de l'armée de l'air, et de Marguerite BODIN, 2) Versailles 8-XII-1950 à Brigitte DEBAINS (Saint-Hélen 22-VIII-1926), fille de Frédéric, attaché commercial, et de Renée ALDEBERT, dont

du 1ᵉʳ mariage

● Philippe comte de LONGVILLIERS (Versailles 10-V-1947), ancien élève de l'Ecole supérieure de commerce de Paris, cadre de banque, allié Castets-des-Landes 3-VII-1971 à Florence AGOSTINI (Port-of-Spain, Trinidad, 26-VI-1950), fille de François, ancien élève de l'Ecole des hautes études commerciales, directeur d'une exploitation de cannes à sucre (Trinidad), et de Danielle de CALMELS-PUNTIS, dont

●● Vanessa de LONGVILLIERS (Versailles 7-I-1972),

●● Florian de LONGVILLIERS (Versailles 9-IX-1974),

●● Aude de LONGVILLIERS (New York 8-I-1976).

du 2ᵉ mariage

● Emmanuel de LONGVILLIERS (Versailles 25-XII-1951), agent commercial, allié Boulogne-Billancourt 10-V-1975 à Marie-Hélène POISSON (Nevers 11-V-1954), fille de Jean-Marc, secrétaire général de société, et de Marie-Thérèse LEMOYNE, s.p.a.,

● Pierre de LONGVILLIERS (Versailles 21-XII-1952), ingénieur de l'Institut polytechnique des sciences appliquées, ingénieur dans l'industrie (aéronautique), allié Versailles 13-VI-1980 à Barbara LEFEBVRE (Versailles 18-I-1957), fille de Philippe, président-

directeur général de société, et de Nicole ANDRÉ-
JULES,

● Xavier de LONGVILLIERS (Versailles 9-V-1954), s.a.a.,

● Bénédicte de LONGVILLIERS (Alger 25-IV-1956), secrétaire, alliée Versailles 14-V-1977 à Thierry CHAPLAIN
(Versailles 10-II-1955), licencié en droit, clerc de
notaire, fils de Jean, négociant en vins, et de Marie-
Thérèse PINCEMIN, dont

●● Stéphanie CHAPLAIN (Versailles 25-X-1977),

● Thierry de LONGVILLIERS (Versailles 20-III-1958),
s.a.a.,

● Ségolène de LONGVILLIERS (Versailles 16-X-1959),
s.a.a.,

● Véronique de LONGVILLIERS (Versailles 29-IV-1963),

— Benoîte de LONGVILLIERS (Thoré-la-Rochette 21-VIII-
1922) alliée Versailles 22-VII-1944 au comte Charles
ROLLAND de CHAMBAUDOIN d'ERCEVILLE (Paris 7ᵉ 29-V-
1920), ancien élève de l'Ecole polytechnique, ingénieur
du génie maritime, fils du comte Henri, propriétaire, et
de Gabrielle LEVÊQUE de VILMORIN [135], dont

● comte Bruno d'ERCEVILLE (Versailles 13-VII-1945),
ingénieur de l'Institut industriel du nord de la France,
chef de service (banque), allié Toulon 28-VIII-1970 à
Isabelle de GRASSET (Toulon 31-III-1950), fille
d'Emmanuel marquis de GRASSET, commissaire général de la marine, et de Suzanne THOMAS, dont

●● Emmanuela d'ERCEVILLE (Fontenay-sous-bois 15-
IV-1971),

●● Caroline d'ERCEVILLE (Versailles 6-VI-1972),

●● Alexandre d'ERCEVILLE (Versailles 25-XI-1973),

●● Adélaïde d'ERCEVILLE (Bordeaux 7-IV-1979),

● Gabrielle d'ERCEVILLE (Le Havre 19-IX-1946), décoratrice, alliée Versailles 29-XII-1973 à Gérard TIM-
BERT (Paris 3ᵉ 17-X-1944), ingénieur de l'Institut
industriel du nord de la France, ingénieur dans
l'industrie, fils de Pierre, directeur commercial, et de
Jeanne COUDERC, dont

•• Raphaelle TIMBERT (Valognes 19-II-1968),

•• Benoît TIMBERT (Charenton-le-pont 3-V-1975),

•• Marie-Jeanne TIMBERT (Charenton-le-pont 11-V-1977),

• Pascale d'ERCEVILLE (Le Havre 6-V-1948) alliée Versailles 29-VII-1974 à Denis BACHOLLE (Boulogne-Billancourt 6-I-1947), cadre commercial, fils de Pascal, président de sociétés, et de Béatrice BARDOUX [136], dont

•• Sophie BACHOLLE (Versailles 1-III-1976),

•• Jeanne BACHOLLE (Versailles 6-II-1979),

• comte Patrick d'ERCEVILLE (Le Havre 31-VII-1949), diplômé de l'Ecole supérieure d'ingénieurs en électrotechnique et électronique, ingénieur dans l'industrie, allié La Celle-Saint-Cloud 18-II-1978 à Isabelle PASQUIER de FRANCLIEU (Neuilly-sur-Seine 10-IX-1948), secrétaire, fille du comte Robert, directeur général de société, et de Simone LETESSIER [137], dont

•• Nicolas d'ERCEVILLE (Versailles 2-II-1979),

• Anne d'ERCEVILLE (Le Havre 29-VII-1950), hôtesse de l'air, aliée Versailles 17-IV-1976 à Daniel BOINOT (Paris 14e 25-XII-1945), sous-directeur d'agence de banque [138], fils de Robert, directeur de société, et de Suzanne FORNERO, dont

•• Camille BOINOT (Hong-Kong 27-VI-1978),

• Isabelle d'ERCEVILLE (Versailles 7-IX-1959), s.a.a.,

— comte Jean-Bertrand de LONGVILLIERS (Saint-Germain-en-Laye 18-I-1924 - ✕ Chon-Tan, Indochine, 28-XII-1952), lieutenant de cavalerie, allié Versailles 2-IV-1947 à Louise LE COUTEULX de CAUMONT (Etrépagny 29-VIII-1926 - Le Port Marly 23-VI-1979), fille du comte Hubert, agent général d'assurances, et de Marie MATHÉUS [Louise LE COUTEULX de CAUMONT s'est remariée à Versailles le 17-III-1965 au comte Carle DUBERN (Paris 7e 19-VIII-1923 - Versailles 22-IX-1975), cadre technico-commercial (pétrole), fils de Jules-Eugène comte DUBERN, chef de service à la Banque de France, et de Françoise BOYER de FONSCOLOMBE], dont

• comte Hubert de LONGVILLIERS (Baden-Baden, Allemagne, 4-II-1949), architecte D.P.L.G., ancien élève de l'Institut supérieur des affaires, allié La Chapelle-Iger 6-VII-1972 à Isabelle MICHON (Paris 16ᵉ 9-VI-1951), fille de Jean, directeur de société, et de Jacqueline TENAILLE d'ESTAIS, dont

•• Jean-Bertrand de LONGVILLIERS (Quimper 25-XI-1978),

• comte Charles-Henri de LONGVILLIERS (Edenkoben, Palatinat, 28-IX-1950), docteur en médecine, allié Versailles 29-X-1976 à Anne PARSY (Nancy 12-XI-1951), secrétaire, fille de Jacques, agent commercial, et de Marie de COUESPEL, dont

•• Arnold de LONGVILLIERS (Versailles 29-VII-1978),

•• Marguerite de LONGVILLIERS (Avranches 12-XI-1979),

— Brigitte de LONGVILLIERS (Saint-Germain-en-Laye 21-II-1925) ¹³⁹ alliée Metz 8-V-1976 à Xavier MARTIN de MAROLLES (Allouis 16-VI-1921 - Troyes 8-IX-1976 ³⁵), ingénieur de l'Institut électrotechnique de Grenoble, fils de Robert, propriétaire, et de Marguerite COQUEREL d'IQUELON ¹⁴⁰ [Xavier MARTIN de MAROLLES avait épousé précédemment à Appilly le 16-X-1953 Marthe KIRGENER de PLANTA (Appilly 15-VII-1927 - Rombas 13-VII-1972), fille de François baron de PLANTA, propriétaire, et de Mathilde du CAUZÉ de NAZELLE ¹⁴¹], s.p.,

— Marie-Agnès de LONGVILLIERS (Saint-Germain-en-Laye 22-V-1926), puéricultrice, s.a.a.,

— Sabine de LONGVILLIERS (Versailles 5-X-1927) alliée Versailles 8-IX-1950 au comte Olivier LE COUTEULX de CAUMONT (Etrepagny 8-IV-1923), agent général d'assurances, frère de Louise précitée, dont

• Christine LE COUTEULX de CAUMONT (Versailles 30-XII-1952), s.a.a.,

• Stéphanie LE COUTEULX de CAUMONT (Versailles 9-V-1954), s.a.a.,

• Laurence LE COUTEULX de CAUMONT (Versailles 3-XII-1956), alliée Versailles 24-IX-1976 à Jacques NOIZET (Paris 17ᵉ 24-III-1946), maître d'œuvre (bâtiment), fils de Bernard, ingénieur, et d'Anne-Marie WILLIG, dont

•• Corentin NOIZET (Dinan 16-IX-1977),

● Béatrice Le Couteulx de Caumont (Versailles 19-II-1959), s.a.a.,

— comte Antoine de Longvilliers (Versailles 12-V-1929), lieutenant-colonel de l'armée de l'air, allié Le Chesnay 8-X-1954 à Jacqueline Hème de Lacotte (Arques-la-bataille 16-XI-1930), fille de Robert, ingénieur, et de Madeleine Regnault de La Mothe, dont

● Bertrand de Longvilliers (Versailles 30-IX-1956), s.a.a.,

● Benoît de Longvilliers (Orléans 21-III-1958), s.a.a.,

● Etienne de Longvilliers (Orléans 3-X-1959), s.a.a.,

● Dominique [142] de Longvilliers (Toulouse 2-I-1961),

● Laurent de Longvilliers (Pau 20-XI-1964),

● Marie-Christine de Longvilliers (Versailles 8-XII-1965 - Versailles 8-XII-1965),

● Marie-Odile de Longvilliers (Versailles 29-X-1966 - Versailles 2-XI-1966),

● Donatienne de Longvilliers (Suresnes 5-XI-1969),

● François de Longvilliers (Metz 30-V-1972),

— Christine de Longvilliers (Thoré-la-Rochette 19-VIII-1930), religieuse bénédictine,

— Godelive de Longvilliers (Versailles 6-IV-1932 - Saint-Cloud 23-III-1979) alliée Versailles 22-VI-1961 au vicomte Marc de Boisboissel (Hué, Vietnam, 12-I-1931), directeur général d'une société de négoce, fils du vicomte Michel, administrateur de la France d'outre-mer, et de Guillemette Mazères, dont

● Alex de Boisboissel (Paris 16e 25-VII-1963),

● Muriel de Boisboissel (Paris 15e 28-XII-1965),

— Hedwige de Longvilliers (Versailles 6-X-1937) alliée Versailles 1-VII-1961 à Edouard Lagroy de Croutte de Saint-Martin (Aurillac 5-VI-1937), ingénieur chimiste, fils de Georges, inspecteur général des haras, et de François de La Celle, dont

● Henri de Croutte de Saint-Martin (Versailles 1-IV-1962),

- Nathalie de CROUTTE de SAINT-MARTIN (Versailles 19-VI-1964),

- Flavie de CROUTTE de SAINT-MARTIN (Versailles 6-I-1969),

- Arnaud de CROUTTE DE SAINT-MARTIN, (Versailles 21-VIII-1971),

- Thibaut de CROUTTE de SAINT-MARTIN (Versailles 27-XI-1972),

c - Marie-Thérèse de ROCHAMBEAU (Thoré-la-Rochette 24-VII-1894 - Epinay-sous-Sénart 8-VI-1974), fille de la charité de Saint Vincent de Paul, supérieure d'une maison de cet ordre,

d - Hubert marquis de ROCHAMBEAU (Thoré-la-Rochette 5-IX-1895 - ✗ Malancourt, Meuse, 5-V-1916 [143]), aspirant d'infanterie, s.a.,

e - Odette de ROCHAMBEAU (Paris 8e 12-I-1898) alliée Tours 27-II-1919 au comte André MASSON-BACHASSON de MONTALIVET (Herry 25-XI-1891 - Paris 18e 6-IV-1965), ancien élève de l'Ecole polytechnique, président et administrateur de sociétés [144], colonel d'artillerie, fils du comte Charles [145], ancien élève de l'Ecole polytechnique, administrateur de sociétés, vice-président de la Croix-rouge française, chef d'escadron d'artillerie, et de Jeanne DUVERGIER de HAURANNE [146], dont

— Ghislaine de MONTALIVET (Thoré-la-Rochette 1-IX-1920) alliée 1) Chouday 16-VII-1942 au comte Jean BUREAUX de PUSY-DUMOTTIER de LAFAYETTE (Clermont-Ferrand 17-IV-1903 - ✗ Chauvé 7-II-1945), propriétaire, lieutenant de cavalerie, fils de Gilbert [147], propriétaire, et de Marie-Louise DUMAS [le comte Jean BUREAUX de PUSY-DUMOTTIER de LAFAYETTE avait épousé précédemment à Issoudun le 25-XI-1931 Sabine DESPREZ (Saint-Maur, Indre, 30-VIII-1910 - Chouday 31-X-1935), fille d'Emile-Hippolyte DESPREZ, propriétaire, et de Madeleine-Louise GRENOUILLET], 2) Thoré-la-Rochette 13-VI-1946 à René comte BUREAUX de PUSY-DUMOTTIER de LAFAYETTE (Clermont-Ferrand 25-X-1905), propriétaire, président du Comité français du souvenir de La Fayette, frère du précédent, dont

du 1er mariage

● Geneviève de PUSY-LAFAYETTE (Chouday 24-VIII-1943) alliée Volloré-Ville 21-VII-1967 à Michel AUBERT (Saint-Myon 6-VI-1944), ingénieur de l'Institut national agronomique, fils de François, docteur en médecine, et de Marie-Claire CONTAMINE, dont

●● Virginie AUBERT (Clermont-Ferrand 29-VIII-1970),

●● Anne-Claire AUBERT (Clermont-Ferrand 22-X-1972),

●● Marie-Amélie AUBERT (Limoges 8-XI-1976),

●● François-Xavier AUBERT (Moulins 31-V-1979),

du 2ᵉ mariage

● Elisabeth de PUSY-LAFAYETTE (Issoudun 16-III-1947), attachée à l'Ecole pratique des hautes études (IVᵉ section) [148], alliée Paris 8ᵉ 18-XII-1974 à Victor NGUYEN (Marseille 13-VI-1936), attaché de recherches au Centre national de la recherche scientifique [149], fils de Charles-Tu-Nong, marin, et de Rose-Etiennette ANDRÉ, s.p.a.,

● Delphine de PUSY-LAFAYETTE (Issoudun 30-III-1949) alliée Paris 8ᵉ 28-II-1975 à Edouard GOHIN (Bourges 27-VIII-1951), propriétaire agriculteur, fils de Jean-Louis, propriétaire agriculteur, et de Pauline-Antoinette DELBET, dont

●● Jean GOHIN (Bourges 3-IX-1975),

●● Louis-Frédéric GOHIN (Bourges 27-VII-1976),

●● Aude GOHIN (Bourges 22-IX-1977),

● Gilbert de PUSY-LAFAYETTE (Issoudun 21-I-1952), biochimiste dans un laboratoire d'hôpital, s.a.a.,

— comte Robert de MONTALIVET (Thoré-la-Rochette 2-X-1922), ingénieur de l'Ecole centrale de Paris, secrétaire général adjoint de compagnie d'assurances, allié Paris 8ᵉ 27-VI-1947 à Martine GORGEU (Paris 16ᵉ 9-XI-1925), fille de Serge, agent de change, et d'Hélène de NERVO, dont

● comte Dominique de MONTALIVET (Paris 8ᵉ 23-IV-1948), agriculteur, allié Lantan 18-VI-1977 à Agnès de GANAY (Lantan 15-V-1956), fille du comte Elie, propriétaire agriculteur, président de la chambre d'agriculture du Cher, et d'Antoinette de FROISSARD de BROISSIA, dont

•• Jérôme de MONTALIVET (Cosne-sur-Loire 3-XII-1978),

•• Emmanuel de MONTALIVET (Cosne-sur-Loire 3-XII-1978),

• comte Guy de MONTALIVET (Paris 8e 13-X-1949), cadre de banque, allié Morlac 31-V-1974 à Dominique PAL-LIENNE TAILHANDIER du PLAIX (Morlac 19-VIII-1949), fille de Hubert, propriétaire agriculteur, et de Claude PASSERAT de SILANS, dont

•• Philippe de MONTALIVET (Versailles 19-VII-1975),

•• Edouard de MONTALIVET (Meudon 23-II-1977),

•• Marie-Nadège de MONTALIVET (Meudon 9-X-1978),

• Philippe de MONTALIVET (Paris 8e 10-IV-1952 - Herry 22-VII-1968),

• Marie-Adélaïde de MONTALIVET (Neuilly-sur-Seine 28-XII-1958) alliée Herry 1-VII-1978 à Eric PALLIENNE TAILHANDIER du PLAIX (Saint-Amand-Montrond 17-V-1951), agriculteur, frère de Dominique précitée, dont

•• Caroline PALLIENNE du PLAIX (Bourges 12-IV-1979),

— Yolande de MONTALIVET (Bourges 17-I-1924) alliée Paris 8e 21-I-1950 au comte Robert d'ESPINAY-SAINT-LUC (Dangeau 30-IV-1923), propriétaire agriculteur, fils de François marquis d'ESPINAY-SAINT-LUC, propriétaire, et de Françoise de POSSESSE, dont

• Agnès d'ESPINAY-SAINT-LUC (Luc-sur-mer 2-IX-1950) alliée Veilleins 3-IX-1977 au vicomte Olivier du BREIL de PONTBRIAND (Chailland 10-XI-1940), propriétaire agriculteur et employé de banque, fils du vicomte Jean, propriétaire agriculteur, et de Guillemette LE TOURNEURS du VAL,

• comte François d'ESPINAY-SAINT-LUC (Romorantin 13-IX-1951), cadre de banque, allié Blois 6-IX-1975 à Armelle GIRAUDET de BOUDEMANGE (Reims 19-X-

1947), fille de Ferdinand, lieutenant-colonel de cavalerie, et d'Yolande de Bras de Fer, dont

•• Astrid d'Espinay-Saint-Luc (Blois 31-V-1976),

•• Ségolène d'Espinay-Saint-Luc (Blois 10-III-1978),

• comte Jean-Loup d'Espinay-Saint-Luc (Romorantin 10-XII-1952), cadre administratif, allié Gastes 24-IV-1976 à Sérène Marraud des Grottes (Bénodet 11-III-1955), fille du comte Michel, directeur dans une compagnie d'assurances, et de Chantal Le Moing, dont

•• Aurore d'Espinay-Saint-Luc (Bordeaux 14-I-1977),

•• Thimoléon-Régis d'Espinay-Saint-Luc (Bordeaux 10-VII-1978),

• comte Henri d'Espinay-Saint-Luc (Blois 6-XI-1954), s.a.a.,

2 - René marquis de Rochambeau (Thoré-la-Rochette 13-XII-1866 - Chitray 10-IV-1941), propriétaire [150], allié Paris 8ᵉ 5-VI-1894 à Marie-Suzanne Rouxel (Draveil 9-IX-1874 - Chitray 27-II-1947) [151], fille d'Albert et de Marthe Minoret, dont

a - Solange de Rochambeau (Chitray 11-VIII-1896 - Paris 7ᵉ 20-VI-1962) alliée Paris 16ᵉ 14-VI-1921 au baron Louis de Maistre (Lille 30-III-1888 - Rennes 26-VIII-1978), propriétaire, quelque temps cadre de banque, capitaine de cavalerie, fils du baron Henry, colonel de cavalerie, et de Magdeleine de Coriolis d'Espinouse [le baron Louis de Maistre s'est remarié à Paris 16ᵉ le 13-VI-1963 à Odette de La Cornillère de Coniac [152] (Paris 7ᵉ 16-IV-1895), fille de Henri comte de La Cornillère et d'Angèle-Laure Alberti], dont

— baron Henri de Maistre (Paris 16ᵉ 2-III-1922), courtier maritime, allié Bombon 28-IX-1946 à Jacqueline Marois (Paris 11ᵉ 4-V-1923), fille de Paul, ancien élève de l'Ecole polytechnique, ingénieur des Ponts-et-chaussées, directeur commercial de la S.N.C.F., puis président de l'Office des engrais azotés, et de Simone Baudouin, dont

• Dominique de Maistre (Abidjan 13-V-1947) alliée Saint-Jacut-de-la-mer 7-VIII-1972 à Jacques Jouny

(Dinan 3-VIII-1948), capitaine d'artillerie, fils d'Armand, colonel (transmissions), et d'Annie LE CLEZIO, dont

•• Gwendoline JOUNY (Landau, Allemagne, 21-III-1975),

•• Nolwenn [153] JOUNY (Phalsbourg 2-VII-1977),

• baron Hugues de MAISTRE (Grand Bassam, Côte-d'Ivoire, 13-V-1948), agent électronicien, allié Buno-Bonnevaux, 13-V-1972 à Nadine LOUVET (Paris 17ᵉ 1-I-1951), fille de Fernand, comptable (banque), et de Denise LANGLOIS, dont

•• Xavier de MAISTRE (Rueil-Malmaison 30-X-1972),

•• Coralie de MAISTRE (Chelles, Seine-et-Marne, 15-XII-1975),

•• Axel de MAISTRE (Grande-Synthe 17-XII-1977),

•• Patricia de MAISTRE (Grande-Synthe 5-II-1979),

• Caroline de MAISTRE (Saint-Jacut-de-la-mer 12-IX-1949) alliée Malo-les-bains 27-V-1972 à Marc-Antoine PODLUNSEK (Vendin-le-vieil 24-XII-1947), aide-chimiste, fils d'Antoine, ingénieur (métallurgie), et d'Aimée WAUTERS, dont

•• Vincent PODLUNSEK (Dunkerque 27-XI-1972),

•• Emmanuel PODLUNSEK (Grande-Synthe 24-IX-1978),

• Véronique de MAISTRE (Majunga, Madagascar, 8-XII-1951) alliée Buno-Bonnevaux 20-IV-1973 à Jean-Marc BERTIN (Paris 15ᵉ 11-VII-1949), chef de travaux (travaux publics), fils de Marcel, directeur d'école, et d'Arlette CHANDEBOIS, dont

•• Didier BERTIN (Dunkerque 16-XII-1973),

•• Stéphane BERTIN (Dunkerque 16-XII-1973),

•• Delphine BERTIN (La Varenne-Saint-Hilaire 25-VIII-1976),

• baron François-Erik de MAISTRE (Saint-Mandé 9-II-1954), sous-officier de l'armée de l'air, allié Dunkerque 25-XI-1977 à Brigitte POIGNANT (Rosendaël 27-I-1961), fille d'Auguste, transporteur, et de Geneviève BORDEAU,

● Virginie de MAISTRE (Saint-Mandé 28-V-1957), infirmière diplômée d'état, s.a.a.,

● Ivan de MAISTRE (Saint-Mandé 23-II-1962),

— Marie-Magdeleine de MAISTRE (Chitray 3-IX-1923 - Montevideo 14-V-1979) alliée Montréal, Canada, 22-VI-1954 à Rostislaw DONN (Sébastopol, Russie, 2-XII-1919), ancien élève de l'Ecole libre des sciences politiques de Paris, licencié ès lettres, conseiller commercial de France, fils de Vsevelod, capitaine de frégate (marine russe), et d'Anna ALENNIKOV, dont

● Nathalie DONN (Washington 19-III-1955), s.a.a.,

● Alexis DONN (Paris 16e 2-XII-1956), s.a.a.,

● Wladimir DONN (Paris 17e 4-XII-1957), s.a.a.,

● Philippe DONN (Paris 16e 11-III-1961),

— Bernadette de MAISTRE (Paris 16e 21-XII-1926) alliée Paris 16e 12-XI-1949 à Patrice O'MURPHY (La Ferté-sous-Jouarre 15-III-1920), agent technique, fils de Félix, directeur de banque, et de Berthe POULLIAUDE de CARNIÈRES, dont

● Jocelyne O'MURPHY (Boulogne-Billancourt 19-X-1950) alliée Saint-Malo 28-VI-1975 à Tanguy COLLEU (Rennes 24-VIII-1949), ingénieur informaticien, fils de Jacques, directeur commercial, et d'Hélène SUBLÉ, dont

●● Anne COLLEU (Rueil-Malmaison 26-IV-1978),

● Loïc O'MURPHY (Boulogne-Billancourt 11-IX-1951), licencié ès lettres, allié Rueil-Malmaison 22-II-1975 à Yannick TERRIER (Mouy, Oise, 28-X-1955), hôtesse, fille de Jacques, maçon, et de Lucette BOURREAU, vendeuse, s.p.a.,

● Claire O'MURPHY (Paramé 12-VI-1953), infirmière diplômée d'état, alliée Rueil-Malmaison 27-IX-1979 à Xavier LE BRIS (Brunoy 6-II-1954), ingénieur, fils de René, fonctionnaire au ministère de l'industrie, et de Jeannine ROLLAND,

● Bernard O'MURPHY (Suresnes, Hauts-de-Seine, 7-XII-1956), technicien (électromécanique), s.a.a.,

● Chantal O'MURPHY (Suresnes 7-XII-1956), monitrice, s.a.a.,

● Christophe O'Murphy (Suresnes 22-IX-1958), horti-culteur-paysagiste, s.a.a.,

— Elisabeth de Maistre (Paris 16ᵉ 25-VI-1935), dessina-teur, alliée Paris 6ᵉ 11-IX-1956 à Jean Petit (Paris 15ᵉ 8-II-1932), peintre publicitaire, fils d'André, représen-tant de commerce, et de Gilberte Lefèvre, dont

● Odile Petit (Paris 15ᵉ 16-III-1957), s.a.a.,

● Vincent Petit (Paris 15ᵉ 14-V-1958), s.a.a.,

b - Anne de Rochambeau (Chitray 10-VIII-1897) alliée Paris 16ᵉ 10-VII-1920 à Robert Couderc de Saint-Cha-mant (Paris 7ᵉ 8-VI-1890 - Paris 16ᵉ 8-XI-1957), ingénieur (électricien) de l'Institut industriel du Nord de la France, fils de Paul, propriétaire, et de Jeanne Flavigny, dont

— Yvonne de Saint-Chamant (Paris 16ᵉ 15-IV-1921) alliée Paris 16ᵉ 15-XII-1948 à Michel de Lacoste de Laval (Versailles 4-XII-1919), ancien élève de l'Ecole supé-rieure des sciences économiques et commerciales, cadre commercial, fils de Raymond, colonel d'infanterie, et de Suzanne Doé de Maindreville [154], dont

● Sylvie de Lacoste de Laval (Boulogne-Billancourt 12-IX-1949) alliée Paris 16ᵉ 3-III-1972 à Jérôme Hussenot-Desenonges (Boulogne-Billancourt 17-XII-1946), docteur en sciences (3ᵉ cycle), écologiste diplô-mé, fils de Pierre [155], professeur (arts), et d'Annie Tiné, dont

●● Julie Hussenot-Desenonges (Paris 16ᵉ 26-VIII-1972),

● Arnaud de Lacoste de Laval (Boulogne-Billancourt 16-X-1950), berger, allié Chanteloup-les-vignes 18-X-1974 à Roseline Meffre (Singapour 28-VIII-1953), fille de Philippe, sous-directeur, et de Colette Ville-dieu de Torcy, dont

●● Blandine de Lacoste de Laval (Quillan 23-III-1976),

●● Grégoire de Lacoste de Laval (Quillan 26-II-1978),

● Constance de Lacoste de Laval (Boulogne-Billan-court 21-VI-1953), s.a.a.,

- Frédéric de LACOSTE de LAVAL (Paris 16e 19-X-1960), s.a.a.,

- Nathalie de LACOSTE de LAVAL (Paris 16e 3-VIII-1962),

— Colette de SAINT-CHAMANT (Paris 16e 2-IX-1922) alliée Paris 16e 19-VI-1952 à Pierre de LACOSTE de LAVAL (Mayence, Allemagne, 5-II-1925), propriétaire agriculteur et éleveur, frère de Michel précité, dont

- Anne de LACOSTE de LAVAL (Bernay 1-VI-1953), ingénieur électricien, alliée Saint-Quentin-des-Isles 6-VII-1974 à Jean-Luc JAILLANT (Château-Thierry 3-I-1954), ingénieur électricien, fils de Maurice-Charles, directeur d'école, et de Mireille-Adrienne ROBICHE, s.p.a.,

- Antoinette de LACOSTE de LAVAL (Bernay 23-III-1955), esthéticienne, alliée Saint-Quentin-des-Isles 26-VIII-1978 à Christian LAVAL (Saint-Mandé 30-III-1952), ancien élève de l'Ecole supérieure des sciences économiques et commerciales, cadre commercial, fils de Régis, général de brigade, et de Geneviève GROUT de BEAUFORT,

- Marie-Laure de LACOSTE de LAVAL (Bernay 10-V-1956), secrétaire médicale, alliée Saint-Quentin-des-Isles 23-VII-1977 à Christian MAUPOINT de VANDEUL (Saint-Nicolas-du-Bosc-l'abbé 23-X-1948), docteur en médecine, radiologue, fils de Henri baron MAUPOINT de VANDEUL, cadre commercial (produits pour l'agriculture), et de Marie-France d'AUGUSTIN de BOURGUISSON,

- Philippe de LACOSTE de LAVAL (Bernay 12-VI-1957), s.a.a.,

- Hervé de LACOSTE de LAVAL (Bernay 16-XII-1958), s.a.a.,

- Olivier de LACOSTE de LAVAL (Bernay 1-VI-1960), s.a.a.,

- Hubert de LACOSTE de LAVAL (Bernay 9-VI-1961)

- Jean de LACOSTE de LAVAL (Bernay 29-VIII-1965)

c - Xavier marquis de ROCHAMBEAU (Paris 8e 23-II-1901 - Chitray 27-IV-1979), ancien élève de l'Institut agricole de Beauvais, délégué général du Comité France Amérique, allié Clairfontaine-en-Yvelines 14-IX-1927 à Monique LEFEBVRE (Paris 1er 8-I-1906), fille de Charles-Amédée, notaire, et de Marie-Louise SORRÉ, dont

— Donatienne de ROCHAMBEAU (Paris 7e 30-VI-1928) alliée Paris 16e 17-II-1950 à Henri-Georges comte HUMANN-GUILLEMINOT (Paris 7e 11-X-1922), licencié ès sciences, conseil en organisation, fils d'Edgar comte HUMANN-GUILLEMINOT, secrétaire général d'une société minière [156], et d'Anne-Mary BERANGER d'HERBEMONT [157], dont

• Agnès HUMANN-GUILLEMINOT (Casablanca 7-XII-1950) alliée Paris 6e 14-IX-1970 à François CHOMBART de LAUWE (Paris 17e 11-X-1946), ingénieur de l'Ecole centrale de Paris, fils de Jean, ingénieur de l'Institut national agronomique, docteur ès sciences économiques, professeur de sciences économiques à l'Institut national agronomique Paris-Grignon, membre de l'Académie d'agriculture, et de Magdeleine EBLÉ [158], dont

•• Alix CHOMBART de LAUWE (Paris 15e 17-VII-1971),

•• Irène CHOMBART de LAUWE (Paris 15e 21-IX-1972),

•• Philippine CHOMBART de LAUWE (Paris 15e 26-III-1975),

• Véronique HUMANN-GUILLEMINOT (Casablanca 27-VII-1952) alliée Paris 6e 9-X-1973 au comte Christian de LA ROCHEFOUCAULD (Château-sur-Allier 1-I-1946), technicien, fils du comte Georges, propriétaire agriculteur, et de Madeleine de NICOLAY, dont

•• Eric de LA ROCHEFOUCAULD (Paris 15e 17-X-1974),

•• Olivier de LA ROCHEFOUCAULD (Paris 14e 27-IX-1975),

•• Laetitia de LA ROCHEFOUCAULD (Paris 14e 22-IX-1976),

• Nathalie HUMANN-GUILLEMINOT (Neuilly-sur-Seine 10-II-1955) alliée Paris 6e 16-V-1977 au comte Henri de PRACOMTAL (Boulogne-Billancourt 14-IX-1952), cadre de banque, fils du comte Alain, ingénieur de l'Ecole centrale de Paris, gérant de société (cognac), président de la chambre de commerce de Cognac, et de Monique de LEUSSE, dont

•• Guillaume de Pracomtal (Paris 14ᵉ 26-IV-1979),

• Edgar Humann-Guilleminot (Paris 8ᵉ 19-IX-1961),

— Jean marquis de Rochambeau (Paris 7ᵉ 13-VII-1930), directeur de société (produits chimiques), allié 1) Saint-Brice-sous-forêt 19-VII-1954 à Sheïla Mackintosh (Londres 31-III-1931), fille d'Alastair, capitaine dans l'armée britannique [159], et de Lela Emery [160], mariage dissous par jug. du t. c. de Paris le 21-V-1968, 2) Choisel 18-XII-1970 à Anne Chariatis (Neuilly-sur-Seine 14-I-1933), attachée de direction, fille de Jean, employé remisier, et de Magdalena Ansbacher [Anne Chariatis avait de son côté épousé précédemment à Paris 16ᵉ le 9-VI-1953 Jacques Houzé (Paris 16ᵉ 11-XII-1930), industriel, fils d'Anatole-Léon, industriel, et de Blanche-Suzanne Werlein, mariage dissous par jug. du t. c. de la Seine le 30-IV-1964], s.p.a. du 2ᵈ mariage, dont du 1ᵉʳ

• Eric de Rochambeau (Neuilly-sur-Seine 3-VII-1955), s.a.a.,

• Mark de Rochambeau (Neuilly-sur-Seine 3-VII-1955), s.a.a.,

• Nicholas de Rochambeau (Neuilly-sur-Seine 6-XII-1956), s.a.a.,

— comte Patrice de Rochambeau (Paris 7ᵉ 30-I-1932 - Versailles 2-VIII-1978 [33]), directeur de société (marketing et communication), allié Paris 16ᵉ 21-IX-1961 à Jacqueline Turrel (Narbonne 20-X-1940), fille de Jean, ingénieur, propriétaire viticulteur, et de Hélène Tourneur dit Caillaud, mariage dissous par jug. du t. c. de Paris le 23-II-1977, dont uniquement

• Philippe de Rochambeau (Neuilly-sur-Seine 6-I-1964),

— comte Geoffroy de Rochambeau (Paris 16ᵉ 10-I-1947), cadre de compagnie d'assurances, allié Bourg-Archambault, Vienne, 30-III-1974 à Sabine Augier de Crémiers (Montmorillon 16-VII-1950), fille de François, propriétaire, et de France Oberthur [161], dont

• Donatien de Rochambeau (Paris 16ᵉ 5-V-1975),

• Guillaume de Rochambeau (Paris 1978),

3 - Albert de Rochambeau (Thoré-la-Rochette 23-X-1871 - Paris 8ᵉ 20-VII-1880),

4 - comte Guy de Rochambeau (Paris 8ᵉ 29-V-1883 - Paris 16ᵉ 25-V-1945), chef de bataillon d'infanterie [162], allié Paris 16ᵉ 3-III-1913 à Marie-Thérèse Cottin (Versailles 1-IX-1889 - Paris 16ᵉ 25-V-1969), fille de Paul, bibliothécaire à l'Arsenal, homme de lettres [163], et de Marie Brémard, dont

a - Chantal de Rochambeau (Paris 16ᵉ 5-IV-1914) alliée Paris 16ᵉ 4-I-1941 à André Dubois (Lorient 29-I-1908), ingénieur civil des mines, président directeur général de société (pétrole), fils de Claude, capitaine de vaisseau, et de Jeanne Sculfort, dont

— Claude-Antoine Dubois (Paris 17ᵉ 16-XI-1941), ancien élève de l'Ecole supérieure de commerce de Paris, chef de service (banque), s.a.a.,

— Bruno Dubois (Notre-dame-de-Gravanchon, Seine-maritime, 27-II-1944), ancien élève de l'Institut industriel du Nord de la France, cadre administratif (informatique), s.a.a.,

— Isabelle Dubois (Notre-dame-de-Gravanchon 2-IV-1947), secrétaire, alliée Neuilly-sur-Seine 5-V-1979 à Patrice Rendu (Paris 15ᵉ 3-VIII-1946), cadre de banque (informatique), fils de Philippe, ingénieur de l'Ecole nationale supérieure des mines de Paris, ingénieur dans l'industrie (informatique), et de Geneviève Sepulchre de Condé,

— Jérôme Dubois (Notre-dame-de-Gravanchon 23-XI-1948), avocat à la cour d'appel de Paris, s.a.a.,

b - comte Michel de Rochambeau (Paris 16ᵉ 14-I-1917) [164], ingénieur de l'Ecole centrale de Paris, président directeur général de société (quincaillerie de bâtiment), allié Paris 16ᵉ 4-VII-1941 à Madeleine Lehideux-Vernimmen (Paris 16ᵉ 17-IX-1919), fille de Raymond, banquier [165], et d'Annette Desmons, dont

— Delphine de Rochambeau (Paris 16ᵉ 6-V-1942) alliée Thoré-la-Rochette 4-VII-1964 à Olivier baron Lefebvre de Plinval (Béziers 22-V-1934), licencié ès sciences, cadre commercial, fils de Guy baron de Plinval, cadre de banque, puis gérant de propriétés viticoles [166], et de Jeanne Guy, dont

- Guy de PLINVAL (Paris 8ᵉ 12-IV-1965),

- Constance de PLINVAL (Paris 8ᵉ 15-III-1966),

- Albane de PLINVAL (Paris 8ᵉ 25-IX-1967),

- Amélie de PLINVAL (Paris 8ᵉ 9-IV-1972),

- Donatienne de PLINVAL (Neuilly-sur-Seine 9-I-1979),

— Sibylle de ROCHAMBEAU (Paris 16ᵉ 12-XI-1943), licenciée ès sciences, professeur, s.a.a.,

— Guy de ROCHAMBEAU (Paris 16ᵉ 12-III-1946), directeur de société (quincaillerie de bâtiment), s.a.a.,

— Nathalie de ROCHAMBEAU (Paris 16ᵉ 5-I-1954), professeur (langues), alliée Thoré-la-Rochette 28-VII-1979 à Philippe de GOUBERVILLE (Edenkeben, Palatinat, 3-VI-1946), inspecteur d'assurances, fils du vicomte Michel, gérant de société, et de Marie-Thérèse DOMERGUE [Philippe de GOUBERVILLE avait épousé précédemment à Chavagne, Ille-et-Vilaine, le 11-X-1974 Bénédicte GALLOT-LAVALLÉE (Quimper 29-XI-1954), fille de Francis, directeur d'assurances, et d'Eliane de FRESLON de LA FRESLONNIÈRE, mariage dissous par jug. du t. c. de Saumur le 17-VI-1976 et déclaré nul par les tribunaux ecclésiastiques, Angers 19-XI-1976 et 1-II-1979], dont

- Louis de GOUBERVILLE (Paris 15ᵉ 25-V-1980 - Carnac 27-VII-1980),

c - comte Philippe de ROCHAMBEAU (Thoré-la-Rochette 27-VIII-1918), colonel de cavalerie, allié Berlin 17-IV-1947 à Solange NOIRET (Sedan 17-III-1924), fille de Roger, général d'armée, député des Ardennes, et de Marie-Antoinette RAFFY, dont

— Olivier de ROCHAMBEAU (Paris 15ᵉ 4-I-1948), employé dans une entreprise forestière, s.a.a.,

— Aude de ROCHAMBEAU (Rambouillet 3-VI-1949) alliée Toulouse 23-VII-1968 à Bruno-Marie MONRAISSE (Rabat 18-II-1943), ingénieur en industrie laitière, directeur de coopérative laitière, fils de Hubert ✕ [167], commandant de l'armée de l'air, et d'Andrée TARPIN [168], dont

- Hubert MONRAISSE (Rodez 30-V-1969),

- Guillaume MONRAISSE (Rodez 25-XII-1971),

- Bérengère MONRAISSE (Rodez III-1977),

- Emeline MONRAISSE (Carmaux II-1980),

— Alix de ROCHAMBEAU (Rambouillet 1-IX-1950) alliée Toulouse 27-IV-1974 à Xavier de CHAPPOTIN (Bordeaux 3-IV-1948), employé de banque, fils de Jacques, commandant du cadre spécial, et de Jeanne-Agnès ERMENEUX, dont

- Gwenael de CHAPPOTIN (Toulouse 3-IX-1975),

- Bénédicte de CHAPPOTIN (Toulouse XI-1978),

— Laurence de ROCHAMBEAU (Rambouillet 29-IX-1953) alliée Caubiac 26-IV-1975 à Jean-Louis ZIMOLO (Toulouse 3-VII-1943), dessinateur en aéronautique, fils de Carlo-Luigi et de Maria ZULIAN, s.p.a.,

— Sophie de ROCHAMBEAU (Collo, Algérie, 17-X-1959), s.a.a.,

d - comte Antoine de ROCHAMBEAU (Paris 16e 26-V-1926), directeur général de société (négoce de métaux non ferreux, Afrique noire), capitaine d'artillerie, allié Paris 16e 28-X-1952 à Armelle REILLE (Cerelles 26-IV-1933), fille du baron Karl, ingénieur des constructions civiles, propriétaire agriculteur et sylviculteur, artiste peintre (chevaux et vénerie) [169], et d'Odette GOURY du ROSLAN, dont

— Hubert de ROCHAMBEAU (Neuilly 14-XII-1953), ingénieur de l'Institut national agronomique, allié Cerelles I-IX-1979 à Edith de LABROUHE de LABORDERIE (Fontainebleau 4-IV-1956), fille de Jean, ingénieur, directeur de division, et de Marie-Hélène BEAUSSANT, interprète,

— Bertrand de ROCHAMBEAU (Neuilly-sur-Seine 6-III-1956), s.a.a.,

— François de ROCHAMBEAU (Neuilly-sur-Seine 19-VIII-1957), s.a.a.,

— Yves de ROCHAMBEAU (Neuilly-sur-Seine 26-I-1963),

— Anne-Claude de ROCHAMBEAU (Neuilly-sur-Seine 8-II-1964).

FRERES ET SŒURS

1 - Charles HARISPE (Saint-Etienne-de-Baïgorry 21-XII-1770 - Saint-Etienne-de-Baïgorry 13-I-1860), capitaine d'infanterie [170], puis percepteur à Saint-Etienne-de-Baïgorry, allié Saint-Etienne-de-Baïgorry 16-II-1806 à Marie OZONOS (Saint-Etienne-de-Baïgorry 5-VI-1785 - Saint-Etienne-de-Baïgorry 21-XII-1856), fille de Bernard, maître de la maison Ozonos, et de Catherine HIRIART ; celui-ci eut huit enfants : I) Marie HARISPE (Saint-Etienne-de-Baïgorry 19-XII-1806 - Saint-Etienne-de-Baïgorry 31-XII-1819) ; II) Jean-Baptiste HARISPE (Saint-Etienne-de-Baïgorry 9-IV-1809 - Paris 1-XII-1832 [171]), étudiant en médecine, s.a. ; III) Adèle HARISPE (Saint-Etienne-de-Baïgorry 4-XI-1812 - Saint-Etienne-de-Baïgorry 11-X-1874) alliée Saint-Etienne-de-Baïgorry 25-XI-1853 à Betry dit Jean-Pierre MINJONNET (Saint-Etienne-de-Baïgorry 22-XI-1812-Saint-Etienne-de-Baïgorry 28-VI-1871), propriétaire, fils de Pierre, propriétaire, et de Marie DELGUE, dont postérité [172] ; IV) Jean-Charles HARISPE (Saint-Etienne-de-Baïgorry 15-VIII-1817 - Lecumberry 11-II-1896), conseiller général et député des Basses-Pyrénées [173], s.a. ; V) Jean-Isidore HARISPE (Saint-Etienne-de-Baïgorry 26-IX-1819 - Saint-Etienne-de-Baïgorry 21-II-1889), percepteur des contributions directes, allié Saint-Etienne-de-Baïgorry 1-III-1859 à Placide ETCHEVERRY (Saint-Etienne-de-Baïgorry 26-IV-1837 - Saint-Etienne-de-Baïgorry 4-V-1904) [174], fille de Dominique, maître de la maison Anchart, et de Marie HARISMENDY [175], dont postérité qui suivra ; VI) Timothée HARISPE, né à Saint-Etienne-de-Baïgorry le 16-II-1823, probablement mort jeune ; VII) Caroline-Olympe HARISPE (Saint-Etienne-de-Baïgorry 13-III-1825 - Saint-Etienne-de-Baïgorry 12-XI-1849), s.a. ; VIII) Jean-Pierre HARISPE (Saint-Etienne-de-Baïgorry 6-IV-1827 - Chartres 22-II-1855), maréchal des logis (3e chasseurs), s.a. ; Jean-Isidore HARISPE eut lui-même cinq enfants : A) Aurèle-Jean-Baptiste HARISPE (Saint-Etienne-de-Baïgorry 26-II-1860 - Saint-Etienne-de-Baïgorry 14-VI-1865) ; B) Marie-Charlotte HARISPE (Saint-Etienne-de-Baïgorry 27-X-1861 - Saint-Etienne-de-Baïgorry 21-I-1939) alliée Saint-Etienne-de-Baïgorry 23-XI-1897 à Jean IRAÇABAL (Anhaux 24-X-1851 - Saint-Etienne-de-Baïgorry 7-V-1929), colonel (train), fils de Jean, préposé des douanes, et d'Anna AGUERRE-BERRY, dont postérité ; C) Marie-Désirée HARISPE (Saint-Etienne-de-Baïgorry 20-I-1863 - Saint-Etienne-de-Baïgorry 7-XII-1866) ; D) Edouard HARISPE (Saint-Etienne-de-Baïgorry 22-VI-1866 - Saint-Etienne-de-Baïgorry 18-IV-1917), propriétaire, s.a. ; E) Olympe HARISPE (Saint-Etienne-de-Baïgorry 16-XI-1872 - Saint-Etienne-de-Baïgorry 26-VII-1938) alliée Saint-Etienne-de-Baïgorry 20-I-1903 à Jean-Baptiste ETCHEVERRY (Saint-Etienne-de-Baïgorry 5-III-1873 - Saint-Etienne-de-

Baïgorry 10-IV-1957), propriétaire exploitant de carrière, fils de Jean, notaire, et de Gracieuse DABBADIE [176], dont postérité,

2 - Jeanne-Rose HARISPE (Saint-Etienne-de-Baïgorry 26-X-1775 - Saint-Etienne-de-Baïgorry 5-XI-1775),

3 - Plaisance dite Marie-Placide HARISPE (Saint-Etienne-de-Baïgorry 26-XI-1776 - 1-II-1860) alliée Saint-Etienne-de-Baïgorry 19-VII-1800 à Jean DUTEY (Saint-Etienne-de-Baïgorry 8-VII-1774 - Saint-Etienne-de-Baïgorry 11-XII-1817), officier de santé, propriétaire, fils de Jean, officier de santé, et de Jeanne ERNAUTÈNE ; celle-ci eut sept enfants : I) Adrien DUTEY-HARISPE (Saint-Etienne-de-Baïgorry 24-IX-1801 - Paris 8e 18-XII-1878), fils adoptif du maréchal dont la descendance a été donnée à la rubrique précédente ; II) Ulysse DUTEY (Saint-Etienne-de-Baïgorry 11-V-1802 - 10-V-1854), propriétaire [177], allié Lecumberry 29-IX-1851 à Nathalie de LAFAURIE d'ETCHEPARE (Saint-Palais 3-X-1824 - 28-II-1890), fille de Jean-Alexandre, chef d'escadrons de cavalerie, conseiller général des Basses-Pyrénées, et d'Antoinette-Josèphe PISCOU [178], s.p. ; III) Marthe-Olympe DUTEY (Saint-Etienne-de-Baïgorry 15-IV-1806 - 20-IX-1829) alliée 31-I-1827 à Jean-Baptiste DARHAN († 13-IV-1875), dont un fils mort s.a. ; IV) Jean-Isidore DUTEY (Saint-Etienne-de-Baïgorry 11-IV-1808 - Lecumberry 12-IX-1862), propriétaire [179], allié 28-X-1843 à Dominique HARGUINDÉGUY (Saint-Jean-le-vieux, Pyrénées atlantiques, 10-II-1815 - Lecumberry 23-I-1905), fille de Bernard, métayer, et de Catherine IDIART, dont une postérité apparemment éteinte en ligne masculine, subsistante en ligne féminine (notamment familles LAFONT, GABY, LEBRUN, VANNETZEL, CASASSUS) ; V) Anne-Adèle DUTEY (Saint-Etienne-de-Baïgorry 30-XII-1810 - Saint-Etienne-de-Baïgorry 13-VIII-1811) ; VI) Louise DUTEY (Saint-Etienne-de-Baïgorry 28-II-1816 - Tardets-Sorholus 27-XI-1894) alliée Lacarre 23-VI-1856 à Pierre dit Jean-Baptiste DARHANPÉ (Tardets-Sorholus 25-VI-1807 - 1-III-1877), avocat, président de la commission syndicale de la vallée de Soule, conseiller d'arrondissement, fils de Pierre, chef de bataillon d'infanterie, conseiller général des Basses-Pyrénées, et de Jeanne-Angélique BICHOUÉ, s.p. ; VII) Placide DUTEY (Saint-Etienne-de-Baïgorry 31-XII-1817 - Tardets-Sorholus 21-I-1897) alliée Lacarre 28-IV-1851 à Daniel MARMISOLLE (Tardets-Sorholus 29-III-1815 - Tardets-Sorholus 6-III-1892), notaire, fils de François, négociant, et de Thérèse LOSSY, dont postérité en lignes masculine et féminine,

4 - Jean HARISPE, né à Saint-Etienne-de-Baïgorry le 24-I-1778, mort à Saint-Domingue vers 1802 [180], s.a.,

5 - Jean-Timothée HARISPE (Saint-Etienne-de-Baïgorry 26-V-1779 - ✕ Espinosa, Espagne, 1808), capitaine d'infanterie, s.a. [181],

6 - Pierre dit Jean-Pierre HARISPE (Saint-Etienne-de-Baïgorry 21-V-1781 - Alcoy, province de Valence, Espagne, 20-V-1812), capitaine d'infanterie, aide de camp de son frère le futur maréchal, s.a. [182],

7 - Placide HARISPE (Saint-Etienne-de-Baïgorry 5-IV-1783 - Saint-Etienne-de-Baïgorry 29-XII-1820), s.a. [183].

NOTES

1 Date de l'incorporation des chasseurs basques, jusque-là formation ayant une certaine autonomie, dans le cadre de l'armée régulière.

2 Appellation des colonels durant la période révolutionnaire, le régime ayant pris le nom de demi-brigade.

3 Blessé gravement à Iéna, Harispe fut tout d'abord porté comme mort sur les états de l'armée. Selon certains de ses biographes, un service aurait été célébré pour le repos de son âme à Saint-Etienne-de-Baïgorry sur la foi de cette information inexacte.

4 Ce titre lui avait été conféré par d. i. du 19-III.

5 Ce titre ne donna pas lieu à l. p.

6 Harispe *combattit l'invasion anglaise à Baïgorry, son village natal, où le château d'Eschau (sic), sa propriété par sa femme, fille bien née du pays* (voir rubrique *Alliance* et note 14), *fut occupé par Mina, ... l'y attaqua et le força à l'évacuer, n'y laissant que les quatre murailles*, note le maréchal de Castellane dans son *Journal* (T. V, 1-VI-1855).

7 Un boulet lui arracha le gros orteil et le second doigt du pied droit : il fut transporté dans une ambulance anglaise, où Wellington lui rendit visite.

8 Le maréchal Harispe est mort d'une crise d'urémie.

9 Toutes les précisions données sous cette rubrique sont appuyées de façon rigoureuse sur les actes correspondant aux naissances, mariages et décès signalés.

10 Marie Harismendy avait au moins deux frères, prénommés l'un et l'autre Jean, qui furent respectivement notaire et négociant.

11 De cette tante paternelle du maréchal Harispe est issue une descendance qui ne manque pas d'intérêt. Michel Etcheverry et Marie Harispe eurent notamment un fils, Thomas (Saint-Etienne-de-Baïgorry 14-III-1774 - Saint-Etienne-de-Baïgorry 24-VII-1832), qui, allié à Marthe dite Martille Harismendy, nièce elle de la mère du maréchal (fille de Jean, notaire, voir note 10), fut avocat, juge de paix puis notaire et, sous les Cent jours, député des Basses-Pyrénées. Ce Thomas Etcheverry laissa entre autre enfants : Léocadie, née à Saint-Etienne-de-Baïgorry le 25-I-1800, alliée Saint-Etienne-de-Baïgorry 1-II-1826 à Pierre-Charlemagne Floquet, né à Noyon le 19-VIII-1779, officier d'administration principal (hôpitaux militaires), lesquels furent les parents de Charles Floquet, député, sénateur, président de la chambre, président du conseil des ministres ; Hector (Saint-Etienne-de-Baïgorry 1-XI-1801 - 18-IX-1855), notaire, député des Basses-Pyrénées en 1848 et 1849 ; Jean-Baptiste (Saint-Etienne-de-Baïgorry 4-XI-1805 - Paris 8e 3-III-1874), député des Basses-Pyrénées de 1852 à 1869, père notamment de Louis (Bayonne 22-II-1853 - Saint-Jean-le-vieux 15-X-1907), député des Basses-Pyrénées de 1889 à 1893, et de Caroline (Pau 25-III-1849 - Saint-Jean-de-Luz 16-XII-1915) alliée Paris 8e 22-IV-1869 à Raoul Delarüe-Caron de Beaumarchais (Paris 7-VII-1839 - Paris 8e 25-V-1900), colonel de cavalerie, petit-fils de la fille de l'auteur du *Barbier de Séville*.

12 Acte de baptême de l'intéressée.

13 Beaujon, généalogiste des ordres du roi, s'exprime de la sorte à son sujet dans le rapport qu'il établit en 1766, en vue des honneurs de la cour : *Son ancienneté, ses alliances et les places qu'elle a occupées tant dans l'armée que dans le gouvernement de l'Aquitaine, soit sous les rois d'Angleterre, soit sous nos souverains, lui donnent un rang distingué parmi les races les plus considérables de la Gascogne.*

14 Le rapprochement des dates du mariage et de la venue au monde du fils qui en naquit (voir plus bas) éclairera sur les circonstances de cette union. Celle-ci ne fut pas heureuse : une séparation de fait intervint assez rapidement. Les milieux étaient différents. Par ailleurs, ainsi que le rapporte Gustave Bascle de Lagrèze dans *La Navarre française* (Paris 1881, T. I, p. 341), une animosité existait enttre les deux familles. La branche des Caupenne à laquelle appartenait Marguerite se trouvait établie au château d'Echaux, sis à Saint-Etienne-de-Baïgorry, qui lui était venu de la famille de même nom, par mariage. Les d'Echaux, jadis, avaient porté le titre de vicomte de Baïgorry. Dans le courant du 18ᵉ siècle, l'idée prit les Caupenne de faire revivre ce titre et d'exiger des droits seigneuriaux sur la vallée. Les habitants s'étaient violemment insurgés contre cette prétention, conduits par leur syndic, lequel n'était autre que le père du futur maréchal.

15 Le lieutenant-colonel Marcel Dutey-Harispe (voir rubrique *Descendance*), actuel propriétaire du château de Lacarre, où vécut de longues années Harispe et où il est mort, nous a signalé posséder dans ses archives de famille des correspondances établissant que le maréchal avait eu un fils naturel dont il assura l'éducation : portant le nom d'Henry Labarthe, celui-ci fit carrière dans l'armée, parvint au grade de colonel et mourut célibataire. Il existe bien un dossier de colonel à ce nom au S.H.A.T. L'intéressé porte exactement les prénoms de Jean-Henri. Né à Barcelone le 21-XII-1813, mort à Toulouse le 2-IV-1901, colonel le 17-VI-1868, il commanda le 6ᵉ régiment d'infanterie de ligne. Les documents officiels le donnent comme fils d'Antoine Labarthe et de Marie-Elizabeth Acher de Montgascon.

16 La date de décès de Jean-Louis-Hector Harispe est donnée d'après une généalogie familiale. Il ne nous a pas été possible de retrouver l'acte correspondant. Celui-ci ne figure ni dans les registres de Saint-Etienne-de-Baïgorry, ni dans ceux de Lasse où les Caupenne avaient une résidence. Sans doute le fils du maréchal Harispe est-il mort en nourrice dans un village de la région.

17 On trouve dans le dossier de magistrat d'Adrien Dutey-Harispe (A.N., BB⁶ II 146 n° 721) divers documents attestant ses liens très étroits avec le maréchal. Ainsi, le 8-VI-1852, il demande un congé en vue d'accompagner son oncle à Paris, où celui-ci se rend pour remercier Mgr le prince président du bâton de maréchal reçu quelques mois plus tôt et prendre part aux délibérations du Sénat. Le 5-XII-1854, il envoie sa démission au garde des sceaux, expliquant qu'il souhaite pouvoir demeurer *auprès de sa vieille mère qui s'éteint et d'un oncle vénéré, âgé de quatre-vingt-six ans, que la perte prochaine de sa sœur va plonger dans l'isolement et la tristesse. Cet oncle est le maréchal Harispe. Il m'adopta tout jeune, alors que je venais de perdre mon père, et depuis trente-huit ans il n'a cessé d'être pour moi le père le plus tendre.* On peut se demander ce qui conduisit à recourir à la formule de l'ordonnance pour obtenir l'adjonction du nom d'Harispe à celui de Dutey, alors que le maréchal, toujours vivant, pouvait beaucoup plus simplement la réaliser en adoptant son neveu dans les formes légales. La qualité de légataire universel d'Adrien Dutey-Harispe est mentionnée dans le rapport de l'officier chargé d'inventorier les papiers du maréchal après son décès (voir dossier de celui-ci au S.H.A.T.).

18 Originaire de Picardie, cette famille est d'ancienne bourgeoisie. Aux 17ᵉ et 18ᵉ s., elle occupe avec distinction des charges de judicature et municipales et possède des fiefs nobles. A la veille de la Révolution, elle ne porte que le seul

patronyme de Marcotte. L'acte de mariage de Marie avec Suzanne-Clarisse de Salvaing de Boissieu, à Paris le 24-II-1823 (A.P., état civil reconstitué), quoique donnant à celui-ci le nom de Marcotte de Sainte-Marie, le dit en effet *né à Doullens, Somme, le 29-IX-1783, fils de feu Philippe-Marie-Simon Marcotte, receveur des aides et gabelles.* Le fait est confirmé par l'acte de baptême, ainsi libellé : *Marie fils en légitime mariage de Philippe-Marie-Simon Marcotte, receveur des fermes du roy, gabelles et tabac, et de dame Louise-Antoinette Duclos du Fresnoy.* Tandis que Marie forme la branche des Marcotte de Sainte-Marie, ses frères, Charles-Marie-Jean-Baptiste-François (1774-1864), directeur général de l'administration des forêts, et Philippe (1779-1852), directeur des douanes à Boulogne-sur-mer, sont respectivement la souche des Marcotte d'Argenteuil et des Marcotte de Quivières, les premiers éteints, les seconds toujours représentés. Les *noms de terre* de Sainte-Marie, d'Argenteuil et de Quivières sont passés à l'état civil *de facto* au début du 19e siècle : il n'y a eu à leur sujet ni décret ni jugement. Le titre de baron porté depuis quelques générations par certains membres de la branche de Sainte-Marie n'est évidemment que de courtoisie.

19 On rencontre à deux reprises le nom de la famille Marcotte dans l'histoire des beaux-arts au 19e siècle. La branche de Sainte-Marie fut liée avec Ingres : celui-ci fit de Mme Marie Marcotte de Sainte-Marie, née Suzanne-Clarisse de Salvaing de Boissieu, un portrait qui est exposé au musée du Louvre. Par ailleurs, Caroline-Marie-Virginie Marcotte de Quivières (Landerneau, Finistère, 2-II-1818 - Paris 8e 18-XII-1897), petite-fille de Philippe (voir note 18), petite-nièce par conséquent de la précédente, épousa à Paris le 17-XII-1844 Salvador-Louis Chérubini (Paris 20-XI-1801 - Neuilly-sur-Seine 22-VII-1869), inspecteur des beaux-arts, fils du célèbre compositeur.

20 Le Lido.

21 Dit Maurice-Roger.

22 A l'Office commercial pharmaceutique.

23 Michel-Dominique Roger était lui-même fils de Maurice Roger, avocat à Blois : de ce dernier est venu le patronyme Maurice-Roger employé depuis usuellement par la famille (voir note 21).

24 A la Chambre syndicale des agents de change.

25 Arrière-petite-nièce de l'auteur des fresques du Panthéon et de la Sorbonne.

26 Au cours du naufrage du Provence II.

27 Maurice Delamarre de Monchaux (Paris 9e 30-XI-1864 - Cheverny 25-IX-1952) était le petit-fils de Théodore-Casimir Delamarre (Dancourt, Seine-maritime, 16-I-1797 - Boulogne-Billancourt 18-II-1870), banquier, régent de la Banque de France, puis directeur-propriétaire du journal *La patrie*, député de la Somme, le fils de Casimir Delamarre de Monchaux (Paris 7-III-1834 - Paris 8e 9-IV-1915), créé comte romain le 28-III-1890 (avec le nom de terre de son grand-oncle, Casimir Bachelier de Monchaux, né Monchaux-Soreng 21-IV-1775, décédé Paris 19-XII-1850, anobli en 1816, s.a.), président de la Compagnie des chemins de fer régionaux des Bouches-du-Rhône, le neveu de Théodore-Didier Delamarre (Paris 8-VIII-1824 - Paris 8e 22-X-1889), propriétaire, artiste peintre (allié à Mathilde-Félicie Lyautey, tante du maréchal Lyautey), le frère de Marcel Delamarre de Monchaux (Paris 9e 18-IV-1876 - Boulogne-Billancourt 10-I-1953), propriétaire, artiste peintre.

28 Eliane de Bray est cousine de Baudry de Bray, qui se trouve plus loin, au degré après issu de germains.

29 Sous le nom de mère Marie-Agnès de Jésus.

30 Christian Marcotte de Sainte-Marie fut notamment ambassadeur en Bolivie (1957), consul général à Jérusalem (1960), ambassadeur à Chypre (1963).

31 Frère de Jean Gueury (Paris 19-X-1917), ministre plénipotentiaire, successivement ambassadeur en Somalie et en Nouvelle-Zélande, qui, en mars 1975, alors qu'il occupait le premier de ces postes, fut enlevé par un commando terroriste et libéré contre une rançon et en échange de deux autonomistes djiboutiens incarcérés en France.

32 Sœur d'Angèle-Marthe Coville, qu'on trouvera plus loin.

33 Accidentellement.

34 Du Centre interprofessionnel des travailleurs indépendants.

35 Tante de Raymond de Lacoste de Laval qu'on rencontrera plus loin.

36 Olivier Teillard d'Eyry était l'oncle à la mode de Bretagne de sa femme, Geneviève Teillard Rancilhac de Chazelles. Victor Teilhard de Chardin, qu'on trouvera plus loin, appartient à la même famille : Geneviève était sa tante à la mode de Bretagne et Olivier le cousin germain de son grand-père.

37 Sous le nom de Marie-Germaine.

38 Henri Tournoüer a publié de très nombreuses études historiques dans des revues savantes, notamment le *Bulletin de la Société historique et archéologique de l'Orne*, dont la plupart ont donné lieu à des tirés-à-part.

39 Petit-fils de Jacques-Simon Tournoüer (Auxonne 1-II-1794 - Ver, Oise, 25-III-1867), conseiller d'état, député de la Côte-d'or.

40 Fille de Félix Voisin (Paris 3-XII-1832 - Paris 28-I-1915), député de Seine-et-Marne (1871-1876), préfet de police (1876), conseiller à la Cour de cassation, membre de l'Académie des sciences morales et politiques (en raison de ses activités sociales et philanthropiques, notamment à l'égard des jeunes détenus).

41 Frère du père Pierre Teilhard de Chardin (Orcines 1-V-1881 - New York 10-IV-1955), paléontologiste et philosophe, de la même famille qu'Olivier Teillard d'Eyry et Geneviève Teillard Rancilhac de Chazelles rencontrés plus haut (voir note 36).

42 Anne-Marie dite Madeleine d'Aboville appartient à la postérité du maréchal de Grouchy (voir, du même auteur, *Les maréchaux de la Restauration et de la Monarchie de juillet*).

43 A la Société des auteurs, compositeurs et éditeurs de musique (SACEM).

44 Le *Bulletin de Saint-Vincent de Rennes* (n° 159/160, juillet-octobre 1973) rapportait de la sorte les circonstances de la mort tragique du baron Xavier du Boisbaudry : *Dans l'après-midi du 31 mars..., venant de sa propriété de La Bodinière, située aux Aubiers (Deux-Sèvres), il regagnait La Roche-sur-Yon..., lorsqu'aux environs des Herbiers (Vendée), une voiture est venue littéralement se jeter contre la sienne... Il a été tué sur le coup, tandis que son épouse, ainsi que Roselyne, six ans, le plus jeune de ses enfants, qui l'accompagnaient, étaient grièvement blessés.*

45 De la succursale de la Banque de France à La Roche-sur-Yon.

46 Sous le nom de frère Amédée.

47 Agnès de Lantivy de Trédion est la cousine germaine des frères Jehan et Hugues qu'on trouvera plus loin, dont le père est un frère d'Emmanuel.

48 Thérèse de Sèze descend d'un frère de Romain de Sèze, défenseur de Louis XVI devant la Convention.

49 Voir note 47.

50 Compagnie L'Europe.

51 De la Manufacture de Buhl (Haut-Rhin) et de ses filiales, de la Société d'alimentation de Provence.

52 Henri Delcourt était fils de Léon-Augustin, neveu de Théophile, frère d'Ulric, tous trois notaires.

53 Le comte Gabriel de Mortemart est le propriétaire du domaine de Saint-Vrain, dans l'Essonne, où, depuis quelques années, des animaux exotiques vivant en liberté sont présentés au public.

54 De son côté, le comte Gabriel de Mortemart avait épousé précédemment à Paris 16e le 8-VII-1926 Jacqueline de Galliffet (Pau 27-II-1903 - Paris 13-IX-1942), fille de Gaston comte de Galliffet et de Frances Stevens, petite-fille de Gaston marquis de Galliffet (1830-1909), général de division, ministre de la guerre.

55 Elisabeth de Caraman était l'arrière-petite-fille de Jean-Thomas Arrighi de Casanova, 1er duc de Padoue (voir, du même auteur, *Les princes et ducs du Premier empire*).

56 Président-directeur général (1959-1966), puis administrateur-président d'honneur (1966) de Fenwick-Aviation, président-directeur général des Tanneries de France (1966).

57 Frère de Françoise, 2de épouse (Paris 29-VII-1902) de Gustave prince Biron de Courlande, dont le fils, Charles prince Biron de Courlande, s'est allié à la princesse Herzeleide de Prusse.

58 Françoise Foucault avait de son côté épousé précédemment à Paris 8e le 20-VII-1948 Georges Dambier (Issy-les-Moulineaux 5-IV-1925), reporter photographe, fils de René, directeur de banque, et de Geneviève Miège, mariage dissous par jug. du t. c. de la Seine le 20-X-1961.

59 Mort victime d'un accident de la route.

60 Voir note 32.

61 Raymond-Gabriel Marchioni avait lui-même épousé précédemment Jacqueline Castoriano (mariage dissous par jug. de divorce).

62 Banque Adam.

63 Voir note 28.

64 De son côté, Bernard Morault avait épousé précédemment Catherine-Blanche Fleury (Nantes 22-VII-1939), fille de Hubert-Joseph, directeur commercial, et de Geneviève-Etiennette Hugé, mariage dissous par jug. du t. c. de Nantes le 4-III-1971.

65 Camille est ici prénom féminin.

66 Avec le sous-marin Doris.

67 Cousine germaine de Pierre Ronarc'h (Quimper 22-II-1865 - Paris 5e 1-IV-1940), vice-amiral, célèbre pour sa résistance héroïque à Dixmude en octobre-novembre 1914 à la tête de 6 000 fusiliers marins, et tante à la mode de Bretagne d'autre Pierre Ronarc'h (Lorient 26-XI-1892 - Paris 5e 5-XII-1960), vice-amiral d'escadre, neveu du précédent.

68 Bernard de Vaublanc descend d'un frère de Vincent-Marie (Saint-Domingue 2-III-1756 - Paris 20-VIII-1845), député de Seine-et-Marne (1791-1796-1801), du Calvados (1820), préfet, conseiller d'état, ministre d'état (1815-1816) membre de l'Académie des beaux-arts.

69 Françoise Barbet-Massin est la cousine issue de germain de Maud qu'on rencontrera plus loin.

70 Aux Charbonnages du Tonkin.

71 Le grand-père de Noémi Féray était le consin germain de Henry-Louis Féray (Paris 11-I-1812 - Paris 8e 3-I-1870), général de division, vice-président du

conseil général de la Dordogne, allié le 7-VII-1846 à Hélène-Eléonore dite Léonie Bugeaud de Lapiconerie d'Isly (Lanouaille, Dordogne, 17-VIII-1825 - Paris 8e 16-V-1889), fille du maréchal, dont les enfants furent autorisés à relever le nom de leur mère, et d'Ernest Féray (Essonnes 29-IV-1804 - Essonnes 29-XII-1891), frère du précédent, conseiller général, député et sénateur de Seine-et-Oise (voir, du même auteur, *Les maréchaux de la Restauration et de la Monarchie de juillet*).

72 A l'attaque de Tahure, au moment où il pénétrait le premier dans la tranchée ennemie (acte transcrit à Tinqueux le 25-III-1916).

73 Voir note 77 du chap. II (Exelmans).

74 Jeannine-Lucie Pizelle avait, de son côté, épousé précédemment Gérard-Jean Godin (mariage dissous par jug. de divorce).

75 Durant treize ans.

76 Sous-directeur de la Société générale à Paris.

77 Albert Dutey-Harispe fit, lors du Congrès de la tradition basque, qui se tint en août 1897, une communication sur *Le maréchal Harispe* : celle-ci fut publiée dans le volume des actes du congrès édité en 1899 à Paris sous le titre *La tradition au pays basque* et parut ensuite en basque sous forme d'une brochure intitulée *Harizpe Marechala* (Bayonne 1904, 22 p., sans nom d'auteur, mais figurant au catalogue de la B. N. comme étant d'Albert Dutey-Harispe). Il a, d'autre part, écrit un avant-propos pour l'ouvrage du général Victor-Bernard Derrécagaix : *Le maréchal de France comte Harispe* (Paris 1916, 475 p.).

78 On a donné parfois à celle-ci le nom de Labbé de Montais : elle apparaît sous le seul nom de Labbé dans son acte de mariage. On trouve mention dans ce même acte, au titre de témoin, d'un frère du père de la mariée, François-Ernest Labbé, qualifié négociant à Paris, 60 ans, demeurant 15 rue de Choiseul.

79 Administrateur-délégué du *Petit journal,* directeur de *L'agriculture moderne* et des suppléments du *Petit journal.*

80 Du *Petit journal.*

81 Fille d'Hippolyte Marinoni (1823-1904), le célèbre constructeur mécanicien, inventeur notamment de la rotative, quelque temps directeur-propriétaire du *Petit journal.*

82 Notamment de la Compagnie des chemins de fer de l'est, du Chemin de fer métropolitain de Paris et de sociétés s'intéressant à la production du gaz et de l'électricité.

83 Président des Chemins de fer de l'est, administrateur du Crédit industriel et commercial.

84 Fille de Pierre Mathieu-Bodet (Saint-Saturnin, Charente, 16-XII-1816 - Paris 8e 28-I-1911), avocat au Conseil d'état et à la Cour de cassation, président de l'ordre, président du conseil général et député de la Charente, ministre des finances (1874-1875).

85 De *La tribune du Tarn-et-Garonne,* qu'il avait fondée.

86 Fils de Joseph Lasserre (1836-1889), important propriétaire, président du conseil général et député du Tarn-et-Garonne.

87 Jeanne Mesnet avait eu pour parents le docteur Ernest Mesnet (1825-1898), médecin de l'Hôtel-Dieu, membre de l'Académie de médecine, auteur d'un certain nombre de travaux scientifiques, et une fille du docteur Théophile Archambault (1806-1863), élève préféré du grand aliéniste Esquirol, directeur de l'asile pour malades mentaux de Maxéville, près de Nancy, puis médecin chef du département des hommes à Charenton, directeur-propriétaire de la

célèbre maison de santé pour malades mentaux de la rue de Charonne, qu'il avait acquise en 1852 du docteur Etienne Belhomme, fils du fondateur, Jacques Belhomme (après lui, ce dernier établissement passa à son gendre le docteur Mesnet).

88 Nicole Dutey-Harispe, qui appartenait aux services sociaux de l'Unra (United nations relief and rehabilitation agreement), fut emportée par une tuberculose qu'elle avait contractée en soignant les enfants de déportés.

89 Mort en service commandé.

90 De 1959 à 1971.

91 Autorisé à ajouter *du Bocage* au nom de Collin par décret en date du 13-V-1922.

92 De la Banque française d'outre-mer, devenue la Société parisienne de participations, puis de la Banque Vernes.

93 Un frère de Claude Vignes, Bernard, s'est allié à Nadège Sauvage de Brantes, cousine germaine d'Anne-Aymone, épouse de Valéry Giscard d'Estaing, président de la république.

94 Chez L.T. Piver s.a.

95 Fille de Madeleine de Rauch (née Madeleine Bourgeois, épouse d'Alfred de Rauch), longtemps directrice d'une maison de haute couture réputée.

96 Fils lui-même de Georges-Jean Painvin (1886-1980), ingénieur en chef du corps des mines, président de la Chambre de commerce et d'industrie de Paris, de Pechiney-Ugine-Kuhlmann et du Crédit commercial de France.

97 Christian-Léon Bellest s'est, de son côté, remarié à Paris 16e le 9-I-1962 à Sally-Ann Pearce (Londres 19-XI-1934), fille de James-Townsend et de Juliet Reed.

98 Bertrand Collin du Bocage a été successivement directeur commercial de *Réalités*, directeur général adjoint de *La vie française*, puis de *Valeurs actuelles*.

99 De son côté, Bruno Robert s'est remarié à Chamonix le 16-XI-1970 à Marie-Claude Tollin (Chamonix 17-VII-1946), commerçante, fille d'Eugène, entrepreneur, et de Marie-Louise Botton.

100 Petite-fille d'Adrienne de Caulaincourt de Vicence (elle-même petite-fille du grand maréchal du palais et du ministre des relations extérieures de Napoléon Ier) et d'Albéric de Viel de Lunas d'Espeuilles, autorisé par décret du 22-V-1897 à ajouter à son nom celui de sa femme, éteint dans les mâles (voir, du même auteur *Les princes et ducs du Premier empire*).

101 Le lieutenant-colonel Marcel Dutey-Harispe se signala, autour de 1960, par son action en faveur du maintien de la présence française en Algérie. Cela lui valut d'être arrêté le 17-III-1963 : aucune charge n'ayant pu être relevée contre lui au cours de la perquisition effectuée à son domicile, le château de Lacarre (voir note 15), il fut remis en liberté quelques jours plus tard.

102 Inhumé dans le cimetière de Lacarre, à l'intérieur de l'enclos qui entoure la tombe du maréchal Harispe.

103 Prénom basque correspondant à Bertrand.

104 La General Motors France.

105 André Roland-Gosselin était le cousin germain de Mgr Octave-Benjamin Roland-Gosselin (Paris 1er 17-XII-1870 - Versailles 22-V-1952), qui fut évêque de Versailles de 1931 à 1952. L'un et l'autre étaient cousins au degré après

issu de germain de Théodore Gosselin dit G. Lenôtre (Richemont, Moselle, 7-X-1857 - Paris 7-II-1935), historien, membre de l'Académie française, de la branche aînée, ayant conservé le seul nom de Gosselin, de cette famille d'ancienne bourgeoisie.

106 Fille de Nicolas-Joseph (Douai 29-VII-1790 - 12-III-1847), député du Nord, ministre des travaux publics, puis des cultes et de la justice, sous la Monarchie de juillet, fait comte héréditaire en 1847.

107 Des Freins Jourdain Monneret.

108 De Westinghouse.

109 Voir note 69.

110 La Société générale.

111 Mort victime d'un accident de moto, en Yougoslavie.

112 A la Commission des communautés européennes.

113 Forges d'Audincourt.

114 Dite Cahen-Fuzier.

115 Edouard Cahen dit Cahen-Fuzier a publié plusieurs volumes de vers sous le pseudonyme de Jacques Ayrens.

116 Banque de l'union parisienne.

117 De la S.E.P. (Société d'emboutissage précis, à Saint-Alban-Leysse, Savoie).

118 Dit Lauriau-Chernoviz.

119 De son côté, Gilles Lauriau avait épousé précédemment 1) Paris 16e 23-VI-1964 Christine Vandecasteele, mariage dissous par jug. du t.c. de Paris le 24-II-1973, 2) Paris 16e 18-V-1973 Monique Desforges, mariage dissous par jug. du t. c. de Paris le 23-VI-1976.

120 A Verneuil-sur-Avre.

121 Compagnie française des pétroles.

122 De la compagnie Seine et Rhône.

123 Henri Chauchat était le fils de Louis (Paris 9e 17-III-1863 - Paris 9e 5-IX-1917), colonel d'artillerie, directeur de la Manufacture d'armes de Saint-Etienne, inventeur du fusil mitrailleur utilisé dans l'armée française durant la guerre de 1914-1918. Cette famille fut anoblie par l'échevinage parisien en 1778, en la personne de Jacques Chauchat (Paris 17-X-1738 - Paris 25-I-1800), avocat en parlement. C'est à ce dernier que la rue du 9e arrondissement doit son nom : elle fut percée, pour la partie la plus ancienne au moins, alors qu'il était en charge.

124 Sœur de Charles et Ernest Fauqueux, l'un et l'autre sous-préfets.

125 Sœur de Marguerite qu'on trouvera plus loin.

126 Eugène-Achille Lacroix de Rochambeau a publié de nombreuses études d'histoire locale, parues pour la plupart dans le bulletin de la société qu'il présidait et dont beaucoup ont donné lieu à des *tirés-à-part*.

127 Il y a, aux A.N. (F[17] 21043), un assez important dossier sur Alexandre-Edouard Lacroix, en raison du poste qu'il occupa dans l'instruction publique. Ce dossier et, par ailleurs, les registres d'état civil de Montpellier et de Beaucaire apportent des précisions intéressantes sur la famille d'Eugène-Achille Lacroix. Né à Montpellier le 24-IX-1800, décédé à Carcassonne le 7-III-1865, Alexandre-Edouard Lacroix était lui-même fils de Jean-Elie Lacroix, qualifié commis négociant, puis propriétaire, et d'Antoinette Tubert. Il avait épousé à Beau-

caire, le 3-II-1834, Antoinette Tavernel. Née à Beaucaire le 11-VII-1810, celle-ci était fille de Jean, propriétaire, maire de Beaucaire, conseiller général du Gard, et de Marthe-Joséphine-Fanny Desporcellets. De ce mariage, naquirent sept enfants : cinq garçons et deux filles. Eugène-Achille était l'aîné de la famille. Licencié en droit, Alexandre-Edouard Lacroix fut avocat au barreau de Montpellier jusqu'aux alentours de 1848. A cette époque, il perdit sa fortune, qu'il avait imprudemment engagée. La profession d'avocat ne lui permettant pas de subvenir à l'éducation de ses nombreux enfants, il sollicita un poste d'inspecteur de l'enseignement primaire. Alexandre-Edouard et Eugène-Achille Lacroix étaient des cousins, sans doute un peu éloignés, de Paul Lacroix (1806-1884), le *bibliophile Jacob,* conservateur à la Bibliothèque de l'Arsenal, auteur de nombreux ouvrages. On trouve, en effet, dans le dossier de fonctionnaire d'Alexandre-Edouard une lettre de recommandation du célèbre érudit en date 25-X-1850 l'appelant *mon parent.* Eugène-Achille, d'autre part, dédiera à Paul Lacroix la seconde édition de son étude sur *Les imprimeurs vendômois et leurs œuvres (1514-1881),* 1881, 56 p., en ces termes : *A mon cher cousin M. Paul Lacroix (Bibliophile Jacob).* Cette parenté est également attestée par ce billet non daté, figurant dans les archives du château de Rochambeau, à Thoré-la-Rochette, écrit par Paul Lacroix à une correspondante qu'il appelle *chère Caroline* — nous remercions la comtesse Michel de Rochambeau (voir infra et note 164) d'avoir bien voulu nous le communiquer — : *Je vous adresse un de nos petits cousins, de la branche des Lacroix de Montpellier. Il est fils de notre cousin Alexandre de (sic) Lacroix et il a été adopté par M. le marquis de Rochambeau. Il n'aura qu'à se montrer pour se bien recommander lui-même. Vous regretterez comme moi de le voir seulement à la veille de son départ.*

128 L'arrêt de la cour d'appel précise *qu'il résulte d'un acte de notoriété reçu par M. le juge de paix du canton de Vendôme, en date du 18-I-1862, enregistré, que M. et M*ᵐᵉ *de Vimeur de Rochambeau ont donné à M. Eugène-Achille Lacroix, pendant sa minorité et pendant plus de 20 ans, depuis l'année 1838 jusqu'à ce jour, sans interruption, des soins et des secours tant pour les aliments, vêtements, logement, qu'ils lui ont fourni dans leur propre maison, que pour l'éducation qu'ils lui ont fait donner.*

129 Dernier du nom, Auguste-Philippe-Donatien de Rochambeau (Paris 26-I-1787 Thoré-la-Rochette 3-II-1868) était le petit-fils de Jean-Baptiste-Donatien (Vendôme 1-VII-1725 - Thoré-la-Rochette 10-V-1807), créé maréchal de France le 28-XII-1791, qui s'était illustré aux Etats-unis, durant la guerre d'indépendance.

130 La famille de Roques de Clausonnette avait des attaches à Beaucaire, d'où Mᵐᵉ Alexandre-Edouard Lacroix était originaire (voir note 127). Mᵐᵉ de Rochambeau y avait vu le jour le 14-III-1795. Ainsi, sans doute, se nouèrent les liens qui aboutirent à l'adoption de 1862.

131 Si, conformément à la ligne de conduite indiquée dans l'introduction, nous avons donné à Eugène-Achille Lacroix et à ses descendants les titres figurant dans les annuaires mondains, nous croyons devoir rappeler que noblesse et titres ne peuvent être transmis par adoption — un acte du pouvoir souverain est nécessaire à cet effet — et préciser que, aussi bien, le seul titre auquel les Vimeur de Rochambeau, nobles depuis le 15ᵉ siècle, avaient régulièrement droit était celui de baron, conféré par d. i. du 18-VI-1813 : encore a-t-il manqué à ce dernier pour être tout à fait assuré l'établissement des l. p. correspondantes.

132 Marie-Cécile Goüin était fille d'Eugène (Saint-Symphorien, Indre-et-Loire, 18-IX-1818 - Paris 31-V-1909), banquier à Tours, président du conseil de la Banque de Paris et des Pays-bas et de la Caisse des dépôts et consignations, maire de Tours, député d'Indre-et-Loire, sénateur inamovible, petite-fille d'Alexandre-Henri (Tours 26-I-1792 - Tours 20-V-1872), banquier à Tours, député d'Indre-et-Loire, ministre du commerce et de l'agriculture (1840), sénateur du Second empire, et la tante de Louis-Emile qu'on trouvera au chap. XIX (Le Bœuf).

133 Acte de décès transcrit à Tours à la date du 19-VII-1915.

134 Famille appartenant à la noblesse d'extraction (le titre de marquis est de courtoisie : adopté à la fin du 19e siècle).

135 Sœur de Jacques, petite-nièce de Pierre-Charles, qu'on a rencontrés dans la descendance du maréchal Exelmans (voir note 92 du chap. II).

136 Sœur de Mme Edmond Giscard d'Estaing, née May Bardoux, mère de Valéry, président de la république.

137 Isabelle Pasquier de Franclieu est une cousine issue de germain de Béatrice, épouse du prince Michel, fils du comte de Paris.

138 Du Crédit lyonnais, à Hong-Kong.

139 Brigitte de Longvilliers fut, durant trois ans, la gouvernante de l'actuelle reine de Danemark, s. m. Margethe II, et des deux sœurs de celle-ci, les princesses Bénédicte (princesse Richard de Sayn-Wittgenstein-Berlebourg) et Anne-Marie (reine de Grèce). Les souvenirs qu'elle a gardés de son séjour à la cour de Danemark ont été publiés dans l'hebdomadaire *Point de vue* (21 et 28-VI, 5 et 12-VII-1968), recueillis par Arnaud Chaffanjon.

140 Voir note 125.

141 Mathilde de Nazelle était une arrière-arrière-petite-fille du maréchal Lannes duc de Montebello (voir, du même auteur, *Les maréchaux du Premier empire*).

142 Il s'agit d'un fils.

143 Acte de décès transcrit à Tours le 23-XI-1916.

144 Président de la compagnie d'assurances La confiance.

145 Petit-fils par sa mère — Adélaïde-Joséphine Bachasson de Montalivet (1830-1920) alliée en 1850 à Antoine-Achille Masson (1815-1882), autorisé par décrets du 5-I-1859 et du 30-V-1892 à s'appeler Masson de Montalivet, puis Masson-Bachasson de Montalivet — de Camille comte Bachasson de Montalivet (1801-1880), ministre de l'intérieur et de l'instruction publique sous Louis-Philippe, lui-même fils de Jean-Pierre comte Bachasson de Montalivet (1766-1823), ministre de l'intérieur sous le Premier empire, et de Louise-Adélaïde Starot de Saint-Germain (1769-1850), peut-être fille naturelle de Louis XV (voir, du même auteur, *Les enfants naturels de Louis XV*).

146 Petite-fille de Prosper (Rouen 3-VIII-1798 - Herry 20-V-1881), député du Cher, écrivain politique et historien, membre de l'Académie française, nièce d'Ernest (Paris 7-III-1843 - Trouville 19-VIII-1877), député du Cher, homme de lettres.

147 Arrière-arrière-petit-fils de La Fayette par sa grand-mère paternelle, Mathilde du Motier de La Fayette, Gilbert Bureaux de Pusy fut, comme plusieurs autres descendants en ligne féminine du général, autorisé à ajouter à son nom celui de Dumottier de Lafayette (décret du 27-XII-1928), après extinction de la postérité en ligne masculine (voir *La Fayette et sa descendance* par Arnaud Chaffanjon, Paris 1976).

148 Durant quelques années, rédactrice en chef d'une revue d'histoire aujourd'hui disparue : *Anthinéa*.

149 Victor Nguyen est l'animateur avec Georges Souville du Centre Charles Maurras d'Aix-en-Provence, qu'ils ont fondé tous deux il y a quelques années et sous l'égide duquel se tiennent régulièrement des colloques de qualité : le dernier en date, qui était le 6e, a eu lieu les 7, 8 et 9-IV-1980. Victor Nguyen par ailleurs travaille à une vaste étude sur la pensée de Maurras.

150 Auteur d'une importante *Bibliographie des œuvres de La Fontaine* (Paris 1911, 671 p.).

151 A reçu en 1921 la Médaille de la reconnaissance française pour sa conduite durant la guerre de 1914-1918 avec la citation ci-après : *Infirmière-major et surveillante générale de l'Hôpital 22, au Blanc, a quitté sa famille et son domicile pour pouvoir se consacrer entièrement aux malades et aux blessés de guerre à titre purement gratuit pendant toute la durée des hostilités, s'est fait remarquer par son dévouement.*

152 Adoptée par Pelage-Marie-Joseph de Coniac.

153 Prénom féminin.

154 Sœur de Michel, qu'on a rencontré au chap. II (Exelmans) et cousine issue de germain de Marguerite figurant au chap. XIX (Le Bœuf).

155 Pierre Hussenot-Desenonges est le neveu à la mode de Bretagne de Joseph figurant au chap. II (Exelmans) et, par ailleurs, le frère de Raymond, né à Maule, Yvelines, le 6-IX-1908, allié à Neuilly-sur-Seine le 10-I-1938 à Claude Darrieux (Paris 19-XI-1918), sœur de Danielle, artiste de cinéma.

156 Edgar Humann-Guilleminot était l'arrière-petit-fils de Jean-Georges Humann (Strasbourg 6-VIII-1780 - Paris 25-IV-1842), négociant en denrées coloniales à Strasbourg, député du Bas-Rhin et de l'Aveyron, pair de France (1837), deux fois ministre des finances sous Louis-Philippe, le petit-fils de Jules Humann (1809-1857), ministre plénipotentiaire, allié à Augustine-Hortense Guilleminot (fille d'Armand-Charles comte Guilleminot, lieutenant général, pair de France, ambassadeur de France), le petit-neveu de Théodore Humann (Landau 8-VI-1803 - Paris 7e 15-V-1873), négociant, député du Bas-Rhin, maire de Strasbourg, le fils d'Edgar Humann (Paris 7-V-1838 - Paris 7e 11-V-1914), vice-amiral, le neveu de Georges Humann (Naples 15-XII-1833 - Pau 6-II-1908), général de brigade (voir note 114 du chap. VII). Il fut autorisé par décret du 5-IV-1916 à relever le nom de sa grand-mère paternelle, éteint. A la suite de cette disposition, il reprit également le titre de comte de son arrière-grand-père, le général Guilleminot : ce titre n'est évidemment que de courtoisie.

157 Sœur de Stanislas (voir, du même auteur, *Les Say et leurs alliances*).

158 Jean-Baptiste comte Eblé, général de division, qui, à la fin de novembre 1812, sauva une partie de la Grande armée en construisant les ponts de la Bérésina, puis en les détruisant, possédait une sœur prénommée Marie-Laurence. Cette sœur eut un fils, Charles Eblé. Général de division également, celui-ci fut autorisé par Napoléon III à relever le titre de son oncle, mort sans postérité : Magdeleine est l'arrière-petite-fille de Charles Eblé.

159 Quelque temps aide de camp du duc de Windsor.

160 Lela Emery (Bar-Harbor, Etats-unis, 1-VII-1902 - Rome 29-XII-1962) s'est alliée en 2des noces (Paris 2e 30-VIII-1938) à Hélie duc de Talleyrand, de Dino et de Sagan (Florence 20-I-1882 - Rome 20-III-1968), au sujet duquel nous renvoyons à, du même auteur, *Les princes et ducs du Premier empire.*

161 De la famille des imprimeurs rennais.

162 Fut l'un des fondateurs des Scouts de France et commissaire de cette association pour la Normandie.

163 Fils de Germain-Henri, notaire à Paris, Paul Cottin (Boussy-Saint-Antoine 5-VI-1856 - Paris 16e 22-II-1932) fonda en 1884 la *Revue* (plus tard *Nouvelle revue*) *rétrospective*, recueil de documents inédits qui parut jusqu'en 1904, écrivit divers ouvrages, notamment sur Mirabeau et Sophie de Monnier, et se fit l'éditeur de nombreux souvenirs, journaux, correspondances : on lui doit, entre autres choses, la publication en 1898 des célèbres *Mémoires du sergent Bourgogne (1812-1813).*

164 C'est le comte Michel de Rochambeau qui est aujourd'hui le propriétaire du château de Rochambeau, à Thoré-la-Rochette. En 1976, à l'occasion du bicentenaire des Etats-unis, il a organisé dans plusieurs pièces de celui-ci une exposition présentant un certain nombre de souvenirs du maréchal de Rochambeau et, le dimanche 21-III, y a accueilli M. Nelson Rockfeller, alors vice-président des Etats-unis, qui alla ensuite s'incliner devant la tombe de ce dernier dans le cimetière de la petite commune.

165 Co-gérant de la banque MM. Lehideux et Cie.

166 Celles de la famille de sa femme (région de Béziers).

167 Le 8-X-1944.

168 Remariée le 18-VI-1947 à Pierre Pouyade (Cerisiers 25-VII-1911), général de brigade (air), député de Corrèze, puis du Var, ancien commandant de l'escadrille (1943), puis du régiment (1944) Normandie-Niémen, président de l'Association France-U.R.S.S.

169 Arrière-petit-fils du maréchal Reille (voir, du même auteur, *Les maréchaux de la Restauration et de la Monarchie de juillet*).

170 Sert auprès de son frère le futur maréchal dans la compagnie franche organisée à Saint-Jean-pied-de-port, puis aux chasseurs basques, se retire du service en l'an 9 : *par suite des fatigues qu'il a essuyées et particulièrement d'un refroidissement qu'il a éprouvé en se jetant, tout mouillé de sueur, pour poursuivre l'ennemi, dans les eaux de la Bidassoa, lors de la dernière guerre contre l'Espagne, il a contracté des douleurs qui ont résisté à tous les remèdes,* explique le futur maréchal dans une lettre à Clarke, ministre de la guerre, en date du 29-I-1809 (dossier personnel de Charles Harispe au S.H.A.T.).

171 Acte de décès transcrit à Saint-Etienne-de-Baïgorry à la date du 13-VII-1833.

172 Une petite-fille de ceux-ci, Marguerite Minjonnet, a épousé à Saint-Etienne-de-Baïgorry le 27-X-1919 Henri Lassus (Bayonne 12-III-1892 - Saint-Etienne-de-Baïgorry 12-X-1963), général de brigade.

173 Jean-Charles Harispe, indique le *Dictionnaire universel des contemporains* de Gustave Vapereau (Paris 1893, 6e édition), *passa très jeune à La Havane, y fit fortune et rentra dans son pays. Conseiller général des Basses-Pyrénées, il fut élu député, le 20-II-1876, dans l'arrondissement de Mauléon... Il siégea à droite et, après l'acte du 16-V-1877, il fut un des 158 députés des droites qui soutinrent le cabinet de Broglie. Il fut réélu, sans concurrent, le 14-X suivant... Il échoua aux élections du 21-VIII-1881, dans l'arrondissement de Mauléon... Inscrit sur la liste monarchiste des Basses-Pyrénées, aux élections du 4-X-1885, faites au scrutin de liste, il a été élu, le 3e sur 6. Il ne s'est pas représenté aux élections générales du 22-IX-1889.*

174 Il n'y a pas de parenté au moins proche entre Placide Etcheverry, Michel qu'on a rencontré plus haut (voir rubrique *Collatéraux* et note 11) et Jean-Baptiste qu'on trouvera un peu plus loin.

175 Vraisemblablement de la famille de la mère du maréchal et de Marthe dite Martille (voir note 11) — on rencontre, en effet, la maison Anchart de part et d'autre —, mais nous n'avons pu déterminer avec certitude le degré de parenté : d'après un document familial que nous avons eu en main, ce pourrait être une demi-sœur de Marthe, donc une nièce de la mère du maréchal.

176 Voir note 174.

177 Comme beaucoup de basques, Ulysse Dutey et son frère Jean-Isidore partirent assez jeunes pour l'Amérique du sud en vue d'y tenter la chance. Tout d'abord vendeurs de magasin, ils entreprirent bientôt l'exploitation d'un gisement de

guano, au Pérou. Après quelque temps, ils se répartirent la besogne de la sorte : Jean-Isidore surveilla l'extraction sur place et Ulysse, regagnant la France, ouvrit à Bordeaux un comptoir chargé d'écouler la production en Europe. Selon la tradition familiale, le maréchal aurait apporté une partie du capital nécessaire au développement de l'affaire. Ulysse et Jean-Isidore Dutey réalisèrent ainsi en peu d'années une fortune très confortable. Malheureusement pour les deux frères, l'état péruvien les déposséda assez rapidement du gisement. Ils regagnèrent alors le pays basque où ils vécurent désormais de leurs rentes.

178 Nathalie de Lafaurie d'Etchepare n'appartenait pas au même bord que sa belle famille. Passé en Espagne en 1793, Jean-Alexandre, son père, y avait servi contre les armées de la république, puis contre celles de l'empereur.

179 Voir note 177.

180 Dans la lettre du 29-I-1809 à Clarke, citée à la note 170, le futur maréchal indique en effet : *Notre mère, veuve depuis bien des années, a élevé seule sept enfants dont cinq garçons. Dès le commencement de la guerre, elle a voué ses cinq fils à la défense de l'état. Un est mort dans l'expédition de Saint-Domingue, un autre vient d'être tué à la tête de sa compagnie de voltigeurs à la bataille d'Espinosa, le troisième, Jean-Pierre Harispe, capitaine, et moi-même sommes en activité de service à l'armée d'Espagne.* Toutefois, dans une lettre du 9-III-1811, se trouvant dans le dossier de son frère Jean-Thimothée (S.H.A.T.), le futur maréchal ne cite plus, outre lui-même, que trois de ses frères comme ayant servi depuis la Révolution : Charles, Jean-Thimothée et Jean-Pierre.

181 Jean-Thimothée Harispe servit presque constamment sous les ordres de son frère le futur maréchal, tout d'abord aux chasseurs basques, puis au 16e régiment d'infanterie légère. On trouve cette note dans son dossier militaire : *Il n'avait pas encore atteint sa 19e année, lorsque, combattant à l'affaire d'Ispegui le 10-VI-1793, à côté de son frère aîné, son capitaine, il lui sauva la liberté et la vie en s'élançant le pistolet à la main, sur un grenadier espagnol qui tenait son frère en joue et le fit prisonnier. Il fut, à cette occasion, nommé sous-lieutenant sur le champ de bataille par le représentant du peuple Héraud et la Convention nationale lui décerna par un décret public une arme d'honneur* (S.H.A.T.).

182 Pierre dit Jean-Pierre Harispe débuta aux chasseurs basques. Il appartint ensuite au 114e régiment d'infanterie. Il devint l'aide de camp de son frère en 1811. Il mourut *par suite d'une fièvre nerveuse*, indique son acte de décès transcrit à Saint-Etienne-de-Baïgorry le 20-XII-1812.

183 Ce chapitre, où les rameaux et les branches montrent une particulière luxuriance, n'a pu être mis au point que grâce à l'aimable concours de nombreux représentants de la parenté du maréchal Harispe. Nous les prions de trouver ici l'expression de notre gratitude et tout particulièrement : Mme Louis Chauchat, le lieutenant-colonel Marcel Dutey-Harispe, Mme Jehan-Xavier de La Rochefordière, le général de Longvilliers, le baron Henri de Maistre, Mmes Jacques et Gabriel Marcotte de Sainte-Marie, Mme Jean Marguet, Mme Philippe Maurice-Roger, Mme François Michaut, la comtesse André de Montalivet, la comtesse Gabriel de Mortemart, Mme Maurice Roland-Gosselin, M. Jacques du Rivau, la comtesse Michel de Rochambeau, Mme Jacques Sauvain.

IV

Jean-Baptiste-Philibert comte Vaillant

11-XII-1851

CARRIERE

1790 : naissance à Dijon (Saint-Médard), le 6-XII,
1807 : entre à l'Ecole polytechnique,
1809 : est admis à l'Ecole d'application de l'artillerie et du génie de Metz en qualité de sous-lieutenant élève du génie,
1811 : lieutenant de sapeurs, détaché aux travaux de défense de Dantzig (5-IV), à l'état major particulier du génie (12-VII),
1812 : employé au parc général de la Grande armée (27-I), puis à Marienwerder sur la Vistule (10-V)[1], attaché à la brigade de siège du 10e corps de la Grande armée (10-VIII), capitaine en 2d de sapeurs (21-VIII), commande la 7e compagnie du 5e bataillon de sapeurs attaché à la 31e division d'infanterie (30-X), employé auprès du général Haxo commandant en chef le génie de la Grande armée (20-XII),
1813 : aide de camp du général Haxo (12-III), est à la bataille de Dresde (26-VIII), prisonnier de guerre au combat de la Kulm en Bohême (30-VIII),
1814 : capitaine de 2de classe à l'état major du génie (8-VII), aide de camp du général Haxo (8-VIII),
1815 : employé aux travaux de défense de Paris (1-V), à l'armée du Nord (9-VI), est à Ligny et à Waterloo, à l'armée de la Loire (4-VII), aide de camp du général Haxo (24-X),
1816 : capitaine de 1re classe, à l'état major du génie (jusqu'en 1830),
1826 : chef de bataillon,
1830 : employé à l'armée d'Afrique (18-V), aide de camp du général Haxo (4-X),
1831 : lieutenant-colonel (30-IV), à l'état major du génie (30-IV), attaché au comité des fortifications (6-V), directeur du parc du génie de l'armée du Nord (1-VII), en outre chef de l'état major du génie de cette même armée (20-XII),
1833 : colonel (7-I), à l'état major du génie, à la tête du 2e régiment du génie (jusqu'en 1837)
1837 : directeur des fortifications à Alger,
1838 : maréchal de camp (21-X), directeur supérieur des fortifications et commandant des troupes du génie en Algérie (20-XI),
1839 : commandant de l'Ecole polytechnique (jusqu'au 8-X-1840),
1840 : directeur des travaux de fortifications de Paris, rive droite (12-IX, jusqu'au 1-I-1848), membre du comité des fortifications (29-IX, jusqu'en 1848),
1845 : inspecteur général du génie pour le 4e arrondissement (16-VI)[2], lieutenant général (20-X), président du jury d'honneur de l'Ecole d'application de Metz (4-IX),
1846 : inspecteur général du génie pour le 4e arrondissement[2],
1847 : inspecteur général du génie pour le 5e arrondissement,
1848 : membre de la commission de défense des côtes (17-II), membre d'une commission pour l'examen de questions militaires importantes (8-III), président du comité des fortifications (9-V, jusqu'en 1851), inspecteur général des travaux de défense du littoral de la France et de la Corse (5-VI), inspecteur général du génie pour le 1er arrondissement (18-VI),
1849 : commande le génie du corps expéditionnaire de la Méditerranée[3],
1850 : inspecteur général du génie pour le 1er arrondissement,
1851 : inspecteur général du génie pour l'Italie et l'Algérie (6-VI), comte romain héréditaire (6-X et 14-X)[4], maréchal de France (11-XII), président d'honneur du comité des fortifications (2-XII),
1852 : sénateur (26-I), grand maréchal du palais de l'empereur (31-XII, jusqu'en 1859),

1853 : membre de l'Académie des sciences,
1854 : ministre de la guerre (11-III, jusqu'au 4-V-1859), président de la commission instituée pour recueillir, coordonner et publier la correspondance de Napoléon Ier (7-IX),
1857 : président du conseil général de la Côte d'or (jusqu'au 1870),
1859 : major général de l'armée d'Italie (5-V), membre du conseil privé (5-V, jusqu'en 1870), commande provisoirement l'armée d'Italie (9-VII)[5], commande en chef l'armée d'Italie (23-VII),
1860 : reprend les fonctions de grand maréchal du palais (20-VI, jusqu'en 1870), ministre de la maison de l'empereur (jusqu'au 9-VIII-1870),
1863 : ministre des beaux-arts (jusqu'au 2-I-1870)[6],
1870 : membre du comité de défense des fortifications de Paris (20-VIII, jusqu'au 16-IX),
1872 : mort à Paris 7e (4-VII), inhumé dans le cimetière de Dijon[7].

ECRITS

• *Essai sur les principes et la construction des ponts militaires et sur les passages des rivières en campagne*, par le général Howard Douglas, traduit de l'anglais par J.P. Vaillant, capitaine du génie (Paris 1824, 389 p.).

• *Siège de Rome en 1849 par l'armée française, journal des opérations de l'artillerie et du génie*, en collaboration avec le général Charles-Ambroise Thiry (Paris 1851, IV - 221 p.).

• *Lettres de son excellence le maréchal Vaillant à M. Nicolas Fétu sur l'extinction de la race canine à Dijon et réponse de M. Nicolas Fétu à son excellence* (Dijon 1866, 20 p.).

• Introduction de 4 p. à un rapport de Louis Pasteur intitulé *Chauffage des vins et confection des vinaigres* (Dijon 1869, 12 p.), présenté à l'Académie des sciences.

• Il y a lieu d'y ajouter un certain nombre de rapports, discours, instructions, circulaires, règlements, etc..., et quelques lettres publiées dans l'ouvrage *Campagnes de Crimée, d'Italie, d'Afrique, de Chine et de Syrie*, mentionné à la note 205 du chap. VII (Castellane) et dans le volume de Pierre Guiral et Raoul Brunon cité à la rubrique *Ecrits* du chap. IX (Pélissier)[8].

LE CADRE FAMILIAL

Ascendance[9]

I - Antoine Vaillant, marchand à Essoyes[10], allié à Françoise Gachon, dont

II - Hubert Vaillant, décédé à Dijon (Saint-Médard) le 22-V-1783 à

62 ans, officier guidon de la ville de Dijon (1751), procureur en la chambre des comptes de Bourgogne et de Bresse (1760-1783), allié Dijon (Saint-Médard) 7-1-1749 à Jeanne Auprestre, née à Dijon (Saint-Jean) le 28-VIII-1722, décédée à Dijon (Saint-Médard) le 18-X-1780, fille de Guillaume, marchand apothicaire, échevin de la ville de Dijon[11], et d'Anne Charles[12], dont

III - *Hubert*-Michel-François Vaillant, né à Dijon (Saint-Médard) le 15-VII-1760, mort à Dijon le 14-XII-1823, avocat au parlement de Dijon (1782-1790), secrétaire général du département de la Côte-d'or (1790-1800), secrétaire général de la préfecture de la Côte-d'or (1800-1815), député de la Côte-d'or sous les Cent-jours[13], allié 1) à Dijon (Saint-Michel) le 4-X-1785 à Bernarde Canquoin, née à Dijon (Notre-dame) le 8-VIII-1761, décédée à Dijon le 9-III-1798, fille de Jean-Jacques, procureur, puis commis greffier au parlement de Dijon, et de Gabrielle Hucherot[14], 2) à Dijon le 31-XII-1799 à Michèle Fauchey, née à Dijon (Saint-Médard) le 9-XII-1764, décédée à Dijon le 14-II-1814[15], fille de Charles, procureur au parlement de Dijon, puis greffier de justice de paix, et de Jeanne Royer[16].

Collatéraux[9]

Un frère de *Hubert*-Michel-François, *Michel*-François, né à Dijon (Saint-Médard) le 29-IX-1751, décédé à Dijon le 16-VI-1816, fut avocat au parlement de Dijon (1782), procureur à la chambre des comptes de Dijon (1783-1790), dépositaire-archiviste des archives des ci-devant Etats de Bourgogne (1792-1795), membre du conseil général de la commune de Dijon (1792-1794), officier municipal (1792-1795), bibliothécaire à l'école centrale de Dijon, puis conservateur de la bibliothèque centrale de Dijon (1804)[17]. Il avait épousé à Dijon (Saint-Médard) le 1-I-1782 Claudine-Philiberte Mathieu, née à Messigny le 18-X-1753, décédée à Dijon 9-III-1835[18], fille de Charles-Adrien, notaire à Dijon, et de Claudine Brocard[19]. Une sœur de *Hubert*-Michel-François, Jeanne, née à Dijon (Saint-Médard) le 13-III-1764, décédée à Dijon le 26-VIII-1794, s'était alliée à Dijon (Saint-Médard) le 24-VIII-1784 à Louis Caillet, décédé à Dijon le 12-III-1793, âgé de 34 ans, marchand apothicaire, fils de Louis, professeur au collège de Dijon, et de Louise Joly[20].

ARMES

Ecartelé : I d'azur, à l'épée haute en pal d'argent, garnie d'or ; II de gueules à la tour d'argent, sommée de 3 tourelles de même ; III de gueules à l'étoile d'or, soutenue d'un croissant d'argent ; IV d'azur à 2 clefs d'or passées en sautoir (prise de Rome en 1849)[21].

L'EPOUSE

Le maréchal Vaillant est allié à Paris le 23-III-1843 à *Pervenche*-Eléonore-Benjamine FROTIER de LA COSTE-MESSELIÈRE (Paris 27-XI-1797 - Paris 1er 27-I-1869 [22]), fille de Benjamin-Eléonor-Louis [23], mestre de camp de cavalerie, ministre plénipotentiaire [24], député aux Etats généraux (1789), sous-préfet de Melle, préfet de l'Allier, et de Rose-Barbe BALETTI [25], d'une famille d'ancienne extraction originaire du Poitou, établissant sa filiation depuis le début du 15e siècle [26], maintenue dans sa noblesse en 1667 et 1700, ayant bénéficié des honneurs de la cour en 1754, 1780 et 1783 [27].

Pervenche FROTIER de LA COSTE-MESSELIÈRE avait épousé précédemment à Paris le 24-I-1818 *François*-Nicolas-Benoît HAXO (Lunéville 24-VI-1774 - Paris 25-VI-1838), général de division, baron de l'empire (1811), pair de France (1832) [28], fils de Nicolas-Benoît, maître particulier des eaux et forêts au département de Lunéville, et de Marie-Catherine HURTEVIN-MONTAUBAN [29].

DESCENDANCE

Le maréchal Vaillant n'a pas eu de postérité [30].

FRERES ET SŒURS

du 1er mariage du père

1 - Gabrielle VAILLANT (Dijon, Saint-Médard, 10-VIII-1786 - Dijon 25-X-1794),

2 - Jeanne-Bernarde VAILLANT (Dijon, Saint-Médard, 6-VIII-1788 - Dijon 20-I-1864), s.a.,

3 - Jean-Hubert VAILLANT (Dijon 15-II-1792 - Baigneux-les-juifs 11-VII-1814), receveur au bureau de l'enregistrement de Baigneux-les-juifs, s.a.,

4 - Philiberte-Cornélie VAILLANT (Dijon 18-III-1794 - Dijon 29-VII-1794),

5 - Virginie VAILLANT (Dijon 28-VI-1795 - Dijon 27-X-1797),

6 - Victoire VAILLANT (Dijon 26-V-1797 - Paris 6e 6-XI-1878) [31] alliée Dijon 16-IX-1822 à Paul-Louis CIRODDE (Issoudun 18-XII-1794 - Paris 24-I-1849), docteur ès sciences, agrégé des sciences, professeur de

mathématiques élémentaires, auteur de nombreux ouvrages de mathématiques [32], fils de Louis, percepteur des contributions directes, et de Marie-Anne DESEGLISE ; de ce ménage, naquirent deux enfants : I) Alfred CIRODDE (Dijon 13-VII-1823 - Paris 16e 11-IV-1898), inspecteur général des Ponts-et-chaussées, allié Montluçon 28-X-1850 à Anne-Claire BRISSON (Bourges 22-XI-1833 - Paris 16e 5-XII-1890), fille de Louis, avoué à la cour d'appel de Bourges, et d'Adélaïde FROMENT [33], dont uniquement un fils mort à 20 ans, s.a. ; Alfred CIRODDE adopta par jug. du t. c. de la Seine et arrêt de la cour d'appel de Paris en dates respectivement des 9-XII-1892 et 6-I-1893 Georgina dite Marie MULLER, qui porta désormais le nom de MULLER-CIRODDE (Paris 8e 2-XI-1870 - Nancy 4-XI-1946), fille de Sophie MULLER, couturière, alliée Paris 16e 20-II-1893 à Laurent VALETTE (Tudeils 2-VII-1859 - Le Cannet, Alpes-maritimes, 18-XII-1942), docteur en médecine, fils d'Etienne, propriétaire agriculteur, et de Justine-Anna DURAND, dont 1) Louis VALETTE (Paris 16e 9-II-1894 - ✕ au bois de Pareid, Meuse, 5-IV-1915 [34]), s.a., 2) Madeleine VALETTE (Paris 16e 24-IX-1895 - Maxéville 8-I-1963) alliée Tudeils 26-VI-1918 à Georges MATHIOT (Neufchâteau 12-XII-1893 - Nice 21-VII-1962), avocat, fils de Pierre-Eugène, notaire, et de Jeanne-Gabrielle CLAUDON, dont postérité en ligne féminine (familles CHADÉ et VANDESMET), 3) Jean VALETTE (Paris 16e 10-VII-1897 - Grasse 21-I-1966), rédacteur principal au ministère de la guerre, allié Paris 15e 30-VII-1927 à Juliette-Joséphine SALMON (Marseille 29-IX-1896 - Cannes 1-II-1979), fille de Henri-Lucien, employé, et de Mélanie-Prudence PELASSY, couturière [35], s.p. ; II Ernest CIRODDE (Dijon 19-X-1824 - Paris 16e 28-X-1896), ingénieur en chef des Ponts-et-chaussées [36], allié Paris 16e 2-X-1864 à Marie BOULARD (Paris 8-III-1840 - Nice 9-V-1917), fille d'Adolphe, propriétaire [37], et d'Anna PERRIER puis PERRIER de PRIVEZAC [38], s.p.,

du 2ᵈ mariage du père

7 - Michèle-Josabeth VAILLANT (Dijon 6-III-1801 - Paris 5e 2-IV-1872) alliée Nuits-Saint-Georges 27-IX-1825 à Patrice LARROQUE (Beaune 27-III-1801 - Paris 5e 15-VI-1879), docteur ès lettres, agrégé de philosophie, professeur de philosophie, inspecteur, puis recteur d'académie, auteur de nombreux ouvrages [39], fils de Bertrand, qualifié successivement vitrier à Paris (1791), marchand à Beaune (1801), receveur buraliste des droits réunis à la résidence de Beaune (1805), vérificateur des poids et mesures à Beaune (1807) [40], et de Claudine BAILLY [41] ; de ce ménage, naquirent 4 enfants : I) Hubert LARROQUE (Langres 26-VI-1826 - Paris 5e 6-X-1898), chef de bureau à la préfecture de la Seine, allié Nantes le 7-XI-1876 à Eugénie SAUVAGET (Nantes 27-II-1845 - Limoges 20-II-1932) [42], fille de François, faïencier, et de Rose-Marguerite BENOIST, s.p. [42a] ; II) Mathilde LARROQUE (Grenoble 31-III-1830 -

Paris 5ᵉ 8-III-1908), s.a. ; III) Josabeth LARROQUE (Toulouse 16-XII-1831 - Paris 5ᵉ 26-II-1911), s.a. ; IV) Marie LARROQUE (Limoges 11-IX-1837 - Paris 5ᵉ 11-I-1893) alliée Paris 5ᵉ le 29-X-1864 à Louis HENRIET (Lons-le-saulnier 25-VI-1829 - Paris 10ᵉ 4-XI-1889), ingénieur[43], fils de Claude-François, receveur principal des contributions indirectes, et de Caroline-Françoise MOISSENET[44] ; Marie LARROQUE et Louis HENRIET ont eu 3 filles : A) Jeanne HENRIET (Paris 17ᵉ 21-VII-1865 - Fleurier, Suisse, 20-IX-1897), s.a. ; B) Marguerite HENRIET (Paris 17ᵉ 26-V-1872 - Paris 14ᵉ 12-VI-1957) alliée Paris 5ᵉ 7-VI-1894 à Bruneau-Ferdinand BONNET (Siran, Hérault, 14-III-1864 - Paris 14ᵉ 25-XII-1935), général de brigade, fils de Jean-André, maréchal-ferrant et propriétaire viticulteur, et de Marie-Anne BONHOMME, dont 3 enfants 1) Jeanne-Marie BONNET (Besançon 18-VII-1898 - Siran 13-IX-1968) alliée à Paris 14ᵉ le 19-X-1922 à Marcel HUBERT (Paris 5ᵉ 10-V-1895 - Paris 14ᵉ 26-II-1934), commis principal d'agent de change, fils de Armand-Marie, tailleur, et de Marie JANTET, s.p. ; 2) Anne BONNET (Belfort 28-V-1902) alliée à Paris 5ᵉ le 8-XI-1924 à Gabriel-Maurice TOUBIN (Chambéry 2-VIII-1891 - Nancy 17-XI-1949), ingénieur des Ponts-et-chaussées de 1ʳᵉ classe, fils d'Alfred, conseiller de cour d'appel[45], et de Emilie GUIGOU, dont postérité masculine et féminine ; 3) Paul-André BONNET (Belfort 24-IV-1904), ingénieur opticien, s.a. ; C) Marie-Caroline HENRIET (Paris 17ᵉ 19-XI-1873 - Limoges 1-XI-1959) alliée 1) Paris 5ᵉ 6-XII-1898 à François-Edmond MEUSNIER (Paris 8ᵉ 16-VII-1864 - Paris 10ᵉ 4-IV-1901), docteur en médecine, fils d'Alphonse, professeur, et de Félicie MOREL, institutrice, 2) Paris 5ᵉ 12-VIII-1902 à Paul-Maurice GRENOUILLET de MAVALEIX (Paris 4ᵉ 22-III-1869 - Limoges 8-I-1921), industriel (porcelaine), capitaine de cavalerie, fils de Louis, notaire, et de Pauline SAUVAGET[46], dont postérité en ligne masculine du 1ᵉʳ mariage, en lignes masculine et féminine (famille GAY de VERNON) du 2ᵈ[47].

NOTES

1 En dépit de son jeune âge, le futur maréchal eut à ce moment un contact personnel avec l'empereur Napoléon Iᵉʳ. Il en fait état dans une note de quelques pages, figurant dans son dossier au S.H.A.T. — il s'agit d'une copie établie le 20-IX-1872, à partir d'un texte rédigé le 2-VIII-1865, prêté par la famille —, où il présente brièvement son entourage familial et retrace les grandes étapes de sa carrière : ... *Je reçus l'empereur au débouché du grand pont de bateaux que nous avions sur la Vistule à Marienwerder. L'empereur déjeuna chez moi, sur ma table de travail (du pain et du lait), puis nous fîmes à pied le tour de l'immense tête de pont couvrant le pont. Les questions nombreuses que m'adressa l'empereur furent toutes profondes, instructives et comme il savait les adresser. J'étais bien jeune, bien inexpérimenté (21 ans) et cependant il eut la bonté de me dire qu'il était content. J'avais moins peur*

de lui en 1812 que de l'empereur Napoléon III cinquante ans plus tard ! A quoi cela tient-il ? Certes, ce n'est pas moi qui pourrais dire que le neveu est moins excellent que l'oncle.

2 L'Algérie.

3 En même temps que ce commandement, Vaillant reçut une lettre de service l'autorisant à remplacer le général Victor Oudinot 2ᵉ duc de Reggio (fils du maréchal) à la tête de l'expédition, s'il le jugeait convenable, circonstance qui ne se produisit pas.

4 Le *Bulletin héraldique de France* (1899, colonne 658), *Les paroles françaises et romaines*, périodique édité par Jean de Bonnefon (août-sept. 1905, n° 7 et 8, article *Noblesse du pape*) et *Les titres pontificaux en France du 16ᵉ au 20ᵉ siècle* de Dominique Labarre de Raillicourt (Paris 1962) indiquent que Vaillant fut fait comte romain par le pape Pie IX en 1850, en raison de son rôle prépondérant lors du siège de Rome en 1849 (voir note 3). Le fait est bien exact, la date exceptée : nous avons pu obtenir des archives du Vatican une expédition de la décision et du bref correspondants, lesquels sont respectivement des 6-X et 14-X-1851. Le titre était héréditaire, transmissible au seul aîné. Contrairement à ce qu'affirment les trois sources précitées, celui-ci ne fut pas autorisé en France en 1859 : nous n'avons rien trouvé à ce sujet dans les registres du Sceau.

5 Lors du retour de l'empereur à Paris.

6 On trouvera des précisions intéressantes sur l'œuvre du maréchal Vaillant en tant que ministre de la maison de l'empereur et des beaux-arts dans une série d'articles de Maurice Zobel intitulés *Jean-Baptiste-Philibert Vaillant, maréchal de France, ministre de la maison de l'empereur Napoléon III, bienfaiteur de la commune* publiés de 1967 à 1974 dans le *Bulletin de la Société historique et archéologique de Nogent-sur-Marne* (Vaillant y avait acquis une propriété). Entre autres choses, le maréchal présida à l'achèvement des ailes du Louvre, à la construction du théâtre de Fontainebleau, à l'aménagement des bois de Boulogne et de Vincennes, compris dans la liste civile depuis le 2-XII-1852. On lui doit, d'autre part, la mise au point du règlement des courses de chevaux du 16-III-1866 toujours en vigueur pour l'essentiel, lequel donne autorité souveraine à la Société d'encouragement pour l'amélioration des races de chevaux en France, en ce qui concerne les courses plates au galop, à la Société des steeple-chases de France, pour les courses à obstacles, et à la Société de demi-sang (aujourd'hui Société du cheval français), pour les courses au trot : la Société des steeple-chases a fondé un prix Maréchal Vaillant à l'occasion du centenaire de ce règlement.

7 La sépulture du maréchal Vaillant occupe la place d'honneur à l'entrée du polygone réservé aux enfants de Dijon morts pour la France.

8 Vaillant aurait rédigé des mémoires, demeurés jusqu'ici inédits. On trouve en effet ce qui suit dans un article signé X.X.X., paru dans *Le gaulois* du 26-IX-1897 : *Le maréchal... avait, par son testament, confié tous ses papiers, parmi lesquels se trouvait le récit des événements dont il avait été le témoin au cours de sa longue carrière, à M. Vernier, son compatriote, ancien conseiller d'état, avec mission de les faire publier vingt-cinq ans après sa mort. M. Vernier lui-même est mort depuis plusieurs années. Il n'avait pas d'enfants, mais il avait évidemment d'autres héritiers auxquels incombait la tâche de ne pas laisser dans l'oubli les souvenirs d'un homme qui... a été associé à tous les grands faits de notre histoire nationale...* L'auteur ajoute avoir *eu l'occasion de parcourir autrefois plusieurs chapitres de ce recueil.* Sans doute, le personnage auquel le maréchal aurait confié ce dernier est-il Théodore-Michel Vernier (Louhans 27-XII-1810 - 22-IX-1892), conseiller d'état, maire de Dijon, député de la Côte d'or. En dépit de ce qu'affirme l'article, le testament de Vaillant, rédigé le 1-II-1872, déposé le 5-VI chez Mᵉ Constant-Amédée Mocquard, notaire à Paris (A.N., M.C., LXVIII 1247), ne contient aucune disposition à ce sujet.

9 Sauf indication contraire en note, les précisions données sous cette rubrique nous ont été fournies par les registres de baptêmes ou naissances, mariages et décès de Dijon (archives municipales).

10 Les lacunes présentées par la collection des registres paroissiaux d'Essoyes ne nous ont pas permis de remonter davantage l'ascendance du maréchal Vaillant. Nous remercions M. Jean Deguilly, président de la Société académique de l'Aube, d'avoir bien voulu la dépouiller à notre intention. Il nous paraît intéressant de signaler que *Essoyes, histoire et statistique* de l'abbé Auguste Petel (Troyes 1893) fait état, p. 417, d'un Joseph Vaillant et, p. 418, d'un Roch-Antoine Vaillant, l'un et l'autre maires d'Essoyes, le premier en 1765, le second en 1781 et 1782.

11 Un frère de Jeanne Auprestre, Etienne, était également marchand apothicaire à Dijon : il est cité comme témoin dans l'acte de mariage de Michel Vaillant et Claudine-Philiberte Mathieu (voir plus loin).

12 On possède les portraits de Hubert Vaillant et de Jeanne Auprestre, réalisés par le peintre dijonnais François Devosge (1732-1811). Celui du 1er est aujourd'hui la propriété de Mme Gabriel-Maurice Toubin née Anne Bonnet, tandis que celui de la 2de appartient à M. Paul-André Bonnet, frère de la précédente (voir rubrique *Frères et sœurs*).

13 La dernière qualité nous a été fournie par le *Dictionnaire des parlementaires* de Robert et Cougny (T. III). Nous empruntons également à cet ouvrage les quelques détails ci-après. Hubert Vaillant *fut deux fois élu candidat au Corps législatif, le 18 nivôse an XII et le 13-XII-1810, sans être appelé par le Sénat conservateur à y siéger. Aux Cent jours, élu le 9-V-1815 membre de la Chambre des représentants par l'arrondissement de Dijon, avec 52 voix sur 86 votants, il fut destitué de ses fonctions de secrétaire général à la seconde restauration. Le préfet de la Côte d'or sollicita pour lui (16-XI-1815) une pension, qui fut liquidée le 15-V-1816, au chiffre de 1 500 F.*

14 Un frère de Bernarde Canquoin, Etienne, fut curé de Genlis et un autre, Pierre, directeur de l'enregistrement et du domaine du département de la Frise : ils figurent comme témoins dans l'acte de mariage de Victoire Vaillant et Paul-Louis Cirodde (voir rubrique *Frères et sœurs*).

15 Un frère de Michèle Fauchey, Louis, né à Dijon (Saint Médard) le 19-XI-1766, fit carrière dans l'armée. Entré comme chasseur le 13-VI-1784 dans le 11e régiment (chasseurs du Gévaudan), il y resta jusqu'au 26-VII-1786. Ayant repris du service dans le corps à cheval de la Côte d'Or le 15-VI-1793, il y devint maréchal des logis le 29-VII et capitaine le 9-IX. Il fut incorporé avec ce grade dans le 15e régiment de chasseurs le 25-VIII-1796 et reçut la légion d'honneur le 28-VI-1805.

16 Jeanne Royer était fille de Claude, marchand à Nuits-Saint-Georges, et de Marguerite Echarney (cette dernière apparaît comme marraine dans l'acte de baptême de Louis Fauchey, frère de Michèle, voir note 15).

17 En ce qui concerne Michel-François Vaillant, les indications fournies par les actes d'état civil ont été complétées grâce aux registres des délibérations du conseil général de la commune de Dijon.

18 Une sœur de Claudine-Philiberte Mathieu, Nicole, avait épousé Edme-Antoine Villiers, avocat au parlement de Dijon (elle apparaît comme marraine dans l'acte de baptême de Pauline Vaillant (voir note 19).

19 Michel-François Vaillant eut 2 filles : Pauline (Dijon Saint-Médard 26-I-1784 - Dijon 19-VIII-1819) et Lucie (Dijon 13-XII-1785 - Dijon 18-VI-1858), toutes deux s.a.

20 A l'encontre de ce qui se produit généralement, le maréchal Vaillant se donnait une ascendance plus modeste qu'elle ne l'était en réalité, sans doute afin de rendre plus éclatante sa réussite personnelle. Dans une lettre du 17-XII-1852, adressée à un nommé Louis Vaillant, propriétaire cultivateur à Aboncourt (Haute-Saône), qui pensait être son parent, il indique en effet : *Mon grand-père était petit marchand de soie sur la place Saint Vincent (à Dijon). Son père avait été cordonnier* (dossier du maréchal au S.H.A.T., copie du 20-IX-1872 d'après une minute prêtée par la famille).

21 Ces armes sont données au maréchal Vaillant dans les trois sources indiquées à la note 4. On les trouve également dans l'*Armorial général* de J.-B. Rietstap (T. IV). Le bref du 14-X-1851 n'en fait pas mention.

22 Au palais des Tuileries.

23 Dit le marquis de La Coste-Messelière.

24 Auprès du duc de Deux-Ponts.

25 *Il fut élu député de la noblesse aux Etats généraux par le bailliage de Charolles,* indique le *Dictionnaire des parlementaires* de Robert et Cougny, à propos du père de la maréchale Vaillant. *A l'assemblée, il vota avec les plus avancés, demanda que les biens du clergé fussent déclarés propriété nationale et présenta un projet de décret pour la suppression des ordres monastiques... Loin de fuir la Révolution, il en avait largement profité en acquérant en Poitou de nombreux biens nationaux et en divorçant bien qu'il eut un fils, pour épouser (fév. 1793) une italienne, Rosina-Barbe Baletti. Partisan de Bonaparte, il fut nommé sous-préfet de Melle le 19 germinal an VIII, préfet de l'Allier le 21 thermidor an X.* Il avait épousé en 1res noces Anne-Joséphine de Saint-Georges de Vérac.

26 L'ancêtre commun aux Frotier de La Coste-Messelière, dont était la maréchale Vaillant, et aux Frotier de La Messelière qui ont donné un généalogiste célèbre en la personne du vicomte Henri (1876-1966) se situe à la fin du 16e. Les Frotier de Bagneux sont sortis au 18e siècle des Frotier de La Messelière.

27 Il ne semble pas que le ménage du maréchal Vaillant ait été une réussite. Le 7-I-1868, en effet, celui-ci écrivait à un neveu par alliance, Pierre-Elie Hémart de La Charmoye, chef d'escadrons de cavalerie : *Je vous aimerai toujours. Seulement, il est triste que votre nom soit lié aux plus douloureux souvenirs de ma vie. Je pressentais du reste ce qui devait m'arriver et mes longues hésitations en sont la preuve. Je cherchais le bonheur du foyer domestique... La haine s'y est assise depuis quinze ans. Avez-vous entendu dire à Sétif que je battais ? C'est un fait acquis à Paris, à Antibes... partout à peu près. Assez sur ce sujet, il est trop triste.* (A.D. de la Côte d'or, Papiers Vaillant, 11 F. 3).

28 François Haxo était le neveu de Nicolas Haxo (Etival, Vosges, 7-VI-1749 - Les Clouzeaux 20-III-1795), général de brigade, qui, blessé par les *vendéens,* se tua d'un coup de pistolet plutôt que de se rendre.

29 De ce 1er mariage, naquit un fils, Camille-Eugène-Hippolyte Haxo (Paris 26-II-1832 - Thérapia-lez- Constantinople 3-XI-1851), attaché à la légation de France près la Porte ottomane, s.a.,

30 Le maréchal écrit à ce propos dans la lettre citée à la note 20 : *Je n'ai pas d'enfants et c'est le plus grand chagrin qu'ait pu me faire le bon Dieu.* A la vérité, certaines circonstances permettent de se demander si Vaillant n'eut pas un fils naturel : Auguste Monrival (Paris 6-XI-1815 - Paris 9e 17-VI-1893), lieu-tenant-colonel d'infanterie, allié Paris 9e 17-V-1864 à Anne-Fanny Tixier (Paris 26-VIII-1829 - Paris 9e 29-X-1901), fille de Jean, fabricant d'éventails, et d'Adélaïde-Fanny Biesta, veuve de Charles-Marie Philippes de Kerhallet (Rennes 17-IX-1809 - Paris 17e 16-II-1863), capitaine de vaisseau, dont il n'eut pas de postérité. L'acte de naissance d'Auguste Monrival le donne comme fils de

Jeanne-Antoinette-Adélaïde Monrival. Mais, il existe dans son dossier, au S.H.A.T., une lettre d'un membre de la famille de Tarlé affirmant qu'il était en fait le fils d'une demoiselle de Tarlé, veuve d'un commandant d'artillerie, Joffrenot de Montlebert, mort des suites de la campagne de Russie, et que la légende familiale attribuait la paternité à un officier devenu plus tard maréchal de France du Second empire. L'identité de la mère, révélée par cette lettre, se trouve confirmée par le fait que huit représentants de la famille de Tarlé signent au contrat de mariage de Monrival, établi par Mᵉ Berge, à Paris, le 10-V-1864. L'intéressée était très exactement Adélaïde de Tarlé (Paris 20-XI-1785 - Metz 16-II-1837), fille de Benoît-Joseph, commissaire ordonnateur, et de Jeanne-Antoinette-Françoise d'Aure, alliée à Versailles le 9-XI-1801 à Joseph-Marie-Claude Joffrenot dit Montlebert (Lignéville, Vosges, 6-VI-1778 - Koenigsberg 29-XII-1812), capitaine de l'artillerie à cheval de la garde impériale. Plusieurs indices font penser que Vaillant put être le père. Il correspond au *signalement* transmis par la légende familiale. Monrival, par ailleurs, est l'aide de camp du maréchal durant quelques années, à partir de 1863, et son dossier d'officier contient des notes d'inspection très flatteuses de ce dernier à son égard. Vaillant, enfin, signe lui aussi au contrat de mariage de 1864. Rien de cela, certes, n'est tout à fait probant. On objectera que Monrival a pu devenir aide de camp de Vaillant sans pour autant être son fils et que ses fonctions suffisaient à expliquer la présence du maréchal lors de la signature du contrat. D'autre part, on pourra alléguer à l'encontre d'une paternité du maréchal le fait que Monrival n'eut pas part à sa succession : celle-ci fut recueillie par sa sœur survivante et ses neveux (cf. testament cité à la note 8 et note 36). Mais, il faut, pour ce dernier point, tenir compte des préjugés de l'époque en la matière. Quoi qu'il en soit, il nous a semblé intéressant de poser le problème et d'en exposer les données. On a cité également, comme père possible de Monrival, le maréchal Randon, mais sans produire le moindre élément positif en faveur de celui-ci.

31 *Ma sœur Victoire..., si longtemps ma providence et ma meilleure amie*, indique à son sujet le testament du maréchal (voir note 8).

32 Le dossier de fonctionnaire de l'instruction publique (A.N., F¹⁷ 20428) de Paul-Louis Cirodde nous apprend qu'il fut successivement régent de mathématiques au collège de Châteauroux (1812-1814), puis à celui de Saint-Benoît-du-Sault (1814-1815), maître d'études au collège royal Louis-le-grand (1819-1820), professeur de mathématiques élémentaires au collège royal de Dijon (1820-1837), puis au collège royal Henri IV (1837-1848). Tout comme son beau-frère Patrice Larroque, dont il sera question plus loin, Paul-Louis Cirodde était un personnage assez mal commode et non conformiste : *Avec tout son mérite*, trouve-t-on par exemple dans une note de 1847, *M. Cirodde a un caractère difficile et intraitable. C'est le seul professeur du collège qui n'ait jamais voulu porter la robe, malgré toutes les injonctions qui lui ont été faites à cet égard.* Une partie des ouvrages qu'il a publiés sont des manuels destinés à l'enseignement.

33 Anne-Claire Brisson était la sœur de Henri Brisson (Bourges 3-VII-1835 Paris 7ᵉ 13-IV-1912), député de la Seine, du Cher, des Bouches-du-Rhône, ministre à plusieurs reprises, président du conseil, président de la Chambre des députés, et la cousine germaine d'Eugène (Clamecy, Nièvre, 31-V-1832 - Bourges 10-II-1892), banquier, maire et président de la chambre de commerce de Bourges, président du conseil général du Cher. Cette famille est différente de celle de Pierre Brisson (1896-1964), directeur du *Figaro*.

34 Son acte de décès a été établi le 1-VII-1921 sur les registres de Tudeils, en exécution d'un jug. du t. c. de Brive en date du 13-VIII-1920 qui le déclare disparu le 5-IV-1915 : il était alors soldat au 43ᵉ régiment d'infanterie.

35 Juliette-Joséphine Salmon avait épousé précédemment 1) Marseille 5-X-1912 Léon-Joseph Jean (Marseille 1-VII-1882 - mort avant 1921), peintre, fils de Félix-Eugène, peintre, et de Eugénie-Victorine Roux, 2) Marseille 25-VII-1921 Adolphe-Jean-Baptiste Coulot (Firminy 25-X-1892 - Marseille 13-IV-1923), représentant, fils d'Adolphe, représentant, et de Madeleine Brissot.

36 Ernest Cirodde était le filleul du maréchal. Comme tel, il hérita du domaine que celui-ci possédait à Uncey-le-franc en Côte d'Or — il l'avait lui-même reçu de son oncle Pierre Canquoin, frère de sa mère (voir note 14), et l'avait arrondi au fil des années — et d'un quart du reste de sa fortune, les trois autres quarts allant respectivement à 1) Alfred Cirodde, frère aîné d'Ernest, 2) Mme Paul-Louis Cirodde, née Victoire Vaillant, mère des précédents, sœur du défunt, 3) aux héritiers de Mme Patrice Larroque née Michèle-Josabeth Vaillant, autre sœur (cf. testament cité à la note 8).

37 Marie Boulard était la demi-sœur d'Adolphe-Léopold Boulard (Paris 3-VII-1829 - Versailles 9-I-1882), capitaine de cavalerie, né d'un premier mariage d'Adolphe Boulard avec Jeanne Le Carreux, allié à Anglars-Juillac le 12-III-1866 à Marie Bonafous-Murat (Cahors 16-IV-1846 - Paris 17ᵉ 18-I-1942), fille de Joseph, capitaine de vaisseau, lequel était lui-même fils de Jean Bonafous, laboureur, et d'Antoinette Murat (sœur de Joachim, roi de Naples). Adolphe-Léopold Boulard et Marie Bonafous-Murat furent les grands-parents de Suzanne Boulard (Toulouse 14-V-1901 - Vence 13-X-1970) alliée à Toulouse le 26-XII-1922 à Henri Navarre (Villefranche-de-Rouergue 31-VII-1898), général de corps d'armée.

38 Après qu'elle eût été adoptée (1857) par Auguste Lebrunet de Privezac, second mari de sa mère.

39 D'après son dossier de fonctionnaire de l'instruction publique (A.N., F¹⁷ 21080), Patrice Larroque fut successivement : régent de philosophie au collège d'Autun (1821-1823), régent de seconde au collège de Mâcon (1823-1825), régent de philosophie à Langres (1825-1827), professeur de philosophie au collège royal de Grenoble (1827-1830), inspecteur de l'académie de Toulouse (1830-1836), recteur de l'académie de Limoges (1836-1838), de Grenoble (1838-1839), de Cahors (1839-1847), secrétaire trésorier de la Bibliothèque nationale (1847-1848), recteur à Caen (1848), à Lyon (1848-1849). Les notes de ce même dossier le montrent violemment républicain, anticlérical, voire irréligieux. Ces opinions lui valurent, en 1849, d'être mis en disponibilité, puis, en 1853, en retraite anticipée. Il avait jusque-là publié quelques ouvrages philosophiques ou scientifiques, notamment *Eléments de philosophie* (Paris 1830, 410 p.), *Cours de philosophie* (Paris 1838, 400 p), *Entretiens sur les éléments de l'astronomie, de l'histoire, de la physique, de la chimie, et sur divers autres sujets, à l'usage des écoles populaires* (Paris 1837, 247 p.). *Dégagé de tout lien et de toute contrainte officielle*, indique le *Larousse du XIXᵉ siècle*, qui lui consacre une notice assez importante, M. Larroque employa *ses loisirs à écrire des ouvrages ayant trait au catholicisme, dont il a critiqué avec talent... les dogmes, les principes et l'influence*, entre autres : *Examen critique des doctrines de la religion chrétienne* (Bruxelles 1859, 2 vol.), *De l'esclavage chez les nations chrétiennes* (Paris 1860, 213 p.), *Rénovation religieuse* (Paris 1860, 374 p.). Ces livres, devait écrire le 8-III-1865 (A.N., BB¹⁸ 1707) le procureur général de la cour de Paris au garde des sceaux, *contiennent l'attaque la plus vive et, en même temps, la plus habile que l'exégèse contemporaine ait dirigé contre le christianisme. C'est M. Larroque qui, il y a cinq ans, a commencé le mouvement qu'ont suivi plus tard MM. Renan et Peyrat.* Patrice Larroque demanda dans ses dernières volontés, rédigées le 27-II-1879 (arch. de la famille Toubin, voir plus loin), qu'il ne lui soit pas fait l'obsèques religieuses.

40 Dans divers documents conservés par la famille Toubin (voir plus loin).

41 Les relations du maréchal avec le ménage Larroque furent toujours très mauvaises. Dans son testament (voir notes 8 et 36), Vaillant s'exprime de la sorte au sujet de Mme Larroque : *Ma sœur Michèle-Josabeth, dont de fâcheuses dissensions de famille, que j'ai amèrement déplorées depuis quarante-cinq ans, m'ont tenu éloigné. Tous les jours, je me suis demandé si j'avais tous les torts et je me suis toujours répondu non ! J'ai été bien malheureux !* Il y a, aux A.D. de la Côte d'or (Papiers Vaillant, 11 F. 3) une lettre de Patrice Larroque

au maréchal, en date du 7-XII-1858, où il lui donne du *monsieur*. L'occasion de cette lettre avait été une information parue dans la presse à propos de la famille du maréchal, sur les indications de celui-ci, où il n'était parlé que des enfants nés du 1ᵉʳ mariage de son père ! Le maréchal, cependant, laissa un quart de sa fortune à ses neveux Larroque, les trois autres quarts allant à sa sœur Cirodde et aux deux enfants de celle-ci (voir note 36).

42 Sœur de Pauline Sauvaget qu'on trouvera plus loin.

42ᵃ Hubert Larroque eut d'Ernestine-Augustine Valette : Patrice-Clément Larroque (Paris 5ᵉ 20-V-1861 - Paris 7ᵉ 25-XII-1918), officier d'administration de 2ᵉ classe, allié Paris 7ᵉ 30-IX-1899 à Irma Huard, née à Châlons-sur-Marne le 29-V-1871, couturière, fille de Jean-Joseph et de Marie-Célestine Renard, s.p.

43 Parti en Russie après ses études, Louis Henriet enseigna le dessin chez les princes Souvorov et, ensuite, y travailla comme ingénieur dans les chemins de fer. De retour en France, il fut ingénieur aux Docks de Saint-Ouen, puis aux Chemins de fer du Nord.

44 Un frère de Louis Henriet, Charles, fut un peintre verrier, graveur et lithographe qui eut à son époque quelque renom.

45 Alfred Toubin (Salins 26-II-1846 - Besançon 1-III-1899), qui fut conseiller à la cour de Chambéry, puis à celle de Besançon, était lui-même fils de Louis-Joseph-Jules, négociant, et de Marie-Françoise Mathieu.

46 Voir note 42.

47 Nous exprimons notre bien vive reconnaissance à M. Jean-Claude Garreta, conservateur de la bibliothèque de l'Université de Dijon, et à M. Bernard Savouret, conservateur des archives municipales de la ville de Dijon, pour le concours précieux qu'ils ont bien voulu nous apporter en vue de la mise au point de ce chapitre.

V

Arnaud-Jacques dit Achille
Le Roy de Saint-Arnaud

2-XII-1852

CARRIERE

1798 : naissance à Paris (20-VIII),

1814 : cavalier à la garde à cheval parisienne (1-IV),

1815 : garde du corps du roi à la compagnie de Gramont avec rang de sous-lieutenant dans l'armée (16-XII),

1817 : mis en non activité (1-I),

1818 : au 3e bataillon de la légion corse (6-V, nomination non suivie d'effet),

1819 : au 3e bataillon des Bouches-du-Rhône (30-IV),

1820 : en non activité (3-VI, jusqu'en 1827),

1822 : volontaire pour la cause de l'indépendance de la Grèce,

1827 : au 49e régiment d'infanterie (9-V) ; désigné pour faire partie d'un détachement de ce régiment envoyé à La Martinique, manque à l'appel ; pour éviter la sanction qui doit en résulter, démissionne de son grade (12-XII) [1],

1831 : réintégré dans l'armée avec le grade de sous-lieutenant (22-II), au 64e régiment d'infanterie (jusqu'en 1836), lieutenant (9-XII),

1832 : prend part à la répression des troubles de la Vendée,

1833 : officier d'ordonnance du maréchal de camp Bugeaud commandant supérieur de la ville et du château de Blaye pendant la détention de la duchesse de Berry [2],

1836 : au 1er bataillon de la légion étrangère (3-XI, jusqu'en 1840),

1837 : en Algérie (jusqu'en 1851) [3], capitaine (15-VIII), se distingue à l'assaut de Constantine,

1839 : participe à l'expédition de Djidjelli,

1840 : prend part à une expédition à Médéa et Miliana, autorisé à s'appeler Leroy de Saint-Arnaud (ordonnance du 12-V) [4], chef de bataillon (25-VIII), au 18e régiment d'infanterie légère (25-VIII),

1841 : au 1er régiment de zouaves (25-III), participe à une expédition à Médéa et Miliana (IV-V), à Oran, Mostaganem, Tagdempt et Mascara (IX-X),

1842 : lieutenant-colonel (25-III), au 53e régiment d'infanterie (25-III, jusqu'en X-1844), participe à l'expédition du Pont-du-Chelif (V-VI) ; détaché pour prendre le commandement supérieur du cercle de Miliana et, en cette qualité, dirige 12 expéditions (VI, jusqu'en IV-1843),

1844 : commande en second l'expédition d'Aïn Maïdi et Laghouat (V), colonel (2-X), au 32e régiment d'infanterie (2-X, nomination non suivie d'effet), au 53e régiment de ligne (29-X, jusqu'en 1847), commande en même temps la subdivision d'Orléansville et, en cette qualité, dirige 13 expéditions (12-XI, jusqu'en 1847),

1847 : maréchal de camp (3-XI), maintenu commandant de la subdivision d'Orléansville,

1848 : commande la subdivision de Mostaganem (IV), commande la 2e subdivision d'Alger (VIII), commande par intérim la division d'Alger (13-IX), commande la 2e subdivision d'Alger (X, jusqu'en 1850),

1849 : dirige une colonne de l'expédition de Bougie,

1850 : commande la division de Constantine (21-I), organise l'expédition de l'Aurès,

1851 : dirige l'expédition de la Petite Kabylie (26 batailles ou combats), général de division (10-VII), commande la 2e division à Paris (28-VII), ministre de la guerre (26-X, jusqu'au 11-III-1854), prépare et exécute le coup d'état du 2-XII,

1852 : sénateur (26-I), conseiller général de la Gironde (18-VIII), maréchal de France (2-XII), grand écuyer de l'empereur (31-XII),

1854 : commande en chef l'armée d'Orient (11-III), remporte la victoire de l'Alma avec l'aide des Anglais (20-IX), atteint du choléra cède le commandement à Canrobert (26-IX), meurt à bord du Berthollet dans la Mer noire (29-IX)[5], inhumé aux Invalides.

ECRITS

- *Lettres du maréchal de Saint-Arnaud 1832-1854* (Paris 1855, 2 vol.)[6].

- 29 lettres du maréchal de Saint-Arnaud à sa fille publiées dans *Le maréchal de Saint-Arnaud en Crimée,* par le docteur Jean-François Cabrol[7] (Paris 1895) et 4 lettres au maréchal Pélissier dans l'ouvrage de Pierre Guiral et Raoul Brunon mentionné à la rubrique *Ecrits* du chap. IX (Pélissier).

- Il y a lieu d'y ajouter un certain nombre de circulaires, de notes, de rapports, de discours[8].

LE CADRE FAMILIAL

Ascendance

I - Jacques LE ROY, concierge de M. de Meuve, allié à Marie-Angélique CHATTÉ, dont[9]

II - Jacques LE ROY, décédé à Paris le 4-XII-1775[10], marchand-pâtissier à Paris, demeurant rue de la tixanderie, paroisse Saint-Jean-en-grève, allié à Paris (Saint-Jean-en-grève) le 2-VII-1753[11] à Marie-Pascale-Victoire BEGA, décédée à Paris le 8-VI-1806[12], fille de Jean, marchand-pâtissier à Paris, ancien officier de la reine, et de Marie LE COCQ[13], dont[14]

III - Jean-Dominique LE ROY, né à Paris en 1758[15], décédé à Paris le 21-VIII-1803[16], avocat[17], membre du Tribunat[18], préfet de l'Aude (13-XII-1802)[19], allié à Paris le 20-VI-1797[20] à Louise-Catherine PAPILLON de LATAPY, née à Paris (Saint-Eustache) le 26-XI-1780[21] décédée à Paris le 16-IV-1852[22], fille d'Arnaud, directeur général des Messageries royales[23], et de Marie-Catherine THOMASSET[24] [Louise-Catherine PAPILLON de LATAPY s'est remariée[25] à Montrouge le 16-I-1812 à Jean de FORCADE LA ROQUETTE, né à Marmande le 20-VI-1785, décédé à Paris le 22-XII-1846[26], propriétaire, juge de paix à Paris[27], fils d'Etienne de FORCADE de LA GREZÈRE, propriétaire, lieutenant au régiment de Vermandois infanterie[28], et de Françoise BOUDIER].

Collatéraux

Jean-Dominique Le Roy eut deux frères : Alexandre-Guillaume (Paris 18-II-1757 [29] - Paris 25-I-1829 [30]), qualifié en 1789 [31] avocat en parlement, greffier au Châtelet de Paris, en 1806 [32] et en 1810 [33] secrétaire du parquet du tribunal de première instance du département de la Seine, en 1829 [34] propriétaire, s.a., et Hubert-Laurent (5-XI-1759 - 31-V-1833) [35], qualifié en 1789 [36] prêtre du diocèse de Paris, demeurant rue des Barres, paroisse Saint-Gervais, en 1806 [32] et 1810 [33] propriétaire, s.a. [37].

ARMES

D'argent au chevron de gueules, accompagné de 2 étoiles d'azur en chef et d'un cygne de sable sur une mer de sinople en pointe [38].

LES EPOUSES

Ier mariage

A Brest, le 21-XI-1831, avec Laure Pasquier (Vannes 28-II-1800 - Paris 22-III-1836), fille de Mathurin-Martin, capitaine de frégate [39], et de Claudine-Charlotte-Anne Saint-Martin [40].

2e mariage

A Paris, le 1-IV-1848, avec *Louise*-Anne-Marie de Trazegnies d'Ittre (Ittre, Belgique, 10-XI-1816 - Arcachon 9-I-1905) [41], fille de Charles-Maximilien, colonel d'infanterie, propriétaire, et de Marie-Anne d'Argenteau [42].

Celle-ci était issue d'une illustre lignée, originaire du Hainaut. Une 1re maison de Trazegnies, connue depuis le 11e siècle, donna sous Saint Louis un connétable de France en la personne de Gilles dit le brun [43] et s'éteignit peu après [44]. Son héritière, Agnès, petite-fille du frère aîné du connétable, s'allia en 1264 à Eustache seigneur de Roeulx, qui fonda la 2de maison de Trazegnies, laquelle s'éteignit à son tour, au 15e siècle. La dernière du nom, Anne de Trazegnies, épousa Arnold de Hamal, d'une famille d'ancienne noblesse. Il fut la souche de la 3e maison de Trazegnies. Le père de la maréchale de Saint-Arnaud était un puîné d'une branche cadette de celle-ci, formée au 18e siècle par son propre père, Eugène-Gillion (1739-1806), et qui prit le nom de Trazegnies *d'Ittre,* pour avoir hérité du marquisat d'Ittre. La 3e maison de Trazegnies reçut successivement les titres ci-après pour le chef de famille : chevalier, du roi d'Espagne Philippe II le 17-IV-1598 ; marquis, des archiducs Albert et Isabelle, gouverneurs des Pays-bas, le 8-II-1614 ; comte de l'empire, de l'empereur Napoléon Ier le 10-IV-1811. Le titre de marquis de Trazegnies d'Ittre, transmissible par primogéniture, fut accordé au grand-père de la maréchale de Saint-Arnaud par l'impératrice Marie-Thérèse le 26-X-1777. En date du 20-II-1816, le roi des Pays-bas étendit le titre de marquis aux représentants des deux sexes de la descendance du nom, de Gillion marquis de Trazegnies d'Ittre (1772-1847), frère aîné du père de la maréchale de Saint-Arnaud. Le 30-V-1843, le roi des Belges le concéda à Eugène de Trazegnies d'Ittre (1820-1874), frère de cette dernière, et à tous ses descendants mâles [45].

DESCENDANCE

Il n'y a pas eu de postérité du 2d mariage du maréchal de Saint-Arnaud. De sa 1re union, est issue la descendance ci-après :

I - Adolphe LE ROY de SAINT-ARNAUD (Brest 5-VIII-1832 - Limoges 23-II-1852), soldat au 5e régiment de hussards, s.a. [46],

II - Louise LE ROY de SAINT-ARNAUD (Brest 17-V-1834 - Paris 11-V-1857) [47] alliée Paris 6-XII-1852 à Jacques-Maurice de CHASTENET marquis de PUYSÉGUR (Paris 17-IV-1825 - Paris 7e 7-III-1879), colonel de cavalerie, écuyer de l'empereur (1853-1854), officier d'ordonnance de l'empereur (1854-1858), fils de Paul marquis de PUYSÉGUR, lieutenant-colonel de cavalerie [48], et d'Antoinette dite Isaure d'HENNEZEL [49], dont

A - Eugénie de PUYSÉGUR (Paris 24-X-1853 - Vicq, Allier, 6-III-1940) [50] alliée Paris 7e 2-II-1875 à Roger PELLISSIER de FÉLIGONDE (Clermont-Ferrand 18-V-1834 - Ebreuil 15-III-1920), propriétaire, conseiller général de l'Allier, fils d'Eustache, propriétaire, quelque temps avocat à Clermont-Ferrand, député du Puy-de-Dôme [51], et de Blanche GARREAU-DUPLANCHAT, dont

1 - comte Pierre de FÉLIGONDE (Clermont-Ferrand 30-XI-1875 - Paris 7e 8-IV-1966), chef d'escadrons de cavalerie, allié Paris 16e 1-VI-1926 à Jeanne DAVY de CHAVIGNÉ (Amiens 20-V-1881 - Paris 7e 24-I-1970), fille de Paul, colonel de cavalerie, et de Louise de LARDEMELLE [Jeanne DAVY de CHAVIGNÉ avait épousé précédemment à Vienne-la-ville le 8-I-1906 Albert baron ROSSET de TOURS (Chambéry 19-X-1881 - Paris 16e 25-II-1921), propriétaire, fils du baron Hippolyte, magistrat, et de Louise-Juliette MATHIEU de VIENNE], s.p.,

2 - Louise de FÉLIGONDE (Ebreuil 17-IV-1877 - Chasseguey 27-IV-1971) alliée Clermont-Ferrand 6-I-1902 au comte Paul SEGUIN de BROIN (Dijon 17-XII-1869 - Vicq 6-VII-1934), propriétaire, fils d'Amédée, propriétaire, et de Marie LE

COURT d'HAUTERIVE [le comte Paul SEGUIN de BROIN avait épousé précédemment à Effiat le 29-VI-1896 Marguerite REHEZ de SAMPIGNY (Saint-Genès-du-Retz 24-VII-1867 - Effiat 31-XII-1899), fille d'Ignace-Hyacinthe comte de SAMPIGNY, propriétaire, et de Marie de LONGUEIL], dont

a - Jeanne de BROIN (Clermont-Ferrand 17-X-1902) alliée 1) Paris 16e 21-IV-1936 à Armand MASSON (Hazebrouck 14-VII-1868 - Cusset 23-V-1944), industriel (papeterie, cartonnage), fils de Charles-Désiré, négociant, et de Marie-Elisa BEAU, 2) Vicq 1-XII-1952 à Jean LACAPELLE (Dijon 13-X-1904), colonel d'infanterie, fils de Gustave, général de division [52], et de Geneviève-Joséphine CORNUDET [53] [Jean LACAPELLE avait, de son côté, épousé précédemment à Verdon, Dordogne, le 10-VIII-1927 Marie-Antoinette GUILBERT de LATOUR (Verdon 22-IX-1906 - Fribourg-en-Brisgau 27-VI-1950), fille de Déodat, propriétaire agriculteur [54], et de Marie-Thérèse PARENT de CURZON], s.p. de part et d'autre,

b - comte Roger de BROIN (Clermont-Ferrand 16-X-1903), directeur de production (cinéma), allié La Rochelle 3-VIII-1935 à Renée du BOIS de LA PATELLIÈRE (La Rochelle 17-XII-1907), fille de Félix, capitaine de cavalerie, propriétaire, et de Marguerite GILBERT de GOURVILLE [55], dont

— Isabelle de BROIN (Paris 16e 29-V-1936) alliée Ambenay 30-VI-1960 à Patrick BERTHOD (Meknès 27-III-1937), ingénieur agronome (Fribourg), fils d'André, propriétaire (Maroc), et de Huguette DE VOLDÈRE, dont

  • André BERTHOD (Bastia 2-III-1961),

  • Eric BERTHOD (Bastia 30-X-1962),

  • Marie-Christine BERTHOD (Asnières 30-V-1967),

— comte Nicolas de BROIN (La Turballe 21-VII-1937), cadre supérieur de banque, s.a.a.,

— comte Jean de BROIN (La Turballe 15-X-1938), ingénieur de l'Ecole française de radio-électronique de Paris, allié Paris 16e 4-IX-1965 à France COCHON de LAPPARENT (Strasbourg 5-X-1938), fille du vicomte Bernard, cadre supérieur de banque [56], et d'Antoinette CAVAIGNAC [57], dont

  • Raphaelle de BROIN (Paris 13e 28-IX-1970),

● Corentin de BROIN (Paris 13ᵉ 15-I-1973),

— comte Michel de BROIN (Chasseguey 29-I-1940), décorateur (cinéma), allié Nonvilliers 6-IX-1963 à Isabelle de CHABOT (Paris 7ᵉ 7-I-1939), fille du comte François, directeur commercial, et de Marie-Thérèse FEUGÈRE des FORTS, dont

● Constance de BROIN (Neuilly-sur-Seine 13-XI-1966),

● Amédée-François de BROIN (Neuilly-sur-Seine, 2-I-1969),

● Marguerite de BROIN (Neuilly-sur-Seine 5-VIII-1970),

— comte Charles-Edouard de BROIN (La Turballe 28-VI-1941), diplômé de l'Institut de physique du globe de Strasbourg, ingénieur docteur ès sciences de la faculté de Marseille, ingénieur géophysicien dans l'industrie pétrolière, allié Ambenay 30-VII-1965 à Nicole d'ABRIGEON (Tunis 5-XI-1941), fille de Jacques, capitaine (justice militaire), et de Marie-Thérèse ADAM, dont

● Cécile de BROIN (Martigues 13-XII-1967),

● Emmanuelle de BROIN (Neuilly-sur-Seine 30-XI-1970),

— Marielle de BROIN (Paris 16ᵉ 1-XI-1942) alliée Paris 16ᵉ 22-XII-1964 au comte Alain de MONTEYNARD (Orçay, Loir-et-Cher, 25-IV-1942), ingénieur de l'Ecole nationale supérieure de chimie de Paris, ingénieur dans l'industrie, fils du comte Humbert, propriétaire, et de Solange de CUREL [58], dont

● Nicolas de MONTEYNARD (Neuilly-sur-Seine 2-X-1965),

● Sophie de MONTEYNARD (Neuilly-sur-Seine 7-XII-1966),

● Laure de MONTEYNARD (Neuilly-sur-Seine 4-I-1972),

c - Guillemette de BROIN (Ebreuil 5-II-1905) alliée Vicq 9-IX-1930 à Georges VIGNERON d'HEUCQUEVILLE (Paris 17ᵉ 12-X-1908), docteur en médecine, fils de Raoul, docteur en médecine [59], et de Blanche MERNIER, dont

— Raoul d'HEUCQUEVILLE (Paris 16ᵉ 11-VII-1932), directeur de banque, allié Paris 16ᵉ 3-VIII-1953 à Jeanne LANGJAHR (Coux, Ardèche, 20-IX-1927), fille de Paul, industriel, et de Louise-Simone BOURRETTE, dont

● Frédéric d'HEUCQUEVILLE (Clichy 7-VII-1952), s.a.a.,

● Bertrand d'HEUCQUEVILLE (Paris 15ᵉ 23-V-1954), s.a.a.,

— Paule d'HEUCQUEVILLE (Paris 16ᵉ 5-II-1935) alliée Paris 17ᵉ 13-III-1957 à Philippe LÉOPOLD (Paris 12ᵉ 20-VII-1927), entrepreneur de transports, fils de Maurice, entrepreneur de transports, et de Berthe BOGAERT, dont

● Alexandre LÉOPOLD (Boulogne-Billancourt 11-VI-1958),

— Brigitte d'HEUCQUEVILLE (Paris 16ᵉ 9-XI-1936), s.a.a.,

— Arnaud d'HEUCQUEVILLE (Paris 16ᵉ 28-XII-1938), président de la Société des cures de Néris-les-bains, allié Saint-Cyr-sur-Loire 18-VI-1966 à Odile DELEMASURE (Avranches 18-IV-1945), fille de Jacques, clerc de notaire, et de Marguerite du MESNILDOT, dont

● Guillaume d'HEUCQUEVILLE (Tours 23-III-1967),

● Bérengère d'HEUCQUEVILLE (Boulogne-Billancourt 4-II-1968),

● Edouard d'HEUCQUEVILLE (Montluçon 21-IX-1972),

d - comte Jacques de BROIN (Ebreuil 22-V-1906), fonctionnaire du ministère de l'agriculture du Canada, allié Ottawa 24-IX-1932 à Pauline FARIBAULT (Ottawa 21-I-1907), fille de Rodolphe, ingénieur, et d'Eva MONTPETIT, dont

— Louise de BROIN (Montréal 3-VII-1933), directrice des relations extérieures de la paroisse Notre-dame de La Salette à Montréal, alliée Montréal (Westmount) 14-IV-1962 à Jean GAREAU, architecte, fils de Paul et de Pauline GUILBAULT, dont

● Paul GAREAU (Montréal 7-VI-1963),

● Geneviève GAREAU (Montréal 15-V-1964),

— comte Paul de BROIN (Ottawa 6-II-1935), ingénieur chimiste, allié Montréal (Westmount) 22-IX-1962 à Muriel GODARD, diététiste, fille de Wilfrid et d'Edwige PERREAULT, dont

● Jacques de BROIN (Montréal 1-IX-1964),

● Anne de BROIN (Montréal 22-VII-1965),

● Michel de BROIN (Montréal 29-IV-1970),

— Claude de BROIN (Montréal 10-X-1936) alliée Montréal 28-IX-1957 à Ronald SNELL († Montréal 29-IV-1967), fils de Joan et de Gwendolyn BAEL, dont

• Patricia SNELL (Montréal 7-XI-1958),

• James SNELL (Montréal 2-VIII-1960),

• Annick SNELL (Montréal 29-VII-1966),

— Jeanne de BROIN (Montréal 14-VI-1938) alliée 9-VI-1962 à Brian DUNFORD (1934), dont

• Elizabeth DUNFORD (Toronto 4-III-1963),

• Michel DUNFORD (Toronto 31-V-1964),

• Bernard DUNFORD (Toronto 7-V-1966),

— comte Yves de BROIN (Montréal 24-III-1941), employé de bureau, allié Montréal 28-XI-1964 à Naïda GERASI-MOW, commerçante, fille de Wassili et de Raisa JAKOWLEW, dont

• Kim de BROIN (Montréal 9-X-1965),

• Nathalie de BROIN (XI-1969),

• Christina de BROIN (25-XII-1970),

— comte Guy de BROIN (Montréal 19-III-1944), ingénieur, allié Montréal à Margaret PARDON (Montréal 24-XII-1952), s.p.a.,

— Françoise de BROIN (Montréal 23-XII-1946), s.a.a.,

— comte Charles de BROIN (Montréal 30-I-1949) allié à Lyse DAIGLE (1-IV-1951),

e - Henriette de BROIN (Clermont-Ferrand 8-I-1908) alliée Paris 16ᵉ 29-IV-1936 à Eugène BONAMY (Nantes 17-VII-1908)[60], docteur en médecine, fils d'Edmond, docteur en médecine, et de Marie-Henriette du BOIS de LA PATEL-LIÈRE[61], dont

— Perrine BONAMY (Nantes 8-VI-1939) alliée Nantes 5-VIII-1963 à Christian REYMOND (Metz 15-VIII-1938), chef de bataillon d'infanterie de marine, fils de Louis, ingé-nieur (ciment), et de Marie-Madeleine BONNEL, dont

• Carole REYMOND (Nantes 16-V-1964),

- Xavier REYMOND (Fort-de-France, Martinique, 3-III-1966),

- Florence REYMOND (Nantes 18-IV-1970),

— Jean-François BONAMY (Nantes 19-XII-1940), chargé de territoire (pétrole), allié Paris 16ᵉ 11-VI-1965 à Chantal FAUVEL (Paris 16ᵉ 12-III-1942), secrétaire, fille de Paul, chef de division à la Sécurité sociale, et de Françoise GAUCHERON, dont

- Christophe BONAMY (Nantes 4-VIII-1966),

- Nicolas BONAMY (Nantes 5-II-1972),

— Gérard BONAMY (Nantes 20-XII-1942 - Nantes 10-I-1943),

— Jacqueline BONAMY (Nantes 16-II-1945), secrétaire, s.a.a.,

f - Edwige de BROIN (Clermont-Ferrand 23-VI-1910) alliée Paris 16ᵉ 22-IV-1930 au comte Yves de VERDUN (Avranches 8-IV-1906), ingénieur de l'Institut catholique d'arts et métiers, directeur commercial (aéronautique), fils du comte Bertrand, propriétaire, et de Marie de CHABANNES, dont

— Bertrand de VERDUN (Paris 16ᵉ 7-II-1931 - Chasseguey 15-IV-1950), s.a.,

— comte Hugues de VERDUN (Chasseguey 2-III-1932), propriétaire agriculteur, allié Verdon, Dordogne, 24-VIII-1954 à Chantal LACAPELLE (Poitiers 16-X-1929), fille de Jean, colonel d'infanterie, et de Marie-Antoinette GUILBERT de LA TOUR [62], dont

- Bertrand de VERDUN (Saint-Hilaire-du-Harcouët 29-V-1955), s.a.a.,

- Marie-Antoinette de VERDUN (Saint-Hilaire-du-Harcouët 24-I-1957), s.a.a.,

- Gilles de VERDUN (Saint-Hilaire-du-Harcouët 17-XI-1957 - Chasseguey 21-XI-1957),

- Christophe de VERDUN (Saint-Hilaire-du-Harcouët 17-XI-1957), s.a.a.,

- Olivier de VERDUN (Saint-Hilaire-du-Harcouët 8-I-1959),

● Ghislaine de VERDUN (Chasseguey 14-XI-1968),

— Marie-Thérèse de VERDUN (Chasseguey 19-VIII-1938) alliée Chasseguey 5-VIII-1960 au vicomte Henry du BREIL de PONTBRIAND (Paris 7ᵉ 24-XI-1935), directeur commercial, fils du vicomte Guy, propriétaire, et de Marie-Thérèse de GUILLEBON, dont

● Stéphanie de PONTBRIAND (Saint-Cloud 13-III-1962),

● Hedwige de PONTBRIAND (Saint-Cloud 27-XI-1964),

g - comte Gérard de BROIN (Vicq 29-X-1914), rédacteur en chef à l'Agence France Presse, allié Vicq 20-I-1941 à France PETITJEAN (Delle 22-VI-1914), fille d'Alexandre-Joseph, imprimeur, et de Julie-Xavière COSTET, s.p.,

h - Geneviève de BROIN puis de BROIN-PELISSIER de FÉLIGONDE [63] (Vicq 1-VIII-1918) alliée Paris 16ᵉ 26-VII-1951 à Ladislas KENEDI (Kolozsvar, Hongrie, 31-XII-1917), cadre commercial, fils d'Alexandre et de Rosalie KASZTNER [Ladislas KENEDI avait épousé précédemment à Budapest 5ᵉ le 1-X-1942 Lisia-Claire KISS, mariage dissous par jug. du t. c. de Budapest, le 14-IX-1948], dont

— François KENEDI (Paris 16ᵉ 14-VII-1944), directeur de société, allié Paris 16ᵉ 25-III-1970 à Anne-Marie GALLOIS (Paris 18ᵉ 7-VIII-1944), fille de Jacques-Désiré, chef de service, et de Jacqueline FAURET, dont

● Anne KENEDI (Boulogne-Billancourt 29-X-1970),

● Nicolas KENEDI (Boulogne-Billancourt 25-II-1974),

— Philippe KENEDI (Paris 16ᵉ 11-XI-1947), allié Paris 17ᵉ 10-VIII-1974 à Aline de VERTEUIL (Neuilly-sur-Seine 30-VI-1949), fille de Michel, ingénieur de l'Ecole centrale de Paris, inspecteur général à l'Electricité de France, et de Jacqueline DUTARD, dont

● Jeanne KENEDI (Paris 5ᵉ 12-VIII-1976),

● Violaine KENEDI (Bayonne 25-IX-1977),

— Michel KENEDI (Paris 16ᵉ 26-IX-1952), journaliste, s.a.a.,

3 - Marielle de FÉLIGONDE (Ebreuil 9-VIII-1878 - Vicq 8-X-1939), s.a.,

4 - Blanche de Féligonde (Ebreuil 28-XI-1879 - Vicq 24-I-1921), s.a.,

5 - comte Charles de Féligonde (Ebreuil 17-I-1882 - Logron 17-III-1962), ingénieur agricole, propriétaire agriculteur, lieutenant d'infanterie coloniale, allié Paris 7e 26-XI-1913 à Odette de Martel (Cour-Cheverny 7-I-1883 - Châteaudun 26-VI-1969), fille de Jacques-Léon comte de Martel, propriétaire, et de Jeanne-Marie de Sibeud de Saint-Ferreol, dont

a - Ghislaine de Féligonde (Vicq 14-X-1914) alliée 1) Logron 11-IV-1934 à Aimé comte de Fleuriau (Poitiers 15-IX-1907), ingénieur de l'Ecole centrale de Paris, entrepreneur de bâtiment et de travaux publics, lieutenant de l'armée de l'air, fils de Louis comte de Fleuriau, colonel d'infanterie, et de Marguerite Pichard du Page, mariage dissous par jug. du t. c. de la Seine le 3-VII-1948, 2) Draveil 3-VIII-1949 au comte Hervé de Fleuriau (Poitiers 1-I-1909 - Logron 3-VI-1974), capitaine de frégate, propriétaire, frère du précédent [64] [le comte Hervé de Fleuriau avait, de son côté, épousé précédemment à Lamarque, Gironde, le 27-V-1939 Marie-Louise Brunet d'Evry (Paris 8e 9-IV-1918 - Evry-Grégy-sur-Yerres 9-V-1980), fille de Paul marquis d'Evry, propriétaire, et de Marie-Georgine de Fumel [65], mariage dissous par jug. du t. c. de Dakar le 17-VII-1943 [66]], dont

du 1er mariage

— comte Louis-Aimé de Fleuriau (Paris 16e 26-I-1938), publicitaire, allié Nonvilliers 6-VII-1962 à Françoise de Chabot (Boulogne-Billancourt 9-XII-1941), sœur d'Isabelle qu'on a rencontrée plus haut, dont

• Eléonore de Fleuriau (Paris 15e 6-VI-1963),

— Roselyne de Fleuriau (Paris 16e 20-XI-1942 - Chartres 27-V-1965 [67]), s.a.,

du 2e mariage

— Sylvie de Fleuriau (Paris 16e 25-VI-1952) alliée à Logron le 20-XII-1975 à André Ferdinand (Lindau, Allemagne, 2-VII-1949), expert-comptable, fils de Jean-Yves, lieutenant d'infanterie coloniale, et de Marie-Thérèse Chaudière, dont

• Thomas FERDINAND (Paris 14e 30-XI-1977),

b - Maurice de FÉLIGONDE (Vicq 26-VIII-1916 - Cour-Cheverny 16-X-1918),

6 - comte Raoul de FÉLIGONDE (Ebreuil 20-XI-1883 - Ebreuil 11-XII-1973), propriétaire, capitaine de cavalerie, allié Brioude 23-IV-1913 à Louise GRENIER (Ussel 6-VIII-1884 - Paris 16e 6-III-1953), fille d'Emile, avocat [68], et de Marie-Julia CHORIOL de RUÈRE, dont

a - Marielle de FÉLIGONDE (Vouziers 1-VIII-1914) alliée Paris 16e 21-I-1939 au comte Raymond de VILLARDI de MONTLAUR (Moulins 3-II-1894 - Jaligny 31-VII-1963), propriétaire, diplômé de l'Ecole des sciences politiques, lieutenant de cavalerie, fils du comte Georges, propriétaire, capitaine de cavalerie, délégué de Mgr le duc d'Orléans, puis de Mgr le duc de Guise pour la région du centre, et de Marie de BARRAL, dont

— Isabelle de MONTLAUR (Vichy 6-III-1941), religieuse du Sacré-cœur,

— comte Georges de MONTLAUR (Jaligny 8-III-1942), ingénieur, propriétaire, s.a.a.,

— Marie-Christine de MONTLAUR (Jaligny 9-XII-1943) alliée Jaligny 23-IX-1967 au comte Yves de MAIGRET (Saint-Romain-sous-Versigny 3-VII-1938), propriétaire agriculteur, lieutenant de louveterie, fils du comte Alain ✕, propriétaire agriculteur, et de Gabrielle DOUBLET de PERSAN, dont

• Christian de MAIGRET (Moulins 12-X-1968),

• Fabienne de MAIGRET (Moulins 23-III-1970),

• Olivier de MAIGRET (Moulins 13-II-1976),

• Philippe de MAIGRET (Moulins 12-I-1979),

— comte Bernard de MONTLAUR (Jaligny 3-X-1945), propriétaire agriculteur, allié Lusigny, Allier, 12-VII-1975 à Véronique de DURAT (Saint-Hilaire-de-Loulay 4-I-1954), fille du comte Bernard, propriétaire, et de Marie-Yolande de LORGERIL [69], dont

• Raoul de MONTLAUR (Vichy 6-IV-1976),

• Benedicte de MONTLAUR (Moulins 17-XI-1977),

• Marie-Astrid de MONTLAUR (Moulins 24-VI-1979),

— comte Xavier de MONTLAUR (Boulogne-Billancourt 13-XI-1953), s.a.a.,

b - comte Hubert de FÉLIGONDE (Brioude 16-VII-1917 - Montluçon 27-X-1978 [67]), ingénieur de l'Institut électrotechnique de Grenoble, ingénieur dans l'industrie, allié Châbons 19-VIII-1947 à Béatrix de VIRIEU (Cailloux-sous-fontaine 2-IX-1924), fille du comte Aymon, propriétaire, et de Clotilde HAROUARD de SUAREZ d'AULAN, dont

— Marie-Isabelle dite Marielle de FÉLIGONDE (Jallieu 9-X-1948), s.a.a.,

— Clotilde de FÉLIGONDE (Jallieu 3-X-1949), s.a.a.,

— Alix de FÉLIGONDE (Paris 8e 30-XI-1950) alliée Ebreuil 3-VI-1978 à Francis RÉMY de CAMPEAU (L'Herbergement 16-VI-1940), cadre commercial, fils de Pierre, propriétaire, et de Marguerite d'AINVAL, dont

• Régis de CAMPEAU (Paris 23-X-1979),

— comte Pierre de FÉLIGONDE (Saint-Mandé 14-I-1952), ingénieur de l'Ecole spéciale de mécanique et d'électricité, s.a.a.,

c - Odile de FÉLIGONDE (Ussel 13-IX-1919) alliée Paris 16e 9-VI-1947 à François de BRONAC de VAZELHES, puis de BRONAC de BOUGAINVILLE [70] (Plouay 19-VI-1918), ingénieur civil de l'aéronautique, fils de Henri baron de BRONAC de VAZELHES, capitaine de vaisseau, et d'Elisabeth DESPRÉAUX de SAINT-SAUVEUR-BOUGAINVILLE [71], dont

— Guy de BRONAC de BOUGAINVILLE (Jaligny 25-VII-1950), s.a.a.,

— Henri de BRONAC de BOUGAINVILLE (Paris 15e 30-VI-1952), ancien élève de l'Ecole polytechnique, ingénieur de l'armement, allié Saint-Rémi-La Varenne 28-VI-1975 à Chantal de LA BIGNE (Caen 20-IX-1952), fille de Stephen marquis de LA BIGNE, chef d'escadrons de cavalerie, et de Marie-Thérèse de GAALON, dont

• Hugues de BRONAC de BOUGAINVILLE (Versailles 18-V-1976).

● Domitille de Bronac de Bougainville (Versailles 22-V-1977),

— Christian de Bronac de Bougainville (Paris 15ᵉ 10-VI-1954), ancien élève de l'Ecole des hautes études commerciales, s.a.a.,

— Jean-François de Bronac de Bougainville (Paris 15ᵉ 17-I-1964),

7 - Maurice de Féligonde (Ebreuil 20-V-1886 - Vicq 5-IV-1915), ingénieur, s.a.,

8 - Léonce de Féligonde (Ebreuil 16-III-1890 - Ebreuil 2-VI-1895),

9 - Philomène dite Bengali de Féligonde (Ebreuil 22-VI-1892), s.a. [72],

B - Madeleine de Puységur (Buzancy, Aisne, 9-IV-1856 - Hénon 28-IV-1951) alliée Paris 8ᵉ 10-IX-1879 au comte Olivier de Lorgeril (Paris 19-III-1852 - Hénon 31-VIII-1926), propriétaire, fils du comte Victor, propriétaire, et d'Augustine-Henriette Le Pelletier de Gigondas de La Garde-Paréol, dont

1 - Yvonne de Lorgeril (Hénon 16-III-1881 - Nice 28-VIII-1972) alliée Hénon 31-V-1904 au comte Henri-Augustin d'Estienne d'Orves (Orléans 28-VIII-1872 - Nice 25-III-1959) [73], avocat à la cour d'appel de Rennes, camérier secret du pape, fils d'Alexandre comte d'Estienne d'Orves, propriétaire, et de Clémentine de Beaumont d'Autichamp, s.p.,

2 - Renée de Lorgeril (Hénon 23-IX-1882 - Toulouse 16-IV-1972), dame d'honneur de la duchesse de Madrid [74], s.a.,

3 - comte Christian de Lorgeril (Hénon 12-II-1885 - Carcassonne 5-IX-1944), propriétaire agriculteur et viticulteur, capitaine de cavalerie, président de la fédération des sections de l'Action française de l'Aude [75], allié Paris 8ᵉ 4-IX-1918 à Paule de Beynaguet de Pennautier (Pennautier 24-I-1892 - Pennautier 5-IV-1952), fille de Amédée comte de Beynaguet de Pennautier, propriétaire agriculteur et viticulteur, et de Louise Azaïs, dont

a - comte Charles-Henry de Lorgeril (La Haye, Pays-bas, 27-XI-1919), propriétaire agriculteur, ancien élève de l'Ecole nationale d'agriculture de Purpan, licencié ès sciences, allié Saint-Estèphe, Dordogne, 28-IV-1946 à

Marie-Magdeleine dite Maryelle de MALET (Angoulême 11-V-1923), fille de François marquis de MALET, propriétaire viticulteur, et de Marguerite-Lucile du PERON de REVEL, dont

— Anne de LORGERIL (Boulogne-Billancourt 4-IV-1947) alliée Avensac 11-IV-1970 à Jacques BERCHON (Pau 15-VIII-1939), cadre de banque, fils de Marcel, gérant et administrateur de sociétés, et de Marie-Henriette MAISONNIER, dont

• Olivier BERCHON (Toulouse 8-XI-1971),

• Violaine BERCHON (Rennes 4-IV-1973),

• Gwénolé BERCHON (Rennes 9-V-1974),

— comte Christian de LORGERIL (Boulogne-Billancourt 23-I-1949), agriculteur, s.a.a.,

— Sibylle de LORGERIL (Saint-Brieuc 27-VI-1951) alliée Avensac 26-VI-1971 à Jean-Michel LELU de BRACH (Narbonne 19-VIII-1946), cadre de banque, fille de Camille, propriétaire agriculteur, et de Cécile BORIES, dont

• Arnaud LELU de BRACH (Carcassonne 9-VII-1974),

• Sophie LELU de BRACH (Carcassonne 10-XII-1976),

— François-Xavier de LORGERIL (Montauban 21-II-1957), s.a.a.,

b - comte Amédée de LORGERIL (Hénon 20-VIII-1921), propriétaire agriculteur et viticulteur, licencié en droit, allié 1) Paris 17ᵉ 30-VI-1952 à Marie-Madeleine de MARMIER (Paris 7ᵉ 30-XI-1903 - Pennautier 20-V-1975), fille d'Etienne 4ᵉ et dernier duc de MARMIER, propriétaire sylviculteur, et de Claire de COËTNEMPREN de KERSAINT [Marie-Madeleine de MARMIER avait épousé précédemment 1) Paris 16ᵉ 8-VII-1929 le comte Bernard de LA ROCHEFOUCAULD (Paris 7ᵉ 23-II-1901 - Flossenburg, Allemagne, 4-VI-1944), propriétaire agriculteur, fils de Pierre duc de LA ROCHE-GUYON, propriétaire, et de Gildippe ODOARD du HAZÉ de VERSAINVILLE, mariage dissous par jug. du t. c. de la Seine le 24-VI-1931, 2) Paris 17ᵉ 8-XII-1931 Louis PORTES (Cahors 27-V-1891 - Paris 17ᵉ 28-VI-1950), docteur en médecine, professeur à la faculté de

médecine de Paris, président national de l'ordre des médecins, fils de Léon, ingénieur à la Compagnie de chemin
de fer de Paris à Orléans, et de Louise GAUBERT [76]],
2) Avensac 21-VIII-1978 à Françoise HUSSON de SAMPIGNY
(Paris 14e 17-XI-1923), veuve de son frère Alain (voir plus
loin), s.p. de part et d'autre,

c - comte Alain de LORGERIL (Pennautier 1-I-1925 - Paris 14e
14-XI-1972), propriétaire agriculteur et viticulteur, licencié
en droit, allié Mortemart 29-VIII-1959 à Françoise HUSSON
de SAMPIGNY (Paris 14e 17-XI-1923), fille de René, contrôleur civil au Maroc, et de Nicole SABRY de MONPOLY [77]
[Françoise HUSSON de SAMPIGNY s'est remariée à Avensac
le 21-VIII-1978 au comte Amédée de LORGERIL, son beau-
frère (voir plus haut)], dont

— Nicolas de LORGERIL (Toulouse 10-VII-1960), s.a.a.,

— Dominique [78] de LORGERIL (Neuilly-sur-Seine 13-IV-
1962),

d - comte Olivier de LORGERIL (Paris 7e 14-IV-1933), ancien
élève de l'Ecole supérieure d'agriculture d'Angers, cadre
supérieur dans l'industrie chimique, allié La Rochelle 3-X-
1957 à Catherine DEVERRE (Toulon 28-I-1936), fille de
François-Philippe, contre-amiral, et de Nathalie GLEIZE,
dont

— Isabelle de LORGERIL (Saumur 8-IX-1958), s.a.a.,

— Agnès de LORGERIL (Bordeaux 10-V-1960), s.a.a.,

— Régis de LORGERIL (Hénon 22-VII-1961),

— Bertrand de LORGERIL (Hénon 29-V-1967),

e - Bertrand de LORGERIL (Paris 7e 19-XI-1935 - Paris 7e 12-
XII-1935).

FRERES ET SŒURS

du 1er mariage de la mère

1 - Louise LE ROY (Paris 1800 - Paris 6-II-1837) alliée Paris 3-I-1835 à
Victor DELATTRE (Saint-Omer 11-I-1803 - Noisy-le-grand 21-VII-1837),
propriétaire, fils de Désiré, négociant, et de Victoire RICHEBÉ ; de celle-ci
sont nés deux enfants : I) Jean DELATTRE (Paris 30-IX-1835 - 28-XII-
1889), conseiller référendaire à la Cour des comptes, allié Lille 9-II-

1857 à Pauline CATOIRE (Lille 7-VI-1837 - Bazemont 19-X-1910), fille d'Auguste-Aimé, marchand de charbon, et de Lucie RICHEBÉ [79], dont uniquement Louise DELATTRE (Paris 1857 - Paris 9e 25-VI-1868) ; II) Julie DELATTRE (1836 - 6-VIII-1837).

2 - Louis-Adolphe LE ROY de SAINT-ARNAUD (Paris 12-X-1801 - Saint-André-du-bois 17-V-1873) [80], avocat à la cour d'appel de Paris, conseiller d'état, sénateur (1857), allié Paris 29-XI-1843 à Eugénie de TRAZEGNIES d'ITTRE (Ittre, Belgique, 22-IV-1811 - Paris 9e 13-XII-1897), sœur de la seconde épouse du maréchal ; celui-ci eut quatre enfants : I) René LE ROY de SAINT-ARNAUD (Paris 6-IX-1844 - Paris 10e 24-IX-1920), inspecteur des chemins de fer, allié Paris 19e 11-VII-1871 à Perrine LOUICHON (Iffendic 15-I-1843 - Paris 7e 23-X-1915), fille de Thomas et de Françoise CHAUVIN, dont postérité qui suivra ; II) Ferdinand LE ROY de SAINT-ARNAUD (Paris 23-V-1846 - Montlivault 19-VIII-1934), fonctionnaire au ministère de l'intérieur, chef de bataillon d'infanterie (réserve) [81], allié Paris 9e 27-IX-1884 à Marie-Clémence BRION (Muides-sur-Loire 17-XI-1849 - 1938), fille de Silvain-Charles, propriétaire, et de Clémence CHARPENTIER, s. p. ; III) Marie-Louise LE ROY de SAINT-ARNAUD (1848-1850) ; IV) Marie-Adèle LE ROY de SAINT-ARNAUD (Noisy-le-grand 29-VIII-1851 - Lavaur, Tarn, 5-I-1945) alliée Saint-André-du-bois 26-X-1872 à Léon MAÎTRE (Bordeaux 26-III-1847 - Bordeaux 14-VI-1929), négociant et banquier, fils de Adrien, avocat, puis secrétaire de la ville de Bordeaux [82], et de Elisabeth MORILLOT, dont postérité qui suivra ; René LE ROY de SAINT-ARNAUD eut deux enfants : A) Gaston LE ROY de SAINT-ARNAUD (Orléans 19-V-1871 - Paris 7e 18-I-1949), fonctionnaire au ministère de la marine, allié Paris 1er 10-VIII-1899 à Eugénie CHED'HOMME (Paris 1er 9-X-1874 - Paris 7e 13-II-1947), fille d'Isidore-Marin, tailleur [83], et de Jeanne-Marie BICHEUX, père lui-même de trois enfants : 1) René LE ROY de SAINT-ARNAUD (Paris 1er 25-VI-1900 - 1901), 2) Renée LE ROY de SAINT-ARNAUD (Vincennes 28-IX-1901), chef de comptabilité (banque), s.a.a., 3) Marie-Louise LE ROY de SAINT-ARNAUD (Vincennes 16-XII-1904), chef de service à la Caisse des dépôts et consignations, alliée Paris 7e 2-II-1935 à Maurice POIROT (Paris 12e 25-IX-1913), représentant de commerce, fils d'Eugène, artisan imprimeur, et de Lucienne MOREAU, mariage dissous par jug. du t. c. de la Seine le 23-VI-1961 [84], s.p., B) Marie LE ROY de SAINT-ARNAUD (Paris 5e 27-V-1873 - Paris 20e 20-IX-1957), s.a. ; Marie-Adèle LE ROY de SAINT-ARNAUD alliée à Léon MAÎTRE eut de celui-ci quatre enfants : A) Elisabeth MAÎTRE (Lima, Pérou, 8-IX-1873 - Bordeaux 2-VI-1960), artiste peintre et pianiste [85], alliée 1) Paris 17e 26-XI-1894 à Edmond BUREAU (Saint-Cyr-l'école 26-XII-1867 - Mégrine, Tunisie, 2-III-1958), colonel d'infanterie, fils d'Edmond, lieutenant-colonel d'infanterie, et de Marie

CHOIECKI [86], mariage dissous par jug. du t. c. de Bordeaux le 24-I-1924, 2) Bordeaux 22-VI-1925 à Henri GRENIER de CARDENAL (Saint-Etienne-de-Villeréal 10-II-1875 - Bordeaux 9-XI-1956), docteur en médecine, neuro-psychiâtre [87], fils de Jean-Oswald, propriétaire, et de Virginie de RAIGNIAC, s.p. du 2ᵈ mariage, dont une postérité en ligne féminine du 1ᵉʳ (notamment familles DIZIAIN, DESURVIRE, FORLACROIX, FACKLER) ; B) Louis MAÎTRE (Lima 24-II-1875 - Lima 6-IV-1875) ; C) Pierre MAÎTRE (Lima 10-VIII-1876 - Paris 26-V-1939), agriculteur [88], allié Le Havre 18-V-1904 à Jeanne FERNBERG (Le Havre 20-IX-1883 - Paris 16ᵉ 18-VI-1950), fille de Gustave-Frédéric, agent de change, et de Marguerite-Laure BALTAZAR, dont 1) Edmond MAÎTRE (Paris 16ᵉ 27-VIII-1905 - Bordeaux 15-XI-1970), chef de service dans l'industrie, allié Bordeaux 23-II-1939 à Madeleine TEISSEIRE (Bordeaux 22-II-1907), relieur, fille de Joseph-Edmond, négociant, et d'Annie-Charlotte ADET, mariage dissous par jug. du t. c. de Bordeaux le 16-II-1948 [89], s.p. ; 2) Louis MAÎTRE (Versailles 22-I-1921), homme de lettres [90], s.a. ; D) Daniel MAÎTRE (Paris 17ᵉ 23-XII-1878 - Créteil 26-I-1960), cadre de banque [91], allié Paris 10ᵉ 26-VII-1924 à Mathilde CATEZ (Guarbecque 20-II-1881 - Paris 5ᵉ 29-XI-1962), fille de François, cultivateur, et de Marie FILBIEN, s.p. [92],

du 2ᵉ mariage de la mère

3 - Jean-Adolphe de FORCADE LA ROQUETTE (Paris 8-IV-1820 - Paris 8ᵉ 15-VIII-1874), docteur en droit, avocat à la cour d'appel de Paris, ministre des finances (1860-1861), de l'agriculture, des travaux publics et du commerce (1867), de l'intérieur (1868-1869), sénateur (1861-1869), vice-président du Conseil d'état (1863), député du Lot-et-Garonne (10-I-1870), conseiller général de la Gironde (1852-1867), allié Paris 2-X-1847 [93] à Joséphine-Adélaïde FERGUSSON (Londres 1831 - Paris 8ᵉ 25-XII-1889), fille de Robert-Cuttlar, avocat puis procureur général à Calcutta, ultérieurement membre de la Chambre des communes et du conseil privé de la reine, président du tribunal militaire de cassation, et de Marie-Joséphine AUGER [94] ; celui-ci eut quatre enfants : I) Jeanne de FORCADE LA ROQUETTE (Paris 16-III-1856 - Paris 16ᵉ 30-VII-1885) alliée Paris 8ᵉ 17-XII-1883 à Maurice L'EPINE (Paris 2-III-1856 - Paris 16ᵉ 26-XII-1932), ingénieur de l'Ecole centrale de Paris, directeur puis administrateur délégué de banque [95], vice-président et administrateur de sociétés, historien [96], fils d'Ernest, secrétaire, puis chef de cabinet du duc de Morny, conseiller référendaire à la Cour des comptes, homme de lettres [97], et de Maria-de-los-angelos LANIER [98], dont un unique enfant : Suzanne L'EPINE (Paris 16ᵉ 20-VII-1885 - Paris 16ᵉ 1-II-1932) alliée Paris 16ᵉ 16-V-1908 à Dominique MEYNIS de PAULIN (Roanne 11-II-1875 - ✕ Yzeure, Allier, 24-VI-1917 [99]), employé de banque, fils de Paul, propriétaire, et de Mathilde-Charlotte MULATIER de LA TROL-

LIÈRE, d'où une postérité en lignes masculine et féminine ; II) Gaston de FORCADE LA ROQUETTE (Paris 26-XI-1858 - Paris 17ᵉ 25-IX-1940), propriétaire, allié Paris 17ᵉ 28-IX-1892 à Mariette dite Henriette BERTHIER (Paris 20ᵉ 28-III-1867 - Paris 17ᵉ 3-IX-1944), fille de Philippe, passementier, et d'Elisa HÉNON, dont postérité qui suivra ; III) Robert de FORCADE LA ROQUETTE (Paris 1ᵉʳ 20-III-1860 - Arcueil 14-XII-1918), propriétaire, allié Paris 9ᵉ 24-XII-1901 à Marie-Louise dite Marguerite SAUVAGE (Bordeaux 4-XI-1861 - Bordeaux 18-III-1927), fille de Léopold, propriétaire, et de Marie-Louise JULIENNE (mariage dissous par jug. du t. c. de Bordeaux le 15-II-1904) [100], s.p. ; IV) Henriette de FORCADE LA ROQUETTE (Paris 9ᵉ 8-XII-1864 - Cannes 1-XI-1889) alliée Paris 8ᵉ 24-VIII-1886 à Maurice L'EPINE, veuf de sa sœur Jeanne (voir plus haut), dont un unique enfant : Marcel L'EPINE (Paris 9ᵉ 18-VII-1887), antiquaire et agent immobilier, allié Paris 16ᵉ 8-VIII-1936 à Christiane DELBOSC (Paris 18ᵉ 2-II-1911), fille de Jean-Marie, directeur commercial, et de Marie CHOLET (mariage dissous par jug. du t. c. de Draguignan le 29-I-1959), père lui-même de deux filles ; Gaston de FORCADE LA ROQUETTE eut un unique enfant : Marcel-Yves de FORCADE LA ROQUETTE (Paris 17ᵉ 27-VI-1891 - Hauteville, Ain, 17-II-1940), directeur commercial, allié Paris 9ᵉ 26-VI-1923 à Camille CHAUVIN (Luçay-le-mâle 22-III-1894), fille d'Alexandre, propriétaire agriculteur, et de Valérie DUPONT, père de deux fils : 1) Michel de FORCADE LA ROQUETTE (Paris 3ᵉ 14-VII-1925), chef de service dans l'industrie, organiste-claveciniste, s.a.a., 2) Jean de FORCADE LA ROQUETTE (Paris 3ᵉ 6-I-1929), commerçant (optique), allié 1) Paris 16ᵉ 22-VI-1959 à Thérèse BRUGEROLLE de FRAISSINETTE (Lyon 2ᵉ 30-IV-1926 - Cavaillon 25-VII-1968), fille de Henri, directeur d'agence de banque, et de Jeanne MISSOL, 2) Paray-le-monial 27-X-1969 à Bernadette BOUDRY (Paray-le-monial 5-VII-1934), fille de Marcel, administrateur de biens, et de Germaine MOULIN, dont a) Isabelle (Paris 15ᵉ 21-V-1960), b) Florence (Paris 15ᵉ 21-V-1960), c) Yves (Paray-le-monial 15-IV-1965), du 1ᵉʳ mariage, d) Hubert (Paray-le-monial 20-VIII-1970), e) François (Paray-le-monial 29-VI-1972) du 2ᵈ mariage [101].

NOTES

1 La période de la vie de Saint-Arnaud qui va de 1820 à 1831 est assez peu reluisante. Fatiguée des mille frasques auxquelles il se livre, sa famille lui a coupé les vivres. Il exerce pour subsister des métiers de hasard : il donne des leçons de français, d'italien, d'anglais, de musique, d'escrime, joue la comédie. Ici et là, une bonne fortune lui sort d'affaire pour quelque temps. Le plus souvent, il tire le diable par la queue. Une correspondance proposée dans le catalogue n° 690 (mai 1954) de la Maison Charavay nous apprend qu'il fut détenu pour dettes à la prison de Sainte-Pélagie durant une partie des années 1825 et 1826, à la suite d'un jugement du tribunal de commerce de Paris en date du 3-IX-1824.

2 Saint-Arnaud fit partie de la délégation qui accompagna la duchesse de Berry à Palerme, après ses couches.

3 Cette longue période africaine fut coupée de trois séjours de quelques mois en France, respectivement en 1840, 1843 et 1848.

4 On trouve dans le dossier relatif à cette autorisation existant aux A.N. (BB[11] 435, dossier 2365 X 3) une note intéressante du procureur général près la cour royale de Paris au garde des sceaux, en date du 17-III-1840 : *L'exposant allègue à l'appui de sa demande que, depuis son enfance, il a toujours été connu sous le nom de Saint-Arnaud, que dès l'âge de dix-sept ans il a reçu sous ce nom un brevet de sous-lieutenant, que c'est encore sous ce nom qu'il s'est marié et que ses enfants ont été inscrits aux actes de l'état civil, que c'est enfin sous ce nom qu'il a été mis à l'ordre du jour de l'armée pour sa conduite à la prise de Constantine où il a obtenu sur la brèche le grade de capitaine et la décoration de la légion d'honneur.* Il semble bien qu'en fait le futur maréchal ait pris le nom de Le Roy de Saint-Arnaud lorsqu'il servait aux gardes du corps en 1815-1816, recourant à un stratagème assez en faveur au 18ᵉ siècle chez ceux qui voulaient se donner les apparences de la noblesse, lequel consistait à placer à la suite de son patronyme un nom de terre fabriqué avec l'un des prénoms de l'intéressé précédé du mot saint. C'est sans doute à la même époque qu'il adopta Achille comme prénom usuel : selon la *légende* familiale, la raison en aurait été qu'à l'occasion d'un trait de courage et d'énergie, le comte d'Artois lui avait dit qu'il était un véritable Achille.

5 Le choléra emporta d'autant plus aisément Saint-Arnaud que, depuis près de deux ans, la santé de celui-ci était très altérée : il souffrait d'angine de poitrine.

6 Cette publication, assurée par Louis-Adolphe Le Roy de Saint-Arnaud, frère du maréchal, a eu une 2ᵉ édition en 1858 et une 3ᵉ en 1864. Les 2ᵉ et 3ᵉ éditions contiennent, en manière de préface, un texte assez long et très admiratif de Sainte-Beuve, qu'on retrouve au tome XIII des *Causeries du lundi*. La plupart des lettres sont adressées à Louis-Adolphe Le Roy de Saint-Arnaud lui-même. Pour le reste, les destinataires sont l'épouse du précédent, la mère du maréchal, sa sœur Louise, son beau-père (le 2ᵈ mari de sa mère), son demi-frère, Jean-Adolphe de Forcade La Roquette, et quelques étrangers. Les originaux de cette correspondance se trouvent aujourd'hui à l'Arsenal. Une partie (520) lui a été léguée par Paul Cottin, longtemps conservateur à cette bibliothèque, qui, sans doute, l'avait acquise lui-même de la famille. Les autres furent achetées en 1960 à Mme Daniel Maitre, veuve d'un petit-neveu de Saint-Arnaud (voir rubrique *Frères et sœurs*), à qui elles étaient venues par héritage. On constate en rapprochant l'ensemble des originaux de l'ouvrage qu'à maintes reprises le texte des lettres a été tronqué et arrangé par l'éditeur et que certaines ont été purement et simplement passées sous silence.

7 Médecin en chef de l'état-major de l'armée d'Orient.

8 Certains de ces écrits ont donné lieu à des opuscules. Les autres ont été publiés en annexe de l'ouvrage *Lettres du maréchal de Saint-Arnaud*.

9 Ce premier degré est établi par le contrat de mariage de Jacques Le Roy et Marie-Pascale-Victoire Béga (voir note 11).

10 Suivant inventaire après décès du 15-XII-1775 (A.N., M.C., IV 722).

11 Cette précision nous est connue grâce aux archives de l'étude généalogique Andriveau. Un contrat avait été fait le 25-V-1753 (A.N., M.C., LIX 250).

12 Selon inventaire après décès en date du 13-VI-1806 (A.N., M.C., XXVII 602).

13 On sait par le compte de communauté, partage et liquidation après décès de Jean Béga, en date du 26-VI-1752 (A.N., M.C., LIX 248), que Marie-Pascale-

Victoire Béga avait deux frères : Jean-Louis, officier de bouche de M. l'ambassadeur d'Angleterre, et Guillaume, officier de bouche de M. le marquis d'Estainville.

14 A défaut de précisions filiatives dans les actes de mariage et de décès de Jean-Dominique Le Roy, la jonction entre Jacques Le Roy et celui-ci est établie par les inventaires après décès mentionnés aux notes 10 et 12.

15 Date fournie par le dossier de préfet (A.N., F^{1B} I 166^{29}) de Jean-Dominique Le Roy : l'acte correspondant n'a pas été reconstitué.

16 Etat civil reconstitué (A.P.).

17 Cette qualité lui est donnée dans son dossier de préfet (voir note 15) et dans son acte de décès.

18 La notice que lui consacre à ce titre le *Dictionnaire des parlementaires* de Robert et Cougny est totalement inexacte : on l'a confondu avec Pierre-Thomas Leroy (1773-1837), qui fut préfet du Var (1811-1814), du Loiret (1815), d'Ille-et-Vilaine (1830-1832), des Basses-Pyrénées (1832-1837).

19 Voir référence donnée à la note 15.

20 Le registre des actes de mariages de l'église Saint-Etienne-du-mont à Paris pour l'an V (1797) contient, sous le numéro 106, le texte suivant : *Le 2 messidor se sont présentés et ont reçu la bénédiction nuptiale Jean-Dominique Le Roy et Louise Papillon de Latapy*, sans mention de filiation, ni de témoins. L'acte de naissance du futur maréchal indique que le mariage civil de ses parents eut lieu à la même date, à la mairie de l'ancien 12e arrondissement. L'acte correspondant au mariage civil n'a pas été reconstitué.

21 Les date et lieu de naissance et les parents de Louise-Catherine Papillon de Latapy nous sont connus par l'acte de son second mariage : son acte de naissance n'a pas été reconstitué et son acte de décès est muet à ce propos.

22 Etat civil reconstitué (A.P.).

23 Arnaud Papillon de Latapy figure avec cette qualité dans les éditions annuelles de l'Almanach royal de 1783 à 1788. Fils de Jacques Papillon, bourgeois, et de Suzanne Guyreaud, il était né à Bordeaux le 21-VI-1744 (acte de baptême du même jour, paroisse Saint-André, A.D. de la Gironde). Il mourut à Paris le 14-IV-1807 (A.P., E.C.R.). Alors qu'il est appelé Papillon de Latapy dans l'Almanach royal et l'acte du 2^d mariage de sa fille, ses actes de baptême et de décès lui donnent le seul nom de Papillon. On a écrit à maintes reprises que les Papillon de Latapy avaient une souche commune avec les Papillon de La Ferté, illustrés par Denis-Pierre-Jean (1727-1794), commissaire général des Menus plaisirs et affaires de la chambre du roi à la fin de l'ancien régime, ami des arts et des sciences, auteur de différents ouvrages, mort sur l'échafaud révolutionnaire, et gratifiés d'un titre de baron héréditaire sous la Restauration. Les deux familles cousinèrent même au 19e siècle : ainsi, des Papillon de La Ferté figurent sur le faire part de décès de la mère du maréchal de Saint-Arnaud et, en 1883, on trouve la maréchale sur celui de Georges-Xavier Papillon de La Ferté. En fait, à l'heure actuelle, on ne possède rien qui permette d'affirmer la réalité de cette parenté.

24 S'inspirant selon toute vraisemblance de la tradition familiale, Quatrelles L'Epine (voir rubrique *Frères et sœurs* et note 96) rapporte, dans son livre *Le maréchal de Saint-Arnaud, d'après sa correspondance et des documents inédits*, que, le 15-V-1794, Louise-Catherine Papillon de Latapy, âgée alors de 14 ans, cacha le futur comte Regnaud, père du maréchal Regnaud de Saint-Jean-d'Angély, poursuivi par la police, dans la cabane du jardinier de la maison de ses parents, rue des Postes, sur la Montagne Sainte-Geneviève, et le sauva ainsi très probablement de la guillotine. L'aventure est également contée, sans doute d'après le précédent, bien qu'aucune indication de source ne soit donnée, par Armand Le Corbeiller dans son livre *Histoires d'un autre temps* (1946).

25 Sauf indication contraire en note, les précisions relatives à cette seconde union de Louise-Catherine Papillon de Latapy nous ont été fournies par l'état civil.

26 Date donnée d'après son faire part de décès (archives de M. Michel de Forcade La Roquette, voir rubrique *Frères et sœurs*) : l'acte correspondant n'a pas été reconstitué.

27 Jean de Forcade La Roquette fut juge de paix du 12e arrondissement (ancien) de 1811 à 1834, puis du 1er (ancien) de 1834 à sa mort et doyen des juges de paix de Paris à partir de 1824 (A.P., D 34 Z).

28 D'une famille originaire de Guyenne, maintenue noble en 1666 et 1697.

29 Baptisé à Saint-Jean-en-grève le 19-II-1757 (E.C.R., A.P.).

30 E.C.R., A.P.

31 Dans un acte du 16-III-1789 (A.N., M.C., VII 490).

32 Inventaire après décès de sa mère (voir note 12).

33 Acte du 24-XI-1810 (A.N., M.C., V 950).

34 Acte de décès.

35 Dates de naissance et de décès données d'après un document familial (archives de M. Michel de Forcade La Roquette).

36 Dans un acte du 11-XII-1789 (A.N., M.C., VII 494).

37 Nous devons beaucoup des renseignement apportés sous cette rubrique à l'obligeance de Louis de Charbonnières : il a bien voulu mettre à notre disposition les éléments réunis sur la famille du maréchal de Saint-Arnaud alors qu'il préparait son livre *Une grande figure. Saint-Arnaud maréchal de France* (Paris 1960, 192 p.) et dont une partie seulement avait pu trouver place dans l'ouvrage en raison du caractère essentiellement biographique de celui-ci.

38 Louis de Charbonnières signale dans l'ouvrage cité à la note précédente que ces armes figurent sur plusieurs bâtons de maréchal et sur divers cachets conservés par la famille. Il s'agit, selon lui, des armes de la famille Papillon de Latapy : ce blason ne figure pas dans l'*Armorial général* de J.-B. Rietstap.

39 Né à Lorient le 29-I-1774, fils de Pierre Pasquier et de Jeanne Quervenne, Mathurin-Martin Pasquier commença à naviguer dès 1785. Tout d'abord sur les bâtiments de commerce, il passe sur ceux de l'état en 1787. Il débute comme matelot, est ensuite aide pilote, passe enseigne de vaisseau en 1800, lieutenant de vaisseau en 1810 et capitaine de frégate en 1823. Ces précisions nous ont été fournies par son dossier personnel au S.H.M.

40 Fille de Nicolas-Marie et d'Anne-Marie Vattier, Claudine-Charlotte-Anne Saint-Martin, née à Paris vers 1780, mourut à Brest le 11-XI-1807.

41 On verra que le frère de Saint-Arnaud avait épousé la sœur de la seconde épouse de celui-ci.

42 D'une maison d'ancienne noblesse originaire du pays de Liège, Marie-Anne d'Argenteau était la sœur de François-Joseph-Charles-Marie de Mercy-Argenteau (Liège 10-IV-1780 - Argenteau 25-I-1869), chambellan de l'empereur Napoléon Ier, ministre plénipotentiaire auprès de la cour de Bavière, fait comte de l'empire par l. p. du 25-III-1810. Celui-ci prit le nom de Mercy-Argenteau, en vertu du testament de Florimond-Claude comte de Mercy-Argenteau (1727-1794), successivement ministre d'Autriche à Turin et à Saint-Pétersbourg, puis ambassadeur à Paris — où il fut l'homme de confiance de Marie-Thérèse auprès de Marie-Antoinette —, qui en avait fait son héritier en qualité de son plus proche parent : Florimond-Claude de Mercy-Argenteau

était le cousin germain du grand-père de François-Joseph-Charles-Marie. Le père de Florimond-Claude, Charles-Antoine-Ignace-Augustin d'Argenteau, avait lui-même été adopté par Florimond-Claude comte de Mercy (1666-1734), général au service de l'Autriche, ce dernier ayant pour grand-mère maternelle une Argenteau. Florimond-Claude comte de Mercy était le petit-fils de François de Mercy, chef de l'armée de la ligue catholique durant la Guerre de trente ans, mortellement blessé à Nordlingen en 1645, rival de Turenne et de Condé.

43 Gilles de Trazegnies était le beau-frère de Jean sire de Joinville (1224-1317), le célèbre chroniqueur, conseiller de saint Louis, dont il avait épousé la sœur, Simonette de Joinville.

44 Nous signalerons cependant qu'il existe à l'heure actuelle, en Belgique, des Trazegnies dits de Lessines qui pensent être issus de cette 1re maison, mais n'ont pu, jusqu'ici, établir leur rattachement : ils sont représentés notamment par Ferdinand (Bruxelles 21-XI-1906), conseiller d'ambassade.

45 Par suite de l'extinction en 1862 de la branche aînée, la maison de Trazegnies n'est plus représentée aujourd'hui que par la seule branche d'Ittre. Celle-ci possède deux rameaux, issus respectivement de Gillion (1772-1847) et d'Eugène (1820-1870), que nous avons mentionnés. Le premier de ces rameaux est établi en France et le second en Belgique. On pourra consulter pour plus de précisions sur la famille de la maréchale de Saint-Arnaud : *Les Trazegnies et les Hamal (1100-1970)* par le marquis Olivier de Trazegnies (Corroy-le-château, 1970).

46 Le contrôle troupe du 5e régiment de hussards (S.H.A.T.) indique qu'Adolphe Le Roy de Saint-Arnaud, engagé volontaire à la date du 17-X-1851, est mort de la fièvre typhoïde. Celui-ci s'était engagé à la suite d'un échec au concours d'entrée à Saint-Cyr.

47 Eut pour parrain le maréchal Bugeaud et pour marraine Léonie Bugeaud, fille de celui-ci.

48 Par cette union, le sang de Saint-Arnaud allait se mêler à celui d'une famille qui, au cours des deux siècles précédents, avait servi dans l'état militaire avec une particulière distinction. Paul marquis de Puységur (1790-1846) était en effet le fils d'Armand-Marc-Jacques marquis de Puységur (1751-1825), lieutenant général, lequel avait eu pour père François-Jacques marquis de Puységur (1716-1782), lieutenant général, fils lui-même de Jacques marquis de Puységur (1656-1743), maréchal de France, fils à son tour de Jacques de Puységur (1602-1684), maréchal de camp. On trouve en outre plusieurs officiers généraux parmi les collatéraux.

49 Antoinette d'Hennezel avait pour parents Emmanuel-Marie-Joseph d'Hennezel et Clémentine-Madeleine-Valentine de Bercheny, cette dernière petite-fille de Ladislas-Ignace de Bercheny (1689-1778), maréchal de France.

50 Fut baptisée dans la chapelle impériale des Tuileries et eut pour parrain Napoléon III, représenté par le comte Bacciochi, 1er chambellan, et pour marraine l'impératrice, représentée par Léonie Bugeaud, citée à la note 47, alors épouse du général Henry-Louis Feray (registres de Saint-Thomas d'Aquin).

51 Lui-même fils de Michel-Claude (Clermont-Ferrand 15-V-1765 - Clermont-Ferrand 22-II-1853), propriétaire, député du Puy-de-Dôme.

52 Gustave Lacapelle (Troyes 9-X-1869 - Paris 7e 15-II-1942) était lui-même fils d'Alfred Lacapelle (Arras 27-I-1836 - Dijon 18-IX-1904), général de brigade, lequel, de son côté, avait eu pour père Paul-Joseph Lacapelle (Toul 1-XII-1798 - Nancy 28-X-1868), lieutenant-colonel d'infanterie.

53 Fille de Léon-Marie-Michel Cornudet, maître des requêtes au Conseil d'état, vice-président du conseil d'administration de la Compagnie des chemins de fer du P.L.M.

54 Frère de Paul, général de brigade.

55 Renée du Bois de La Patellière est la sœur de Denys (Nantes 8-III-1921), réalisateur de films. Leur père, Félix, était le frère de Marie-Henriette qu'on trouvera plus loin et également d'Amédée du Bois de La Patellière (Vallet, Loire atlantique, 5-VII-1890 - Paris 6e 9-I-1932) qui, en dépit de sa disparition prématurée, fut et demeure l'un des grands peintres de l'entre-deux guerres.

56 Bernard de Lapparent est le frère de Hubert de Lapparent, comédien, et le petit-fils d'Albert de Lapparent (1839-1908), éminent géologue, professeur de géologie et de minéralogie à l'Institut catholique de Paris, secrétaire perpétuel de l'Académie des sciences, ce dernier étant lui-même l'arrière-petit-fils de Charles Cochon de Lapparent (1750-1825), député successivement à l'Assemblée constituante, à la Convention et au Conseil des cinq-cents, ministre de la police (1796), préfet (1800), sénateur (1800), comte de l'empire (1809).

57 Antoinette Cavaignac est la fille d'Eugène Cavaignac (1876-1969), docteur ès lettres, professeur d'histoire ancienne à l'université de Strasbourg, puis d'hittologie à l'Institut catholique de Paris, fils lui-même de Godefroy Cavaignac (1853-1905), conseiller général et député de la Sarthe, ministre de la marine et des colonies, puis de la guerre, fils à son tour d'Eugène Cavaignac (1802-1857), général de division, député du Lot, ministre de la guerre, chef du pouvoir exécutif en 1848, lequel avait eu pour père Jean-Baptiste Cavaignac (1762-1829), avocat au parlement de Toulouse, député à la Convention puis au Conseil des cinq-cents.

58 Nièce de François de Curel (1854-1928) auteur dramatique, membre de l'Académie française.

59 Raoul d'Heucqueville était le frère de Charles, président de section au t. c. de la Seine, président fondateur de la Fondation d'Heucqueville, œuvre s'occupant de l'adoption d'enfants.

60 Edmond Bonamy (Beaufort-en-Vallée 9-IX-1874 - Nantes 15-XII-1944) était à son tour fils d'Eugène-Romain Bonamy (Nantes 2-II-1844 - Nantes 23-II-1903), docteur en médecine, médecin chef à l'hôpital de Nantes, lequel avait lui-même eu pour père : Charles-Eugène Bonamy (Nantes 12-I-1808 - Beaufort-en-Vallée 27-IX-1861), docteur en médecine, professeur à l'école de médecine de Nantes.

61 Voir note 55.

62 On a vu plus haut que Jean Lacapelle s'est allié en secondes noces à une tante du comte Hugues de Verdun.

63 Après avoir été adoptée par sa tante Philomène de Féligonde, suivant jugement du t. c. de Gannat, le 7-VIII-1958.

64 La seconde union de Ghislaine de Féligonde a été dissoute par jug. du t. c. de la Seine le 20-V-1953, mais les époux se sont remariés à Paris 16e le 30-III-1954.

65 Marie-Georgine de Fumel avait épousé précédemment, à Lamarque le 14-II-1895, Gustave Chaix d'Est-Ange (1863-1923), le célèbre généalogiste, mariage qui fut dissous par jug. de divorce et déclaré nul par les tribunaux ecclésiastiques.

66 Marie-Louise Brunet d'Evry s'est remariée à Alger le 9-XI-1943 à Roger Gromand (Paris 13-X-1905), préfet, fils d'Adolphe, propriétaire, et Berthe Roullot. Pierre-Gilles Gromand né de cette union à Neuilly-sur-Seine le 13-XII-1948 a demandé à s'appeler Gromand d'Evry ou Gromand-Brunet d'Evry (12-VI-1970), puis Gromand-Evry (23-VII-1972), sans, jusqu'ici, obtenir satisfaction.

67 Des suites d'un accident de la circulation.

68 Frère d'Antoine Grenier, président à la cour d'appel de Paris, président du conseil de révision judiciaire de la principauté de Monaco.

69 Parente éloignée des Lorgeril qu'on trouvera plus bas : l'ancêtre commun vivait au 18ᵉ siècle.

70 François de Bronac de Vazelhes et ses quatre fils ont été autorisés par décret du 3-IX-1970 à prendre désormais le nom de Bronac de Bougainville au lieu de celui de Bronac de Vazelhes (voir note 71).

71 Le père de celle-ci, Victor Despréaux de Saint-Sauveur (Paris 15-VIII-1848- - Rome 3-V-1910), capitaine de vaisseau, obtint de s'appeler Despréaux de Saint-Sauveur-Bougainville par décret du 5-VIII-1882, à la suite de son mariage à Paris 8ᵉ le 7-I-1879 avec Marie-Anne d'Anglars de Bassignac (Saint-Jean-pied-de-port 31-VIII-1857 - Plouay 15-X-1943), fille de Paul-Gustave-Barthelémy d'Anglars comte de Bassignac, chef de bataillon d'infanterie, et de Joséphine-Olympe-Claire de Bougainville, qui avait elle-même pour père Alphonse comte de Bougainville (Paris 19-XII-1788 - Paris 8ᵉ 11-V-1861), colonel de cavalerie, dernier du nom, fils de Louis-Antoine (Paris 11-XI-1729 - Paris 30-VIII-1811), le célèbre navigateur. Outre Elisabeth, Victor Despréaux de Saint-Sauveur-Bougainville eut un fils, Albert (Brest 8-XII-1879 - ✗ Dieuze 20-VIII-1914), lieutenant d'infanterie. Celui-ci étant mort s.a., le nom de Bougainville se trouva de nouveau éteint : c'est ainsi que fut sollicité le décret dont il est question à la note 70.

72 Philomène de Féligonde a adopté sa nièce, Geneviève Seguin de Broin (voir plus haut).

73 Honoré comte d'Estienne d'Orves (Verrières-le-Buisson 5-VI-1901 - ✗ Mont Valérien 29-VIII-1941), capitaine de frégate, condamné à mort par les Allemands pour faits de *résistance*, était le neveu du comte Henri-Augustin.

74 Renée de Lorgeril occupa cette charge de 1928 à 1935, accompagnant la duchesse en Suisse, en Italie, en Autriche. Née princesse Berthe de Rohan, celle-ci était la 2ᵈᵉ épouse de don Carlos duc de Madrid, fils du fils cadet de don Carlos comte de Molina (frère cadet de Ferdinand VII) qui tenta de s'opposer les armes à la main à l'accession au trône de sa nièce Isabelle II. Le duc de Madrid devint le chef de la branche carliste en 1868, son oncle étant mort s.p. et son père ayant renoncé à ses droits.

75 Le comte Christian de Lorgeril eut une fin dramatique. Arrêté lors de la *libération* de Carcassonne, le 5-IX-1944, par des éléments incontrôlés et incarcéré à la prison de cette ville, il y fut torturé de façon atroce : on lui écrasa les mains et les pieds dans une presse, on le brûla avec de l'essence enflammée et on lui traversa les membres avec des barres de fer rougies au feu. Il mourut de ses brûlures après un mois d'agonie. Sa veuve porta plainte contre les assassins qui, retrouvés, furent condamnés par le tribunal militaire de Bordeaux, au mois d'octobre 1950.

76 De ce mariage, naquit un fils : Louis-Daniel Portes (Paris 26-X-1931). Un décret en date du 1-IX-1945 autorisa celui-ci à s'appeler Portes de Marmier, mais ce décret fut annulé le 10-VI-1949, à la suite d'une opposition. En effet, Anne de Marmier (Le Tréport 15-IX-1871 - Neufchâteau 21-II-1957), s.a., sœur d'Etienne 4ᵉ et dernier duc, avait adopté suivant jug. du t. c. de Neufchâteau le 18-III-1938, confirmé par arrêt du Conseil d'état le 10-VI-1949, Philippe Baconnière de Salverte (Paris 7ᵉ 16-VI-1932), devenu ainsi Baconnière de Salverte-Marmier, fils de Gabrielle de Marmier (fille d'Etienne 4ᵉ et dernier duc, sœur de Marie-Madeleine) et de Hubert comte de Salverte.

77 Fille de Roger Sabry de Monpoly (Pontlevoy 31-I-1855 - Le Chesnay 11-VII-1925), général de brigade.

78 Dominique est ici prénom masculin.

79 Lucie Richebé était la nièce de Victoire, qu'on a rencontrée un peu plus haut : Pauline Catoire se trouvait de ce fait la cousine issue de germain de son mari, Jean Delattre.

80 Bien que l'ordonnance du 12-V-1840 autorisant l'adjonction du *nom de terre* Saint-Arnaud au patronyme Le Roy n'ait concerné que le futur maréchal, le frère de celui-ci et ses descendants portent tous le nom de Le Roy de Saint-Arnaud dans les actes d'état civil postérieurs à cette date.

81 Son dossier d'officier (S.H.A.T.) indique qu'il fut successivement rédacteur (1878), rédacteur de 1re classe (1879), commis principal (1882), rédacteur principal (1894), au ministère de l'intérieur, puis directeur du service pénitentiaire du département d'Oran. Rayé des cadres de l'armée le 1-VIII-1911, comme ayant atteint la limite d'âge, il y fut réintégré le 2-VIII-1914, sur sa vive insistance, comme chef de bataillon de territoriale et affecté aux services spéciaux du territoire de la 9e région. De nouveau rayé le 1-IX-1917, il fit, malgré ses 71 ans, de nombreuses démarches en vue d'obtenir de reprendre du service, mais ne put y parvenir.

82 Fils de Louis Maître, qui avait été trésorier de la ville de Bordeaux, Adrien Maître (1812-1905) exerça les fonctions de secrétaire de celle-ci de 1841 à 1870. Outre Léon, il eut les trois fils ci-après : Edmond (1840-1898), ami éclairé des lettres et des arts, lié avec la plupart des grand noms du symbolisme et de l'impressionnisme, Alfred (1842-1917), architecte d'une certaine notoriété à Bordeaux, et Joseph (1845-1924), colonel d'artillerie.

83 A la Belle jardinière.

84 Maurice Poirot s'est remarié à Rueil-Malmaison le 24-II-1962 à Ginette-Micheline Médard.

85 Elisabeth Maître a exercé cette double activité sous le nom de son 2d mari. *Ses toiles sont des paysages (notamment des études de la Tunisie) et des portraits. Elle a réalisé une importante série consacrée aux ciels de France... Musicienne, pianiste, elle a donné des récitals dans son atelier* (Jean et Bernard Guérin in *Des hommes et des activités autour d'un demi-siècle*, Bordeaux 1957).

86 Marie Choiecki (on trouve aussi l'orthographe Chojecki) était fille de Charles-Edmond Choiecki. Né en Pologne en 1822, celui-ci, poursuivi par les Russes pour ses activités nationalistes, vint s'établir en France en 1845. Il publia dans notre langue de nombreux ouvrages, notamment des pièces de théâtre et des romans, sous le pseudonyme de Charles-Edmond. Polyglotte, il fut choisi comme interprète par le prince Napoléon (Jérôme) lorsque, en 1855 et 1856, ce dernier entreprit un voyage d'étude dans les mers du nord. Quelques années plus tard, le prince, qui l'avait apprécié, lui fit accorder le poste de bibliothécaire du Sénat. Charles-Edmond Choiecki mourut à Meudon-Bellevue le 1-XII-1899. Il avait été naturalisé français en 1875.

87 *Grand bibliophile et collectionneur, le docteur de Cardenal fut président de la Société des bibliophiles de Guyenne de 1931 à 1948 et dirigea son bulletin, qui prit naissance en 1933. On lui doit de nombreuses communications sur l'histoire de la médecine, la bibliophilie et la lithographie...* (J. et B. Guérin, op. cit., note 85). Il a publié également des articles de neuro-psychiatrie dans diverses revues médicales.

88 Lors de son mariage.

89 Madeleine Teisseire s'est remariée à Bordeaux le 12-VI-1948 à Marie-François Pesme (Libourne 24-XII-1905), agent commercial, fils de Marie-Henri et de Marie-Amélie Salières, époux divorcé de Madeleine-Jane Schar.

90 Louis Maître écrit sous le nom de Jean Meirat, anagramme de son patronyme. Il a publié plusieurs ouvrages sur la mer et les marins : *La coque noire, saga. Chansons des bateaux et des ports* (Paris 1953, 215 p.), *Les marins de la Tramontane* (Paris 1960, 301 p.), *Marines antiques de la Méditerranée* (Paris 1964, 206 p.). Il tient, d'autre part, depuis de longues années, la *Chronique des navires* dans *La revue maritime*.

91 Passionné par tout ce qui touchait à son grand-oncle le maréchal (voir note 6), Daniel Maître considérait comme un devoir d'intervenir chaque fois qu'était publié à son sujet quoi que ce soit qui pût nuire à sa mémoire. Il fit partie du comité qui, en 1955, à l'initiative de Louis de Charbonnières (voir note 37), organisa diverses manifestations et notamment une exposition de souvenirs, à l'occasion du 1er centenaire de la mort de Saint-Arnaud.

92 Mathilde Catez avait épousé précédemment à Paris 12e le 11-II-1904 Léopold Dominique (Pers, Deux-Sèvres, 4-III-1879 - ✕ Saint-Pierre-lès-Bitry 8-X-1915, acte dressé le 23-XII-1915 à Vanzay), employé de commerce, fils de Jeannine Dominique, domestique, mariage dissous par jug. du t. c. de Melle le 13-I-1912.

93 Le mariage religieux fut célébré le 4-X-1847 au temple de l'Oratoire par le pasteur Athanase Coquerel, du fait de l'épouse très certainement, car les Forcade La Roquette sont catholiques.

94 La famille Fergusson était écossaise. Robert-Cuttlar représenta aux Communes la stewartry autrement dit le comté de Kirkcudbright. Il avait acquis une fortune importante durant son séjour aux Indes qui dura une vingtaine d'années. Un article lui est consacré au tome 18 du *Dictionary of national biography*. Sa femme était française.

95 La Banque nationale de crédit.

96 Il est notamment l'auteur, sous le pseudonyme de Quatrelles L'Epine, d'un important ouvrage intitulé : *Le maréchal de Saint-Arnaud, d'après sa correspondance et des documents inédits (1798-1854)*, Paris 1928-1929, 2 vol.

97 Né à Paris en septembre 1826, mort à Paris le 4-II-1893, *collaborateur du fameux* Monsieur Choufleury *resta chez lui, que le duc de Morny signa d'un pseudonyme*, indique la notice nécrologique que lui consacre la *Revue encyclopédique Larousse* (1893, p. 254), Ernest L'Epine *se lia, chez le président du Corps législatif, avec M. Alphonse Daudet et écrivit avec lui quelques bluettes théâtrales qui eurent du succès... Il signait alors E. Manuel et il a aussi donné sous ce nom un grand nombre de romances et deux recueils de mélodies... C'est surtout sous le pseudonyme de Quatrelles qu'il acquit sa renommée littéraire par de spirituels romans, des nouvelles capiteuses et des études physiologiques d'un modernisme aigu, insérées surtout dans* La vie parisienne. *Il écrivait avec le même talent des histoires désopilantes pour les enfants... Ce fut dans les fantaisies mondaines qu'il cueillit ses plus vifs succès.*

98 Née à La Havane, Cuba, le 23-X-1829, celle-ci était fille de Alajo-Helvétis Lanier, commandant du génie militaire de Cuba, et d'Augustine Dumahaut.

99 Gazé, il mourut à l'hôpital militaire d'Yzeure des complications pulmonaires d'une fièvre typhoïde contractée au front.

100 Marie-Louise dite Marguerite Sauvage avait épousé précédemment à Bordeaux le 18-X-1880 Adolphe-Prosper-Etienne Carpentier, né à Brest le 12-II-1855, négociant en vins, capitaine d'infanterie, fils d'Augustin-Alfred, capitaine de frégate, et de Caroline Clérec, mariage dissous par jug du 30-IX-1897. Elle contracta un 3e mariage à Bordeaux le 31-III-1908 avec Jean-Léon Berteaux, né à Bordeaux le 14-IX-1857, juge de paix, fils de Jean-Pierre, marchand, et de Marie Barreau.

101 Nous assurons de notre gratitude tous les descendants et petits-neveux du maréchal de Saint-Arnaud qui ont bien voulu contribuer à la mise au point de ce chapitre, et particulièrement : le comte Roger de Broin, le docteur Eugène Bonamy, la comtesse Louis-Aimé de Fleuriau, le comte Amédée de Lorgeril, Mlle Renée et Mme Marie-Louise de Saint-Arnaud et M. Michel de Forcade La Roquette.

VI

Bernard-Pierre Magnan

2-XII-1852

CARRIERE

1791 : naissance à Paris (7-XII) [1],

1809 : enrôlé volontaire (25-XII), étant élève au lycée Napoléon à Paris, au 66e régiment de ligne (jusqu'en 1813) [2],

1810 : caporal (1-I), sergent (4-I), sergent-major (7-X), sert en Espagne et au Portugal (jusqu'en 1813),

1811 : sous-lieutenant,

1813 : lieutenant (8-II), capitaine (6-IX),

1814 : au 13e régiment de tiraillleurs de la garde impériale (13-I), blessé d'un coup de biscaïen au bas-ventre à Craonne (7-III), en non-activité (1-VII),

1815 : au 4e régiment de tirailleurs de la garde impériale (13-IV) [3], en non-activité (12-VIII), au 6e régiment d'infanterie de la garde royale (28-X, jusqu'en 1821),

1817 : chef de bataillon,

1821 : au 34e régiment d'infanterie de ligne,

1822 : lieutenant-colonel, au 60e régiment d'infanterie de ligne (jusqu'en 1827),

1823 : participe à l'expédition d'Espagne,

1827 : colonel (21-IX), au 49e régiment d'infanterie de ligne (21-IX, jusqu'en 1831),

1830 : prend part à l'expédition d'Alger,

1831 : mis en disponibilité pour avoir parlementé avec les insurgés à Lyon (14-XII),

1832 : envoyé en mission en Belgique (7-IV, jusqu'en 1839) [4],

1835 : maréchal de camp (31-XII).

1836 : autorisé à continuer de servir en Belgique dans son nouveau grade (4-II),

1839 : rentré en France, est nommé commandant du département du Nord (jusqu'en 1845) [5],

1845 : lieutenant général (20-X), disponible,

1846 : mis à la disposition du gouvernement général de l'Algérie (22-III), inspecteur général du 21e arrondissement d'infanterie [6] (27-V),

1847 : inspecteur général pour 1847 du 7e arrondissement d'infanterie,

1848 : commande la 17e division militaire à Bastia (3-III), puis la 3e division d'infanterie à l'armée des Alpes (10-IV), inspecteur général pour 1848 du 14e arrondissement d'infanterie (5-VI) ; commandant des quartiers sud-ouest de la rive gauche de la Seine, arrondissement militaire n° 6 (29-VI) [7] ; reprend le commandement de la 3e division d'infanterie précitée, établie au camp de Saint-Maur (7-VII),

1849 : inspecteur général pour 1849 du 16e arrondissement d'infanterie (18-VI), commande la 4e division militaire à Strasbourg (26-VI), élu député de la Seine (8-VII), réunit temporairement le commandement des troupes stationnées dans la 4e division militaire au commandement de la 4e division militaire (14-VII),

1850 : commande une division active dans la 4e division militaire (1-V), inspecteur général pour 1850 du 6e arrondissement d'infanterie (5-VI),

1851 : commandant en chef de l'armée de Paris (15-VI), démissionne de ses fonctions de député de la Seine (30-XI), apporte son concours au coup d'état du 2 décembre, commandant de l'armée de Paris et de la 1re division militaire (4-XII, jusqu'en 1858),

1852 : sénateur (26-I), maréchal de France (2-XII), grand veneur (31-XII), conseiller général (jusqu'en 1865), puis président (jusqu'en 1864), du conseil général du Bas-Rhin,

1858 : ajoute au commandement de l'armée de Paris et de la 1re division militaire, celui des troupes stationnées dans les divisions du nord (2e et 3e divisions territoriales),

1859 : commandant supérieur du 1er corps d'armée à Paris (jusqu'en 1865),

1862 : grand-maître de l'ordre maçonnique en France (jusqu'en 1865) [8],

1865 : mort à Paris 1er (29-V), inhumé dans l'ancien cimetière de Saint-Germain-en-Laye [9].

ECRITS

- *Discours prononcé sur la tombe de M. le lieutenant général baron Hurel* (Paris 1847, 8 p.),

- *Evénements de Paris. Rapport du général en chef de l'armée de Paris au ministre de la guerre* (Mézières 1851, 12 p.).

LE CADRE FAMILIAL

Ascendance [10]

I - Henry MAGNIEN, allié à Antoinette HAVARD, dont

II - Pierre MAGNIEN puis MAGNAN, décédé à Guitrancourt le 23-IX-1782 à 68 ans, laboureur, allié 1) Brueil-en-Vexin 1-X-1742 à Jeanne-Elisabeth PATROUILLEAUX [11], décédée à Guitrancourt le 10-I-1761 à 54 ans, fille de Blaize et de Marie-Marthe LANGLOIS, 2) Guitrancourt 23-XI-1761 à Anne-Françoise-Denise PICQUENOT, décédée à Brueil-en-Vexin le 31-I-1811 à 74 ans et demi, fille de Jean, tisserand, et d'Anne-Françoise PICARD, dont du 2d mariage

III - Pierre-Denis MAGNAN, né à Guitrancourt le 23-X-1763, décédé à Saint-Germain-en-Laye le 18-IV-1850, valet de pied de Madame la princesse de Lamballe (1790), limonadier (1791), rentier (1798) [12], allié Paris (Saint-Paul) 17-IV-1790 [13] à Rose-Sophie DAISNEZ, née à Puiseux (Val-d'Oise) le 6-XI-1766, décédée à Saint-Germain-en-Laye le 14-IV-1851, fille de Claude-François, marchand mercier à Puiseux, puis à Paris, et de Marie-Françoise VETHOTS dite JOURDAIN.

Collatéraux [10]

Enfants du 1er mariage de Pierre MAGNAN avec Jeanne-Elisabeth PATROUILLEAUX : Victoire, née à Brueil-en-Vexin le 28-VII-1747, alliée Guitrancourt 23-II-1778 à Nicolas LOUCHARD, fils de Gabriel, charron, et de Jeanne CACHEUX ; Marie-Madeleine, née à Brueil-en-Vexin le 21-IX-1749, décédée à Guitrancourt le 31-XII-1832, alliée Guitrancourt 27-XI-1770 à Vincent SILLETTE, tourneur en bois (1771), journalier (1788), fils de

Noël, vigneron, et de Marie-Françoise MAUGER. Enfants du 2ᵈ mariage de Pierre MAGNAN avec Anne-Françoise-Denise PICQUENOT : Louis, né à Guitrancourt le 18-VIII-1766, journalier (1801), charretier (1802), allié à Marie-Angélique LENOIR ; Jean-Baptiste, né à Guitrancourt le 30-V-1769, décédé à Brueil-en-Vexin le 26-XI-1823, cultivateur, trésorier de la fabrique de Brueil, allié Brueil-en-Vexin 19-II-1790 à Marie-Catherine RENARD [14], fille de Claude, laboureur, et de Marie-Madeleine CHAZET ; Jean-François, né à Guitrancourt le 20-V-1771, décédé à Brueil-en-Vexin le 6-I-1835, manouvrier (1794), cultivateur (1823), allié Brueil-en-Vexin 20-IV-1795 à Marie-Geneviève VERNEUIL, née à Brueil-en-Vexin le 1-IV-1772, fille de Noël-François, cultivateur, et de Geneviève DEMAI ; Jacques-Ambroise, né à Guitrancourt le 22-VII-1773, décédé à L'Etang-la-ville 13-VIII-1853, charretier (1801), rentier (1843), propriétaire (1853), allié 1) Brueil-en-Vexin 9-XII-1801 à Marie-Catherine LECLERC, née à Drocourt (Yvelines) le 11-V-1781, fille de Louis et de Marie-Catherine BARAT, 2) à Elisabeth DESFOSSES ; Jean-Simon, né à Guitrancourt le 27-X-1779, décédé à Saint-Germain-en-Laye le 1-VI-1843, charretier (1801), journalier (1802), rentier (1843), allié Brueil-en-Vexin 27-IV-1801 à Marie-Jeanne-Angélique VERNEUIL, née à Brueil-en-Vexin le 25-II-1777, décédée à Saint-Germain-en-Laye le 10-X-1836, fille de François et de Marie-Jeanne ALIN [15].

L'EPOUSE

Le maréchal Magnan s'est allié à Lyon le 2-XII-1824 à Sophie-Eléonore ROUSSEL (Verdun, Meuse, 6-IV-1802 - Paris 1ᵉʳ 18-XI-1858), fille de François-Xavier, général de division, et de Sophie LACOMBE [16].

Né à Charmes (Vosges) le 3-XII-1770, entré au service le 1ᵉʳ-V-1789 comme soldat au régiment Mestre de camp général des dragons, général de brigade en 1799 et de division début 1807, François-Xavier ROUSSEL, fils lui-même de Jean-Claude, chirurgien aide-major des armées, puis chirurgien juré aux rapports de Charmes [17], et de Christine BATIMENT, fut tué par un boulet à la bataille d'Heilsberg (Prusse orientale) le 10-VI-1807. Sophie LACOMBE (Strasbourg 10-V-1780 - Metz 9-X-1826), qu'il avait épousée à Strasbourg le 20-VII-1801, était fille de François, avocat au conseil souverain d'Alsace et notaire royal à Strasbourg, et de Eléonore LANGHANS [18] : veuve à 27 ans, celle-ci se remaria à Strasbourg le 15-IV-1818 à Armand GUILLEMEAU marquis de FRÉVAL (Paris 30-XI-1777 - Vichy 26-VIII-1853) [19], lieutenant-colonel d'infanterie, messager d'état près le Sénat [20], fils de Claude-Hyacinthe, lieutenant-colonel de cavalerie, commissaire impérial, puis royal auprès de l'hôtel des monnaies de Lille, et de Marguerite de SAINT-LAURENT [21].

DESCENDANCE

I - Marie MAGNAN (Metz 27-VIII-1825 - Paris 7ᵉ 16-IV-1879) alliée Paris 22-XII-1851 à Antoine SAUTEREAU (Strasbourg 4-XII-1819 - Paris 16ᵉ 3-V-1890) [22], colonel de cavalerie, aide de camp du général, puis maréchal Magnan [23], fils de Jacques, capitaine de cavalerie, et de Florentine LACOMBE [24], dont

  A - Antoine SAUTEREAU (Paris 29-X-1852 - Juigné-sur-Sarthe 21-XI-1912), propriétaire, handicapeur de la Société d'encouragement pour l'amélioration des races de chevaux en France, allié Paris 8ᵉ 17-II-1879 à Manuela-Valentine dite Nita JANKOWSKA (Figueras, Espagne, 28-IX-1859 - Paris 17ᵉ 15-V-1929), fille d'Adam-Antoine et de Flore d'ESPINA, s.p.,

  B - Françoise dite Fanny SAUTEREAU (Paris 21-IX-1853 - Juigné-sur-Sarthe 16-IX-1925) alliée Paris 16ᵉ 28-XI-1881 à Daniel MÉTI-VIER (Angers 26-X-1846 - Juigné-sur-Sarthe 4-VIII-1929), avocat, puis substitut du procureur général près la cour d'appel d'Angers, capitaine de mobiles [25], fils de Thomas-Jules, premier président de la cour d'appel d'Angers [26], et de Félicité DUGUÉ [Daniel MÉTIVIER avait épousé précédemment à Angers le 1-IX-1875 Marie-Christine SORIN (Angers 15-IV-1855 - Angers 24-III-1877), fille de Léon, chef de bataillon du génie, et d'Adélaïde dite Nina LAROCHE [27]], dont

    1 - Françoise dite Fanny MÉTIVIER (Angers 26-V-1883 - Paris 7ᵉ 2-VI-1975) alliée Angers 30-IX-1908 à Alexis ANDRÉ (Mont-de-Marsan 6-III-1874 - Soulaire-et-Bourg 26-XII-1956), général de brigade, fils d'Auguste-Marie, capitaine d'infanterie, et d'Ursule-Marie BERET, dont

      a - Françoise ANDRÉ (Juigné-sur-Sarthe 11-IX-1909) alliée Versailles 4-X-1935 à Jacques ROUVILLOIS (Angers 25-IV-1909), capitaine au long cours, fils d'Arthur, colonel de cavalerie [28], et de Thérèse AVICE [29], dont

        — Bruno ROUVILLOIS (Versailles 27-VII-1936), ancien élève de l'Ecole supérieure de commerce de Paris, directeur d'une compagnie de navigation, allié Paris 19ᵉ 1-VII-1961 à Maïté MINIER (Pantin 25-I-1938), fille de Maurice, négociant (vins), et de Suzanne LE MOING, dont

          ● Olivier ROUVILLOIS (Tamatave, Madagascar, 11-III-1962),

• Arnaud ROUVILLOIS (Manakara, Madagascar, 11-II-1963),

• Bertrand ROUVILLOIS (Neuilly-sur-Seine 20-V-1964),

— Catherine ROUVILLOIS (Versailles 15-III-1939) alliée Paris 15ᵉ 28-XII-1962 à Yannick LE BARAZER (Saint-Emilion 22-X-1938), commissaire de la marine, puis chef de service administratif dans l'industrie (pétrochimie), fils d'Etienne, docteur en médecine, et de Laure PETITCOLIN, dont

• Erwan LE BARAZER (Paris 15ᵉ 17-XI-1963),

• Ronan LE BARAZER (Vannes 20-VIII-1965),

• Gilda LE BARAZER (Brest 13-IV-1968),

• Gwenola LE BARAZER (Meudon 17-X-1970),

— François ROUVILLOIS (Soulaire-et-Bourg 2-X-1941), capitaine de corvette, allié Toulon 30-VII-1966 à Geneviève REBOUL (La Roche-sur-Yon 6-IX-1945), fille de Philippe, cadre commercial (engrais), et d'Anne AUBIN, dont

• Isabelle ROUVILLOIS (Toulon 5-X-1967),

• Eric ROUVILLOIS (Paris 15ᵉ 25-IX-1968),

• Vanessa ROUVILLOIS (Brest 15-III-1974),

— André ROUVILLOIS (Soulaire-et-Bourg 30-VII-1946), ingénieur chimiste, allié Paris 5ᵉ 3-V-1974 à Christine BESNARD (Paris 15ᵉ 25-VI-1954), fille de Jean, avocat à la cour d'appel de Paris, et de Jeanne-Marie de CHAUVERON, dont

• Stanislas ROUVILLOIS (Paris 15ᵉ 18-III-1975),

• Marie ROUVILLOIS (Paris 15ᵉ 24-III-1977),

b - Claude ANDRÉ (Le Mans 14-IV-1912), industriel (textile, Maroc), capitaine de corvette, allié Alger 23-VI-1943 à Anne-Marie MORIER (Alger 28-VIII-1920), fille de Jean, capitaine de vaisseau, et de Madeleine ALTAIRAC, dont

— Dominique ANDRÉ (Alger 4-IX-1944) alliée Les Loges-en-Josas 28-VII-1969 à Jean-François DUPORT (Saint-Etienne 14-II-1944), directeur régional (industrie alimentaire), fils de Henri, gérant de société immobilière, et d'Annie PENQUER, dont

● Frédéric DUPORT (Paris 15ᵉ 5-III-1970),

● Xavier DUPORT (Versailles 16-I-1972),

● Mathieu DUPORT (Versailles 27-VIII-1974),

— Chantal ANDRÉ (Alger 6-VI-1946) alliée Bayonne 28-XII-1968 à Stéphane LEGRIX de LA SALLE (Talence 18-VIII-1943), lieutenant de vaisseau, fils d'André, courtier en vins, et de Marie-Claire BERNARD, dont

● Valérie LEGRIX de LA SALLE (Toulon 22-XII-1969),

● Thierry LEGRIX de LA SALLE (Arcachon 13-VIII-1971),

● Thibaut LEGRIX de LA SALLE (Cherbourg 7-III-1976),

— Brigitte ANDRÉ (Alger 20-VII-1948), infirmière instrumentiste, s.a.a.,

c - Bernard ANDRÉ (Les Sables d'Olonne 22-VIII-1918), chef de service commercial (textile), puis agent immobilier, allié Le Chesnay 7-V-1943 à Suzanne ESCUDIER (Blois 10-IV-1918), fille de Jean, colonel de l'armée de l'air, et d'Alice RATER, dont

— Ghislaine ANDRÉ (Versailles 12-II-1944) alliée Arry, Somme, 20-V-1967 à Dominique BAUDRY (Mulhouse 4-VI-1939), ingénieur géologue, fils de Gaston, industriel (textile), et de Marie-Thérèse HALLOPEAU, dont

● Nicolas BAUDRY (Versailles 4-III-1968),

● Charlotte BAUDRY (Clermont-Ferrand 3-IV-1970),

● Camille [30] BAUDRY (Clermont-Ferrand 21-I-1975),

— Nicole ANDRÉ (Versailles 23-VII-1945), docteur en médecine, pédiâtre, s.a.a.,

— Pierre ANDRÉ (Versailles 28-I-1947), capitaine de l'armée de l'air, allié Saint-Cloud 16-X-1971 à Marie-Madeleine dite Marlène BOUCLY (Saint-Cloud 26-IX-1947), fille de Félix, avocat général à la Cour de cassation, et de Marcelle NAVARRE, dont

● Cécile ANDRÉ (Belfort 24-XI-1972),

● Florence ANDRÉ (Belfort 28-IX-1974),

- Constance ANDRÉ (Mulhouse 15-X-1978),

— Emmanuel ANDRÉ (Arry 22-VIII-1948 - Maisons-Laffitte 6-IV-1978), directeur régional d'une société de construction, allié Paris 16ᵉ 23-VII-1977 à Bénédicte PELECIER (Neuilly-sur-Seine 20-VI-1955), fille de Claude, ingénieur, et de Francine-Marcelle DEMAY, dont

  - Guillaume ANDRÉ (Paris 14ᵉ 2-II-1978),

  — Jacques ANDRÉ (Versailles 22-XII-1953), employé de banque, s.a.a.,

2 - Marie MÉTIVIER (Juigné-sur-Sarthe 12-X-1886 - Juigné-sur-Sarthe 7-XI-1978) alliée Juigné-sur-Sarthe 24-V-1916 à Henri LE POT (Nantes 28-XII-1884 - Juigné-sur-Sarthe 18-III-1967), professeur à l'Institut catholique d'Angers (droit romain), fils de Henri, propriétaire, et de Marie LEFEUVRE, s.p.

C - Maurice SAUTEREAU (Paris 1ᵉʳ 5-III-1855 - Paris 8ᵉ 15-V-1932), directeur à la Banque de France, allié Tulle 8-XI-1887 à Marie-Louise BEAUDENOM (Tulle 21-VI-1868 - Pazayac 15-X-1944), fille de Jules, greffier au tribunal de Tulle, et d'Alphonsine-Jeanne THIROUX, dont

1 - Jeanne SAUTEREAU (Tulle 18-IV-1889 - Brive 14-II-1965) alliée Pazayac 30-XII-1919 à Ernest JEANROT (Sagnat 5-VIII-1872 - Sagnat 28-XI-1950), lieutenant-colonel d'infanterie, fils de François, cultivateur, et de Geneviève PERRIN, s.p.

2 - Antoinette SAUTEREAU (Tulle 18-II-1891 - La Roche-sur-Yon 26-XII-1908), s.a.,

3 - Hélène SAUTEREAU (Tulle 10-VI-1893 - Pazayac 31-III-1974), employée de banque [31], s.a.,

4 - Elisabeth SAUTEREAU (Reims 1-V-1895), employée de banque [31], s.a.a.,

5 - Antoine SAUTEREAU (Romans-sur-Isère 10-XII-1897 - Saint-Laurent-la-vallée 12-XII-1969), caissier principal à la Banque de France, allié Senlis 20-II-1928 à Elisabeth TOUBERT (Collioures 4-XI-1905), employée aux hypothèques, fille de Pierre, professeur (primaire supérieur), et de Jeanne CHAUDERON, professeur (primaire supérieur), dont

  a - Françoise SAUTEREAU (Rouen 7-V-1935), secrétaire comptable [31], alliée Perpignan 23-VI-1979 à Joseph MARILL (Perpignan 17-XI-1929), mécanicien, fils de Marcel, tour-

neur mécanicien, et de Magdeleine CAMBOLIN [Joseph
MARILL avait épousé précédemment à Perpignan le 11-I-
1954 Andrée SALVADOR (Perpignan 28-VII-1933), fille de
Joseph, comptable, et de Suzanne FONQUERNY, mariage
dissous par jug. du t. c. de Perpignan le 12-VI-1979],

b - Hélène SAUTEREAU (Blosseville-Bonsecours 27-III-1940),
éducatrice spécialisée, déléguée au centre départemental
de l'enfance de Seine maritime, alliée Canteleu 27-X-1962
à Guy TORRETON (Sotteville-lès-Rouen 15-XI-1938), éducateur spécialisé chef, fils de Maurice, agent de la S.N.C.F.,
et de Raymonde DEMEURE, dont

— Véronique TORRETON (Rouen 30-III-1963),

— Hervé TORRETON (Rouen 12-I-1965),

— Ludovic TORRETON (Rouen 4-VI-1970),

c - Jacques SAUTEREAU (Blosseville-Bonsecours 27-III-1940),
directeur commercial (laboratoire pharmaceutique), vice-
président de la Fédération française de spéléologie, allié
Sainte-Foy-de-Belvès 27-XII-1976 à Dominique THOMAS
(Paris 12ᵉ 13-XII-1951), fille de Robert, directeur d'office
d'habitations à loyers modérés, et de Hélène PENOT,
mariage dissous par jug. du t. c. de Rouen le 2-VI-1979, s.p.

D - Jacques SAUTEREAU (Louveciennes 7-IX-1860 - Saint-Mandé
23-XI-1936), capitaine de cavalerie, membre du service d'honneur du prince Napoléon [32], s.a.,

II - Sophie MAGNAN (Vannes 8-III-1829 - Paris 8ᵉ 5-VII-1891) alliée
Paris 26-VI-1852 à Marie-Paul-Antoine OHIER (Mondoubleau 29-
XI-1811 - Deauville 7-IX-1868), colonel d'artillerie, puis receveur
des finances à Paris, fils d'Antoine-Alexandre, marchand fabricant,
et de Pauline DEHARGNE, dont

A - Marie OHIER (Paris 13-X-1853 - Paris 8ᵉ 31-V-1941), s.a.,

B - Anne OHIER (Paris 6-IX-1854 - Paris 8ᵉ 7-II-1940) alliée Paris 7ᵉ
2-VI-1880 à Théodore del VALLE (Bayonne 24-V-1855 - Paris 8ᵉ
28-VI-1899), propriétaire, fils de Ramon-Estevan, propriétaire,
et de Marie-Caroline DÉTROYAT [33], dont

1 - Théodore del VALLE (Paris 8ᵉ 6-X-1881 - Grasse 31-VII-
1907), s.a.,

2 - Maurice del VALLE (Paris 8ᵉ 23-IV-1883 - Paris 14ᵉ 13-IX-
1965), remisier à la bourse de Paris, s.a.,

C - Sophie OHIER (Paris 20-X-1855 - Paris 8ᵉ 3-V-1919), s.a.,

III - Anne MAGNAN (Valence 8-IX-1831 - Paris 1ᵉʳ 22-VI-1897) alliée Paris 12-V-1855 à Edmond BARRACHIN (Reims 11-XI-1823 - Paris 1ᵉʳ 16-VIII-1909), propriétaire, fils d'Augustin, propriétaire, maître de forges [34], conseiller général et député des Ardennes [35], et d'Elisabeth ANDRIEUX [36], dont

A - Elisabeth BARRACHIN (Paris 14-XI-1856 - Paris 16ᵉ 19-VII-1931) alliée Paris 1ᵉʳ 1-IX-1877 à Bertrand comte de VALON (Rosay-sur-Lieure 10-IV-1851 - Sotteville-lès-Rouen 16-IX-1933), propriétaire, fils de Léon comte de Valon, propriétaire, quelque temps secrétaire d'ambassade, conseiller général et député de la Corrèze, vice-président du conseil général de l'Eure, et d'Apollonie de LA ROCHELAMBERT [37], mariage dissous par jug. du t. c. de la Seine le 24-XI-1925 [38] [Bertrand comte de VALON s'est remarié à Londres (Saint-Martin) le 7-V-1926 à Madeleine-Joséphine DORNIER (1897), fille de Joseph, propriétaire] s.p.,

B - Pierre BARRACHIN (Paris 10-I-1859 - Paris 16ᵉ 19-IV-1923), propriétaire et maître de forges [34], conseiller général des Ardennes, allié Paris 8ᵉ 12-II-1896 à Marie-Antoinette BROCHETON (Paris 9ᵉ 8-IV-1875 - Paris 8ᵉ 27-II-1978), fille de Léonoardo-Domingo, banquier, et de Marie-Antoinette BARANDIARAN [Antoinette BROCHETON s'est remariée à Paris 8ᵉ le 27-VIII-1925 à François PIÉTRI (Bastia 10-VIII-1882 - Ajaccio 17-VIII-1966), docteur en droit, ancien élève de l'Ecole des sciences politiques, inspecteur des finances, député de la Corse, successivement ministre des colonies, du budget, de la défense nationale, des finances, de la marine, des travaux publics et des postes, ambassadeur [39], homme de lettres [40], fils d'Antoine-Jourdan, conseiller de préfecture, puis conseiller-directeur du contentieux de l'état égyptien [41], et de Clorinde GAVINI [42]], dont

1 - Elisabeth BARRACHIN (Paris 8ᵉ 25-II-1897) alliée Paris 8ᵉ 26-I-1925 à Philippe marquis de SÉGUR-LAMOIGNON (Paris 8ᵉ 14-IX-1888 - Neuilly-sur-Seine 4-IV-1937), propriétaire [43], fils de Louis comte de SÉGUR-LAMOIGNON [44], propriétaire, lieutenant de cavalerie [45], et de Rosa-Maria ARGUËLLES, dont

a - Pierre marquis de SÉGUR-LAMOIGNON (Paris 8ᵉ 8-XI-1925), administrateur de société, allié Paris 16ᵉ 18-II-1952 à Ema SANCHEZ de LARRAGOITI (Paris 16ᵉ 8-VIII-1929), fille d'Antonio, ingénieur des mines, banquier, président et administrateur de sociétés [46], et de Maria-de-las-mercedes

ROSES-RIGALT, mariage dissous par jug. du t. c. de la Seine le 8-I-1966 [Ema SANCHEZ de LARRAGOITI s'est remariée à Paris 16ᵉ le 16-VI-1969 au comte James de POURTALÈS (Houlgate, Calvados, 19-VII-1911), propriétaire, gérant d'exploitation agricole, fils du comte Robert, administrateur de sociétés, et de Marie-Elisabeth van RYCK van RIETWYK[47]], dont

— Isabelle de SÉGUR-LAMOIGNON (Rio-de-Janeiro 22-I-1953), secrétaire trilingue, alliée Paris 16ᵉ 29-I-1974 à Antoine de GIRARD de CHARBONNIÈRES (Copenhague 24-VI-1949), cadre d'assurances, fils de Guy, ministre plénipotentiaire hors classe, ambassadeur dans différents pays, et de la comtesse Marianne de RUMERSKIRCH[48], dont

● Gabriel de CHARBONNIÈRES (Rio-de-Janeiro 28-IX-1976),

— Sophie de SÉGUR-LAMOIGNON (Rio-de-Janeiro 20-XI-1954), s.a.a.,

b - Rose-Marie de SÉGUR-LAMOIGNON (Paris 8ᵉ 18-VI-1928) alliée Paris 8ᵉ 14-XI-1950 au comte Emmanuel de TULLE de VILLEFRANCHE (Neuilly 4-VII-1925), propriétaire agriculteur, fils de Henri marquis de TULLE de VILLEFRANCHE, ingénieur, et de la comtesse Thérèse de MÉRODE, dont

— Domitille de VILLEFRANCHE (Paris 8ᵉ 6-X-1951), journaliste, alliée Rome 8-I-1977[49] à Henri LOYRETTE (Neuilly-sur-Seine 31-V-1952), conservateur des musées nationaux, fils de Jean, avocat à la cour d'appel de Paris, et d'Anne-Marie SUTER, chargée de mission des musées nationaux, dont

● Sibylle LOYRETTE (Paris 14ᵉ 21-III-1978),

— Anne de VILLEFRANCHE (Paris 8ᵉ 13-X-1952) alliée Paris 8ᵉ 1-VII-1975 à Olivier BRUNET (Paris 7ᵉ 7-VI-1949), cadre de banque, fils d'André, inspecteur général des finances, professeur au Conservatoire national des arts et métiers, et de Suzanne TOUZÉ, dont

● Pierre-Antoine BRUNET (Paris 14ᵉ 25-V-1976),

● Edouard BRUNET (Paris 14ᵉ 18-X-1977),

— Henry de VILLEFRANCHE (Paris 8ᵉ 19-IV-1955), s.a.a.,

— Philippe de VILLEFRANCHE (Paris 8ᵉ 16-X-1956), s.a.a.,

c - Louis-Gaston comte de SÉGUR-LAMOIGNON (Paris 8ᵉ 3-X-1934), inspecteur du Pari mutuel urbain, s.a.a.,

2 - Edmond BARRACHIN (Paris 8ᵉ 12-I-1900 - Boulogne-Billancourt 8-XI-1975), propriétaire, député des Ardennes (1934-1936), puis de la Seine (1946-1958), sénateur de la Seine (1959-1968), puis des Hauts-de-Seine (1968-1975), ministre d'état [50], allié Paris 8ᵉ 10-VII-1923 à Mabel de FOREST-BISCHOFFSHEIM (Paris 8ᵉ 5-III-1902), fille de Maurice-Arnold baron de FOREST-BISCHOFFSHEIM, comte de BENDERN, propriétaire, député à la Chambre des communes, membre du conseil général du comté de Londres, et de Mathilde-Rose LETELLIER [51], mariage dissous par jug. du t. c. de la Seine le 27-II-1935 [Mabel de FOREST-BISCHOFFSHEIM s'est remariée 1) Paris 16ᵉ 24-VII-1937 à Jean BOROTRA (Biarritz 13-VIII-1898), ancien élève de l'Ecole polytechnique, licencié en droit, administrateur de sociétés, champion de tennis, secrétaire général à l'éducation physique et aux sports (1940-1942), fils d'Henri, homme de lettres [52], et de Marguerite REVET, mariage dissous par jug. du t. c. de la Seine le 15-VII-1948, 2) Paris 16ᵉ 23-XI-1956 à André-Louis MARIOTTI (Montmorency 20-XII-1920), directeur commercial, fils de Louis-Marie, capitaine de cavalerie, et de Marcelle GAUTRÉ, mariage dissous par jug. du t. c. de Paris le 29-XI-1969 [53]], dont

a - Pierre BARRACHIN (Neuilly-sur-Seine 26-VIII-1926), administrateur de sociétés [54], s.a.a.,

b - Rose-Marie BARRACHIN (Neuilly-sur-Seine 30-IX-1927 - Paris 16ᵉ 7-II-1943), s.a.,

C - Jean BARRACHIN (Paris 23-VI-1865 - Paris 12ᵉ 1-IX-1925), propriétaire, allié Paris 16ᵉ 26-IX-1890 à Marguerite MORAND (Gien 30-X-1868 - Saint-Gratien, Val-d'Oise, 16-I-1942), fille de Paul baron MORAND, receveur des finances, capitaine d'infanterie [55], et de Eugénie-Marie CAUTHION, dont

1 - Guy BARRACHIN (Paris 16ᵉ 21-VI-1896), propriétaire, compositeur de musique, s.a.a.,

2 - Hugues BARRACHIN (Paris 16ᵉ 29-III-1899 - Saint-Gratien 16-I-1975), propriétaire, s.a.,

3 - Jehan BARRACHIN (Paris 16ᵉ 29-III-1899 - Argenteuil, Val-d'Oise, 6-IX-1965), propriétaire, s.a.,

IV - Léopold MAGNAN (Gand 24-XI-1833 - Paris 8e 25-II-1898), général de brigade [56], allié Paris 1er 16-X-1861 à Hélène HARITOFF (Moscou 23-IX-1844 - Paris 16e 21-IX-1918) [57], fille d'Alexis, propriétaire, et d'Anne LOURI [58], dont

A - Pierre MAGNAN (Paris 1er 29-VIII-1862 - Mourmelon-le-grand 20-II-1899), capitaine d'infanterie [59], s.a.,

B - Eugénie MAGNAN (Paris 8e 17-II-1864 - Paris 8e 15-X-1865),

C - Maurice MAGNAN (Mexico 7-V-1866 [60] - Marseille 13-IV-1946), fondé de pouvoir d'agent de change, lieutenant de cavalerie, s.a.,

D - Vera MAGNAN (Paris 16e 7-I-1869 - Marseille 20-IX-1955) alliée Marseille 23-X-1889 à Paul DOUBLE de SAINT-LAMBERT [61] (Marseille 14-VI-1868 - Paris 16e 26-IX-1935) [62], fabricant et négociant (apéritifs, liqueurs) [63], fils de Léon, propriétaire [64], et de Marie PRAT [65], dont

1 - Maurice DOUBLE de SAINT-LAMBERT [61] (Marseille 5-XI-1890 ✗ Curlu, Somme, 8-IX-1916) [66], s.a.,

2 - Marie-Louise dite Lili DOUBLE de SAINT-LAMBERT [61] (Marseille 9-XII-1891 - Marseille 8-VIII-1974) [67] alliée Marseille 14-V-1918 à Jean comte PASTRÉ (Marseille 2-XII-1888 - Paris 8e 29-VI-1960), président et administrateur de sociétés [68], fils d'André comte PASTRÉ, propriétaire [69], et de Clara GOLD-SCHMIDT, mariage dissous par jug. du t. c. de la Seine le 24-V-1943 [Jean comte PASTRÉ s'est remarié à Monaco le 9-IX-1943 à Yvonne MARTIN-DEHEURLES [70] (Paris 8e 30-IV-1890 - Montmorency 26-IX-1978), fille de Charles-Joseph, auditeur à la Cour des comptes, et de Marie-Amélie POT-TIER [71]], dont

a - Nadège dite Nadia PASTRÉ (Marseille 14-VII-1920) [72] alliée Paris 7e 24-VI-1966 à Constantin PAPACHRISTOPOULOS (Athènes 27-XII-1906), sculpteur et peintre [73], fils de Théodore, agent de change [74], et de Basilique PASCHALI [Constantin PAPACHRISTOPOULOS avait épousé précédemment 1) Athènes 4-III-1943 Alexandra MERMINGAS (Athènes 4-III-1918), fille de Constantin, docteur en médecine, professeur à l'Ecole de médecine d'Athènes, colonel aux services sanitaires de l'armée grecque, député, et d'Euthymie SARAN-DARIS, mariage dissous par jug. du t. c. du Pirée le 9-IV-1948 [75], 2) Versailles 23-XII-1955 à Eugénie AVEROFF (Athènes 25-III-1906 - Athènes 3-I-1976), fille de Georges, négociant et industriel, et de Marie BASSIA [76], mariage dissous par jug. du t. c. d'Athènes le 29-I-1964, rendu exécu-

toire en France par jug. du t. c. de la Seine le 3-XI-1964],
s.p.

b - Nicole PASTRÉ (Paris 7ᵉ 15-XII-1921) alliée Marseille 18-
VIII-1940 à Joachim 7ᵉ prince MURAT (Neuilly-sur-Seine
16-I-1920 - ✕ La Gabrière-Lingé, Indre, 20-VII-1944 [77]),
sous-lieutenant d'infanterie, fils de Joachim 6ᵉ prince
MURAT, capitaine de cavalerie, député du Lot [78], et de
Louise PLANTIÉ [79], 2) Vallauris 7-V-1953 à William-Andrew
GUERRIERO (Lock Haven, Pennsylvanie, 30-XI-1915), ingénieur, propriétaire d'un restaurant, fils de William, industriel, et de Margaret FINIELLO, mariage dissous par jug.
du t. de la cour d'état d'Arizona, comté de Mari-Copa,
le 5-II-1959 [William-Andrew GUERRIERO avait épousé
précédemment le 17-IX-1943 Jane DE WAELE, mariage
dissous par jug. de la cour d'état de Géorgie, comté de
Richmond, le 22-III-1946], dont

du 1er mariage

— princesse Caroline MURAT (Antibes 14-V-1941) [80] alliée
1) Paris 16ᵉ 18-XII-1962 au comte Yves de PARCEVAUX
(Buenos Aires 10-VIII-1936), antiquaire décorateur, fils
du comte Paul, représentant d'une firme textile française
en Amérique du sud, et de Monique-France LANNES de
MONTEBELLO [81], mariage dissous par jug. du t. c. de la
Seine le 16-V-1967, 2) Berlin-Wittenau 26-X-1967 [82] à
Miklos [83] KLOBUSICZKY de KLOBUSICZ et ZETENY (Budapest 7-II-1946), directeur commercial (cartonnage), fils
d'Elemer, propriétaire [84], et de la comtesse Maria-Julia
APPONYI de NAGY-APPONYI [85], dont

du 1er mariage

● Amaury de PARCEVAUX (Neuilly-sur-Seine 10-IX-1963),

du 2e mariage

● Patricia KLOBUSICZKY de KLOBUSICZ et ZETENY (Ber-
lin-Schmargendorf 3-IV-1968),

● Arielle KLOBUSICZKY de KLOBUSICZ et ZETENY
(Munich 25-VI-1971),

— princesse Madeleine dite Malcy MURAT (Neuilly-sur-
Seine 13-III-1942) [80], s.a.a.,

— Joachim-Napoléon 8ᵉ prince MURAT (Boulogne-Billancourt 26-XI-1944) [80], diplômé de l'Institut d'études poli-

tiques de Paris, licencié ès lettres, directeur de l'Office national de tourisme de la principauté de Monaco, allié Paris 16e 8-X-1969 à Laurence MOUTON (Paris 16e 7-X-1945), fille de Roger, administrateur de sociétés, et de Maria LUQUET [86], dont

- princesse Caroline MURAT (Neuilly-sur-Seine 31-X-1971),

- prince Joachim MURAT (Neuilly-sur-Seine 3-V-1973) [87]

- princesse Laetitia MURAT (Neuilly-sur-Seine 27-VIII-1975),

- princesse Elisa MURAT (Neuilly-sur-Seine 16-II-1977),

- princesse Pauline MURAT (Neuilly-sur-Seine 16-II-1977),

du 2e mariage

— Guy GUERRIERO (Paris 12e 21-III-1952), publicitaire [88], s.a.a.,

— Donato GUERRIERO (Antibes 25-IV-1953), s.a.a.,

— Manuela GUERRIERO (Morzine 18-IX-1955), secrétaire réceptionniste dans une ambassade, s.a.a.,

— Kerry-Pierre GUERRIERO (Phœnix, Arizona, 24-IV-1957), s.a.a.,

c - Pierre comte PASTRÉ (Paris 7e 1-IV-1924), administrateur de société [89], puis propriétaire agriculteur et éleveur [90], allié Les-Saintes-Maries-de-la-mer 21-III-1947 à Jacqueline NOU (Muret, Haute-Garonne, 10-II-1920), fille de Maurice-Michel, propriétaire éleveur, et de Hélène LEFÈVRE de LA HOUPLIÈRE, mariage dissous par jug. du t. c. de Marseille le 16-VI-1955 [Jacqueline NOU s'est remariée à Paris 16e le 30-VIII-1956 à Francis-Cyprien FABRE (Marseille 6-IX-1911), président et administrateur de sociétés, fils de Léon-Cyprien, président et administrateur de sociétés, et de Suzanne WARRAIN [91]], dont

— Jean-Michel PASTRÉ (Marseille 9-XII-1950), s.a.a.,

— Olivier PASTRÉ (Neuilly-sur-Seine 15-XII-1952), agrégé de sciences économiques, chargé d'enseignement, allié Les-Saintes-Maries-de-la-mer 29-IX-1972 à Catherine DELAYEUN (Neuilly-sur-Seine 13-VI-1950), fille de Jean, docteur en médecine, et d'Hélène DECRAENE, docteur en médecine, dont

● Sara PASTRÉ (Paris 16ᵉ 27-X-1976),

E - Eugène dit Sacha MAGNAN (Paris 16ᵉ 11-XII-1873 - Paris 16ᵉ 18-V-1915), propriétaire, s.a.,

V - Louise MAGNAN (Liège 25-X-1835 - Paris 8ᵉ 16-I-1893) [92] alliée Paris 18-III-1858 à Alfred HAENTJENS (Nantes 11-VI-1824 - Paris 8ᵉ 11-IV-1884), propriétaire, propriétaire et directeur de journaux, député et conseiller général de la Sarthe [93], fils de Chrétien-Charles, négociant, armateur, propriétaire agriculteur, et de Félicité LAVALLÉE [94], dont

A - Alfred HAENTJENS (Paris 21-XII-1858 - Savigné-l'évêque 5-X-1877), s.a.,

B - Louise HAENTJENS (Paris 8ᵉ 20-I-1860 - Paris 8ᵉ 21-X-1925) alliée Paris 8ᵉ 28-XI-1883 à Henri ADELON (Paris 28-VI-1855 - Menton 3-IV-1908), propriétaire, fils d'Ernest, avocat, chef de cabinet du ministre de la justice, secrétaire du prince Napoléon (Jérôme) [95], et de Caroline COLLAS, mariage dissous par jug. du t. c. de la Seine le 29-I-1901, dont uniquement

Marcel ADELON (Paris 8ᵉ 20-II-1886 - Saint-Jean-de-Luz 30-X-1968), directeur d'assurances, allié Paris 8ᵉ 31-VII-1936 à Anne-Marie KNIBIEHLY (Colmar 16-XI-1913), fille d'Antoine, marchand de bois, et d'Eugénie-Anne METZ, mariage dissous par jug. du t. c. de la Seine et arrêt de la cour d'appel de Paris respectivement des 31-V-1940 et 6-VII-1944 [Anne-Marie KNIBIEHLY s'est remariée 1) Cannes 21-VI-1945 à Paul-Victor dit Jacques MAURY (Paris 9ᵉ 20-IV-1897 - Cannes 12-VI-1962), administrateur de société, fils de Georges-Léon, artiste dramatique, et de Laurence-Léontine DULUC, artiste dramatique [96], 2) Bourg-la-reine 6-VII-1967 [97] à Jean-Marie FAURE (Riom 3-V-1906), ingénieur constructeur, fils de Jean et de Marie-Antoinette TIXIER [98]], s.p.

C - Marie HAENTJENS (Saint-Corneille 2-VII-1861 - Saint-Corneille 31-X-1885), s.a.,

D - Maurice HAENTJENS (Saint-Corneille 13-VII-1862 - Paris 8ᵉ 13-XII-1863),

E - Hélène HAENTJENS (Saint-Corneille 16-IV-1863 - Vernou-en-Sologne 26-V-1896), s.a.,

F - Edmond-Pierre Haentjens (Saint-Corneille 11-VIII-1865 - Loiré, Maine-et-Loire, 12-XII-1894), s.a.,

G - Jeanne Haentjens (Paris 8e 1-I-1867 - Le Loroux-Bottereau 20-IV-1937) alliée Saint-Corneille 7-XI-1893 à Georges Filleul-Brohy (Maromme 23-VIII-1852 - Nantes 19-I-1937), ingénieur, fils d'Amédée-Abel Filleul, ingénieur, et d'Ezilda-Marie Brohy, dont [99]

1 - Gabriel Filleul-Brohy (Saint-Corneille 27-VIII-1894 - Bonnétable 4-I-1938), employé de bureau, allié Le Mans 26-VIII-1919 à Suzanne-Amélie Moulin (Bonnétable 5-I-1899 - Mamers 5-IX-1970), fille de Pierre-Basile, cultivateur, et d'Adelphine-Marie Moulin, s.p.,

2 - Jacques Filleul de Brohy (Saint-Corneille 5-X-1896 - Casablanca 2-VI-1954), chef de bataillon d'infanterie, allié Salé, Maroc, 5-IX-1924 à Paule Sabatier (Misserghin, Oran, 16-VII-1906), fille d'Auguste, négociant (vins et spiritueux), et de Dolorès Parodi, dont uniquement

Colette Filleul de Brohy (Rabat 21-V-1925) alliée 1) Casablanca 20-V-1944 à André Saint-Marc (Marseille 12-VIII-1916), industriel (chaussures et ensuite plastique), puis restaurateur à Casablanca et Nice, fils de Romain, ingénieur des travaux à la S.N.C.F., et de Marie-Louise Besançon [100], mariage dissous par jug. du t. c. de Fez le 25-VII-1950 [André Saint-Marc s'est remarié à Paris 16e le 28-IV-1962 à Nicole Payen (Casablanca 1-VII-1930), fille d'Albert-Henri, commerçant, et d'Emilienne d'Elga], 2) Casablanca 17-XII-1953 à Jacques-Antoine Aymard (Sarlat 24-III-1923), restaurateur, fils de Raoul, restaurateur, et de Lucienne Fourestier, mariage dissous par jug. du t. c. de Casablanca le 30-VIII-1960, 3) Casablanca 14-IX-1962 à Pierre Brunel (Casablanca 30-X-1923), directeur de société (pétrole), fils de René-Charles, contrôleur civil au Maroc, chef de région (Oujda), et de Marguerite Sire [Pierre Brunel avait épousé précédemment 1) à Oran 4-VI-1947 Josette Ostertag (Tlemcen, Algérie, 6-V-1928), fille d'André-Louis, commerçant, et de Berthe-Clotilde Belmondo, mariage dissous par jug. du t. c. d'Oran le 26-VII-1947, 2) Paris 7e 4-VI-1951 Nina Naoumoff (Paris 15e 16-I-1931), fille de Georges, secrétaire, et de Nina Wollossovitch, mariage dissous par jug. du t. c. de Casablanca le 15-XII-1964 [101]], s.p. des 2e et 3e mariages, dont du 1er uniquement

— Hervé SAINT-MARC (Casablanca 23-VI-1945), ingénieur en sécurité, directeur d'agence (extincteurs), allié 1) Casablanca 14-IX-1966 à Christiane ROUILLARD (Casablanca 29-VIII-1944), secrétaire, fille de Jean, adjudant chef de l'armée de l'air, et de Paulette LACOSTE, mariage dissous par jug. du t. c. de Paris le 21-XII-1971, 2) Courbevoie 3-VI-1972 à Brigitte DOLK (Sankt-Augustin-Berlinghoven, République fédérale d'Allemagne, 2-V-1949), jardinière d'enfants, fille de Herbert, directeur d'usine, et d'Erna-Anna WEISSENBERG, dont

du 1er mariage

• Pierre SAINT-MARC (La Garenne-Colombes 22-VI-1970),

du 2e mariage

• Jean-Jacques SAINT-MARC (Meaux 10-X-1976),

3 - Marc FILLEUL-BROHY (Saint-Corneille 21-X-1897 - ✗ Moreuil, Somme, 27-I-1917), s.a. [102],

4 - Bernard FILLEUL-BROHY (Saint-Corneille 30-VI-1899 - Guéméné-sur-Scorff 12-II-1941), voyageur de commerce, allié Lorient 28-II-1939 à Alice RUY (Paris 19e 3-I-1895), employée de commerce, fille de Ferdinand-Hippolyte, employé de commerce, et de Louisa-Denise HUBIE, s.p.,

5 - Pierre FILLEUL-BROHY (Saint-Corneille 3-II-1901 - Saint-Corneille 23-XI-1901),

6 - Jean FILLEUL de BROHY (Saint-Corneille 16-II-1903), inspecteur d'assurances, s.a.a. [103],

H - Marcel HAENTJENS (Saint-Corneille 24-VI-1869 - Paris 8e 10-VI-1915), s.a.,

I - Daniel HAENTJENS (Saint-Corneille 19-X-1871 - Paris 18e 13-I-1946), négociant en parfumerie, pianiste et compositeur [104], s.a.,

J - André-Marie HAENTJENS (Paris 8e 16-XII-1872 - Paris 8e 28-IV-1875),

VI - Eléonore dite Laure MAGNAN (Lille 24-II-1844 - Paris 8e 22-III-1924) alliée Paris 1er 17-VI-1863 à Albert LEGENDRE (Paris 4-II-1836 - Paris 8e 6-II-1907), receveur des finances à Paris, fils d'Alphonse et de Sophie PELLAGOT [105], s.p. [106].

FRERES ET SŒURS

1 - Denis-Victor Magnan (Bordeaux 16-XII-1792 - Montpellier 6-II-1824), lieutenant de cavalerie, s.a. [107],

2 - Jeanne Magnan (Paris 4-VI-1798 - Saint-Germain-en-Laye 30-IX-1850) alliée Saint-Germain-en-Laye 28-VIII-1821 à Jean-Baptiste Croizé (Coulonvilliers 23-XI-1795 - Paris 12ᵉ 23-IV-1861), entrepreneur de serrurerie [108], fils de Thibaud, tisserand, et de Félicité Franquelin [109] ; celle-ci eut deux enfants : A) Armand Croizé (Paris 22-X-1822 - Paris 7ᵉ 9-I-1897), ingénieur en chef à la Compagnie du chemin de fer d'Orléans, allié Strasbourg 18-IX-1851 à Eléonore Pourcelet (Strasbourg 23-XI-1823 - Paris 7ᵉ 5-I-1887), fille de François-Benoît, garde-magasin des subsistances militaires à Bitche [110], et d'Eléonore dite Laure Picquart [111] ; B) Marie-Eléonore-Hyacinthe Croizé, née à Saint-Germain-en-Laye le 21-II-1825, morte en bas âge [112] ; d'Armand Croizé sont issus les cinq enfants ci-après [113] : 1) Armand Croizé-Pourcelet (Ivry-sur-Seine 26-V-1854 - Orléans 16-I-1893), capitaine d'artillerie, s.a. ; 2) Gaston Croizé-Pourcelet (Paris 7-XII-1855 - Bellagio, Italie, 31-VII-1893), licencié en droit, secrétaire général de compagnies de chemin de fer au Brésil et au Vénézuela, s.a. ; 3) Aldebert Croizé-Pourcelet (Paris 23-VII-1857 - Versailles 7-III-1939), secrétaire général, puis président de compagnies de chemin de fer au Brésil et au Vénézuela, allié Paris 7ᵉ 25-X-1893 à Hélène Charles dit Cœuret (Paris 7ᵉ 3-IX-1865 - Paris 15ᵉ 27-II-1956), fille de Louis, tailleur de pierre, et de Marie-Anastasie Ozanne, dont une postérité qui suivra ; 4) Delphine Croizé (Paris 15-III-1859 - Paris 20-VI-1859) ; 5) René Croizé-Pourcelet (Paris 4ᵉ 7-I-1862 - Granges d'Ans 9-VIII-1935), ancien élève de l'Ecole polytechnique, lieutenant-colonel d'artillerie, allié Notre-dame-de-Sanilhac 24-X-1898 à Anna-Jeanne dite Gina Lachaud de Loqueyssie (Fontainebleau 17-VII-1875 - Granges d'Ans 18-XI-1945), fille d'Albert, propriétaire, et de Marie-Jeanne Johnston [114], dont une descendance qui suivra après celle de son frère Aldebert ; Aldebert Croizé-Pourcelet a donné la postérité ci-après : A) Marcel Croizé-Pourcelet (Paris 4ᵉ 15-XI-1888 - ✕ 6-I-1918 [115]), employé de banque, adjudant de l'armée de l'air (pilote), allié Paris 8ᵉ 30-IX-1911 à Andrée Morineau (Paris 17ᵉ 28-II-1886 - Paris 17ᵉ 10-VIII-1970), fille d'Auguste, négociant, et de Marceline Marchand [116], dont uniquement Jacqueline Croizé-Pourcelet-Geffroy [117] (Saint-Quentin 9-II-1910) alliée Paris 17ᵉ 3-IX-1945 à Pierre Viali (Reims 3-XI-1902), capitaine de cavalerie, puis fonctionnaire dans un ministère, fils de Maurice-Jacques, capitaine de cavalerie, et d'Anne-Constance Loyré d'Arbouville, s.p. ; B) Jacques Croizé-Pourcelet (Paris 4ᵉ 2-III-1890 - Nice 18-XII-1964), cadre commercial [118], allié 1) Paris 8ᵉ

21-X-1913 à Marthe BIGNON (Paris 8ᵉ 13-VI-1892 - Périgueux 30-III-1919), fille de Jean, ingénieur agronome, maire de Bourbon-l'Archambault, et d'Elisabeth CURLIER, 2) Vaux-sur-mer 21-X-1919 à Marie TROTTIER (Hussein-Dey, Algérie, 15-VIII-1888 - Versailles 4-V-1971), fille de Paul, propriétaire agriculteur (Algérie), et de Hortense NARBONNE [119], dont, *du 1ᵉʳ mariage,* 1) Marie-Madeleine CROIZÉ-POURCELET (Paris 8ᵉ 21-VII-1914), religieuse du Cénacle ; 2) Maurice CROIZÉ-POURCELET (Paris 8ᵉ 9-II-1916), ingénieur, lieutenant-colonel de cavalerie, allié Versailles 22-IX-1939 à Sabine HUBER (Versailles 30-VI-1920), fille de Marcel, notaire, et de Germaine-Marguerite LANGLOIS, dont a) Christian CROIZÉ-POURCELET (Dinan 2-VII-1940), artiste peintre, s.a.a. ; b) Odile CROIZÉ-POURCELET (Lyon 6ᵉ 20-IX-1941), docteur en médecine, alliée Versailles 22-I-1977 à Pascal RUZÉ (Versailles 30-V-1943), ingénieur de l'Ecole supérieure de mécanique et d'électricité, fils de Pierre, représentant, et d'Elisabeth LEGRIS, dont postérité ; c) Jean CROIZÉ-POURCELET (Alger 26-X-1943), ancien élève de l'Ecole polytechnique, ingénieur dans l'industrie électronique, allié Versailles 28-IX-1966 à Catherine CLAYEUX (Paris 15ᵉ 16-II-1946), fille de Pierre, colonel de l'armée de l'air, et d'Elisabeth MIGOU, dont Virginie (Antony 4-X-1968), Etienne (Paris 14ᵉ 27-XI-1970), Vincent (Paris 14ᵉ 23-XII-1971), Gilles (Paris 14ᵉ 5-XI-1976) ; d) Luc CROIZÉ-POURCELET (Versailles 24-II-1948), ancien élève de l'Ecole des hautes études commerciales, cadre de banque, s.a.a. ; e) Michel CROIZÉ-POURCELET (Versailles 8-IV-1950), ancien élève de l'Ecole polytechnique et ingénieur de l'Ecole supérieure des pétroles et moteurs, s.a.a. ; f) Marie CROIZÉ-POURCELET (Cologne 14-VI-1955) s.a.a. ; 3) Odile CROIZÉ-POURCELET (Bois-le-roi 14-IX-1917), religieuse du Cénacle ; 4) Suzanne CROIZÉ-POURCELET (Périgueux 14-II-1919) alliée Paris 5ᵉ 4-IV-1959 à Alain HUBER (Versailles 21-III-1916), lieutenant de vaisseau, puis cadre commercial, frère de Sabine (voir supra) [120], dont postérité ; *du 2ᵉ mariage* : 5) Gérard CROIZÉ-POURCELET (Royan 7-V-1923), directeur commercial [121], allié 1) Paris 6ᵉ 14-XII-1943 à Antoinette BOURGAIN (Paris 6ᵉ 15-VI-1922), fille de Jacques, avoué, et de Suzanne RAY, mariage dissous par jug. du t. c. de la Seine le 9-V-1963, 2) Royan 24-VIII-1970 à Annette GARNIER (Le Mans 29-IV-1938), professeur de lettres, fille de Charles, ingénieur hospitalier, et de Thérèse POULAHOUEC, s.p. du 2ᵈ mariage, dont du 1ᵉʳ : a) Annick CROIZÉ-POURCELET (Paris 6ᵉ 15-V-1945) alliée Paris 6ᵉ 3-IV-1968 à Claude FOURSAC (Clermont-Ferrand 17-XII-1943), ingénieur, fils de Jean, colonel de l'armée de l'air, et de Marie-Madeleine BOITARD, dont postérité ; b) Jean-François CROIZÉ-POURCELET (Paris 6ᵉ 3-IV-1947), attaché commercial, allié Paris 15ᵉ 25-IX-1970 à Cornelia HARTLEB (Münchengladbach, Rhénanie, 15-VIII-1949), fille d'Erich, avocat, et de Christel WIENANDS, dont Valérie (Paris 14ᵉ 7-VI-1973), Nicolas (Paris 14ᵉ 13-IV-1976) ; c) Béatrice CROIZÉ-POURCELET (Paris 6ᵉ

1-I-1951) alliée Paris 6ᵉ 1-X-1973 à Bernard BEYRAND (Paris 10ᵉ 9-VIII-1948), directeur de vente, fils de Roger, directeur de société, et de Raymonde-Marie GUERRIER, dont postérité ; C) René CROIZÉ-POURCELET (Paris 7ᵉ 16-X-1895 - Paris 13ᵉ 17-II-1967), directeur de société, capitaine d'artillerie, allié Paris 14ᵉ 4-XII-1923 à Elisabeth VINCENT (Dijon 11-VIII-1902), fille d'Emile, professeur (chimie), conseiller général, député et sénateur de la Côte-d'Or, et de Marguerite-Emélie CARLAT, dont uniquement Yolande CROIZÉ-POURCELET (Paris 13ᵉ 16-I-1931) alliée 1) Paris 16ᵉ 25-VII-1951 à Philippe BOUTET (Paris 17ᵉ 6-VI-1926), directeur artistique [122], fils de Marcel, avocat à la cour d'appel de Paris, et de Suzanne POYLO, mariage dissous par jug. du t. c. de la Seine le 5-I-1965 [123], 2) Neuilly-sur-Seine 30-VI-1966 à Paul DESFOSSÉS (Paris 16ᵉ 4-II-1923), directeur de société, fils de Robert, banquier [124], et d'Hélène FOURNIER, s.p. du 2ᵈ mariage, dont une fille du 1ᵉʳ ; de René CROIZÉ-POURCELET, frère cadet d'Aldebert, est issue la descendance ci-après : A) Gilberte CROIZÉ-POURCELET (Notre-dame-de-Sanilhac 25-XI-1899 - Ville d'Avray 12-V-1966) alliée Granges d'Ans 5-VIII-1925 à Léo DELAS (Clermont-Ferrand 4-IV-1902 - Terrasson 4-V-1956), industriel, fils de Jean-Valentin, directeur d'exploitation minière, et de Marthe-Marie MACARY, dont postérité ; B) Arlette CROIZÉ-POURCELET (Notre-dame-de-Sanilhac 15-IX-1903) alliée Granges d'Ans 27-VII-1927 à Guy DELAS (Clermont-Ferrand 14-X-1904), agent commercial, frère de Léo précité, dont postérité ; C) Renée CROIZÉ-POURCELET (Tarbes 17-IX-1913) alliée Granges d'Ans 15-VII-1936 à Hubert DEPOUTRE (Douai 6-V-1910), docteur en médecine, fils de Léon-Alexandre, docteur en médecine, et de Louise-Stéphanie MORA, dont postérité [125].

NOTES

1 Baptisé en l'église de Saint-Jacques-le-majeur dite de la boucherie.

2 Quelques auteurs ont affirmé que Magnan débuta comme clerc de notaire. Il ne semble pas que cela soit exact : son dossier au S.H.A.T. indique qu'il s'engagea alors qu'il était encore élève du lycée Napoléon.

3 Cette mention figurant dans les états de services est contredite par une autre pièce du dossier de Magnan au S.H.A.T. : une attestation en date du 1-VIII-1815, signée par un certain nombre d'officiers, affirmant que celui-ci n'avait pas servi depuis le 20-III-1815.

4 Il y prit *du service avec le grade de général de brigade, commanda le corps d'avant-garde de l'armée de Flandre, investit Maestricht, puis reçut le commandement de la division militaire de Gand* (Robert et Cougny in *Dictionnaire des parlementaires*).

5 Dans une lettre au roi Louis-Philippe en date du 10-VIII-1844, Magnan écrit : *Je connais bien les hommes et les choses dans le Nord : cinq ans, j'y ai maîtrisé trois émeutes graves et les partis me redoutent* (catalogue Charavay de déc. 1970).

6 Algérie.

7 Après être arrivé à Paris avec sa division, à la suite de l'insurrection de juin.

8 Magnan fut nommé à cette fonction par décret impérial, publié au *Moniteur universel* le 11-I-1862. Il remplaçait le prince Lucien Murat qui, lui, avait été élu : le mandat de ce dernier était parvenu à expiration et les maçons n'en voulaient plus. Le maréchal qui n'était pas même maçon fut initié et reçut tous les grades sur une seule journée, en violation des usages et des règlements. Il prit son rôle très au sérieux et sut se faire admettre : c'est ainsi qu'ayant obtenu de l'empereur le 16-V-1864 que la maçonnerie recouvre la liberté d'élire son grand-maître, il fut dès le lendemain élu par 148 voix sur 152 votants. On pourra se reporter pour cette question à Jean-Marie-Lazare Caubet *Souvenirs (1860-1889)*, Paris 1893, chap. II.

9 A côté du maréchal, reposent dans une chapelle de nombreux membres de sa famille : descendants et collatéraux. Les épitaphes correspondantes, qu'a bien voulu relever notre ami saint-germinois François Demartini, ont servi de point de départ à la partie généalogique de ce chapitre.

10 Sauf indication contraire en note, les renseignements donnés sous ce titre ont été tirés des registres paroissiaux ou d'état civil des communes citées. Nous remercions notre confrère, M. Maurice Briollet, d'avoir bien voulu nous faire bénéficier des recherches qu'il avait effectuées au sujet de la famille Magnan.

11 On trouve parfois les formes Patrouillaut ou Patouillaux.

12 *On m'a cité un trait du maréchal Magnan qui honore son caractère*, note Xavier Marmier dans son *Journal* (Genève 1968). *Son père avait été cocher de Mme Hocquart. Cette femme étant tombée dans la misère, le maréchal Magnan la secourut généreusement. Lorsqu'elle mourut, il lui fit faire un service funèbre et accompagna le cercueil jusqu'au cimetière.*

13 Nous avons eu connaissance des date et lieu du mariage des parents du maréchal grâce aux archives de l'étude généalogique Andriveau. Un contrat avait été fait le 16-IV (A.N., M.C., II 747).

14 Veuve de Nicolas Petitpas, décédé le 27-V-1789.

15 Sur le faire-part de décès du maréchal, apparaissent quatre cousins germains de celui-ci : Olivier, Eugène, Louis et Pierre-Jules Magnan. Les deux premiers étaient les enfants de Jean-Simon. Le 3e était probablement fils de Louis. Quant au 4e, il pourrait s'agir d'un fils de Jean-François qui eut plusieurs enfants, mais nous n'en sommes par certain. La déclaration de succession de Jean-Simon, en date du 5-VII-1843, précise qu'à cette époque Olivier était propriétaire à Alès, lieu-dit Le Pont Gisquet (Gard), et Eugène cultivateur à Missy-lès-Pierrepont (Aisne).

16 En 1822, Magnan avait formé le projet d'épouser Euphémie-Jamina Murray, âgée de 19 ans, fille de John Murray, lieutenant général au service de s.m. britannique, et de Maria Pasco : on trouve, en effet, dans son dossier (S.H.A.T.), une demande d'autorisation de mariage au nom de celle-ci.

17 C'est-à-dire expert auprès de la justice locale pour les visites de blessés et les autopsies.

18 Outre Sophie, mère de la maréchale Magnan, François Lacombe et Eléonore Langhans eurent notamment les deux autres filles ci-après : a) Eléonore dite Laure Lacombe, mariée à Etienne Picquart, directeur de la manutention à Strasbourg, dont vint Eléonore dite Laure Picquart (Strasbourg 31-I-1801 - Paris 7e 2-I-1880), alliée à Strasbourg le 28-X-1822 à François-Benoît Pourcelet (voir note 110), qu'on retrouvera à la rubrique *Frères et sœurs* comme belle-mère d'un neveu du maréchal Magnan, b) Florentine Lacombe alliée à Strasbourg le 20-III-1813 à Jacques Sautereau, dont le fils Antoine épousera Marie Magnan, fille du maréchal, sa nièce à la mode de Bretagne (voir rubrique *Descendance*).

19 D'une famille anoblie par charge durant la 1re moitié du 17e siècle (le titre de marquis, adopté à la fin du 18e siècle, est de courtoisie).

20 Veuf, celui-ci se remaria à Besançon le 10-IX-1827 à Adèle Bosc d'Antic, née à Troyes le 24-VII-1797, fille de Jean-Claude-Joseph, directeur des contributions indirectes à Besançon, et d'Elisazeth Quilliard.

21 Sophie Lacombe n'eut pas de postérité de sa seconde union. De la 1re, outre la maréchale Magnan, était née une autre fille, Marie-Joséphine-Eléonore Roussel (Saverne 28-IX-1806 - Liège 24-III-1838) alliée à Givet le 10-V-1827 à Henry Basterrèche, né à Bayonne le 9-VII-1802, propriétaire, lieutenant d'infanterie, fils de Pierre, négociant et armateur à Bayonne, maire de Bayonne, député des Basses-Pyrénées, et de Marie-Anne-Joséphine Courtiau (sœur de Louise-Wilhelmine, épouse de Jean-Maximin dit Maximilien Lamarque, général de division, baron de l'empire, député des Landes, dont les obsèques furent l'occasion d'un soulèvement resté célèbre). On trouvera des précisions intéressantes sur la famille Basterrèche dans *Les régents et censeurs de la Banque de France nommés sous le Consulat et l'Empire* de Romuald Szramkiewicz, Paris 1974). Nous renvoyons par ailleurs à son sujet à la rubrique *Frères et sœurs* du chap. VIII (Baraguey d'Hilliers) et à la note 51 de celui-ci.

22 Deux familles de ce nom, originaires respectivement du Dauphiné et du Nivernais, reçurent un titre de baron sous le Premier empire, confirmé par la Restauration pour la seconde. Les Sautereau qu'on a ici paraissent n'appartenir à aucune de ces deux familles. En tout cas, ils ne descendent pas des personnages titrés au siècle dernier. La qualité de baron donnée occasionnellement à certains d'entre eux dans des lettres de faire-part ne saurait donc être que de simple courtoisie.

23 Trois frères d'Antoine Sautereau servirent également dans l'armée : Pierre-François-Jacques-Noël (Strasbourg 25-XII-1815 - Schiltigheim 9-X-1858), lieutenant de cavalerie ; Marie-Benoît-Florent (Colmar 4-VIII-1818 - Versailles 20-II-1873), colonel d'infanterie, mort des suites d'une blessure reçue à Sedan Louis-Marie (Strasbourg 25-III-1822 - Pau 8-II-1885), colonel d'infanterie, conservateur du palais national de Pau après sa retraite.

24 On constatera en se reportant à la note 18 qu'Antoine Sautereau était l'oncle à la mode de Bretagne de sa femme et, par ailleurs, le cousin germain de Laure Picquart, belle-mère d'un neveu du maréchal Magnan (voir rubrique *Frères et sœurs*).

25 On trouve à ce sujet cette note dans son dossier de magistrat (A.N., BB⁶ II 295) : *S'est immédiatement enrôlé dans l'armée de la Loire. Blessé et fait prisonnier sous Orléans le 4-XII-1870, il est resté, pendant plusieurs mois, captif en Allemagne.*

26 Fils lui-même de Thomas, avocat et professeur à la faculté de droit de Poitiers.

27 Adélaïde Laroche était fille de Victor, docteur en médecine, professeur à l'Ecole préparatoire de médecine et de pharmacie d'Angers, nièce d'Edouard, docteur en médecine, professeur à l'Ecole de médecine d'Angers, petite-fille de Nicolas-Claude, docteur en médecine.

28 Jacques Rouvillois est le frère de Jean (Allonnes, Sarthe, 26-VII-1905 - Garches 25-VI-1975), général de division, le cousin germain de Marc (Rennes 19-VII-1904), général de brigade, ce dernier étant lui-même le fils de Frédéric (Rennes 19-III-1873 - Saint-Maur-des-fossés 6-I-1954), général de brigade.

29 Sœur de Jacques Avice (Paris 9e 14-V-1884 - Toulon 29-I-1976), contre-amiral.

30 Camille est ici prénom féminin.

31 A la Banque de France.

32 *Brumaire*, organe bonapartiste, lui consacra cette notice nécrologique dans son numéro du 1-XII-1936 : *... Ayant pris une part brillante à la grande guerre, il avait été désigné par s.a.i. le prince Victor Napoléon pour faire*

partie de son service d'honneur. Il avait continué ces fonctions auprès de s.a.i. le prince Napoléon qui le tenait en haute estime. D'une courtoisie parfaite, d'une obligeance à toute épreuve, il laisse un vide immense dans les rangs bonapartistes... Ses obsèques ont été célébrées à Saint-Pierre-de-Chaillot, le 25-XI... Le prince Napoléon avait tenu à se faire représenter par par s.a. le prince Murat.

33 Parente éloignée de l'aviateur Michel Détroyat : l'ancêtre commun vivait au 18e siècle.

34 A Signy-le-petit (voir note 35).

35 L'ascension sociale de la famille Barrachin débute avec Antoine (Marlens 30-VII-1746 - Reims 13-II-1819), qui quitta la Savoie où les siens avaient vécu jusque-là pour aller s'établir en Champagne. Celui-ci fut négociant à Reims, membre du conseil municipal et juge au tribunal de commerce de cette ville. Son fils, Jean-Nicolas (Reims 18-IV-1774 - Reims 22-III-1831), exerça les fonctions de maître des postes aux chevaux à Stenay (Meuse). Il se maria deux fois 1) en 1796 avec Charlotte-Augustine Raux (1778-1797), héritière des forges de Signy-le-petit (Ardennes), où l'on fabriquait des articles de cuisine et de chauffage, et d'un important domaine forestier dans la région proche, 2) en 1800 avec Clémentine Ponsardin (1783-1867), fille de Ponce-Jean-Nicolas-Philippe, filateur, maire de Reims, député de la Marne, baron de l'empire, sœur de Barbe-Nicole, célèbre sous le nom de veuve François-Marie Clicquot, comme fondatrice d'une grande marque de champagne. Jean-Nicolas fut le père d'Augustin, né de sa 1re union. Nous remercions M. Pascal Caniard de l'aide qu'il a bien voulu nous apporter en ce qui concerne la famille Barrachin.

36 Fille de Florentin-Simon (Reims, Saint-Jacques, 22-IX-1761 - Reims 14-XI-1835), négociant en vins de Champagne, maire de Reims.

37 La comtesse de Valon née La Rochelambert (1825-1904) fut une figure assez marquante. Elle tint à Paris un salon de réputation européenne. Très bienfai-sante, elle apporta par ailleurs son concours à de nombreuses œuvres chari-tables. Elle était en outre connue pour l'ardeur de ses sentiments légitimistes. Un ouvrage lui a été consacré : *La comtesse de Valon. Apollonie de La Roche-lambert. Souvenirs de sa vie. Sa famille. Ses amis. Ses correspondants,* par Gustave Clément-Simon (Paris, 1909).

38 Le marquis de Breteuil note dans son *Journal secret (1886-1889). La haute société* (Paris 1979), à la date du 29-VI-1888 : *Le prince Alphonse de Chimay et le comte Bertrand de Valon se sont battus ce matin, et celui-ci a reçu un coup d'épée assez sérieux... La cause du duel était la comtesse B. de Valon, née Barrachin, qui est depuis nombre d'années la maîtresse de Chimay. Séparée judiciairement de son mari et, après tous les mauvais procédés qu'elle a recueillis dans la vie conjugale, elle a bien le droit de se consoler comme il lui plaît.*

39 A Madrid de 1940 à 1944.

40 Auteur d'ouvrages sur des sujets historiques et économiques et de nombreux articles de revues.

41 Les Pietri sont une vieille et excellente famille corse. Plusieurs de ses branches (mais non celle qu'on a ici) furent reconnues nobles après le rattachement de la Corse à la France. Antoine-Jourdan était le petit-neveu d'Anton-Giovanni (1764-1846) qui, tout d'abord moine, fut ensuite préfet du Golo. Son grand-père était le cousin germain de Joseph-Marie Pietri (1762-1818), député de la Corse aux Etats généraux de 1789. Nous devons ces précisions, de même que celles qu'on trouvera à la note suivante, à notre ami François Demartini, éminent spécialiste des familles corses.

42 Clorinde Gavini était la sœur d'Antoine (1856-1926), député, puis sénateur de

la Corse, et de Sébastien (1858-1938), député de la Corse. Ils étaient tous trois les enfants de Sampiero Gavini (1823-1875), député de la Corse.

43 Frère du comte Guillaume de Ségur-Lamoignon (Paris 8e 23-XII-1889 - Paris 16e 6-XI-1945) allié Les Pennes-Mirabeau 17-V-1926 à Cécile Seurre (Paris 15e 7-IX-1873 - Trouville 3-IX-1966), comédienne sous le nom de Cécile Sorel, fille de Charles-Lazare, entrepreneur, et de Marie-Léontine Bernardel.

44 Adolphe-Louis-Edgard vicomte de Ségur (1825-1900), père de Louis comte de Ségur-Lamoignon (1860-1930), fut autorisé à ajouter à son nom celui de Lamoignon par décret du 24-IX-1860, comme héritier de son oncle, Adolphe-Louis-Marie vicomte de Ségur (1800-1876), mort s.p., lequel, ayant épousé en 1823 Marie-Louise de Lamoignon (1805-1860), dernière de sa maison, avait lui-même été autorisé à s'appeler de Ségur de Lamoignon par décret du 24-XII-1823.

45 Louis comte de Ségur-Lamoignon avait pour grand-mère la célèbre comtesse de Ségur née Sophie Rostopchine (1799-1874), pour trisaïeul Louis-Philippe de Ségur (1753-1830), comte de l'empire, grand-maître des cérémonies de l'empereur Napoléon, membre de l'Académie française, pour quadrisaïeul Philippe-Henri dit le marquis de Ségur (1724-1801), maréchal de France, ministre de la guerre, et pour quintaïeul Henri-François comte de Ségur (1689-1751) allié en 1718 à Philippine-Angélique de Froissy (1702-1785), fille naturelle du Régent et de Charlotte Desmares.

46 D'une famille espagnole (pays basque).

47 Le comte James de Pourtalès, qui appartient à la seconde ligne de sa famille, avait, de son côté, épousé précédemment au Val-Saint-Germain le 29-V-1937 Violette de Talleyrand-Périgord (Paris 16e 18-II-1915), fille de Hélie duc de Talleyrand, de Dino et de Sagan, et d'Anna Gould, mariage dissous par jug. du t. c. de Paris le 20-I-1969. On a rencontré (chap. I) l'un des enfants issus de cette union, le comte Hélie de Pourtalès, marié à Marie-Eugénie de Witt, nièce du prince Napoléon : on y trouvera d'autres précisions concernant Violette de Talleyrand-Périgord (note 73).

48 Marianne de Rumerskirch avait épousé précédemment Roger Lalouette (1904-1980), ministre plénipotentiaire hors classe, ambassadeur auprès de différents pays.

49 Mariage enregistré au consulat général de France à la même date.

50 Chargé de la réforme constitutionnelle (cabinet Laniel 1953-1954).

51 Fils, d'après son acte de naissance, *d'Edouard Deforest, âgé de 30 ans, rentier, et de Juliet Arnold, âgée de 18 ans, sans profession, domiciliés à New York,* dont personne ne sait rien — en l'absence du père, la naissance fut déclarée par le docteur Eugène Legendre, qui avait procédé à l'accouchement —, Maurice-Arnold baron de Forest-Bischoffsheim, comte de Bendern (Paris 17e 9-I-1879 - Biarritz 6-X-1968) passait pour avoir dû le jour, en réalité, à Maurice baron de Hirsch-Gereuth (1831-1896), richissime banquier viennois de confession israélite, auquel l'Autriche-Hongrie, les Balkans, la Turquie sont redevables de nombreuses lignes de chemin de fer, par ailleurs l'un des promoteurs du mouvement sioniste. On lui a donné également pour père le roi Edouard VII. Il fut en tout cas adopté par l'épouse du baron de Hirsch, née Clara Bischoffsheim (1834-1899), ce qui allait le mettre à la tête d'une fortune considérable, à la mort de celle-ci le 1-IV-1899 (Paris 8e). Tout d'abord sujet autrichien, il reçut le 22-II-1899 un titre de baron héréditaire de l'empereur François-Joseph. Devenu citoyen britannique en 1900, il fut autorisé par licence royale du 6-X de la même année à porter ce titre dans le Royaume uni. En 1932, il abandonna la nationalité britannique pour celle du Liechtenstein et, le 9-I-1936, y bénéficia d'un décret princier le créant comte de Bendern, à titre héréditaire. A l'attrait suscité par le mystère de ses origines, Maurice-Arnold de Forest-Bischoffsheim ajoutait celui d'une per-

sonnalité assez peu ordinaire. Ayant réuni à grands frais l'une des plus belles collections de tableaux du monde, propriétaire de résidences fastueuses à Biarritz, au Cap-Martin, à La Celle-Saint-Cloud (le domaine de Beauregard), dans le Tyrol autrichien, en Bohême, au Liechstenstein, à Prangins sur le bord du lac Léman, il n'en professait pas moins, en politique, des idées avancées : il siégea dans les rangs du parti libéral à la Chambre des communes. Fervent adepte des doctrines pacifistes, il quitta ostensiblement la nationalité britannique, afin de ne pas se trouver solidaire, si peu que ce soit, de certains agissements de l'Angleterre sur le plan international. Grand ami des animaux, il avait accueilli près d'une centaine de chats malades ou abandonnés dans sa propriété du Cap-Martin ! Ce comportement, que d'aucuns tenaient pour quelque peu extravagant, lui était dicté en fait par la générosité de ses sentiments. Deux dispositions qu'il prit à la fin de sa vie témoignent de ses qualités de cœur et de sa philanthropie. En 1950, il fit don à la ville de Paris du domaine de Beauregard, comprenant 170 ha, afin qu'on y réalise une cité-jardin modèle pour les travailleurs de la région parisienne. Par testament, il légua sa collection de tableaux au village de Bendern, en Liechtenstein, dont il portait le nom, en vue de la création d'un musée. Il avait épousé le 19-IV-1900 Mathilde-Rose Letellier (Paris 17e 8-VIII-1869 - Paris Ier 22-V-1952), fille d'Eugène-Alphonse, entrepreneur de travaux publics, et de Marie-Louise Roche, veuve d'Albert Menier († Chamant 30-VII-1899), de la famille des chocolatiers, sœur d'Henri Letellier (Paris 17e 10-III-1868 - Neuilly-sur-Seine 14-IV-1860), directeur du *Journal*, maire de Deauville. Cette union ayant été dissoute par jug. de divorce et déclarée nul par les tribunaux ecclésiastiques, il se remaria le 11-II-1904 à Ethel-Catherine Gérard (16-V-1881-1966), fille de William-Cansfield 2d baron Gérard. De la 1re alliance, ne naquit qu'une fille : Mabel de Forest, épouse d'Edmond Barrachin. De la 2de, vinrent deux fils : Alaric (1905-1973), apparemment s.p., et John (1907), dont plusieurs enfants.

52 Cette qualité lui est donnée dans le *Who's who*, à la notice consacrée à son fils. On trouve mention à son nom des deux titres ci-après dans le catalogue de la B.N. : *Lettres orientales. 1re série comprenant la Turquie et partie de la Grèce* (Paris 1930, 310 p.) et *La fin d'un vieux loup de mer* (Biarritz, s.d., 4 p.).

53 André-Louis Mariotti avait, de son côté, épousé précédemment à Paris 17e le 10-VII-1943 Marcelle-Léonie Chauvière (mariage dissous par jug. du t. c. de la Seine en date du 10-II-1953). Il se remariera à Septèmes-les-vallons le 21-XII-1972 à Christiane-Philomène Aubert.

54 Pierre Barrachin est membre du comité d'honneur du Centre de relations internationales culturelles (C.R.I.C.), animé par le vicomte et la vicomtesse Pierre d'André. Par ailleurs, il est, aux côtés d'Olivier Giscard d'Estaing, frère du président de la république, l'un des animateurs du comité français de l'Organisation internationale des collèges du monde uni, mouvement fondé en 1961 en Grande-Bretagne pour promouvoir la création de collèges où sont élevés ensemble des jeunes gens de tous pays et de toutes conditions : présidée jusqu'en 1978 par l'amiral Mountbatten et, depuis, par le prince de Galles, cette institution compte aujourd'hui cinq réalisations, dont la principale se trouve en Angleterre.

55 6e fils de Charles-Antoine-Louis-Alexis Morand (Pontarlier 4-VI-1771 - Paris 2-IX-1835), général de division, comte de l'empire, pair de France (1815 et 1832).

56 Léopold Magnan fit campagne notamment en Afrique du nord (1857-1858), en Italie (1859-1861), au Mexique (1863-1864, puis 1865-1866), à l'armée du Rhin (1870), à l'armée de la Loire (1870-1871). Il avait la réputation d'un joyeux compagnon. On en trouve la confirmation dans *Mémoires. L'intervention française au Mexique* du colonel Charles Blanchot (Paris 1911). *Le grand premier rôle*, écrit celui-ci (T. II, p. 289), relatant un bal costumé donné

au palais du quartier général à Mexico pour le mardi gras, *était tenu par le capitaine d'état-major Magnan, fils du maréchal de France, merveilleusement métamorphosé en vieux grognard des grenadiers de la vieille garde et désopilant par ses boniments pleins d'esprit, parfois assez gaulois, qu'il débitait avec une conviction empoignante.* Ce caractère de bon vivant ne devait pas l'empêcher de faire montre d'une belle fidélité à l'égard du maréchal Bazaine — il en avait été l'aide de camp en 1870, étant chef d'escadrons, puis de nouveau en 1871, alors lieutenant-colonel —, lorsque celui-ci connut l'adversité. *Magnan qui, jusqu'au procès de Trianon,* rapporte Aymar de Flagy (pseudonyme de la comtesse de Mirabeau née Marie Le Harivel de Gonneville) dans son livre *Maréchale Bazaine* (Paris 1874), *n'avait pensé qu'à s'amuser et à se battre, vrai Létorière de la cour impériale, esprit charmant, cœur généreux, mais habitué à prendre la vie sous son côté le plus joyeux, Magnan, transformé du jour au lendemain, n'a plus songé ni au plaisir, ni à l'avancement, et tout ce qui lui était personnel s'est effacé devant le désir unique de défendre son maréchal.* Il y a, d'autre part, à ce sujet, dans le dossier du général Magnan (S.H.A.T.), une lettre fort intéressante de celui-ci au ministre de la guerre, datée du 13-XII-1873 : *Appelé aux fonctions de sous-chef d'état-major du 16e corps d'armée, j'allais rejoindre mon poste dans les délais réglementaires lorsque la sentence qui frappe M. le maréchal Bazaine est venue m'imposer de nouveaux devoirs. J'ai eu l'honneur de partager la prison du maréchal pendant onze mois et j'ai eu la consolation de rester auprès de lui jusqu'à la dernière heure. Dans son immense infortune, il y a bien des points douloureux qui peuvent être adoucis, il y a bien des questions de détail, d'intérêt et de famille dont la préoccupation peut être éloignée de lui. L'affection paternelle et la confiance dont le maréchal daigne m'honorer permettent à mon dévouement pour sa personne de lui rendre encore quelques services. J'ai l'honneur, Monsieur le ministre, de demander instamment à votre excellence qu'elle veuille bien me relever de mes fonctions et m'accorder un congé de quatre mois, pour en jouir à Cannes.* Léopold Magnan n'obtint pas satisfaction. Une brochure intitulée *Compte rendu de la tenue funèbre spéciale de la loge La triple alliance, orient de Port-Louis, Ile Maurice, pour honorer la mémoire de s. e. le maréchal Magnan,* éditée en 1866, conservée à la B.N. sous la cote 8° Ln[27] 71705, indique que Léopold Magnan avait été initié à la franc-maçonnerie étant capitaine, dans la loge Les frères unis inséparables, à laquelle son père appartenait (voir note 8).

57 Il y a dans les *Souvenirs* de la princesse Pauline de Metternich cette anecdote amusante à propos de la belle-fille du maréchal Magnan : *Mme Magnan née Haritoff, qui était excessivement jolie, avait été désignée pour remplir le rôle de l'Amour. Son costume commandé à Paris n'arrivant pas, elle envoya une dépêche ainsi conçue : je fais l'Amour ce soir à Compiègne, il me faut mon costume ! Je laisse à penser si on s'est moqué d'elle, car un de ces messieurs avait été chargé par elle d'aller au télégraphe comme elle voulait être bien sûre que la dépêche partirait à temps.*

58 On trouve, selon les actes, le nom de l'épouse de Léopold Magnan orthographié Haritoff ou Charitoff. Xavier Marmier écrit dans son *Journal* (T. I, p. 308) que le fils du maréchal s'est marié *avec la fille d'un russe... obligé de quitter la Russie pour se soustraire à une accusation de nationalisme, mais ayant eu soin de mettre en sûreté son énorme fortune.* Le contrat de mariage, établi par Me Emile Fould, notaire à Paris, nous apprend que la dot de l'épouse avait été d'un peu plus de 1 300 000 F. Mme Léopold Magnan avait deux frères : Maurice et Eugène et deux sœurs : Vera et Nadejda. Vera Haritoff (Moscou 27-IX-1845 - Le Vésinet 9-IX-1907) épousa Luiz-Cézar de Lima e Silva (Rio de Janeiro 26-III-1838 - Paris 8e 29-VI-1875), gentilhomme du palais de l'empereur du Brésil, secrétaire de légation. De celle-ci, naquirent cinq enfants, deux fils et trois filles. L'aîné des fils, Léopold, propriétaire, demeuré célibataire, vivant à Paris et à Rio de Janeiro, eut un fils de Jeanne Bourgeois plus connue sous le nom de Mistinguett : Léopold de Lima e Silva (Montlignon 8-VII-1901 - Antibes 12-VI-1971), docteur en médecine. Nadejda Haritoff

(Moscou 27-V-1849 - Bruxelles 10-XI-1877) s'allia à Paris 8e le 18-I-1870 à Arthur baron de La Rousselière-Clouard (Liège 9-V-1840 - Bruxelles 12-XI-1883), secrétaire de légation. Après son évasion de l'île Sainte-Marguerite, en 1874, le maréchal Bazaine passa quelque temps chez ce dernier, au château de Fayembois, près de Liège : cette circonstance est à rapprocher de ce que nous avons signalé à la note 56.

59 Pierre Magnan disparut dans des circonstances assez dramatiques. Se trouvant au camp de Châlons, il partit le lundi 20-II-1899 dans l'après-midi tirer quelques bécasses dans les environs. Il ne revint pas et, le lendemain matin, on le retrouva mort, à côté d'un fossé et d'un buisson. Le rapport qui fut établi reconstitue de la sorte, dans un français assez approximatif, les circonstances de l'accident : *En voulant franchir le fossé et s'aidant de son fusil, la crosse à terre, parmi les branches du buisson, le chien, alors armé, fit partir le coup. La décharge, reçue à gauche, produisit une explosion des cartouches de chasse que le capitaine avait placées dans la poche de sa pelisse. La partie gauche de ce vêtement était entièrement carbonisée ainsi que le haut du pantalon. La blessure, très grande, semblait partir de l'aine et remonter jusqu'en haut de la poitrine.*

60 L'acte correspondant a été transcrit dans les registres de Paris 8e à la date du 26-VII-1866.

61 Le nom de terre ne figure pas à l'état civil.

62 Paul Double de Saint-Lambert était le frère 1) de Marthe (Marseille 24-VII-1871 - Paris 16e 2-V-1952) alliée Paris 8e 17-VII-1889 à Alan comte de Montgomery, né à Fervaques 17-II-1860, propriétaire, dont la fille Madeleine dite Minou de Montgomery (Paris 16e 7-II-1899) fut, après son divorce d'avec Jean-Marie Bonnardel, industriel, et avant son 2d mariage avec Antoine Béthouart, général d'armée, l'une des principales collaboratrices de Jean Prouvost à *Marie-Claire* dans les années 30 ; 2) de Madeleine (Marseille 15-IX-1869 - Paris 16e 25-I-1970) alliée Marseille 26-XI-1887 à René vicomte Vigier (Paris 17-IX-1859 - Paris 16e 20-IV-1931), propriétaire, grand collectionneur de porcelaines et de meubles, fils d'Achille-Georges-Hippolyte vicomte Vigier, propriétaire, et de Sophie Crüwell (cantatrice sous le nom de Cruvelli), très connue dans le monde des courses, où elle avait repris les couleurs de son oncle Jean Prat-Noilly (voir note 65).

63 Directeur des Etablissements Noilly-Prat, à Marseille (voir note 65).

64 La famille Double est originaire de Verdun-sur-Garonne. Au début du 19e siècle, elle se trouvait représentée par trois frères : Pierre-Michel (1767-1844), évêque de Tarbes, François-Joseph (1776-1842), docteur en médecine, membre de l'Académie des sciences, et Sulpice (1783-1835), qui se fixa à Marseille. Léon était le petit-fils du 3e. Le nom de Double de Saint-Lambert a été adopté usuellement par les descendants de Léon, en raison de l'acquisition de la terre et du château de Saint-Lambert, à Lioux près d'Apt, par le père de celui-ci.

65 Marie Prat (Marseille 27-II-1849 - Marseille 11-I-1939) était fille de Claudius Prat et d'Anne-Rosine Noilly, celle-ci héritière de la Société Noilly et Cie, à Marseille, fondée en 1813, spécialisée dans la fabrication et le négoce des vermouths, des absinthes et liqueurs. Claudius Prat continua l'exploitation de cette firme, qui prit désormais le nom de Noilly-Prat et devait, bientôt, acquérir une réputation mondiale. Ses deux fils, Louis et Jean, frères de Marie, lui succédèrent. Ces derniers, nés à Marseille, respectivement les 17-V-1845 et 30-III-1847, furent autorisés par décret du 5-V-1885 à s'appeler Prat-Noilly. Louis Prat-Noilly occupa les fonctions de vice-président de la chambre de commerce de Marseille et de censeur de la Banque de France. Jean Prat-Noilly, qui possédait un important élevage de chevaux, fut une personnalité marquante du monde des courses. Les Etablissements Noilly-Prat existent toujours. Il y a quelques années encore, les descendants de Marie Prat s'en partageaient la propriété, ses deux frères ne s'étant pas mariés. Ils ont, depuis,

été rachetés par la Société Martell (cognac). Nous remercions M. Adrien Eche des précisions qu'il a bien voulu nous apporter en vue de la rédaction de cette note.

66 Il était canonnier au 5ᵉ groupe d'artillerie d'Afrique : son acte de décès a été établi à Marseille le 6-II-1922.

67 Disposant d'une fortune considérable, la comtesse Pastré née Double de Saint-Lambert passa sa longue vie à semer les bienfaits autour d'elle. Ayant une passion pour la musique, elle fut une providence pour des générations de débutants qui trouvaient dans sa résidence de Montredon, installée au fond d'une calanque marseillaise, à la fois un asile et les encouragements nécessaires. Mais, comme l'écrivait Clarendon dans *Le Figaro* (29-VIII-1974), à l'occasion de sa mort, on y rencontrait également toute une foule d'*âmes en peine, chanteurs sur le déclin, célibataires spéciaux, esthètes sans clientèle, épaves en tous genres.* Elle fut, par ailleurs, à l'origine du Festival musical d'Aix-en-Provence. La comtesse Pastré ne bornait pas sa sollicitude au monde de la musique et des artistes. Son cœur et sa bourse étaient ouverts à toutes les misères, à toutes les infortunes. Ainsi, elle avait offert à l'abbé Pierre une vaste bâtisse où ses Chiffonniers d'Emmaüs purent se livrer commodément à leur commerce charitable : il y avait une couronne à leur nom lors de ses obsèques.

68 Il fut notamment président délégué des Etablissements Maréchal (fabrication et vente de toile cirée), administrateur de la Compagnie des chargeurs réunis, de la Société électro-câble, de la Société des bains de mer de Monaco et de la Société des hôtels réunis (Scribe à Paris, Carlton à Cannes, etc...).

69 Originaires de l'Albigeois, les Pastré s'établirent à Marseille à la fin du 18ᵉ siècle et y devinrent bientôt d'importants armateurs. Il s'agit ici de la branche cadette : l'auteur de celle-ci, Eugène, père d'André, fut fait comte romain par bref pontifical du 6-V-1884.

70 Dite Martin-Deheurles dans les annuaires mondains, elle est Martin simplement à l'état civil.

71 Yvonne Martin-Deheurles avait, de son côté, épousé précédemment, à Paris 16ᵉ le 29-III-1909 Albert-André Ouvré (Paris 13ᵉ 27-V-1883 - Souppes-sur-Loing 8-XI-1942), diplômé de l'Ecole des hautes études commerciales, propriétaire agriculteur, industriel (sucre), conseiller général, député et sénateur de Seine-et-Marne, fils d'André-Félix, propriétaire agriculteur, industriel (sucre), négociant (bois), président de la chambre syndicale des bois à brûler de Paris, conseiller général et député de Seine-et-Marne, et de Henriette Saymal.

72 Nadia Pastré servit comme infirmière dans une ambulance chirurgicale lourde en 1940 : son dévouement lui valut d'être citée à l'ordre du régiment.

73 Constantin Papachristopoulos dit Costi est avant tout sculpteur. Il fut en 1926 élève de Bourdelle à l'Académie de la grande chaumière. Il a présenté des expositions à Paris, à Berne, à Athènes et participé à divers salons. Son œuvre, des nus et des bustes surtout, demeure fidèle au classicisme grec, en laissant cependant toujours une place à la spontanéité. Il a notamment travaillé pour Charles de Beistegui qui, entre autres choses, lui a confié la réalisation d'un théâtre de verdure au château de Groussay, à Montfort-l'Amaury. Ce n'est qu'au cours des dernières années que Constantin Papachristopoulos s'est essayé à la peinture : ses toiles ont été exposées respectivement en 1969 et en 1971 à la galerie Bernheim et à la galerie Motte à Paris et en 1975 et 1977 à Athènes.

74 A la bourse d'Athènes.

75 Alexandra Mermingas s'est remariée à Roland Stanger, professeur à l'Université de Colombus, Ohio.

76 Eugénie Averoff avait épousé précédemment le 9-X-1930 Alexandre Zaimis, mariage dissous par jug. du t. c. d'Athènes le 7-VI-1954.

77 Tombé dans les combats de la Libération, auxquels il participait aux côtés de son cousin le prince Napoléon.

78 Joachim 6e prince Murat était l'arrière-arrière-petit-fils du roi Joachim (voir Joseph Valynseele *Les maréchaux du Premier empire*).

79 Fille d'Eugène Plantié (Bayonne 13-XI-1855 - Louhossoa 27-XII-1935), successivement journaliste, attaché au cabinet de René Waldeck-Rousseau (alors ministre de l'intérieur), secrétaire général de préfecture, sous-préfet, préfet, directeur d'asile d'aliénés, percepteur, petite-fille de Théodore Plantié (Bayonne 20-X-1827 - Bayonne 11-XII-1889), négociant, député puis sénateur républicain (il vota pour l'expulsion des princes) des Basses-Pyrénées.

80 Une ordonnance du t. de g. i. de Paris du 13-III-1970 a décidé que les actes de naissance de Caroline Murat, de sa sœur Madeleine dite Malcy et de son frère Joachim-Napoléon, établis au nom de Murat de Pontecorvo, sans mention de titres, devraient être rectifiés en ce sens que les intéressés y seront appelés désormais : prince (ou princesse) Murat et prince (ou princesse) de Pontecorvo. Cette ordonnance s'appuie sur le décret du 12 pluviosa an XIII conférant à Joachim Murat le titre de prince français, le décret du 5-XII-1812 conférant à Lucien Murat, fils de Joachim, la principauté de Pontecorvo, les articles 32 et 33 des actes des constitutions de l'empire du 28 floréal an XII, le décret du 21-VI-1853 réglant la condition et les obligations des membres de la famille impériale. On pourra consulter à propos de la titulature de la famille Murat l'étude que baron Hervé Pinoteau a consacrée à la question dans *Le sang de Louis XIV* (Braga 1961, T. I, p. 375).

81 Arrière-arrière-petite-fille du maréchal Lannes duc de Montebello (voir Joseph Valynseele *Les maréchaux du Premier empire*).

82 Acte transcrit au consulat de France à Berlin le 31-X-1967.

83 Nicolas.

84 D'une famille de vieille noblesse originaire de haute Hongrie, pouvant remonter sa filiation jusqu'en 1367 et dont une branche, aujourd'hui éteinte, reçut le titre de baron en 1692 et celui de comte en 1753.

85 Cousine au degré après issu de germain du comte Jules Apponyi de Nagy-Apponyi (1873-1924), père de la reine Géraldine d'Albanie (1915), née comtesse Apponyi.

86 La princesse Murat née Mouton est la *sœur* de Béatrice Mouton (Paris 16e 13-X-1942) alliée Paris 16e 11-X-1968 à Hubert Dansette (Neuilly-sur-Seine 9-VI-1943), directeur adjoint de banque, fils d'Adrien, homme de lettres, membre de l'Académie des sciences morales et politiques, et d'Andrée Legrand, ainsi que d'Alix Mouton (Paris 16e 6-V-1947) alliée Paris 16e 30-VI-1966 au comte Charles de Lorgeril (Dinan 24-II-1943), ingénieur de l'Ecole française de radio-électricité, propriétaire agriculteur, fils du comte Régis, propriétaire agriculteur, et de Josette Barbezat, la *nièce* de Denise Mouton (Paris 17e 1-VI-1920) alliée Paris 16e 18-V-1940 au comte Yves de Thierry de Faletans (Paris 17e 25-IX-1910), propriétaire, fils du comte Raoul, propriétaire, et de Marie-Laure Escudier-Lamouroux, la *cousine germaine* de Michel Mouton (Dammartin-sur-Tigeaux 9-VIII-1932), agent immobilier, fils de Pierre (demi-frère de Roger), allié Paris 16e 27-IV-1961 à Huguette Daignan-Fornier de Lachaux (Blois 26-IX-1934), laborantine, fille de Pierre, ingénieur, et de Marthe Marchal. On a dit que la princesse Murat était de la même souche que le maréchal Mouton comte de Lobau, sans doute en s'appuyant sur le fait que la famille de la princesse est originaire des Vosges et que celle du maréchal, venue de Haute-Savoie, s'établit au 17e siècle en Alsace, ce qui n'est pas très loin. A la vérité, il nous paraît assez improbable qu'on se trouve devant deux branches d'une même famille. Nous donnons ci-après l'ascendance de la princesse en ligne masculine à partir de son père aussi loin que nous

avons pu la remonter : I) Roger Mouton (Paris 17e 27-VIII-1916), administrateur de sociétés, allié Paris 17e 17-XII-1941 à Marie Luquet (Paris 9e 21-IV-1921), fille de Jean-Maurice, ingénieur, administrateur de sociétés, et d'Efimie Vlassopulos ; II) Félix Mouton (Paris 4e 24-III-1876 - Paris 16e 29-I-1968), maître de forges, puis administrateur de société (métallurgie), allié Paris 16e 30-VI-1914 à Yolande Foye (Paris 16e 12-IV-1883 - Bursinel, Suisse, 6-XII-1978), fille de Georges-Marie, propriétaire, et d'Anna-Caroline Cesare ; III) Justin-Joseph Mouton (Tranqueville 1-I-1843 - Paris 16e 17-I-1905), quincailler, puis maître de forges, allié Paris 3e 15-VI-1869 à Louise-Henriette Bagréaux (Paris 20-VI-1848 - Paris 4e 8-VII-1919), fille de François, commis négociant, et de Louise-Constance Serrurier [un frère de Justin-Joseph Mouton, Charles-Emile Mouton (Tranqueville 9-IV-1851 - Epernay 7-V-1938), fit carrière dans l'armée et parvint au grade de lieutenant-colonel (infanterie) : il s'allia à Paris 9e le 28-VI-1892 à Amélie-Marie Dubourg (Paris 9e 14-VII-1862-Epernay 7-VII-1938), fille d'Adolphe, commissaire priseur, et d'Eugénie Chartier] ; IV) Joseph Mouton (Soncourt, Vosges, 27-XI-1810 - Tranqueville 14-V-1864), maréchal ferrant, allié Prez-sous-Lafauche 26-IV-1842 à Marie-Anne Humblot (Chalvraines 1-III-1820 - Harchéchamp 25-VIII-1890), fille de Jean-Baptiste, taillandier, et d'Anne Legoy ; V) Charles (vers 1775 - Soncourt 15-XII-1827), cultivateur, allié à Anne Collotte ; VI) Sébastien Mouton, né Tranqueville 8-III-1746, cultivateur, allié Tranqueville 24-I-1775 à Françoise-Marguerite Hacquart, née Tranqueville 24-II-1744, fille de Pierre, laboureur, et d'Elisabeth Drapier ; VII) Jean Mouton allié à Elisabeth Leclerc. Au-delà, les actes sont rédigés de façon trop sommaire pour permettre d'établir une filiation. Ceux-ci, toutefois, montrent qu'une famille Mouton existait à Tranqueville et dans les villages proches dès les alentours de 1600 : à cette époque, les ancêtres du maréchal Mouton étaient encore établis en Haute-Savoie (voir le chap. XIII de notre ouvrage précédent sur *Les maréchaux de la Restauration et de la Monarchie de juillet*). Nous remercions notre confrère vosgien M. Paul Didelot pour le concours qu'il a bien voulu nous apporter en vue de la mise au point de la partie de cette note, portant sur l'ascendance de la princesse Murat.

87 Filleul de s.a.i. le prince Charles Napoléon.

88 Aux Etats-unis.

89 Des Etablissements Noilly-Prat à Marseille (voir note 65).

90 En Camargue.

91 Francis-Cyprien Fabre avait, de son côté, épousé précédemment à Paris 7e le 25-III-1941 Fanny Desurmont (Tourcoing 24-VII-1919), fille de Jules et de Marcelle Prouvost (mariage dissous par jug. du t. c. de la Seine le 20-IV-1955). Fanny Desurmont s'est elle-même remariée au comte Patrick de La Bruère du Coudray.

92 *Vivant à l'écart depuis la chute de l'empire, elle s'était dévouée aux œuvres charitables,* indiquait *Le gaulois* du 17-I-1873, à l'occasion de son décès.

93 *Aux journées de juin 1848,* Alfred Haentjens *s'était battu à Paris, comme volontaire de l'ordre, avait reçu une balle en pleine poitrine et avait été décoré à cette occasion. Maire de Saint-Corneille (Sarthe), où il avait des propriétés et sa résidence, conseiller général de la Sarthe (1858-1870) successivement pour les cantons de Grand-Lucé et de Montfort, il se présenta comme candidat au Corps législatif dans la 1re circonscription de la Sarthe, aux élections du 1-VI-1863... Réélu le 24-V-1869, il siégea avec une certaine indépendance dans la majorité dévouée à l'empire... Aux élections du 8-II-1871 pour l'assemblée nationale, le département de la Sarthe l'élut représentant... Il prit place à droite et fut un des députés qui, à Bordeaux, protestèrent contre le vote de déchéance de la dynastie bonapartiste. Fondateur et président du groupe de l'Appel au peuple...., il vota pour l'admission à titre définitif des princes*

d'Orléans dans l'armée... La 2ᵉ circonscription du Mans le renvoya à la chambre, aux élections du 20-II-1876... M. Haentjens reprit sa place à la droite bona-partiste et soutint le ministère du 16 mai contre les 363. Réélu encore en 1882, il fut hostile aux ministères républicains qui occupèrent le pouvoir après l'éphémère tentative de résistance du cabinet de Rochebouët (Robert et Cougny in *Dictionnaire des parlementaires*). L'un des principaux actionnaires du *Monde illustré*, Alfred Haentjens créa par ailleurs, en 1868, le quotidien *La Sarthe* qui devait paraître jusqu'en 1944.

94 Originaire de Hollande, la famille d'Alfred Haentjens s'établit en France dans la 2ᵈᵉ partie du 18ᵉ siècle — elle était alors de confession protestante — avec Mathias (1756-1839), grand-père de celui-ci, envoyé à Nantes comme représentant d'une maison de commerce de Brême (Allemagne).

95 Ernest Adelon et son fils Henri sont cités de la sorte dans le testament du prince Napoléon (Jérôme), en date du 25-XII-1889 : *Je laisse à M. Ernest Adelon père, en témoignage de reconnaissance pour sa grande amitié, deux fusils de chasse, une montre de voyage à deux cadrans avec la chaîne et le cachet et, en outre, tous mes échiquiers, en souvenir de nos parties d'échecs pendant tant d'années. Je laisse à M. Henri Adelon, fils de M. Ernest Adelon, deux fusils de chasse.*

96 Jacques Maury avait, de son côté, épousé précédemment 1) Paris 3ᵉ 16-X-1920 Hélène-Claude Dommergue, 2) Bois-Colombes 15-X-1931 Alice-Louise-Charlotte Knops.

97 En 1967, Anne-Marie Knibiehly est directrice de galerie d'art à Cannes.

98 Jean-Marie Faure était, lui, divorcé de Jacqueline- Madeleine-Marcelle Rachinel.

99 Nous donnons, pour le mari de Jeanne Haentjens et les descendants du ménage, le nom de famille tel qu'il figure dans les actes d'état civil concernant les intéressés, en faisant remarquer, cependant, qu'il n'existe aucun décret ayant autorisé la jonction de Brohy à Filleul, avec ou sans particule.

100 Marie-Louise Besançon est une proche parente des médecins et du journaliste de ce nom. Julien Besançon (1862-1952), docteur en médecine, auteur de divers ouvrages non conformistes, père de Justin Besançon (1901), docteur en méde-cine, professeur de faculté, président de la Croix-rouge française, créateur des Entretiens de Bichat, père à son tour de François Besançon (1927), docteur en médecine, docteur ès sciences, professeur de faculté, était un frère de son père. Un second frère du père de Marie-Louise Besançon eut pour fils un Julien Besançon encore, docteur en médecine lui aussi, lequel fut le père d'autre Julien (1932), journaliste.

101 Nina Naoumoff avait épousé précédemment à Paris 7ᵉ le 29-III-1947 Bruno Halna du Fretay (Brest 3-V-1925 - Corbeil-Essonnes 5-VIII-1950), secrétaire de direction, fils de François, propriétaire, assureur-conseil, conseiller général et sénateur du Finistère, et d'Anne de La Monneraye. Elle s'est remariée en 3ᵉ noces à Casablanca le 14-VIII-1962 à André Bouvier, propriétaire agriculteur.

102 Marc Filleul-Brohy était soldat au 117ᵉ régiment d'infanterie. Son acte de décès a été établi à Saint-Corneille le 11-IV-1917.

103 Jean Filleul de Brohy a eu de Marguerite Pelletier (Tarbes 19-VII-1901), contrôleur principal des P.T.T. (fille d'Ernest, inspecteur général des P.T.T., et de Louise Page) un fils : Gérard Filleul de Brohy (Paris 14ᵉ 7-VIII-1929), agent commercial, puis gérant de société (commerces de prêt-à-porter), allié Toulouse 1-IV-1961 à Nelly Berdah (Paris 12ᵉ 7-VI-1937), secrétaire, puis gérante de société (commerces de prêt-à-porter), fille d'Emile, industriel (pro-duits d'entretien), et de Peirel Feighenson, dont 1) Isabelle (Neuilly-sur-Seine 21-XI-1961), 2) Véronique (Paris 14ᵉ 10-V-1963), 3) Eric (Neuilly-sur-Seine 4-VII-1967).

104 Daniel Haentjens, écrit R. Le Cholleux dans la *Revue biographique des nota-bilités françaises contemporaines* (T. III), *acquit, en peu de temps, une grande*

virtuosité sur le piano. Brillant exécutant et compositeur déjà remarqué, il *composa, dès sa 18ᵉ année, une valse* Jassi, *qui obtint le 1ᵉʳ prix au concours du* Piano-soleil. *Depuis cette époque il a publié :* Roumanie *(valse hongroise),* Prière *pour orgue et harpe (1892),* Communion-offertoire *(1892),* Cœur léger élégie lyrique *(1893), de nombreuses scènes de ballet, etc... Comme exécutant, Daniel Haentjens possède cette remarquable faculté de pouvoir jouer sans partition, plus de 3 000 morceaux de piano.*

105 Veuve, Sophie Pellagot s'est remariée à Jules Petit, juge au tribunal de 1ʳᵉ instance de la Seine.

106 Horace de Viel-Castel, dans ses célèbres *Mémoires,* attribue un fils naturel au maréchal Magnan : *Les petits seigneurs sont ceux qui ont ou qui sollicitent le bouton de chasse,* écrit-il à la date du 2-XII-1852. *Magnan le demande pour un sien fils né d'un commerce adultérin qui a nom baron Lambert, autrement dit le beau Lambert, sous-préfet de Sceaux.* Nous avons consulté le dossier de sous-préfet de l'intéressé aux A.N. (F¹BI 166⁸). Prénommé Léon-Anatole, né à Paris le 7-II-1825, tout d'abord avocat à la cour d'appel de Paris, celui-ci fut successivement sous-préfet de Sisteron (1850), de Cosne (mars 1851) et de Sceaux (nov. 1851). Le maréchal Magnan intervint à différentes reprises en sa faveur, toujours de façon très pressante et particulièrement chaleureuse. Rien cependant ne permet d'affirmer qu'il en ait été le père. L'acte de naissance de Léon-Anatole Lambert le donne comme *fils de Jean-Louis Lambert, notaire à Paris, 35 ans, et de dame Amanda Ancel, 22 ans, son épouse.* Divers documents indiquent que Jean-Louis Lambert fut également maire de Louviers et sous-préfet de Sens. Dans une lettre du 19-XII-1849, Magnan justifie de la sorte l'intérêt qu'il porte au jeune Lambert : celui-ci *est mon filleul. Il est le fils d'un parent à moi.* En juin 1850, la mère, Mᵐᵉ veuve Lambert, écrivant au ministre de l'intérieur, se présente de son côté comme *cousine de M. le lieutenant général Magnan.* Il ne nous a pas été possible de déterminer comment pouvait s'établir la parenté alléguée.

107 Denis-Victor Magnan entra au service comme soldat au 5ᵉ régiment de chasseurs à cheval le 15-III-1813. Il devint maréchal des logis le 26-III, adjudant sous-officier le 23-VII et fut fait prisonnier le 1-XI. Le 1-XI-1815, il est adjudant sous-officier au 1ᵉʳ régiment de cuirassiers de la garde royale et le 5-XI-1816 sous-lieutenant au régiment des hussards de la Moselle. Il démissionne le 13-IV-1817 et, le 10-XI-1821, se voit attribuer une pension de retraite, ses blessures ne lui ayant pas permis de suivre une carrière civile. Il devait cependant reprendre du service à la faveur de l'expédition d'Espagne de 1823. Atteint au cours de celle-ci d'un coup de feu à l'épaule, il fut admis le 20-I-1824 à l'hôpital civil de Montpellier et y décéda quinze jours plus tard, étant alors lieutenant, attaché à l'état-major du 4ᵉ corps comme officier d'ordonnance du maréchal Moncey. Les différentes précisions que nous donnons à son sujet nous ont été fournies par son dossier au S.H.A.T.

108 On trouve cette qualité dans son acte de mariage. Son acte de décès lui donne la profession de bricoleur.

109 Il ne semble pas que l'union de Jeanne Magnan ait été heureuse : l'acte de mariage de son fils Armand indique en effet que le père de celui-ci est *absent sans nouvelles depuis de longues années.*

110 François-Benoît Pourcelet (Bitche 10-III-1793 - Bitche 10-IX-1825) était fils de Marie-Alexandre Pourcelet (Lons-le-saulnier 17-VI-1750 - Bitche 31-III-1806), contrôleur des vivres du département de Bitche, puis garde-magasin des subsistances militaires dans la même ville, et petit-fils de Pierre-Jacques Pourcelet (Courlaoux 30-I-1718 - Lons-le-saulnier 20-I-1783), praticien à Lons-le-saulnier, conseiller de l'hôtel de ville du même lieu, juge châtelain de la seigneurie du Pin. Nous sommes redevables de ces précisions à l'obligeance de M. Maurice Briollet, déjà cité à la note 10.

111 On verra en se reportant à la note 18 qu'Eléonore dite Laure Picquart était une cousine germaine de la maréchale Magnan et également d'Antoine Sautereau, gendre du maréchal.

112 Cette indication s'appuie sur la seule tradition familiale. L'acte de décès de l'intéressée ne figure pas dans les registres de Saint-Germain-en-Laye. Nous n'en avons pas trouvé trace, non plus, dans l'état civil parisien reconstitué. Par ailleurs, en raison sans doute de la modicité de l'actif, il n'y a pas eu, lors du décès de ses parents, de déclaration de succession qui aurait apporté la confirmation de sa mort à cette date.

113 Les quatre enfants d'Armand Croizé et d'Eléonore Pourcelet survivants à cette date furent autorisés par décret du 12-XI-1883 à s'appeler désormais Croizé-Pourcelet. Le nom sera le plus souvent porté sous la forme Croizé de Pourcelet dans les annuaires mondains. On trouve aujourd'hui celle-ci à l'état civil pour quelques représentants de la famille. La requête établie en vue de l'obtention du décret fait état du souhait des grands-parents maternels des postulants de voir le nom de Pourcelet revivre dans la personne de leurs petits-enfants et du désir des intéressés de se distinguer des homonymes (A.N., BB [11] 1684, dossier 1991 X 83).

114 Marie-Jeanne Johnston était de la famille bien connue des négociants en vins protestants de Bordeaux, mais par la main gauche : elle était fille d'Emile Johnston, lui-même fils naturel de Georges (Bordeaux 11-VIII-1773 - Périgueux 16-VI-1811), l'un des enfants de Nathaniel-Weld et d'Anne Stewart.

115 Appartenant au 2e groupe d'aviation, Marcel Croizé-Pourcelet est tombé à l'ouest de Mulhouse. Son acte de décès figure sur les registres de Levallois à la date du 1-IX-1920.

116 Andrée Morineau s'est remariée à Paris 17e le 18-III-1920 à Robert Geffroy (Poissy 26-VIII-1886 - Paris 17e 29-XII-1974), orfèvre, fils d'Adolphe-Désiré, orfèvre, et de Madeleine-Armandine Renoux.

117 Adoptée par le 2d mari de sa mère suivant jug. du t. c. de la Seine du 14-III-1930.

118 A la Société Didot-Bottin.

119 Marie Trottier avait épousé précédemment à Hussein-Dey le 1-VI-1909 Alfred Venot (Moroges 15-VIII-1866 - ✗ Nancy 7-IX-1914), lieutenant-colonel d'infanterie, fils d'Antoine, lieutenant-colonel d'artillerie, propriétaire viticulteur, et d'Anne Berthault.

120 Alain Huber avait épousé précédemment à Roquebrune-Cap-Martin le 28-XI-1947 Gabrielle-Germaine Rondon, mariage dissous par jug. du t. c. de Brazzaville en date du 20-VI-1953.

121 Au Bottin mondain.

122 Chez un éditeur de musique.

123 Philippe Boutet s'est remarié 1) Paris 16e 31-III-1966 à Danièle-Madeleine Patisson, mariage dissous par jug. du t. c. de Paris 3-XII-1971 ; 2) Saint-Remy-de-Provence 10-III-1976 à Arlette-Eugénie Bonnafous.

124 Banque Desfossés.

125 Nous exprimons notre gratitude aux parents du maréchal Magnan qui ont bien voulu nous apporter leur aide en vue de la mise au point de ce chapitre et tout particulièrement à Mme Constantin Papachristopoulos née Nadège Pastré, à M. et Mme Jacques Rouvillois, à Mlle Elisabeth et à M. Jacques Sautereau, à Mme Pierre Brunel née Colette Filleul de Brohy, à M. Gérard Croizé de Pourcelet.

VII

Boniface marquis de Castellane

2-XII-1852

CARRIERE

1788 : naissance à Paris (21-III) [1],
1804 : soldat (2-XII), au 5ᵉ régiment d'infanterie légère (2-XII, jusqu'en 1806),
1805 : caporal (4-I), sergent (10-III),
1806 : sous-lieutenant à la suite du 7ᵉ régiment de dragons (10-II), sous-lieutenant titulaire (21-III), au 24ᵉ régiment de dragons (21-III, jusqu'en 1808),
1808 : lieutenant, aide de camp du général de division Mouton [2] (jusqu'en 1812)
1809 : est à Eckmühl, puis à Wagram
1810 : capitaine (18-II), chevalier de l'empire (l.p. du 11-VII) [3],
1812 : fait la campagne de Russie, aide de camp du général de division comte de Narbonne (9-VIII), est à La Moskova, chef d'escadron (3-X), a la main droite gelée durant la retraite,
1813 : colonel-major [4] au 1ᵉʳ régiment de gardes d'honneur,
1814 : colonel à la suite du 1ᵉʳ régiment de hussards (22-X),
1815 : colonel du 5ᵉ régiment de hussards dit du Bas-Rhin (jusqu'en 1822),
1822 : colonel du régiment des hussards de la garde royale (jusqu'en 1824),
1824 : maréchal de camp (14-I), employé au corps d'armée d'occupation en Espagne (division de Barcelone), commande la brigade de cavalerie de la division de Catalogne (10-III), puis la brigade de cavalerie légère de la division de Cadix (4-XI, jusqu'en 1827),
1827 : commandant de la 2ᵉ subdivision [5] de la 21ᵉ division militaire [6] (12-VIII), disponible (14-XI, jusqu'en 1829),
1829 : inspecteur général de cavalerie pour 1829 dans les 9ᵉ, 10ᵉ, 18ᵉ, 19ᵉ, 21ᵉ divisions militaires (6ᵉ arrondissement),
1830 : chargé d'une inspection générale extraordinaire (8-VIII), disponible (1-XI),
1831 : compris comme disponible dans le cadre d'activité de l'état-major général (22-III), commande le département de la Haute-Saône et une brigade de cavalerie (21-IX), disponible (24-XII),
1832 : commande la 2ᵉ brigade de la 2ᵉ division d'infanterie [7] de l'armée du nord, fait campagne en Belgique, participe au siège d'Anvers,
1833 : lieutenant général (9-I), disponible (1-II), commande la division active des Pyrénées-orientales (8-X, jusqu'en 1837),
1834 : inspecteur général d'infanterie pour 1834 des troupes sous son commandement,
1835 : inspecteur général d'infanterie pour 1835 des troupes sous son commandement (6-VI), commande la 21ᵉ division militaire à Perpignan [8] (20-X, jusqu'en 1837),
1836 : inspecteur général pour 1836 dans les 10ᵉ et 21ᵉ divisions militaires,
1837 : inspecteur général pour 1837 dans les 10ᵉ et 21ᵉ divisions militaires (30-V), pair de France (3-X), mis à la disposition du gouvernement général des possessions françaises dans le nord de l'Afrique (13-XII),
1838 : commande la 21ᵉ division militaire [8] (18-III, jusqu'en 1847) et la division active des Pyrénées-orientales (18-III, jusqu'en 1840), inspecteur général pour 1838 des troupes d'infanterie et de cavalerie sous son commandement (30-V),
1839 : inspecteur général pour 1839 du 13ᵉ arrondissement d'infanterie,
1840 : inspecteur général pour 1840 du 11ᵉ arrondissement d'infanterie,
1841 : inspecteur général pour 1841 du 13ᵉ arrondissement d'infanterie,
1842 : inspecteur général pour 1842 du 11ᵉ arrondissement d'infanterie,
1843 : inspecteur général pour 1843 du 14ᵉ arrondissement d'infanterie,
1844 : inspecteur général pour 1844 du 14ᵉ arrondissement d'infanterie,
1845 : inspecteur général pour 1845 du 14ᵉ arrondissement d'infanterie,
1846 : inspecteur général pour 1846 du 21ᵉ arrondissement d'infanterie,

1847 : inspecteur général pour 1847 du 14ᵉ arrondissement d'infanterie (11-VI), commande la 14ᵉ division militaire à Rouen (9-XI),
1848 : maintient l'ordre à Rouen lors de la révolution des 22, 23 et 24 février, adhère du bout des lèvres à la république (29-II), mis en disponibilité (3-III), admis à faire valoir ses droits à la retraite (17-IV),
1849 : relevé de la retraite (31-VIII),
1850 : commande la 12ᵉ division militaire à Bordeaux et exerce en outre le commandement supérieur des 14ᵉ (Nantes) et 15ᵉ (Rennes) divisions militaires (12-II), commande la 6ᵉ division militaire à Lyon (24-IV, jusqu'en 1858) et assure en même temps le commandement supérieur de la 5ᵉ [9] (24-IV, jusqu'en 1852) [10],
1851 : adhère avec enthousiasme au coup d'état du 2-XII, commande en chef l'armée de Lyon (jusqu'en 1859),
1852 : sénateur (26-I), maréchal de France (2-XII),
1858 : commandant supérieur des divisions du sud-est à Lyon (8ᵉ, 9ᵉ, 10ᵉ, 17ᵉ, 20ᵉ).
1859 : commandant supérieur du 4ᵉ corps d'armée à Lyon (jusqu'en 1862),
1862 : meurt à Lyon (16-IX) d'une affection cardiaque, inhumé à Caluire (Rhône), dans la chapelle Saint-Boniface qu'il avait fait construire à cet effet par les soldats du camp de Sathonay [11].

ECRITS

● *Journal du maréchal de Castellane (1804-1862),* 5 volumes, Paris 1895-1897 [12],

● quelques lettres publiées dans l'ouvrage *Campagnes de Crimée, d'Italie...,* cité à la note 205,

● un certain nombre de discours prononcés à la chambre des pairs.

LE CADRE FAMILIAL

La maison de Castellane bénéficia à neuf reprises des honneurs de la cour. Sa haute antiquité, *la situation considérable qu'occupaient ses premiers auteurs connus, ses vastes possessions, le grand nombre d'hommes éminents qui ont illustré son nom, en font à tous égards une des premières de la noblesse française,* écrit Gustave Chaix d'Est-Ange au tome IX de son *Dictionnaire des familles françaises anciennes ou notables à la fin du XIXᵉ siècle.*

Il est nécessaire, cependant, d'émettre des réserves sérieuses en ce qui concerne le début de la plupart des généalogies publiées à son sujet. Le rattachement à Thibaut comte d'Arles et de Provence n'est qu'une légende, dépourvue de tout fondement [13]. Quant aux premiers degrés de la filiation (Boniface I, Laugier, Boniface II, Boniface III), une étude critique figurant dans le volume 79, dossier 2064, p. 97 et 98, du fonds dit *Cabinet d'Hozier* (Département des manuscrits de la B.N.) [14] indique de façon très précise ce qui peut être tenu pour établi : *Il ne nous reste aucune preuve de Boniface de Castellane Iᵉʳ du nom que le titre rapporté par Bouche (Histoire de Provence) par lequel l'on voit qu'il s'entremit avec le prince de Calian et le comte de Saint-Giles pour terminer l'an 1089 le différend qui était entre l'abbé de Lérins et celui de Saint-Victor de Marseille. Je n'ai aussi d'autre connaissance de l'existence de Laugier de Castellane que celle que m'en donne une charte sans date qui est dans les titres de l'évêché d'Apt, laquelle est souscrite par Leodegarius de Petra Castelana, sous Laugier évêque d'Apt. Pour ce qui concerne Boniface de Castellane IIᵉ du nom qui fit hommage au comte de Provence l'an 1146, nous en avons la preuve aux Archives du roi à Aix au registre Pargamenorum, fol. 48. Il y a aussi une charte à Saint-Victor de Marseille de l'an 1123 où était présent Boniface de Castellane, qui est apparemment le même qui vivait en 1146. A l'égard de Boniface de Castellane IIIᵉ du nom qui fut contraint de faire hommage au comte de Provence l'an 1189, on en a l'acte dans les Archives du roi à Aix et l'on m'en a envoyé un autre... tiré des archives de l'abbaye de Grand Selve en Guienne qui justifie que le comte de Provence était alors en personne au siège devant Castellane. Nous avons donc l'existence de ces 4 degrés, mais nous n'avons aucune preuve littérale de la filiation entre eux, il n'y a que l'ordre de la chronologie et la possession de la terre de Castellane qui nous persuadent que l'un était père de l'autre successivement et la descendance n'est proprement prouvée que depuis Ruffus ou Roux de Castellane qui vivait en 1205 et 1214 et qui fut père d'un Boniface de Castellane, qui fut père de deux enfants dont l'un s'appelait Boniface de Riez et l'autre Boniface de Galbert, desquels j'ai quantité de choses.*

Ces deux Boniface, dont on ne sait pas avec certitude lequel était l'aîné, ont été les auteurs des deux lignes de l'illustre maison provençale, qui ont l'une et l'autre donné un certain nombre de branches. Du côté de Boniface de Riez, on trouve notamment celles de Grimaud et de Mazaugues, toutes deux éteintes, celles de Norante et de Majastres (dont était Ernestine, 2ᵈᵉ épouse de Fouché) toujours représentées. De Boniface de Galbert, sont issues entre autres la branche de Grignan (à laquelle appartenait le gendre de Mᵐᵉ de Sévigné, éteinte avec le fils de ce dernier), celle de Pierrerue, éteinte également, celles enfin d'Esparron et de Novejan, toujours représentées.

Le maréchal de Castellane appartenait à la branche de Novejan [15]. Nous donnons ci-après ses 5 ancêtres immédiats [16], qui furent tour à tour chef de celle-ci :

I - Scipion de CASTELLANE, seigneur de Novejan, de Truina et de Chirac, déclaré noble et issu de noble race et lignée par jugement des commissaires députés par le roi pour la vérification des titres de noblesse rendu le 3-VIII-1668, allié à Marguerite de BEAUVOIR du ROURE, dont

II - Jean-François de CASTELLANE, seigneur de Novejan, de Truina et de Chirac, né le 15-V-1669 [17], décédé à Novejan le 10-II-1757, capitaine de cavalerie au régiment de Grignan [17], allié p.c. du 19-VII-1695 à Suzanne de CHAPUIS, fille d'Esprit-François de CHAPUIS, seigneur de Caritat, auditeur ancien de la rote du palais apostolique de la ville d'Avignon, et de Marie DHEM, dont

III - Michel-Ange dit le comte de CASTELLANE, seigneur de Novejan, né à Novejan le 2-X-1703, décédé à Villandry le 26-IX-1782, brigadier des armées du roi, ambassadeur extraordinaire de sa majesté à la Porte ottomane, gouverneur des ville et château de Niort, allié p.c. Paris 5-X-1729 [18] à Catherine de LA TREILLE de SORBS, décédée à Pézenas le 1-II-1768, fille d'Antoine de LA TREILLE, seigneur de SORBS [19], et d'Anne de SAINT-MARTIN de FONTES, dont

IV - Esprit-François-Henry dit le marquis de CASTELLANE, né à Pont-Saint-Esprit le 13-IX-1730 [20], décédé à Fontainebleau le 13-V-1799, maréchal de camp [21], gouverneur des ville et château de Niort et des îles de Lérins, chevalier d'honneur de Madame Sophie, allié Ménars 18-XI-1750 à Louise-Charlotte-Armande CHARRON de MÉNARS, née à Paris (Saint-Sulpice) le 13-X-1730 [22], décédée à Fontainebleau le 1-IV-1797, dame pour accompagner Madame Victoire, fille de Michel-Jean-Baptiste-Jacques CHARRON marquis de MENARS, brigadier des armées du roi, capitaine des chasses de la capitainerie royale de Blois, gouverneur de la ville de Blois [23], et d'Anne de CASTERAS de LA RIVIÈRE [24], dont

V - Boniface-Louis-André de CASTELLANE, né à Paris (Saint-Sulpice) le 4-VIII-1758, décédé à Paris le 21-II-1837, député de la noblesse aux Etats généraux (bailliage de Châteauneuf-en-Thymerais), maréchal de camp (20-III-1792) [25], préfet des Basses-Pyrénées (1802-1810) [26], baron de l'empire (l.p. du 14-II-1810), comte de l'empire (l.p. 9-III-1810), député des Basses-Pyrénées (VIII-1815), pair de France (17-VIII-1815), lieutenant général (1-V-1816), comte-pair héréditaire (ord. du 31-VIII-1817, l.p. du 29-V-1819), marquis-pair héréditaire (ord. du 6-VI-1829, l.p. du 26-VI-1829) [27], allié 1) p.c. Paris 17 et 18-V-1778 [28] à Adélaïde-Louise-Guyonne de ROHAN-CHABOT, née à Paris (Saint-Roch) le 17-I-1761, décédée à Pau le 22-I-1805 [29], fille de Charles de ROHAN-CHABOT dit le comte de JARNAC, maréchal de camp, et de Guyonne-Hyacinthe de PONS-SAINT-MAURICE, 2) Paris 20-II-1810 à Alexandrine-Charlotte-Sophie de ROHAN-CHABOT, née à Paris (Saint-Paul) le 3-X-1763, décédée à Paris le 8-XII-1839, fils de Louis-Antoine-Auguste de ROHAN-CHABOT, duc de CHABOT [30], puis duc de ROHAN [31], lieutenant général, et d'Elisabeth-Louise de LA ROCHEFOUCAULD [32] [Alexandrine-Charlotte-Sophie de ROHAN-CHABOT avait épousé précédemment à Paris le 28-III-1780 Louis-Alexandre duc de LA ROCHEFOUCAULD et d'ANVILLE (Paris 11-VII-1743 - Gisors 14-IX-1792), membre de l'Académie des sciences, député aux Etats généraux (ville et vicomté de Paris), président de l'administration du département de Paris, fils de Jean-Baptiste de LA ROCHEFOUCAULD duc d'ANVILLE, lieutenant général des armées navales, et de Louise-Nicole de LA ROCHEFOUCAULD [33]].

Un frère (unique) du degré IV, Jean-Armand de CASTELLANE, né à Pont-Saint-Esprit le 11-IX-1733, décédé à Versailles le 9-IX-1792, occupa le siège épiscopal de Mende : décrété d'accusation par l'Assemblée législative le 28-III-1792, comme auteur des troubles de la Lozère (fév.-avril 1792), il fut massacré dans sa prison. Le degré V eut entre autres [34] pour frère et sœurs : Angélique-Charlotte de CASTELLANE, née à Paris (Saint-Sulpice) le 16-XII-1751, alliée p.c. Paris 26 et 29-IV-1772 [35] à Camille dit le comte d'ALBON, prince d'YVETOT [36], né à Lyon (Saint-Martin d'Ainay) le 8-VII-1752, décédé à Saint-Romain-de-Popey le 3-X-1789 [37], mestre de camp de cavalerie, homme de lettres [38], fils de Camille dit le marquis d'ALBON, prince d'YVETOT [39], capitaine de cavalerie, et de Marie-Jacqueline OLLIVIER [40] ; Esprit-Boniface dit le vicomte de CASTELLANE, né à Paris (Saint-Sulpice) le 1-IX-1763, décédé à Marseille le 17-X-1838, chef d'escadrons de cavalerie, allié p.c. Paris 13 et 15-VI-1784 [41] à Gabrielle-Charlotte-Eléonore de SAULX-TAVANNES, née à Paris le 8-III-1764, décédée à Paris le 23-X-1826, dame du palais de la reine, fille de Charles-François-Casimir duc de SAULX-TAVANNES, maréchal de camp, chevalier d'honneur de la reine, et de Marie-Eléonore-Eugénie de LEVIS-CHATEAUMORAND [42] ; Aglaé de CASTELLANE, née à Paris le 26-I-1768, décédée à Fontainebleau le 13-XI-1799, alliée p.c. Paris 30-IV-1787 [43] à Dominique-Hippolyte dit le comte d'OMS, né le 1-III-1756, décédé en mer en 1793 [44], lieutenant-colonel d'infanterie [45], fils de Joseph marquis d'OMS, membre du conseil et du directoire du département des Pyrénées-orientales (1790-1791), et de Marie-Anne de MARGARIT [46].

Né du 1er mariage de son père, le maréchal se trouve seul à représenter sa branche avec ses fils après la disparition de celui-ci et de son oncle Esprit-Boniface dit le vicomte de Castellane [47].

ARMES

De gueules au château d'or, sommé de 3 tours du même, maçonné de sable, la tour du milieu plus élevée que les 2 autres.

L'EPOUSE

Le maréchal de Castellane s'est allié à Paris le 22-VI-1813 [48] à Louise-Cordélia-Eucharis GREFFULHE (Londres 1796 - Paris 8-IV-1847), fille de Louis, négociant en denrées coloniales, puis banquier à Amsterdam, ensuite banquier successivemnet à Paris et à Londres [49], et de Jeanne-Pauline-Louise RANDON de PULLY [50].

Louis GREFFULHE (Genève 1-I-1741 - Paris 8-IV-1810) appartenait à une famille protestante originaire de Sauve (Gard). Celle-ci s'était établie à Genève avec Simon, né vers 1690 [51], mort à Genève le 9-I-1763, père de Louis et fils lui-même de François et de Madeleine Mourgues. Négociant en épicerie à Genève, Simon Greffulhe avait épousé à Cartigny [52] le 17-III-1739, Marguerite POURTALÈS [53], fille de Louis, négociant à Genève [54], lequel était un frère aîné de Jérémie (1701-1784), négociant à Neuchâtel, anobli le 14-II-1750 par Frédéric II roi de Prusse [55], dont descendent les comtes de Pourtalès.

D'une famille anoblie en 1733 par le capitoulat de Toulouse, Jeanne-Pauline-Louise RANDON de PULLY (Lailly-en-Val 12-I-1776 - Paris 21-V-1859) était fille de Charles-Joseph, chef d'escadrons de cavalerie (1788), maréchal de camp (19-IX-1792), général de division (1793), comte de l'empire (l.p. du 12-XI-1809), comte héréditaire (l.p. du 20-I-1815), et de Marie-Anne-Joséphine DESMIER d'ARCHIAC. Elle avait épousé Louis GREFFULHE à Londres le 14-X-1793. Veuve, elle s'allia en 2des noces à Paris le 10-X-1821 à Pierre-Raymond-Hector d'AUBUSSON de LA FEUILLADE (Varetz 11-I-1765 - Paris 7-III-1848), comte de l'empire (l.p. du 31-I-1810), pair de France (2-VI-1815 et 19-XI-1831), ministre plénipotentiaire auprès de la reine d'Etrurie (1806), ambassadeur auprès du roi Joseph à Naples (1807), chambellan de l'impératrice Joséphine [56], fils de Pierre-Arnaud dit le marquis d'AUBUSSON de LA FEUILLADE, écrivain politique, et de Catherine de POUSSEMOTHE de L'ETOILE de GRAVILLE [57].

Louis GREFFULHE avait épousé en 1res noces Judith DUMOULIN († Amsterdam 9-X-1782), fille de Jean-Antoine [58]. De cette 1re union, étaient nés deux fils : 1) Jean-Henri-Louis GREFFULHE (Amsterdam 21-V-1774 - Paris 23-II-1820), anobli par l.p. du 7-I-1818, pair de France (31-I-1818), comte héréditaire (l.p. du 14-II-1818), banquier à Londres, puis propriétaire [59], allié Paris 23-IV-1811 [60] à Marie-Françoise-Célestine de VINTIMILLE du LUC (Paris 26-VI-1787 - Paris 1-III-1862) [61], fille de Charles, colonel-propriétaire du régiment de Vintimille, puis général de brigade au service des Bourbons-Siciles [62], et de Marie-Gabrielle-Artois de LÉVIS [63] ; 2) Jean-Louis GREFFULHE (Amsterdam 7-X-1776 - 5-IV-1867), banquier à Londres, puis propriétaire, s.a.

Unique enfant du 2d mariage de Louis GREFFULHE, Mme de CASTEL-

LANE fut baptisée et élevée dans le culte catholique, confession de sa mère [64].

DESCENDANCE

I - Henri de CASTELLANE (Paris 23-IX-1814 - Saint-Patrice, Indre-et-Loire, 16-X-1847), propriétaire, auditeur au Conseil d'état, conseiller général et député du Cantal [65], allié Paris 9-IV-1839 à Pauline de TALLEYRAND-PÉRIGORD (Paris 29-XII-1820 - Saint-Patrice 12-X-1890), fille d'Edmond de TALLEYRAND-PÉRIGORD, comte de Périgord et de l'empire, duc de Dino, duc de Talleyrand, duc de Sagan, lieutenant général, et de Dorothée BIRON princesse de COURLANDE, duchesse de Sagan [66], dont

A - Marie de CASTELLANE (Paris 19-II-1840 - Kleinitz, Silésie, 1-VIII-1915) [67] alliée Sagan, Silésie, 3-X-1857 à s.a.s. Antoine prince RADZIWILL (Teplice, Bohême, 31-VII-1833 - Berlin 16-XII-1904), ordinat de Nieswiez, de Kleck et de Dawidgrodek [68], général d'artillerie (Prusse), aide de camp général de l'empereur d'Allemagne, fils de Guillaume prince RADZIWILL, ordinat de Nieswiez, général d'infanterie (Prusse), gouverneur militaire de la province de Brandebourg, membre héréditaire de la chambre des seigneurs de Prusse, et de la comtesse Mathilde de CLARY et ALDRINGEN [69] dont

1 - s.a.s. Georges prince RADZIWILL (Berlin 11-I-1860 - Vienne 21-I-1914), ordinat de Nieswiez et de Kleck, allié Paris 16e 3-X-1883 à la comtesse Marie-Rose BRANICKA (Paris 8e 8-X-1863 - Rome 7-VIII-1941) [70], fille du comte Michel-Ladislas, propriétaire [71], et de s.a.s. la princesse Marie SAPIEHA [72], dont

a - s.a.s. la princesse Rose RADZIWILL (Berlin 26-XI-1884 - Pailhe, Belgique, 1-XII-1949), demoiselle d'honneur des impératrices de Russie [73], alliée Rome 27-I-1906 au prince Louis SWIATOPOLK-CZETWERTYNSKI (Milanow, Pologne, 21-I-1877 - camp d'Auschwitz, Allemagne, 3-V-1941), propriétaire, fils de Vladimir prince SWIATOPOLK-CZETWERTYNSKI, propriétaire, veneur de la cour de Russie [74], et de la comtesse Marie URUSKA, dont

— prince Georges SWIATOPOLK-CZETWERTYNSKI (Varsovie 19-II-1907 - Ixelles, Belgique, 19-V-1977), propriétaire et négociant [75], puis cadre supérieur (matériaux de construction) [76], allié Czacz, Pologne, 27-VI-1936 à Rose

ZOLTOWSKA (Czacz 11-X-1909), fille de Jean comte ZOLTOWSKI, propriétaire[77], et de la comtesse Louise OSTROWSKA, dont

● prince Michel SWIATOPOLK-CZETWERTYNSKI (Varsovie 20-XI-1938), secrétaire d'ambassade[78], allié Ixelles 14-X-1971 à Kristina SIGURDSSON (Prague XII 3-V-1948), fille de Magnus, docteur en droit, ambassadeur d'Islande, puis directeur de sociétés (poisson), et de Nadejda RUZICKOVA, dont

●● prince Alexandre SWIATOPOLK-CZETWERTYNSKI (Bruxelles 27-XII-1975),

● princesse Marie SWIATOPOLK-CZETWERTYNSKA (Czacz 22-XI-1939 - Milanow 15-II-1941),

● princesse Anne-Eve SWIATOPOLK-CZETWERTYNSKA (Bruxelles 17-II-1947), ingénieur biologiste, chargée de cours à l'université de Louvain, s.a.a.,

● prince Stanislas SWIATOPOLK-CZETWERTYNSKI (Pailhe 17-XI-1949), contrôleur des travaux (bâtiment), allié 29-IX-1973 à Marjolaine PLUCINSKA (20-IX-1953), fille de Jurand, négociant (import-export), et de Janina STYCZYNSKA, s.p.a.,

● princesse Marie SWIATOPOLK-CZETWERTYNSKA (Bruxelles 3-III-1954), s.a.a.,

— prince Stanislas SWIATOPOLK-CZETWERTYNSKI (Varsovie 7-III-1910), ingénieur agronome, propriétaire[79], allié Varsovie 24-X-1933 à la baronne de BUXHOEVEDEN (Skokow, Pologne, 27-VI-1911), directrice d'un centre de redressement[80], fille du baron Albert ✕, propriétaire, capitaine de cavalerie (Russie), et d'Isabelle DZIALOWSKA, dont

● princesse Isabelle SWIATOPOLK-CZETWERTYNSKA (Varsovie 14-VII-1934), infirmière, alliée Nivelles, Belgique, 27-VI-1958[81] à Philippe du BOIS d'AISCHE (Uccle, Belgique, 12-IX-1930), docteur en droit, agent d'assurances, fils de Raoul, propriétaire, et d'Andrée CALMEYN, dont

●● Christine du BOIS d'AISCHE (Louvain, Belgique, 18-VII-1959), s.a.a.,

•• Véronique du Bois d'Aische (Louvain 19-IX-1960), s.a.a.,

•• Louis du Bois d'Aische (Louvain 5-II-1962),

•• Gilles du Bois d'Aische (Louvain 29-V-1963),

•• Ferdinand du Bois d'Aische (Bruxelles 1-IX-1975),

• prince Louis Swiatopolk-Czetwertynski de Lalieux de La Rocq [82] (Lipiczna, Pologne, 14-IX-1935), inspecteur commercial (distribution d'essence) [83], allié Stockholm 28-XII-1962 à Katarina Klingenstierna (Norrköping, Suède, 10-X-1939), fille de Carl, général de brigade (Suède) [84], et de Marguerite Ziefeld, dont

•• prince Wladimir Swiatopolk-Czetwertynski (Stockholm 6-VII-1963),

•• princesse Eva Swiatopolk-Czetwertynska (Stockholm 23-VII-1965),

• princesse Marie-Rose Swiatopolk-Czetwertynska (Varsovie 9-XI-1937) alliée Montréal, Canada, 27-XI-1966 à Vladimir Boldireff (1940), professeur de gymnastique, fils d'Oleg, prêtre orthodoxe, et de Nathalie Malenkowicz, dont

•• Alexandra Boldireff (Montréal 10-VIII-1967),

•• Georges Boldireff (Montréal 4-IV-1969),

•• Vladimir Boldireff (Montréal 28-XII-1971),

•• Grégory Boldireff (Montréal 28-XI-1973),

• prince Albert Swiatopolk-Czetwertynski (Varsovie 3-II-1940), ingénieur chimiste [85], allié Montréal [86] 11-XI-1967 à Elisabeth Thullié (Le Caire 12-VIII-1941), fille d'André, professeur à l'université de Lwow, puis ingénieur chimiste dans l'industrie [85], et d'Eva Rogaczewska, dont

•• princesse Kinga Swiatopolk-Czetwertynska (Montréal 24-V-1968),

•• princesse Paola-Rose Swiatopolk-Czetwertynska (Montréal 7-I-1971),

•• princesse Anita Swiatopolk-Czetwertynska (Toronto 16-IX-1972),

- prince Séverin SWIATOPOLK-CZETWERTYNSKI (Varsovie 14-XII-1941), négociant (pétrole), allié Montréal 20-XII-1969 à Denise ELIÉ (Montréal 18-X-1949), fille de Lionel, négociant (pétrole), et de Lucile VILLANI, dont

  - •• prince Christophe SWIATOPOLK-CZETWERTYNSKI (Dorval-Montréal 11-II-1971),

  - •• prince Stéphane SWIATOPOLK-CZETWERTYNSKI (Dorval-Montréal 11-XI-1973),

- prince André SWIATOPOLK-CZETWERTYNSKI (Konstancin, Pologne, 13-II-1944 - Montréal 5-IV-1976 [87]), chef de rayon (grand magasin), s.a.,

- prince Jean SWIATOPOLK-CZETWERTYNSKI (Gdynia, Pologne, 7-I-1948), directeur de l'Office de tourisme canadien à New York, allié Rowdon, Canada, 19-VII-1972 à la comtesse Anne TYSZKIEWICZ (Klodzko 16-VIII-1947), fille du comte André [88] et de la comtesse Elisabeth PLATER-ZYBERK [89], dont

  - •• princesse Sophie SWIATOPOLK-CZETWERTYNSKA (Montréal 20-XII-1973),

  - •• princesse Marie-Elisabeth SWIATOPOLK-CZETWERTYNSKA (Montréal 8-III-1975),

- princesse Angèle SWIATOPOLK-CZETWERTYNSKA (Anin, près Varsovie, 30-VIII-1950), assistante sociale, alliée Rowdon 25-II-1978 au comte André-Charles BRZOZOWSKI-BELINA (Agadir 11-VII-1950), fils du comte Adam-Antoine et de la comtesse Marie KASZOWSKA-ILINSKA,

- princesse Dorothée SWIATOPOLK-CZETWERTYNSKA (Anin 13-III-1952) alliée Montréal 23-IV-1973 au comte Christophe-Marie TYSZKIEWICZ (Gdynia 17-IV-1951), frère de la comtesse Anne (voir plus haut), s.p.a.,

— prince André SWIATOPOLK-CZETWERTYNSKI (Zoludek, Pologne, 16-IX-1911 - Skidel, Pologne, 25-IX-1939 [90]), propriétaire, allié Varsovie 30-IV-1939 à Rose DEMBINSKA (Borkowice, Pologne, 25-III-1915 - Skidel 25-IX-1939), fille d'Etienne, propriétaire, et de la princesse Marie SWIATOPOLK-CZETWERTYNSKA [91], s.p.,

— princesse Rose SWIATOPOLK-CZETWERTYNSKA (Zoludek 1-IV-1914) alliée Varsovie 15-X-1935 au comte Jean

PLATER-ZYBERK (Horodziec, Pologne, 2-II-1908 - Lausanne 27-VI-1980), propriétaire[92], fils du comte Victor, propriétaire, et de la comtesse Marie PLATER-ZYBERK[93], dont

● comte Victor PLATER-ZYBERK (Horodziec 27-VI-1936), architecte urbaniste, allié Utelle, Alpes maritimes, 18-X-1969 à Elisabeth THAON d'ARNOLDI[94] (Thonon-les-bains 15-VIII-1942), fille de Michel[95] et d'Anny EREMIA, docteur en médecine, directrice de l'hôpital de Thonon-les-bains, dont

●● comte Charles-Antoine PLATER-ZYBERK (Lausanne 19-IX-1970),

● comte Christophe PLATER-ZYBERK (Zoludek 29-III-1938), ingénieur civil de circulation et des routes du canton de Fribourg (Suisse), allié Lausanne 14-V-1966 à Elisabeth MARKOWSKA (Monterey, Californie, 26-I-1945), fille de Ladislas, propriétaire, officier de cavalerie, et de Patricia SHEWAN[96], dont

●● comtesse Isabelle PLATER-ZYBERK (Montreux 8-X-1967),

●● comte Roman PLATER-ZYBERK (Lausanne 7-VIII-1969),

●● comte Jean-Manuel PLATER-ZYBERK (Lisbonne 26-VI-1971),

● comte Louis PLATER-ZYBERK (Thonon-les-bains 5-X-1942), architecte diplômé (Lausanne), s.a.a.,

● comtesse Christine PLATER-ZYBERK (Lausanne 11-IV-1947), licenciée en biochimie de l'université de Lausanne, s.a.a.,

— princesse Marie SWIATOPOLK-CZETWERTYNSKA (Zakopane, Pologne, 21-III-1920), docteur en médecine[97] alliée 1) Grenoble 3-IX-1942 à Stéphane ZANTARA (Varsovie 20-X-1912), capitaine de l'armée de l'air (Pologne), puis fonctionnaire de la police, mariage déclaré nul par les tribunaux ecclésiastiques (Grenoble 23-II-1950 et Lyon 23-X-1950)[98], 2) Chaville 26-VIII-1949[99] à Stéphane ROSTWOROWSKI (Cracovie 3-V-1907), expert forestier agréé, fils de Charles-Paul, ingénieur électricien, et de Thérèse FUDAKOWSKA, s.p. du 2ᵈ mariage, dont du 1ᵉʳ

- Thérèse ZANTARA (Newbury, Berkshire, Grande-Bretagne, 5-X-1945), comptable, s.a.a.,

- André ZANTARA (Newbury 29-XII-1946), directeur de restaurant, allié Paris 6e 9-IV-1974 à Dominique MAS-MONTEIL (Saint-Ouen, Seine-Saint-Denis, 4-IV-1946), cadre juridique, fille de Henri, docteur en médecine, chirurgien, et de Marthe-Marie CARNAILLE, mariage dissous par jug. du t. c. de Paris le 27-II-1976, s.p.,

b - s.a.s. Albert prince RADZIWILL (Berlin 30-X-1885 - Varsovie 18-XII-1935), ordinat [100] de Nieswiez et de Kleck, allié Londres 5-VII-1910 à Dorothy-Parker DEACON (Paris 7e 12-IV-1891 - Lausanne 17-VIII-1960), fille d'Edward-Parker, industriel (aciéries, aux Etats-Unis), et de Florence BALDWIN [100a], mariage déclaré nul à Rome par les tribunaux civils et ecclésiastiques respectivement les 13-V-1921 et 9-I-1922 [Dorothy-Parker DEACON s'est remariée à Rome le 15-I-1922 au comte François-de-Paule PALFFY d'ERDÖD (Vienne 12-II-1890 - Munich-Harlaching, Allemagne, 11-X-1968), propriétaire, fils du comte Jean, propriétaire, et de la comtesse Elisabeth de SCHLIPPENBACH, mariage dissous par jug. du 15-VI-1928 [101]], dont uniquement

— s.a.s. la princesse Elisabeth RADZIWILL (Londres 21-XI-1917) alliée 1) Varsovie 9-I-1937 à s.a.s. le prince Witold-Thaddée CZARTORYSKI (Pelkinie, Pologne, 8-II-1908 - Saint-Gall, Suisse, 17-V-1945 [102]), propriétaire, fils de s.a.s. le prince Witold, propriétaire, député à la diète de Galicie, membre héréditaire de la chambre des seigneurs d'Autriche, président de la société agricole de Lwow pour la Galicie orientale [103], sénateur de la République de Pologne, et de la comtesse Hedwige DZIEDUS-ZYCKA, 2) Lisbonne 15-II-1947 à Jean TOMASZEWSKI (Brême 27-I-1903), licencié ès lettres, diplômé de l'Ecole des sciences politiques (Paris), ministre plénipotentiaire, capitaine de cavalerie, fils de Boleslas-Georges, ancien élève diplômé du Lycée impérial Alexandre (Saint-Pétersbourg), conseiller d'ambassade, et de Luiza d'ORNELLAS de VASCONCELLOS [104], dont

du 1er mariage

- s.a.s. la princesse Christine CZARTORYSKA (Varsovie 2-II-1938) alliée Montgé, Seine-et-Marne, 26-V-1962 à Jean GROMNICKI (Laskowce, Pologne, 29-IV-1929), ingénieur (bâtiment), fils de Jean, propriétaire, et d'Eve SKALKOWSKA, dont

•• Vitold GROMNICKI (Paris 20ᵉ 27-XI-1962),

•• Ewa GROMNICKA (Paris 10ᵉ 30-IV-1964),

•• Georges GROMNICKI (Paris 14ᵉ 23-II-1968),

• s.a.s. le prince Albert CZARTORYSKI (Vienne 23-XI-1939), chef de produit (bateaux de plaisance), alliée 1) Paris 7ᵉ 4-VII-1962 à la comtesse Patrizia de COL-LALTO (Rome 8-V-1937), fille du comte Orlando, docteur en droit et en sciences sociales et politiques, et de Marcia FABBRICOTTI, mariage dissous par jug. du t. c. de Paris le 14-V-1973, 2) Paris 16ᵉ 22-IV-1979 à Pauline BERTHON (Quimper 2-X-1950), fille de Pierre, ingénieur agricole, propriétaire agriculteur, capitaine de cavalerie, et de Renée HUGOT-DERVILLE, s.p.a. du du 2ᵈ mariage, dont du 1ᵉʳ

•• s.a.s. la princesse Alexandra CZARTORYSKA (Paris 20-X-1963),

•• s.a.s. la princesse Olivia CZARTORYSKA (Paris 15-XI-1967),

du 2ᵉ mariage

• Georges-Charles TOMASZEWSKI (Funchal, Madère, 16-XII-1947), licencié en droit, diplômé de l'Institut des sciences politiques (Paris), directeur de sociétés, s.a.a.,

• Nicolas-Christophe TOMASZEWSKI (Lisbonne 16-XII-1952), s.a.a.,

• Alexandre TOMASZEWSKI (Lisbonne 9-XI-1957 - Lisbonne 12-XI-1957),

c - s.a.s. Charles prince RADZIWILL (Berlin 5-XII-1886 - Varsovie 24-X-1968), ordinat de Dawidgrodek, puis propriétaire aviculteur en Afrique du sud [105], allié Cracovie 9-VI-1910 à s.a.s. la princesse Isabelle RADZIWILL (Balice, Pologne, 30-VIII-1888 - Varsovie 21-II-1968), fille de s.a.s. le prince Dominique, propriétaire, et de doña Maria-de-los-dolores de AGRAMONTE [106], dont uniquement

— s.a.s. la princesse Isabelle RADZIWILL (Nieswiez, Pologne, 4-I-1915) alliée Varsovie 2-VI-1934 à s.a.s. le prince

Edmond RADZIWILL (Berlin 24-IX-1906 - Londres 25-VIII-1971), ordinat [100] d'Olyka, fils de s.a.s. le prince Janusz, ordinat d'Olyka [107], sénateur de la République de Pologne, et de s.a.s. la princesse Anna LUBOMIRSKA [108], dont

• s.a.s. le prince Ferdinand RADZIWILL (Olyka, Pologne, 17-IV-1935), docteur en médecine, chef adjoint au service d'urgence de Varsovie, allié Varsovie 20-I-1962 à Nicole de SCHOUTHEETE de TERVARENT (Anvers 9-IX-1935), fille du chevalier Jean, cadre de banque, lieutenant de réserve (carabiniers cyclistes), et de Ghislaine PLISSART, dont

•• s.a.s. la princesse Maria-Anna RADZIWILL (Varsovie 5-XI-1962),

•• s.a.s. la princesse Isabelle RADZIWILL (Johannesburg 30-IV-1964),

•• s.a.s. la princesse Thérèse RADZIWILL (Varsovie 17-II-1967),

•• s.a.s. le prince Charles-Ferdinand RADZIWILL (Varsovie 29-IX-1969),

• s.a.s. la princesse Christine RADZIWILL (Olyka 12-VI-1937) alliée Varsovie 2-XII-1967 à Jean MILEWSKI (Varsovie 20-XI-1937), docteur en histoire et géographie, assistant à l'université de Varsovie pour les questions touchant aux pays en voie de développement, fils de Thadée, agent commercial, major de l'armée de l'air [109], et de Sophie SZWAJKOWSKA, dont

•• Christine-Maria MILEWSKA (Varsovie 16-IX-1968),

•• Janusz-Antoni MILEWSKI (Varsovie 13-VI-1970),

•• Elisabeth-Pelagia MILEWSKA (Varsovie 11-VII-1975),

d - s.a.s. le prince Léon RADZIWILL (Berlin 22-XII-1888 - Paris 8ᵉ 8-IV-1959), ordinat [100] de Nieswiez et de Kleck, allié Saint-Pétersbourg 16-XII-1911 à la baronne Olga de SIMOLIN-WETTBERG (Saint-Pétersbourg 6-VII-1886 - Monte-Carlo 22-VIII-1948), fille du baron Alexandre et d'Adela LABUNSKA, dont

— s.a.s. le prince Antoine RADZIWILL (Saint-Pétersbourg

8-X-1912 - Londres 6-III-1967), lieutenant de cavalerie, puis barman [110], s.a.,

— s.a.s. Georges prince RADZIWILL (Paris 20-VI-1921), cadre d'assurances [111], allié Rome 10-VI-1952 à Eliane CHALANDON (Paris 7e 1-XII-1919) [112], fille de Ferdinand, archiviste paléographe, historien [113], et de Geneviève HUMANN [114], dont uniquement

• s.a.s. la princesse Diane RADZIWILL (Lausanne 30-V-1953) alliée Rome 1-VI-1974 à Ferdinand CARABBA-TETLAMANTI (Rome 5-I-1944), avocat, fils de Dominique, propriétaire, et de Maria de FONSECA-PIMENTEL, dont

•• Alexis CARABBA-TETLAMANTI (Rome 23-IX-1975),

e - s.a.s. la princesse Thérèse RADZIWILL (Berlin 26-XII-1889 - Varsovie 10-II-1975) alliée Nieswiez 5-X-1911 à s.a.s. le prince Hubert LUBOMIRSKI (Rowno, Volhynie, 3-XI-1875 - Alexandria, près de Rowno, 21-IX-1939 [115]), propriétaire, fils de s.a.s. le prince Stanislas, propriétaire, et de la princesse Wanda LUBOMIRSKA [116], dont

— s.a.s. le prince Jean-Casimir LUBOMIRSKI (Varsovie 29-IV-1913), propriétaire, puis professeur d'histoire (Etatsunis) [117], alliée Varsovie 28-X-1942 à la comtesse Gabrielle PRZEZDZIECKA (Saint-Pétersbourg 14-III-1917), fille de Constantin comte PRZEZDZIECKI, propriétaire, colonel de cavalerie [118], et de s.a.s. la princesse Sophie LUBOMIRSKA [119], s.p.,

— s.a.s. le prince Hubert LUBOMIRSKI (Wolodarka, Ukraine, 10-VII-1914), propriétaire, puis cultivateur [117], allié 1) Varsovie 12-VII-1947 à Anna KRZYZANOWSKA (Varsovie 7-II-1915 - 28-IV-1967), fille de Simon et de Pélagie N., 2) Leczyca, Pologne, 6-IV-1968 à Marguerite KALWA (Nowe Miasto, Pologne, 20-IX-1915), fille de Paul, cultivateur, et de Berthilde RYDEL, s.p. du 1er mariage, dont du 2d

• s.a.s. la princesse Irène-Christine LUBOMIRSKA (Dretyn, Pologne, 15-VII-1953), serveuse de restaurant, alliée Mniszki près Lowicz, Pologne, 9-II-1974 à Casimir ANTCZAK (Swieton près Poddebice, Pologne, 6-II-1949), cultivateur, fils de Jean, cultivateur, et de Marianne PIZERA, dont

•• Anita-Dorothée Antczak (Leczyca, département de Lodz, Pologne, 7-XI-1974),

• s.a.s. le prince Hubert-Richard Lubomirski (Dretyn 3-VIII-1955), manœuvre, s.a.a.,

— s.a.s. le prince Stanislas Lubomirski (Wolodarka 10-VII-1914 - Varsovie 12-XI-1977), propriétaire, puis garde forestier en chef [117], allié Czersk, Pologne, 1-I-1949 à Hélène Krajewska (Czersk 10-V-1925), dont

• s.a.s. le prince Thadée Lubomirski (Buczyna près de Dretyn 2-X-1950), s.a.a.,

• s.a.s. la princesse Thérèse Lubomirska (Dretyn 10-II-1953),

• s.a.s. le prince Christophe Lubomirski (Trzebielino, Pologne, 20-I-1959), s.a.a.,

— s.a.s. la princesse Anne Lubomirska (Wolodarka 6-V-1916 - Varsovie 29-X-1973) alliée Repki, Pologne, 4-XI-1943 à Thadée Doria-Dernalowicz (Repki 29-I-1916 - Cracovie 5-IV-1959), propriétaire, puis artiste décorateur [117], dont uniquement

• Yolande Doria-Dernalowicz (Repki 1-VI-1944), employée à l'ambassade d'Italie à Varsovie, alliée Varsovie 17-VIII-1968 au comte Louis Plater-Zyberk (Varsovie 20-X-1941), employé à l'académie des sciences de Varsovie, fils du comte Louis et d'Isabelle Czarkowska-Golejewska [93], dont

•• comte Louis Plater-Zyberk (Varsovie 30-III-1970),

•• comte Raphaël Plater-Zyberk (Varsovie 5-V-1977),

— s.a.s. le prince Zdzislas Lubomirski (Kiev 30-X-1917), technicien en électricité [120], s.a.a.,

— s.a.s. le prince Henri Lubomirski (Viareggio, Italie, 2-IX-1919), employé [121], allié Londres 18-IX-1946 à Adélaïde Malachowska (1921), fille d'Etienne, général de brigade, et d'Eugénie Haluszczynska, s.p.,

— s.a.s. la princesse Wanda Lubomirska (Nice 13-VI-1923) alliée 1) Cracovie 23-II-1945 à Frank Jackson (Strowsey, Grande-Bretagne, 11-XII-1919), marin [122], fils d'Arthur et de Barbara SHEARER, mariage dissous par jug. de divorce, 2) Londres 23-VIII-1949 au comte Jean KRASINSKI (Krzeszowice, Pologne, 11-VIII-1920), industriel [123], fils du comte François, propriétaire, et d'Isabelle POTOCKA, mariage dissous par jug. de divorce [le comte Jean KRASINSKI s'est remarié à Christine STRZETELSKA, fille de Stanislas et de Jeanne MEKARSKA], 3) Reno, Nevada, 24-XII-1965 à Joseph RUCINSKI (Kiev 13-VIII-1907), directeur de département à la Banque internationale, vice-président de sociétés, fils de Roman, commerçant (tissus), et de Maria N. [124], s.p. des 1er et 3e mariages, dont du 2d

● comte Christophe KRASINSKI (Londres 14-VI-1948) [125]

● comte Dominique KRASINSKI (Londres 12-VIII-1949) [125],

— s.a.s. le prince Héraclius LUBOMIRSKI (Paris 16e 1-XI-1926), diplômé de l'Académie des beaux-arts de Varsovie, artiste peintre, restaurateur d'œuvres d'art [126] allié 1) Milanowek, Pologne, 29-IV-1956 à Anaïde KURULJANC (Odessa . 31-XII-1926), fille de Siméon, prêtre de l'Eglise arméno-catholique, et de Dominique TERZI, mariage dissous par jug. du t. c. de Varsovie en février 1969, 2) Varsovie Praga [127] sud 27-V-1969 à Dorothéa BRZOZOWSKA (Wilno 27-V-1944), fille de Jaroslaw, cinéaste, et de Natalia PONIZOWKIN, mariage dissous par jug. du t. c. de Varsovie le 25-XI-1972 [128], 3) Ligugé 12-V-1973 à Marie-France de CHRISTEN (Nice 30-IX-1926), artiste peintre, restauratrice d'œuvres d'art, directrice de l'école des beaux-arts de Tours, fille de Conrad-Aloys, agent immobilier, et de Geneviève MOYRET [Marie-France de CHRISTEN avait épousé précédemment à Paris 17e le 15-XII-1960 Pierre-Yves SORBETS (Saint-Maur-des-fossés 20-IV-1928), menuisier, fils d'Henri-Georges, architecte, et de Marguerite-Marie GRATIOULET, mariage dissous par jug. du t. c. de Paris le 14-VI-1972], s. p. des 1er et 3e mariages, dont du 2d uniquement

● s.a.s. le prince Héraclius-Georges LUBOMIRSKI (Varsovie Praga sud [127] 14-VI-1969),

f - s.a.s. la princesse Elisabeth RADZIWILL (Nieswiez 6-III-1894) alliée 1) Bialocerkiew, Ukraine, 21-V-1916 au

comte Alfred TYSZKIEWICZ (Wilno 3-X-1882 - Vendœuvres
16-V-1930), ordinat de Birze [129], fils du comte Jean, ordinat
de Birze [130], et de Clémentine POTOCKA [131], 2) Varsovie
5-IX-1933 à Wladimir ZEROMSKI (Semenow, Pologne,
16-II-1877 - Vendœuvres 10-XII-1956), avocat (successivement à Kiew et à Varsovie), fils de Hilary, propriétaire, et de Philomène JAWORSKA [132], dont

du 1ᵉʳ mariage

— comte Jean TYSZKIEWICZ (Kiev, Ukraine, 24-II-1917),
religieux (trappiste) sous le nom de père Marie-Jean,
abbé de Notre-Dame d'Aiguebelle [133],

du 2ᵉ mariage

— Edwige ZEROMSKA (Varsovie 17-XII-1934) alliée Vendœuvres 26-X-1968 à Mathias MORAWSKI (Poznan
20-IX-1929), chef du service polonais à la radio de
l'Europe libre (Paris), fils de Gaétan, ambassadeur de
Pologne [134], et de Marie TURNO, dont

● Nathalie MORAWSKA (Boulogne-Billancourt 19-II-
1970),

2 - s.a.s. la princesse Elisabeth RADZIWILL (Berlin 1-XI-1861 -
Lausanne 11-V-1950), dame du palais (Vienne), alliée Berlin
6-VI-1885 à Roman POTOCKI (Lancut, Pologne, 16-XII-1851 -
Lancut 24-IX-1915) [135], ordinat de Lancut [136], chambellan de
l'empereur d'Autriche, membre héréditaire de la chambre des
seigneurs d'Autriche, fils d'Alfred, ordinat de Lancut, chambellan impérial et royal, membre héréditaire de la chambre
des seigneurs d'Autriche, député à la diète de Galicie, lieutenant impérial pour la Galicie et la Lodomirie, ministre de
l'agriculture et président du conseil des ministres d'Autriche,
et de la princesse Marie SANGUSZKO [Roman POTOCKI avait
épousé précédemment à Varsovie le 21-XI-1882 la comtesse
Isabelle POTOCKA (Brzezany, Galicie, 2-X-1864 - Vienne
21-III-1883) [137], fille du comte Stanislas, propriétaire, intendant de la cour impériale russe, et de s.a.s. la princesse Marie
SAPIEHA-KODENSKA [138]] dont

a - Alfred POTOCKI (Lancut 14-VI-1886 - Genève 30-III-
1958), ordinat de Lancut, membre héréditaire de la
chambre des seigneurs d'Autriche [139], allié Monte-Carlo
24-III-1956 à Isadora JODKO-NARKIEWICZ (Lausanne
16-IV-1910 - New York 19-XII-1972), fille de Sigismond,
propriétaire, et de Stanislawa JORDAN-WALAWSKA [Isadora

JODKO-NARKIEWICZ avait épousé précédemment à New York le 22-IV-1938 Albert SIDNEY (New York 8-I-1878 - New York 6-V-1948), banquier, fils de Maurice et de Fannie WEIL], s. p.,

b - Georges POTOCKI (Vienne 21-I-1889 - Genève 20-IX-1961), propriétaire, ambassadeur de Pologne [140], sénateur, allié Paris 8e 27-VI-1930 à Suzanna ITURREGUI (Lima 8-X-1898), fille de Juan-Manuel, propriétaire [141], et de Suzanna ORBEGOSO, dont uniquement

— Stanislas POTOCKI (Paris 28-IV-1932), propriétaire [141a], s.a.a.,

3 - s.a.s. la princesse Hélène RADZIWILL (Berlin 14-II-1874 - Madrid 12-XII-1958) alliée Berlin 28-IV-1892 à Joseph POTOCKI (Lwow 8-IX-1862 - Montrésor 25-VIII-1922), comte héréditaire (l. p. de l'empereur Alexandre III de Russie en date du 3/15-IX-1890), propriétaire, veneur et chambellan à la cour de Russie, frère de Roman rencontré plus haut, dont

a - Roman comte POTOCKI (Varsovie 3-VI-1893 - Cracovie 5-IX-1971), propriétaire, allié Varsovie 29-I-1929 à la princesse Anne SWIATOPOLK-CZETWERTYNSKA (Suchowolja, Pologne, 6-XII-1902), fille de Séverin prince SWIATOPOLK-CZETWERTYNSKI, propriétaire, député à la douma de l'empire de Russie, puis au parlement polonais, vice-maréchal de la diète polonaise [142], et de Sophie PRZEZDZIECKA [143], dont

— comtesse Marie POTOCKA (Varsovie 22-X-1929) alliée Samoreau 29-VIII-1950 à Stanislas comte REY (Sieciechowice, Pologne, 5-VIII-1923), propriétaire [144], fils du comte Stanislas, propriétaire, et de la comtesse Hedwige BRANICKA [145], dont

• comte Stanislas REY (Tours 5-VII-1951 - Etampes 21-XI-1975 [146]), s.a.,

• comte Constantin REY (Tours 11-III-1953), titulaire d'une maîtrise en droit, stagiaire en notariat, allié Montrésor 2-X-1976 à la comtesse Claire BNINSKA (Vieille-Toulouse 14-VIII-1949), fille du comte Venceslas, propriétaire, puis journaliste à la radio de la Voix de l'Amérique (Washington), et de Julie ZOLTOWSKA [147], dont

•• comte Stanislas REY (Chambray-lès-Tours 26-VI-1979),

• Caroline-Hélène REY (Tours 9-XI-1954) alliée Montrésor 25-VI-1977 au comte Michel GROCHOLSKI (Redhill, Surrey, 23-IV-1949), diplômé de l'Institut européen d'administration des affaires, cadre de banque, fils du comte André, cadre dans l'industrie, capitaine de cavalerie, et de Wanda SLIWCZYNSKA,

• Isabelle REY (Tours 25-VII-1960), s.a.a.,

— Roman comte POTOCKI (Derazne, Pologne, 7-IX-1930), ouvrier qualifié dans l'industrie [148], s.a.a.,

— comtesse Elisabeth POTOCKA (Derazne 30-II-1933) alliée Paris 28-XI-1959 à Georges GROMNICKI (Laskowce 23-IV-1930), ingénieur conseil (chauffage) [149], frère de Jean, rencontré plus haut, dont

• Christine GROMNICKA (Paris 20e 15-V-1961) alliée Tours 15-I-1980 à Gilles DUVIGNEAU (Paris 3-IX-1958), publicitaire, fils de Pierre, industriel, et de Jeanne LATOUR,

• Pierre GROMNICKI (Sarcelles, Val-d'Oise, 15-VIII-1964),

• Joanna GROMNICKA (Villiers-le-bel, Val-d'Oise, 5-II-1969),

— comtesse Hélène POTOCKA (Varsovie 18-V-1934) alliée Gliwice, Silésie, 3-XI-1956 à Wincislas MAUBERG (Varsovie 25-VII-1931), ingénieur chimiste [148], fils de Constantin-Robert, ingénieur électricien, directeur de l'Union des mines (Gliwice), et d'Irène-Marie DABROWSKA, dont

• Anne-Marie MAUBERG (Chorzow, Silésie, 3-VI-1957), s.a.a.,

• Catherine-Irène MAUBERG (Zabrze, Silésie, 4-VII-1958), s.a.a.,

• André MAUBERG (Gliwice 5-IX-1962),

— comte Marc POTOCKI (Derazne 21-VIII-1938), diplômé de l'Institut européen d'administration des affaires, cadre commercial supérieur [150], allié Paris 8e 18-IV-1969 à Signe-Charlotte HERNOD (Madrid 8-VI-1946), fille de Lennart, industriel, et de Sonia JONSSON, dont

● comte Jean-Roman POTOCKI (Lausanne 1-IX-1971),

● comtesse Dorothée POTOCKA (Lausanne 19-VII-1974),

b - comte Joseph POTOCKI (Szepetowka, Pologne, 8-IV-1895 - Lausanne 12-IX-1968), ministre plénipotentiaire [151], allié Varsovie 8-X-1930 à s.a.s. la princesse Christine RADZIWILL (Varsovie 5-XI-1908) [152], sœur du prince Edmond, rencontré plus haut [153], dont

— comtesse Anna POTOCKA (Varsovie 19-VIII-1931), fonctionnaire international, s.a.a.,

— comtesse Dorothée POTOCKA (Varsovie 13-IV-1935) alliée El Paular, Espagne, 2-X-1965 à Luis ARIAS (Cercedilla, province de Madrid, 3-IX-1930 - Belagua, province de Navarre, 23-IV-1970), industriel (création de stations de sport d'hiver), fils d'Eleutério, propriétaire d'hôtel, et de Dominga CARRATON, s.p.,

— comtesse Isabelle POTOCKA (Varsovie 6-VII-1937) alliée Deauville 6-VII-1963 à Hubert d'ORNANO (voir chapitre XVI consacré au maréchal d'Ornano),

— comte Pierre POTOCKI (Lisbonne 13-X-1940), négociant (import-export de métaux non ferreux), allié Séville 27-IV-1969 à Maria-Teresa ROCA de TOGORES (Séville 2-II-1946), fille de Pedro duc de BEJAR, propriétaire agriculteur, et de Concepcion SALINAS, dont

● comtesse Marie POTOCKA (Madrid 7-IV-1970),

● comte Stanislas POTOCKI (Madrid 3-V-1971),

4 - s.a.s. le prince Stanislas RADZIWILL (Berlin 6-II-1880 - ✗ Malin, Ukraine, 28-IV-1920), ordinat [100] de Dawidgrodek, capitaine de cavalerie (Pologne), aide de camp du maréchal Pilsudski, allié Paris 16ᵉ 28-IV-1906 à s.a.s. la princesse Dolorès dite Dolly RADZIWILL (Paris 8ᵉ 26-VI-1886 - Paris 7ᵉ 9-XI-1966) [154], sœur de la princesse Isabelle, rencontrée plus haut [155] [la princesse Dolorès RADZIWILL s'est remariée 1) à Cannes le 5-IV-1921 à s.a.s. le prince Léon RADZIWILL [156] (Ermenonville, Oise, 6-IX-1880 - Monte-Carlo 2-III-1927) [157], propriétaire [158], fils de s.a.s. le prince Constantin, propriétaire, et de Louise BLANC [159], 2) Paris 7ᵉ 27-IX-1932 à Mogens TVEDE (Copenhague 12-XI-1897 - Paris 16ᵉ 14-II-1977), architecte,

fils de Christian-Gotfred, architecte, et de Bodil-Marie
DORPH-PETERSEN], dont uniquement [160]

s.a.s. la princesse Anne-Marie dite Anka RADZIWILL
(Balice près Zabierzow, Galicie, 2-X-1907) alliée Paris 7ᵉ
15-VI-1928 à Gilles de MAILLÉ de LA TOUR-LANDRY duc
de MAILLÉ (Nouzilly 2-IX-1893 - Châteauneuf-sur-Cher
7-VI-1972), administrateur et président de sociétés, président du Nouveau cercle, capitaine d'infanterie, fils d'Ar-
thus duc de MAILLÉ, propriétaire, chef de bataillon d'infanterie, et de Carmen de WENDEL, dont

— Jeanne-Marie de MAILLÉ (Paris 16ᵉ 26-III-1929), directrice de la succursale française d'une maison anglaise
de ventes publiques [161], alliée Châteauneuf-sur-Cher
24-IX-1949 au prince Guy de BROGLIE (Paris 8ᵉ 11-III-
1924), licencié en droit, diplômé de l'Ecole libre des
sciences politiques, président-directeur général et administrateur de sociétés [162], fils du prince Amédée, propriétaire forestier [163], et de Béatrix de FAUCIGNY-
LUCINGE [164], mariage dissous par jug. du t. c. de Paris
le 4-IX-1962 [le prince Guy de BROGLIE s'est remarié
à Sarrazac, Lot, le 13-X-1962 à Claude de DALMAS
(Paris 4ᵉ 21-I-1935), décoratrice spécialisée en encadre-
ments et présentation d'objets d'art [165], fille de Pierre et
de Marie-Claire COLRAT de MONTROZIER [166]], dont

• prince Antoine de BROGLIE (Boulogne-Billancourt
7-III-1951), directeur de société, allié Paris 8ᵉ 15-VI-
1978 à Alyne GENTY (Neuilly-sur-Seine 28-XII-1949),
styliste, fille d'André, directeur commercial, et d'Eve-
lyn HUNTER,

• princesse Laure de BROGLIE (Boulogne-Billancourt
7-II-1952), s.a.a.,

— Jacquelin marquis de MAILLÉ (Paris 16ᵉ 9-VII-1931 -
Châteaubernard, Charente, 21-III-1955 [167]), s.a.,

— Stanislas duc de MAILLÉ (Boulogne-Billancourt 3-IV-
1946), propriétaire agriculteur, allié Lignières, Cher,
23-XI-1971 à Martine COGNET (La Châtre 9-III-1951),
fille de Robert, commerçant, et de Jeannine ELIE, dont

• Geoffroy marquis de MAILLÉ (Châteauneuf-sur-Cher
15-XI-1972),

B - Antoine comte et marquis de CASTELLANE (Paris 12-V-1844 - Paris 7ᵉ 10-XII-1917), propriétaire, homme de lettres [168], député et conseiller général du Cantal, lieutenant-colonel d'infanterie, allié Paris 7ᵉ 3-IV-1866 à Madeleine LE CLERC de JUIGNÉ (Paris 8-V-1847 - Paris 7ᵉ 14-I-1934) [169], fille d'Ernest marquis de JUIGNÉ, propriétaire, député et conseiller général de la Sarthe [170] et de Charlotte de PERCIN-MONTGAILLARD de LA VALETTE, dont

1 - Boniface comte et marquis de CASTELLANE (Paris 7ᵉ 14-II-1867 - Paris 8ᵉ 20-X-1932), homme de lettres, député et conseiller général des Basses-Alpes [171], allié New York 4-III-1895 à Anna GOULD (New York 5-VI-1878 - Neuilly-sur-Seine 30-XI-1961), fille de Jason dit Jay, propriétaire de lignes de chemin de fer et de télégraphe aux Etats-Unis, et d'Hélène-Day MILLER [172], mariage dissous par jug. du t. c. de la Seine le 14-XI-1906 [Anna GOULD s'est remariée à Londres le 7-VII-1908 à Hélie duc de TALLEYRAND, de DINO et de SAGAN (Mello 23-VIII-1859 - Paris 16ᵉ 25-X-1937), propriétaire, fils de Boson duc de TALLEYRAND, de DINO et de SAGAN, propriétaire, lieutenant aux guides de la garde impériale, et de Jeanne SEILLIÈRE [173]], dont

a - Boniface comte et marquis de CASTELLANE (Paris 7ᵉ 18-I-1897 - Paris 16ᵉ 5-II-1946), ministre plénipotentiaire, lieutenant d'artillerie, allié Paris 16ᵉ 6-I-1921 à Yvonne PATENÔTRE (Cape-May, état de New York, 8-VI-1896) [174], fille de Jules, ambassadeur de France, et d'Eléonore-Louise ELVERSON [175], dont

— Raymonde de CASTELLANE (Paris 8ᵉ 2-XI-1921) alliée Paris 16ᵉ 3-X-1952 à Robert BERTIN (Paris 8ᵉ 9-II-1901 - Paris 16ᵉ 23-III-1961), homme de lettres et éditeur [176], fils de Pierre, propriétaire, président de l'Œillet blanc [177], et d'Odette SAGUEZ de BREUVERY, dont

• Philippe BERTIN (Boulogne-Billancourt 1-IX-1957), s.a.a.,

• Constance BERTIN (Boulogne-Billancourt 18-I-1961),

— Pauline de CASTELLANE (Paris 8ᵉ 27-XI-1923) alliée Paris 8ᵉ 9-XII-1949 au comte Charles JEHANNOT de BARTILLAT (Paris 8ᵉ 7-III-1910 - Paris 16ᵉ 30-IX-1977) [178], ministre plénipotentiaire, fils du comte Henry, propriétaire agriculteur, et de Lucie JOLY de BAMMEVILLE, dont

- comte Charles-Henri de BARTILLAT (Boulogne-Billancourt 8-III-1951), avocat international, s.a.a.,

- Caroline de BARTILLAT (Boulogne-Billancourt 21-II-1952) alliée Paris 5e 21-II-1976 à Gilles CADY-ROUSTAND de NAVACELLE (Paris 8e 12-VII-1943), ancien élève de l'Ecole des sciences commerciales d'Angers, master of business administration de l'université de New York, cadre commercial (marketing), fils de Christian, ancien élève de l'Ecole supérieure des sciences économiques et commerciales, président-directeur général de société [179], et de Claude WALDRUCHE de MONTREMY, dont

- • Henri de NAVACELLE (New York 6-IX-1978),

- • Stéphane de NAVACELLE (Paris 13-VII-1980),

- comte François de BARTILLAT (Boulogne-Billancourt 25-X-1955), s.a.a.,

— Elisabeth de CASTELLANE (Paris 8e 9-VII-1928) alliée Paris 16e 30-XI-1948 à Jean comte de CAUMONT LA FORCE (Paris 8e 4-II-1920), propriétaire, fils d'Armand comte de CAUMONT LA FORCE, propriétaire, capitaine d'infanterie [180], et d'Anne-Marie GUIGUES de MORETON de CHABRILLAN [181], dont

- Olivier de CAUMONT LA FORCE (Boulogne-Billancourt 27-IX-1949), s.a.a.,

- Isabelle de CAUMONT LA FORCE (Paris 16e 23-IX-1952) alliée Paris 16e 6-XII-1972 au comte Aymar de VINCENS de CAUSANS (Agen 16-IX-1948), directeur de formations professionnelles, fils du comte Raymond, propriétaire, et de Marie-Monique de DAMPIERRE, dont

- • Louis de CAUSANS (Boulogne-Billancourt 15-IX-1973),

- • Jacques de CAUSANS (Boulogne-Billancourt 19-X-1976),

- • Marie de CAUSANS (Boulogne-Billancourt 20-IV-1979),

- Cordélia de CAUMONT LA FORCE (Boulogne-Billancourt 30-IX-1955) alliée Paris 16e 27-II-1976 à Emmanuel de BODARD de LA JACOPIÈRE (Saint-Germain-en-Laye 22-II-1951), diplômé de l'Institut supérieur de commerce de Paris, organisateur d'expositions, fils de Gaston, diplômé de l'Ecole nationale d'agriculture et de l'Ecole nationale supérieure des arts décoratifs, président-directeur général de sociétés agricoles, et de Chantal de MENGIN-FONDRAGON, dont

•• Nicolas de BODARD de LA JACOPIÈRE (Neuilly 18-VI-1978),

• Laurence de CAUMONT LA FORCE (Boulogne-Billancourt 8-VIII-1961),

• Xavier de CAUMONT LA FORCE (Boulogne-Billancourt 19-XII-1963),

b - Georges de CASTELLANE (Paris 7e 29-XII-1897 - Rio de Janeiro 21-IX-1944), cadre de banque, lieutenant de cavalerie, allié Paris 16e 9-V-1923 à Florinda FERNANDEZ (Buenos Aires 24-VI-1901), fille de Juan-Antonio, propriétaire, et de Rosa-Irène ANCHORENA, dont uniquement

— Diane de CASTELLANE (Paris 16e 19-II-1927) alliée Paris 7e 14-IV-1948 à Philippe de NOAILLES, duc de MOUCHY (Paris 8e 17-IV-1922), propriétaire forestier exploitant, fils de Henri duc de MOUCHY, propriétaire, et de Marie de LA ROCHEFOUCAULD, mariage dissous par jug. du t. c. de Paris le 13-III-1974 [Philippe duc de MOUCHY s'est remarié à Islesboro, Maine, Etats-Unis, le 3-VIII-1978 [182] à Joan-Douglas DILLON (New York 31-I-1935), fille de Clarence-Douglas, président et administrateur de sociétés, ambassadeur des Etats-Unis, secrétaire d'état au trésor, et de Phyllis ELLSWORTH [183]], dont

• Nathalie de NOAILLES (Neuilly-sur-Seine 11-II-1949), s.a.a.,

• Antoine de NOAILLES (Paris 16e 7-IX-1950), s.a.a.,

• Alexis de NOAILLES (Paris 16e 5-IX-1952), s.a.a.,

c - Jason dit Jay comte et marquis de CASTELLANE (Paris 16e 14-IV-1902 - Salernes, Var, 25-VIII-1956), attaché d'ambassade, puis rédacteur à l'administration centrale du ministère des affaires étrangères, lieutenant d'artillerie [184], s.a.

2 - Jean comte et marquis de CASTELLANE (Paris 7ᵉ 25-IV-1868 - Paris 8ᵉ 13-IX-1965), propriétaire, député du Cantal, président du conseil municipal de Paris, vice-président du conseil général de la Seine, capitaine de cavalerie, allié Paris 7ᵉ 1-VI-1898 à Dorothée dite Dolly de TALLEYRAND-PÉRIGORD (Valençay 17-XI- 1862 - Paris 8ᵉ 17-VII-1948), sa tante à la mode de Bretagne qu'on trouvera plus loin [185], s.p.

3 - Jacques de CASTELLANE (Juigné-sur-Sarthe 24-XII-1870 - Tours 10-III-1876),

4 - Stanislas de CASTELLANE (Juigné-sur-Sarthe 15-X-1875 - Paris 7ᵉ 3-VII-1959), propriétaire, administrateur de sociétés, ancien élève de l'Ecole libre des sciences politiques, député du Cantal, vice-président de la chambre des députés, sénateur du Cantal, président du Cercle interallié, lieutenant d'artillerie, allié Paris 7ᵉ 6-VII-1901 à Nathalie TERRY (Cienfuegos, Cuba, 21-XII-1877 - Vaucresson 9-IV-1962), fille de François, propriétaire, et d'Antonia SANCHEZ [186], dont

a - Henry de CASTELLANE (Paris 7ᵉ 22-VIII-1903 - Paris 7ᵉ 19-III-1937), représentant à Paris d'un agent de change américain, allié Paris 7ᵉ 17-VI-1931 à Silvia RODRIGUEZ de RIVAS (Paris 16ᵉ 6-VII-1909), fille de Joachim RODRI-GUEZ de RIVAS comte de CASTILLEJA de GUZMAN, propriétaire [187], et de Ana-Rosa DIAZ ERAZO [188] [Silvia RODRIGUEZ de RIVAS s'est remariée 1) à Paris 7ᵉ 26-XI-1938 à Boson duc de TALLEYRAND, de DINO et de SAGAN (Paris 7ᵉ 20-VII-1867 - Valençay 9-V-1952), administrateur de sociétés, frère d'Hélie rencontré plus haut [189], mariage dissous par jug. du t. c. de la Seine le 1-VII-1943 [190], 2) à Ecueillé 10-III-1945 à Eric de POSCH-PASTOR (Innsbruck 25-VIII-1917), directeur de société (métallurgie), lieutenant d'infanterie, fils d'Eric de POSCH, ingénieur, directeur de département dans l'industrie (électricité), et de Marie PASTOR de CAMPERFELDEN, mariage dissous par jug. du t. c. de la Seine le 7-XII-1955 [191], 3) Paris 16ᵉ 7-XI-1963 à Kilian HENNESSY (Paris 8ᵉ 19-II-1907) [192], négociant en eaux de vie [193], fils de Patrick-Jean, ambassadeur de France, député de la Charente, et de Marguerite-Marie de MUN [194]], dont

— Cordelia de CASTELLANE (Paris 7ᵉ 24-IV-1932), comtesse de CASTILLEJA de GUZMAN (l.p. du 29-IV-1971 [195]), alliée Madrid 10-II-1954 à Xavier SEMPRUN (Madrid 25-I-1923), ingénieur électro-mécanicien, directeur général d'une société d'ingénieurs conseils, fils de Xavier, avocat, et d'Ana de LA QUINTANA [196], dont

• Anna-Rosa SEMPRUN (Madrid 24-XI-1954), journaliste, s.a.a.,

• Laurent SEMPRUN (Madrid 7-IV-1956), s.a.a,

• Antoine SEMPRUN (Madrid 13-VI-1957 - Madrid 17-III-1972),

• Xavier SEMPRUN (Madrid 4-VIII-1958), s.a.a.,

• Santiago SEMPRUN (Madrid 21-IV-1961),

• Louis SEMPRUN (Madrid 14-XII-1963),

• Diego SEMPRUN (Madrid 30-VI-1970),

— Antoine comte et marquis de CASTELLANE (Paris 7e 8-X-1934), commis d'agent de change, puis artiste peintre [197], allié 1) Paris 16e 28-V-1960 à Françoise DUFOUR (Lyon 2e 12-XII-1937), fille de Claude, agent de change, et de Florine DUROUX, mariage dissous par jug. du t. c. de la Seine le 26-VI-1967, 2) Saint-Brice, Charente, 3-I-1976 à Francine LATOUR-TOUYA (Paris 16e 30-VII-1930), fille de Georges LATOUR, président-directeur général de compagnie d'assurances, et de Paulette AUSSET [198] [Francine LATOUR-TOUYA avait épousé précédemment à Saint-Jean-de-Luz le 26-VIII-1952 Patrice RUBINI (Paris 8e 4-XI-1927), agent d'assurances, fils de Hugo-Charles, propriétaire, et de Jeanne-Simonne AUZIAS-TURENNE, mariage dissous par jug. du t. c. de Paris le 19-VI-1975 [199]], s.p. du 2d mariage, dont du 1er uniquement

• Victoria de CASTELLANE (Neuilly-sur-Seine 2-II-1962),

— Henri-Jean de CASTELLANE (Paris 7e 1-V-1937), directeur général de société (cognac), allié 1) Paris 16e 27-VI-1960 à Isabella de ROVASENDA (Lisbonne 20-VI-1936), fille de Jean-Louis, propriétaire, et de Béatrice de RIVERA [200], mariage dissous par jug. du t. c. de Paris le 4-I-1979, 2) Paris 16e 14-III-1979 [201] à Atalanta POLITIS (Neuilly-sur-Seine 8-XI-1946), fille de Jacques, ministre plénipotentiaire (Grèce), et de Katherine MICHALOPOULO-ELIASCO [Atalanta POLITIS avait épousé précédemment en IV-1969 Andréa CARELLA (XI-1939), industriel, fils de *N.*, industriel, mariage dissous par jug. de divorce en XI-1973], s.p.a. du 2ᵈ mariage, dont du 1ᵉʳ

- Béatrice de CASTELLANE (Neuilly-sur-Seine 5-X-1961),

- Silvia de CASTELLANE (Neuilly-sur-Seine 13-VI-1963),

b - François de CASTELLANE (Paris 7ᵉ 31-III-1908), fondé de pouvoir d'agent de change, président-directeur général de société, capitaine de cavalerie, allié à Saint-Quentin 12-X-1939 à Georgette ARNOTT (Gouvieux 25-XII-1900), fille de Georges-Frédéric et de Madeleine-Céline MOREAU, s.p.,

II - Sophie de CASTELLANE (Paris 2-XII-1818 - Paris 8ᵉ 25-XII-1904) alliée 1) Paris 27-VI-1836 à Henri marquis de CONTADES (Angers 6-VI-1814 - Paris 24-II-1858), propriétaire, quelque temps attaché d'ambassade, député du Cantal, fils de Gaspard comte de CONTADES, sous-préfet, sous-lieutenant de cavalerie [202], et d'Henriette d'OMS [203], 2) Paris 12-X-1859 à Victor comte de BEAULAINCOURT de MARLES (Valenciennes 19-IV-1820 - Berlin 14-VIII-1860), ancien élève de l'Ecole polytechnique, capitaine d'artillerie, attaché militaire près l'ambassade de France en Prusse [204], fils de Philippe comte de BEAULAINCOURT de MARLES, propriétaire, capitaine d'état-major, et de Julienne-Joséphine de BENOIST de GENTISSART [205], s.p. de part et d'autre [206],

III - Pauline de CASTELLANE (Paris 6-VII-1823 - Berlin 9-III-1895) alliée 1) Paris 20-VI-1844 au comte Maximilien de HATZFELDT-TRACHENBERG (Berlin 7-VI-1813 - Berlin 19-I-1859), ministre de Prusse à Paris [207], fils [208] de s.a.s. François-Louis prince de HATZFELDT-TRACHENBERG, lieutenant-général (Prusse), gouverneur civil de Berlin (1806), ambassadeur à Vienne, et de la comtesse Frédérique de SCHULENBURG-KEHNERT [209], 2) Paris 8ᵉ 4-IV-1861 à Napoléon-Louis duc de TALLEYRAND, de DINO et de SAGAN (Paris 12-III-1811 - Berlin 21-III-1898), propriétaire, pair de France (1846), conseiller général de l'Indre, frère de Pauline de TALLEYRAND-PÉRIGORD qui se trouve plus haut [Napoléon-Louis duc de TALLEYRAND, de DINO et de SAGAN avait épousé précédemment à Paris le 26-II-1829 Alix de MONTMORENCY (Paris 13-X-1810 - Paris 13-IX-1858), fille d'Anne duc de MONTMORENCY, duc-pair, propriétaire, conseiller général d'Eure-et-Loir, et d'Anne-Louise de GOYON-MATIGNON] [210], dont

du 1ᵉʳ mariage

A - comte François de HATZFELDT-TRACHENBERG (Paris 13-IV-1845 - 2-IV-1884), capitaine de cavalerie (Prusse), s.a.,

B - comtesse Hélène de HATZFELDT-TRACHENBERG (Paris 11-VII-
1847 - Nice 12-II-1931) alliée 1) Sagan 11-VII-1870 au comte
Georges de KANITZ (Podangen, Prusse orientale, 6-IX-1842 -
Berlin 3-I-1922), directeur au ministère de la maison du roi
(Prusse), chambellan à la cour, vice-grand-maître des cérémonies, conseiller privé réel, fils d'Emile comte de KANITZ, directeur général de la Banque de crédit pour la propriété foncière
(Prusse orientale), et de Charlotte de SYDOW, mariage dissous
par jug. du t. c. de Berlin le 23-IV-1883, 2) Trenczin, Hongrie,
28-VIII-1884 à Arthur baron de SCHOLL (Mayence 21-III-
1847 - Nice 20-II-1904), secrétaire de légation (Autriche), fils
de Henri baron de SCHOLL, général de brigade (Autriche),
ministre de la défense d'Autriche, président de la commission
pour la navigation sur le Danube, et de Sophie ESSINGH, s.p.
du 2ᵈ mariage, dont du 1ᵉʳ

1 - comte Frédéric-Charles de KANITZ (Berlin 28-XI-1871 - Berlin 23-IV-1945), lieutenant-colonel de cavalerie (Prusse), s.a.,

2 - comtesse Gisèle de KANITZ (Berlin 13-VIII-1873 - Vevey
8-II-1957) alliée Berlin 20-IX-1892 à Frédéric comte de
POURTALÈS (Oberhofen, Suisse, 24-X-1853 - Bad-Nauheim,
Hesse, 3-V-1928), ambassadeur de l'empire d'Allemagne,
capitaine de cavalerie, fils de Guillaume comte de POURTA-
LÈS, propriétaire, et de la comtesse Charlotte de MALTZAN,
baronne de WARTENBERG et PENZLIN, s.p. [211],

3 - comtesse Véra de KANITZ (Berlin 15-III-1875 - Los Angeles
3-VII-1962) alliée Berlin 1-VIII-1895 au comte et baron
Valentin HENCKEL de DONNERSMARK (Nassenheide, Poméranie, 14-II-1869 - Berlin-Halensee 22-V-1940), capitaine de
cavalerie, chambellan et maréchal de la cour (Prusse), fils de
Léon comte et baron HENCKEL de DONNERSMARK, lieutenant
général (Prusse), et d'Emma-Luisa de PARRY, dont

a - comte et baron Maximilien HENCKEL de DONNERSMARK
(Sagan 2-I-1897), cadre de banque, s.a.a.,

b - comtesse et baronne Veronika dite Vera HENCKEL de
DONNERSMARK (Berlin 8-II-1902 - Los Angeles 6-X-1964)
alliée Berlin 3-XI-1925 à Eric de GOLDSCHMIDT-ROTHS-
CHILD (Francfort-sur-le-Main 14-I-1894), banquier, fils de
Maximilien baron de GOLDSCHMIDT-ROTHSCHILD, ban-
quier, consul général impérial et royal [212], et de la baronne
Minna de ROTHSCHILD [213], dont uniquement

— Patrick de GOLDSCHMIDT-ROTHSCHILD (Berlin 4-VIII-

1928) [214], négociant en pièces détachées d'automobiles, allié Los Angeles 1-VII-1967 à Annika ROMAN (Toursby, Suède, 21-X-1928), fille de Gustave-Samuel, propriétaire, et de Kristina JONSSON, dont

- Eric de GOLDSCHMIDT-ROTHSCHILD (Los Angeles 1-III-1970),

- Kristina de GOLDSCHMIDT-ROTHSCHILD (Los Angeles 29-VII-1973),

4 - comtesse Irma de KANITZ (Berlin 12-V-1877 - Treuchtlingen, Bavière, 6-VII-1968), alliée Berlin 26-II-1907 au comte Frédéric de PAPPENHEIM (Pappenheim, Bavière, 11-XII- 1863 - Munich 26-VIII-1926), chef d'escadrons de cavalerie (Bavière) [215], maréchal de la cour du prince héritier Rupprecht de Bavière, fils du comte Maximilien, général de brigade, grand maréchal de la cour de Bavière, et de la comtesse Louise de SCHLIEFFEN, dont

a - comte Maximilien de PAPPENHEIM (Munich 9-I-1908), propriétaire, allié 1) Postdam 14-IX-1940 à Hildegarde SCHULZ (Diesdorf, Saxe prussienne, 8-I-1911 - Baden-Baden 7-II-1973), fille de Georges, docteur en médecine, et d'Eléonore LESKÜR, 2) Munich 21-IX-1973 à Renate RUNG (Brême 4-X-1930), fille de Frédéric-Charles, négociant, et d'Elfriede de LAMEYER, s.p. du 2^d mariage, dont du 1er

— comtesse Michelle de PAPPENHEIM (Munich 5-I-1942) alliée Blutenburg près Munich 3-IV-1965 à Otto KURZENDORFER (Munich 27-VII-1937), diplômé de sciences politiques, ingénieur, chef de service dans l'industrie (informatique), fils de Louis, docteur en droit, conseiller ministériel, et de Marie GENSHEIMER, dont

- Christophe KURZENDORFER (Munich 8-I-1966),

— comte Stéphane de PAPPENHEIM (Würzbourg, Bavière, 15-III-1944), directeur du bureau de la compagnie aérienne Lufthansa à Chicago, s.a.a.,

b - comte Frédéric de PAPPENHEIM (Munich 21-XII-1908), négociant, s.a.a.,

c - comte Rodolphe de PAPPENHEIM (Munich 25-XII-1910), représentant de la compagnie aérienne Lufthansa à

New York, allié Zurich 5-VIII-1955 à Hélène BODMER
(Zurich 4-VIII-1927), fille de Rodolphe, docteur en droit,
directeur de société, et de Hélène STADLER, dont

— comtesse Isabelle de PAPPENHEIM (Washington 8-XII-
1956), s.a.a.,

— comtesse Alexandra de PAPPENHEIM (Washington 29-
VII-1958), s.a.a.,

— comtesse Stéphanie de PAPPENHEIM (Washington 14-VII-
1960), s.a.a.,

— comte Christian de PAPPENHEIM (Washington 28-VI-
1963),

d - comtesse Iphigénie de PAPPENHEIM (Munich 3-VI-1912),
assistante sociale (Californie), s.a.a.,

C - comte Melchior de HATZFELDT-TRACHENBERG (Paris 8-XII-
1848 - Münster, Westphalie, 1-I-1880), lieutenant de cavalerie
(Prusse), allié Münster 28-VIII-1877 à la baronne Mathilde de
GAUGREBEN (Bruchhausen, Westphalie, 31-III-1838 - Pader-
born, Westphalie, 12-XII-1910), fille de Charles-Frédéric baron de
GAUGREBEN, propriétaire, et de la comtesse Emma de THURN-
VALSASSINA, s.p.,

D - comtesse Marguerite de HATZFELDT-TRACHENBERG (Paris 23-IV-
1850 - Berlin 16-VII-1923) alliée 1) Sagan 27-VI-1872 au baron
Antoine SAURMA de JELTSCH (Adelsdorf, Silésie, 27-III-1836 -
Brauchitschdorf près Lüben, Silésie, 28-IV-1900), ambassadeur
de l'empire d'Allemagne[216], fils d'Alexandre comte SAURMA de
JELTSCH-LORZENDORF, propriétaire, et de la comtesse Louise
de FRANKENBERG et LUDWIGSDORF, mariage dissous par jug. du
22-IV-1884, 2) 1897 à Auguste PREYERS (19-XII-1850 - Berlin
1916), négociant, fils d'Auguste et de Marie BENSE, s.p. du
2ᵈ mariage, dont du 1ᵉʳ

1 - baron Maximilien SAURMA de JELTSCH (Sagan 5-IV-1873 -
Egefing près Munich 31-V-1949), propriétaire, chef d'escadrons de cavalerie, allié Breslau 1-VII-1912 à la comtesse
Anne-Marie STRACHWITZ de GROSS-ZAUCHE et CAMMINETZ
(Oklaū, Silésie, 24-XII-1889 - Tutzing, Bavière, 28-III-1975),
fille du comte Adalbert ✕, capitaine de cavalerie (Prusse)[217],
et de la baronne Marie SAURMA de JELTSCH[218], dont uniquement

baron Antoine SAURMA de JELTSCH (Berlin 23-X-1914),

propriétaire, allié Munich 15-III-1952 à Elisabeth de STUMM (Weissenhaus, Schleswig-Holstein, 29-VII-1918)[219], fille de Guillaume, conseiller privé actuel, et de la comtesse Marie de PLATEN HALLERMUND [Elisabeth de STUMM avait épousé précédemment à Berlin le 18-V-1938 Charles baron MICHEL de TÜSSLING (Tüssling, Bavière, 27-VII-1907), ingénieur sylviculteur, propriétaire, fils d'Alfred baron MICHEL de TÜSSLING, propriétaire, docteur en droit, chambellan du roi de Bavière, chef de bataillon d'infanterie, et de la comtesse Hertha WOLFFSKEEL de REICHENBERG, mariage dissous par jug. du t. c. de Traunstein, Bavière, le 22-XI-1948], s.p.,

2 - baronne Carmen SAURMA de JELTSCH (Sagan 29-XI-1875 - Bad Driburg, Westphalie, 16-X-1952) alliée Breslau 18-IX-1902 au comte Stanislas HOYOS, baron de STICHSENSTEIN (Lauterbach, Silésie, 5-V-1876 - Breslau 17-XII-1922), propriétaire, capitaine de cavalerie (Prusse), fils du comte Stanislas, gentilhomme de la chambre à la cour d'Autriche, et de la baronne Aloisia SEDLNITZKY-ODROWAZ de CHOLTITZ[220], dont

a - comtesse Maria-Rosario HOYOS, baronne de STICHSENSTEIN (Hermsdorf, Silésie, 6-VIII-1903), s.a.a.,

b - comte Constantin HOYOS, baron de STICHSENSTEIN (Breslau 11-I-1907 - Münster 27-VIII-1968), docteur en médecine, spécialiste des maladies internes, allié Hermsdorf près Glogau, Silésie, 25-XI-1943 à la baronne Gabrielle de LANDSBERG-VELEN (Münster 21-XII-1910), fille d'Alfred baron de LANDSBERG-VELEN, propriétaire, chef d'escadrons de cavalerie, et de la baronne Johanna de KETTELER, dont

— comtesse Rosario HOYOS, baronne de STICHSENSTEIN (Drensteinfurt, Westphalie, 4-VI-1947), s.a.a.,

— comtesse Isabelle HOYOS, baronne de STICHSENSTEIN (Drensteinfurt 24-III-1949), s.a.a.,

— comtesse Carmen HOYOS, baronne de STICHSENSTEIN (Drensteinfurt 27-IX-1950), s.a.a.,

c - comtesse Félicie HOYOS, baronne de STICHSENSTEIN (Breslau 30-IV-1913), s.a.a.,

E - comtesse Louise de HATZFELDT-TRACHENBERG (Paris 7-I-1852 - San Remo 3-III-1909) alliée Sagan 7-VIII-1872 à Bernard comte[221] de WELCZECK (Laband, Silésie, 29-I-1844 - Laband

16-I-1917), propriétaire agriculteur, secrétaire de légation (empire d'Allemagne), chef d'escadrons de cavalerie (Prusse), membre à vie de la chambre des seigneurs de Prusse, député à la chambre de la province de Silésie, fils de Johannes-Bernard baron de WELCZECK, propriétaire, président de la chambre des états du canton de Tost Gleiwitz, et de la baronne Marie SAURMA de JELTSCH [222], dont

1 - baronne Rosario de WELCZECK (Laband 5-X-1873 - Bayrischzell, Bavière, 2-VII-1943) alliée Laband 5-X-1892 au comte Clément de SCHÖNBORN-WIESENTHEID (Schloss Halburg 12-VII-1855 - Bayrischzell 1-I-1938), propriétaire, lieutenant-colonel de cavalerie (Bavière) [223], fils de Clément comte de SCHÖNBORN-WIESENTHEID, propriétaire, lieutenant-colonel de cavalerie (Bavière), membre héréditaire de la chambre haute de Bavière, et de la comtesse Irène BATTHYANI de NEMET-UJVAR, dont

a - comtesse Louise-Marie dite Lella de SCHÖNBORN-WIESEN-THEID (Laband 2-IX-1893 - Bayrischzell 3-IX-1932), s.a.,

b - comtesse Irène de SCHÖNBORN-WIESENTHEID (Laband 17-VII-1895 - Amorbach, Bavière, 21-XII-1969), alliée 1) Munich 25-IX-1918 à Philippe comte de BERCKHEIM (Berlin 8-I-1883 - Mannheim 13-XI-1945), propriétaire, docteur en droit, secrétaire de légation, chef d'escadrons de cavalerie, fils de Siegmund comte de BERCKHEIM, propriétaire, chambellan à la cour grand-ducale de Bade, ministre plénipotentiaire, chef de bataillon d'infanterie (Prusse), et de la baronne Adolphine WAMBOLT d'UMSTADT [224], mariage dissous par jug. du t. c. de Munich le 2-III-1938, 2) Bayrischzell 20-XII-1938 à s.a.s. le prince Hermann de LEININGEN (Amorbach 4-I-1901 - Würzbourg 29-III-1971), propriétaire, capitaine de cavalerie, fils de s.a.s. Emich prince de LEININGEN, propriétaire, lieutenant-colonel d'infanterie (Prusse), et de s.a.s. la princesse Feodora de HOHENLOHE-LANGENBOURG, s.p. du 2ᵈ mariage, dont du 1ᵉʳ

— baronne Rosario de BERCKHEIM (Weinheim, Bade, 7-V-1920) alliée Salenstein, Suisse, 20-XII-1960 [225] à Bodo de BRUEMMER (Geistershof, Livonie, 10-XI-1911), docteur en droit, cadre supérieur de banque, fils de Léon, directeur de tribunal régional, et d'Anna de KAHLEN [Bodo de BRUEMMER avait épousé précédemment à Crottorf, Rhénanie, 27-XI-1941 la comtesse

Barbara de HATZFELDT-WILDENBOURG (Berlin 24-I-1916), fille de s.a.s. Hermann prince de HATZFELDT-WILDENBOURG, ministre plénipotentiaire de l'empire allemand, commissaire pour la Rhénanie occupée [226], et de Maria de STUMM [227], mariage dissous par jug. du t. c. de Munich le 12-XI-1957, déclaré nul par les tribunaux ecclésiastiques en mars 1964 [228]], s.p.,

— Constantin comte de BERCKHEIM (Mannheim 20-IX-1924), propriétaire, allié Donaueschingen, Bade, 28-VI-1954 à s.a.s. la princesse Sophie de FURSTENBERG (Tübingen, Wurtemberg, 10-II-1934), fille du prince Maximilien-Egon, propriétaire, docteur honoris causa de la faculté de mathématiques et de sciences naturelles de l'Université de Fribourg-en-Brisgau, et de la comtesse Wilhelmine de SCHÖNBURG-GLAUCHAU, mariage dissous par jug. du t. c. de Munich de 1963, dont uniquement

• baron Constantin de BERCKHEIM (Munich 5-III-1957), s.a.a.,

c - comtesse Marie de SCHÖNBORN-WIESENTHEID (Berlin 8-IX-1896) alliée 1) Weinheim, Bade, 19-III-1918 au baron Christian-Théodore de BERCKHEIM (Weinheim 3-VII-1890 - Pforzheim, Bade, 1-IX-1925), négociant, lieutenant de cavalerie, frère de Philippe comte de BERCKHEIM, rencontré plus haut, mariage dissous par jug. du t. c. de Munich le 7-I-1924, 2) Dresde 4-XII-1924 à s.a.s. Jean-Henri XVII prince de PLESS, comte de HOCHBERG, baron de FÜRSTENSTEIN (Berlin 2-II-1900), propriétaire, docteur ès sciences politiques (Londres), fils de s.a.s. Jean-Henri XV prince de PLESS, comte de HOCHBERG, baron de FÜRSTENSTEIN, propriétaire, secrétaire de légation (empire allemand), colonel de cavalerie (Prusse), et de Marie-Thérèse dite Daisy CORNWALLIS-WEST [229], mariage dissous par jug. du t. c. de Londres le 8-V-1952 [s.a.s. Jean-Henri XVII prince de PLESS s'est remarié à Londres le 23-VII-1958 à Dorothée-Elisabeth MINCHIN (Caterham, Surrey, 2-I-1930), fille de Richard-Edouard, lieutenant-colonel, et de Eve-Elisabeth MAC KERREL-BROWN, mariage dissous par jug. de divorce en 1971], s.p. du 2ᵈ mariage, dont du 1ᵉʳ uniquement

— baron Egenolf de BERCKHEIM (Munich 22-XI-1920), journaliste, allié Birkenau, Hesse, 31-VIII-1957 à la baronne Ursula WAMBOLT d'UMSTADT (Mannheim 26-III-1928)[230], fille de Charles baron WAMBOLT d'UMSTADT, propriétaire, chef d'escadrons de cavalerie, et de de la baronne Ingeborg SILFVERSCHIÖLD, mariage dissous par jug. du t. c. de Düsseldorf le 4-VI-1964, dont uniquement

- baron Philippe-Damian de BERCKHEIM (Düsseldorf 3-VIII-1959), s.a.a.,

d - comte Clément de SCHÖNBORN-WIESENTHEID (Munich 3-IV-1905 - ✗ Sofia 30-VIII-1944), colonel de l'armée de l'air, allié Iszka-Szt. György, Hongrie, 20-IV-1933 à la comtesse Marie-Dorothée de PAPPENHEIM (Iszka-Szt. György 29-V-1908), fille du comte Siegfried-Alexandre, propriétaire[231] et de la comtesse Elisabeth KAROLYI de NAGY-KAROLY, dont

— comtesse Priscilla de SCHÖNBORN-WIESENTHEID (Munich 5-II-1934) alliée Pommersfelden, Bavière, 21-VI-1956 à s.a. ill. le comte François-Joseph de WALDBURG-ZEIL (Coire, Grisons, Suisse, 7-III-1927), propriétaire agriculteur[232], fils de s.a. ill. le comte Georges, propriétaire, chambellan impérial et royal, et de s.a.i. et r. l'archiduchesse Elisabeth d'AUTRICHE[233], dont

- comtesse Caroline de WALDBURG-ZEIL (Hohenems, Autriche, 15-XII-1958), s.a.a.,

- comtesse Elisabeth de WALDBURG-ZEIL (Hohenems 28-I-1960 - Hohenems 30-IV-1966),

- comte François-Clément de WALDBURG-ZEIL (Hohenems 5-III-1962),

- comte Stéphane de WALDBURG-ZEIL (Hohenems 3-VIII-1963),

- comtesse Philippa de WALDBURG-ZEIL (Saint-Gall, Suisse, 1-XII-1968),

- comte Maximilien de WALDBURG-ZEIL (Saint-Gall 14-XI-1976),

— comte Manfred de SCHÖNBORN-WIESENTHEID (Munich 19-V-1935) allié Munich 28-I-1966 à s.a.s. la princesse Margit ESTERHAZY de GALANTHA (Budapest 11-IV-1936), fille de s.a.s. le prince Ladislas, propriétaire, docteur ès sciences politiques, et de la comtesse Marietta ERDÖDY de MONYOROKEREK et MONOSZLO, dont

- comte Nicolas de SCHÖNBORN-WIESENTHEID (Innsbruck 24-IX-1966),

- comtesse Clarissa de SCHÖNBORN-WIESENTHEID (Vienne 24-X-1967),

- comtesse Melinda de SCHÖNBORN-WIESENTHEID (Vienne 20-X-1970),

- comtesse Marie-Christine de SCHÖNBORN-WIESENTHEID (Francfort-sur-le-Main 18-II-1973),

— comtesse Clarissa de SCHÖNBORN-WIESENTHEID (Jüterbog, Brandebourg, 14-X-1936) alliée Pommersfelden 21-VI-1956 à s.a. ill. le comte Aloysius de WALDBURG-ZEIL (Leutkirch, Wurtemberg, 20-IX-1933), propriétaire et éditeur [234], fils de s.a.s. Eric-Auguste prince de WALDBURG de ZEIL et TRAUCHBURG, propriétaire, et de s.a.s. la princesse Monique de LÖWENSTEIN-WERTHEIM-ROSENBERG, dont

- comtesse Monique de WALDBURG-ZEIL (Munich 26-V-1957) alliée Eisenharz, Wurtemberg, 14-III-1978 au comte François-Joseph WOLFF-METTERNICH (Heppingen, Rhénanie, 7-X-1947), fils du comte Paul-Joseph, propriétaire, et de la comtesse Thérèse de STOLBERG-STOLBERG,

- comte Clément de WALDBURG-ZEIL (Munich 13-IV-1960),

- comte Georges de WALDBURG-ZEIL (Munich 24-VIII-1961),

- comtesse Thérèse de WALDBURG-ZEIL (Munich 31-VII-1962),

- comte François-Antoine de WALDBURG-ZEIL (Ravensburg, Wurtemberg, 29-IV-1964),

— comte François-Clément de SCHÖNBORN-WIESENTHEID (Breslau 3-X-1939), directeur de banque, allié 1) Vevey 14-I-1964 à la princesse Tatiana GORTCHAKOV (New York 23-VII-1940), fille du prince Constantin, banquier, et de Marie VYROUBOV, mariage dissous par jug.

du t. c. de Zurich le 21-II-1974, 2) Munich 25-X-1974
à s.a.s. la princesse Félicité REUSS (Frohnleiten-Mau-
ritzen, Autriche, 26-X-1946), fille de s.a.s. le prince
Henri III, docteur en droit, propriétaire [235], et de la
baronne Françoise MAYR de MELNHOF [s.a.s. la prin-
cesse Félicité REUSS avait épousé précédemment à
Rabertshausen, Styrie, le 1-VII-1967, s.a.s. le prince
Christian-Pierre de SAYN-WITTGENSTEIN-BERLEBOURG
(Hambourg 5-II-1940), fils de s.a.s. le prince Casimir-
Johannes, président de société (métallurgie), et de
Ingrid ALSEN, mariage dissous par jug. du t. c. de
Munich le 3-VII-1974], dont

du 1er mariage

● comte Clément de SCHÖNBORN-WIESENTHEID (New
York 29-IX-1964),

● comte Constantin de SCHÖNBORN-WIESENTHEID (Zurich
29-III-1966),

● comtesse Alexandra de SCHÖNBORN-WIESENTHEID
(Zurich 2-IX-1967),

du 2e mariage

● comte Grégoire de SCHÖNBORN-WIESENTHEID (Genève
18-IV-1977),

e - comte François de SCHÖNBORN-WIESENTHEID (Munich
17-X-1916 - 12-VII-1938), lieutenant de l'armée de l'air,
pilote d'essai [236], s.a.,

2 - baronne Olga-Marie de WELCZECK (Laband 9-XI-1875 -
Bayrischzell 5-IV-1928) alliée 1) Laband 23-VI-1897 au
comte Charles STRACHWITZ de GROSS-ZAUCHE et CAMMINETZ
(Maria Halden, Suisse, 25-VI-1867 - Giessen, Hesse, 23-VI-
1916 [237]), propriétaire, fils du comte Arthur, propriétaire, sous-
préfet (Prusse), et de la comtesse Mélanie de HOHENTHAL [238],
mariage dissous par jug. du t. c. de Berlin le 15-I-1908,
2) Berlin 17-IV-1912 à Frédéric baron de ZIEGLER et KLIPP-
HAUSEN (Kassa, Hongrie, 13-X-1879 - Cunewalde, Saxe, 2-II-
1919), propriétaire, chef d'escadrons de cavalerie (Saxe), fils
de Frédéric baron de ZIEGLER et KLIPPHAUSEN, lieutenant
général (Autriche), propriétaire, et d'Alexandrine de MAKAY,
s.p. du 2d mariage, dont du 1er

a - comtesse Olga-Marie dite Maja STRACHWITZ de GROSS-
ZAUCHE et CAMMINETZ (Kaminietz, Silésie, 11-V-1901) [239]

alliée 1) Dresde 11-IV-1921 au baron Ralph de FALKEN-
STEIN (Dresde 19-VI-1896 - Saint-Légier, Suisse, 8-VI-
1959), directeur d'usine, capitaine d'infanterie, fils de Jules
baron de FALKENSTEIN, général de brigade (Saxe), et de
Marie-Louise SCHRAMM, mariage dissous par jug. du t. c.
de Dresde le 7-XII-1931 [le baron Ralph de FALKENSTEIN
s'est remarié 1) à Zurich le 1-I-1932 à Ruth FRANCKE
(Aarau, Argovie, Suisse, 26-XI-1910), fille de Wilhelm,
industriel, et d'Hedwige ZURLINDEN, mariage dissous par
jug. du t. c. de Aarau le 13-X-1942 [240], 2) Zurich 18-II-1948
à Ida FERRARIO di VIGEVANO (Rochester, Grande-Bretagne, 14-VIII-1918), fille de Bruno, négociant, et de
Marina GENAZZINI], 2) Dresde 2-V-1932 à Harry CARL
(Obersteina, Saxe, 19-I-1903 - ✕ près Barville, Orne,
16-VIII-1940), lieutenant-colonel de l'armée de l'air, fils
de Richard, docteur en droit, conseiller privé actuel, et
d'Erna EHRIG, s.p. du 2ᵈ mariage, dont du 1ᵉʳ uniquement

— baron Ralph de FALKENSTEIN (Dresde 3-II-1922), prêtre,
   curé de paroisse, chapelain magistral de l'Ordre souverain de Malte, enseigne de vaisseau de 1ʳᵉ classe,

b - comtesse Marie-Mélanie STRACHWITZ de GROSS-ZAUCHE et
   CAMMINETZ (Dresde 9-I-1905) alliée Frohnau, Silésie,
   21-VI-1927 à Stéphane SCHALSCHA d'EHRENFELD (Frohnau
   2-VIII-1900 - Munich 25-XII-1971), directeur dans l'industrie, fils d'Emmanuel, propriétaire, et de la comtesse
   Thérèse de BALLESTREM, dont uniquement

— Nicolas SCHALSCHA d'EHRENFELD (Berlin 13-XI-1929),
   directeur commercial, allié Brunswick 21-IX-1954 à
   Margot ROSENBAUM (Brême 10-XI-1931), fille de
   Richard-Frédéric, directeur d'usine, et de Sophie
   SCHAAK, dont

   • Markus SCHALSCHA d'EHRENFELD (Brunswick 27-IV-
     1955), s.a.a.,

   • Claudia SCHALSCHA d'EHRENFELD (Brunswick 18-VI-
     1956), s.a.a.,

   • Clément SCHALSCHA d'EHRENFELD (Brunswick 15-VII-
     1958), s.a.a.,

   • Nicole SCHALSCHA d'EHRENFELD (Bergisch Gladbach,
     Rhénanie, 9-VI-1960), s.a.a.,

c - comte Charles-Ernest STRACHWITZ de GROSS-ZAUCHE et
CAMMINETZ (Kaminietz 5-X-1906 - Repzien près Schivel-
bein, Poméranie, 30-IV-1941), négociant, allié 1) Kleinhof
près Kirchhain, Lusace, 4-VI-1929 à Ingeborg GUICHARD
dite de QUINTUS-ICILIUS (Neu-Böternhofen, Holstein,
24-III-1904), fille de Gustave-Adolphe, propriétaire, et
d'Else BIPPART, mariage dissous par jug. du t. c. de Düsseldorf le 21-II-1934, 2) Düsseldorf 24-I-1935 à Anneliese
FAUSTEN (Viersen, Rhénanie, 26-VIII-1904 - Repzien 1-V-
1941), fille de Conrad-Alfred, négociant, et d'Henriette-
Elisabeth SCHOELKENS, s.p. de part et d'autre,

3 - Johannes comte de WELCZECK (Laband 2-IX-1878 - Marbella, Espagne, 16-X-1972), propriétaire agriculteur, ambassadeur d'Allemagne [241], capitaine de cavalerie [242], allié Santiago, Chili, 20-XI-1910 à Luisa BALMACEDA (Santiago 11-XII-
1886 - Marbella 23-XII-1973), fille de Daniel, propriétaire,
député [243], et de Trinidad FONTECILLA, dont

a - Johannes comte de WELCZECK (Santiago 1-X-1911 - Caracas, Venezuela, 4-IV-1969), docteur en droit, ambassadeur de la République fédérale d'Allemagne [244], allié Berlin 28-XII-1940 à Sigrid de LAFFERT (Damaretz, Mecklembourg, 18-I-1916), fille d'Oscar, propriétaire, et d'Erika de
PRESSENTIN, s.p.,

b - baronne Louise de WELCZECK (Dresde 20-VIII-1913) alliée
Wasserleonburg près Nötsch-im-Gailtale, Carinthie, 29-X-
1941 à Clément prince ALDOBRANDINI (Frascati 27-VI-
1891 - Rome 8-III-1967), propriétaire agriculteur, président de société, maire de Frascati [245], fils de Joseph prince
ALDOBRANDINI, propriétaire agriculteur, commandant de
la garde noble pontificale, et de Maria ANTINORI duchesse
de BRINDISI [246], dont

— marquise Livia ALDOBRANDINI (Rome 31-VIII-1942)
alliée Frascati 25-VI-1970 à Giancarlo-Tito PEDICONI
(Rome 20-XI-1937), architecte, fils de Jules, architecte,
et de Julie PALLOTTA della TORRE del PARCO, dont

• Jules PEDICONI (Rome 5-VIII-1971),

• Clément PEDICONI (Rome 28-IX-1974),

— Camille prince ADOBRANDINI (Rome 21-V-1945), docteur en économie et commerce, entrepreneur de
construction, allié Rome 10-VI-1967 à donna Stéphanie
GALLARATI-SCOTTI [247] (Rome 22-VI-1946), fille de Fré-

déric-Antoine, propriétaire, lieutenant de cavalerie, et de Lavania TAVERNA, dont

- marquise Cinzia ALDOBRANDINI (Rome 26-VIII-1968),

- marquise Paola ALDOBRANDINI (Rome 24-XII-1971),

— marquis Jean ALDOBRANDINI (Rome 14-III-1951), docteur en philosophie (université de Rome), diplômé en sociologie (Columbia university, New York), propriétaire agriculteur, s.a.a.,

c - baron Nicolas de WELCZECK (Laband 3-VI-1916 - Laband 10-I-1937), lieutenant de cavalerie, s.a.,

d - baronne Inès de WELCZECK (Berlin 23-IV-1919), s.a.a.,

F - comte Boniface de HATZFELDT-TRACHENBERG (Paris 27-IV-1854 - Boniburg près Münster 31-X-1921), propriétaire, chambellan à la cour de Prusse, allié 1) Gantchesty, Bessarabie, 23-VII-1878 à Olga MANOUKBEY (Chishinau, Moldavie, 6-VII-1854 - Meran, Autriche, 25-XII-1920), fille de Jean-Murad, propriétaire [248], et d'Hélène DELIANOV, 2) Berlin 22-VII-1921 à Aline JANSSENS, née Turnhout, Belgique, 15-VII-1875, fille de Pierre-François, sous-lieutenant adjudant de place de 3e classe, et de Marie-Joséphine LAUWERS [249], s.p. de part et d'autre,

du 2e mariage

G - Dorothée dite Dolly de TALLEYRAND-PÉRIGORD (Valençay 17-XI-1862 - Paris 8e 17-VII-1948) alliée 1) Sagan 6-VII-1881 à s.a.s. Charles-Egon prince de FURSTENBERG (Kruschchowitz, Bohême, 25-VIII-1859 - Nice 27-XI-1896), chef d'escadrons de cavalerie (Prusse), fils de s.a.s. Charles-Egon prince de FURSTENBERG, général de cavalerie (Prusse), aide de camp général du grand-duc de Bade, membre héréditaire de la chambre des seigneurs de Prusse et de Wurtemberg et de la 1re chambre du grand-duché de Bade, et de s.a.s. la princesse Elisabeth REUSS, 2) Paris 7e 2-VI-1898 à Jean comte et marquis de CASTELLANE (Paris 7e 25-IV-1868 - Paris 8e 13-IX-1965), son neveu à la mode de Bretagne qu'on a rencontré plus haut, s.p. de part et d'autre,

IV - Pierre de CASTELLANE (Paris 25-X-1824 - Paris 1er 16-IV-1883), capitaine de cavalerie, puis consul général de France [250], allié Paris 2-VI-1857 à Hedwige SAPIA (Paris 29-IV-1833 - Paris 8e 25-X-1870) [251], fille de Michel, secrétaire général de préfecture [252], et d'Angélique CLAVERIE [253].

FRERES ET SŒURS

Les généalogistes ne donnent généralement ni frères ni sœurs au maréchal de Castellane. Celui-ci eut cependant un frère ou une sœur, né à Paris au début de 1793 et mort 3 jours plus tard : nous nous appuyons à ce propos sur l'écrit de la mère du maréchal cité à la note 29 [254]. Les actes de naissance et de décès de cet enfant ne se trouvent pas dans l'état-civil reconstitué de Paris [255].

NOTES

1 Baptisé le 22 en la paroisse de la Madeleine la ville l'évêque.

2 Comte de Lobau en 1810, maréchal de France en 1831.

3 En fait, le maréchal de Castellane ne porta jamais que le titre de comte. Celui-ci ne fut tout d'abord que de courtoisie et même doublement. Le futur maréchal l'avait adopté en sa qualité de fils de marquis. Or, la dégression des titres, pratiquée dès l'ancien régime à l'imitation de l'Angleterre, n'avait en France aucun fondement juridique et, par ailleurs, le père, en l'occurrence, n'était lui-même que marquis de courtoisie ! Le titre devint régulier en 1829, lorsque le père du futur maréchal fut créé marquis-pair : l'article 12 de l'ordonnance du 25-VIII-1817 autorisait la dégression des titres de pairie. On retomba dans la *courtoisie* fin 1831, avec la disparition de la pairie héréditaire. Que le père du futur maréchal ait été fait comte et même deux fois avant d'être créé marquis (voir rubrique *Le cadre familial*) ne change rien à l'affaire. Le père était deux fois comte et marquis et, tant qu'il vivait, le fils n'était rien d'autre que le chevalier de Castellane. Il eût fallu, pour qu'il en soit autrement, une autorisation expresse du pouvoir souverain. Le titre redevint régulier en 1837, à la mort du père. A la vérité, le futur maréchal était désormais à la fois comte et marquis de Castellane. Il continua, cependant, à porter le seul titre de comte, laissant celui de marquis à son fils aîné Henri. Il s'en explique de la sorte dans son *Journal*, à la date du 8-IV-1839 : *Mme de Castellane ayant désiré ne pas changer de titre à la mort de mon père, suivant l'usage d'autrefois (lorsque, dans une famille, on possédait les deux titres de marquis et de comte, les aînés le portaient alternativement), Henri prend le titre de marquis de Castellane.* Faute, ici encore, d'un acte du pouvoir souverain à ce propos, ce n'était là qu'une convention familiale et mondaine, sans valeur réelle : en droit, Henri de Castellane, qui mourut avant son père, ne fut jamais autre chose que M. de Castellane.

4 C'est-à-dire lieutenant-colonel (terme utilisé de 1803 à 1814).

5 Nièvre.

6 Nièvre et Allier.

7 D'après les états de services du maréchal au S.H.A.T., alors que, dans son *Journal*, on trouve : 1re brigade de la 3e division.

8 Pyrénées-orientales, Aude et Ariège.

9 Besançon.

10 Le 26-XII-1851, les 5e et 6e divisions devinrent respectivement les 7e et 8e.

11 Cette chapelle a été restaurée il y a peu par les services du génie militaire qui ont la charge de son entretien.

12 Publié par sa fille Sophie, comtesse de Contades, puis de Beaulaincourt de Marles (voir rubrique *Descendance* et note 205), avec une introduction de celle-ci.

13 Il faut évidemment réserver le même sort à la prétention de descendre d'un *prince cadet de Castille,* dont le maréchal se fait l'écho à la 1re page de son *Journal.*

14 Il s'agit de la minute d'une lettre non datée, adressée par l'un des d'Hozier ou l'un de leurs collaborateurs — il n'y a pas de signature — à un représentant de la famille de Castellane.

15 Novejan (on écrivait également Novejean, Novesan, Noveizan ou Novezan), paroisse du diocèse de Vaison en Dauphiné avant 1789, se trouve aujourd'hui sur le territoire de la petite commune de Venterol, dans la Drôme.

16 Pour les quatre premiers degrés, l'essentiel des renseignements indiqués nous a été fourni par les preuves (admises le 14-IV-1778) faites devant Antoine-Marie d'Hozier de Sérigny par Esprit-Boniface de Castellane (frère du degré V) *pour être reçu dans la compagnie des cadets gentilshommes créée et établie par s. m. dans l'hôtel de l'Ecole royale militaire* (Nouveau d'Hozier, volume 84, B.N.). Sauf indication contraire en note, le reste a été tiré des dossiers que possède le S.H.A.T. sur les degrés III et IV et des registres d'état civil des communes concernées. Pour le degré V, nous avons utilisé son dossier au S.H.A.T., son dossier de préfet (A.N., F1BI 15710), l'état civil et diverses sources imprimées, nombreuses en ce qui concerne cette période.

17 D'après les sources imprimées.

18 Nouveau d'Hozier 84 indique que ce contrat a été reçu par Gaultier, sans préciser le lieu. Une étude de ce nom existait à Paris à l'époque concernée. Nous n'avons pu retrouver le contrat : l'année 1729 manque dans le dépôt fait au M.C. des A.N.

19 Cousin germain du cardinal de Fleury : la mère de ce dernier, née Diane de La Treille de Sorbs, était la sœur de son père.

20 Paroisse Saint-Saturnin.

21 Son dossier au S.H.A.T. nous apprend qu'un coup de feu lui fracassa la mâchoire à la bataille de Minden, blessure qui lui laissa de grandes incommodités pour le reste de sa vie.

22 L'acte ne figure pas dans l'état civil reconstitué de Paris, mais il en existe une copie au M.C. des A.N. (LXVII 653).

23 Neveu de Marie Charron alliée en 1648 à Colbert.

24 Héritiers de la terre de Ménars, Esprit-François-Henry de Castellane et sa femme la vendirent le 30-VII-1760 (chez Alleaume, notaire à Paris) à Mme de Pompadour qui, à sa mort, la légua à son frère le marquis de Marigny : ce dernier, qui devait s'y retirer, fut autorisé par le roi à en prendre le nom à la place de celui qu'il avait porté jusque-là.

25 *Il siégea parmi les libéraux, fut des premiers de son ordre à se réunir au tiers état, vota la liberté des cultes et la déclaration des droits, réclama l'abolition des prisons d'état et la suppression des détentions arbitraires,* indique le *Dictionnaire des parlementaires* de Robert et Cougny. *Secrétaire de l'assemblée (fév. 1790), il s'éleva contre les mesures de rigueur votées contre les émigrés, rentra à son corps après la session... Il protesta contre le 10-VIII-1792, en donnant sa démission, fut incarcéré peu après comme suspect et ne recouvra*

sa liberté qu'à la chute de Robespierre. Retiré à la campagne, il ne reparut que sous le gouvernement consulaire.

26 Boniface-Louis-André de Castellane eut un rôle assez en vue, en sa qualité de préfet des Basses-Pyrénées, au printemps de 1808, lors de l'*entrevue de Bayonne,* au cours de laquelle les souverains espagnols abdiquèrent en faveur de Napoléon.

27 Un volume a été consacré à B.-L.-A. de Castellane par sa petite-fille, Sophie de Castellane (Mme de Contades, puis de Beaulaincourt), sous le titre : *Boniface-Louis-André de Castellane. 1758-1837,* Paris 1901, 378 p. (voir note 205).

28 M.C., A.N., LXXXIX 726.

29 *Ma mère,* écrit le maréchal dans son *Journal* (T. I 1805) *était une femme de beaucoup d'esprit, d'un caractère difficile ; je la regrettai, mais je l'aimais moins que mon père, facile à vivre et d'un esprit vif et étendu.* C'est bien ainsi qu'elle apparaît, intelligente, très ouverte, notamment en matière de religion, mais assez sévère, dans les notes que, de santé fragile et craignant une mort précoce, elle rédigea autour de 1792-1794 en vue de l'éducation de son fils : celles-ci ont été publiées en 1877, à 50 exemplaires, sous le titre *L'éducation du maréchal de Castellane, notes écrites par sa mère* (Pau, 119 p.), par la Société des bibliophiles du Béarn.

30 Par brevet de 1782.

31 En 1791, à la mort de son cousin germain, Louis de Rohan.

32 Celle-ci était la cousine germaine de la précédente, les pères étant frères. *Je trouvai en elle une seconde mère. Ma mère, en mourant, avait recommandé à mon père de la prendre pour femme,* indique le maréchal dans son *Journal* (T. I, 20-X-1810).

33 Louis-Alexandre duc de La Rochefoucauld et d'Anville eut une mort tragique: ayant attiré sur lui la colère populaire pour avoir tenté d'endiguer le flot révolutionnaire, auquel il avait tout d'abord ouvert les vannes, il fut arrêté par la foule à Gisors, alors qu'il se rendait avec sa mère et sa femme aux eaux de Forges, et massacré à coups de pierres sous les yeux de celles-ci. Frère d'Elisabeth-Louise de La Rochefoucauld, qu'on a rencontrée un peu plus haut, il était le propre oncle de sa femme. Il avait succédé au duché de La Rochefoucauld à la mort sans postérité mâle, en 1762, d'Alexandre dernier duc de la branche de l'auteur des *Maximes* : sa mère était la fille de cet Alexandre. Il s'était marié une première fois, le 13-XII-1762, avec Louise-Pauline de Gand (17-IV-1747 - 9-IX-1771), fille d'Alexandre-Maximilien-Dominique, maréchal de camp (frère cadet de Louis de Gand, prince d'Isenghien et de Masmines, maréchal de France), et de Pauline de La Rochefoucauld (cousine germaine du père de Louis-Alexandre).

34 Outre ceux-ci, Esprit-François-Henry de Castellane eut de Mlle de Ménars un certain nombre d'enfants morts en bas âge ou relativement jeunes et s.a.

35 M.C., A.N., I 547.

36 On pourra consulter sur cette petite principauté dont la situation à l'égard du pouvoir royal fut, jusqu'en 1789, analogue à celle que connaît aujourd'hui l'île de Sercq vis-à-vis de la couronne britannique : L.A. Beaucousin *Histoire de la principauté d'Yvetot* (Rouen 1884). Le mari d'Angélique-Charlotte de Castellane en fut le dernier prince.

37 Au château d'Avauges, toujours propriété de la famille d'Albon (l'acte figure dans les registres de Saint-Forgeux, où les d'Albon avaient leur sépulture, à la date du 5-X, A.D. du Rhône 4E 4262, f° 247).

38 Type du grand seigneur éclairé, membre de la plupart des académies d'Europe, Camille dit le comte d'Albon publia des ouvrages touchant à l'histoire, à la politique, à l'économie.

39 Camille dit le marquis d'Albon avait pour demi-sœur Julie de Lespinasse (1732-1776), que sa mère avait eue d'une liaison avec Gaspard marquis de Vichy (1699-1781). Ce dernier était le frère de la célèbre marquise du Deffand (1697-1780), dont Julie devait être longtemps la demoiselle de compagnie, avant d'ouvrir un salon rival.

40 Un arrêt du parlement de Paris prononça la réparation du ménage en date du 5-III-1787 (A.P., DC⁶ 30, f° 188).

41 M.C., A.N., XCII 863.

42 *C'était un homme d'un grand courage et de beaucoup d'esprit ; sa vie a été très agitée*, note le maréchal dans son *Journal*, à l'occasion de la mort de cet oncle (T. III, 19-X-1838). *Il débuta au service dans le régiment du roi-infanterie. Son père, qui était avare, ne lui donnait pas le nécessaire ; il devint joueur ; on lui fit épouser M*ᶫᶫᵉ *de Saulx-Tavannes, riche mariage pour un cadet ; mais elle était horriblement laide, ce qui contribua à augmenter son goût du jeu. Il mangea toute sa fortune. Il avait quitté Paris dans sa vieillesse, pour se retirer à Marseille. Sa fuite de la prison du Luxembourg, en 1793, est une aventure incroyable. Il gagna la Suisse, revint en France, puis prit parti à Paris avec les sections, en vendémiaire (oct. 1795), et fut condamné à mort par contumace le 27-X-1795... Le 4-VIII-1796, il purgea sa contumace et le jury l'acquitta à l'unanimité. Le vicomte de Castellane rentra au service en 1813, en qualité de chef d'escadrons de gardes d'honneur, et fit la campagne. Depuis la Restauration, il était resté en non-activité. Sa gaieté était remarquable ; elle ne l'abandonna jamais, même dans les circonstances les plus malheureuses de sa vie. Il était toujours, dans le monde d'une amabilité parfaite.* Le maréchal ajoute qu'Esprit-Boniface de Castellane n'eut pas de postérité, au moins légitime. C'est lui qui fit ses preuves en 1778 devant d'Hozier de Sérigny (voir note 16). Une sentence du Châtelet de Paris avait, dès le 7-IV-1786, prononcé la séparation entre Esprit-Boniface de Castellane et son épouse (A.P., DC⁶ 30, f°ˢ 48 et 49).

43 M.C., A.N., I 611.

44 En se rendant de Douvres à Rotterdam.

45 Lieutenant aux gardes françaises, ce qui lui donnait le rang de lieutenant-colonel.

46 L'essentiel des éléments de ce paragraphe nous a été fourni par l'état civil des communes concernées, les dossiers de certains des personnages au S.H.A.T. et par le M.C. des A.N. (références indiquées en note). Nous avons emprunté quelques compléments à diverses sources imprimées.

47 Nous remercions le contre-amiral de Navacelle d'avoir bien voulu nous faire bénéficier, en vue de cette rubrique, de recherches qu'il avait effectuées.

48 Le mariage religieux fut célébré en l'église de La Madeleine.

49 On pourra consulter sur les activités commerciales et bancaires de Louis Greffuhle : Guy Antonetti *Une maison de banque à Paris au 18ᵉ siècle. Greffulhe Montz et Cⁱᵉ (1789-1793)*, Paris 1963.

50 Mᵐᵉ de Castellane *passait pour avoir eu en se mariant un million et demi*, écrit Charles de Rémusat dans *Mémoires de ma vie* (T. II, Paris 1959), *et, en 1814, cette dot alors immense était un grand objet d'envie...* Peu après son mariage, *elle fut victime d'un accident horrible* (le *Journal* du maréchal permet de préciser que celui-ci eut lieu le 8-VI-1815 au château d'Acosta, propriété de la famille de Castellane située à Aubergenville, près de Meulan). *Le feu*

prit à sa robe et elle eut au bras, au dos et à la taille de profondes brûlures dont la guérison dura plus d'une année... Quand elle reparut dans le monde, elle avait perdu de sa beauté ; on apercevait quelques traces affligeantes de ses maux, sa taille et sa démarche n'avaient plus la même élégance, ses traits avaient grossi, mais elle avait encore un beau teint, des yeux bleus charmants, de jolis cheveux, une physionomie calme, sérieuse, intelligente, pleine de pensée, qui annonçait même plus qu'elle ne tenait... Le tragique accident de 1815 avait, à coup sûr, laissé à Mme de Castellane bien des charmes encore. Aux dires des mémorialistes contemporains, elle eut en effet une vie sentimentale passablement remplie. Elle fut assez longtemps la maîtresse du comte Molé, liaison coupée durant quelques mois d'une aventure avec Chateaubriand : s'appuyant sur des lettres, le duc de Castries, dans son livre *Chateaubriand ou la puissance du songe* (Paris 1976), situe cette dernière à l'époque du ministère de l'auteur des *Mémoires d'outre-tombe*, soit entre août 1823 et juin 1824. On cite également Louis-Nicolas-Philippe-Auguste de Forbin, Horace Vernet... Mme de Castellane tint durant des années un salon qui était l'un des plus réputés de Paris : *Pas un étranger de distinction n'arrivait ici sans s'y faire présenter*, note le maréchal dans son Journal, le 10-IV-1847, à l'occasion du décès de sa femme. *Le corps diplomatique y passait sa vie ; les gens distingués par leur position ou par leur mérite y affluaient. Mme de Castellane avait le talent de mettre chacun en valeur : il n'y avait pas d'homme médiocre, sortant de son salon, qui ne fût content de ce qu'il avait dit. La conversation générale n'était pas politique ; elle était plutôt littéraire et anecdotique : aussi, les gens distingués de toutes les opinions s'y rencontraient.*

51 Son acte de naissance n'a pu être retrouvé à Sauve : les registres du lieu pour cette époque, tant protestants que catholiques, présentent de nombreuses lacunes.

52 Canton de Genève (le mariage eut lieu à Onex qui dépendait de la paroisse de Cartigny).

53 Elle s'allia en 2des noces à Morat, canton de Fribourg, en octobre 1764 à François-Louis Trembley (1724-1777), négociant à La Rochelle, puis consignateur à la Porte de Rive, à Genève.

54 Et de Catherine Mazet.

55 En sa qualité de prince de Neuchâtel.

56 Celui-ci fut le dernier mâle de sa maison. Il appartenait à la branche de Villac. L'ancêtre commun à celle-ci et à la branche de La Feuillade qui donna deux maréchaux et obtint le titre de duc et pair se situait au 15e siècle. Représentant seule la maison à partir du 18e siècle, la branche de Villac reprit le nom de La Feuillade à cause de la grande illustration qui y était attachée.

57 Pierre-Raymond-Hector d'Aubusson de La Feuillade avait, de son côté, épousé précédemment à Paris (Saint-Gervais) le 12-II-1791 Agathe-Renée de La Barberye de Refuveille, née à Paris (Saint-Gervais) le 12-XI-1772, décédée à Florence 22-V-1803, fille de Jacques-Augustin de La Barberye marquis de Refuveille, maréchal de camp, et d'Elisabeth Le Clerc de Grandmaison. De ce mariage était née notamment une fille : Henriette-Blanche (Paris-Passy 12-X-1795 - Paris 5-XII-1835) alliée Paris 21-IV-1812 à Auguste-Jean-Gabriel de Caulaincourt (Caulaincourt 6-IX-1777 - ✕ La Moskova 7-IX-1812), baron de l'empire (1808), comte de l'empire (1810), général de division, frère du duc de Vicence.

58 De Vevey.

59 Les obsèques de Jean-Henri-Louis Greffulhe, célébrées au temple de l'Oratoire, se déroulèrent en présence du duc d'Orléans et du duc de Richelieu, président du conseil des ministres.

60 Il y eut pour ce mariage une bénédiction protestante, au temple de l'Oratoire, par le pasteur Jean Monod, le 23-IV.

61 Veuve, celle-ci s'est remariée à Paris le 4-III-1826 à Philippe-Paul comte de Ségur (Paris 4-XI-1780 - Paris 8ᵉ 25-II-1873), lieutenant général, pair de France, historien, membre de l'Académie française (fils de Louis-Philippe comte de Ségur, maréchal de camp, ambassadeur, grand maître des cérémonies de l'empereur Napoléon Iᵉʳ, membre de l'Académie française), lui-même veuf d'Antoinette-Charlotte-Laure Le Gendre de Luçay. Nous renvoyons au sujet de la famille de Ségur à la note 45 du chap. VI (Magnan).

62 Fils de Charles-Emmanuel-Marie-Madelon dit comte de Vintimille et marquis du Luc, surnommé *le demi-Louis*, né de la liaison de sa mère, Félicité de Mailly, avec le roi Louis XV (voir Joseph Valynseele *Les enfants naturels de Louis XV*).

63 En dépit du fait signalé à la note 60, la postérité de ce ménage fut élevée dans la religion de la mère, c'est-à-dire le catholicisme.

64 Ses parents s'étaient mariés le 14-X-1793, en l'église Notre-dame de l'Assomption et Saint-Gervais à Londres (A.P., Fonds Christian de Parrel).

65 *Il y a cinq ans, en mai 1842, allant d'Aubijoux à Randan, chez Mᵐᵉ Adélaïde,* note le maréchal dans son *Journal* (19-X-1847) à propos des circonstances de la mort de son fils aîné, *il fit une chute de cheval et se cassa un os, en haut de la cuisse, du côté opposé où il était tombé. Malgré des douleurs horribles, il fit encore huit lieues à cheval. Il arriva à Randan tellement souffrant qu'il fut obligé d'en repartir immédiatement. On fut obligé de le transporter à Aubijoux en civière. Henri fut assez longtemps souffrant sans pouvoir bouger. L'os de la cuisse se remit de lui-même ; mais, il paraît que, dans sa course à cheval après la chute, une esquille de l'os s'était détachée et a produit des accidents à la suite desquels il a succombé.* Devenu très tôt député — il avait été élu à trois reprises sans pouvoir être admis à siéger, faute d'avoir atteint l'âge requis —, tranchant sur nombre de jeunes gens de son milieu par le sérieux qu'on lui voyait, Henri de Castellane était généralement tenu pour un sujet appelé au meilleur avenir. A la vérité, des correspondances et certains mémoires donnent à penser que le personnage n'était probablement pas tout à fait tel qu'il parut à la plupart de ses contemporains, voire à son proche entourage. On pourra se reporter à ce propos à une lettre de Mérimée à Mᵐᵉ de Montijo en date du 25-XII-1847, que reproduit Françoise de Bernardy dans son livre *Le dernier amour de Talleyrand. La duchesse de Dino* (Paris 1965) ou encore au *Journal* de Xavier Marmier (T. I). Nous renvoyons à la note 3 en ce qui concerne le titre de marquis porté usuellement par Henri de Castellane.

66 On trouvera au chapitre XVI de notre ouvrage *Les princes et ducs du Premier empire* toutes précisions sur le père (neveu et héritier du prince de Talleyrand) et la mère (généralement appelée la duchesse de Dino) de Pauline de Talleyrand-Périgord ainsi que leur entourage familial.

67 Marie de Castellane princesse Radziwill a laissé des souvenirs qui ont été publiés en 1931 par ses filles Elisabeth et Hélène (voir plus loin) sous le titre : *Une française à la cour de Prusse : souvenirs de la princesse Radziwill (née Castellane). 1840-1873*. En 1933-1934, parut en outre une partie de sa correspondance : *Une grande dame d'avant-guerre. Lettres de la princesse Radziwill au général de Robilant, 1889-1914* (4 volumes). Elle s'était elle-même faite l'éditeur de plusieurs des écrits de sa grand-mère, la duchesse de Dino, et des mémoires de la grand-mère de son mari : *Louise de Prusse, princesse Antoine Radziwill. Quarante-cinq années de ma vie (1770 à 1815)*, publiés en français et en allemand. Cette dernière était la nièce de Frédéric II, fille de son plus jeune frère, le prince Ferdinand. Le salon de la princesse Radziwill née Castellane, à Berlin, avait un renom international : il contribua pour une

part non négligeable au rayonnement de la culture française dans l'Europe monarchique du 19e siècle.

68 Un ordinat était le propriétaire d'une ordinatio. Ce mot latin désignait en Pologne un type particulier de majorats : ceux-ci ne se transmettaient pas obligatoirement par primogéniture, mais selon le mode de succession fixé lors de leur constitution. Ainsi, le statut des trois ordinationes dont il est ici question stipulait que l'héritier était désigné par le précédent usufruitier, avec cette réserve toutefois qu'il devait s'agir obligatoirement d'un représentant mâle de la maison Radziwill.

69 Originaires de Lithuanie, apparaissant dès le 14e siècle et ayant une filiation suivie depuis cette date, les Radziwill comptent au nombre des maisons les plus considérables de Pologne. Le titre de prince leur a été reconnu dans le Saint-empire, en Pologne, en Autriche et en Russie et la qualité d'altesse sérénissime en Prusse et en Autriche. Il existe deux lignes, dont l'ancêtre commun est Dominique-Nicolas prince Radziwill (1643-1697). La ligne aînée se subdivise elle-même en deux branches, issues d'Antoine-Henri prince Radziwill (1775-1833). Le prince Antoine, époux de Marie de Castellane, était le chef de la branche aînée de la ligne aînée, c'est-à-dire de toute la maison.

70 Dite familièrement la princesse Bichette, célèbre dans toute l'Europe aristocratique de son temps, en raison à la fois de son imposante corpulence — elle pesait 150 kg — et du non-conformisme de ses propres, la princesse Radziwill née Branicka est évoquée de façon pittoresque et affectueuse par le père Alex-Ceslas Rzewuski dans *A travers l'invisible cristal : confessions d'un dominicain* (Paris 1976). *Tu ne sais pas ce que c'est que d'avoir à vivre toujours entre son ventre et son derrière,* lança-t-elle un jour à ce dernier, entre bien d'autres réparties !

71 La comtesse Marie-Rose Branicka était la cousine germaine du père de la comtesse Hedwige qu'on trouvera plus loin, alliée au comte Stanilas Rey.

72 La princesse Marie Sapieha appartient à la ligne aînée de sa maison, alors que la princesse Marie Sapieha-Kodenska qu'on trouvera plus loin est de la ligne cadette : ces deux lignes se sont constituées à la fin du 15e siècle.

73 Au moment de son mariage.

74 Originaires de Russie — ils passent pour descendre de Rurik, fondateur de la 1re dynastie russe —, les Swiatopolk-Czetwertynski s'établirent dès le moyen âge dans la Ruthénie polonaise. Ses membres furent autorisés à porter le titre de prince par l'empereur de Russie au 19e siècle. Vladimir prince Swiatopolk-Czetwertynski était le chef de la ligne cadette de sa maison. Louis était son 3e fils. On trouvera plus loin son fils aîné, Séverin, qui fut après lui chef de la ligne cadette. Le 2d fils du prince Vladimir, Vladimir-Félix (Varsovie 9-VI-1874 - Pailhe, Belgique, 30-IV-1951), ami et protecteur des arts, fut quelque temps le président du Comité international des concerts Chopin à Varsovie.

75 Avant la dernière guerre, le prince Georges Swiatopolk-Czetwertynski exploitait à Gdynia une affaire assurant le ravitaillement des bateaux dans tout ce qui pouvait leur être nécessaire.

76 Le prince Georges Swiatopolk-Czetwertynski a exercé cette dernière activité en Belgique, après la dernière guerre. Il s'installa dans ce pays à la suite d'un geste du comte John Cornet d'Elzius du Chenoy de Wal (1888-1961) à l'égard des aristocrates polonais contraints de s'exiler : en souvenir de l'accueil reçu en Pologne par l'un de ses ancêtres lors de la révolution de 1789, celui-ci mit à leur disposition quelques pavillons à Saint-Fontaine, hameau de la commune de Pailhe.

77 Parent éloigné de Julie, qu'on trouvera plus loin.

78 Dans le service diplomatique belge.

79 Le prince Stanislas Swiatopolk-Czetwertynski s'est établi au Canada dans les années qui ont suivi la guerre de 1939-1945. Il y a exercé des activités diverses : chauffeur de taxi, conseiller de trade-unions pour l'organisation de manifestations, etc...

80 A Montréal.

81 Le mariage religieux a été célébré à Varsovie le 30-VIII-1958.

82 Adopté en 1955 par Mlle Berthe de Lalieux de La Rocq (Nivelles 8-VII-1891).

83 Au Canada.

84 Le père de celui-ci, prénommé Axel, était également général.

85 A Toronto.

86 Paroisse de la Sainte-Trinité.

87 Victime d'un accident de la route.

88 Le comte André Tyszkiewicz appartient à la ligne aînée de la famille, alors que le comte Alfred, qu'on rencontrera plus loin, est de la ligne cadette : l'ancêtre commun aux deux lignes vivait à la fin du 17e siècle.

89 La parenté s'établit comme suit entre les représentants de la famille Plater-Zyberk qui apparaîtront successivement dans la descendance : le père de la comtesse Elisabeth (Edouard), le comte Jean et le comte Louis (marié à Isabelle Czarkowska-Golejewska et père d'autre Louis) sont tous trois cousins germains, issus chacun d'un fils différent du comte Henri-Venceslas-Xavier (1811-1903), tandis que la comtesse Marie (mère du comte Jean : le père de ce dernier, le comte Victor, avait épousé sa nièce à la mode de Bretagne) était leur cousine issue de germain.

90 Tué en même temps que sa femme lors de l'entrée des Russes en Pologne.

91 La princesse Marie Swiatopolk-Czetwertynska appartient à la ligne aînée de sa famille, alors que son gendre, le prince André, est de la ligne cadette (voir note 74) : les deux lignes se sont constituées au 17e siècle.

92 La princesse Rose Swiatopolk-Czetwertynska et les siens vivent en Suisse.

93 Voir note 89.

94 Le nom de terre ne figure pas à l'état civil (des demandes d'adjonction de nom ont été faites sans succès en 1958 et 1961).

95 Décédé alors qu'il était étudiant en médecine.

96 D'une famille américaine ayant fait fortune dans l'industrie des boissons et les chemins de fer.

97 La princesse Marie Swiatopolk-Czetwertynska et les siens vivent en France. Elle-même est médecin généraliste à Boiscommun (Loiret).

98 Exclusivement religieux, célébré en l'église Saint-André de Grenoble par un prêtre qui n'avait pas reçu de l'autorité compétente la délégation nécessaire et n'ayant pas donné lieu à l'établissement d'un acte dans les registres de la paroisse correspondante, ce mariage fut déclaré nul pour défaut de forme canonique. Un jugement annexe de l'officialité de Grenoble en date du 22-II-1950 reconnut la légitimité canonique des deux enfants nés de l'union.

99 Le mariage religieux a été célébré à Pailhe (Belgique) le 30-XII-1950.

100 Voir note 68.

100ᵃ Dorothy-Parker Deacon était la sœur de Gladys Deacon, seconde épouse de Charles-Richard-John Spencer-Churchill 9ᵉ duc de Marlborough.

101 Avant Dorothée-Parker Deacon, le comte François-de-Paule Palffy d'Erdöd avait épousé à Budapest le 25-IX-1915 la comtesse Françoise-Romaine Esterhazy de Galantha (Papa, Hongrie, 15-III-1890 - Londres 11-XI-1935), fille de Maurice comte Esterhazy de Galantha, propriétaire, chambellan et conseiller privé impérial et royal, membre héréditaire de la chambre des magnats de Hongrie et de la comtesse Pauline de Stockau, mariage déclaré nul par les tribunaux ecclésiastiques le 23-XII-1920. Après elle, il a contracté successivement 5 unions : 1) à Trnava, Tchécoslovaquie, le 25-VIII-1928 avec Eléonore Greene-Roelker (3-VII-1890 - Boston 1952), mariage dissous par jug. de divorce le 26-X-1934 ; 2) à Bratislava, Tchécoslovaquie, le 19-XI-1935 avec la comtesse Marie de Wurmbrand-Stuppach (Vienne 3-II-1914), fille du comte Ferdinand, chambellan impérial et royal, et de May Baltazzi, mariage dissous par jug. de divorce le 21-XII-1937 ; 3) à Bratislava le 27-I-1938 avec Louise Lévêque de Vilmorin (Verrières-le-buisson 4-IV-1904 - Verrières-le-buisson 26-XII-1969), femme de lettres, fille de Philippe, gérant de société, et de Mélanie de Gaufridy de Dortan, mariage dissous par jug. du t. c. de Bratislava en 1943 ; 4) à Merano, Italie, en 1946 avec Edith Hoch, née à Stuttgart, mariage dissous par jug. de divorce en 1949 ; 5) à Paris le 28-III-1951 avec la comtesse Marie-Thérèse de Herberstein-Proskau (Prague 29-VI-1928), fille du comte Frédéric, chambellan impérial et royal, et de la baronne Elisabeth Korb de Weidenheim.

102 Le prince Witold-Thaddée Czartoryski est mort à la suite de blessures contractées lors d'un bombardement américain, tandis qu'il s'apprêtait à passer d'Autriche en Suisse.

103 Syndicat de propriétaires.

104 La princesse Elisabeth Radziwill et son 2ᵈ mari, après avoir résidé quelque temps au Portugal, vivent aujourd'hui en France.

105 Partis s'établir en Afrique du sud après la dernière guerre, le prince Charles Radziwill et son épouse sont rentrés en Pologne pour y finir leurs jours.

106 La princesse Isabelle Radziwill appartient à la ligne cadette de sa maison (voir note 69).

107 Le prince Edmond Radziwill appartient à la branche cadette de la ligne aînée (voir note 69). Il est le frère de la princesse Christine qu'on trouvera plus loin et également du prince Stanislas qui eut pour 3ᵉ épouse Caroline-Lee Bouvier, sœur de Jacqueline Bouvier alliée 1) à John-Fitzgerald Kennedy, président des Etats-Unis, 2) à Aristote Onassis, armateur.

108 La princesse Anna Lubomirska est morte dans un camp de concentration proche de Krasnogorsk, en Russie, le 16-II-1947. Elle était la sœur du prince Hubert qu'on trouvera plus loin.

109 Dans la Royal air force.

110 A Londres.

111 A Rome.

112 Eliane Chalandon est la cousine germaine d'Albin (Reyrieux 11-VI-1920), inspecteur des finances, député, plusieurs fois ministre, allié Paris le 6-VII-1951 à la princesse Salomé Murat (Paris 17-I-1926), fille du prince Achille, administrateur de sociétés, et de Magdeleine de Chasseloup-Laubat.

113 Auteur notamment de savants travaux sur la dynastie des Comnène.

114 Geneviève Humann était fille de Georges Humann, général de brigade : nous renvoyons au sujet de cette famille à la note 156 du chapitre III (Harispe).

115 Tué lors de l'entrée des Russes en Pologne.

116 Les Lubomirski comptent comme les Radziwill au nombre des familles les plus considérables de Pologne. Ils apparaissent à la fin du 14e siècle et leur filiation est suivie depuis le 15e. Le titre de prince leur a été reconnu dans le Saint-empire au 17e siècle, en Autriche au 18e et par les souverains russes au 19e. Ils ont reçu la qualité d'altesse sérénissime de l'empereur François-Joseph en 1905. La maison possède deux lignes, l'une dite de Przeworsk, l'autre de Rzeszow : l'ancêtre commun vivait au 17e siècle. La 2de n'est plus représentée que par des femmes. Le prince Hubert appartenait à la ligne de Przeworsk et la princesse Wanda, sa mère, à celle de Rzeszow. La princesse Sophie qui figure un peu plus loin est la nièce de cette dernière.

117 Après 1945.

118 Cousin germain de Sophie qui se trouve plus loin.

119 Voir note 116.

120 En Grande-Bretagne.

121 Aux Etats-unis.

122 Ce mariage a été célébré à la paroisse évangélique Saint-Martin de Cracovie. Sur la foi d'informations familiales, nous avions indiqué dans notre ouvrage *Les princes et ducs du Premier empire* (chapitre XVI, Talleyrand) que la princesse Wanda Lubomirska avait épousé en septembre 1944, durant l'insurrection, Alexandre Pawlikowski. Cette union ne paraît pas vraisemblable étant donné la date du présent mariage, dont l'acte nous a été montré. Lors de celui-ci, Frank Jackson se trouvait en Pologne comme prisonnier de guerre anglais en instance de rapatriement.

123 Etabli aux Etats-unis, le comte Jean Krasinski y a créé une affaire s'occupant de la pose de revêtements de sol dans les appartements.

124 La princesse Wanda Lubomirska et son 3e mari habitent les Etats-unis.

125 Serait marié aux Etats-unis avec une américaine.

126 Le prince Héraclius Lubomirski réside en France depuis quelques années. Il se trouvait précédemment en Pologne.

127 Praga est un faubourg de Varsovie situé sur la rive droite de la Vistule (Varsovie occupe la rive gauche).

128 Dorothéa Brzozowska s'est remariée en Pologne.

129 Nous indiquons à la note 68 ce qu'était un ordinat : l'ordinatio de Birze se transmettait par primogéniture.

130 Voir note 88.

131 Clémentine Potocka est la sœur de Roman et de Joseph, alliés respectivement aux princesses Elisabeth et Hélène Radziwill, qu'on trouvera un peu plus loin.

132 Mme Zeromska née princesse Elisabeth Radziwill est établie en France : elle réside dans l'important domaine de Verneuil, à Vendœuvres (1 200 ha de terre, 700 ha de forêts, 100 ha de lacs et d'étangs), qu'elle avait acquis aux alentours de 1920.

133 Ordonné prêtre le 11-V-1959, Jean Tyszkiewicz a été élu abbé de Notre-dame d'Aiguebelle le 9-I-1980.

134 A Paris (jusqu'en juillet 1945).

135 Voir note 131.

136 On verra à la note 68 ce qu'était un ordinat : l'ordinatio de Lancut se transmettait par primogéniture.

137 Isabelle Potocka était une lointaine cousine de son mari Roman Potocki : l'ancêtre commun était Stanislas Potocki (1579-1667).

138 Voir note 72.

139 Alfred Potocki a laissé des souvenirs intéressants. Parus tout d'abord en anglais, ceux-ci ont été publiés en français en 1961, sous le titre : *Châtelain en Pologne.*

140 Georges Potocki, qui avait représenté son pays en Turquie, puis aux Etats-unis, fut après la guerre ministre plénipotentiaire de l'Ordre de Malte au Pérou.

141 Originaire du Guipuzcoa, la famille Iturregui alla s'établir au Pérou en 1777 avec Juan-Antonio. Le fils de celui-ci, Juan-Manuel, né en 1796, embrassa la cause de l'indépendance et devint l'un des généraux de l'armée de libération. Il représenta le Pérou à Londres (1845), fit partie du gouvernement (1849), fut préfet de Trujillo et sénateur. Suzanna était la petite-fille de ce dernier.

141a Au Pérou (voir note 141).

142 Voir note 74.

143 Voir note 118.

144 Stanislas comte Rey est établi en France. Il est le propriétaire du château de Montrésor, gracieuse demeure renaissance, et du domaine attenant acquis au siècle dernier par Ladislas-Grégoire comte Branicki (1782-1848), sénateur de Russie, grand veneur de la cour, arrière-grand-père de sa mère. Ses enfants vivent en France également.

145 Voir note 71.

146 Victime d'un accident de la route.

147 Voir note 77.

148 En Pologne.

149 En France.

150 En Suisse.

151 Après la dernière guerre, le comte Joseph Potocki représenta quelque temps à Madrid le gouvernement polonais en exil, le général Franco n'ayant pas reconnu le régime en place à Varsovie.

152 La comtesse Joseph Potocki habite Madrid.

153 Voir note 107.

154 La princesse Dolorès Radziwill fut un peintre amateur de talent. *C'était*, note le père Rzewuski dans l'ouvrage cité à la note 70, *un des êtres les plus originaux et séduisants que mon époque ait connus. Son originalité et sa séduction étaient celles qu'un mélange de races a produites, père polonais, mère espagnole cubaine.*

155 Voir note 106.

156 Cousin germain de la princesse Dolorès.

157 Le prince Léon Radziwill avait épousé précédemment à Paris le 27-VI-1905 Claude de Gramont (Malzéville 22-VIII-1885 - Ustaritz 25-II-1942), fille du comte Alfred et de Marguerite Sabatier (mariage dissous par jug. du t. c. de la Seine le 17-V-1906 et déclaré nul par les tribunaux ecclésiastiques le 24-VII-1906). Claude de Gramont, de son côté, se remaria à Paris 8e le 31-V-1918 au prince Marc-Augustin Galitzine (Paris 9e 3-III-1880 - Saint-Martin-des-champs, Manche, 27-II-1957), fils du prince Etienne, propriétaire, et de Valentine Benedite. Veuf de Claude de Gramont, Marc-Augustin Galitzine contracta une 2de alliance à Paris 7e le 3-VII-1945 avec Marie-Thérèse du Cor de Duprat (Saint-Martin-des-champs 9-II-1884 - Paris 9-I-1973), veuve du comte Armand de Cholet († Paris 9-V-1924).

158 Le prince Léon Radziwil était notamment propriétaire, du fait de sa mère née Blanc, du château et de la terre d'Ermenonville.

159 Fille de François (1806-1877), créateur de la Société des bains de mer de Monaco, sœur d'Edmond (1856-1920), propriétaire éleveur, député des Hautes-Pyrénées, et de Marie-Félix (1859-1882), épouse du prince Roland Bonaparte et mère de la princesse Marie Bonaparte.

160 Nous exprimons à M. Edouard Borowski, auteur de quatre recueils intitulés *Généalogies de certaines familles polonaises titrées*, et à M. l'abbé Nikander Mrozek toute notre gratitude pour l'aide précieuse qu'ils ont bien voulu nous apporter en vue de la mise au point de la descendance polonaise du maréchal de Castellane.

161 Christie's.

162 Frère du prince Jean, député de l'Eure, plusieurs fois ministre, mort assassiné à Paris 17e le 24-XII-1976.

163 Cousin germain des frères Maurice et Louis successivement duc de Broglie, membres de l'Académie française et de l'Académie des sciences.

164 Arrière-petite-fille de Ferdinand de Faucigny prince de Lucinge (1789-1866) allié en 1823 à Charlotte comtesse d'Issoudun (1808-1886), fille du duc de Berry et d'Amy Brown.

165 Sous le nom de Claude de Muzac.

166 Fille de Maurice (Sarrazac 23-IX-1871 - Paris 16e 4-III-1954), avocat à la cour d'appel de Paris, directeur du journal *L'opinion*, député de Seine-et-Oise, ministre de la justice.

167 En service commandé, durant son service militaire.

168 Antoine de Castellane a laissé une œuvre assez considérable et très diverse : des drames, des romans, de l'histoire, des études de politique.

169 Quoique ayant atteint déjà ce qu'on appelle aujourd'hui le 3e âge, la marquise de Castellane née Juigné fit montre au cours de la guerre de 1914-1918 d'un dévouement exemplaire au service de la Croix rouge. Celui-ci fut récompensé en 1921 par la croix de la Légion d'honneur, qu'elle reçut des mains du maréchal Pétain.

170 *Le marquis de Juigné était farouchement légitimiste. Il exigea que sa famille prît le deuil quand mourut le comte de Chambord* (André de Fouquières, in *Cinquante ans de panache*).

171 Boniface dit Boni de Castellane fut, à coup sûr, l'une des figures les plus originales de ce qu'il est convenu d'appeler la belle époque. ... *Il se présenta sans succès à Saint-Cyr et s'engagea au 15e chasseurs. Il fut libéré au bout de deux ans, mena une vie mondaine très brillante, rencontra à Paris, en 1894, Anna Gould, fille du roi des chemins de fer américains et, au cours d'un*

voyage en Amérique, l'épousa... Le jeune couple voyagea, fit construire un splendide hôtel avenue du Bois de Boulogne, aujourd'hui avenue Foch — le célèbre palais rose, démoli à la fin de 1969 —, *y reçut avec faste l'aristocratie internationale. Boniface de Castellane se livra avec passion à ses goûts d'amateur d'art et d'antiquaire, eut une écurie de course, un yacht, prit part aux régates internationales, racheta les ruines du château de Grignan qu'il voulait faire restaurer. Il se présenta aux élections législatives à Castellane, en 1898, et eut un succès triomphal ; il fut réélu en 1902 et 1906 après plusieurs invalidations. Antidreyfusard mais non antisémite, agrégé à La Ligue des patriotes, il protesta à la tribune contre la politique anticatholique du gouvernement, contre la séparation de l'église et de l'état... A la suite de désaccords, auxquels la presse française et surtout américaine a donné une fâcheuse publicité, un divorce intervint entre Boniface de Castellane et Anna Gould... La milliardaire américaine prit avec elle ses trois enfants et se remaria peu après avec le prince de Sagan (duc de Talleyrand). Boniface de Castellane qui, pris à l'improviste, n'avait pu mettre ordre aux affaires de son ménage, se trouva ruiné du jour au lendemain et accepta le dénuement avec courage. Il fit du journalisme, s'occupa de vente d'antiquités, remboursa ses dettes et celles des autres. En 1914, il tenta de s'engager et fut, quelque temps, interprète auprès de l'armée anglaise...* (in *Dictionnaire de biographie française,* T. VII). Après sa séparation d'Anna Gould, outre son activité de journaliste, Boni de Castellane publia également un certain nombre de volumes : *Articles et discours sur la politique extérieure 1901-1905* (Paris 1905, 288 p.), *Lettres d'amour* (Paris 1905, 228 p.), *Les mémoires d'un mort* (Paris 1907, 186 p.), *Hommes et choses de mon temps* (Paris 1909, 291 p.), *Comment j'ai découvert l'Amérique. Mémoires* (Paris 1924, 347 p.), *L'art d'être pauvre. Mémoires* (Paris 1925, 277 p.).

172 Fils de ses œuvres, Jason dit Jay Gould (1807-1892) laissa à sa mort une fortune évaluée à une centaine de millions de dollars. On pourra consulter sur son étonnante réussite l'ouvrage de Richard O'Connor *Razzia sur Wall street* (Paris 1964), qui vaut mieux que son titre. Anna Gould était la sœur notamment de Frank-Jay Gould, créateur de Juan-les-pins, où il résida longtemps, et de Bagnoles-de-l'Orne.

173 Hélie duc de Talleyrand était le cousin issu de germain de Boniface marquis de Castellane, 1er mari d'Anna Gould (voir ouvrage cité à la note 66).

174 Sœur de Raymond Patenôtre (Atlantic-City, New-Jersey, 31-VII-1900 - Paris 16e 19-VI-1951), député de Seine-et-Oise, ministre à plusieurs reprises sous la Troisième république, dont l'ex-épouse Jacqueline André-Thome dite Thome-Patenôtre (Paris 16e 3-II-1906) a fait elle aussi une carrière politique : maire de Rambouillet, sénateur et député de Seine-et-Oise, député des Yvelines, sous-secrétaire d'état (voir sur la famille et les parentés de celle-ci : Joseph Valynseele *Les Say et leurs alliances,* p. 333 note 37).

175 Fille de James Elverson, propriétaire du journal *The Philadelphia inquirer.*

176 Membre de la Société des poètes français et l'un des responsables des Editions de la tour du guet.

177 Cercle monarchiste dont les membres assurent un service d'honneur auprès du prétendant.

178 Oncle à la mode de Bretagne du comte Christian de Bartillat (Saligny-sur-Roudon 25-II-1930), romancier, essayiste, président-directeur général des Editions Stock.

179 Voir au sujet de cette famille la note 39 du chap. XI (Canrobert).

180 Armand comte de Caumont La Force était le frère d'Auguste duc de La Force (1878-1961), historien, membre de l'Académie française.

181 Un usage immémorial voulait qu'à défaut de descendance masculine légitime, la succession au trône de Monaco s'effectue au bénéfice de la descendance en ligne féminine la plus proche. Si cet usage n'avait été transgressé en faveur de la princesse Charlotte, mère du prince Rainier III actuellement régnant, née hors mariage du prince Louis II et de Marie-Juliette Louvet (épouse divorcée d'Achille-Paul-Léonce Delmaet, photographe), la comtesse de Caumont La Force née Chabrillan serait à l'heure présente princesse souveraine de Monaco, comme descendante du prince Joseph de Monaco (1763-1816), frère cadet du prince régnant Honoré IV. Nous renvoyons à ce sujet à : Joseph Valynseele *Rainier III est-il le souverain légitime de Monaco.*

182 Acte transcrit au consulat général de France à Boston le 7-IX-1978.

183 Joan-Douglas Dillon avait épousé précédemment 1) à Paris VIII-1953 James-B. Moseller (1931), mariage dissous par jug. de divorce et déclaré nul par les tribunaux ecclésiastiques en 1956, 2) à Guilford, Grande-Bretagne, le 1-III-1967 s.a.r. le prince Charles de Luxembourg (château de Berg, Luxembourg, 7-VIII-1927 - Florence 26-VII-1977), fils de s.a.r. le prince Félix de Bourbon-Parme et de s.a.r. Charlotte grande-duchesse de Luxembourg.

184 Jason de Castellane fut *trouvé mort dans la chambre d'hôtel de Salernes..., où il s'était retiré depuis 14 ans... Depuis longtemps, il avait rompu avec sa famille* (in *La presse* du 4-X-1956).

185 *... Mme de Castellane était d'une beauté impérieuse, d'une prestance toute royale,* note André de Fouquières dans *Mon Paris et ses parisiens* (T. I), à propos de Dorothée de Talleyrand-Périgord. *On soutenait difficilement l'éclat de son regard qui exigeait de tout connaître, de tout découvrir... Elle fut peut-être plus redoutée qu'aimée, plus admirée que choyée, mais il reste qu'elle fut une très grande dame... Quand le comte Jean de Castellane fut élu président du conseil municipal, l'hôtel de ville prit, sous le sceptre de Mme de Castellane, un aspect et un éclat inusités.*

186 Nathalie Terry était la sœur d'Odette Terry alliée au prince Charles de La Tour d'Auvergne-Lauraguais et la cousine germaine de Natividad Terry, alliée 1) au prince Guy de Faucigny-Lucinge, 2) à Grégoire Isvolsky († New York 2-VI-1951), neveu d'Alexandre (1856-1919), dernier ambassadeur de la Russie impériale à Paris.

187 Famille espagnole.

188 D'une famille colombienne, fille de Philippe Diaz Erazo, ambassadeur de Colombie en Espagne et en France, représentant de la Colombie à la 2de conférence internationale de La Haye.

189 Petit-cousin de son 1er mari, Henry de Castellane : les pères étaient cousins issus de germain (voir ouvrage cité à la note 66).

190 Boson duc de Talleyrand avait épousé précédemment à Londres le 4-X-1901 Helène Morton, née à Newport, Rhode Island, en VIII-1876, fille de Levi-Parsons, banquier, membre de la Chambre des représentants, ministre des Etats-unis à Paris, vice-président des Etats-unis, gouverneur de l'état de New York (fils lui-même de Daniel-Olivier, pasteur), et d'Anna-Livingston Read-Street, mariage dissous par jug. du t. c. de la Seine en VI-1904. Il s'alliera en 3mes noces à Paris 7e le 16-I-1950 à Antoinette Morel (Grenoble 27-V-1909), fille de François-Joseph, conducteur de travaux, et de Marie-Madeleine Megoz (voir ouvrage cité à la note 66).

191 Mêlé de fort près à un épisode important de la libération de Paris en 1944, Eric de Posch-Pastor mérite qu'on lui consacre quelques instants et d'autant plus que le personnage est entouré d'un certain halo de mystère qui ne laisse pas d'intriguer. Le double patronyme qu'il porte est, comme on a pu le voir, constitué du nom de son père et de la 1re partie de celui de sa mère : il avait

été autorisé à les joindre par une décision du chef de l'administration provinciale du Tyrol le 5-V-1937. La famille du père appartenait à la noblesse autrichienne depuis le 28-I-1795. La mère était fille de Louis Pastor (Aix-la-chapelle 31-I-1854 - Innsbruck 30-IX-1928), longtemps professeur à l'Université d'Innsbruck, puis directeur de l'Institut autrichien d'études historiques de Rome (1901), auteur notamment d'une célèbre *Histoire des papes depuis la fin du moyen âge, ouvrage écrit d'après un grand nombre de documents inédits extraits des archives secrètes du Vatican. 1417-1799*, en 16 volumes (rédigée en allemand, traduite en espagnol, en français, en italien), anobli en 1908 et créé baron Pastor von Camperfelden en 1916 (par l'empereur d'Autriche), premier ambassadeur de la République d'Autriche auprès du Saint-siège en 1921. Cette dernière circonstance valut à Eric de Posch-Pastor de faire sa première communion dans la chapelle privée du pape et de la main de Pie XI, le 16-III-1926, ainsi que le rapporte Louis Pastor dans son journal, document extrêmement intéressant publié en 1950 en un gros volume intitulé *Tagebücher. Briefe. Erinnerungen* (B.N. 8° Z 31585). Agé alors de 21 ans, Eric de Posch-Pastor *était lieutenant dans l'armée autrichienne au moment de l'Anschluss*, indiquent Dominique Lapierre et Larry Collins dans *Paris brûle-t-il?* (Paris 1964). *Son régiment fut une des seules unités qui résistèrent par la force aux troupes hitlériennes. Fait prisonnier, il fut interné à Dachau pendant un an. Incorporé dans l'armée allemande, il arriva en France en février 1942, après avoir été blessé sur le front russe*. Quelques détails nous ont été fournis sur les affectations de Posch-Pastor entre 1942 et 1944 par un organisme installé à Berlin-ouest qui a regroupé des renseignements sur les membres de l'ancienne Wehrmacht tombés ou disparus, en vue de l'information des familles. Celui-ci ne possède rien à son sujet pour la période antérieure à 1942. Cette source nous permet de compléter et de rectifier sur certains points les indications de Dominique Lapierre et Larry Collins. Le 18-II-1942, Posch-Pastor est versé au bataillon auxiliaire de défense territoriale n° 7. Le 24-IV-1942, il est nommé interprète attaché à la 7e région militaire (Munich). A partir du 10-VI-1943, il appartient au bureau dépendant du ministère de l'armement et des munitions établi à Niort. Du 6-VI-1944 au 14-VIII-1944, il est membre de la délégation du ministère de l'armement et de l'industrie de guerre en Italie. Il disparaît le 14-VIII-1944 au cours d'un voyage de service à Paris. Dans ses souvenirs, parus sous le titre *Tu fais quelque chose ou tu dors?* (Paris 1978), le grand éditeur autrichien Fritz Molden, qui fut un moment son adjoint à cette époque, signale que, de novembre 1942 à février 1943, Posch-Pastor se trouve au service des approvisionnements en France, chargé d'acheter au marché noir, aussi bien en zone occupée qu'en zone libre, les objets et biens de première importance pour la Wehrmacht. Il a son bureau rue Matignon, mais effectue de fréquents déplacements dans toute la France. Il est Sonderführer, *officier à voie étroite*, qualité donnée à ceux qui étaient incorporés dans les cadres de l'armée au titre de leur spécialité. *Il entra dans la résistance française en octobre 1943 (pseudo : Etienne-Paul Pruvost, mêmes initiales que son patronyme*, affirment Dominique Lapierre et Larry Collins. ... *Au moment de la libération de Paris, Posch-Pastor avait ses entrées à l'hôtel Meurice.* Raymond Dronne se montre un peu plus précis dans son livre *La libération de Paris* (Paris 1970) : *Affecté dans un service économique de l'armée allemande*, écrit-il, *il restera à Paris après l'évacuation de son service et naviguera dans les eaux troubles de l'état-major de von Choltitz. De taille modeste, mince et voûté, les yeux perpétuellement inquiets, cet Autrichien était antinazi et avait parti lié avec la résistance*. Le 24-VIII-1944, Posch-Pastor fait partie de la délégation qui, venue de Paris, se présente au général de Gaulle. Enumérant dans ses *Mémoires de guerre* (T. II), les différentes personnes qui constituent cette délégation, le banquier Alexandre de Saint-Phalle, Jean Laurent, directeur de la Banque d'Indochine, Rolf Nordling, frère du consul général de Suède, de Gaulle note au sujet de notre personnage : *le baron autrichien Posch-Pastor, officier de l'armée allemande, aide de camp de Choltitz et agent des alliés*. D. Lapierre et L. Collins complètent de la façon suivante notre information : *Choltitz, devant les auteurs de ce livre, a nié formellement avoir ordonné à Posch-Pastor d'accompagner la mission Nordling. Il les a assurés au contraire que l'Autrichien s'était imposé de sa propre initiative. Posch-Pastor a refusé, quant à lui, de discuter le sujet. Cependant, Daniel Klotz, agent américain de l'O.S.S., qui l'interrogea après la Libération, se souvient que Posch-Pastor fut immédiatement réclamé par l'Intelligence service. Le lendemain de la libération de Paris, Posch-Pastor était de retour à Paris. Il portait ce jour-là un uniforme américain... Pour sa brillante conduite, il reçut la Médaille de la résistance avec la citation suivante : pendant huit mois consécutifs, a transmis des renseignements d'ordre économique et militaire de la plus haute importance pour les Alliés, y compris plusieurs des premiers plans des V 1. ...En 1954, il disparut. Pendant dix ans, sa femme — qui entre-temps avait obtenu le divorce pour abandon du foyer conjugal — resta sans nouvelles de lui, ne sachant même pas s'il était vivant ou mort. Les auteurs de ce livre ont fini par retrouver sa trace grâce à l'un de ses anciens compagnons de guerre américain, actuellement (1964) fonctionnaire civil de l'armée américaine à Francfort. Celui-ci avait rencontré par hasard Posch-Pastor au bar de l'hôtel Bord du lac à Zurich en juillet 1963. Eric de Posch-Pastor disparut de nouveau peu après cette rencontre fortuite, sans que ses proches aient eu le temps de tenter de renouer le contact. La profession civile que nous avons indiquée est celle qu'Eric de Posch-Pastor exerçait lorsque sa trace fut retrouvée à Zurich.* Deux filles sont nées de son mariage avec Silvia Rodriguez de Rivas, qui portent à l'état civil le nom de Posch-Pastor : 1) Silvita (Saint-Patrice, Indre-et-Loire, 17-XII-1945) alliée Paris 16e 17-V-1968 à Pierre Gallienne (Paris 12e 5-I-1931), directeur de société, fils de Georges, président-directeur général de sociétés, président de divers organismes français et internationaux relatifs à la prévention routière (fils lui-même de Georges Gallienne, pasteur), et de Marguerite Perreau ; 2) Barbara (Madrid 2-V-1951) alliée Saint-Brice, Charente, 14-V-1949 à Gilles Hennessy (Saint-Brice 14-V-1949), négociant en eaux-de-vie, né du 2d mariage de Kilian avec Peggy-Diana Cruise (voir plus loin et note 192).

192 Kilian Hennessy avait épousé précédemment 1) à Helsinki le 23-XI-1933 Gunnel Skogstedt (Oulu, Finlande, 7-II-1910 - Paris 16e 13-III-1947), fille d'Emile, directeur commercial, et de Nelly Herva, 2) à Londres (district de Sainte Marylebone) le 19-IV-1948 à Peggy-Diana Cruise (Londres 1915), fille de sir Richard-Robert, docteur en médecine, chirurgien ophtalmologiste, mariage dissous par jug. du t. c. de la Seine le 12-X-1963 (Peggy-Diana Cruise était divorcée de Jean-Adolphe de Laszlo).

193 Président de la Société Moët-Hennessy.

194 Fille du comte Albert de Mun (Lumigny 28-II-1841 - Bordeaux 6-X-1914), député du Morbihan, puis du Finistère, membre de l'Académie française, l'un des plus ardents promoteurs du christianisme social.

195 Cordelia de Castellane a été autorisée à succéder à ce titre par le général Franco, à la mort du frère de sa mère, Philippe Rodriguez de Rivas.

196 Xavier Semprun, mari de Cordélia de Castellane, est le cousin issu de germain de Jorge Semprun (Madrid 10-XII-1923), écrivain et scénariste de langue française, ancien dirigeant du parti communiste espagnol, dont il a été exclu en 1964.

197 Peintre néo-figuratif, Antoine de Castellane a exposé à Paris (salons des indépendants, des artistes français, d'automne), à Madrid, à Genève, à Mexico, à Dallas. Il a obtenu le 1er prix de l'école française de peinture en 1973 et le prix Léonard de Vinci en 1974. L'une de ses expositions a été consacrée aux toiles que lui avaient inspirées les ruines du palais rose lors de sa démolition en 1969 (voir note 171).

198 Francine Latour a été adoptée, suivant jugement du t. c. de Paris en date du 3-XII-1971, par Hubert Touya (Pau 22-XII-1907), ingénieur civil des mines, président-directeur général de sociétés de travaux publics, 2d mari de sa mère.

199 Patrice Rubini s'est, de son côté, remarié à Chasnay le 30-X-1976 à Dany-Christiane Mollard.

200 Divorcée de Jean-Louis de Rovasenda, Béatrice de Rivera s'est remariée à Londres le 8-I-1960 à Antenor Patiño (Oruro, Bolivie, 12-X-1896), président et administrateur de nombreuses sociétés, dit le roi de l'étain, lequel était lui-même divorcé de doña Marie-Christine de Bourbon, duchesse de Durcal, de la branche de l'infant Gabriel (fils de Charles III, frère de Charles IV, rois d'Espagne), exclue de la succession au trône en raison de mariages inégaux.

201 Mariage religieux le 15-III par le métropolite Mélétios en la cathédrale ortho-doxe grecque Saint-Stéphane, à Paris.

202 *Gaspard de Contades,* rapporte le maréchal de Castellane dans son *Journal* (janv. 1817), *avait reçu à Essling, en 1809, dix-sept coups de sabre ou de baïonnette, dont cinq sur la tête... Après avoir survécu par miracle, il mena depuis une vie languissante, supportant ses horribles souffrances avec un grand courage. Le célèbre chirurgien Dupuytren l'a trépané, il y a deux mois, lui a extrait deux os morts ; il en est sorti d'autres... Le chirurgien était très fier de la réussite de l'opération... Le pauvre Contades en est mort.* Ayant dû quitter l'armée du fait de l'état de sa santé, Gaspard de Contades fut nommé sous-préfet. Il était l'arrière-petit-fils du maréchal de Contades (1704-1795).

203 Henriette d'Oms était la fille de Dominique-Hippolyte et d'Aglaé de Castellane, qu'on a rencontrés à la rubrique *Le cadre familial* : Sophie de Castellane se trouvait donc la cousine issue de germain de son 1er mari.

204 Victor de Beaulaincourt de Marles est mort victime d'un affreux accident. Son cheval s'étant cabré, il tomba sur la poignée de son sabre qui lui entra dans le foie. *Les douleurs que M. de Beaulaincourt a supportées sont indes-criptibles... Il demandait en grâce qu'on le soulageât et rien ne pouvait le soulager,* note le maréchal dans son *Journal,* citant une lettre de sa fille Hatzfeldt du 18-VIII-1860. Son agonie dura quatre jours et quatre nuits.

205 *Mariée à 18 ans...,* écrit de Sophie de Castellane Maurice Parturier dans l'intro-duction de *Lettres de Prosper Mérimée à Mme de Beaulaincourt (1866-1870),* Paris 1936, *la nouvelle marquise de Contades se lança joyeusement dans le monde, partageant son temps entre les bals de Paris et les chasses de Mont-geoffroy... où elle apparut comme une compère remarquable. Elle aimait les chevaux, les chasses, les courses effrénées à travers les forêts. Coquette et sans préjugés, vraie marquise du siècle précédent, dont elle avait l'esprit, elle voulait plaire et elle a plu souvent.* Ce trait qu'on trouve dans le *Journal des Goncourt,* à la date du 12-I-1891, achève de la peindre : *Lavedan... me cite un mot de Mme de Beaulaincourt à Mlle de Montijo, poussée dans ses derniers retranchements par l'empereur, quelque temps avant de devenir impé-ratrice, et venant la consulter sur ce qu'elle devait faire. La femme sans préjugés, après avoir réfléchi quelque temps, accouchait de cet axiome : mieux vaut un remords qu'un regret.* Deux de ses liaisons sont célèbres, l'une avec Pierre-Adolphe du Cambout marquis de Coislin (1805-1873), l'autre avec Emile-Félix dit le comte Fleury (1815-1884), général de division, sénateur, ambassadeur, l'un des artisans du coup d'état du 2 décembre. L'âge devait assagir Sophie de Castellane. A 47 ans, *Mme de Beaulaincourt...,* indique Maurice Parturier (loc. cit.), *ne ressemble plus tout à fait à la jolie marquise de Contades. Elle a gardé sa vivacité et son esprit, mais sa beauté s'est rapidement altérée. Dans son salon de la rue de Miromesnil, elle reçoit..., fort entourée d'hommes politiques, de diplomates, d'écrivains, de soldats, curieuse de tout, sachant tout de la cour et de la ville et trompant désormais son activité en chiffonnant, avec beaucoup d'adresse, des fleurs en papier qu'elle peignait fort joliment, à l'imitation parfaite de la nature... Le lecteur curieux du sort de Mme de Beaulaincourt n'a qu'à lire. Du côté de Guermantes, où Marcel Proust, qui l'a connue à la fin de sa vie, nous la montre sous les traits de la respectable marquise de Villeparisis, si digne sous sa perruque blanche...* Sophie de Cas-

tellane fut toujours assez proche du maréchal. Le *Journal* de celui-ci reproduit à maintes reprises les lettres qu'elle lui envoie, notamment sous le Second empire, alors qu'il est à Lyon, pour le tenir au courant de ce qui se passe à Paris. C'est à elle qu'il en léguera le manuscrit et elle le fera paraître avec une introduction de sa plume. On lui doit également la publication des lettres écrites au maréchal par un certain nombre de ses pairs, en deux volumes intitulés : *Campagnes d'Afrique. 1835-1848. Lettres adressées au maréchal de Castellane par les maréchaux Bugeaud, Clauzel, Valée, Canrobert, Forey, Bosquet et les généraux Changarnier, de Lamoricière, le Flo, de Négrier, de Wimpffen, Clerc, etc...* (Paris 1898, 563 p.) et *Campagnes de Crimée, d'Italie, d'Afrique, de Chine et de Syrie. 1849-1862. Lettres adressées au maréchal de Castellane par les maréchaux Baraguey d'Hilliers, Niel, Bosquet, Pélissier, Canrobert, Vaillant et les généraux Changarnier, Cler, Mellinet, Douai, etc...* (Paris 1898, 434 p.). Mme de Beaulaincourt a, par ailleurs, écrit un volume sur son grand-père : *Boniface-Louis-André de Castellane 1758-1837* (Paris 1901, 378 p.).

206 Sophie de Castellane eut, au cours de son 1er mariage, un fils de sa liaison avec Coislin (voir note 205). *Elle fut aimée du marquis de Coislin...,* écrit à ce propos Maurice Parturier (*op. cit.* note 205). *Cependant, M. de Contades était parti pour Constantinople, en qualité d'attaché d'ambassade. Il en revint brusquement en 1843, sur un appel de Guizot, ministre des affaires étrangères, pour apprendre que sa femme avait donné le jour à un petit garçon... Celui-là est le père que les noces démontrent... M. de Contades ne fut pas de cet avis et l'enfant reçut le prénom d'Alain, auquel on ajouta le nom d'une petite terre de Bretagne, appartenant à M. de Coislin.* En fait, né à Paris, 57 rue du faubourg Saint-Honoré (en l'hôtel des Castellane) le 19-V-1843, cet enfant fut enregistré à l'état civil sous les prénoms de Pierre-Charles-Alain, *fils de père et de mère non désignés,* l'un des déclarants étant *Pierre-Adolphe Ducambout marquis de Coislin, propriétaire, 38 ans* (A.P., E.C.R.), et un d. i. du 27-II-1861 l'autorisa à porter le patronyme Alain de Mérionnec, avec les prénoms Pierre-Charles. L'intéressé mourut s.a. à Paris 8e le 12-XI-1888, 12 rue de Miromesnil, chez sa mère. Après son décès, parurent sous son nom deux petits livres : *Charagatt-Ouddour* (Le Caire 1889, 40 p.), étude historique sur une princesse égyptienne, et *La Déjanire. Maria Zanella. Pauvre petit.* (Paris 1892, 185 p.), recueil de trois nouvelles.

207 Le comte Maximilien de Hatzfeldt-Trachenberg était le frère de la comtesse Sophie (1805-1881), qui, mariée à son lointain cousin Edmond comte de Hatzfeldt-Wildenbourg dont elle divorça, organisa la révolution à Dusseldorf en 1848, défilant dans les rues de la ville à côté de Ferdinand Lassalle, avec elle était très liée, accompagnée de son fils cadet, le comte Paul, futur ambassadeur de l'empire d'Allemagne à Londres.

208 Cadet.

209 Gouverneur civil de Berlin lors de l'arrivée des Français, en 1806, François-Louis prince de Hatzfeldt-Trachenberg fut arrêté et condamné à mort par ceux-ci, après qu'on eût intercepté un courrier qu'il avait adressé à l'état-major de Blücher pour l'informer des effectifs de l'occupant. Sa femme, qui était alors sur le point d'accoucher, parvint à forcer la porte de Napoléon et à lui arracher la grâce de son mari. Il y avait au château de Trachenberg, aujourd'hui détruit — il se trouvait en Silésie, province devenue polonaise après la dernière guerre —, un tableau montrant la princesse en train de jeter dans les flammes de la cheminée, à l'invitation de l'empereur, la pièce à conviction que celui-ci lui avait montrée.

210 Voir l'ouvrage cité à la note 66.

211 Frédéric comte de Pourtalès était un petit cousin de sa femme la comtesse Gisèle de Kanitz (voir rubrique *L'épouse*).

212 Né Maximilien Goldschmidt, celui-ci fut anobli en Prusse le 6-IX-1903 sous le nom de von Goldschmidt-Rothschild et reçut dans le même pays le titre de baron héréditaire transmissible par primogéniture le 22-IV-1907.

213 Fille du baron Guillaume, chef de la maison de banque M.A. von Rothschild et fils à Francfort après son frère Mayer-Charles (tous deux fils du baron Charles-Mayer, auteur de la branche de Naples, laquelle succéda à Anselme-Mayer héritier de la maison de Francfort, mort s.p.), et de la baronne Mathilde de Rothschild, de la branche de Vienne, nièce à la mode de Bretagne de son mari.

214 A adopté le nom de Goldsmith-Rothschild lorsqu'il est devenu citoyen des Etats-unis en 1945.

215 Cousin germain de Siegfried-Alexandre, qu'on trouvera plus loin.

216 A Rome.

217 Le comte Adalbert Strachwitz de Gross-Zauche et Camminetz appartient à la ligne aînée de sa famille, alors que le comte Charles qui figure plus loin est de la ligne cadette : l'ancêtre commun vivait au 18e siècle.

218 Le baron Maximilien Saurma de Jeltsch et sa belle-mère, la baronne Marie Saurma de Jeltsch, étaient cousins au degré après issu de germain. La baronne Marie, alliée à Jean-Bernard baron de Welczeck, qu'on trouvera plus loin, était la grand-tante de Marie précitée et la cousine germaine du grand-père de Maximilien.

219 Cousine germaine de Maria, figurant plus bas.

220 De la même famille que le général Dietrich de Choltitz (1894-1966), gouverneur de Paris durant la dernière guerre (voir note 191), mais d'une autre ligne : le général descendait de Hermann-Jean-Charles de Choltitz (1828-1876), anobli en Prusse le 3-X-1861, fils naturel de Jean-Charles-Marie-Népomucène (1781-1858), dernier comte Sedlnitzky-Odrowaz de Choltitz.

221 Fait comte en Prusse le 19-XI-1894.

222 Voir note 218.

223 Le comte Clément de Schönborn-Wiesentheid était l'un des deux aides de camp constituant la suite de Walter baron de Loë, feld-maréchal, aide de camp général de l'empereur, lorsque celui-ci fut envoyé comme ambassadeur spécial auprès du pape Léon XIII par Guillaume II, en 1893, pour les cérémonies organisées à l'occasion des 50 ans d'épiscopat du souverain pontife : ce geste marqua la fin du Kulturkampf.

224 La baronne Adolphine Wambolt d'Umstadt est la grand-tante de la baronne Ursula qu'on trouvera plus loin.

225 Le mariage religieux (luthérien) a été célébré à Munich le 10-XI-1963.

226 L'ancêtre commun à cette branche et à celle de Trachenberg, qu'on a rencontrée plus haut, vivait au 15e siècle.

227 Voir note 219.

228 La comtesse Barbara de Hatzfeldt-Wildenbourg s'est, de son côté, remariée, civilement à Munich le 11-II-1960, religieusement à Limburg le 27-IV-1964, au comte Henri de Méran (Szekes-Fehervar, Hongrie, 26-IV-1908), docteur en droit, vice-consul de la République fédérale d'Allemagne, fils du comte François, chambellan impérial et royal, colonel (Autriche), et de s.a.s. la princesse Marie-Jeanne de Liechstenstein. Les comtes de Méran sont issus du mariage morganatique de l'archiduc Jean-Baptiste d'Autriche (1782-1859), 5e fils de l'empereur Léopold II avec Anne-Marie-Joséphine Plöchl.

229 Des comtes De La Warr (Grande-Bretagne).

230 Voir note 224.

231 Voir note 215.

232 Appartient à la branche cadette de la ligne de Zeil, alors que le comte Aloysius qu'on trouvera un peu plus loin est de la branche aînée : ces deux branches se sont formées au début du 19e siècle.

233 Fille de l'archiduc François-Salvator (du 2e rameau de la branche cadette de la ligne de Toscane) et de l'archiduchesse Marie-Valérie (fille de l'empereur François-Joseph).

234 Voir note 232.

235 Le prince Henri III Reuss a transformé sa vaste propriété, à Altenfelden (Autriche), en parc naturel pour animaux sauvages, ouvert au public.

236 Mort en service commandé durant son service militaire.

237 Mort à la suite des fatigues supportées durant la campagne des Carpates.

238 Voir note 217.

239 Autorisée à reprendre son nom de jeune fille par décret du 11-III-1949.

240 Ruth Francke s'est remariée le 31-I-1953 à Walter Herzog, négociant.

241 A Budapest, à Madrid et à Paris.

242 Il fut par ailleurs un grand collectionneur, s'intéressant notamment aux timbres poste, aux papillons, aux minéraux, aux porcelaines de Saxe, aux tapis et meubles anciens et à l'élevage des volailles exotiques.

243 D'une famille de propriétaires fonciers du Chili, Daniel Balmaceda était le frère cadet de José-Manuel-Emiliano Balmaceda (Bucalemu, province de Santiago, 19-VII-1840 - Santiago 19-IX-1891), parlementaire et ministre d'état en diverses périodes, président de la république (1886-1891), qui, s'étant réfugié à la légation d'Argentine, après avoir été renversé, y mit fin à ses jours.

244 En dernier lieu à Caracas.

245 Clément prince Aldobrandini fut l'un des principaux artisans de l'assèchement des Marais pontins, entrepris en 1928 par le gouvernement de Mussolini.

246 Autorisée par le roi d'Italie en 1903 à relever ce titre porté par une branche éteinte de sa famille, celui-ci étant transmissible à son fils cadet Ferdinand.

247 Des princes de Molfetta.

248 D'une famille arménienne, enrichie dans le commerce.

249 Aline Janssens serait retournée en Belgique après la mort du comte Boniface de Hatzfeldt-Trachenberg et y aurait contracté une nouvelle alliance.

250 Pierre de Castellane entra au service comme cavalier le 25-X-1842. Il passa brigadier le 20-II-1843, maréchal des logis le 6-VI-1843 et sous-lieutenant le 2-III-1845. Il fut rayé des contrôles le 11-VII-1848 pour refus d'adhésion au gouvernement de la république. Réintégré par d.i. du 11-I-1853, il devint lieutenant en 1854, capitaine en 1855 et démissionna en 1857. Son dossier au S.H.A.T. montre que celui-ci ne fit carrière dans l'armée qu'à contrecœur, sous la pression paternelle. En transmettant au ministre son refus d'adhérer

à la république, le général Cavaignac, alors gouverneur général de l'Algérie où se trouvait l'unité de l'intéressé, fait en effet remarquer que *M. de Castellane, servant malgré lui et seulement d'après la volonté de son père, avait moins en vue de faire une manifestation politique que de se créer un prétexte de quitter le service.*

251 Xavier Marmier affirme dans son *Journal* que celle-ci avait été la maîtresse d'Achille Fould avant d'épouser Pierre de Castellane.

252 Le dossier (F^{1B} I 173^9) que possèdent les A.N. à propos de Michel Sapia (San Remo 17-VI-1787 - Paris 5-II-1855) apporte un certain nombre de renseignements sur celui-ci et sa famille. Il fut successivement secrétaire de la sous-préfecture de San Remo (1808), chef de bureau à la préfecture de l'Ariège (1811), conseiller de préfecture du département de l'Ariège (1823-1830). Il avait été naturalisé français par l.p. d'août 1816. La monarchie de juillet le révoqua dès 1830. *La famille à laquelle il appartient,* indique une note datée d'août 1813, apparemment de sa main, *est l'une des plus anciennes et des meilleures de la Riviera de Gênes. Son grand-père était colonel. Son père a toujours été dans les magistratures. M. Sapia, son oncle (ci-devant comte), a été député près de s. m. à Gênes, lors de la réunion de la Ligurie à la France. M. le baron Borea, maire de San Remo, est son cousin germain. Il n'a qu'un frère qui sert dans le 3ᵉ régiment de gardes d'honneur, actuellement à la grande armée.* Un document ultérieur précise que ce frère est mort au combat dans l'armée sarde près de Grenoble, en combattant l'armée française rebelle. L'acte de décès de Michel Sapia lui donne le titre de comte.

253 Outre Hedwige, Michel Sapia et Angélique Claverie eurent 3 fils : 1) Pierre-Henri-Antoine-Constantin Sapia dit le comte de Lencia (Foix 27-II-1822 - 2-IX-1876), colonel d'infanterie de marine, s.a. ; 2) Pierre-Charles-Louis-Arnaud dit le comte Sapia de Lencia (Foix 19-IX-1825 - Paris 8ᵉ 26-III-1885), directeur du mouvement des fonds au ministère des finances, receveur central du département de la Seine ; 3) Pierre-Théodore-Emmanuel Sapia (Paris 7-I-1838 Paris 4ᵉ 23-I-1871), s.a. Le 2ᵈ, allié à Paris le 14-VIII-1856 à Antoinette-Raymonde-Stéphanie Laurier (Paris 9-V-1838 - Angervilliers 9-X-1899), fille de François, négociant, et de Marie-Nathalie Tourret, fut père de 2 enfants autorisés par décret du 23-XI-1877 à s'appeler Sapia de Lincia (et non Lencia) : a) Louis (Paris Iᵉʳ 29-VI-1861 - Nice 29-VIII-1931), propriétaire, allié Paris 8ᵉ 17-VI-1908 à Suzanne Lecadet (Toulon 17-V-1876 - Saint-Nazaire 28-IV-1970), fille de Hyacinthe-Gustave, proviseur de lycée, et de Marie-Clémentine Clément d'Ervillé, s.p. ; b) Jeanne-Marie-Madeleine (Paris 2ᵉ 23-XII-1864 - La Motte-Fouquet 1-XII-1952), alliée Paris 8ᵉ 28-IV-1884 à Gabriel-Henri de Grancey (Paris 1-X-1856 - Paris 16ᵉ 6-I-1938), lieutenant-colonel d'artillerie, fils de Charles, propriétaire, et de Marie Campbell, dont postérité.

254 La source en question parle d'un enfant sans préciser le sexe.

255 Nous exprimons notre gratitude aux descendants du maréchal de Castellane et à leurs alliés qui ont bien voulu nous aider à réunir la matière de ce chapitre, et tout particulièrement à la princesse Aldobrandini, à la comtesse Charles de Bartillat, au comte de Caumont La Force, à M. l'abbé Ralph de Falkenstein, à la comtesse Jean de Plater-Zyberk, à la comtesse Rey, au comte Stéphane Rostworowski, à M. Jean Tomaszewski.

VIII

Achille comte Baraguey d'Hilliers

28-VIII-1854

CARRIERE

1795 : naissance à Paris (6-IX) [1],

1806 : soldat au 9e régiment de dragons,

1807 : élève au prytanée militaire (jusqu'en 1812),

1812 : sous-lieutenant (3-IX), au 2e régiment de chasseurs à cheval, fait la campagne de Russie,

1813 : reçoit l'investiture du titre de comte de l'empire en qualité d'héritier de son père décédé, sous réserve de prêter serment à sa majorité (3-VI) ; lieutenant (1-VIII), aide de camp du duc de Raguse (jusqu'en 1814) ; fait la campagne d'Allemagne, a le poignet gauche emporté par un boulet à Leipzig,

1814 : capitaine (26-II), à la suite du 6e régiment de chasseurs à cheval (19-VI),

1815 : démissionnaire (8-VI), réintégré (8-VII), au 6e régiment de chasseurs à cheval, au 2e régiment de grenadiers à cheval de la garde royale (10-X, jusqu'en 1820),

1816 : confirmé comte héréditaire (l.p. du 28-XII),

1818 : chef d'escadron breveté,

1820 : chef de bataillon (11-X), à la légion du Cher (11-X), au 9e régiment d'infanterie de ligne (17-XI, jusqu'en 1825),

1823 : en Espagne (jusqu'en 1825),

1825 : major, au 2e régiment d'infanterie de la garde royale (jusqu'en 1827),

1826 : lieutenant-colonel,

1827 : au 2e régiment d'infanterie de ligne (jusqu'en 1830),

1830 : au 1er régiment d'infanterie légère (25-III, jusqu'en 1833), participe à la prise d'Alger, colonel (31-VIII),

1833 : commandant en 2d de l'Ecole militaire de Saint-Cyr (jusqu'en 1836),

1836 : maréchal de camp (22-XI), commandant de l'Ecole militaire de Saint-Cyr (22-XI, jusqu'en 1841),

1841 : à la disposition du gouverneur général de l'Algérie (jusqu'en 1842),

1843 : commandant de la province de Constantine (19-VI), lieutenant général (6-VIII),

1844 : disponible (jusqu'en 1847),

1847 : inspecteur général pour 1847 du 21e arrondissement d'infanterie,

1848 : commande la 6e division militaire à Besançon (4-III), commande la 2e division d'infanterie de l'armée des Alpes (10-IV), élu député du Doubs à l'Assemblée constituante (23-IV), est un des chefs de la droite monarchiste, président du comité dit de la rue de Poitiers, se rallie au prince-président [2],

1849 : élu député du Doubs à l'Assemblée législative (13-V), commandant en chef du corps expéditionnaire de la Méditerranée (4-XI), envoyé extraordinaire et ministre plénipotentiaire de la République en mission temporaire près du pape (6-XI),

1851 : commande en chef les troupes de la 1re division militaire (9-I), démissionne de ce commandement (10-VII), disponible (1-XII), donne son adhésion au coup d'état du 2-XII,

1852 : sénateur (26-I), considéré comme étant en disponibilité hors cadre conformément au décret du 19-II-1852 sur les officiers généraux sénateurs (24-II), vice-président du Sénat (28-I, jusqu'en 1870),

1853 : ambassadeur extraordinaire et ministre plénipotentiaire près la Sublime porte ottomane,

1854 : commande le corps expéditionnaire de la Baltique (3-VII), s'empare de la forteresse de Bomarsund dans l'île d'Aland (16-VIII), maréchal de France (28-VIII),

1855 : commande le 1er corps de l'armée du Nord à Boulogne (14-III), puis l'armée du Nord (15-X, jusqu'en 1856),
1858 : commandant supérieur des divisions de l'ouest à Tours,
1859 : commande le 1er corps de l'armée d'Italie (22-IV), bat les Autrichiens à Melegnano (8-VI)[3], prend une part importante à la victoire de Solferino (24-VI), commandant supérieur du 5e corps d'armée à Tours (17-VIII, jusqu'en 1863),
1863 : commandant en chef des troupes, réunies au camp de Châlons (25-III), reprend le commandement du 5e corps d'armée (28-VIII, jusqu'en 1870),
1870 : commande le 1er corps d'armée à Paris devenu le 8e corps d'armée (19-VII), cesse d'exercer ce commandement (13-VIII),
1871 : président de la commission d'enquête des capitulations (30-IX, jusqu'en V-1872),
1878 : meurt à Amélie-les-bains (6-VI)[4], inhumé aux Invalides.

ECRITS

• *Place de Toul. Notes sur le procès verbal de la séance du conseil d'enquête du 27-X-1871*, Saint-Germain-en-Laye, 1872, 7 p.,

• un discours, deux proclamations.

LE CADRE FAMILIAL

Ascendance [5]

I - Thomas I BARAGUEY, décédé à Rouen (Saint-Vivien) le 21-III-1689, âgé de 62 ans, allié 1) à Jeanne GOUPIL, décédée à Rouen (Saint-Vivien) le 21-X-1681, âgée de 55 ans, 2) Rouen (Saint-Vivien) 2-VI-1682 à Anne RENARD [Anne RENARD avait épousé précédemment Jean CARON], dont du 1er mariage

II - Thomas II BARAGUEY, né à Rouen (Saint-Vivien) le 8-IX-1666, décédé à Rouen (Saint-Martin-du-pont) le 9-XI-1723, marchand drapier à Rouen, centenier [6] et administrateur du bureau de Rouen [7], trésorier de la paroisse Saint-Martin-du-pont, directeur de l'hospice général de Rouen [8], allié 1) Carville (commune de Darnétal) 9-X-1689 à Marie THINEL, fille de Charles et de Marie DELAPLANCHE, 2) à Claude-Marguerite PETEY de L'HOSTALLERIE, baptisée à Paris (Sainte-Croix) le 15-IX-1696 [9], décédée à Saint-Germain-en-Laye le 21-IX-1778, fille de Louis PETEY, sieur de L'HOSTALLERIE, secrétaire de Denis Talon, président à mortier au parlement de Paris [10], et de Claude FLANET [11] [Claude-Marguerite PETEY de L'HOSTALLERIE s'est remariée à Paris (Notre-dame-des-champs) le 8-I-1748 [12] à Jacques-Joseph SEBIRE des SAUDRAIS, baptisé à Saint-Malo (cathédrale) le 8-IX-1695, mort en 1761 [13], avocat au parlement de Paris et au conseil du roi, contrôleur de la maison de Madame la dauphine, conseiller secrétaire du roi, maison et couronne de France, fils de François SEBIRE sieur des SAUDRAIS, négociant à Saint-Malo, et de Jeanne COULMAN [14]] [15], dont du 2ᵈ mariage

III - Louis-Philippe BARAGUEY d'HILLIERS [16], ondoyé à Rouen (Saint-Martin-du-pont) le 23-III-1722 étant né la veille, baptisé à Chelles le 14-VII-1723 [17], officier de Mgr le duc d'Orléans [18], gendarme de la garde du roi [19], allié Paris 5-IV-1764 [20] à Marie-Anne-Luce DELAHOUSSE de BRETEUIL, née à Rouen (Saint-Nicolas) le 23-V-1733, fille d'Oudart DELAHOUSSE sieur de BRETEUIL, receveur des tailles de l'élection de Lyons (Vexin normand), conseiller secrétaire du roi, maison et couronne de France, et d'Anne-Louise-Jeanne LE PLANQUOIS [21] [Marie-Anne-Luce DELAHOUSSE de BRETEUIL avait épousé précédemment à Paris (Saint-Laurent) le 18-IX-1752 [22] Nicolas HUSSON, né à Troyes (Sainte-Madeleine) le 24-III-1714, décédé à Paris le 24-VIII-1762 [23], caissier général de la régie des droits réunis, conseiller secrétaire du roi, maison et couronne de France [24], fils de Joseph, contrôleur des actes des notaires, puis directeur des fermes du roi à Rennes, et de Marie RABIAT [25]] [26], dont [27]

IV - Louis BARAGUEY d'HILLIERS, baptisé à Paris (Notre-dame-de-bonne-nouvelle) le 13-VIII-1764, étant né la veille, décédé à Berlin le 6-I-1813, reçu bourgeois de Thonon le 13-VI-1783 [28], général de division, colonel général des dragons, comte de l'empire (l.p. du 16-IX-1808) [29], allié Paris 26-I-1795 à Marie-Eve ZITTIER, née à Mayence le 20-I-1774, décédée à Paris le 13-II-1831 [30], fille de Joseph-Charles, fabricant de couteaux, bourgeois de Mayence, et d'Elizabeth WOLF [31] [Marie-Eve ZITTIER avait épousé précédemment à Mayence (Saint-Christophe) le 30-V-1790 Pierre-Joseph DANIELS, décédé à Winnweiler, Palatinat, le 19-I-1819, âgé de 56 ans, docteur en médecine et juge de paix [32], mariage dissous par jug. de divorce le 8-I-1795 [33]].

Collatéraux [5]

Enfants du 1ᵉʳ mariage de Thomas II avec Marie THINEL : Thomas-Robert, baptisé à Carville (commune de Darnétal) le 6-III-1698 étant né le 5, décédé à Caen le 30-X-1747, marchand à Rouen, officier en la cour des monnaies de Rouen, allié Rouen (Saint-Jean) 29-VII-1719 à Elisabeth MARC, décédée à Rouen (Saint-Jean) le 15-V-1744 âgée de 52 ans, fille de Jean-Gilles, marchand, et de Marie de LIERVILLE [34] ; Louis, baptisé à Carville le 4-VI-1701, écuyer, valet de chambre de Madame la dauphine, seigneur et patron honoraire d'Incarville et de Saint-Aubin-la-campagne [35] allié Rouen (Saint-Etienne-des-tonneliers) 2-X-1726 à Marie-Catherine

DUMESNIL, fille de Jacques-Philippe et de Marie-Catherine RIDEL ; François, décédé avant 1751, marchand à Rouen, allié Barentin 25-XI-1734 à
Marie-Suzanne de PAIX de CŒUR, fille de Guillaume-Alexandre, écuyer,
seigneur de Groffy [36], et de Marie-Françoise de MÉDINE [37] ; Marie-Madeleine, baptisée à Carville le 23-XI-1702, alliée Rouen (Saint-Jean) 8-X-
1731 à Charles-Alexandre de PAIX de CŒUR, écuyer, seigneur du Petit-
Catillon [38], frère de Marie-Suzanne précitée [39]. Enfant du 2ᵈ mariage de
Thomas II avec Claude-Marguerite PETEY de L'HOSTALLERIE : Thomas-
Jean [40], baptisé à Rouen (Saint-Maclou) le 20-I-1721, décédé à Paris (rue
du Grenier-saint-Lazare) le 15-II-1755 [41], bourgeois de Paris [42].

ARMES

D'argent, à la bande de gueules, accompagnée à sénestre d'une canette
de sable ; au chef d'azur, chargé de trois étoiles d'argent [43].

ALLIANCE ET DESCENDANCE

Le maréchal Baraguey d'Hilliers est demeuré célibataire.

FRERES ET SŒURS

du 1ᵉʳ mariage de la mère :

1 - Elisabeth-Augustine DANIELS (Mayence 10-XI-1790 - Paris 8ᵉ 25-IX-
1868) alliée Udine, Italie, 20-IV-1807 à Maximilien-Sébastien FOY
(Ham 3-II-1775 - Paris 28-XI-1825), baron de l'empire (l.p. du 9-IX-
1810), comte de l'empire (d.i. du 15-V-1815), général de division, député
de l'Aisne (1819-1825) [44], fils de Florent-Sébastien, maître de poste et
échevin à Ham, et d'Elisabeth WISBECQ ; de ce mariage sont venus
7 enfants, qui suivront successivement avec leur descendance : I) Eve-
Elisabeth FOY (18-XI-1808 - 4-X-1810) ; II) Elisabeth-Blanche FOY
(7-IX-1811 - 21-I-1814) ; III) Blanche FOY (Paris 6-III-1814 - Chenu
4-VII-1891) alliée Paris 7-III-1834 à Théobald-Emile ARCAMBAL-
PISCATORY dit le baron PISCATORY (Paris 30-IX-1799 - Paris 8ᵉ 18-XI-
1870), pair de France à vie (1846), ministre plénipotentiaire, propriétaire
agriculteur, député d'Indre-et-Loire [45], fils d'Hyacinthe-François ARCAM-
BAL, employé au bureau de la guerre, et de Thérèse-Pélagie DESHAYES,
fils adoptif d'Antonin-Pierre baron [46] PISCATORY, caissier des dépenses
au ministère des finances [47], dont [48] A) Rachel ARCAMBAL-PISCATORY
(Paris 6-VII-1835 - Chenu 14-IX-1914) alliée Chenu 31-III-1859 à

Gustave TRUBERT (Paris 4-XI-1817 - Paris 8e 26-V-1891)[49], conseiller référendaire à la cour des comptes, administrateur de sociétés[50], fils d'Alexandre-Etienne, ingénieur des mines, notaire à Paris, et de Louise-Caroline BASTERRECHE[51], dont uniquement Blanche TRUBERT (Paris 7-V-1860 - Paris 8e 29-IX-1938) alliée Paris 8e 8-VIII-1882 à Maurice TERNAUX-COMPANS (Paris 20-I-1846 - Paris 8e 27-V-1930), conseiller d'ambassade, député et conseiller général des Ardennes, fils de Henri TERNAUX, propriétaire, député de la Loire-inférieure[52], et de Louise COMPANS[53], dont postérité en ligne féminine (notamment familles BALSAN et HERMITE) ; B) Blanche ARCAMBAL-PISCATORY, qu'on retrouvera plus loin, alliée à son oncle Maximilien baron FOY ; IV) Fernand comte FOY (Ham 20-VI-1815 - Compiègne 1-XI-1871), ministre plénipotentiaire, pair de France à vie (1831)[54], propriétaire, allié Paris 24-II-1838 à Louise GERMAIN de MONTFORTON (Paris 5-VIII-1815 - Paris 1er 18-I-1862), fille d'Auguste-Jean, comte de l'empire (l.p. du 19-XII-1809), puis comte héréditaire (l.p. du 17-II-1815), baron pair héréditaire (l.p. du 7-VIII-1828), ministre plénipotentiaire, préfet, et de Constance de HOUDETOT[55], dont A) Jeanne FOY (Rome 12-I-1839 - Paris 8e 12-VII-1921)[56] alliée Paris 1er 14-III-1860 à Léon comte TRESVAUX de BERTEUX (Paris 2-XI-1834 - Paris 8e 31-V-1913), propriétaire, fils de Louis-Luc, comte romain (l.p. du 24-I-1845[57]), propriétaire, capitaine d'état-major[58], et d'Amélie-Fanny JARRETON, dont postérité, éteinte en ligne masculine, subsistante en ligne féminine (notamment famille de CHAVAGNAC[59]) ; B) Max vicomte FOY (Paris 1840 - Paris 8e 21-X-1866), propriétaire, s.a. ; C) Fernand comte FOY (Paris 24-II-1847 - Compiègne 26-VIII-1927), propriétaire, conseiller général du Calvados, allié Paris 6e 10-III-1870 à Marie GÉRARD (Paris 15-XI-1849 - Paris 8e 19-V-1915), fille de Henri-Alexandre, baron héréditaire (l.p. du 4-V-1870)[60], propriétaire, conseiller général et député du Calvados, administrateur de sociétés[61], et de Pauline SCHNAPPER, dont 1) Max comte FOY (Barbeville 21-II-1871 - Monaco 2-VI-1958), administrateur de société, vice-président du Jockey-club, allié Paris 8e 5-IV-1899 à Anita PORGÈS (Hanover, comté de Middelsex, Angleterre, 5-VIII-1877 - Genève 14-V-1948)[62], fille de Théodore, banquier, et de Mathilde de WEISSWEILER[63], mariage dissous par jug. du t. c. de la Seine le 28-VII-1908, dont a) Sébastien comte FOY (Paris 16e 17-IV-1900 - Neuilly-sur-Seine 11-XI-1967), administrateur de sociétés[64], allié Mézy, Yvelines, 19-IX-1939 à Elvire POPESCO (Bucarest 10-V-1896), artiste dramatique, fille de Georges, commerçant, et de Marie PERZESCA[65], s.p. ; b) Isabelle FOY (Paris 8e 5-IV-1903 - Monaco 7-III-1976), s.a. ; 2) Henry baron FOY (Paris 8e 30-XII-1872 - Paris 7e 10-II-1954), administrateur de sociétés, président de la Société d'encouragement pour l'amélioration des races de chevaux en France[66], allié Paris 7e 12-I-1931 à Lucienne-Suzanne ORLANDI (Paris 6e 30-IV-1887 - Paris 12e 1-XI-1971), fille de Constance-

Nathalie ORLANDI, artiste lyrique, s.p. ; 3) Fernand FOY (Paris 8e 2-II-1877 - Barbeville 4-VII-1879) ; 4) Antoinette FOY (Paris 8e 23-IX-1879 - Paris 8e 13-XII-1975) alliée Paris 8e 21-II-1900 au comte Frédéric PILLET-WILL (Paris 9e 1-I-1873 - Paris 8e 1-V-1962), administrateur de sociétés [67], fils de Frédéric comte PILLET-WILL, banquier, président et administrateur de sociétés, régent de la Banque de France, et de Clotilde BRIATTE [68], dont postérité en ligne féminine (famille de RARÉCOURT DE LA VALLÉE de PIMODAN) ; 5) Louise FOY (Paris 8e 22-VI-1882 - Nampcel 14-VI-1964) alliée Paris 8e 26-IV-1907 au comte Henri BRUNET d'EVRY (Paris 8e 25-VIII-1878 - Billère 19-XI-1910), lieutenant de cavalerie, fils du comte Ernest, propriétaire, et de Marie-Louise de CHABROL-CHAMÉANE, dont postérité en lignes masculine et féminine (familles PINTA et de REINACH-HIRTZBACH) ; 6) Pauline FOY (Paris 8e 14-X-1883 - Montréjeau 3-XII-1972) alliée Paris 8e 26-I-1907 à Marc baron de LASSUS (Paris 8e 29-XI-1881 - Montréjeau 26-VII-1954), propriétaire, capitaine d'infanterie, fils de Marie-Marc baron de LASSUS, propriétaire, conseiller général et député de la Haute-Garonne, et de Claire-Françoise de GASSAUD, dont postérité en lignes masculine et féminine (familles de RIQUET de CARAMAN et de ROCHEFORT-SIRIEYX) ; 7) Jeanne FOY (Paris 8e 8-XI-1885 - Bayeux 25-VI-1979) alliée Paris 8e 28-VII-1911 à Pierre VILLEDIEU marquis de TORCY (Teillé, Sarthe, 9-VIII-1879 - ✕ Ville-sur-Tourbe 1-IV-1916), propriétaire, lieutenant de cavalerie, fils de Raphaël marquis de TORCY, propriétaire éleveur, député et conseiller général de l'Orne, et de Savina de TAISNE, dont postérité en lignes masculine et féminine (famille LE GALLAIS) ; V) Tiburce vicomte FOY (Paris 26-VIII-1816 - Mézières 7-IX-1870), sous-préfet, puis préfet [69], s.a. ; VI) Isabelle-Joséphine FOY (Paris 29-II-1818 - Paris 8e 26-XII-1869) alliée Paris 8-VII-1840 à Joseph-Henri GALOS (Bordeaux 26-X-1804 - Paris 8e 4-VII-1873), négociant à Bordeaux, administrateur de société, député de la Gironde (1837-1848), directeur de l'administration des colonies (1842), conseiller d'état, membre du conseil supérieur du commerce et de l'instruction publique (1871) [70], fils de Jacques, négociant, puis maître des requêtes au Conseil d'état, député de la Gironde, et de Joséphine-Catherine BRAT, dont uniquement Elisabeth GALOS (Paris 15-VI-1841 - Bordeaux 4-XII-1925) [71] alliée Paris 8e 8-VII-1867 à France comte de HOUDETOT (Saint-Quentin, Aisne, 8-III-1842 - Bordeaux 27-X-1896), trésorier payeur général, fils d'Adolphe comte de HOUDETOT, capitaine d'infanterie, puis receveur des finances [72], et de Sidonie de LA ROQUE de MONS, dont uniquement Isabelle de HOUDETOT (Paris 8e 9-VI-1868 - Bordeaux 28-X-1951) alliée Bordeaux 10-IV-1901 à Fernand marquis de PINDRAY d'AMBELLE (Sainte-Croix-de-Mareuil 9-II-1861 - Bordeaux 3-III-1930), propriétaire, lieutenant de cavalerie, fils de Marc marquis de PINDRAY d'AMBELLE, propriétaire, et de Valentine d'ASSAILLY [73], s.p. ; VII)

Maximilien dit Max baron Foy (Paris 12-III-1822 - Tours 10-XI-1877), ancien élève de l'Ecole polytechnique, général de brigade, allié Chenu 11-VI-1864 à Isabelle ARCAMBAL-PISCATORY (Chenu 15-VII-1838 - Chenu 11-X-1901), sa nièce qu'on a rencontrée plus haut [74], dont uniquement Théobald vicomte Foy (Chenu 8-III-1865 - Chenu 2-VII-1942), propriétaire, conseiller général et député d'Indre-et-Loire, allié Paris 8e 18-XI-1905 à Nelly HELLMAN (Paris 9e 3-II-1872 - Chenu 15-II-1943), fille de Max, banquier à Paris, et de Marie BERHEND, dont 1) Maximilien dit Max comte Foy (Paris 8e 1-VIII-1906), président de mutuelle d'assurances [75], administrateur de société, allié Paris 16e 29-V-1945 à Christiane LECOCQ (Paris 16e 29-III-1907), fille de Jacques-Marcel, ingénieur de l'Ecole nationale des arts et métiers, et de Germaine-Mathilde DURAND [76], dont a) Thierry vicomte Foy (Paris 15e 28-IV-1946), industriel [77], s.a.a., b) Elisabeth dite Lise Foy (Boulogne-Billancourt 26-IV-1948) alliée Chenu 23-XI-1974 au vicomte Eric MARCOUL de MONTMAGNER de LOUTE (Cannes 24-XI-1947), ingénieur (informatique), fils du vicomte Alain, capitaine de frégate, puis administrateur de compagnie de navigation, et de Nicole-Marie SEGOND, dont postérité ; 2) Tiburce Foy (Paris 8e 26-XII-1907 - Paris 8e 19-III-1908) [78].

2 - Joseph-Charles-Guillaume DANIELS (Mayence 27-VI-1792 - ✗ Elbing 26-XII-1810), sous-lieutenant de cavalerie [79], s.a.

du 2e mariage de la mère :

3 - Clémentine BARAGUEY d'HILLIERS (Genève 25-X-1800 - Paris 8e 3-II-1892) alliée Montigny-sur-Avre 21-II-1819 à Charles-Marie DENYS de DAMRÉMONT (Chaumont, Haute-Marne, 8-II-1783 - ✗ devant Constantine 12-X-1837), comte héréditaire (l.p. du 23-XII-1815), lieutenant général, gouverneur général des possessions françaises dans le nord de l'Afrique et commandant en chef de l'armée s'y trouvant, pair de France à vie (1835) [80], fils d'Antoine DENYS sieur de DAMRÉMONT, lieutenant du roi en la ville de Chaumont, commissaire provincial des guerres employé en Champagne, et de Marie-Henriette HANNAIRE de VIESVILLE [81] ; de ce ménage, sont venus 2 enfants, qu'on trouvera ci-après avec leur descendance : I) Charles comte de DAMRÉMONT (Paris 11-XII-1819 - Le grand bourg 9-XII-1887), ministre plénipotentiaire, propriétaire, allié 1) Paris 1-IV-1854 à Margaret HENNESSY (Richemont, Charente, 15-VII-1834 - Paris 8e 7-IV-1919), fille de Richard-Auguste, propriétaire, négociant en eaux-de-vie, président du tribunal de commerce de Cognac, conseiller général, député et sénateur de la Charente [82], et d'Irène d'ANTHÈS, mariage dissous par arrêt de la cour d'appel de Paris le 11-II-1886, 2) Paris 8e 2-III-1887 à Alix DESCUBES du CHATENET (Le grand bourg 19-VIII-1851 - Saint-Pierre-de-Fursac 11-III-1939), fille

d'Emmanuel, propriétaire, homme de lettres [83], et de Marguerite-Augusta de JOHET de COLONGES, s.p. du 2ᵈ mariage, dont par le 1ᵉʳ : A) Charles comte de DAMRÉMONT (Darmstadt 25-V-1855 - Arcachon 6-V-1897), propriétaire, maire d'Arcachon, conseiller d'arrondissement (Gironde), allié Paris 17ᵉ 19-IX-1887 à Madeleine ALBRECHT (Mulhouse 28-IV-1842 - Paris 11ᵉ 16-X-1927), fille de Sébastien, tondeur de draps, et d'Appolonie dite Pauline WERLIN, dont 1) Charles comte de DAMRÉMONT (Paris 16ᵉ 2-XI-1880 - Paris 16ᵉ 27-I-1899), s.a. ; 2) Clémentine de DAMRÉMONT (Paris 8ᵉ 24-I-1883 - Paris 16ᵉ 22-XII-1972) alliée Paris 16ᵉ 18-IV-1906 à Bertrand du COR de DUPRAT (Saint-Martin-des-champs, Manche, 19-X-1879 - Paris 16ᵉ 29-III-1958), autorisé par décret du 15-XII-1906 à ajouter à son nom celui de DAMRÉMONT, général de brigade, fils de Marie-Antoine, colonel de cavalerie, et de Marie-Aliette du BOUËXIC, dont uniquement Hélène du COR de DUPRAT de DAMRÉMONT (Paris 7ᵉ 24-X-1909) alliée Paris 16ᵉ 22-VI-1932 au comte Elzéar de CASTELLANE (Paris 7ᵉ 11-III-1906 - Brain-sur-Allonnes 20-V-1965), propriétaire, fils du comte Henri, propriétaire, président de la Société numismatique de France [84], et de Marie-Thérèse O'TARD de LA GRANGE, dont postérité en ligne féminine (familles de VOGÜÉ et SABATIER) ; B) Irène de DAMRÉMONT (Paris 7ᵉ 16-V-1860 - Paris 8ᵉ 6-VI-1956) alliée Paris 7ᵉ 20-VIII-1880 à Guy-Daniel de GIRARD marquis de CHARNACÉ (Croissy-Beaubourg 12-VIII-1851 - Chambellay 8-V-1942), propriétaire, vice-président du Nouveau cercle (Paris), président des comités royalistes de Maine-et-Loire, enseigne de vaisseau, fils de Guy marquis de CHARNACÉ, inspecteur des chemins de fer, puis journaliste et homme de lettres [85], et de Claire d'AGOULT [86], dont 1) Foulques marquis de CHARNACÉ (Paris 8ᵉ 1-VI-1882 - Longuefuye 19-X-1957), lieutenant-colonel de cavalerie, allié Paris 8ᵉ 22-III-1930 à Isabelle CONNANGLE (Angoulême 7-VII-1890 - Saint-Germain-en-Laye 25-IX-1952), fille de Pierre, chef de poste des contributions indirectes, et de Marie-Hermanie JAULIN [87], s.p. ; 2) Claude de CHARNACÉ (Paris 8ᵉ 17-VII-1883) alliée Paris 8ᵉ 17-X-1906 à Charles comte de SAINT-PRIEST d'URGEL (Avignon 3-IV-1876 - Avignon 23-V-1948), industriel, fils de Joseph-Ferdinand comte de SAINT-PRIEST d'URGEL, propriétaire, et de Marie-Octavie POULIN, dont postérité en lignes masculine et féminine (familles LAGROY de CROUTTE de SAINT-MARTIN et de ROUGÉ) ; 3) Bertrand marquis de CHARNACÉ (Paris 8ᵉ 4-IX-1885 - Chambellay 18-V-1967), ancien élève de l'Ecole des hautes études commerciales, banquier, administrateur de sociétés, allié Nancy 21-VI-1920 à Anne-Marie CANAULX de BONFILS (Compiègne 29-VI-1894 - Clichy-La Garenne 13-II-1978), fille de Raymond comte de BONFILS, propriétaire, et d'Adèle LAURENS de WARU, dont postérité en lignes masculine et féminine (familles BERTHIER de GRANDRY, JOUAN de KERVENOAËL, de PONTAC) ; II) Henriette de DAMRÉMONT (Paris 11-III-1824 - Paris 8ᵉ 24-I-

1898) alliée Paris 7-VI-1846 à Gabriel-Léonce comte Cortois de Charnailles (Paris 14-III-1816 - Paris 8e 1-XII-1898), propriétaire, sous-
préfet, puis préfet[88], fils de Didier comte Cortois de Charnailles et
de Rose-Zoé de Pierrepont, s.p. [89].

NOTES

1 Tant dans les documents originaux que dans les sources imprimées, on rencontre,
pour la 1re partie du nom du maréchal, les formes Baraguay ou Baraguey,
suivant le cas. Le dictionnaire Larousse utilise la 1re. Nous avons retenu la
2de, car elle est celle qu'employaient l'intéressé et son père, le général Baraguey
d'Hilliers.

2 La constitution de 1848 prévoyait un poste de vice-président de la république.
Celui-ci devait être désigné par l'assemblée sur une liste de 3 noms établie
par le président. Louis-Napoléon proposa : Henri-Georges Boulay de La
Meurthe, Alexandre-François Vivien et le général Baraguey d'Hilliers. Le 1er
fut élu avec 417 voix. Le 2d en obtint 277 et le futur maréchal une seule !

3 En français Marignan.

4 Le maréchal Baraguey d'Hilliers, écrit Germain Bapst au chap. IX du t. III
de son ouvrage *Le maréchal Canrobert. Souvenirs d'un siècle* (voir rubrique
Ecrits du chap. XI) *était un homme aussi dur à lui-même qu'aux autres... Sa
mort le prouve. Il avait 83 ans, était à Bourbonne-les-bains, encore plein de
verdeur, lorsqu'un matin il s'aperçut qu'il s'était, durant son sommeil, oublié
comme un enfant au maillot. N'admettant pas qu'un maréchal de France pût
ainsi tomber en enfance, il envoya, dans la journée, des cartes à ses collègues
et aux veuves de ceux d'entre eux qui étaient morts avec P.P.C. et se tua
le soir.*

5 Sauf indications contraires en note, les précisions apportées sous cette rubrique
ont été tirées des registres de baptêmes, mariages, décès ou des registres d'état
civil des paroisses ou communes concernées.

6 Officier de la garde bourgeoise, commandant en principe 100 hommes.

7 Le bureau était l'un des organes du corps de ville de Rouen, lequel comprenait
par ailleurs le conseil.

8 Cette qualité figure dans un acte en date du 7-XII-1723, relatif à la tutelle des
deux enfants mineurs laissés par l'intéressé, nés de son 2d mariage (A.D. de
Seine maritime, Vicomté de Rouen).

9 Une copie de l'acte de baptême de Claude-Marguerite Petey de L'Hostallerie
est annexée à une constitution de rente viagère faite par l'intéressée le 8-XI-
1751 (A.N., M.C., LXX 367).

10 L'inventaire après décès du président Talon (A.N., M.C., XCI 523) indique que
Louis Petey de L'Hostallerie fut le tuteur onéraire de son fils Omer Talon.

11 La famille de la 2de épouse de Thomas II Baraguey a donné une personnalité
d'une certaine importance : dom Charles Petey de L'Hostallerie (La Loupe
29-I-1641 - Paris, Saint-Germain-des-prés, 18-III-1721). Fils de Michel Petey,
chef du conseil du maréchal de La Ferté, tabellion de la châtellenie de La
Loupe, et de Louyse Gascon, celui-ci fut supérieur général de la Congrégation
de Saint-Maur. Il la gouverna de 1714 à 1720, faisant montre d'autorité et
de beaucoup de sagesse, dans une période marquée par l'agitation religieuse.
L'abbaye Saint-Germain-des-prés lui dut la construction d'une nouvelle biblio-

thèque, spacieuse. Un ouvrage lui a été consacré par dom Paul Denis, bénédictin de Solesmes : *Dom Charles de L'Hostallerie, 9ᵉ supérieur général de la Congrégation de Saint-Maur (1714-1720)*, Ligué 1910, 163 p. On pourra consulter également à son sujet : *Nécrologie des religieux de la Congrégation de Saint-Maur décédés à l'abbaye de Saint-Germain-des-prés*, par l'abbé J.-B. Vanel, Paris 1896. Il ne nous a pas été possible d'établir son degré de parenté avec Claude-Marguerite : d'après les dates, sans doute était-il un frère du père de cette dernière.

12 Nous avons eu connaissance de la date et du lieu de ce mariage grâce aux archives de l'étude généalogique Andriveau. Un contrat avait été signé le 3-I-1748 (A.N., M.C., LXXXIV 441).

13 Achille-Jean Leblanc de Pommard, qui lui succède comme secrétaire du roi, achète en effet la charge le 1-VIII-1761.

14 Les titres et qualités donnés pour Jacques-Joseph Sébire des Saudrais et son père figurent dans le contrat de mariage dont nous indiquons les références plus haut (note 12). L'information faite sur ses *vie, mœurs, conversation, religion catholique, apostolique et romaine, fidélité et affection au service du roi et capacité*, en vertu d'une ordonnance de la Compagnie des conseillers secrétaires du roi en date du 23-IX-1747, lorsqu'il fit l'acquisition de cette charge, précise qu'*il est originaire de la ville et d'une famille honorable de Saint-Malo*, que *son père a fait pendant plusieurs années le commerce de mer avec la plus grande distinction* et qu'il a lui-même *rempli d'une façon distinguée et pendant 16 années l'un des offices d'avocat ès conseils, supprimés par édit du mois de septembre 1768* (A.N., V²42). Il obtint ses lettres de provisions pour l'office de conseiller secrétaire du roi et prêta serment entre les mains du chancelier de France le 12-X-1747, fut reçu et installé le 14 (A.N., V² 70). On trouvera d'autres renseignements sur la famille Sebire des Saudrais au T. 9 de l'ouvrage de l'abbé Paul Paris-Jallobert *Anciens registres paroissiaux de Bretagne*.

15 Il existe à la B.N., sous la cote 4° Fm 29601, un factum intitulé *Au roi et à nos seigneurs de son conseil*, imprimé en 1765 pour le compte de *Claude-Marguerite Petey de L'Hostallerie, veuve en 1ʳᵉˢ noces du sieur Baraguey, négociant à Rouen, et en 2ᵈᵉˢ noces du sieur Sbirre* (sic) *de* (sic) *Saudrais, avocat ès conseils et secrétaire du roi*. On trouve là quelques précisions originales au sujet de l'arrière-grand-mère du maréchal Baraguey d'Hilliers. Le passage ci-après, notamment, est à retenir : *Le sieur Bonnet ayant proposé à la suppliante sur la fin de l'année 1739, de prendre un intérêt dans un achat de cotons qui devait être fait par la médiation de Michel et Pierre Le Mercier, lesquels étaient livrés à cette espèce de commerce, celle-ci accepta la proposition, quoique depuis les 15 années de son veuvage elle se fût bornée avec succès à celui des laines d'Espagne pour les Manufactures du royaume ; mais, ayant des fonds oisifs et les bruits de guerre ayant occasionné l'augmentation du prix des cotons, elle consentit à participer aux achats avec le feu sieur Jacques-Etienne Delarue, dont la maison faisait un grand commerce à Rouen.* Le détail de l'affaire à laquelle l'arrière-grand-mère du maréchal se trouva indirectement mêlée à la suite de cette spéculation n'apporte rien par lui-même. Ce qui en résulta pour elle, en revanche, est intéressant ... *Après avoir joui d'une réputation sans tache dans les opérations du commerce, elle a été forcée de s'expatrier à l'âge de 70 ans, pour échapper aux poursuites de ses adversaires...*

16 Baraguey simplement lors de son baptême, le grand-père du maréchal porte le nom de Baraguey d'Hilliers dans son contrat de mariage et dans l'acte de baptême de son fils Louis.

17 L'acte d'ondoiement précise que l'*enfant a esté ondoyé par M. Suard, curé de cette paroisse, après en avoir obtenu la permission de MM. les grands vicaires du chapitre, le siège vaquant, ladite permission accordée sur ce qu'il leur a esté énoncé que Son Altesse Royalle Mᵐᵉ l'abbesse de Chesles désiroit*

tenir ledit enfant sur les fonts baptismaux. Il s'agit de la princesse Louise-Adélaïde d'Orléans (1698-1743), fille du Régent. L'acte de baptême, inscrit dans les registres de l'église Saint-Georges de Chelles, indique que cette dernière fut effectivement la marraine, le parrain étant Jean-Philippe chevalier d'Orléans, chevalier de Malte, grand-prieur de France, grand d'Espagne, général des galères et commandant des mers du Levant, fils naturel du Régent.

18 Cet emploi lui est donné dans l'acte de baptême de son fils Louis.

19 On le trouve mentionné comme suit à la p. 164 d'un registre conservé au S.H.A.T. sous la cote Y^B 67, où ont été répertoriés les gendarmes de la garde du roi ayant servi de 1685 à 1787, date de la suppression du corps : *Du 10-IV-1753, Louis-Philippe Baraguier, de la ville de Rouen, né de bonne famille, protégé par M. le duc de Broglie et M. le comte de Revel et filleul de M. le grand prieur. Adresse : chez Mme de La Vigne, rue Saint-Romain, à Rouen.* Il est qualifié *ancien gens d'armes de s. m. très chrétienne,* en 1783, lors de la réception de son fils Louis comme bourgeois de Thonon (voir note 28).

20 Date et lieu de ce mariage nous sont connus grâce aux archives de l'étude généalogique Andriveau. Un contrat avait été signé le 3-IV-1764 (A.N., M.C., CXVIII 539).

21 Date et lieu de naissance et parents de Marie-Anne-Luce Delahousse de Breteuil figurent dans le contrat de son 1er mariage avec Nicolas Husson (voir note 22).

22 Date et lieu du mariage de Nicolas Husson et Marie-Anne-Luce Delahousse nous ont été fournis par les archives de l'étude généalogique Andriveau. Un contrat avait été signé le 17-IX-1752 (A.N., M.C., VII 284).

23 D'après son inventaire après décès en date du 2-XII-1762 (A.N., M.C., XXXV 732).

24 Reçu en mars 1755 (A.N., V^2 43 et V^2 71).

25 Les date et lieu de naissance de Nicolas Husson, sa qualité de caissier général de la régie des droits réunis et les précisions données sur ses parents nous ont été procurés par le contrat de mariage cité à la note 22 et les sources indiquées à la note 24.

26 De cette 1re union, naquit un fils, Oudart-Marie Husson, avocat en parlement, puis conseiller en la cour des aides de Paris. Celui-ci est mentionné dans l'inventaire après décès de son père (voir note 23). Ses lettres de provisions pour la cour des aides (5-VI-1776, A.N., Z^{1A} 616) précisent qu'il avait été baptisé à Paris (Saint-Roch) le 9-IV-1754. Témoin lors du mariage de son demi-frère, Louis Baraguey d'Hilliers, avec Marie-Eve Zittier, en 1795, il épousa lui-même Françoise-Louise Hazon (Paris 12-II-1765 - Gisors 15-III-1839), fille de Barthélémy-Michel, intendant général des Bâtiments du roi, membre de l'Académie royale d'architecture, et de Marie-Madeleine de Malinguehen. Après la mort de son mari, Mme Husson, née Hazon, s'établit au domaine de Cantiers, que ses parents lui avaient laissé, à Gisors. A la tête d'une assez belle fortune, elle s'y consacra aux œuvres de bienfaisance, orientant plus spécialement sa sollicitude vers la jeunesse, en souvenir d'une fille unique, morte à 20 ans. Elle appelait plaisamment les jeunes filles et les jeunes gens dont elle s'occupait ses rosières et ses rosiers. Il arrivait que les protégés ne se montraient pas dignes de la bienveillance de la dame de Cantiers. L'un d'eux, notamment, Isidore, dont la sobriété n'était pas la vertu première, lui causa bien des déboires. On en parlait encore dans le pays un demi-siècle plus tard. L'aventure valut à la châtelaine de Cantiers d'entrer dans la littérature : Guy de Maupassant devait s'en inspirer en prenant quelques libertés avec l'histoire pour sa célèbre nouvelle *Le rosier de Madame Husson.* L'affaire a été contée par Jean Vinot Préfontaine, au cours d'une

causerie prononcée en 1932 devant la Société académique d'archéologie, sciences et arts du département de l'Oise, dont l'essentiel fut reproduit dans le *Compte rendu des séances* de cette association pour 1932 (Beauvais 1933). M. Vinot Préfontaine commet une petite erreur à propos du mari de Mme Husson : Oudart-Marie Husson n'était pas le frère de la générale Baraguey d'Hilliers, mais le demi-frère du général.

27 Le fils qui suit, Louis, père du maréchal, paraît bien avoir été la seule postérité de Louis-Philippe Baraguey d'Hilliers.

28 Cette réception se trouve consignée dans le volume contenant les délibérations consulaires de la ville de Thonon pour la période allant du 2-I-1775 au 21-XII-1785 (Archives municipales de Thonon). Elle a été signalée dans les *Mémoires et documents publiés par l'Académie chablaisienne* (T. III, 1889, p. XLI à XLIV). Louis Baraguey d'Hilliers avait été présenté par le comte de Foras, capitaine major dans le régiment de Maurienne.

29 Entré le 1-IV-1783, au régiment d'Alsace-infanterie (devenu en 1791 le 53e d'infanterie) comme cadet, Louis Baraguey d'Hilliers est lieutenant en 2^d en 1787. Passé lieutenant en 1er le 18-III-1791, il démissionne le 1-V, pour ne pas servir la Révolution. Mais, bientôt, il se ravise et réintègre l'armée. Franchissant désormais les grades assez rapidement — il devient colonel le 20-IX-1792 et général de brigade le 4-IV-1793 —, il est successivement aide de camp des généraux Crillon, La Bourdonnaye, Custine et Beauharnais. Il est un moment entraîné dans la disgrâce de Custine : suspendu de ses fonctions et arrêté, il passe le 10-VII-1794 devant le tribunal révolutionnaire, mais celui-ci l'acquitte. On lui attribue généralement un ouvrage en 2 volumes publié cette même année à Hambourg et à Francfort : *Mémoires du général Custine, rédigés par un de ses aides de camp*, réédité en 1831. Réintégré peu après dans son grade, il sert à l'armée de l'intérieur, puis en Italie. Général de division depuis le 10-III-1797, il fait partie de l'expédition d'Egypte : chargé de ramener en France une partie des richesses prises à Malte, il est fait prisonnier par les Anglais. Il jouera par la suite un rôle assez brillant dans les différentes campagnes d'Allemagne, en Italie et en Espagne. Le 6-VI-1804, il a reçu le titre honorifique de colonel général des dragons. En 1812, il commande une division à la Grande armée. Parti de Smolensk pour aller au-devant de Napoléon et protéger sa retraite, il tomba au milieu de plusieurs corps ennemis et fut obligé de capituler. A la suite de cet événement, l'empereur le suspendit et ordonna une enquête sur sa conduite. Il en conçut un si vif chagrin qu'il tomba malade à Berlin, en route vers la France : il y mourut *d'une fièvre inflammatoire et nerveuse*, dit l'acte de décès.

30 L'acte de décès de Marie-Eve Zittier n'a pas été reconstitué : nous donnons le renseignement d'après *Titres, anoblissements et pairies de la Restauration* d'Albert Révérend.

31 D'après une généalogie familiale actuellement en possession du baron Edouard de Nervo, Elizabeth Wolf s'était alliée en 1res noces à M. de Stallenberg, vieux gentilhomme de Mayence. Il n'a pas été trouvé trace de ce mariage dans les registres de Mayence.

32 Ces deux qualités lui sont données dans son acte de décès.

33 Ce divorce est mentionné dans le registre *Table décennale filiative des mariages célébrés à Paris de 1793 à 1802* (A.P., V. 10 E).

34 De ce ménage, sont nés notamment : Thomas-Simon Baraguey, né à Rouen (Saint-Jean) le 30-XI-1722, négociant à Rouen, receveur de l'hôtel de ville, allié Elbeuf 18-VII-1747 à Elisabeth-Julie Hayet, fille de Pierre, fabricant à Elbeuf, et de Catherine Deschamps, dont nous donnerons ensuite la descendance ; Marie-Elisabeth Baraguey, née à Rouen (Saint-Jean) le 12-X-1724, décédée à Rouen (Saint-Jean) le 25-III-1789, alliée Rouen (Saint-Jean) 11-IX-

1742 à Nicolas-Louis Quesnel, né à Rouen (Saint-Jean) le 8-I-1713, décédé à Rouen le 7-VII-1787, négociant à Rouen, reçu conseiller secrétaire du roi en la chancellerie près le parlement de Rouen en 1781 et mort en charge, fils de Pierre-Michel, marchand à Rouen, et de Marguerite Moulin, dont postérité (on trouvera celle-ci dans *Recueil généalogique de la bourgeoisie ancienne*, T. II, d'André Delavenne, où cette famille ne devrait du reste pas se trouver, étant donné que, depuis Nicolas-Louis précité, elle appartient au 2ᵈ ordre); Marie-Madeleine Baraguey, née à Rouen (Saint-Jean) le 28-VII-1726, alliée Rouen (Saint-Jean) 20-VI-1746 à Jean-Baptiste-Noël Couture, sieur de La Fosse, négociant à Caen, fils de Noël et de Marie-Jacqueline Jahiel ; Catherine-Elisabeth-Thérèse Baraguey, née à Rouen (Saint-Jean) le 7-VIII-1727, alliée Rouen (Saint-Jean) 28-VIII-1747 à Alexandre Basire, fils de Guillaume-Alexandre, négociant à Rouen, juge consul de MM. les marchands, et de Marie-Anne Moreau. De Thomas-Simon Baraguey et d'Elisabeth-Julie Hayet est venue la postérité ci-après : 1) Thomas-Pierre Baraguey, né à Rouen (Saint-Jean) le 29-VI-1748, décédé à Paris le 16-VIII-1820, architecte de la chambre des pairs (le *Dictionnaire de biographie française* lui consacre ces quelques lignes : *Il entra de bonne heure dans la carrière des arts, fit deux fois le voyage d'Italie et fut nommé contrôleur des bâtiments du Luxembourg. Il seconda Chalgrin dans le rétablissement du jardin de ce palais et fut adjoint à ce même architecte lors de la reconstruction du théâtre de l'Odéon après le 1ᵉʳ incendie. Devenu architecte du palais du Luxembourg, il exécuta en 1811 le percement et la plantation de la grande avenue vers l'Observatoire. C'est lui également qui réalisa l'isolement du palais du côté de l'ouest, où il pratiqua une entrée correspondant à celle de la cour dite des Fontaines. Il travailla aussi à l'aménagement intérieur du palais, ainsi qu'à la restauration de l'Odéon, travail qui lui valut la légion d'honneur*), allié 1789 à Anne-Sophie de Laplace, décédée à Saint-Quentin-sur-le-Homme le 19-XI-1789, âgée de 16 ans et 3 mois, à très peu de temps de son mariage, s.p. ; 2) Marie-Julie-Elizabeth Baraguey, décédée à Paris le 10-XI-1823, alliée à Guillaume Duval, avocat, dont postérité ; 3) Victoire Baraguey, née à Rouen le 17-IX-1757, décédée à Paris le 7-VIII-1805, alliée Rouen (Saint-Jean) 10-V-1791 à Isaac dit Jean Achard, né à Genève le 18-IX-1757, décédé à Rouen le 19-XI-1803, négociant à Rouen, fils de Philippe, citoyen de Genève, et de Jacqueline-Françoise Rigaud, dont a) Jean-Thomas Achard, né à Rouen (Saint-Eloy) le 25-II-1792, décédé à Rouen le 16-X-1868, négociant à Rouen, s.a. ; b) Louis Achard, né à Rouen le 22-VIII-1793, décédé à Genève le 2-IX-1864, allié 3-VII-1819 à Constance Gautier, fille de François et de Françoise-Marie de Tournes, dont postérité ; c) Victorine Achard, née à Rouen le 13-VI-1795, décédée à Genève le 4-VI-1889, alliée Gex 6-VII-1816 à Louis Fabry, né à Gex le 5-III-1790, décédé à Croissy-sur-Seine le 15-III-1825, sous-préfet, fils de François-Gabriel, conseiller de préfecture, et de Marie-Sophie Mayno, dont postérité.

35 Ces qualités lui sont données à l'occasion du dépôt le 11-IX-1751 d'une procuration qu'il a accordée à son demi-frère Thomas-Jean qu'on trouvera plus loin (A.N., M.C., VII 279).

36 Confirmé dans sa noblesse par l'intendant de Rouen en 1694 (cf. *Les conseillers du parlement de Normandie au 16ᵉ siècle*, par Henri de Frondeville, Rouen 1960.

37 François Baraguey ne laissa pas de postérité : on trouve dans l'inventaire cité à la note 39 qu'il eut pour héritiers ses frères et neveux.

38 Charles-Alexandre de Paix de Cœur était veuf de Françoise Martel.

39 Thomas II et Marie Thinel eurent plusieurs autres enfants, mais ceux-ci moururent jeunes ou s.p. : aucun d'eux, en effet, n'apparaît lors de la succession de Thomas-Jean Baraguey, né du 2ᵈ mariage de Thomas II et mort s.a. (inventaire après décès en date du 21-II-1755, A.N., M.C., XV 727).

40 Celui-ci, mort s.a. (voir note 39), fut, avec Louis-Philippe, grand-père du maréchal, la seule postérité du 2ᵈ mariage de Thomas II.

41 Date et lieu de décès ainsi que qualité sont connus grâce à l'inventaire mentionné à la note 39.

42 Notre dette est grande pour toute cette partie à l'égard de M. Gérard d'Arundel de Condé : auteur d'un *Dictionnaire des anoblis normands* (Rouen 1975), qui fait autorité, celui-ci a bien voulu procéder à notre intention à de longues et fastidieuses investigations dans les registres de catholicité de Rouen et de la région ainsi que dans divers fonds conservés aux Archives départementales de la Seine-maritime. Nous remercions également MM. André Doyon et Stanislas de Larminat qui ont eu l'amabilité de nous faire bénéficier des recherches qu'ils avaient effectuées à propos de la famille Baraguey d'Hilliers.

43 Il s'agit là des armes octroyées au futur maréchal lorsque le titre de comte héréditaire lui fut confirmé, en 1816. Sous le Premier empire, le père du maréchal avait porté : *Ecartelé : an I, des comtes militaires, soit d'azur à l'épée haute en pal d'argent, montée d'or ; au II, d'argent à un cheval cabré de sable ; au III, de gueules semé d'étoiles d'argent ; au IV, d'azur à un casque de dragon d'or, à la crinière de sable.* Albert Révérend indique dans son *Armorial du Premier empire* que, sous l'ancien régime, la famille Baraguey avait porté : *D'argent à une bande de gueules accompagnée à senestre d'un oiseau de sable marchant sur la bande ; au chef d'azur chargé de 3 étoiles d'or.*

44 Le général Foy fut, sous la Restauration, l'un des orateurs les plus populaires du parti libéral. Ses obsèques faillirent déclencher une révolution : une foule de cent mille personnes accompagna sa dépouille au cimetière du Père Lachaise, tandis qu'une souscription lancée en faveur de ses enfants produisait un million de francs.

45 Théobald-Emile Arcambal-Piscatory fut l'un des principaux artisans du mouvement qui se produisit à Paris en faveur de la Grèce, lorsque celle-ci se souleva contre les Turcs. C'est lui qui ramena en France le fils, âgé de 8 ans, de Constantin Kanaris, célèbre héros de l'indépendance, afin qu'il y soit élevé aux frais d'un comité pour la défense des Grecs opprimés. Il devait en 1843 représenter la France à Athènes. Il contribua de façon très active, durant son ambassade, au sauvetage de l'Erechteion et à la fondation de l'Ecole française d'Athènes. Pour marquer sa reconnaissance, le gouvernement grec lui fit le don symbolique de l'îlot rocheux et désert d'Antiparos, dont son arrière-petit-fils, Max comte Foy, qu'on trouvera plus loin, est toujours propriétaire à l'heure actuelle. Nommé à Madrid à la fin de 1847, Théobald-Emile Arcambal-Piscatory ne rejoignit pas ce poste en raison de la révolution de février 1848. Le 2-XII-1851, il fit partie des députés qui se réunirent à la mairie du 10ᵉ arrondissement, avec l'intention de résister au coup d'état. S'étant engagé durant le siège de Paris, en 1870, malgré ses 71 ans, il mourut à la suite d'un coup de froid contracté sur les remparts.

46 Créé baron héréditaire par l.p. du 29-V-1818.

47 Théobald-Emile Arcambal-Piscatory fut adopté par Antonin-Pierre Piscatory suivant arrêt de la cour d'appel de Paris du 5-IV-1800. Il passait pour être né de celui-ci et de Thérèse-Pélagie Deshayes. Il est intéressant de signaler à cet égard qu'Antonin-Pierre Piscatory épousa cette dernière à Paris le 17-XI-1824, après le décès de Hyacinthe-François Arcambal survenu à Paris le 3-IV-1821.

48 Théobald-Emile Arcambal-Piscatory avait eu avant son mariage, d'une liaison avec la duchesse de Dino, une fille déclarée comme née de lui et de mère non dénommée : Antonine-Pélagie-Dorothée-Sabine Arcambal-Piscatory (Bordeaux 10-IX-1827 - La Flèche 21-I-1908) alliée le 5-IV-1845 à Octave Auvity (Paris 11-VII-1817 - La Flèche 7-XII-1881), receveur particulier des finances,

fils de Pierre-Jean (1779-1860), docteur en médecine, médecin de Charles X, de la duchesse de Berry et des princes d'Orléans, petit-fils de Jean-Abraham (1754-1821), 1er chirurgien du roi de Rome.

49 Gustave Trubert avait épousé précédemment à Paris le 17-IV-1844 Gabrielle Dumon (Agen 3-V-1825 - Paris 19-II-1849), fille de Sylvain, député du Lot-et-Garonne, ministre des travaux publics, puis des finances, membre de l'Institut, président de la Compagnie des chemins de fer de Paris à Lyon et à la Méditerranée, et de Rosalie Gignoux.

50 De la Compagnie des chemins de fer de Paris à Lyon et à la Méditerranée, des Assurances générales et des Docks du Havre.

51 Louise-Caroline Basterreche était la sœur de Henri, marié à une sœur de la maréchale Magnan (voir note 21 du chapitre VI).

52 Henri Ternaux était le neveu de Louis-Guillaume Ternaux (1763-1833), anobli par l.p. du 18-VIII-1816, baron par ordonnance du 26-XII-1819, manufacturier, député de la Seine, puis de la Haute-Vienne, et le frère de Louis-Mortimer (1808-1871), conseiller général de la Seine, député des Ardennes, membre de l'Académie des sciences morales et politiques.

53 Louise Compans était fille de Jean-Dominique (1769-1845), général de division, comte de l'empire (1808), comte-pair (1817). Quoique son fils Maurice ait porté à l'état civil le double nom de Ternaux-Compans, on ne trouve pas trace d'un décret à ce sujet.

54 *Le roi, par une ordonnance du 19-XI, a nommé 36 pairs à vie... Parmi eux, le comte Foy, fils mineur de feu le lieutenant général ; il était au collège en retenue quand on est venu lui annoncer sa nomination,* rapporte le maréchal de Castellane dans son *Journal*, à la date du 21-XI-1831.

55 Sœur d'Adolphe, qu'on trouvera plus loin.

56 Fut présidente de l'Œuvre d'assistance et hospitalière des Italiens pauvres à Paris.

57 Il fut autorisé à porter ce titre en France par d. i. du 21-III-1861.

58 Il appartint à l'état-major de la 2e division d'infanterie de la garde royale de 1823 à la dissolution de celle-ci en 1830.

59 Figurent notamment dans la descendance Jacqueline (Paris 16e 26-IV-1920) et Gilberte de Chavagnac (Evreux 15-X-1923), sœurs, arrière-petites-filles de Jeanne Foy et de Léon Tresvaux de Berteux, épouses la 1re de Michel marquis de Grosourdy de Saint-Pierre, le romancier bien connu, la 2de du prince Michel Poniatowski, ancien ministre de l'intérieur.

60 Sur réversion du titre de son oncle, François baron Gérard (1770-1837), peintre d'histoire, membre de l'Académie des beaux-arts.

61 De la Compagnie des chemins de fer de l'ouest.

62 Sœur d'Isabelle Porgès (Londres 19-XI-1879 - Palagio 16-V-1958) alliée Paris 8e 30-IV-1901 à don Marco Borghese duc de Bomarzo (Frascati 20-XII-1875 - Palagio 25-XII-1942), fils de don Francesco duc de Bomarzo et de donna Francesca Salviati.

63 Mathilde de Weissweiler trouva la mort dans l'incendie du Bazar de la charité, le 4-V-1897.

64 Sébastien comte Foy exerça durant de nombreuses années les fonctions de commissaire de la Société d'encouragement à l'élevage du cheval français.

65 Elvire Popesco avait épousé précédemment Aurel Athanasesco.

66 Du 30-I-1951 à décembre 1954.

67 Le comte Frédéric Pillet-Will était le frère de Hélène (Paris 9ᵉ 27-I-1875 - Paris 16ᵉ 24-IV-1964) alliée Paris 8ᵉ 1-II-1892 à Louis duc de La Trémoille (Paris 28-III-1863 - Paris 17-VI-1921), propriétaire, conseiller général et député de la Gironde.

68 Fille de Jules Briatte, président à la Cour des comptes.

69 Tiburce vicomte Foy fut successivement sous-préfet de Nantua (1841), de Bernay (1845), préfet de l'Ariège (du 13-XII-1847 à février 1848, date à laquelle il fut révoqué), puis des Ardennes (du 13-II-1849 à sa mort). Une note de 1860 figurant dans son dossier de préfet (A.N., F¹ᴮ I 160¹²) porte ce jugement à son sujet : *Elégant, spirituel, capable, connaissant à fond le département des Ardennes qu'il administre depuis 11 ans et où il désire rester. Sourdement attaqué par M. de Ladoucette, député, qui du reste reconnaît sa valeur. Il n'est pas marié et on lui reproche des habitudes de galanterie qui paraissent réelles, mais qui n'ont pas d'ailleurs compromis son autorité.* Une autre pièce du dossier en date du 7-IX-1870 indique qu'il est mort *d'une fièvre scarlatine qu'il paraît avoir gagnée en visitant nos hôpitaux et nos ambulances.*

70 Ayant délaissé les affaires pour une carrière publique sous la Monarchie de juillet, Joseph-Henri Galos y revint comme administrateur du Chemin de fer de l'est durant le Second empire, au cours duquel il resta dans l'opposition. Le *Dictionnaire des parlementaires* indique qu'*en 1852, il allait être déporté par la commission mixte de la Gironde, lorsque l'intervention de son oncle le général Baraguey d'Hilliers le sauva.* Il a publié un certain nombre d'articles, notamment dans la *Revue des deux mondes,* et quelques ouvrages.

71 Elisabeth Galos a écrit sous le nom de comtesse de Sannois un roman intitulé *Les soirées à la maison* qui eut plusieurs éditions.

72 Voir note 55.

73 Valentine d'Assailly était l'arrière-petite-fille de La Fayette et la grand-tante de Gisèle d'Assailly (1904-1969), femme de lettres, journaliste, épouse en dernier lieu de l'éditeur René Julliard (voir Arnaud Chaffanjon *La Fayette et sa descendance,* Paris 1976).

74 La dispense nécessaire pour ce mariage lui fut accordée par d.i. du 23-IV-1864, enregistré au greffe du t. c. de Tours le 23-V-1864.

75 La mutuelle des provinces de France.

76 Christiane Lecocq avait épousé précédemment à Paris 16ᵉ le 11-IV-1938 Marcel Fouchet (Saumur 8-XII-1901 - ✗ Bruyères, Vosges, 26-VI-1940), ingénieur agricole, directeur de la Société des agriculteurs de France, lieutenant de cavalerie, fils de Raymond-Alexandre, chef d'escadrons de cavalerie, et de Marguerite Valais.

77 Entreprise de marqueterie, dans l'Orne.

78 Les autres porteurs du nom de Foy figurant dans les annuaires mondains appartiennent à la descendance d'un frère de Maximilien-Sébastien, le célèbre général.

79 D'après le *Registre des services de MM. les officiers du 6ᵉ régiment de hussards* pour la période concernée (S.H.A.T., 3ᵉ volume : 1807-1815), Joseph-Charles-Guillaume Daniels entra à l'Ecole militaire de Saint-Cyr le 12-IV-1809, fut nommé sous-lieutenant au 8ᵉ régiment de hussards par d.i. du 14-VIII-1810, puis admis à passer avec ce grade au 6ᵉ régiment de hussards par d.i. du 5-X-1810. La date et le lieu de son décès nous sont connus par une lettre du

futur maréchal en date du 18-VI-1813 figurant dans son dossier au S.H.A.T. (pièce n° 80, verso).

80 Le général de Damrémont fut blessé mortellement par un boulet qui le frappa au côté gauche du corps, alors qu'il dirigeait le siège de Constantine. Son acte de décès fut établi par Charles Lyautey, *sous-intendant militaire employé au quartier général de l'armée expéditionnaire contre Constantine et faisant fonction d'officier de l'état civil,* grand-oncle du maréchal Lyautey. Une loi spéciale en date du 21-III-1838 accorda à sa veuve une pension annuelle de 6 000 F, réversible par moitié sur chacun de ses deux enfants. Ces diverses précisions ont été tirées du dossier du général au S.H.A.T.

81 On trouve, au nombre des témoins du mariage de Clémentine Baraguey d'Hilliers et de Charles-Marie de Damrémont, le maréchal Marmont et celui-ci est qualifié à cette occasion cousin du futur du côté maternel. Simon Viesse (1658-1717), arrière-grand-père de Marmont, avait épousé Françoise Febvre (1662-1737) et Marie-Henriette Hannaire de Viesville, mère du général de Damrémont, avait elle-même pour mère Claude-Edmée Febvre : c'est apparemment par cette famille que s'établissait la parenté.

82 Richard-Auguste Hennessy est l'arrière-grand-oncle de Kilian dont il est question à la note 192 du chapitre VII (Castellane).

83 Auteur notamment d'ouvrages pour la jeunesse : romans, biographies d'hommes illustres, vulgarisation scientifique.

84 Le comte Elzéar de Castellane appartenait à la branche de Majastres : on verra en se reportant à la rubrique *Le cadre familial* du chap. VII qu'il n'était qu'un parent très éloigné du maréchal de Castellane.

85 Auteur de nombreux ouvrages, notamment des romans, des biographies, des études touchant à l'économie rurale.

86 Fille de Charles comte d'Agoult, colonel de cavalerie, et de Marie de Flavigny (en littérature Daniel Stern).

87 Isabelle Connangle avait épousé précédemment à Rochechouart le 14-XI-1913 Francisque-Robert Henriet (La Rochefoucauld 7-VI-1889 - ✗ Heilbraun, Allemagne, 27-III-1941), chef d'escadrons de cavalerie, fils de Jules-Joseph, capitaine de cavalerie, et de Gabrielle-Marie Creté, mariage dissous par jug. du t. c. de Beyrouth le 12-VII-1928. Francisque-Robert Henriet s'est, de son côté, remarié à Nice le 26-II-1931 à Gabrielle-Marie Fayol (Lyon 6ᵉ 9-IV-1891), fille d'Eugène-Joseph et de Suzanne François, épouse divorcée de Jean-Marie Gros.

88 Successivement sous-préfet d'Orange (1848), de Doullens (9-X-1849), de Boulogne (7-XII-1849), préfet de l'Allier (1851), de la Mayenne (1852), de l'Aube (1857), d'Eure-et-Loir (1861) et mis en non activité sur sa demande en 1869 (A.N., F¹ᴮ I 157¹⁸).

89 Chaix d'Est-Ange écrit au T. IX de son *Dictionnaire* (p. 416) : *Une branche collatérale de la famille Baraguey s'est perpétuée jusqu'à nos jours. Le représentant de cette branche M. Lucien Baraguey, marié vers 1900 à Mˡˡᵉ de Breuvery, a très récemment joint à son nom celui de d'Hilliers, sous lequel s'était illustrée la branche éteinte en 1878.* Nous avons établi une généalogie de ces Baraguey, aussi complète qu'il a été possible. Ceux-ci, qui sont aujourd'hui à leur tour éteints dans les mâles, à la vérité, ne paraissent pas appartenir à la famille du maréchal Baraguey d'Hilliers. Ils n'ont, en tout cas, pas de parenté proche avec ce dernier. Nous donnons ci-après cette généalogie, où les alliances intéressantes ne manquent pas, en nous bornant pour les 3 premiers degrés à une filiation linéaire : I) Germain-Honoré Baraguey, négociant, allié à Marie-Madeleine-Victoire Saillard, dont II) Germain-Honoré Baraguey

(Ambenay 21-VII-1794 - Paris 2-X-1852), manufacturier à La Neuve-Lyre, allié 1) à Thérèse-Joséphine Fouquet, née à Rugles le 3-VIII-1798, fille de Jean-Baptiste et de Marie-Thérèse Pilet, 2) à Anne-Elisabeth Gervais, dont du 1er mariage III) Claudius-Emile Baraguey (Rugles 20-III-1825 - La Neuve-Lyre 24-XII-1895), manufacturier à La Neuve-Lyre (Laminoirs Baraguey-Fouquet) allié Paris 28-V-1857 à Marie-Lucie Réveilhac (Paris 8-VII-1837 - La Neuve-Lyre 30-XII-1906), fille de Pierre, négociant, et d'Anne-Léontine Picot, dont 3 enfants : A) Léonie Baraguey (Paris 8-IV-1858 - Condé-Saint-Libiaire 26-VIII-1937) alliée Paris 3e 12-V-1880 à Jules Halley des Fontaines (Paris 8-I-1850 - Paris 8e 27-I-1929), propriétaire, fils de Georges-Casimir, horloger, et d'Eulalie-Lucie Noailles, dont postérité ; B) Lucien Baraguey (Paris 3e 15-III-1861 - Paris 16e 4-XII-1915), industriel, allié Paris 8e 11-II-1901 à Anne Saguez de Breuvery (Saint-Lo 6-XI-1872 - Paris 15e 12-II-1953), fille de Paul, propriétaire, et de Berthe Poisson (petite-fille de Denis Poisson, 1781-1840, mathématicien, membre de l'Académie des sciences, baron héréditaire en 1825, pair de France à vie en 1837), dont 2 filles 1) Nicole Baraguey (Paris 1er 5-III-1902 - Croissy-sur-Seine 3-I-1975) alliée Paris 16e 11-X-1921 à Marcel Rouit (Neuilly-sur-Seine 28-XI-1888 - Croissy-sur-Seine 2-II-1977), entrepreneur de transports, fils de Stéphane-Léon, propriétaire, et de Gabrielle-Marie Goudot, dont postérité en ligne féminine ; 2) Simone Baraguey (Paris 17e 7-IV-1908) alliée 1) Paris 16e 4-XI-1924 à John-William Garnier (Saint-Hélier, Jersey, 31-I-1902), antiquaire, fils de William, propriétaire, et de Simone de La Poix de Fréminville, mariage dissous par jug. du t. c. de la Seine le 6-III-1930, 2) Paris 16e 18-VII-1936 à Charles Bertin (Cherbourg 17-XI-1890 - Igny, Essonne, 18-III-1965), ingénieur de l'Ecole supérieure d'électricité, capitaine de corvette, puis ingénieur dans l'industrie, fils de Théodule, colonel d'infanterie, et de Marie-Marguerite Roetig [Charles Bertin avait épousé précédemment à Paris 15e le 19-X-1920 Geneviève Meilhac (Poitiers 22-III-1892 - Toulon 12-V-1934), fille de Marie-Camille, percepteur, et de Jeanne-Louise Deveaux], s.p. de part et d'autre ; C) Gabrielle Baraguey (La Neuve-Lyre 4-IX-1865 - Paris XI-1914) alliée La Neuve-Lyre 21-IV-1888 à Henri Noailles (Paris 26-XII-1857 - La Neuve-Lyre 27-XII-1895), imprimeur, puis commissionnaire en marchandises, fils de Joseph-Eugène, commissionnaire en marchandises (frère d'Eulalie-Lucie précitée), et de Léonarde-Céline Brisset, dont postérité.

IX

Aimable-Jean-Jacques Pélissier, duc de Malakoff

12-IX-1855

CARRIERE

1794 : naissance à Maromme (6-XI),
1814 : élève à l'Ecole d'artillerie de La Flèche (12-I), puis à l'Ecole militaire de Saint-Cyr (25-VIII),
1815 : sous-lieutenant (18-III), dans l'artillerie de la maison du roi (18-III), au 57ᵉ régiment d'infanterie de ligne (10-IV), licencié (26-VIII), à la légion départementale de Seine-inférieure (25-X, jusqu'en 1819),
1819 : au corps royal d'état-major (jusqu'en 1821), aide-major aux hussards de la Meurthe (jusqu'en 1821),
1820 : lieutenant,
1821 : au 51ᵉ régiment d'infanterie de ligne (21-V), au 35ᵉ régiment d'infanterie de ligne (30-VI, jusqu'en 1823),
1823 : placé à l'état-major général du 1ᵉʳ corps de l'armée des Pyrénées (14-II), admis dans le cadre des lieutenants du corps royal d'état-major (11-III), aide de camp du général Louis-Sébastien comte Grundler (29-VII), disponible (1-XII),
1824 : aide de camp du général Jean-Charles comte Bourke,
1825 : disponible (1-I), aide de camp du général Vallon (12-VII),
1826 : disponible (1-I), aide de camp du général François-Roch baron Ledru des Essarts (24-II), disponible (31-XII), placé à la suite du 13ᵉ régiment d'infanterie de ligne (31-XII),
1827 : au 6ᵉ régiment d'infanterie de la garde royale (1-IV),
1828 : capitaine (8-VI), au corps royal d'état-major (8-VI), aide de camp du général Jean-Baptiste vicomte Jamin (26-VI), puis du général Antoine-Simon baron Durrieu (6-VIII), participe avec ce dernier à l'expédition de Morée,
1829 : aide de camp du général Ledru des Essarts,
1830 : disponible (1-I), employé à l'état-major général de l'armée d'Afrique (23-III), assiste à la prise d'Alger, chef de bataillon provisoire (2-X),
1831 : confirmé dans le grade de chef de bataillon et disponible (22-II), aide de camp du général François-Marie baron Clément de La Roncière (19-III), disponible (1-VII), commissionné de nouveau auprès du général de La Roncière (22-XI),
1832 : employé au dépôt de la guerre (30-IV), aide de camp du général Jean-Jacques baron Pelet (13-XI),
1833 : employé à l'état-major de la place de Paris (9-V, jusqu'en 1836),
1836 : aide de camp du général Reille [1],
1837 : détaché comme aide de camp auprès du général Amable-Guy baron Blancard inspecteur général de cavalerie (jusqu'en 1838),
1839 : chef d'état-major de la division de cuirassiers du corps de rassemblement sur la frontière du nord (27-I), aide de camp du général Paul-Eugène marquis de Faudoas (9-VII), lieutenant-colonel (2-XI), chef d'état-major de la 3ᵉ division des troupes en Afrique (31-XII),
1840 : chef d'état-major à Oran (jusqu'en 1842),
1842 : colonel (8-VII), sous-chef d'état-major de l'armée d'Algérie (8-VII, jusqu'en 1846),
1844 : commande la colonne de gauche à la bataille de l'Isly,
1845 : couvert par le maréchal Bugeaud, gouverneur général, fait périr en les asphyxiant par un feu de bois placé à l'entrée plus de 500 personnes appartenant à la tribu des Ouled-Riah, réfugiées dans les grottes du Dahra [1a],
1846 : maréchal de camp, à la disposition du gouverneur général de l'Algérie (jusqu'en 1848),

1848 : inspecteur général pour 1848 du 17ᵉ arrondissement d'infanterie (5-VI), commande la division d'Oran (31-X, jusqu'en 1851),

1849 : inspecteur général pour 1849 du 24ᵉ arrondissement d'infanterie,

1850 : gouverneur général provisoire de l'Algérie (19-II), général de division (19-IV), inspecteur général pour 1850 du 21ᵉ arrondissement d'infanterie (5-VI),

1851 : gouverneur général par intérim de l'Algérie (10-V), adhère au coup d'état du 2-XII et met l'Algérie en état de siège,

1852 : commande la division d'Oran (1-I, jusqu'en 1853) ; inspecteur général pour 1852 du 18ᵉ arrondissement d'infanterie (21-V) ; s'empare de Laghouat, assurant par là la domination de la France sur les oasis du Sud algérien (4-XII),

1853 : inspecteur général pour 1853 du 20ᵉ arrondissement d'infanterie (27-V), gouverneur général de l'Algérie par intérim (29-VII), commande la division d'Oran (27-IX, jusqu'en 1854),

1854 : inspecteur général pour 1854 du 20ᵉ arrondissement d'infanterie (10-VIII), gouverneur général par intérim de l'Algérie (7-X),

1855 : commande le 1ᵉʳ corps de l'armée d'Orient (10-I), commande en chef l'armée d'Orient (16-V, jusqu'en 1856), donne l'ordre de s'emparer de vive force de la tour Malakoff et ouvre ainsi les voies à la paix, maréchal de France (12-IX), sénateur (15-IX),

1856 : duc de Malakoff (d.i. du 22-VII) [2], l'un des vice-présidents du Sénat (14-XII, jusqu'en 1864),

1857 : reçoit une dotation annuelle de 100 000 F [3],

1858 : ambassadeur à Londres, membre du conseil privé (jusqu'en 1864),

1859 : commande l'armée d'observation à Nancy (23-IV), réunit à ce commandement le commandement supérieur des divisions de l'est (15-V), grand chancelier de la Légion d'honneur (23-VII, jusqu'en 1860),

1860 : gouverneur général de l'Algérie et commandant du 7ᵉ corps d'armée (jusqu'en 1864),

1864 : meurt à Alger (22-V) d'une pneumonie, inhumé aux Invalides.

ECRITS

- *Note sur le décret du 17 juin 1854 relatif au recrutement du corps d'état-major*, Oran 1854, 8 p.,

- *Gouvernement général de l'Algérie. Règlement général du service de la topographie. Novembre 1861*, Alger 1862, 26 p.,

- *Mémoire sur les opérations de l'armée française sur la côte d'Afrique depuis le 14 juin, jour du débarquement, jusqu'à la prise d'Alger, le 5 juillet 1830, par un capitaine de l'état-major général de l'armée expéditionnaire*, Alger 1863, 78 p.,

- un discours, une proclamation,

- un certain nombre de lettres publiées dans les *Souvenirs (1829-1830)* d'Amaury-Duval (Paris 1885), dans l'ouvrage *Campagnes de Crimée, d'Italie, d'Afrique, de Chine et de Syrie. 1849-1862* (Paris 1898), cité à la note 205 du chap. VII (Castellane), et dans *Aspects de la vie politique et militaire en France au milieu du XIXᵉ siècle, à travers la correspondance reçue par le maréchal Pélissier (1828-1864). Documents publiés par Pierre Guiral et Raoul Brunon*, Paris 1968.

LE CADRE FAMILIAL

I - Jean-Jacques PÉLISSIER allié à Elisabeth RICHARD, dont

II - Pierre PÉLISSIER, né à Montauban le 24-XII-1773 [4], décédé à Saint-Vrain, Essonne, le 22-XII-1847, commissaire de 1re classe des Poudres et salpêtres [5], chevalier de la Légion d'honneur, allié Paris (Sainte-Geneviève) 20-IX-1792 à Catherine CHARTIER, née à Paris, décédée à Paris le 29-I-1830, âgée de 56 ans [6].

ARMES

Ecartelé : au I, d'azur à l'épée en pal d'or ; au II, d'or au palmier de sinople ; au III, d'or au lion couronné de gueules ; au IV, d'azur à la croix grecque d'argent. Sur le tout : d'argent à la couronne murale de sable, portant sur son bandeau *Sevastopol* et surmontée de 3 pavillons, anglais, français et sarde [7].

L'EPOUSE

Le maréchal Pélissier duc de Malakoff s'est allié à Paris le 12-X-1858 [8] à doña Marie-Isabelle-*Sophie*-Andrée-Françoise de Paule VALERA (Ecija, Andalousie, 4-II-1828 - Paris 7e 12-XI-1890) [9], fille de don José VALERA [10], brigadier de marine [11], directeur du Collège militaire de San Telmo de Malaga [12], propriétaire [13], et de doña Maria-de-los-dolores ALCALA-GALIANO [14], marquise de LA PANIEGA [15].

L'une et l'autre d'Andalousie, les familles VALERA et ALCALA-GALIANO appartenaient à l'ancienne noblesse. Le titre de marquis de LA PANIEGA (sans grandesse), dont la mère de la maréchale Pélissier était l'héritière, selon les usages espagnols, avait été conféré le 31-XII-1765 à son arrière-grand-père, don Juan ALCALA-GALIANO.

Maria-de-los-dolorès ALCALA-GALIANO marquise de LA PANIEGA, mère de la maréchale, avait épousé en 1res noces à Ecija, province de Séville, le 18-IV-1813 Juan-Jacobo-José-Teodoro-Fidel-Luis dit Santiago FREULLER (Näfels, canton de Glaris, Suisse, 28-XII-1775 - Salamanque 18-VIII-1818) [16], brigadier [17] dans l'armée espagnole, colonel du régiment de cavalerie des Dragons de la reine, fils de Gaspar-José, officier général [18], et de Judit CURTI : de cette 1re union étaient nés 2 fils, José-Gaspar et Federico FREULLER, dont l'aîné succéda au titre de marquis de LA PANIEGA à la mort de sa mère en 1872 [19]. De son 2^d mariage avec José VALERA, vinrent, outre la maréchale Pélissier, 2 enfants : une fille, Ramona, décédée à

Madrid le 28-VI-1869, qui épousa Alonso MESIA de LA CERDA marquis
de CAïCEDO, et un fils, Juan VALERA (Cabra, province de Cordoue, 18-IV-
1824 - Madrid le 18-IV-1905), diplomate, homme politique et écrivain [20].
Celui-ci fut notamment ministre d'Espagne à Lisbonne et à Bruxelles,
ambassadeur à Washington et à Vienne. Député, puis sénateur à vie, il
occupa quelque temps les fonctions de sous-secrétaire d'état et de directeur de l'instruction publique. Auteur de romans, de contes, de poésies,
de pièces de théâtre, d'essais sur des sujets touchant à la littérature, à
la religion, à la philosophie, traducteur d'œuvres allemandes et italiennes,
collaborateur de nombreux journaux et revues d'Espagne et d'Amérique
du sud [21], il a été l'un des écrivains les plus marquants de son époque [22].

DESCENDANCE

Le maréchal Pélissier n'a laissé qu'une fille : *Louise*-Eugénie-Sophie-
Elisabeth PÉLISSIER de MALAKOFF (Paris 7e 5-III-1860 - Paris 1er 25-XII-
1935) [23] alliée Paris 8e 9-III-1881 [24] au comte Jean-Ladislas ZAMOYSKI (Varsovie 6-VIII-1849 - Gumniska, Pologne, 5-I-1923), propriétaire, député de
Galicie au parlement de Vienne, fils du comte Jean, propriétaire, gentilhomme de la chambre du royaume de Pologne, chambellan impérial russe,
et de la comtesse Anna MYCIELSKA [25], mariage déclaré nul par bref du
pape le 30-VI-1888 et dissous civilement le 9-V-1892, s.p. [26].

FRERES ET SŒURS

1 - *Louis*-Antoine-Pierre PÉLISSIER (Paris 24-XII-1792 - Mostaganem
19-VIII-1833), chef de bataillon d'infanterie, allié Paris 25-V-1829 à
Emilie MORET (Bruxelles 15-IV-1801 - Paris 1-III-1835), fille de
Louis-Edme-François, ingénieur géographe, chef de bataillon du génie,
et de Marie-Josèphe CAMPION, s.p. [27],

2 - *Julien*-Nicolas PÉLISSIER (Maromme 30-XII-1795 - Strasbourg 7-IX-
1870 [28]), chimiste à la manufacture de MM. Haussmann à Colmar-
Logelbach [29], allié Colmar 26-IX-1826 à Louise-Françoise-*Emilie* BER-
DOT (Montbéliard 26-XI-1807 - Colmar 25-III-1868), fille de Charles-
Léopold-Vernier, docteur en médecine [30], et d'Anne-Louis-Frédérique
DUVERNOY [31] ; de ce ménage sont venus 2 enfants [32] : I) Emile PÉLIS-
SIER, né à Colmar le 1-X-1827, décédé après 1887, capitaine d'infan-
terie [33], s.a. ; II) Juliette PÉLISSIER (Colmar 16-X-1829 - Nice 24-IV-
1899) alliée Colmar 22-IX-1857 à Guillaume-Charles de LANGEN-
HAGEN (Sarre-Union 28-VIII-1832 - Nancy 5-X-1898), manufacturier
(chapeaux de paille), fils de Guillaume, manufacturier (chapeaux de

paille), et de Caroline Hornus [34] ; de Juliette Pélissier est issue la postérité après : A) Julie de Langenhagen (Sarre-Union 21-IX-1859 - Strasbourg 13-I-1872), s.a. ; B) Charles de Langenhagen (Sarre-Union 9-I-1861 - Nancy 3-II-1900), manufacturier (chapeaux de paille), allié Epinal 4-V-1888 à Hélène Mégnin (Mulhouse 28-XII-1863 - Versailles 8-II-1946), fille de Georges, manufacturier (filature de coton) [35], et d'Aline Spony, dont 1) Edith de Langenhagen (Nancy 10-XII-1890 - Neuilly-sur-Seine 24-XII-1970) alliée Nancy 1-VII-1910 à Jacques Müntz (Nancy 7-VII-1881 - Paris 16e 1-XI-1972), ancien élève de l'Ecole polytechnique, ingénieur en chef à la Compagnie internationale des wagons-lits [36], fils de Jean [37], ancien élève de l'Ecole polytechnique, ingénieur des Ponts-et-chaussées, ingénieur en chef à la Compagnie des chemins de fer de l'est [38], et de Marguerite Breitt-mayer, dont a) Jacqueline Müntz (Paris 7e 5-III-1918) alliée Versailles 10-VII-1939 à André Wetzel (Brest 1-IV-1907), ancien élève de l'Ecole polytechnique, ingénieur général de l'air, expert près des tribunaux, fils de Pierre, ancien élève de l'Ecole polytechnique, ingénieur du génie maritime, et de Mathilde-Marguerite Goguel [39], dont postérité en lignes masculine et féminine (famille Labarrère) ; b) Muriel Müntz (Paris 7e 9-VII-1929), conseiller technique au Mobilier national, alliée Versailles 30-III-1950 à Frédéric Mascarenc de Raïssac (Marseille 22-XI-1921), ingénieur de l'Ecole électro-technique hydraulique de Grenoble, ingénieur principal à la Société civile d'équipement du territoire, fils de Marcel, ingénieur de l'Ecole centrale, directeur du Gaz de Marseille [40], et d'Alice Guiraud, dont postérité en lignes masculine et féminine (famille Michelet) ; 2) Marie-Thérèse de Langenhagen (Nancy 22-I-1893 - Courbevoie 10-IX-1967) alliée Epinal 19-VIII-1918 à Robert Contamin (Paris 17e 15-II-1888 - Paris 16e 13-I-1933), capitaine de corvette, fils de Victor, ingénieur de l'Ecole centrale de Paris, professeur de mécanique à l'Ecole centrale, ingénieur principal du matériel des voies aux Chemins de fer du Nord, président de la Société des ingénieurs civils [41], et d'Adèle Priestley [42], s.p. [43],

3 - Philibert Pélissier (Bruxelles 3-XII-1798 - Paris 17e 9-XI-1868), successivement négociant en horlogerie (1830), mineur (1848) au Chili, mineur en Californie (1851), receveur particulier des finances à Prades (1856-1859), à Loudun (1861-1864), entreposeur des tabacs à Rennes (1866), s.a. [44],

4 - Flavie Pélissier (Anvers 17-II-1800 - Bruxelles 13-X-1800),

5 - Amédée-François-Pierre Pélissier (Bruxelles 16-I-1802 - Toulon 22-IX-1835), lieutenant de frégate [45], allié Toulon 21-I-1834 à José-

phine-Clarisse STEINAM (Toulon 29-III-1818 - Toulon 5-IV-1893), fille de Gottlieb, capitaine de cavalerie [46], et de Marie-Rose CAUVIN [47], s.p.,

6 - Auguste-Claire-Flavie PÉLISSIER (Bruxelles 7-IX-1803 - Colmar 26-VII-1822) s.a. [48],

7 - *Aglaé*-Flavie PÉLISSIER (Bruxelles 31-I-1806 - Paris 4-XII-1859) [49] alliée Genève 12-X-1841 à François GIBOIN-DUCHEYLARD, né à Champagne, Dordogne, le 26-III-1812, successivement prêtre du diocèse de Versailles [50], instituteur à Genève (1841), secrétaire de commissaire de police (1842), commissaire de police (1847) [51], fils de Pierre, propriétaire agriculteur [52], et de Marie BATAILH [53] ; de ce ménage vint un seul enfant : Elisabeth dite Betsy GIBOIN-DUCHEYLARD (Paris 21-VI-1842 - Dives-sur-mer 15-VII-1870) alliée Paris 12-X-1859 à Pierre CRESTY, né à Champagne, Dordogne, le 19-VI-1828, agent d'assurances, fils de François, propriétaire agriculteur, et de Marguerite BORDAS, séparation prononcée par jug. du 30-XII-1862, confirmée par arrêt du 20-VII-1863, s.p. [54],

8 - *Flavie*-Claudine-Pamela PÉLISSIER (Vonges 28-IV-1809 - Boulogne-Billancourt 22-I-1874) alliée Vert-le-petit 4-IV-1831 à Alexandre DUPONT (Paris 10-VII-1793 - Boulogne-Billancourt 4-IV-1872), capitaine de vaisseau, commandant militaire du palais impérial de Versailles, puis de Saint-Cloud, fils de Mathieu, négociant, puis homme de confiance, et de Marie-Louise CHAPUIS [55] ; de ce ménage sont nés 6 enfants : I) Flavien DUPONT (Vert-le-petit 7-III-1832 - ✗ Solférino 24-VI-1859), capitaine d'infanterie [56], s.a. ; II) Léonie DUPONT, née à Vert-le-petit 1-VIII-1834, décédée avant 1890 [57], alliée Saint-Cloud 21-VII-1862 à Gaston de GOURLET (Lolif 20-II-1840 - Paris 8e 4-XII-1890), employé de compagnie d'assurances [58], puis d'agent de change [59], quelque temps sous-préfet [60], fils de Pierre-Anne, lieutenant de cavalerie, puis receveur municipal (Avranches) [61], et d'Aglaé de CHRISTEN, dont uniquement un fils : Paul de GOURLET, né à Saint-Cloud [62] le 25-XI-1863, décédé à Tunis vers 1945, contrôleur civil en Tunisie, allié 1) Paris 18e 23-IX-1890 à Marie-Victorine-Charlotte FONTENEAU, née à L'Isle-Adam le 22-VI-1862, fille de Henri-Victor, employé, puis propriétaire, et de Joséphine-Léone de CARNÉ, mariage dissous par jug. du t. c. de Tunis le 22-VII-1903, 2) Tunis 10-III-1904 à Ana-Laura COSTA, 3) Sfax 29-VI-1922 à Rachel-Eugénie MARLIN (Malesherbes 28-V-1896 - Tunis 21-X-1965), fille de Gaspard-Honoré, marchand de charbon, et de Clémentine-Adilasse BONLEU, s.p. ; III) Marie DUPONT (Toulon 9-VI-1836 - Ouézy-par-Croissanville 31-XII-1895) alliée Versailles 15-IV-1858 à Cyrille HARMIGNIES (Valenciennes 24-VII-1820 - Ouézy-par-Croissanville 19-XII-1912), chef d'escadrons de cavalerie, fils de Pierre, sous-lieutenant des douanes, et de Gabrielle-

Françoise DELSEUL [63], dont postérité qu'on trouvera plus loin ; IV) Arthur DUPONT (Vert-le-petit 13-VIII-1837 - Paris 15e 11-VII-1879), capitaine d'infanterie, s.a. ; V) *Prosper*-Fernand-François DUPONT, né à Vert-le-petit le 13-I-1843, décédé après 1895 [64], employé de compagnie d'assurances [65], apparemment s.a. ; VI) une fille dont nous ne savons rien [66] ; de Marie DUPONT et Cyrille HARMIGNIES est issue la postérité ci-après [67] : A) Gaston HARMIGNIES (Rouen 19-I-1860 - Tassin-la-demi-lune 8-IX-1923), chef d'escadrons de cavalerie, allié Clermont-Ferrand 27-IV-1892 à Clotilde GILLET d'AURIAC (Saint-Georges, Cantal, 21-VII-1861 - Lyon 26-IX-1953), fille de Jean-Marie, propriétaire, et de Marie-Augustine FALCON de LONGEVIALLE, dont 1) Henriette HARMIGNIES (Dinan 15-IX-1893 - Lyon 5e 31-III-1977), s.a. ; 2) Béatrix HARMIGNIES (Dinan 24-X-1894 - Lyon 3e 25-II-1942), religieuse ; 3) Bernard HARMIGNIES (Dinan 4-XII-1895 - Grenoble 24-X-1932), chef de gare [68], allié Grenoble 26-VI-1924 à Victorine PLÉBIN (La Roche-des-Arnauds 26-I-1877 - vers 1937), fille de Félix et d'Alodie-Barbe ASIE, s.p. ; 4) Charlotte HARMIGNIES (Dinan 15-V-1897 - Lyon 5e 10-IX-1971) s.a. ; 5) Marie-Claire HARMIGNIES (Dinan 13-VII-1898 - Laxou 29-I-1974), religieuse ; 6) Denise HARMIGNIES (Dinan 20-VII-1899), religieuse ; 7) Solange HARMIGNIES (Dinan 13-I-1901), institutrice, s.a.a. ; 8) Gontran HARMIGNIES (Dinan 15-IV-1903 - Villefranche-sur-Saône 7-XI-1976), tailleur, allié Saint-Génis-Laval 24-IX-1928 à Suzanne DELAYE (Oullins 31-VIII-1907), échantillonneuse, fille de Joseph, représentant de commerce, et de Jeanne-Marie PITIOT, dont a) Bernadette HARMIGNIES (Brignais 26-V-1929) alliée Lyon 5e 10-III-1950 à Jean-Yves BODENAN (Paris 8e 30-V-1923 - Lyon 3e 16-I-1973), agent commercial, dont postérité ; b) Monique HARMIGNIES (Lyon 22-V-1931 - Oullins 29-VI-1931) ; B) Gabrielle HARMIGNIES (Tarascon, Bouches-du-Rhône, 11-VII-1862 - Versailles 22-II-1942), s.a.,

9 - *Gustave*-Adrien PÉLISSIER, né à Vonges, le 5-VI-1810, employé des douanes à Port-Vendres (1834), puis à La Martinique (1836), part en 1838 pour l'Amérique du Sud et ne donne plus de nouvelles, déclaré absent par jug. du t. c. de la Seine le 27-VI-1850 [69],

10 - *Philippe*-Xavier PÉLISSIER (Vonges 4-XII-1812 - Paris 6e 2-VIII-1887), ancien élève de l'Ecole polytechnique, général de division, membre (1871), puis président (1875) du conseil général de la Haute-Marne, sénateur de la Haute-Marne (1876-1887), questeur du Sénat [70], allié Bourbonne-les-bains 5-IX-1842 à *Aglaé*-Victorine CHAUDRON (Bourbonne-les-bains 11-XII-1820 - Bourbonne-les-bains 10-VII-1892), fille d'Antoine-Balthazar, sous-lieutenant d'infanterie, puis sous-inspecteur des Eaux et Forêts à la résidence de Langres [71], et de Marie-Rose CHAUDRON [72], s.p. [73],

11 - *Rosalie*-Victoire PÉLISSIER (Dijon 6-II-1814 - Saint-Vrain 9-I-1876)[74] alliée Vert-le-petit 13-VIII-1838 à Augustin CONSTANS (Vairé, Vendée, 10-XII-1811 - Saint-Vrain 26-II-1896), docteur en médecine, inspecteur général du service des aliénés et du service des prisons, fils d'Antoine, capitaine des douanes, et d'Esther CROCHET ; de ce ménage est venu un seul enfant : Anne-Marie CONSTANS, décédée le 5-VI-1854, s.a. [75]

NOTES

1 Le futur maréchal.

1a Le Dahra est une région montagneuse située entre Cherchell et Mostaganem. L'épisode en question fit quelque bruit. Il valut au maréchal Soult, alors président du conseil, d'être interpellé à la chambre par l'opposition. Le rappel et la mise en disponibilité de Pélissier furent envisagés, mais Bugeaud le couvrit. Dans une lettre à ce dernier, en date du 22-VI-1845, citée par le général Victor-Bernard Derrécagaix dans son livre *Le maréchal Pélissier duc de Malakoff* (Paris 1911), Pélissier déclare au sujet de cette affaire : *Ce sont de ces opérations..., que l'on entreprend quand on y est forcé, mais que l'on prie Dieu de n'avoir à recommencer jamais.*

2 Le décret s'exprime de la sorte : *Voulant donner au maréchal Pélissier un témoignage de notre bienveillance pour les éminents services qu'il a rendus à la France, comme commandant en chef de l'armée d'Orient, et désirant de plus consacrer par un titre spécial le souvenir de la mémorable et glorieuse campagne de Crimée, nous avons résolu de lui conférer, comme en effet nous lui conférons, par les présentes, le titre de duc de Malakoff. Donné à Plombières le 22-VII-1856.* Il n'y eut pas de l.p. Une remarque est nécessaire à ce sujet. Sous le Second empire, contrairement à la pratique des régimes précédents, les décrets accordant un titre de noblesse assuraient par eux-mêmes la régularité de celui-ci : ils étaient, en effet, signés par le souverain et scellés. Des l.p. continuèrent cependant d'être établies pour les bénéficiaires désireux de posséder ce document traditionnel et soucieux, par ailleurs, d'obtenir un règlement d'armoiries. On aura observé que le décret ne fait pas mention du caractère héréditaire de la faveur accordée. Si le maréchal Pélissier avait eu une postérité masculine, un autre décret eût de la sorte été nécessaire pour que le titre pût lui être transmis. Ainsi se passèrent les choses pour le maréchal de Mac Mahon fait duc de Magenta dans des termes analogues (voir chap. XIII).

3 Cette dotation lui fut attribuée par la loi n° 4410, votée le 14-III-1857 par le Sénat et le 18-III par le Corps législatif. Il est spécifié qu'elle est accordée au maréchal *en récompense des services éminents qu'il a rendus à la France, comme commandant en chef de l'armée d'Orient, pendant la glorieuse et mémorable campagne de Crimée* et qu'*elle sera transmissible à sa descendance directe légitime, de mâle en mâle, par ordre de primogéniture, et fera retour à l'état en cas d'extinction.*

4 Pierre Pélissier est donné comme né à Montauban, Lot — le chef-lieu du Tarn-et-Garonne se trouva dans le Lot jusqu'en 1808, date à laquelle le Tarn-et-Garonne fut constitué aux dépens des départements voisins —, dans l'acte de naissance de son fils Philibert, à Bruxelles le 3-XII-1798, et dans celui de sa fille Flavie, à Anvers le 17-II-1800. Son acte de décès le dit né à Montauban le 24-XII-1773 (curieusement, on a inscrit le 20-X sur sa tombe qui existe toujours au cimetière de Saint-Vrain). Ce lieu de naissance est certainement inexact. Nous n'avons pu, en effet, retrouver l'acte de baptême du père du maréchal Pélissier dans les registres des différentes paroisses de Montauban.

Certains auteurs ayant affirmé que la famille du maréchal avait été protestante durant quelque temps, nous avons consulté également les registres protestants : le résultat a été là aussi négatif. Une interrogation systématique, à tout hasard, des 4 autres communes du nom de Montauban existant en France n'a pas été plus fructueuse. Sans doute Pierre Pélissier était-il né dans une petite commune de la région de Montauban et déclarait-il par commodité qu'il était né à Montauban, comme cela se fait parfois. Cette circonstance nous a empêchés de remonter davantage l'ascendance du maréchal Pélissier. Nous devons de connaître les parents de Pierre Pélissier au fait qu'ils sont mentionnés incidemment dans l'inventaire après décès de la mère du maréchal en date du 26-VIII-1830 (A.N., M.C., LXXXIX 1156) et dans l'inventaire effectué le 22-XI-1850 (étude LXXXIX Paris ; les actes correspondant à cette année n'ont pas encore été versés au minutier central : nous remercions le titulaire actuel de l'étude, Mᵉ Robert Benoist, d'avoir bien voulu nous autoriser à consulter le dossier en question dans ses bureaux), à la suite de la déclaration d'absence de Gustave Pélissier (voir rubrique *Frères et sœurs*). Par comble de malchance, en effet, l'acte de décès de Pierre Pélissier ne les indique pas et l'acte de mariage de ce dernier n'a pas été reconstitué : le lieu et la date du mariage figurent dans les 2 documents qu'on vient de citer, le 2ᵈ précisant qu'il n'a pas été fait de contrat !

5 Les dossiers des fonctionnaires des Poudres et salpêtres ne sont pas au S.H.A.T. D'après l'enquête à laquelle nous nous sommes livrés à leur sujet, il semble que, pour la période ancienne au moins, ils aient disparu ou, au mieux, se trouvent égarés dans quelque réserve. A partir de 1801, on peut reconstituer de façon assez précise la carrière de Pierre Pélissier d'après les almanachs nationaux, impériaux et royaux. De 1801 à 1806, il est commissaire à réunion d'entrepôt à Bruxelles et, de 1807 à 1808, commissaire de 2ᵈᵉ classe chargé de réception de salpêtre et de vente de poudre à Bruxelles. Devenu commissaire de 1ʳᵉ classe en 1809, il sera successivement directeur de la poudrerie de Vonges près de Dijon de 1809 à 1814, de la poudrerie et raffinerie de Colmar-Logelbach de 1815 à 1822, enfin de la poudrerie du Bouchet près d'Arpajon de 1823 à sa retraite en 1842.

6 D'après la reconstitution de son acte de décès (A.P.) : le document ne donne pas les parents.

7 Ce sont là les armes portées de fait par le maréchal : ainsi que nous l'expliquons à la note 2, il n'y eut pas de l.p. lorsque celui-ci fut créé duc et, partant, pas de règlement d'armoiries en ce qui le concerne. Nous donnons ces armes d'après l'ouvrage d'Albert Révérend : *Titres et confirmations de titres (1830-1908)*.

8 Le maréchal de Castellane note dans son *Journal* à la date du 12-X-1858 : *La signature du contrat de M. le maréchal Pélissier, duc de Malakoff, a eu lieu à l'hôtel d'Albe, résidence de Mᵐᵉ la comtesse de Montijo. Le mariage civil... a lieu aujourd'hui à la mairie du 1ᵉʳ arrondissement ; la cérémonie religieuse sera célébrée ce soir à Saint-Cloud, en présence de l'empereur et de l'impératrice*. Le contrat, signé le 11 (A.N., M.C., LXVIII 1105), fut établi par Amédée Mocquard, notaire de la famille impériale, frère de Jean-François-Constant (1791-1864), sénateur, chef de cabinet de Napoléon III. L'empereur et l'impératrice y apposèrent leur paraphe le 12. Mᵐᵉ de Montijo, mère de l'impératrice, représentait les parents de l'épouse lors du mariage civil.

9 On a très souvent donné à la maréchale Pélissier le nom de Valera de La Paniega : son contrat et son acte de mariage eux-mêmes la désignent de la sorte. En droit strict, son nom était Valera uniquement. Certes, on le verra, sa mère était marquise de La Paniega, mais, en Espagne, tout comme en Angleterre, le nom qui sert de support à un titre est porté exclusivement par le détenteur de celui-ci, les autres membres de la famille utilisant le seul patronyme. Donner à la maréchale, outre le nom de La Paniega, le titre de marquise, comme le fait la lettre de part du décès du maréchal, est, là, tout à fait abusif, celui-ci ne lui ayant jamais appartenu.

10 Don José Valera a porté le titre de marquis de La Paniega, mais uniquement en tant que mari de sa femme, à la manière dont l'épouse d'un roi est reine.

11 C'est-à-dire contre-amiral.

12 Créé en 1787 par le roi Charles III.

13 A Doña Mencia, en Andalousie.

14 La mère de la maréchale Pélissier, qui était fille de don José-Antonio Alcala-Galiano et de doña Maria-Isabel Pareja, eut une fin tragique. Le 20-VI-1872, une collision se produisit en gare de Juvisy entre un train de voyageurs et un convoi de marchandises. *Dans le train,* rapporte *Le Figaro* du 22-VI, *se trouvait la mère de la duchesse de Malakoff, qui venait de Madrid pour se fixer auprès de sa fille, dont elle était séparée depuis 9 ans. Son domestique, qui la savait dans le 1er wagon — le plus atteint —, vint à Paris par le chemin de fer de Lyon et, comme il ne sait pas parler français, il eut beaucoup de peine à trouver la duchesse, avec laquelle il revint à Juvisy. On venait justement de faire une remarque des plus étranges : une montre, noircie, détachée de sa chaîne brisée marquant l'heure. C'est à cette montre que la duchesse put reconnaître sa mère. Il y eut une scène déchirante. La duchesse, folle de douleur, fut reconduite à Paris par une sœur de la Présentation de Tours. Le même train emportait le corps.* Celui-ci fut inhumé au cimetière du Père Lachaise, dans une sépulture (2e division, 4e ligne de la 1re section, n° 7 de la 4e section), où devaient par la suite être déposés les restes de l'épouse, puis de la fille du maréchal.

15 Le mariage du maréchal Pélissier fut l'œuvre de l'impératrice Eugénie et de sa mère, Mme de Montijo. Sophie Valera *qui est, dans son enfance, une compagne et une amie de jeux d'Eugénie de Montijo,* écrit Carlos Saenz de Tejada Benvenuti dans son introduction à *Cartas intimas. 1853-1897* (lettres intimes) de Juan Valera (voir note 21), *tombera rapidement aux mains de la comtesse de Montijo, la mère, ... la meilleure marieuse de l'Europe pour l'époque... Celle-ci, une fois casées ses deux filles, prend Sophie sous son patronage, avec le qualificatif de* tante, *et s'emploie à lui préparer un bon mariage.* C'est probablement cette appellation familière de tante qui a fait dire que Sophie Valera était une cousine de l'impératrice. En fait, il n'existait entre elles aucun lien de parenté, en tout cas proche. Les confrères espagnols que nous avons consultés ont été formels à cet égard. Cela ressort du reste à l'évidence de la façon dont s'exprime Juan Valera, frère de la maréchale, dans une lettre de janvier 1847, fort amusante, où il raconte à sa mère une visite qu'il vient de faire à Mme de Montijo : *Cette dame m'a reçu très affectueusement et m'a invité au bal qu'elle donnera dimanche prochain pour l'anniversaire de la jolie Eugénie, sa fille cadette, une gamine diabolique qui, avec une conquetterie enfantine, crie, tempête et fait toutes les espiègleries d'un enfant de 6 ans, cela tout en étant la demoiselle la plus fashionable... La comtesse nous a fait un long discours sur les avantages qu'il y a à être grand d'Espagne.* (in Correspondencia 1847-1857, voir note 21). Le maréchal rencontra Sophie Valera pour la 1re fois le 5-VIII-1858 lors de la visite de la reine Victoria et du prince Albert à Cherbourg, où l'impératrice l'avait amenée avec elle : Pélissier était alors ambassadeur à Londres. Dans le courant de septembre, le mariage décidé, il écrivait à une amie de sa famille : *Mlle de La Paniega a 30 ans. Elle est belle, grande, bien campée, d'une grande distinction, brune, les yeux noirs et l'air espagnol. Elle a de l'esprit, cause fort agréablement et possède une angélique douceur qu'elle communique à toutes ses paroles, à ses gestes, à son maintien. Si vous la voyiez, vous l'aimeriez immédiatement* (cité par le général Derrécagaix dans l'ouvrage mentionné à la note 1a).

16 Santiago Freuller était veuf de doña Maria-del-carmen Fernandez de Bobadilla, dont il avait eu une fille : Angela.

17 C'est-à-dire général de brigade.

18 La traduction espagnole de l'acte de baptême de Santiago Freuller (voir note 19) qualifie son père *general militar*.

19 Les précisions données sur la 1ʳᵉ alliance de la mère de la maréchale Pélissier ont été tirées du dossier existant sur Santiago Freuller dans les archives militaires espagnoles, à Ségovie. Nous remercions notre jeune ami Ricardo Mateos Sainz de Medrano de s'être occupé de les obtenir à notre intention.

20 On pourra consulter notamment à son sujet : *Juan Valera y la generacion de 1868,* par Alberto Jimenes, Oxford 1956.

21 Après sa mort, ont été publiés plusieurs volumes de correspondance, auxquels nous avons recours à différentes reprises au fil de ce chapitre : *Correspondencia (1847-1857)* (Madrid 1913), *Correspondencia de don Juan Valera (1859-1905). Cartas ineditas, publicadas con una introduccion de Cyrus C. de Coster* (Valence 1956), *Cartas intimas de Juan Valera a su hermana Sofia (1853-1897). Nota preliminar, estudio, edición y notas de Carlos Saenz de Tejada Benvenuti* (Madrid 1974).

22 Allié à Dolorès Delavat, Juan Valera en eut un fils, Luis Valera (Madrid 5-I-1870 - Madrid 3-VII-1926), qui, allié à doña Maria-de-la-clemencia Ramirez de Saavedra, marquise de Villasinda (fille du duc de Rivas), fut lui aussi diplomate et écrivain : il représenta notamment l'Espagne près le Saint-Siège et publia des romans, des contes, des souvenirs.

23 Juan Valera (voir rubrique précédente) apparaît comme témoin dans l'acte de naissance de Louise de Malakoff.

24 Le mariage religieux eut lieu à Saint-Philippe-du-Roule, le 10.

25 D'une famille d'ancienne noblesse, dont le nom est lié à l'histoire de la Pologne, le comte Jean-Ladislas Zamoyski était le cousin germain du comte André Zamoyski (1852-1927) allié en 1885 à la princesse Marie-Caroline de Bourbon-Siciles et l'oncle à la mode de Bretagne du comte Auguste Zamoyski (1893-1970) qui vécut en France et fut l'un des plus grands sculpteurs de l'époque pré-cubiste.

26 Il est assez surprenant qu'on n'ait pas eu, jusqu'ici, l'idée de consacrer un petit livre à Louise Pélissier de Malakoff. A la fois sa personnalité et ses aventures font en effet d'elle une authentique héroïne de roman. Le 13-III-1860, quelques jours après la naissance de sa nièce, Juan Valera écrivait au poète et romancier Pedro-Antonio de Alarcon : ma sœur Sophie *a eu un accouchement extrêmement difficile et douloureux. On l'a martyrisée et blessée si cruellement qu'elle se trouve affaiblie et avec une santé ébranlée. La joie d'être mère compense un peu tant de souffrance. C'est une petite-fille, qu'on a appelée Louise-Eugénie, en l'honneur de l'empereur et de l'impératrice qui seront ses parrain et marraine.* (in *Correspondencia de don Juan Valera (1859-1905),* voir note 21). L'enfant fut-il marqué, sinon physiquement, du moins dans son subconscient, par cette arrivée malaisée dans notre monde ? L'absence d'autorité paternelle — le maréchal mourut alors que Louise avait 4 ans —, en tout cas, eut sans aucun doute une influence sur la formation de son caractère. Quoi qu'il en soit, alors qu'elle approche de sa 20ᵉ année, Mˡˡᵉ de Malakoff ne manque pas de séductions. Extrêmement intelligente, d'une grande curiosité d'esprit, elle possède une culture assez exceptionnelle chez une femme de cette époque. Elle parle couramment six langues. L'histoire et la littérature des principaux pays européens n'ont pas de secrets pour elle. La philosophie la passionne. Elle est une disciple fervente de Renan : sous l'influence de ce dernier, elle a abandonné très tôt la pratique religieuse. Son oncle, Juan Valera, la conseille sur ce qu'il faut lire pour suivre la marche des idées. Elle fréquente le salon de la princesse Mathilde où elle aime rencontrer écrivains, penseurs, artistes. Ses sentiments sont élevés. Elle a de la noblesse et de la droiture dans le caractère. Les contemporains, d'autre part, s'accordent à lui

trouver un charme physique incontestable. Les Goncourt, familiers eux aussi de la princesse Mathilde, en font ce petit portrait dans leur *Journal* à la date du 16-X-1882 : *Une étrange petite femme que cette fille Malakoff, avec sa grosseur de mauviette, sa jolie taille de poupée, ses cheveux et ses yeux noirs comme de l'encre, son teint tout blanc, d'une blancheur à la Debureau.* Lucien Daudet qui, âgé d'une quinzaine d'années, la rencontre chez l'impératrice Eugénie, autour de 1900, écrit à sa mère qu'il l'a trouvée *admirable dans une robe blanche et sous un chapeau noir (Reboux) qui lui allait à merveille...* (in *Dans l'ombre de l'impératrice Eugénie*, Paris 1935, recueil de lettres envoyées par Lucien Daudet à sa mère). Un peu plus tard, il parle à son sujet de *cette forme de beauté que l'âge ne peut pas détruire et qui n'est faite ni de teint ni de chair, mais d'une perfection de l'ossature.* Mais, tant d'excellentes qualités et d'attraits se trouvent malheureusement gâtés par un désordre nerveux assez étrange, de type hystérique très probablement. Un incident futile peut déclencher chez elle, sans qu'on s'y attende, de terribles crises de colère et de violence. Elle envoie alors porcelaine et candélabres à la tête des gens qui se trouvent auprès d'elle, bat les domestiques, jette à terre tout ce qu'il y a sur la table si cela se produit au cours d'un repas. Charcot l'a soignée. Il lui a ordonné des douches, mais le traitement est demeuré sans effet. En dehors même des crises, il lui arrive de se droguer à l'éther ou de s'adonner à de surprenantes facéties. Les Goncourt en rapportent une à laquelle elle se livra, durant un séjour chez la princesse Mathilde à Saint-Gratien : *Elle s'en va, par les sentiers crottés, disant des choses drôles avec un sérieux de tous les diables... Arrivée à Enghien, il lui prend tout à coup la fantaisie d'entrer chez tous les pharmaciens et de leur demander s'ils ne sont pas des élèves de Fenayron.* (16-X-1882, in *Journal* ; Gabrielle Fenayron s'était entendue avec son mari, pharmacien au Pecq, pour assassiner son amant !). A plusieurs reprises, sa mère ou la princesse Mathilde ont tenté de la marier. Cette dernière aurait notamment voulu lui faire épouser Joseph Primoli, dont la mère était une petite-fille de Lucien Bonaparte. C'est peine perdue : l'intéressée oppose un refus catégorique à toutes les propositions. C'est que, chez la princesse Mathilde, selon toute vraisemblance, elle a fait la connaissance d'une jeune femme, son aînée de peu, Marguerite Cottin, qui, quelques années plus tôt, en 1874, a épousé Frédéric Masson, le futur académicien et historien du Premier empire : le coup de foudre a été réciproque et une amitié très tendre, très intime, s'est nouée entre elles. Louise de Malakoff écrira un jour à son mari à ce propos : *Tu ne sais pas... combien j'aime Marguerite. Tu ne sais pas ce que c'est que d'aimer quelqu'un comme j'aime Marguerite. Tu ne le sauras jamais* (in factum cité plus loin). Mais, contre toute attente, voici que, dans le courant de 1880, Louise de Malakoff accepte l'un des candidats qu'on continue de lui proposer : le comte Jean-Ladislas Zamoyski. Elle déclare que ce sera lui ou personne. Les fiançailles sont célébrées. Une lettre inédite de l'impératrice Eugénie à la maréchale, du 9-I-1881, qu'a bien voulu nous communiquer le comte Philippe-Georges Gudenus, révèle qu'elles furent bientôt rompues. Il semble que ce soit à l'instigation de la maréchale qui, dès ce moment, a pris en grippe son futur gendre : elle s'est rendu compte que celui-ci n'a pas la fortune escomptée et, par ailleurs, est quelque peu choquée par certaine rudesse dans les manières et le langage du comte polonais, ainsi qu'elle l'appelle. Mais les choses se raccommodent et le mariage a lieu. Gabriel-Louis Pringué raconte de la sorte la nuit de noces dans *Trente ans de dîners en ville* (Paris 1948) : *Ce gentilhomme adonisé, frais, astiqué, trépidant de volupté, dans un délicat vêtement de nuit fort coquet, s'approcha du lit nuptial afin de rendre à sa femme les devoirs du mariage. Il fut reçu à coups de fouet de chasse et dut s'enfuir en toute hâte dans ses appartements, fort meurtri physiquement et moralement.* Chaque tentative de rapprochement provoque chez Louise des convulsions de possédée et déclenche de sa part des flots d'injures. Cela n'empêche pas la jeune femme d'adorer son mari. Lorsque la crise est terminée, elle passe de longs moments sur ses genoux, câline, douce, s'ingéniant à faire pardonner un comportement dont le contrôle lui échappe. Un équilibre s'établit tant bien que mal, Zamoyski qui est sincèrement épris de sa femme faisant preuve d'une méritoire compréhension. C'est ainsi qu'en mars 1882, un an après son mariage, Louise écrit de Vienne à Miss Casey, son ancienne préceptrice : *Ma vie est délicieuse. Janio fait tout ce que je veux... Je l'aime excessivement... Je suis heureuse et j'aime tout le monde.* (in factum cité plus loin). Elle montre à son égard confiance et abandon. Le jour de Pâques 1882, elle lui adresse ce billet, où sous la forme badine transparaît une profonde désespérance : *Est-ce que tu ne trouves pas... que le bon Dieu nous a joué un bien mauvais tour, en nous mettant au monde, et que le plus grand service qu'on puisse rendre à l'humanité, c'est pour sa faible part de la laisser finir.* (ib.). A la vérité, Louise a trouvé dans son mari le père qui lui a toujours manqué. Au reste, dans les lettres qu'elle adresse à Zamoyski, elle n'appelle jamais celui-ci que : papa chéri, cher papa, petit papa. Dans le même temps, elle nourrit à son égard un certain complexe maternel. L'amour, c'est autre chose, c'est Marguerite Masson qu'elle voit toujours et, à l'égard de qui, ses sentiments n'ont rien perdu de leur ardeur. Une lettre inédite de Louise à son oncle le général Pélissier, en date du 31-VIII-1882, écrite de Villerville, près de Trouville — la maréchale y possédait une villa —, que le comte de La Bruslerie (voir note 73) a bien voulu nous communiquer, permet de se faire une idée assez juste de la place tenue par chacun : *J'ai eu mon amie Mᵐᵉ Masson pendant quinze jours avec moi. Sa présence m'était très douce. Je l'aime énormément. Malheureusement, elle vient de me quitter. Je n'ai plus que des bouquins pour me consoler. Il me reste mon mari qui devient charmant. Il est donc vrai que des petites filles intelligentes peuvent prendre de l'influence sur de grands garçons de cet âge. Janio est devenu studieux et grand liseur de choses sérieuses. Il ne raconte plus toujours les mêmes histoires sur sa famille, mais cause politique.* Les Goncourt font état de sévices de Zamoyski envers sa femme, sans qu'on puisse d'ailleurs en situer exactement l'époque : *On causait dans un coin de salon, ce soir, de la petite Malakoff et de son... mari, le comte Zamoyski. Le jour de son arrivée à Vienne, le comte sortait le matin et ne rentrait qu'à 4 heures, sa femme abandonnée dans un hôtel garni, sans argent et n'ayant mangé que deux petits pains d'un sou, que la femme de chambre avait été lui chercher chez un boulanger. Et la pauvre femme racontait que, pendant tout le mois qu'elle était restée là, son mari la laissait tous les soirs, rentrait à minuit, lui mettait une mandarine sur sa table de nuit et s'en allait.* (in *Journal*, 17-IX-1884). La situation et la personnalité de Louise de Malakoff étant ce qu'elles étaient, il est plus que probable que le ménage ait connu des moments difficiles. Il semble bien, cependant, que la dislocation de celui-ci ait été le fait de la maréchale et de son entourage, plutôt que des intéressés eux-mêmes. Nous avons signalé le manque de sympathie de la duchesse de Malakoff pour Zamoyski. Il ressort de lettres de Juan Valera à sa sœur la maréchale (voir note 21) que des questions d'argent rendirent tout à fait mauvaises les relations du gendre et de la belle-mère : très dépensier, Zamoyski avait, semble-t-il, ébréché la fortune de sa femme et la duchesse avait dû se porter au secours du ménage. Toujours est-il qu'alors que, les 30-I et 6-II-1885, Louise écrivait encore des billets fort affectueux à son mari parti pour Vienne, le 9-II, de retour à Paris, celui-ci trouva une lettre de rupture de sa femme et de sa belle-mère. La 1ʳᵉ lui écrivait : *J'ai résolu de rompre un mariage qui, vous le savez comme moi, n'a jamais été consommé. Si je ne vous ai pas prévenu plus tôt, c'est que vous m'avez habituée à vous craindre... Vous m'avez insultée, battue, vous m'avez outragée dans ce que j'ai de plus cher...* (in factum cité plus loin). Le divorce fut demandé par Louise et celle-ci, parallèlement, engagea une procédure en vue d'obtenir une déclaration de nullité des tribunaux ecclésiastiques. Zamoyski répondit en publiant dans le courant de 1886, à Vienne, mais en langue française, un factum en 2 volumes, l'un de 346 p., l'autre de 287 p., intitulé *Mémoire du comte Jean Zamoyski au sujet de la demande en cassation de mariage, présentée à Rome, et de la demande en divorce, introduite à Paris, par sa femme, Louise-Eugénie-Sophie-Elisabeth Pélissier de Malakoff, fille de Amable Pélissier, duc de Malakoff, maréchal de France, et de Sophie marquise de La Paniega.* Ce factum, qui aurait en fait été écrit par un journaliste du nom de Newlinski, raconte par le menu l'histoire du ménage, ne faisant grâce au lecteur d'aucun détail intime. On y trouve, en annexe, tout un appareil de pièces justificatives, notamment de nombreuses lettres de Louise de Malakoff à son mari et à d'autres personnes. Au début, Zamoyski s'explique sur les raisons de cette publication insolite : *C'est avec tristesse que je me décide à dévoiler le secret de mes misères intimes. On m'a mis dans une situation telle que, par quelque issue que j'essaie d'en sortir, j'y trouverai des douleurs. Si je parle, il me faudra passer par-dessus les répugnances de la délicatesse. Si je ne parle point, ma réputation restera livrée à mes ennemis. Entre divers maux, je choisis le moindre. Je me ferai violence. Je parlerai. Les conseillers de ma femme travaillent avec acharnement à consommer notre séparation ; ils me calomnient, ils essaient de me déshonorer. Voici notre histoire, qu'elle réponde pour moi.* S'il ne se reconnaît guère de torts, Jean-Ladislas Zamoyski n'accable pas pour autant sa femme : il reste très épris de cette dernière et s'efforce de la comprendre et de l'expliquer. Il se montre, en revanche, très dur pour sa belle-mère qu'il accuse d'être intervenue de façon abusive dans les affaires du ménage et d'avoir été l'artisan exclusif de la ruine de celui-ci. Ce factum ne se trouvait jusqu'ici dans aucune bibliothèque parisienne. La B.N. de Vienne a bien voulu nous communiquer l'exemplaire qu'elle détient, à la B.N. de Paris, qui, à notre suggestion, en a pris une copie, désormais conservée sous la cote Impr. Microfiche m 7136 (1-2). Nous avons eu assez largement recours aux deux volumes correspondants pour la rédaction de cette note, en y mettant cependant tout le discernement nécessaire et en nous efforçant d'en contrôler les affirmations à l'aide des autres sources disponibles. Les éclats de Louise de Malakoff et son amitié insolite avec Mme Masson alimentaient depuis longtemps les bavardages de salon. La publication du factum de Jean-Ladislas Zamoyski provoqua, faut-il le dire, un scandale terrible dans la société de l'époque. A l'en croire tout au moins, le noble polonais y aurait ajouté encore en payant des gens pour rosser sur la voie publique ceux qu'il soupçonnait d'avoir contribué à la ruine de son ménage, tels Frédéric Masson et Victor Duruy, historien et ministre de Napoléon III ! Ce dernier fait nous paraît douteux : on n'y trouve, en effet, aucune allusion dans les journaux parisiens de l'époque. Le 15-VII-1886, le t. c. de la Seine se déclara incompétent pour connaître de l'action en divorce : il invitait la comtesse Zamoyska à se pourvoir devant les tribunaux autrichiens. La procédure engagée sur le plan religieux aboutit en revanche le 30-VI-1888 à une dispense pour non-consommation, accordée par le pape. La décision, cependant, ne fut pas acquise sans mal. Il fallut que l'oncle de Louise, Juan Valera, fit intervenir l'ambassade d'Espagne auprès du Saint-Siège et la cour d'Espagne elle-même. Le détail de la procédure correspondante a été publié en latin dans *Le canoniste contemporain ou la discipline actuelle de l'Eglise* (bulletin mensuel, 1888, p. 385 à 396). C'est grâce, tout particulièrement, à cette source, qui représente le point de vue de l'autre côté, qu'il nous a été possible de discerner avec une bonne certitude ce qui pouvait être retenu du factum dont il est question plus haut. La décision pontificale s'appuie notamment sur les conclusions d'un examen de l'épouse effectué le 8-VIII-1885 par 3 médecins qui *concorde tulerunt judicium de mulieris integritate et de matrimonii inconsummatione.* Un artifice juridique permit d'obtenir, à partir de la décision pontificale, une dissolution sur le plan civil. Dans la partie de la Pologne sous domination russe, une annulation par le Saint-Siège valait annulation civile, sous réserve de confirmation par l'empereur, l'état-civil des catholiques y étant tenu par les curés. Les Zamoyski ayant, selon toute vraisemblance, des propriétés dans les territoires correspondants, le tsar voulut bien signer un décret, habituel en pareil cas, autorisant la mise à exécution en Russie de la sentence pontificale. Sur le vu d'une copie de ce décret, le procureur de la république de la Seine prit le 9-V-1892 la décision de faire porter une mention d'annulation en marge de l'acte du mariage civil. Cette mesure n'apportait pas seulement une satisfaction morale à Mlle de Malakoff : ainsi, sans doute, s'explique l'opiniâtreté déployée par celle-ci. La dotation annuelle de 100 000 F, transmissible à sa descendance mâle, attribuée au maréchal en 1857 (voir note 3), s'étant éteinte à sa mort, ce dernier n'ayant pas laissé de fils, un d. i. du 15-XI-1864 avait concédé à la maréchale une pension extraordinaire de 20 000 F, réversible pour moitié sur la tête de sa fille. Louise de Malakoff n'avait pu bénéficier de la reversion lors du décès de sa mère en 1890, son mariage lui ayant fait perdre la nationalité française. Son union une fois annulée, un décret du 1-IV-1893 la réintégra dans la qualité de française et un autre, du 6-VI-1893 (n° 41086), lui accorda la reversion de la pension précitée. Au long de toutes ces péripéties, Louise de Malakoff était demeurée fidèle à l'*amitié* qui la liait à Marguerite Masson. Les Goncourt notent, en effet, à la date du 20-V-1890 : *Visite, en compagnie de M*me* Masson, de l'ironique petite Malakoff, avec sa voix traînante et son regard de souris qui voit tout* (in *Journal*). Par les Goncourt encore, on sait qu'un moment, perdant patience, le mari de Marguerite *avait renvoyé* celle-ci *à son père avec une lettre où il se plaignait de sa tenue, de son attitude...* (ibid., 7-XII-1891). Il ne devait pas tarder, cependant, à la reprendre. Après la disparition de la maréchale, Louise, désormais, vit alternativement à Paris, à la villa de Villerville et à Cacherou, dans la région de Mascara, en Algérie, où son père lui a laissé un domaine de 650 hectares. Gabriel-Louis Pringué la dépeint, dans *Portraits et fantômes* (Paris 1951), *fumant son éternel cigare* à Trouville. Lorsque Louise était de l'autre côté de la Méditerranée, note André Germain dans *La bourgeoisie qui brûle* (Paris 1951), *les deux amies se télégraphiaient chaque jour*. Il poursuit : *Leur amitié, commencée dans l'extrême jeunesse, dura plus de cinquante ans. Et puis, au bout de ce temps, l'amitié se relâcha du côté de M*lle* de Malakoff. M*me* Masson en fut toute brisée. On peut dire, dans un certain sens, qu'elle en mourut de chagrin. A soixante-dix-neuf ans, elle perdit la raison... Elle mourut bien tristement, à l'âge de quatre-vingts ans,* à l'automne de 1932. A la vérité, si des liens amicaux subsistèrent entre les deux femmes, depuis bien longtemps, une autre compagne avait remplacé Marguerite Masson dans le cœur de Louise de Malakoff : M*lle* Marie-Jacqueline de Choiseul-Praslin, une fille naturelle de Gaston 6e duc de Praslin (l'un des enfants de Théobald 5e duc et de Françoise dite Fanny Sebastiani-Porta, les protagonistes d'une pénible tragédie) et de mère non dénommée, née à Aberdeen (Ecosse) le 17-X-1862, reconnue le 14-IX-1863 par acte passé chez Me Potier de La Berthellière, notaire à Paris. Dès le 31-I-1894, en effet, la fille du maréchal Pélissier rédigeait en faveur de cette dernière un testament par lequel elle en faisait sa légataire universelle. L'impératrice Eugénie avait toujours marqué beaucoup d'intérêt à Louise de Malakoff qui était sa filleule. Il semble bien que le fracas des aventures de celle-ci, puis son existence en marge ne lui aient pas fait perdre l'affection de la souveraine. On a vu que le jeune Lucien Daudet l'avait rencontrée chez elle autour de 1900. Le même, décrivant à sa mère, dans une lettre de décembre 1912 (op. cit.), les objets chers à l'impératrice réunis dans le morning-room de Farnborough Hill, mentionne *une minuscule photographie, ravissante, de M*lle* de Malakoff toute jeune fille*. En dépit des singularités de sa vie, Louise de Malakoff avait gardé une autre relation impériale : le grand-duc Nicolas-Mikailovitch, auteur d'un certain nombre d'études historiques et, en cette qualité, associé étranger de notre Académie des sciences morales et politiques. En 1917 encore, elle correspondait avec lui : fils du dernier des fils de Nicolas Ier, il devait être fusillé par les bolcheviques au début de 1919. Le nom de Louise apparaît à deux reprises dans l'ouvrage *Grand-duc Nicolas-Mikaïlovitch. Lettres inédites à Frédéric Masson. 1914-1918* (Paris, 1968). Le 1er-VII-1917, le prince écrit à Masson qu'il a reçu une lettre de M*lle* de Malakoff. Le 6, il lui demande de transmettre un billet à celle-ci. Jean-Ladislas Zamoyski qui avait été un court moment son compagnon devança de 12 ans Louise dans la tombe. Casimir Chledowski, ministre pour la Galicie dans le gouvernement autrichien, nous apprend dans ses *Pamietniki* (mémoires), t. II, Wroclaw 1951, qu'il avait trouvé la consolation de ses déboires conjugaux du côté de la musique, vers laquelle il s'était toujours senti porté. Mélomane passionné, il parcourait sans cesse l'Europe, afin de ne manquer aucun des événements musicaux importants. Il se souciait, d'autre part, de découvrir les jeunes talents et aidait à leur percée.

Il finança ainsi les études musicales du célèbre violoniste Bronislaw Huberman et fut pour lui un véritable impresario. Louise de Malakoff mourut à l'âge de 75 ans, au domicile de Marie-Jacqueline de Choiseul-Praslin, 208, rue de Rivoli. Ses obsèques eurent lieu à Saint-Thomas d'Aquin le 30-XII-1935. *En l'absence de toute famille*, ainsi que l'écrivait un chroniqueur mondain de l'époque, *le deuil était conduit par Mlle de Choiseul, son intime amie*. Louise laissait à cette dernière le domaine de Cacherou en Algérie, estimé 400 000 F, et le château de Theuley-Domazeau à Bouliac en Gironde, d'une valeur de 180 000 F avec le mobilier. Elle ne possédait plus à l'époque de son décès la villa de Villerville. La succession comprenait par ailleurs de nombreux souvenirs et documents relatifs au maréchal Pélissier et au Second empire. Les scandales provoqués par la fille du duc de Malakoff étaient presque oubliés. Une circonstance fortuite devait en raviver la cendre pour quelques jours. *Mlle de Choiseul*, indiquait l'hebdomadaire *Aux écoutes* dans son numéro du 19-VI-1937, *se décida... à mettre en vente les souvenirs du maréchal. Ces souvenirs furent exposés chez l'expert, puis dans les vitrines de l'Hôtel Drouot un après-midi de dimanche. La vente allait avoir lieu le lendemain, quand Mlle de Choiseul s'éteignit brusquement dans la soirée* — très exactement le 29-III-1936 à Paris 1er. *Il fallut donc décommander la vacation, car la défunte ne laissait apparemment pas d'héritiers et les reliques du maréchal Pélissier allaient revenir à l'état. Pourtant, grâce à un généalogiste qui s'était mis en campagne, la Troisième république n'hérite pas du soldat du Second empire. Cet homme ingénieux finit par retrouver une demi-sœur de Mlle de Choiseul-Praslin, une vieille personne octogénaire qui n'avait jamais approché la défunte et c'est à elle qu'échoient les biens du maréchal. Et voilà pourquoi, mercredi prochain, on vendra les lettres de l'impératrice Eugénie au duc de Malakoff, le portrait de la souveraine par Dubuffe, le sabre d'honneur du vieux soldat et son bâton de commandement, avec beaucoup d'autres vestiges surannés et émouvants.* Au nombre de ces derniers se trouvaient également la plupart des œuvres de Frédéric Masson. Un catalogue avait été édité, intitulé *Successions de Mlle Jacqueline de Choiseul de Praslin et de Mlle Pélissier de Malakoff. Vente faite par Me J. Auboyer-Treuille, commissaire-priseur à l'Hôtel Drouot, le 23-VI-1937* et conservé à la B.N. sous la cote 8° V^36 14976. Le portrait de l'impératrice Eugénie par Dubuffe fut adjugé au musée de Pierrefonds pour 5 200 F. Le musée de la Légion d'honneur acheta 2 020 F les épaulettes du maréchal et 750 F son écharpe de commandement. Le bâton fit 25 100 F. La plupart des papiers furent acquis par Jean Brunon, dont l'étonnante collection de souvenirs et de documents militaires, donnée au Musée de l'armée, est aujourd'hui conservée au Musée de l'Empéri à Salon-de-Provence. Celle à qui revinrent finalement les biens de Mlle de Malakoff avait nom Marie-Marthe de Choiseul-Praslin. Elle habitait à l'époque New York. Née à Jersey le 6-VIII-1861, elle était en fait une sœur naturelle de l'amie de Louise de Malakoff, reconnue elle aussi le 14-IX-1863, chez Me Potier de La Berthellière.

27 Entré à Saint-Cyr en 1809, sous-lieutenant en 1812, lieutenant en 1813, capitaine en 1814, chef de bataillon en 1830, Louis Pélissier servit à la Grande armée (1812-1815), en Espagne (1823-1828), en Morée (1828-1829), en Afrique (1830-1833). L'un des documents figurant dans son dossier personnel au S.H.A.T. indique qu'il mourut des suites d'une gastro-céphalite aiguë. Sa femme devait être une amie d'enfance : le père de celle-ci apparaît en effet comme l'un des déclarants lors de la naissance à Bruxelles en 1802 d'Amédée-François-Pierre Pélissier, frère de Louis. Mme Louis Pélissier, née Emilie Moret, a rédigé sur la carrière de son mari une notice de 28 p., figurant sous la cote 102 dans le fonds Pélissier existant au Musée de l'Empéri à Salon-de-Provence (voir note 26). Un résumé de cette notice, établi par l'intéressée elle-même, a été publié dans l'ouvrage de Pierre Guiral et Raoul Brunon cité à la rubrique *Ecrits*.

28 Emile Pélissier, fils de Julien, indique dans une lettre du 23-X-1871 figurant dans son dossier personnel au S.H.A.T. que son père *victime du bombardement..., fut tué par un éclat d'obus dans la maison qu'il habitait.*

29 On a vu que, de 1815 à 1822, son père, Pierre Pélissier, fut directeur de la poudrerie et raffinerie de Colmar-Logelbach : celle-ci se trouvait tout à côté de l'établissement de MM. Haussmann.

30 Les Berdot étaient une importante famille protestante de Montbéliard, où ils ont donné notamment plusieurs médecins et un pasteur surintendant de l'église du comté de Montbéliard. Emilie Berdot était la sœur de Georges-Louis (Montbéliard 6-V-1805 - Colmar 24-V-1896), docteur en médecine, allié en 1831 à Georgette-Emilie Edighoffen (1813-1874), fille de Jean-Georges (1759-1813), général de brigade, chevalier de l'empire (l.p. du 15-VII-1810). Son père, Charles-Léopold-Vernier, devenu veuf, se remaria en 1818 à Marie-Joséphine Reiset, sœur de Marie-Antoine (1775-1836), lieutenant-général, créé successivement chevalier (1810), baron (1813) et vicomte (1822). On pourra consulter sur les Berdot : *Portraits montbéliardais des 18ᵉ et 19ᵉ siècles* par Léon Sahler (Paris 1913).

31 Les Duvernoy appartenaient eux aussi aux familles notables du pays de Montbéliard (voir à leur sujet l'ouvrage de Sahler cité à la note 30). Louise-Frédérique était fille de Jean-Georges, pasteur et surintendant de l'église du comté de Montbéliard, et sœur de Georges-Louis (1777-1855), anatomiste et zoologiste, ami et disciple de Cuvier.

32 La descendance de Julien Pélissier et d'Emilie Berdot est de confession protestante.

33 Après sa retraite, en 1873, Emile Pélissier s'installa à La Crau (Var). Il n'y est pas mort, pas plus qu'à Hyères et à Toulon. Il figure en 1887 sur le faire-part de décès de son oncle, le général Philippe Pélissier.

34 Venue d'Allemagne, la famille de Langenhagen s'est établie en Alsace avec Jean († 1775), capitaine au régiment de Nassau-cavalerie, naturalisé français en 1751. Celui-ci s'allia à Cléophée Gloxin, de la famille du botaniste qui a donné son nom au gloxinia. Guillaume-Charles était l'arrière-petit-fils de Jean précité et de Cléophée Gloxin et, par ailleurs, l'oncle à la mode de Bretagne de Ferdinand (Sarre-Union 26-IX-1859 - Paris 13ᵉ 28-VII-1917), conseiller général et sénateur de Meurthe-et-Moselle.

35 Comme les Berdot, les Duvernoy et les Goguel, les Mégnin sont une vieille famille du pays de Montbéliard (voir à leur sujet l'ouvrage de Sahler cité à la note 30).

36 Jacques Müntz fut, par ailleurs, vice-président du Racing Club de France et de la Fédération française de rugby.

37 Charles Müntz, père de Jean, était le cousin issu de germain d'Eugène Müntz (1845-1902), historien d'art, membre de l'Académie des inscriptions et belles-lettres, et d'Achille-Charles Müntz (1848-1917), agronome, membre de l'Académie des sciences, frère du précédent.

38 Jean Müntz a donné son nom à la *pose Müntz,* procédé de pose des rails de chemin de fer.

39 D'une famille originaire du pays de Montbéliard (voir à son sujet l'ouvrage de Sahler cité à la note 30), Marguerite Goguel était la nièce de Charles-Frédéric Goguel (1831-1901), banquier, régent de la Banque de France, la sœur de Maurice Goguel (1880-1955), pasteur, docteur ès lettres, doyen de la faculté de théologie de Paris, chargé de cours à la Sorbonne (histoire des origines du christianisme), auteur de nombreux ouvrages, et la tante de François Goguel (1909), secrétaire général du Sénat, membre du Conseil constitutionnel, fils du précédent.

40 Lui-même fils de Gaston, préfet.

41 Ingénieur en chef du contrôle des constructions métalliques de l'exposition universelle qui se tint à Paris en 1889, Victor Contamin (Paris 3e 11-VI-1840 - Vaucresson 23-VI-1893) fut de ce fait un très proche collaborateur de Gustave Eiffel dans la construction de la tour qui porte son nom. Lors de l'inauguration de cette dernière, un nombre très réduit de personnes accompagnèrent Eiffel sur la plateforme du sommet : Victor Contamin était de celles-ci et ce fut lui qui s'adressa à Eiffel au nom du petit groupe. En 1890, Victor Contamin succéda à Eiffel à la présidence de la Société des ingénieurs civils.

42 Adèle Priestley descendait d'un frère de Joseph Priestley (1733-1804), chimiste, philosophe et théologien anglais.

43 Nous remercions Mme Frédéric de Raïssac, née Müntz, M. André Contamin, M. Robert Goguel, M. J.L. Kleindienst, M. Christian Wolff, du concours qu'ils ont bien voulu nous apporter en vue de la mise au point de la descendance de Julien Pélissier et des notes correspondantes. Nous avons utilisé également l'ouvrage *Généalogie de la famille Graff de Colmar. 1385-1958* de Christian Wolff et Jean-Claude Garreta.

44 Les précisions données à propos des activités successives de Philibert Pélissier ont été tirées de l'inventaire de 1850 mentionné à la note 4 et de diverses pièces annexées à celui-ci ainsi que de la déclaration de succession (A.P., DQ7 10498) et de l'inventaire après décès (A.N., M.C., LXVIII 1212) de l'intéressé. La 1re de ces sources indique en outre que, durant son séjour en Amérique, Philibert Pélissier demeura 10 ans sans donner de nouvelles à sa famille et la 3e que, le 20-XII-1867, il avait été nommé titulaire d'un bureau de tabac situé à Paris, 187, rue du Faubourg Saint-Honoré. Sans aucun doute dut-il au crédit de son frère le maréchal les fonctions dont il fut pourvu après son retour en France : c'est celui-ci qui versa le cautionnement lorsqu'il devint receveur particulier à Prades, puis à Loudun.

45 Ce grade, qui n'exista qu'assez peu de temps, correspondait à enseigne de 1re classe. Amédée Pélissier participa notamment à une expédition à Madagascar, en 1829. Il y resta jusqu'en juillet 1831, date de l'évacuation de l'établissement, exerçant les fonctions de capitaine du port de Tintingue. Il souffrit beaucoup du climat et, sur la route du retour, fut atteint *d'une paralysie complète des membres thoraciques, suite de fièvre intermittente contractée à Madagascar*, dont il ne se remit jamais totalement. Ces précisions ont été extraites de son dossier personnel au S.H.M.

46 Gottlieb Steinam était né à Francfort-sur-le-Main le 12-V-1767. Il entra au service en 1793 comme chasseur au 9e régiment de chasseurs à cheval. Une pièce de son dossier personnel au S.H.A.T. indique qu'il fut mis *hors d'état de continuer son service par l'effet d'un coup d'obus reçu à la bataille de Wagram le 6-VII-1809, qui lui a emporté la partie externe du pied droit, ce qui le prive de l'usage de ce membre.*

47 Joséphine Steinam se remaria à Toulon le 2-XII-1840 à Charles Faucon (Paris 25-II-1809 - Toulon 17-IX-1891), capitaine de vaisseau, fils de Charles, chef de bureau à la préfecture de la Seine, et d'Angélique-Henriette Marguerit.

48 Auguste-Claire-Flavie Pélissier trouva la mort lors de l'explosion de la poudrerie de Colmar-Logelbach, dont son père était directeur. On pourra consulter sur cet événement *Souvenirs historiques du vieux Colmar*, par Ch. Foltz (1887, p. 223 à 228).

49 Aglaé Pélissier fut grièvement blessée lors de l'explosion de la poudrerie de Colmar-Logelbach qui coûta la vie à sa sœur (voir note 48) et dut être amputée d'un bras.

50 Nous devons à l'obligeance de l'archiviste de l'évêché de Versailles quelques précisions sur la carrière ecclésiastique de François Giboin-Ducheylard. Celui-ci fut ordonné prêtre le 18-II-1837 par Mgr Blanquart de Bailleul, évêque

de Versailles. Nommé peu après à la cure de Saint-Vrain, il l'abandonna dès 1838 pour devenir vicaire à Saint-Cloud. De nouveau curé de Saint-Vrain en 1839, il disparut du diocèse en 1840. Aglaé Pélissier habitait à l'époque à Vert-le-petit, avec son père qui y dirigeait la poudrerie du Bouchage, c'est-à-dire tout à côté de Saint-Vrain. Sa sœur, Rosalie, mariée au docteur Constans, résidait à Saint-Vrain même : c'est chez elle, très probablement, que les futurs époux se connurent.

51 François Giboin-Ducheylard est qualifié instituteur dans son acte de mariage, secrétaire de commissaire de police dans l'acte de naissance de sa fille, commissaire de police de Langres, puis commissaire central de Grenoble dans l'inventaire de 1850 cité à la note 4, commissaire de police du quartier Saint-Laurent dans l'acte de décès de sa femme, du quartier de la Bourse dans l'acte de décès de sa fille, commissaire supérieur de police à Monaco dans une pièce annexée à l'inventaire après décès de sa fille (LXXXI 1041, 13-X-1870 ; la pièce en question indique qu'il a été autorisé à exercer ces dernières fonctions par décret du président de la république en date du 25-II-1873).

52 L'union d'Aglaé Pélissier et de François Giboin-Ducheylard ne fut pas acceptée par les parents de ce dernier : l'acte de mariage indique que ceux-ci *ont refusé de consentir au mariage de leur dit fils... sur les trois demandes respectueuses qui leur ont été faites à ce sujet.* Les choses paraissent s'être mieux passées du côté de la famille Pélissier. Non seulement le père de la mariée lui donna son consentement, mais il a dota et même assez généreusement, ainsi que le montre le contrat établi le 11-X-1841 par Me Jean-Charles-Ferdinand Janot, notaire à Genève. Pierre Pélissier avait toujours manifesté une sollicitude particulière à l'égard de sa fille Aglaé, depuis l'explosion de 1822 qui l'avait mutilée : *Je recommande particulièrement à mes fils celle de leur sœur que le sort a si cruellement frappée. Toutes trois sont bien dignes de l'affection paternelle. Aglaé mérite encore plus par son infortune,* écrivait-il dans son testament en date du 1-XI-1838 (cité dans l'inventaire de 1850 mentionné à la note 4). Sans doute, Pierre Pélissier dut-il, par ailleurs, faire intervenir en faveur de son gendre les relations dont il pouvait disposer : on ne voit pas sans cela comment celui-ci eût pu entrer dans la police, la fonction publique étant fermée aux prêtres quittant le ministère, par l'une des dispositions du Concordat alors en vigueur. Ce même Concordat interdisait de marier civilement les prêtres en rupture de ban. C'est la raison pour laquelle Aglaé Pélissier et François Giboin-Ducheylard allèrent s'établir un moment à Genève et s'y marièrent. Tant sur le contrat que sur l'acte de mariage, on trouve la signature de Jean-Jacques-Caton Chenevière, pasteur, docteur en théologie, auteur de nombreux ouvrages : cela donne à penser que les formalités civiles durent être suivies d'une bénédiction dans l'église réformée.

53 François Giboin-Ducheylard s'est remarié à Genève le 14-VI-1862 à Félicie Venel, née à Genève le 30-VI-1820, fille de Henri, directeur de maison d'enseignement à Genève, et de Louise Monnet. Une sœur de Félicie Venel, Antoinette, avait épousé Jean-Jacques Challet dit Challet-Venel (1814-1893), qui fut député au grand conseil de Genève, conseiller d'état (membre du gouvernement) du canton de Genève, conseiller national et conseiller fédéral (membre du gouvernement helvétique), le 1er que Genève ait donné à la Suisse. Nous sommes redevables de ces précisions à l'obligeance de M. Walter Zurbuchen, directeur des Archives d'état de Genève.

54 L'acte de décès d'Elisabeth Giboin-Ducheylard, transcrit à Paris 9e le 29-IX-1870, indique qu'elle mourut à l'hôtel. Son inventaire après décès (voir note 51) nous apprend qu'elle décéda *en compagnie et sous les yeux du sieur Georges-Henri Baretti, artiste,* qu'elle habitait officiellement 72 bis, rue d'Amsterdam, Paris 9e, mais qu'elle résidait en fait à Passy, dans un appartement loué par Baretti. Elisabeth Giboin-Ducheylard ne figure pas sur le faire-part de décès du maréchal Pélissier, alors que tous les autres neveux et nièces de ce dernier y sont mentionnés.

55 Le contrat de mariage de Flavie Pélissier et Alexandre Dupont (A.N., M.C., LXXXIX 1162) mentionne un don de 1 000 F du futur maréchal, à l'occasion de l'événement.

56 Une lettre du général Camou en date du 2-VII-1859, citée par Derrécagaix (voir note 1a), signale que Flavien Dupont fut tué d'une balle en pleine poitrine, à la tête de son bataillon en enlevant à l'ennemi la position de Solférino.

57 Etait décédée à la mort de son mari.

58 Lors de son mariage.

59 Lors de la naissance de son fils.

60 Le dossier de sous-préfet de Gaston de Gourlet (A.N., F^{1B} I 161^{16}) indique qu'entré dans l'administration peu après la chute du Second empire, il fut successivement commissaire spécial à Lyon, directeur de la sûreté publique et commissaire central à Lyon, chef de division à la préfecture du Rhône, sous-préfet de Gex, puis de Bougie : il quitta ce dernier poste en 1879 et n'en eut pas d'autre.

61 Pierre-Anne de Gourlet était fils de Pierre-Michel Gourlet, puis de Gourlet (Paris 9-VI-1771 - Avranches 18-II-1853), capitaine de gendarmerie, receveur des contributions, anobli par l.p. du 10-VII-1824.

62 Au palais impérial.

63 Le maréchal Pélissier offrit la dot de sa nièce Marie Dupont : 1 200 F de rentes à 3 % sur l'état (dossier personnel de Cyrille Harmignies au S.H.A.T.).

64 Il figure sur le faire-part de décès de sa sœur Mme Harmignies. Celui-ci paraît avoir été dit Charles : il y a, en effet, sur le faire-part de décès du maréchal Pélissier, un Charles Dupont dont on ne voit pas qui il peut être, en dehors de lui.

65 Cette qualité lui est donnée dans l'acte de décès de son père où il apparaît comme déclarant.

66 Celle-ci ne nous est connue que par la mention Mlle Dupont sur le faire-part de décès du maréchal Pélissier.

67 Nous sommes reconnaissant à M. Roger Harmignies, qui fut quelque temps secrétaire général de l'Office généalogique et héraldique de Belgique, de l'aide qu'il a bien voulu nous apporter pour la mise au point de la descendance de Marie Dupont et Cyrille Harmignies : il est lui-même issu d'un frère de ce dernier.

68 A la Société grenobloise de tramways électriques.

69 Les précisions données au sujet de Gustave Pélissier nous ont été fournies par l'inventaire de 1850 cité à la note 4 et diverses pièces annexées à celui-ci.

70 Philippe Pélissier fit la plus grande partie de sa carrière dans l'artillerie de marine. Il prit part à la campagne de Crimée, où il dirigea plusieurs batteries de siège devant Sébastopol. Général de brigade depuis 1861, il fut chargé au début de la guerre de 1870 d'organiser un corps d'armée destiné à opérer un débarquement sur les côtes de la Baltique. Les événements ayant fait renoncer à cette opération, il commanda les batteries d'un secteur au nord de la Seine. Blessé à Nogent, il devint général de division le 12-XI-1870. Après la paix, il reçut mission de rétablir l'ordre au Sénégal. Il mourut au palais du Luxembourg, où il résidait du fait de ses fonctions de questeur du Sénat.

71 Antoine-Balthazar Chaudron était le fils de Guillaume Chaudron dit Chaudron-Rousseau (Bourbonne-les-bains 12-II-1752 - Bourbonne-les-bains 6-V-1816),

propriétaire agriculteur, député de la Haute-Marne à l'Assemblée législative et à la Convention, et le frère de Pierre-Guillaume Chaudron dit Chaudron-Rousseau (Bourbonne-les-bains 15-XI-1775 - ✕ Chiclana, Espagne, 5-III-1811), général de brigade.

72 Marie-Rose Chaudron était la cousine issue de germain de son mari.

73 Mme Philippe Pélissier, née Aglaé Chaudron, laissa ses biens à un cousin issu de germain de son père : Emile de Borssat (1828-1899). Au nombre de ceux-ci, figuraient des souvenirs du maréchal Pélissier : son portrait en pied, son épée, un canon russe ramené de Sébastopol, divers autres objets et quelques documents d'archives. Ces souvenirs ont eu la bonne fortune de demeurer réunis jusqu'à aujourd'hui, après un siècle ou presque et plusieurs successions. Emile de Borssat les laissa à son fils Xavier (1870-1942). De ce dernier, ils passèrent à sa fille adoptive, née d'un 1er mariage de sa 2de femme : Marguerite de Stainville de Borssat (1895-1966) alliée en 1921 à Pierre Piochard comte de La Bruslerie (1888-1969). Ils sont aujourd'hui la propriété de Xavier comte de La Bruslerie (1922), fils des précédents, qui continue de les conserver avec sion et piété, dans son château de Parnot à Parnoy-en-Bassigny. Arguant du lien sentimental que ces souvenirs leur faisaient avec le maréchal Pélissier, MM. Pierre et Xavier de La Bruslerie obtinrent en 1963 du ministre d'état chargé des affaires algériennes que soient rapatriés en France deux bustes du duc de Malakoff : l'un en bronze était à Mascara, commune près de laquelle ce dernier avait eu une propriété (voir note 26), l'autre en marbre blanc au palais d'été à Alger. Le 1er, qui sera classé monument historique en 1975, leur fut attribué et se trouve aujourd'hui au château de Parnot. Le 2^d a été installé dans le vestibule de l'hôtel de ville de Bourbonne-les-bains.

74 Lors de son mariage, Rosalie-Victoire Pélissier était domiciliée à la maison royale d'éducation de la Légion d'honneur.

75 Rosalie Pélissier, son mari le docteur Constans et leur fille sont, comme le père du maréchal (voir note 4), inhumés au cimetière de Saint-Vrain. Augustin Constans a composé à sa femme l'épitaphe suivante : *Esprit et caractère fermes autant qu'élevés, mère malheureuse, épouse trop dévouée, jusqu'à son dernier jour, elle voulut dompter la douleur. Son cœur s'y est brisé. Plus forte par sa pitié, elle n'eut qu'un regret : laisser une vieillesse solitaire et désolée à celui que, près de 38 années durant, elle combla des plus tendres soins.* Nous remercions Michel Sementery d'avoir bien voulu rechercher cette sépulture à notre intention et d'en avoir relevé les inscriptions.

X

Jacques-Louis-*César*-Alexandre comte Randon

18-III-1856

CARRIERE

1795 : naissance à Grenoble (25-III),
1812 : au 93e régiment d'infanterie de ligne (jusqu'en 1813), sergent (11-IV), participe à la campagne de Russie, est à La Moskova, sous-lieutenant (18-X),
1813 : est à Lützen et à Bautzen, lieutenant (10-VIII), aide de camp du général Jean-Gabriel Marchand, son oncle par aliance [1] (29-IX, jusqu'en 1815), capitaine (29-IX), est à Leipzig,
1815 : envoyé en mission à Laffrey par le général Marchand qui commande alors à Grenoble la 1re subdivision de la 7e division militaire, y incite en vain à exécuter les ordres reçus l'officier supérieur chargé de s'opposer au passage de l'empereur ; l'empire rétabli, s'y rallie aux côtés du général Marchand,
1816 : aux chasseurs de la Meuse [2] (jusqu'en 1822),
1822 : aux chasseurs de la Sarthe [3] (jusqu'en 1835),
1830 : chef d'escadrons (14-IX),
1835 : lieutenant-colonel, au 9e régiment de chasseurs (jusqu'en 1838),
1838 : colonel, au 2e régiment de chasseurs d'Afrique (jusqu'en 1841),
1841 : maréchal de camp (1-IX), commandant de la subdivision de Bône (2-IX, jusqu'en 1847),
1847 : lieutenant général (22-IV), disponible ; son oncle par alliance le général Jean-Gabriel Marchand est autorisé à lui transmettre le titre de comte en cas de décès s.p. (l.p. du 25-X),
1848 : directeur des affaires de l'Algérie au ministère de la guerre (13-III), commande la 3e division militaire à Metz (3-VI, jusqu'en 1851), inspecteur général pour 1848 du 3e arrondissement de cavalerie (5-VI),
1849 : inspecteur général pour 1849 du 3e arrondissement de cavalerie,
1850 : inspecteur général pour 1850 du 6e arrondissement de cavalerie,
1851 : ministre de la guerre (24-I), refuse son concours au coup d'état en préparation, quitte ses fonctions lors du changement de ministère (26-X) ; le fait accompli, adhère cependant au coup d'état du 2-XII ; gouverneur général de l'Algérie (11-XII, jusqu'en 1858),
1852 : reçoit l'investiture du titre de comte du général Jean-Gabriel Marchand mort s.p. (décret présidentiel du 23-VI), sénateur (31-XII),
1856 : maréchal de France (18-III),
1857 : pacifie la Kabylie,
1859 : major général de l'armée des Alpes (23-IV), ministre secrétaire d'état à la guerre (5-V, jusqu'en 1867),
1867 : abjure le protestantisme dans lequel il était né et adhère au catholicisme (22-XII) [4],
1871 : meurt à Genève (13-I), inhumé dans le cimetière de Saint-Ismier (Isère).

ECRITS

• *Rapport du général Randon, ministre de la guerre, au prince-président de la république, sur l'expédition de Kabylie*, en date de 1851, publié en annexe du T. II des *Lettres du maréchal de Saint-Arnaud. 1832-1854* (voir chap. V).

- *De la situation de l'armée en l'année 1866*, Grenoble 1870, VIII, 23 p.[5],

- *Mémoires*, 2 vol., Paris, T. I, 1875, 526 p., T. II, 1877, 338 p.[6],

- *Extraits du journal militaire officiel*, Chalons-sur-Marne 1876, 31 p.,

- des instructions, des règlements, rédigés alors que Randon était ministre de la guerre,

- 15 lettres publiées dans l'ouvrage de Pierre Guiral et Raoul Brunon dont il est parlé à la rubrique *Ecrits* du chap. IX (Pélissier).

LE CADRE FAMILIAL

Ascendance [7]

I - Mathieu I RANDON, notaire royal à Ganges, allié à Isabelle de CASTELVIEL, fille de Jacques[8], dont[9]

II - Mathieu II RANDON, né et baptisé à Ganges le 1-V-1686, greffier et notaire royal à Ganges, allié à Catherine EUZIÈRES, dont

III - Jacques I RANDON, né à Ganges le 8-II-1718, baptisé le 15, décédé à Aix-les-bains 15-VIII-1785, marchand toilier à Voiron, allié 1) p. c. du 4-VIII-1754 à Ganges[10] à Marie SOULIER, décédée à Voiron le 4-VII-1776, fille d'Antoine, de Ganges, et d'Anne NADAL, 2) Voiron 7-X-1776[11] à Cécile BILLION, décédée à Voiron le 5-I-1817, âgée de 67 ans, fille de Joseph, entreposeur de tabac à Voiron, et d'Agnès PARIS[12] [Cécile BILLION s'est remariée à Voiron le 9-VIII-1794 à François ROUX, né à Uzès, décédé à Voiron 3-III-1802, marchand à Voiron, fils de François et de Marie ROUSSIÈRE], dont du 1er mariage

IV - Jacques II RANDON, né à Voiron le 26-V-1756, baptisé le 27, décédé à Ixelles (Belgique) le 7-III-1814, marchand toilier à Voiron (1795), négociant (1811), garde magasin du dépôt de mendicité d'Ixelles (1814)[13], allié Grenoble 25-XI-1788[14] à Louise DEJEAN, née à Grenoble le 16-I-1770, décédée à Saint-Germain-en-Laye le 1-XI-1855[15], fille de Pierre-César, bourgeois de Grenoble, propriétaire, et de Jeanne PRÉ de SEIGLE de PRÊLE[16] [Louise DEJEAN s'est remariée à Grenoble le 17-VII-1815 à Auguste-César PASCAL, né à Grenoble le 19-IV-1780, décédé à Bourgoin le 18-VI-1838, receveur principal des impôts indirects et entreposeur des tabacs, fils de Charles-Alexandre, négociant en toiles à Voiron, conseiller général et député de l'Isère, et de Bonne PERRETON[17]].

Collatéraux [18]

Autres enfants de Mathieu II : Mathieu III RANDON, baptisé à Ganges

le 13-VII-1711, avocat en parlement et notaire royal à Ganges, allié
p. c. du 25-I-1747 [19] à Marianne TARTEIRON, fille de Jean, bourgeois, et
d'Anne DUCROS ; Catherine RANDON alliée à Jean VINCENTS, marchand
tanneur [20]. Autres enfants du 1er mariage de Jacques I RANDON avec Marie
SOULIER : Antoine RANDON, né à Voiron le 4-IX-1757, décédé à Voiron
le 19-XII-1824, propriétaire, allié 1) Voiron 25-II-1811 [21] à Anne-Louise-
Céline BONNET, née à Voiron le 28-II-1784, décédée à Voiron le 11-X-
1813, fille d'Antoine, propriétaire, et d'Anne FAIGEBLANC, 2) Voiron
11-VIII-1816 [22] à Hippolyte PANSU, née à Voiron le 9-XII-1799, fille de
Louis, marchand, et de Marie BILLION ; Louis-François RANDON, né à
Voiron le 20-VII-1762, décédé à Ganges le 23-III-1817, négociant, allié
Ganges 3-VIII-1791 [23] à Cécile TARTEIRON, née à Ganges le 27-V-1772,
décédée à Nîmes le 24-VI-1804, fille de Jean, notaire royal, et de Suzanne
SOULIER, mariage dissous par divorce à Voiron le 31-VIII-1799 [24]. Enfants
du 2d mariage de Jacques I RANDON avec Cécile BILLION : Domitille RAN-
DON, née à Voiron le 16-V-1778, décédée à Montfort-l'Amaury le 13-IX-
1851, alliée 1) Voiron 21-I-1801 à Sulpice CALIGNON, né à Grenoble le
22-IX-1768, décédé à Voiron le 18-I-1815, négociant, fils de Sulpice, propriétaire, et de Marie SALOMON, 2) Voiron 28-VIII-1818 à Alphonse BIL-
LION du RIVOYRE, né à Marseille (Saint-Ferréol) le 23-III-1778, décédé à
Montfort-l'Amaury le 2-XII-1838, lieutenant-colonel d'infanterie, fils de
Pierre, capitaine d'infanterie [25], et de Catherine-Domitille RICHAUD ;
Gaspard RANDON dit RANDON SAINT-AMAND, né à Voiron le 3-VIII-1779,
décédé à Voiron le 16-II-1836, substitut de procureur général, propriétaire, conseiller municipal de Voiron, allié Voiron 28-IV-1801 [26] à Adélaïde-Thérèse BILLION du RIVOYRE, née à Paris le 7-XI-1783, sœur d'Alphonse [27] précité [28] ; Armand-Joseph-Louis RANDON dit RANDON SAINT-
MARCEL, né à Voiron le 20-IX-1782, procureur du roi, allié Saint-Vivien-
de-Médoc 28-XII-1820 à Marguerite JOSSET de POMIERS du BREUIL, née
à Cissac-Médoc le 5-VIII-1779, fille de Simon JOSSET de POMIERS, écuyer,
seigneur baron du BREUIL, l'un des 200 chevau-légers de la garde du roi,
et de Catherine d'AUDEBARD de FERRUSSAC [29] ; Eustache RANDON dit RAN-
DON SAINT-OMER, né à Voiron le 1-XI-1783, contrôleur de comptabilité
des contributions indirectes [30].

ARMES

Ecartelé : au I, des comtes militaires : d'azur à l'épée haute en pal
d'argent, montée d'or ; aux II et III, d'hermine plein ; au IV, d'azur à
trois épis de seigle d'or posés en pal et rangés en fasce [31].

LES EPOUSES

1er mariage

A Paris, le 18-III-1830 [32], avec Augustine-Bonne-*Clotilde* Périer (Voiron 20-VIII-1806 - Montargis 27-XII-1832), fille d'Alexandre, manufacturier à Montargis, maire de Montargis, président du conseil général et député du Loiret [33], et d'Alexandrine Pascal.

D'une famille originaire du Trièves, connue depuis le début du XVIIIe siècle et appartenant dès cette époque à la bourgeoisie [34], Alexandre Périer, père de Clotilde, était fils de Claude (1742-1801), fabricant de toiles à Voiron et à Vizille, conseiller secrétaire du roi en la chambre des comptes de Dauphiné (l.p. du 31-XII-1778) [35], député de l'Isère (1799), régent de la Banque de France (1800), et le frère notamment [36] d'Augustin Périer (1773-1833), négociant et manufacturier, député de l'Isère (1827-1831), pair de France à vie (1832) [37], de Casimir Périer (1777-1832), banquier à Paris, régent de la Banque de France, député de la Seine (1817-1827), puis de l'Aube (1827-1832), président de la Chambre des députés, président du conseil et ministre de l'intérieur, de Camille Périer (1781-1844), préfet, député de la Sarthe (1828-1834), puis de la Corrèze (1835-1837), pair de France à vie (1837), d'Alphonse Périer (1782-1866), manufacturier à Grenoble, député de l'Isère (1834-1846) [38], de Joseph Périer (1786-1868), banquier à Paris, régent de la Banque de France, député de la Marne [39] (1832-1848) [40].

2e mariage

A Hermaville, le 3-X-1849 [41], avec Constance-Edwige-*Zénaïde* Suin (Arras 26-III-1811 - Saint-Ismier 11-V-1892) [42], fille de Joachim-Benoît, directeur de l'enregistrement et des domaines du Pas-de-Calais, membre du conseil municipal d'Arras [43], et de Thérèse-Bénédicte-Constance Lesoing [44].

Zénaïde Suin était la sœur [45] d'Eudoxie-Constance Suin (Rennes 27-VII-1804 - Hondainville 22-XI-1859) alliée Arras 20-V-1821 à Etienne-Louis Blanquart de Bailleul (Calais 26-XII-1790 - Verneuil-sur-Seine 25-IV-1883), intendant militaire, 2d fils de Henri-Joseph, chevalier de l'empire (1810), baron de l'empire (1811), procureur général, puis 1er président de la cour d'appel de Douai, maire de Calais, député du Pas-de-Calais (1802-1820) [46], et la cousine germaine de Victor Suin (Laon 27-X-1897 - Chatou 14-XII-1877), conseiller d'état, sénateur (1863) [47].

DESCENDANCE

du 1er mariage

I - Claire RANDON (Paris 24-V-1831 - Toulouse 7-IV-1892) [48] alliée Alger 20-X-1856 à Jules vicomte de SALIGNAC-FÉNELON (Darmstadt, grand-duché de Hesse, 30-X-1816 - Toulouse 16-XII-1878), ancien élève de l'Ecole polytechnique, général de division, commandant du 17e corps d'armée [49], fils d'Antoine comte de SALIGNAC-FÉNELON, ministre plénipotentiaire, et de Fidèle-Joséphine de REINACH-STEIN-BRUNN [50], dont

A - vicomte François de SALIGNAC-FÉNELON (Alger 13-IV-1857 - Toulouse 4-XII-1914), propriétaire, s.a.

B - Marie de SALIGNAC-FÉNELON (Paris 12-IX-1859 - Cannes 16-XII-1896), religieuse de l'Assomption sous le nom de sœur Marie-Agnès de Jésus,

C - Geneviève de SALIGNAC-FÉNELON (Paris 7e 30-IX-1861 - Paris 7e 25-IV-1862),

D - Henri baron de SALIGNAC-FÉNELON (Paris 7e 17-IV-1863 - Saint Aubin-lès-Elbeuf 30-VI-1922), propriétaire agriculteur, capitaine de cavalerie, allié Lille 7-V-1889 à Gabrielle de FRANCE (Fontainebleau 18-V-1866 - Paris 7e 10-IV-1918), fille d'Arthur, général de division, commandant du 1er corps d'armée [51], et de Marie LUCQ [52], dont

    1 - Claire de SALIGNAC-FÉNELON (Saint-Omer, Pas-de-Calais, 15-I-1890 - Sceaux, Hauts-de-Seine, 14-IV-1941) alliée 1) Hermaville 10-XI-1908 à Joseph LE CARON de CANETTEMONT (Hautecloque 19-III-1886 - Paris 18e 19-VIII-1929), propriétaire, fils de Charles-Octave, propriétaire, et de Valentine de MALET de COUPIGNY, mariage dissous par jug. du t. c. de la Seine le 25-II-1924, 2) Paris 7e 24-I-1925 à Edouard CHAUVOT (Bordeaux 12-IX-1895), employé d'agent de change, fils de Robert, négociant, et de Marguerite DESPOUX, s.p. du 2d mariage, dont du 1er

        a - Valentine de CANETTEMONT (Hautecloque 21-VIII-1909 - Guiscard 15-III-1977) alliée Ljubljana, Yougoslavie, 8-VIII-1928 à Erwin ADAMOVITCH (2-XII-1893 - Ljubljana 22-XII-1940), ingénieur forestier, gérant de propriété, s.p.,

        b - Henri de CANETTEMONT (Hautecloque 21-XI-1910), capitaine de cavalerie, allié Rabat 18-IV-1942 à Gabrielle

SERPAGGI (Rabat 1-I-1923), fille de Jean-Toussaint, fonctionnaire (Maroc), et de Marie-Victoire CARLOTTI, dont

— Claire de CANETTEMONT (Rabat 25-X-1943), infirmière diplômée d'état, alliée La Celle-Saint-Cloud 25-V-1971 à Yves-Marc POULLOT (Fontenay-sous-bois 25-II-1942), ingénieur électricien [53], fils de Gérard, directeur financier dans une société (restauration), et de Geneviève FROMENTI [54], dont

  ● Guillaume POULLOT (Le Chesnay 29-XI-1972),

  ● Céderic POULLOT (Saint-Germain-en-Laye 7-II-1975),

— Elisabeth de CANETTEMONT (Meknès 24-IV-1946), infirmière diplômée d'état, alliée Ambrines 12-VII-1975 à Sylvain POULLOT (Paris 14e 8-VI-1946), ingénieur analyste [55], fils de Roland, expert-comptable, et de Suzy FROMENTI [56], dont

  ● Sophie POULLOT (Arras 13-XII-1970),

  ● Delphine POULLOT (Paris 15e 31-XII-1976),

— Hervé de CANETTEMONT (Poitiers 12-XII-1949), laborantin géomètre, s.a.a.,

c - Marie de CANETTEMONT (Hautecloque 22-III-1912) alliée Paris 7e 25-VII-1938 à Roger GOURAUD (Celles-sur-plaine 22-VII-1905), ingénieur de l'Institut d'électrotechnique de Nancy, fils de Pierre, chef de bataillon d'infanterie ✗ [57], et de Madeleine CARTIER-BRESSON [58], dont uniquement

— Françoise GOURAUD (Nancy 16-XII-1942) alliée Nancy 26-III-1965 à François QUERETTE (Marseille 13-III-1935), ancien élève de l'Ecole de l'air, ingénieur, fils de Charles, ingénieur de l'Ecole centrale de Paris, agriculteur, et d'Anne-Marie de BERNARD de TEYSSIER, dont

  ● Nicolas QUERETTE (Paris 16e 5-II-1968),

  ● Sophie QUERETTE (Paris 16e 5-II-1968),

  ● Christian QUERETTE (Los Angeles 20-VII-1971),

  ● Jean-Charles QUERETTE (Nancy 23-V-1974),

d - Elisabeth de CANETTEMONT (Hautecloque 30-I-1914), secrétaire chargée du protocole à l'ambassade des Etats-Unis à Paris, s.a.a., e - Gabrielle de CANETTEMONT (Paris 7ᵉ 17-VI-1921) alliée Paris 7ᵉ 10-XII-1943 à Etienne GILLES-DEPERRIÈRE de VILLARET (Angers 17-VII-1918), ingénieur de l'Ecole centrale de Paris, directeur commercial de société, fils d'André GILLES-DEPERRIÈRE, propriétaire, et de Juliette de VILLARET [59], dont

— Claire de VILLARET (Neuilly-sur-Seine 6-X-1944) alliée Angers 20-II-1965 à Philippe RICHARD (Cholet 17-VI-1938), conseiller financier, fils de François-Xavier, ancien élève de l'Ecole des hautes études commerciales, licencié en droit, président [60] et administrateur de sociétés, président du Syndicat général de l'industrie cotonnière [61], et de Monique de LAVENNE de LA MONTOISE, dont

  • Thibaud RICHARD (Angers 11-XII-1965),

  • Gilles RICHARD (Paris 16ᵉ 15-I-1967),

  • Sébastien RICHARD (Angers 21-VIII-1972),

  • Donatien RICHARD (Versailles 29-VI-1974),

— Hugues de VILLARET (Angers 29-X-1945), analyste programmeur, allié Beaulieu-sous-la-roche 28-VIII-1970 à Anne de RORTHAYS (La Roche-sur-Yon 3-II-1950), fille de Guy comte de RORTHAYS, propriétaire, et de Marie-Thérèse GUILLEMOT de LA VILLEBIOT, dont

  • Guillaume de VILLARET (Boulogne-Billancourt 7-II-1972),

  • Arnaud de VILLARET (La Roche-sur-Yon 25-VII-1973),

— Foulques de VILLARET (Angers 3-IV-1947), ingénieur de l'Ecole de chimie de Strasbourg, s.a.a.,

— Baudouin de VILLARET (Angers 30-IX-1948 - Nantes 4-VI-1974), s.a.,

— Eudes de VILLARET (Angers 8-III-1951), propriétaire agriculteur, allié Vidouville 16-V-1975 à Marie-Christine de FOUCAULT (Saint-Lô 28-VII-1954), fille de Xavier, propriétaire agriculteur, et de Clotilde de LONGEAUX, dont

  • Damien de VILLARET (Angers 22-VII-1976),

• Servan de VILLARET (Angers 14-IV-1978),

— Guillemette de VILLARET (Angers 25-I-1953) alliée
Etriché 25-VI-1977 au comte Hubert de QUATREBARBES
(Angers 28-III-1948), propriétaire horticulteur, fils du
comte Gérard, propriétaire agriculteur, et de Marie-
France BARBIER du DORÉ, dont

• Géraldine de QUATREBARBES (Angers 11-II-1979),

— Aymeric de VILLARET (Angers 4-IV-1955), ingénieur
de l'Ecole supérieure de chimie organique et minérale,
ingénieur dans l'industrie, s.a.a.,

2 - Hugues de SALIGNAC-FÉNELON (Saint-Omer 13-V-1891 - ✕
Minaucourt-le-Mesnil-les-Hurlus 17-II-1915 [62]), ingénieur de
l'Ecole centrale de Paris, sous-lieutenant d'artillerie, s.a.,

3 - Jacqueline de SALIGNAC-FÉNELON (Compiègne 31-VII-1892 -
Londres 8-II-1940) alliée Paris 8e 22-VI-1917 à Walter-
Kennedy WHIGHAM (Dunéarn-Prestwick, Ayrshire, Ecosse,
6-VI-1878 - Bridge, Kent, 14-VIII-1948), banquier associé,
capitaine d'état-major, fils de David-Dundas, propriétaire, et
d'Ellen CAMPBELL [Walter-Kennedy WHIGHAM s'est remarié
à Londres-Paddington le 1-VI-1943 à Patience RONALD
(Londres-Kensington 3-XI-1908), fille de James-Macbain,
capitaine d'infanterie, et d'Eveline-Marie CROSTHWAIT], dont

a - Francis-Robert WHIGHAM (Paris 16e 30-IV-1918), agent de
change, allié Londres 26-X-1946 à Pamela WELLS (Lon-
dres-Victoria 15-VII-1925), fille de Geoffrey-Weston,
directeur de société, et d'Inez-Brenda WILLIAMS, dont

— Jeremy WHIGHAM (Londres 22-X-1947), avocat, allié
Londres-Chelsea 13-V-1976 à Charlotte-Allardice NIND
(Maracaïbo, Venezuela, 13-II-1949 [63]), secrétaire, fille
de Philippe-Frédéric, directeur de société, et de Fay-
Allardice ERRINGTON,

— Jane WHIGHAM (Londres 17-II-1949), journaliste, s.a.a.

b - Walter-Henri WHIGHAM (Londres 6-X-1919 - Bekesbourne,
Kent, 7-VII-1973), propriétaire agriculteur, allié Cantorbery 3-III-1944 à Lois SASSEN (Manchester 6-II-1922), fille
de Harry-Stover, négociant (coton), et d'Edith SHOVELTON,
dont

— Elisabeth WHIGHAM (Eccles, Lancashire, 17-XI-1944)
alliée Burgate, Kent, 12-IX-1964 à Raymond-Ian JOHN-

STON (Cantorbery 1-IV-1935), directeur de société, fils de Kenneth, président-directeur de société, et de Honor RAMSAY, dont

● Marietta-Louise JOHNSTON (Cantorbery 13-XI-1966),

● Catherine-Elisabeth JOHNSTON (Cantorbery 21-XI-1968),

● Euan-William JOHNSTON (Cantorbery 8-VI-1971),

— Walter-Ian WHIGHAM (Cantorbery 6-VIII-1947), comptable, allié Londres-Kensington 12-III-1976 à Suzanne BLANTHORNE (Derna, Lybie, 13-I-1950 [64]), secrétaire, fille de Kenneth-Charles, général de brigade, et de Sheila MIDDLE,

— Robert WHIGHAM (Cantorbery 23-IX-1949), propriétaire agriculteur, allié Cantorbery 18-III-1976 à Edwina-Sally AINSCOW (Rinteln, Hanovre, 27-II-1955 [65]), secrétaire médicale, fille d'Edwin-Craven, comptable, et d'Ivy-Marjorie CARTER,

— Alexandra WHIGHAM (Cantorbery 3-XII-1957), s.a.a.,

c - Geoffroy WHIGHAM (Londres 6-X-1920 - Newbury, Berkshire, 20-VIII-1928),

d - Bernard WHIGHAM (Londres 6-II-1924), directeur de société, s.a.a. [66],

4 - Geneviève de SALIGNAC-FÉNELON (Hermaville 20-II-1902) alliée Saint-Aubin-lès-Elbeuf le 14-I-1922 à Frédéric OLIVIER (Elbeuf 21-XI-1894 - Villejuif 27-VII-1964), industriel (filature et tissage de laine), fils de Henry-Frédéric, industriel (filature et tissage de laine), et de Marie-Pauline OLIVIER [67], dont

a - Hugues OLIVIER (Elbeuf 31-XII-1922), ingénieur en organisation, allié Rouen 20-VII-1950 à Marie-Elisabeth COSNEFROY (Valognes 30-VI-1928), fille de Paul, propriétaire, quelque temps fonctionnaire (ministère de la reconstruction), et de Madeleine SICARD, dont

— Benoît OLIVIER (Rouen 21-III-1953), technicien en électronique, allié Versailles 29-IX-1977 à Claire DUVAL (Versailles 8-VII-1954), juriste, fille de Philippe, contrôleur général des armées, et de Monique KERNÉIS, dont

● Laurent OLIVIER (Saint-Maur-des-fossés 25-XII-1979),

— Catherine OLIVIER (Rouen 1-VI-1954), s.a.a.,

— François OLIVIER (Rouen 9-I-1956), illustrateur, s.a.a.,

— Guillaume OLIVIER (Amiens 2-II-1957), s.a.a.,

— Alain OLIVIER (Amiens 3-II-1958), s.a.a.,

b - Hélène OLIVIER (Paris 16ᵉ 29-XI-1923 - Versailles 12-VII-1967), licenciée ès lettres (anglais et russe), infirmière pilote secouriste de l'air, lieutenant d'état-major [68], alliée Washington 16-V-1959 [69] à Hubert CASAMAYOR d'ARTOIS (Paris 7ᵉ 15-XI-1922 - Biarritz 4-IX-1977), agent de publicité, fils d'Edmond, président et directeur de sociétés, et de Marie-Odette MÉNARD de ROCHECAVE [70] [Hubert CASAMAYOR d'ARTOIS s'est remarié à Biriatou le 15-II-1974 à Gilberte CARICHON (Bordeaux 14-IV-1918), directrice commerciale, fille d'Etienne-Toussaint, boulanger, et de Marguerite DELYS [71]], s.p.

c - Louise OLIVIER (Paris 17ᵉ 27-VI-1926) alliée Paris 7ᵉ 5-II-1949 à Marcel LENOBLE (Le Havre 14-VIII-1921), négociant en spiritueux, fils d'André, importateur de produits coloniaux, et de Marie-Yvonne VALOIS, dont

— Eric LENOBLE (Le Havre 9-XI-1949), docteur en médecine, allié Dijon 27-VIII-1976 à Odile de COINTET de FILLAIN (Nantes 9-X-1954), licenciée ès lettres (anglais), fille du baron François, général de brigade, et d'Odette BARBIER, dont

● Ghislain LENOBLE (Rouen 24-X-1978),

— Chantal LENOBLE (Le Havre 9-VIII-1951) alliée Tripoli 9-VI-1974 à Stéphane DONEYAN (Beyrouth 22-VIII-1944), diplômé de l'Ecole normale de musique de Paris, chef d'orchestre de l'armée libanaise, fils de Sarkis, chef de musique de bataille à Tripoli, et de Hosanna FELHADIAN, dont

● Serge DONEYAN (Beyrouth 20-VIII-1975),

— Didier LENOBLE (Le Havre 26-IX-1954 - Caumont, Eure, 13-VIII-1969),

d - Monique OLIVIER (Paris 17ᵉ 20-VI-1928) alliée 1) Willesden, Middlesex, 1-X-1949 à Jack-Maurice GEE (Londres-

Holborn 22-VI-1929), fils de Samuel, agent de change, et de Doris DELINSKY, mariage dissous par jug. de la haute cour de justice du comté de Middlesex les 15-II et 30-III-1954, rendus exécutoires en France le 31-I-1955, 2) Londres-Paddington 19-VII-1954 [72] à Pascal FRANÇOIS (Paris 12e 19-XII-1926), directeur de distillerie, fils d'Edmond-Michel, administrateur de société, et d'Henriette-Clémentine VAULET [73], mariage dissous par jug. du t. c. de Rouen le 20-V-1960 [Pascal FRANÇOIS s'est remarié à Malakoff le 30-V-1964 à Anne-Marie MACOUIN (Moncoutant 15-VII-1929), assistante sociale, fille de Clovis, secrétaire de mairie, conseiller général et député des Deux-Sèvres, lieutenant d'infanterie, et de Marie-Clémentine BLANCHARD [74]], s.p. de part et d'autre,

5 - Fernande de SALIGNAC-FÉNELON (Hermaville 5-II-1903), vice-présidente de la Croix-rouge de Seine-maritime [75], alliée 1) Saint-Aubin-lès-Elbeuf 18-VII-1922 à Paul OLIVIER (Elbeuf 19-I-1898 - Saint-Aubin-lès-Elbeuf 20-III-1926), industriel (filature et tissage de laine), frère de Frédéric qu'on a rencontré plus haut, 2) Rouen 12-V-1930 à Lucien GUÉRIN (Rouen 14-XI-1903 - Amfreville-sous-les-monts 30-VI-1956), notaire à Rouen, fils de Clovis, notaire à Rouen, et de Lucie DUMORT, dont

du 1er mariage

a - Henri OLIVIER (Saint-Aubin-lès-Elbeuf 4-IV-1923), ingénieur de l'Ecole nationale d'agriculture, ingénieur dans l'industrie laitière, allié Fransu 24-V-1951 à Adrienne DOUVILLE de FRANSSU (Fransu 31-VII-1923), assistante sociale, fille de Michel comte de FRANSSU, propriétaire agriculteur, et d'Agnès de BELLOY de SAINT-LIÉNARD, dont

— Dominique OLIVIER (Rouen 6-XI-1952), ingénieur agricole, ingénieur dans l'industrie laitière, allié Saint-Martin-de-Boscherville 26-II-1977 à Edith CHAFFAUX (Lille 6-VII-1953), fille de Gérard, ingénieur de l'Institut industriel du Nord de la France, et de Marguerite-Marie TRUPHEMUS, dont

• Céline OLIVIER (Figeac 25-VII-1979),

— Emmanuel OLIVIER (Rouen 1-X-1953), officier de la marine marchande, allié Husseren-Wesserling 16-VI-1979 à Catherine LERMIGEAUX (Lille 8-XII-1954), fille de Jean, ingénieur (textile), et de Jacqueline-Renée GRÉGOIRE,

— Claire OLIVIER (Rouen 31-XII-1955), s.a.a.,

— Sabine OLIVIER (Rouen 4-XI-1958), s.a.a.,

— Philippe OLIVIER (Rouen 29-V-1960), s.a.a.,

b - Paule OLIVIER (Saint-Aubin-lès-Elbeuf 7-VIII-1926 - Bihorel-lès-Rouen 4-XI-1960) alliée Saint-Martin-de-Boscherville 17-III-1950 à Michel HOUSSAYE (Rouen 14-IX-1924), contrôleur laitier, puis représentant de commerce, fils de Marcel-Paul, ingénieur à l'Electricité de France, et d'Odette-Alice DUEZ [Michel HOUSSAYE s'est remarié à Paris 17ᵉ le 13-II-1961 à Claude-Raymonde CONARD (Rouen 29-IX-1927), secrétaire, fille de Maurice-Ernest, agent régional de société, et d'Alice-Marie MARC], s.p.

du 2ᵉ mariage

c - François GUÉRIN (Rouen 1-X-1934), ingénieur (travaux publics), allié Poix, Somme, 10-V-1961 à Claudie de WAZIÈRES (Poix 23-V-1939), fille du comte Jean, ingénieur agronome, expert agricole foncier, et de Geneviève DUBOIS, dont

— Véronique GUÉRIN (Boulogne-Billancourt 29-VII-1965),

— Anne-Laure GUÉRIN (Versailles 16-X-1973),

d - Danielle GUÉRIN (Rouen 30-VI-1937) alliée Saint-Martin-de-Boscherville 17-VII-1958 à Michel DULONG (Mont-Saint-Aignan 15-IX-1930), inspecteur d'assurances, fils de Jacques, agent d'assurances, et de Clotilde NOLLET, dont

— Carole DULONG (Rouen 5-VI-1959), s.a.a.,

— Valérie DULONG (Rouen 15-IV-1961) [77],

du 2ᵉ mariage

II - *N.* RANDON (Paris 23-II-1852 - Paris 23-II-1852) [78],

III - Marthe RANDON [79] († 27-II-1863) [80].

FRERES ET SŒURS

1 - César-Pierre-Jacques-Louis RANDON (Grenoble 9-I-1790 - Saint-Egrève 2-XI-1790),

2 - Jacques-Louis-Victor-Auguste-Gustave-Claude RANDON (Grenoble 22-V-1797 - Grenoble 27-II-1815), s.a.,

3 - Adolphe-Jean-Gabriel-Louis-Jacques RANDON (Grenoble 22-IX-1800 - Grenoble 12-VI-1819), s.a.,

4 - Adeline-Césarine-Laure RANDON (Voiron 26-III-1803 - Voiron 9-VII-1803),

5 - N. (enfant mâle), né et décédé à Voiron le 16-VI-1806,

6 - Adeline-Alexandrine-Louise RANDON-PASCAL [81] (Voiron 10-VII-1808 - Paris-Batignolles 9-VI-1843) alliée Bourgoin 13-IX-1831 à Antoine Eugène POIRÉ (Paris 5-V-1805 - Paris-Batignolles 24-X-1850), inspecteur des forêts de l'état, puis employé au ministère des finances, fils de Jean-Nicolas, colonel de cavalerie, et de Marie-Joséphine SAUVEUR ; de ce ménage sont venus 3 enfants [82] : I) Eugénie POIRÉ (Bourgoin 11-II-1833 - Paris 17e 8-II-1891), femme de lettres [83], alliée Paris-Batignolles 23-VI-1851 [84] à Napoléon PEYRAT (Les Bordes-sur-Arize 20-I-1809 - Saint-Germain-en-Laye 4-IV-1881), pasteur, homme de lettres [85], fils de Jean-Eusèbe, marchand, et de Marguerite GARDEL, dont postérité qui suivra ; II) Mathilde-Joséphine-Césarine POIRÉ (Bourgoin 16-VII-1836 - Grenoble 23-VIII-1837) ; III) Mathilde POIRÉ (Paris-Batignolles 10-V-1843 - Paris 17e 14-V-1881), diaconesse, directrice de la maison des diaconesses de la Confession d'Augsbourg à Paris [86] ; Eugénie POIRÉ et Napoléon PEYRAT eurent 4 enfants : A) Adeline PEYRAT (Saint-Germain-en-Laye 30-VI-1852 - Saint-Germain-en-Laye 1-IV-1866) [87] ; B) Marguerite PEYRAT (Saint-Germain-en-Laye 31-VIII-1853 - Port-Villez 4-I-1931), s.a. [88] ; C) Louise PEYRAT (Saint-Germain-en-Laye 14-III-1856 - Rome 1917), religieuse carmélite [89] ; D) Léon PEYRAT (Saint-Germain-en-Laye 30-IX-1858 - Paris 17e 2-XI-1922), docteur en droit, avocat, puis employé de banque, s.a.

NOTES

1 Voir note 15.

2 Par la suite 13e régiment.

3 Par la suite 18e régiment, puis 13e.

4 Ce changement de confession fut l'œuvre de la 2de épouse du maréchal, catholique fort dévote. *Elle ne craignit pas*, rapporte la biographie citée à la note 47, *de s'engager, dès les premiers jours de son mariage, à se relever toutes les nuits, afin de prier pendant dix minutes, les bras en croix, pour l'âme qui lui était si chère... Tous les jours, pendant de longues années, une messe fut dite pour la conversion du général Randon par les P.P. Charles et Amédée de Damas, Monnot, Paschalin, de Bouchaud et Brumauld ; ce dernier, fondateur de l'orphelinat de Boufarik, avait organisé cette croisade et chacun des pères avait pris un jour de la semaine. La maréchale a rapporté elle-même dans un*

petit livre intitulé *La conversion d'un maréchal de France (pages intimes), précédée d'une lettre-préface de Mgr Fava, évêque de Grenoble, et suivie d'un discours de M. l'abbé Joseph Lémann* (Paris 1892, 163 p.), les péripéties du siège persévérant qu'elle mena à cet égard. L'assaut final fut donné sous la direction du père Olivaint, jésuite, qui devait être fusillé par les communards le 26-V-1871.

5 Le maréchal publia ce document pour répondre à une campagne déclenchée contre lui durant les dernières années du Second empire : on l'accusait de s'être opposé au moment de Sadowa, en 1866, à une intervention de la France contre la Prusse, et ce en raison de l'état d'impréparation où se trouvait l'armée au terme de son long ministère. Ces allégations ont été réfutées dans une biographie du maréchal, intitulée *Pages d'histoire contemporaine. Le maréchal Randon (1795-1871) d'après ses mémoires et des documents inédits, étude militaire et politique* (Paris 1890, 403 p.), écrite par Alfred Rastoul : celui-ci établit que, tout au contraire, en 1866, Randon avait été l'un des rares dans l'entourage de l'empereur à lui conseiller une démonstration sur la frontière allemande.

6 Ces *Mémoires*, indique l'introduction, *n'étaient encore qu'à l'état fragmentaire, au moment de la mort du maréchal : c'était sa correspondance officielle mise en ordre, des notes sur certaines questions ou certains faits, l'histoire complète de plusieurs années, celle entre autres de son premier ministère et de son gouvernement de l'Algérie etc... On a scrupuleusement recueilli ce qui était de la main même du maréchal. Dans ces pages, écrites à des époques différentes, tantôt il parle à la première personne, en acteur qui, ayant pris part à de mémorables événements, raconte ce qu'il a fait, vu ou entendu ; tantôt il s'en tient à la forme indirecte qui est moins vive, mais plus militaire. Ces différences ont été respectées et l'on s'est contenté de réunir les fragments à l'aide d'une rédaction empruntée, autant que possible, aux actes officiels.* L'ensemble du texte se présente malheureusement de manière uniforme, de telle sorte qu'il est impossible de distinguer ce qui est réellement de la plume du maréchal : cette circonstance ôte au document une bonne partie de son intérêt.

7 Sauf indication contraire dans le texte ou en note, les renseignements donnés sous cette rubrique et la suivante ont été tirés des registres paroissiaux (voir note 30) ou d'état civil des communes mentionnées. Nous remercions très vivement MM. Dominique Jalabert, directeur des Archives municipales de Grenoble, Alain Ruchier, François-Robert Magdelaine, Jean Debest et Maurice Etienne, des longs dépouillements qu'ils ont bien voulu effectuer, les deux premiers dans l'Isère, le 3e et le 4e dans l'Hérault, le 5e dans le Gard, afin de nous permettre d'être aussi complet et exact que possible.

8 On trouve dans l'*Armorial de la noblesse du Languedoc* de Louis de La Roque (Paris 1860-1861) une famille de Castelviel, maintenue noble en 1669 : nous n'avons pu, cependant, y rattacher Isabelle et Jacques qu'on a ici.

9 Un souci de scrupuleuse exactitude nous conduit à signaler que ce 1er degré n'est pas rigoureusement assuré. Faute de disposer de l'acte ou du contrat de mariage de Mathieu II et de Catherine Euzières, nous n'avons pas la preuve absolue que le Mathieu, fils de Mathieu et d'Isabelle de Castelviel, dont le baptême a été retrouvé à Ganges le 1-V-1686, est bien le même que celui qui épousa Catherine Euzières. A défaut de certitude, il existe une probabilité très grande. On ne rencontre pas, à cette époque, d'autre Mathieu dans les registres de baptême de Ganges. D'autre part, on verra que Mathieu II eut pour successeur dans la charge de notaire Mathieu III, son fils (cf. *Collatéraux*) : cela permet de penser que Mathieu I, notaire à Ganges, devait, lui, être le père de Mathieu II.

10 Ce contrat, établi comme pacte privé à la date indiquée ci-dessus, nous est connu par l'enregistrement qui en a été fait le 3-VIII-1757 par devant Me Mathieu Randon, frère du marié (A.D. de l'Hérault, IIE 34/100, p. 209 recto). Cette même source précise que le contrat avait été insinué au bureau de Ganges dès le 30-VII-1757.

11 Un contrat avait été établi le 2-X-1776 chez Mᵉ Perrin, notaire à Voiron (A.D. de l'Isère, 3E, 1392/4). A celui-ci, signent comme témoins notamment : François Billion du Plan, avocat au conseil supérieur, Pierre Billion du Rivoire, capitaine au régiment de Rohan-Soubise, et Joseph Billion, chanoine au collège de la cathédrale Saint-Maurice de Vienne, tous trois frères de la future.

12 Cécile Billion était la sœur du père d'Alphonse et d'Adélaïde-Thérèse Billion du Rivoyre, qu'on trouvera plus loin (voir rubrique *Collatéraux* et note 11).

13 Cette profession assez modeste de Jacques II Randon au moment de son décès donne à penser que celui-ci avait dû faire de mauvaises affaires. Le dépouillement des fonds de notaires de Voiron apporte un autre indice à cet égard : Jacques II Randon vendit peu à peu la plupart des biens qu'il possédait dans la région au fil des 15 années qui suivirent la Révolution.

14 L'acte correspondant à ce mariage, célébré *par devant... Jean-Joseph Mounier, écuyer, conseiller du roi, juge royal civil et criminel de la ville de Grenoble et son territoire ressortissant immédiatement au parlement,* figure dans le registre spécial (A.D. de l'Isère, 5E 571/6) ouvert à l'intention des protestants conformément aux dispositions de l'Edit de tolérance qui, signé par Louis XVI le 17-XI-1787, mit un terme aux persécutions qui frappaient ceux-ci depuis un siècle et leur rendit un état civil distinct de celui des catholiques. Cette note est à rapprocher de la note 30. Un contrat avait été signé le 21-IX-1788 devant Mᵉ Girard, notaire à Grenoble (A.D. de l'Isère, 3E 1432/50).

15 Louise Dejean avait pour sœur Jeanne-Marie-Emilie, née à Grenoble (Saint-Hugues) le 21-VII-1774, décédée à Grenoble le 31-XII-1841, alliée à Grenoble le 10-I-1800 à Jean-Gabriel Marchand, né à L'Albenc le 10-XII-1765, décédé à Saint-Ismier le 12-XI-1851, avocat au parlement de Grenoble avant 1789, général de division, comte de l'empire (l.p. du 28-X-1808), pair de France à vie (1837). Celui-ci, qui était ainsi l'oncle par alliance de Randon, n'ayant pas eu d'enfants, obtint que ce dernier succédât à son titre de comte (voir plus haut).

16 Marie-Louise, sœur de Jeanne Pré de Seigle de Prêle — elles étaient toutes deux filles de Jean, major de la ville et citadelle de Montélimar, et de Marie-Anne André —, avait épousé à Lyon (Saint-Pierre et Saint-Saturnin) le 9-IX-1760 Jean-Pierre Barnave (Vercheny 4-I-1712 - Vercheny 20-VII-1789), procureur, puis avocat au parlement de Grenoble : de ce mariage naquit Antoine-Joseph Barnave (Grenoble 22-IX-1761 - Paris 29-XI-1793), député à l'Assemblée constituante, lequel était ainsi l'oncle à la mode de Bretagne du maréchal Randon.

17 Il n'y eut pas de postérité du 2ᵈ mariage de Louise Dejean avec Auguste-César Pascal. Par acte fait devant le juge de paix de Bourgoin le 9-VII-1830, confirmé par arrêt de la cour royale de Grenoble le 28-VII et transcrit dans les registres de l'état-civil de Bourgoin le 14-VIII, ce dernier adopta les deux enfants survivants du 1ᵉʳ mariage de sa femme : le futur maréchal et Adeline-Alexandrine-Louise. Si celle-ci porta désormais le nom de Randon-Pascal dans tous les actes la concernant, on ne le trouve que de façon exceptionnelle pour son frère (voir note 86) qui, en tout cas, continua d'user du seul nom de Randon dans la vie courante.

18 Voir note 7.

19 Ce contrat, établi comme pacte privé à la date indiquée ci-dessus, nous est connu par l'enregistrement qui en a été fait le 12-IV-1766 en l'étude de Mᵉ Mathieu Randon lui-même (A.D. de l'Hérault, IIE, 34/107, p. 103 verso).

20 Les intéressés nous sont connus par une quittance en date du 15-IX-1751 (A.D. de l'Hérault, IIE, 34/95, p. 252 verso).

21 Contrat le 21-II-1811 chez Mᵉ Michal, notaire à Voiron (A.D. de l'Isère, série Q, contrôles des actes de notaires).

22 Contrat le 10-VIII-1816 chez Mᵉ Perrin, notaire à Voiron (A.D. de l'Isère, 3E 3957).

23 Acte figurant dans le registre protestant (voir note 14) de Ganges (A.D. de l'Hérault, G.G. 19).

24 De ce ménage est née notamment une fille : Louise-Cécile Randon (Voiron 13-V-1792 - Ganges 3-VI-1856), cousine germaine du maréchal, alliée à Ganges le 9-I-1823 à Jean-Antoine Soulier (Ganges 19-II-1766 - Ganges 14-IV-1835), général de brigade, baron de l'empire (l.p. du 1-I-1813). L'acte de baptême (en date du 22-V) de Louise-Cécile Randon, qui figure dans les registres catholiques de Voiron, indique que ses parents se sont mariés dans la religion protestante (voir notes 14, 23 et 30).

25 Alphonse Billion du Rivoyre était le cousin germain de Domitille Randon, la mère de celle-ci étant la sœur de son père (voir note 12).

26 Contrat le 24-IV-1801 chez Mᵉ Michal, notaire à Voiron (A.D. de l'Isère, série Q, contrôles des actes de notaires).

27 Cousine germaine de son mari (voir notes 12 et 25).

28 De Gaspard Randon dit Randon Saint-Amand alias de Saint-Amand est issue la postérité ci-après : I) Théodore Randon de Saint-Amand (Voiron 24-VIII-1803 - Paris 9-II-1848), propriétaire, sous-lieutenant d'infanterie, allié Neuilly-sur-Seine 30-XII-1847 (religieusement Saint-Philippe-du-Roule, Paris, 5-II-1848) à Rosavinia-Fetillia Collingdon (Chelsea, Middlesex, 17-X-1826 - Marseille 29-IX-1901), fille de Richard, propriétaire, et de Sara Day, dont A) Eugène Randon de Saint-Amand (Port-Louis 3-XII-1844 - Nossi-Bé, Madagascar, 3-II-1909), capitaine au long cours, puis négociant, allié Marseille 9-I-1888 à Virginie Varenne (Saint-Bonnet-le-château 2-V-1862 - Paris 12ᵉ 9-VII-1941), fille d'Ambroise, maître d'hôtel, et d'Anne-Françoise Coulaud, dont 1) Marthe Randon de Saint-Amand (Marseille 6-XI-1888 - Marseille 4-IV-1975) alliée Marseille 14-IV-1914 à Louis Fiévet (Cherbourg 11-II-1884 - Marseille 8ᵉ 12-X-1954), capitaine au long cours, fils de Louis-Léon, capitaine d'infanterie, et de Marie-Emilie Piot, dont postérité ; 2) Charlotte Randon de Saint-Amand (Marseille 3-VIII-1890) alliée Nossi-Bé 28-XI-1908 à Hector Bleusez (Orchies 27-II-1875 - Lille 12-X-1963), capitaine d'infanterie coloniale, propriétaire agriculteur à Madagascar, fils de François, boucher-charcutier, et d'Elise Delille, dont postérité ; 3) François Randon de Saint-Amand (Marseille 13-VII-1893 - Los Angeles 2-VI-1933), employé dans une compagnie de navigation, s.a. ; 4) Edgard Randon de Saint-Amand (Marseille 1-I-1901 - Carcans 5-IX-1972), employé de banque, puis visiteur médical, allié Port-Villez 7-IV-1931 à Germaine Hemous (Paris 3ᵉ 15-IV-1889), fille de Jean, directeur de succursale de banque, et de Marie-Henriette Flament (Germaine Hemous était veuve de Robert-François Duval, qu'elle avait épousé à Paris 2ᵉ le 15-II-1913), s.p. ; B) Gabrielle-Adine Randon de Saint-Amand (Port-Louis 26-III-1846 - Maisons-Alfort 15-V-1907), artiste lyrique, dont (hors mariage) Gabriel Randon de Saint-Amand (Boulogne-sur-mer 21-IX-1867 - Paris 18ᵉ 6-XI-1933), poète et romancier sous le nom de Jehan Rictus, s.a. ; II) Gabrielle Randon de Saint-Amand (Voiron 6-XI-1807 - Marseille 10-V-1865) alliée Marseille 8-III-1837 à François Abeille, né à Pise le 2-VII-1799, négociant, comte romain, fils de Jean-André, propriétaire, et de Victoire-Elisabeth Bérard. Ainsi qu'on a pu le voir, Jehan Rictus, dont le biographe (Gaston Ferdière, *Jehan Rictus*, Paris 1935) fait de manière impardonnable un petit-fils du maréchal Randon, était en réalité le petit-fils d'un cousin germain de celui-ci. Il est amusant de rappeler, en regard de la généalogie qui précède, les prétentions nobiliaires de Rictus, tout poète des pauvres gens qu'il fût. Le 22-V-1898, il signait une lettre à Léon Bloy : *comte Gabriel Randon de Saint-Amand, baron d'Anduze* ! Il est vrai que, lors de la publication de la correspondance de Rictus à Bloy, avec des notes du 1ᵉʳ, il apportera ce rectificatif : *Quant au titre : baron d'Anduze, il n'en faut pas tenir compte. A cette époque, recherchant mes origines, j'avais*

été abusé par certains renseignements, voire des pièces généalogiques que je reconnus erronées par la suite (in *Cahiers Léon Bloy*, 9ᵉ année, n° 1, sept.-oct. 1932). Dans son roman autobiographique *Fil de fer*, paru en 1906, dédié au frère de sa mère *E. R. de S.-A., capitaine au long cours... en témoignage d'affection et de respect*, il écrit à propos de celle-ci : *Elle serait une demoiselle noble dégringolée de son arbre généalogique* et la donne comme le *dernier maillon d'une longue chaîne de maréchaux, d'amiraux..., de hauts et puissants personnages qui se sont couverts de gloire* ! Nous remercions Mᵐᵉ Robert Dufour, née Christiane Gruet, petite-fille de Mᵐᵉ Hector Bleusez née Randon de Saint-Amand, d'avoir bien voulu nous aider à réunir les éléments de cette note.

29 D'une famille maintenue dans sa noblesse d'ancienne extraction le 4-III-1721, Marguerite Josset de Pomiers du Breuil avait été, en mai 1789, *agréée par le roi pour être élevée au nombre des demoiselles que s.m. fait élever dans la maison royale de Saint-Louis à Saint-Cyr*, après avoir présenté les preuves requises (B.N., Département des manuscrits, Nouveau d'Hozier 194, dossier 4312). Elle avait épousé en 1ʳᵉˢ noces Jean d'Aste, ancien trésorier de France et en était veuve.

30 Randon, on l'a vu, appartenait au culte réformé. Ainsi que l'indique la maréchale dans l'ouvrage cité à la note 4, sa famille était protestante depuis longtemps, sans doute depuis le XVIᵉ siècle, comme c'est le cas pour un grand nombre dans la région d'où elle est originaire. Cependant, sauf deux, établis après l'Edit de tolérance (voir notes 14 et 23), les actes de baptême et de mariage antérieurs à 1792, utilisés par cette partie, figurent tous dans les registres catholiques. Le fait n'a rien d'exceptionnel. Le clergé catholique étant, depuis la Révocation de l'édit de Nantes en 1685, le détenteur exclusif de l'état-civil, les protestants demeurés en France se trouvèrent généralement contraints de recourir à ses services pour assurer la légitimité de leurs enfants. Lorsque cela était possible, les actes correspondants étaient établis parallèlement par un pasteur exerçant *au désert*, c'est-à-dire dans la clandestinité.

31 Il s'agit là des armes attribuées au général Marchand lorsque celui-ci fut fait en 1808 comte de l'empire, titre qui revint au maréchal Randon (voir plus haut).

32 Sur le plan religieux, il y eut le 17-III un mariage protestant célébré par le pasteur Jean Monod, l'un des pasteurs de l'Eglise réformée de Paris, et le 18-III un mariage catholique en l'église de La Madeleine.

33 *Alexandre Périer...* (1774-1846), note Charles de Rémusat (voir note 37) dans *Mémoires de ma vie* (T. II), *avait monté un établissement industriel à Montargis et perdait de l'argent. Sa réputation était cependant intacte. Il y vivait modestement, son caractère sûr, son bon jugement lui attiraient l'estime de tous et il fut plusieurs fois député de l'arrondissement. C'était un homme d'un esprit solide et peu brillant et à qui manquait l'activité qu'il faut pour réussir dans les affaires.*

34 On pourra consulter sur la famille Périer : Eugène Choulet, *La famille Casimir-Périer* (Grenoble 1894), Pierre Barral, *Les Périer dans l'Isère au XIXᵉ siècle, d'après leur correspondance familiale* (Paris 1964) et Romuald Szramkiewicz, *Les régents et censeurs de la Banque de France nommés sous le Consulat et l'Empire* (Genève 1974).

35 Cette charge était anoblissante à la condition de l'occuper 20 ans ou de mourir en fonction. La Révolution empêcha Claude Périer d'accéder, grâce à elle, au 2ᵈ ordre.

36 Alexandre Périer était par ailleurs cousin issu de germain de François-Daniel Périer dit Périer-Lagrange (1776-1816), négociant, allié en 1808 à Pauline Beyle (1786-1857), sœur de Stendhal.

37 Dont une fille, Fanny (1800-1826), épousa en 1825 Charles comte de Rémusat (1797-1875), député de la Haute-Garonne, ministre de l'intérieur et des affaires étrangères, auteur de nombreux ouvrages, membre de l'Académie française (voir note 33), et un fils, Adolphe (1802-1862), s'allia en 1828 à Nathalie du Motier de La Fayette (1803-1878), petite-fille de La Fayette.

38 Dont une fille, Mathilde (1812-1895) épousa en 1831 François-Henri de Chabaud-Latour (1804-1885), général de division, député du Gard, sénateur, ministre de l'intérieur, figure marquante du protestantisme au siècle dernier.

39 Dont la fille Mathilde († 1877) épousa en 2des noces Alfred Lannes comte de Montebello (1802-1861), député du Gers, 2d fils du maréchal Lannes.

40 Des liens existaient entre les familles Randon et Périer bien avant le 1er mariage du futur maréchal. Jacques I et Jacques II Randon avaient été les associés de Claude Périer dans l'une de ses affaires, à la fin de l'ancien régime : Périer, Randon père, fils, Roux et Cie (on remarquera que le 2d mari de la 2e épouse de Jacques I Randon s'appelait Roux). D'autre part, Auguste-César Pascal, 2e mari de la mère du maréchal, était le neveu de Claude Périer par la femme de celui-ci née Marie-Charlotte Pascal (sœur de Charles-Alexandre) et le frère d'Alexandrine Pascal (mère de Clotilde Périer) qui avait épousé son cousin germain.

41 Sur le plan religieux, il y eut un mariage catholique à Hermaville le 4-X-1849 et un mariage protestant célébré le 20-X-1849 par le pasteur Athanase Coquerel, l'un des pasteurs de l'Eglise réformée de Paris.

42 La maréchale Randon donne dans l'ouvrage cité à la note 4 quelques précisions sur les circonstances de son mariage. Le futur maréchal demanda la main de Zénaïde Suin une 1re fois un peu avant d'épouser Clotilde Périer. Il essuya un refus de la part du père. Celui-ci étant mort, Mlle Suin, qui savait Randon veuf, s'arrangea pour lui faire connaître qu'elle était toujours libre et que, désormais, une démarche de sa part serait bien accueillie.

43 Né à Fay-le-noyé (qui fait aujourd'hui partie de la commune de Surfontaine), le 20-III-1765, le père de la maréchale Randon était lui-même *fils de Jean-Pierre Suin, propriétaire de ce lieu, et de Marie-Antoinette Dequin, son épouse*. L'acte de baptême de Théophile-Louis Suin, dont il est question à la note 45, nous apprend que Joachim-Benoît Suin était en 1790 contrôleur des actes et conservateur des hypothèques du bailliage et gouvernement de Coucy-le-château, et qu'il avait un frère, Jean-Pierre Suin, alors notaire royal et lieutenant du comté d'Anizy-le-château : celui-ci est parrain de l'enfant. Le père de la maréchale Randon mourut le 26-IV-1845 à Toulon.

44 On trouve mention dans l'acte du mariage catholique (voir note 41) de Randon avec Zénaïde Suin d'un frère de la mère de celle-ci : *Ange-Benoît Lesoing, ancien vérificateur des domaines, propriétaire, domicilié à Arras, âgé de 72 ans*. Née le 3-VI-1772, la mère de la maréchale Randon mourut le 19-XI-1851.

45 La maréchale Randon avait par ailleurs un demi-frère, né à Coucy-le-château le 12-X-1790, d'un précédent mariage de son père avec Caliste Tribalet : Théophile-Louis Suin, qui fit carrière dans l'armée et termina chef d'escadron du corps royal d'état-major.

46 Etienne-Louis Blanquart de Bailleul était le frère de Louis-Marie-Edme (Calais 8-IX-1795 - Versailles 30-XII-1868), évêque de Versailles, puis archevêque de Rouen.

47 La 2de épouse du maréchal Randon fit montre d'un constant dévouement à l'égard des œuvres de bienfaisance diverses et tout spécialement catholiques, leur consacrant son temps, son énergie et une partie de sa fortune. A ce titre, un petit livre lui a été consacré : *La maréchale Randon* (Grenoble 1893, 129 p.).

L'ouvrage ne porte pas de nom d'auteur. Le style hagiographique donne à penser qu'il a été écrit par quelque ecclésiastique, bénéficiaire des largesses de la maréchale.

48 Claire Randon fut baptisée dans l'Eglise catholique.

49 Salignac jusque-là, la famille de Jules de Salignac-Fénelon obtint en date du 8-IX-1855, après l'extinction des Salignac de La Mothe-Fénelon, un d.i. l'autorisant à ajouter Fénelon à son nom. Elle est réputée, en effet, avoir une communauté d'origine avec ces derniers, dont était François, le célèbre archevêque de Cambrai, bien que la parenté n'ait jamais été établie de manière indiscutable.

50 Jules de Salignac-Fénelon était le frère notamment de Jean-Raymond-Alfred (Francfort-sur-le-Main 6-IV-1810 - Cannes 2-III-1883), ministre plénipotentiaire, sénateur (1864), et d'Adolphe (Bâle 27-II-1815 - Paris 7e 17-IX-1886), général de division, conseiller général du Haut-Rhin. Ce dernier est le grand-père de Jean de Salignac-Fénelon qu'on trouvera au chap. XVI (Ornano).

51 Arthur de France était le cousin germain de Robert de France (1842-1926), général de brigade.

52 Dite Lucq d'Herchies.

53 Cousin germain de Sylvain qu'on trouvera plus loin.

54 Sœur de Suzy, qu'on rencontrera plus bas.

55 Voir note 53.

56 Voir note 54.

57 Pierre Gouraud était le frère de Henri Gouraud (1867-1946), général d'armée, gouverneur militaire de Paris, l'un des généraux les plus populaires de la guerre 1914-1918, et l'oncle de Michel Gouraud (1905), général de corps d'armée, ainsi que de Philippe Gouraud (1909), général de brigade, tous deux fils de Xavier, docteur en médecine.

58 Tante à la mode de Bretagne de Henri Cartier-Bresson (1908), photographe et réalisateur de films très connu.

59 André Gilles-Deperrière fut autorisé par décret du 20-II-1918 à ajouter à son nom celui de sa femme.

60 Président-directeur général de 1934 à 1965 des Ets Richard frères à Cholet (tissage et teinture de coton).

61 De 1962 à 1968.

62 La mort de Hugues de Salignac-Fénelon donna lieu à cette citation à l'ordre de l'armée : *Tombé glorieusement à son poste le 17-II-1915 au moment où, sous un feu violent d'artillerie lourde qui avait enseveli un capitaine, voisin de son poste, il se portait spontanément à l'examen des lignes téléphoniques interrompues.* Son acte de décès a été établi dans les registres d'Hermaville à la date du 11-II-1917.

63 Acte enregistré au consulat de Grande-Bretagne à Caracas le 5-XI-1968.

64 Acte enregistré au consulat général de Grande-Bretagne à Benghazi le 23-II-1961.

65 Acte enregistré au consulat général de Grande-Bretagne à Hanovre le 20-V-1955.

66 Nous remercions nos amis anglais Stephen Higgons et Colin R. Bateman-Jones

pour l'aide qu'ils ont bien voulu nous apporter en vue de la mise au point de la partie anglaise de la descendance du maréchal Randon.

67 Cousine germaine de son mari.

68 Fit partie du corps expéditionnaire en Indochine, puis fut détachée à l'Organisation du traité de l'Atlantique nord.

69 Acte transcrit au consulat général de France à Washington le 8-IX-1959.

70 Hubert-Edmond vicomte d'Artois, dernier mâle de la famille d'Artois, qui appartenait à la noblesse d'Artois et se disait, sans pouvoir en établir la preuve, issue d'un fils naturel de Charles d'Artois comte d'Eu († 1472), adopta suivant arrêt de la cour d'appel de Paris du 24-XI-1882 Edmond-Georges-Clément Cazamayor (1856-1926), son petit-fils, qui porta ainsi le nom de Casamayor d'Artois : Hubert était le petit-fils de ce dernier.

71 Gilberte Carichon avait de son côté épousé précédemment 1) à Bordeaux le 30-III-1937 Norbert-Gontrand Célérier (Bordeaux 30-X-1913), agent technique, fils de René-Paul, ingénieur des travaux publics de l'état, et d'Hélène-Angèle Castaing, mariage dissous par jug. du t. c. de Bordeaux le 3-I-1941, 2) à Bordeaux le 29-IV-1944 Julien-Georges Mars (Arbus 24-VIII-1914), chef de bureau à la mairie de Bordeaux, fils de Jean, employé de mairie, et d'Amélie Laplace, mariage dissous par jug. du t. c. de Bordeaux le 19-IV-1972.

72 Mariage transcrit au consulat général de France à Londres, en date du 22-VII-1954.

73 Fille de Clément Vaulet dit Vautel (1876-1954), romancier qui connut quelque succès durant l'entre-deux-guerres, notamment avec un livre intitulé *Mon curé chez les riches*.

74 Anne-Marie Macouin avait, de son côté, épousé précédemment à Nantes le 14-IX-1956 Michel-François Monti, mariage dissous par jug. du t. c. de la Seine le 3-XII-1963.

75 Et, à ce titre, chevalier de la Légion d'honneur.

77 Nous remercions les descendants du maréchal Randon qui ont bien voulu nous apporter leur aide pour la mise au point de cette partie et tout particulièrement Mlle Elisabeth de Canettemont, M. Etienne de Villaret, Mme Frédéric Olivier.

78 L'acte qui enregistre à la fois la naissance et le décès (A.P., E.C.R.) mentionne simplement qu'il s'agit d'un enfant du sexe féminin ayant vécu 9 h, sans indiquer de prénom.

79 Celle-ci, dont nous n'avons pu retrouver les actes de naissance et de décès, nous est connue par une brève allusion dans l'ouvrage de la maréchale dont il est question à la note 4 et par une stèle placée dans le caveau de la famille Suin à Hermaville, donnant ses prénom, nom et date de décès. Selon la tradition familiale, l'intéressée serait morte âgée de moins de dix ans.

80 On voudra bien se reporter à la note 30 du chap. IV (Vaillant) à propos de l'éventualité d'une descendance naturelle du maréchal Randon.

81 Voir note 17.

82 La déclaration de succession d'Antoine-Eugène Poiré, du 24-III-1851 (A.P. DQ 14 2006), indique que le futur maréchal fut le tuteur des 2 enfants survivants à cette date, encore mineurs.

83 Eugénie Poiré, mariée comme on le verra au pasteur Napoléon Peyrat, eut un itinéraire spirituel assez mouvementé qui fit, en son temps, quelque bruit. Née

dans la confession réformée, elle passa au catholicisme autour de 1873, mais, en raison des fonctions de son mari, tint le fait secret jusqu'à la mort de celui-ci en 1881. Le protestantisme connaissait alors une période de crise : le libéralisme se faisait envahissant et souvent confinait à un simple déisme, tandis que la division était extrême. Mme Peyrat s'y était sentie mal à l'aise. La lecture de Bossuet, les conférences du père Hyacinthe Loyson — paradoxalement, ce dernier devait quitter bruyamment l'Eglise catholique en 1869 — et le père Alphonse Gratry, les cours du futur cardinal Perraud à la Sorbonne l'avaient peu à peu attirée vers le catholicisme. Devenue libre de pratiquer celui-ci, elle ne tarda pas à en être déçue. La réalité ne correspondait pas à ce qu'elle avait imaginé. Notamment, elle ne put se faire au culte marial, au purgatoire et aux multiples dévotions parasites très en faveur à cette époque. Elle allait, bientôt, repasser au protestantisme, mais, cette fois, dans sa version luthérienne. Une étude lui a été consacrée dans la *Revue chrétienne* (1892), par le pasteur E.-N. Nyegaard : *L'histoire d'une âme. Mme Napoléon Peyrat.* Elle a publié les ouvrages suivants : *A travers le moyen âge* (Paris 1865, 335 p.), *Autour de nous et en nous-mêmes* (Paris 1868, 199 p.), *Fantômes et réalités* (Paris 1870, 194 p., 2de partie du précédent), *Entre Rome et New York* (Paris 1870, 23 p.), *Il n'y a pas d'enfer* (Paris 1883, 31 p.), *Napoléon Peyrat, poète, historien, pasteur* (Paris 1881, 31 p.), *Le synode protestant et le schisme catholique* (Paris 1872, 34 p.), *La terre des vivants* (Paris 1886, 320 p., avec lettre approbative de Mgr Perraud).

84 L'acte correspondant au mariage civil n'a pas été reconstitué. Ce dernier nous est connu grâce à l'acte relatif au mariage religieux, célébré le même jour par le pasteur Athanase Coquerel, l'un des pasteurs de l'Eglise réformée de Paris.

85 Tout d'abord précepteur, Napoléon Peyrat fut consacré pasteur au temple de l'Oratoire le 25-VIII-1847. Quelque temps pasteur auxiliaire, il devint pasteur titulaire de Saint-Germain-en-Laye le 21-IX-1854, poste qui venait d'être créé. Il y resta jusqu'à sa mort. Il a publié des ouvrages d'imagination, tels que : *L'Arise, romancero religieux, historique et pastoral* (Paris 1863, 355 p.) ou *Les Pyrénées, romancero* (Paris 1877, 266 p.) et des études historiques : *Béranger et Lamennais. Correspondance, entretiens et souvenirs* (Paris 1861, 272 p. ; ces deux personnages avaient été ses amis), *Le colloque de Poissy et les conférences de Saint-Germain en 1561* (Paris 1868, 98 p.), *Histoire des Albigeois. Les Albigeois et l'Inquisition* (Paris 1870-1872, 3 vol.), *Histoire des pasteurs du désert depuis la Révocation de l'édit de Nantes jusqu'à la Révolution française, 1685-1789* (Paris 1842, 2 vol. ; cet ouvrage a beaucoup contribué à faire redécouvrir l'épopée des Camisards, à une époque où le souvenir en était un peu effacé).

86 Baptisée le 2-VI-1844 par le pasteur Athanase Coquerel, l'un des pasteurs de l'Eglise réformée de Paris, Mathilde Poiré eut pour parrain le futur maréchal Randon qui apparaît dans l'acte sous le nom de Randon-Pascal (voir note 17). C'est très probablement de Mathilde Poiré qu'il s'agit lorsque la maréchale écrit dans son livre *La confession d'un maréchal de France* (voir note 4) : *Quelques jours après, la jeune nièce venait déjeuner chez son oncle et je ne manquais pas de demander si elle croyait au purgatoire et, par la suite, à l'efficacité des prières pour les morts. Ma tante, répondit-elle, je ne sais même pas ce que c'est.*

87 La prédication faite par son père lors des obsèques d'Adeline Peyrat a été publiée en une petite brochure intitulée : *Allocution prononcée par le pasteur Napoléon Peyrat dans l'église de Saint-Germain-en-Laye le 4-IV-1866 aux funérailles de sa fille Adeline que Dieu a retirée de ce monde le jour de Pâques, dans sa 14e année* (cote à la B.N. : Ln^27 22180).

88 Le recensement de 1926 (A.P.) — Marguerite Peyrat habite alors 59, rue Legendre, Paris 17e — indique que celle-ci hébergeait chez elle Edgard Randon, né en 1901 dans les Bouches-du-Rhône, neveu, employé de banque, qu'on retrouvera à la note 28 sous le nom de Randon de Saint-Amand. Celui-ci était en fait son cousin au degré après issu de germain. Cette persistance des rela-

tions familiales entre les descendants de Jacques II Randon et de Gaspard Randon dit Randon Saint-Amand, après 4 générations depuis l'auteur commun, est attestée également par l'inhumation de plusieurs représentants de la branche Randon de Saint-Amand dans la sépulture Peyrat au cimetière de Saint-Germain-en-Laye.

89 Sous le nom de sœur Thérèse-de-Jésus-de-la-résurrection.

XI

François Certain de Canrobert

18-III-1856

CARRIERE

1809 : naissance à Saint-Céré (27-VI),
1826 : élève de l'Ecole spéciale militaire de Saint-Cyr,
1828 : caporal (18-V), sous-lieutenant (1-X), au 47ᵉ régiment d'infanterie de ligne (jusqu'en 1840),
1832 : lieutenant,
1835 : en Algérie (jusqu'en 1839),
1836 : lieutenant adjudant-major,
1837 : capitaine (26-IV), capitaine adjudant-major (27-IV),
1840 : au 6ᵉ bataillon de chasseurs à pied (jusqu'en 1842),
1841 : de nouveau en Algérie (jusqu'en 1850),
1842 : chef de bataillon (22-V), au 13ᵉ régiment d'infanterie légère (22-V), à la tête du 5ᵉ bataillon de chasseurs d'Orléans (16-X, jusqu'en 1845),
1845 : lieutenant-colonel (26-X), au 22ᵉ régiment d'infanterie de ligne (26-X), commandant supérieur du cercle de Tenez (jusqu'en 1847),
1846 : au 64ᵉ régiment d'infanterie de ligne,
1847 : au 2ᵉ régiment d'infanterie de ligne (8-VI), colonel de ce même régiment (8-XI),
1848 : à la tête du 2ᵉ régiment de la Légion étrangère (31-III), puis du régiment de zouaves [1] (15-VI, jusqu'en 1850),
1849 : prend une part décisive à l'assaut et à la prise de Zaatcha,
1850 : général de brigade (13-I), commande une brigade d'infanterie de la 1ʳᵉ division active des troupes à Paris (8-III),
1851 : commande la 3ᵉ brigade de la 1ʳᵉ division de l'armée de Paris (9-II, jusqu'en 1853), se rallie au coup d'état du 2-XII, sa brigade est l'une de celles qui opèrent sur les boulevards dans les jours qui suivent,
1852 : aide de camp du prince-président, puis de l'empereur (tout en conservant son commandement),
1853 : général de division (17-I), maintenu dans ses fonctions d'aide de camp de l'empereur (17-I), commande la division d'infanterie réunie au camp d'Helfaut près de Saint-Omer (27-IV), inspecteur général pour 1853 du 5ᵉ arrondissement d'infanterie (27-V),
1854 : commande la 1ʳᵉ division d'infanterie de l'armée d'Orient (23-II), inspecteur général pour 1854 du 23ᵉ arrondissement d'infanterie (10-VIII), blessé à l'Alma (20-IX), succède à Saint-Arnaud au commandement en chef de l'armée d'Orient (26-IX), commence aussitôt le siège de Sébastopol, remporte la bataille d'Inkermann où il est de nouveau blessé (5-XI),
1855 : sur sa demande, en raison des dissentiments qui l'opposent à lord Raglan, général en chef des troupes anglaises, le commandement en chef de l'armée d'Orient est confié à Pélissier et il est lui-même placé à la tête du 1ᵉʳ corps de l'armée d'Orient (16-V) ; sur sa demande, passe au commandement de la 1ʳᵉ division d'infanterie du 2ᵉ corps de l'armée d'Orient (21-V) ; aide de camp de l'empereur (1-VIII, jusqu'en 1858), de retour en France (14-VIII), sénateur (17-VIII), conseiller général du Lot (jusqu'en 1870) [2],
1856 : maréchal de France (18-III), président du conseil général du Lot (jusqu'en 1870),
1858 : commandant supérieur des divisions de l'est à Nancy (13-II), commande en chef le champ de Châlons (1-VI),
1859 : commande le 3ᵉ corps de l'armée d'Italie (22-IV), prend part aux batailles de Magenta et de Solferino, commandant supérieur du 3ᵉ corps d'armée à Nancy (17-VIII, jusqu'en 1862),

1862 : chargé du commandement des troupes réunies au camp de Châlons (10-III), commandant supérieur du 4e corps d'armée à Lyon (14-X, jusqu'en 1865)[3],
1865 : commande le 1er corps d'armée et la 1re division militaire à Paris (jusqu'en 1870)[4],
1870 : commande le 6e corps de l'armée du Rhin (17-VII) ; participe aux grandes batailles sous Metz, notamment est à Gravelotte (16-VIII) et défend héroïquement Saint-Privat (18-VIII) ; est encerclé dans Metz avec l'ensemble de l'armée du Rhin ; fait prisonnier de guerre (28-X),
1871 : rentre en France (18-III), président de la commission de classement de l'avancement dans l'infanterie (11-XI, jusqu'en 1879),
1872 : membre du Conseil supérieur de la guerre (jusqu'en 1873),
1873 : demande et obtient l'autorisation d'assister aux obsèques de Napoléon III, membre du Comité de défense (jusqu'en 1879),
1875 : président de la commission chargée d'étudier les modifications à apporter aux lois et ordonnances qui régissent l'avancement dans l'armée (jusqu'en 1879),
1876 : sénateur du Lot (jusqu'en 1879), prend place dans le groupe de l'Appel au peuple,
1877 : soutient le gouvernement du 16-V, vote la dissolution de la chambre (25-VI),
1878 : représente la France aux obsèques du roi Victor-Emmanuel II,
1879 : sénateur de la Charente (jusqu'en 1894), continue de siéger dans le groupe de l'Appel au peuple,
1881 : membre du Conseil supérieur de la guerre (26-XI, jusqu'en 1883), membre du Comité de défense (26-XI, jusqu'en 1883),
1895 : meurt à Paris 8e (28-I), inhumé aux Invalides[5].

ECRITS

- *Discours prononcé par le maréchal Canrobert, sénateur de la Charente, dans la séance du Sénat du 11-XII-1879* (Paris 1880, 11 p.),

- un certain nombre de lettres publiées dans les ouvrages *Campagnes d'Afrique. 1835-1848* (Paris 1898) et *Campagnes de Crimée, d'Italie, d'Afrique, de Chine et de Syrie. 1849-1862* (Paris 1898), cités à la note 205 du chap. VIII (Castellane), et dans un opuscule de Marie-Félix-Edmond vicomte de Boislecomte intitulé *Souvenirs du maréchal Canrobert à l'exposition rétrospective de 1900* (Nancy 1901, 12 p.),

- nombreux passages de l'ouvrage *Le maréchal Canrobert. Souvenirs d'un siècle,* de Germain Bapst (6 vol., Paris 1898, 1902, 1904, 1909, 1911, 1913)[6].

LE CADRE FAMILIAL

Ascendance[7]

I - Antoine CERTAIN, décédé à Cahus[8] le 27-VIII-1755, âgé de 70 ans, avocat en parlement, juge de la châtellenie de Gaignac, allié p. c. du 9-XI-1710 à Marie-Anne CANCÉ, fille de *N.* et de Marguerite de FAGES[9], dont

II - Jean-Louis CERTAIN, né à Cahus le 14-X-1713, décédé à Cahus le 10-XII-1779, avocat en parlement, allié Sousceyrac 18-IV-1746 [10] à Anne-Louise de VERDAL de GRUGNAC, née à Sousceyrac le 15-VIII-1724, décédée à Saint-Céré le 18-IV-1802, fille de François, capitaine d'infanterie [11], et d'Anne de RIBEYROLLES de VIELFOY [12], dont

III - Antoine CERTAIN de CANROBERT [13], né à Cahus le 3-VI-1754, décédé à Saint-Céré le 22-XII-1824, capitaine d'infanterie [14], allié 1) Dinan 18-XI-1788 [15] à Jeanne-Céleste-Pélagie de SANGUINET, née à Dinan le 18-IV-1772, décédée à Saint-Servan-sur-mer le 5-I-1794 [16], fille de Jean-Joseph, capitaine des frégates du roi, capitaine des vaisseaux de la Compagnie des Indes [17], et de Charlotte-Pélagie LOÜAISEL, 2) Saint-Céré 23-II-1804 [18] à Jeanne-Marie-Julie-*Angélique* de NIOCEL, née à Saint-Céré le 15-V-1774, décédée à Saint-Céré le 6-IV-1830, fille de Jean-François, propriétaire [19], conseiller général du Lot, sous-préfet de Gourdon [20], et de Catherine de GILIBERT [21].

Collatéraux [7]

Autres enfants de Jean-Louis CERTAIN : Marie-Louise CERTAIN du PUY [22], née à Cahus le 25-VI-1756, décédée à Beaulieu-sur-Dordogne le 15-IX-1826, alliée Cahus 3-X-1775 [23] à Antoine MARBOT, né à Altillac le 6-XII-1753, décédé à Gênes le 19-IV-1800, général de division, député de la Corrèze à l'Assemblée législative (1791), puis au Conseil des anciens (1795-1798), fils de Jean-Pierre, bourgeois, et de Marie DAUVIS [24] ; Jean-Baptiste CERTAIN de L'ISLE [22], né à Cahus le 16-III-1758, mort en Russie en 1812, lieutenant d'infanterie [25] ; François-Xavier CERTAIN de LACOSTE [22], né à Cahus le 6-XII-1762, décédé à Saint-Céré le 31-XII-1801, garde du corps du roi [26].

ARMES

D'azur à une main dextre ouverte et appaumée d'or posée en pal [27].

L'EPOUSE

Le maréchal Canrobert s'est allié à Paris 8e le 19-I-1863 [28] à Leila-Flora MACDONALD [29] (Sultanpore, Indes orientales, 29-VI-1838 - Jouy-en-Josas 5-VIII-1889) [30], fille d'Allen-Ronald, capitaine d'infanterie (armée anglaise aux Indes) [31], et d'Eliza-Anna SMITH [32].

La maréchale Canrobert avait un frère, Reginald-Somerled, décédé à Londres le 26-VIII-1876 à l'âge de 35 ans, fonctionnaire du Colonial office. Un frère de son père, James-Somerled († 1842), fut lieutenant-colonel au 45ᵉ Madras native regiment of infantry. Son grand-père, James, né le 30-XI-1757, connu sous le nom de capitaine James Macdonald, avait pris part à la Guerre d'indépendance en Amérique du nord du côté anglais. Son arrière-grand-père, Allan Macdonald, capitaine au 34ᵉ Royal Highland emigrant regiment, qui participa lui aussi à cette guerre, s'était allié à Armadale, Ecosse, le 6-XI-1750 à la célèbre héroïne écossaise, Flora Macdonald (Milton, South Uist [33] 1722 - Kingsburgh, Skye [33], 4-III-1790), sa lointaine parente (voir plus bas) : en 1746, après le désastre de Culloden, celle-ci avait sauvé le prétendant Charles-Edouard Stuart, sur le point d'être capturé, en le déguisant en femme et en le faisant passer pour sa servante, ce qui lui valut, l'affaire ayant été divulguée à la suite d'une indiscrétion, d'être détenue quelque temps à la Tour de Londres [34].

La maréchale Canrobert n'avait qu'une parenté extrêmement éloignée avec le maréchal Macdonald duc de Tarente. Ils appartenaient l'un et l'autre au clan Donald, mais la maréchale était d'un rameau cadet (Kingsburgh) de la branche dite de Sleat, alors que le duc de Tarente était d'un rameau cadet (Maceachen) de la branche dite de Clanranald : le personnage dont étaient sorties les deux branches vivait au XIVᵉ siècle [35]. Un lien un peu plus proche existait par les femmes : Flora Macdonald, l'héroïne de 1746, appartenait comme le duc de Tarente à la branche de Clanranald, mais elle était d'un autre rameau (Milton) : l'ancêtre commun se situait ici au XVᵉ siècle [36].

DESCENDANCE

I - Claire CERTAIN de CANROBERT (Rillieux 21-IX-1865 - Paris 7ᵉ 19-IX-1945) [37] alliée Paris 8ᵉ 12-VIII-1890 à Paul FABRE-ROUSTAND baron de NAVACELLE (La Fère 5-VII-1861 - Versailles 10-III-1939), capitaine de frégate [38], fils de Hyacinthe-Henry FABRE-ROUSTAND de NAVACELLE [39], ancien élève de l'Ecole polytechnique, colonel d'artillerie, historien [40], et d'Aimée MASSIAS [41], dont

A - Henri baron de NAVACELLE (Paris 7ᵉ 14-VII-1891 - Paris 16ᵉ 12-VII-1947), licencié en droit et ès lettres, diplômé de l'Ecole libre des sciences politiques, agent pour l'Europe d'une société minière (argent) de Bolivie, lieutenant de cavalerie puis de l'armée de l'air, allié Paris 16ᵉ 27-VIII-1917 à Charlotte FRANQUET de FRANQUEVILLE (Rouen 4-IX-1898), fille de François comte FRANQUET de FRANQUEVILLE, lieutenant-colonel d'infanterie, vice-président des Jeunesses patriotes [42], et de Blanche MOREAU de BONREPOS, dont

1 - Charles baron de NAVACELLE (Vic-de-Chassenay 10-VII-1918), contre-amiral [43], allié Paris 16ᵉ 29-IV-1948 à Alix

CARDON de GARSIGNIES (Paris 16ᵉ 9-VIII-1923), fille de Romain, propriétaire, et de Christiane de VAUCELLES, dont

a - Françoise de NAVACELLE (Paris 17ᵉ 20-III-1950) alliée La Chaussée, Seine-maritime, 4-IX-1971 à Alain de MAS LATRIE (Toulon 6-II-1946), ingénieur de l'Ecole centrale de Paris, diplômé de l'Institut d'études politiques de Paris, chef de produits (verrerie), fils de Dominique, ancien élève de l'Ecole polytechnique, ingénieur du génie maritime, délégué général de la chambre syndicale des constructeurs de navires et de machines marines [44], et d'Odile DIDELOT [45], dont

— Vianney de MAS LATRIE (Paris 15ᵉ 14-IV-1975),

— Gaëlle de MAS LATRIE (Paris 15ᵉ 6-IX-1976),

b - Henri de NAVACELLE (Paris 17ᵉ 25-VII-1952), enseigne de vaisseau, allié Paris 16ᵉ 26-V-1976 à Christine LOUBENS (Landerneau 24-VII-1954), fille de Pierre, capitaine de frégate, puis directeur d'usine (ciment), et d'Anita HOUDET, dont

— Marc de NAVACELLE (Toulon 27-III-1977),

— Guillaume de NAVACELLE (Dax 20-VIII-1978),

c - Bénédicte de NAVACELLE (Toulon 31-X-1957), titulaire d'une maîtrise de droit, s.a.a.,

d - Claire de NAVACELLE (Brest 27-I-1959), titulaire d'une maîtrise de sciences économiques, professeur (enseignement privé), alliée La Chaussée 6-IX-1980 à Pierre CERTAIN (Versailles 9-X-1958), fils d'Etienne, directeur de société (textile), et de Geneviève BREYNAERT,

2 - Françoise de NAVACELLE (Paris 16ᵉ 20-VII-1927 - Paris 13ᵉ 12-V-1945), s.a.,

B - Charles de NAVACELLE (Saint-Germain-en-Laye 14-VIII-1893 - ✕ Méharicourt 12-XII-1915 [46]), lieutenant d'infanterie [47], s.a.,

C - Marie de NAVACELLE (Cherbourg 23-VIII-1897 - Paris 12ᵉ 23-VIII-1979) alliée Noirmoutiers 14-IX-1920 au baron Jean DURANT de MAREUIL (Saumur 20-X-1892 - Casablanca 15-III-1950), président-directeur général de société (alimentation, Maroc), capitaine d'infanterie [48], fils de Pierre baron de MAREUIL, colonel de cavalerie [49], et de Marguerite BOURDON de VATRY [50], dont uniquement

baron Pierre de MAREUIL (Buenos Aires 8-VII-1921), industriel (verrerie de laboratoire), allié Versailles 22-VI-1946 à

Janine Decloux (Versailles 26-VIII-1925), fille de Jean, notaire (Paris), et d'Andrée Bernard-Gauthier, dont uniquement

baron Gilles de Mareuil (Paris 17ᵉ 22-III-1947), industriel (verrerie de laboratoire), allié Paris 7ᵉ 1-XII-1972 à Diane de L'Espée (Saint-Jean-de-Luz 5-VII-1947), fille de Jean baron de L'Espée, propriétaire de journaux, conseiller général des Basses-Pyrénées [51], et de Francine Gillon [52], dont

— Jean de Mareuil (Neuilly-sur-Seine 7-X-1973),

— Laure de Mareuil (Neuilly-sur-Seine 21-IX-1975),

D - Anne de Navacelle (Toulon 6-XII-1898 - Paris 7ᵉ 21-I-1977) alliée Paris 16ᵉ 4-VIII-1917 à Robert baron Durant de Mareuil (Paris 8ᵉ 3-II-1889 - Paris 7ᵉ 22-IX-1947), capitaine de cavalerie, frère du baron Jean, qu'on a rencontré plus haut [53], dont

1 - Raymond baron de Mareuil (Paris 16ᵉ 27-IX-1918), représentant général du Crédit lyonnais pour le sud de l'Afrique, capitaine de cavalerie, allié 1) Paris 7ᵉ 26-IV-1947 à Jane Sprague (Denver, Colorado, 21-IV-1924), fille de Ralph-Warren, négociant, et de Valentine Griffin, mariage dissous par jug. du t. c. de la Seine le 4-XI-1948, déclaré nul par l'officialité de Versailles le 19-I-1955 et la Rote romaine le 24-II-1956, 2) Paris 16ᵉ 5-XI-1954 [54] à Geneviève Palluat de Besset (Paris 7ᵉ 2-XI-1933), journaliste, fille de Joseph comte Palluat de Besset, propriétaire, et d'Alice Le Mordan de Langourian, mariage dissous par jug. du t. c. de Paris le 19-III-1971 [Geneviève Palluat de Besset s'est remariée à Paris 14ᵉ le 23-XII-1971 à Michel Clavel (Bordeaux 19-IV-1917), secrétaire général, fils de François-Marie, et d'Amélie-Jane Combescot [55]], 3) Johannesburg 7-IV-1972 à Phyllis Liebenberg (Johannesburg 6-XI-1929), fille de Philippus-Jacobus, ingénieur des mines, et de Susan-Bertha Horak, s.p. des 1ᵉʳ et 3ᵉ mariages, dont du 2ᵈ

a - Sophie de Mareuil (Casablanca 6-VI-1955), hôtesse, s.a.a.,

b - Stéphanie de Mareuil (Casablanca 20-VI-1957), s.a.a.,

2 - baron Antoine de Mareuil (Bonn 3-XI-1922 - Larache 20-VII-1974 [56]), inspecteur commercial (apéritifs, Maroc), allié New York 19-VIII-1946 à Béatrice de Sevin (Thionville 20-IX-1923), directrice de clinique, fille de Xavier, général

de division (air) [57], et de Madeleine BLANCHET de LA SABLIÈRE,
dont

a - baron Bruno de MAREUIL (Casablanca 13-II-1948), titulaire d'une maîtrise de géologie, ingénieur océanographe,
allié Paris 7e 1-VII-1975 à Blandine CORMELIÉ (Fontainebleau 15-I-1950), fille de René, docteur en médecine, et
de Jacqueline PECQUEUR, s.p.a.,

b - baron Yann de MAREUIL (Casablanca 28-IX-1949), ancien
élève de l'Ecole supérieure de commerce de Reims, attaché de direction (immobilier), allié Paris 7e 30-VI-1972 [58]
à Véronique LAFON (Marseille 10-III-1951), fille d'André,
administrateur et directeur de sociétés (Maroc), et de
Nicole BELLISSEN, dont

— Julie de MAREUIL (Neuilly-sur-Seine 1-VII-1974),

— Nathalie de MAREUIL (Paris 17e 23-V-1976),

3 - baron Philippe de MAREUIL (Noirmoutier 17-VIII-1926),
inspecteur de presse [59], allié Paris 7e 16-II-1968 à Irène TEM-
PLIER (Paris 1er 31-VII-1915), fille de Raymond, joaillier
dessinateur, membre du Conseil supérieur de l'enseignement
des arts décoratifs et du conseil de la Chambre syndicale de
la bijouterie, joaillerie, orfèvrerie, et de Joséphine ANGELI
[Irène TEMPLIER avait épousé précédemment à Paris 7e, le
8-XI-1941, Jean-Marie GUILLOTEAU (Villiers-sur-Marne 7-
VIII-1914 - Funchal, Madère, 15-VIII-1970), industriel (bon-
neterie), puis agent consulaire de France à Madère, fils de
Victor-Aimé, ferblantier, et de Marie-Eugénie DECULAN,
mariage dissous par jug. du t. c. de la Seine le 13-VI-1952 [59a]],
s.p.

II - Marcelin CERTAIN de CANROBERT (Paris 1er 31-III-1867 - Paris 16e
23-IV-1921), chef d'escadrons de cavalerie, s.a. [60].

III - Louis CERTAIN de CANROBERT (Paris 8e 5-VI-1872 - Paris 8e 19-XII-
1893) [61], s.a.

FRERES ET SŒURS

du 1er mariage du père

1 - Marie-Jeanne-Pélagie-Antoinette CERTAIN de CANROBERT (Cahus 7-VII-
1790 - Saint-Servan-sur-mer 23-II-1796),

2 - *Antoine*-Jean-Baptiste-Pélage-Julien CERTAIN de CANROBERT (Saint-Servan-sur-mer 11-V-1792 - ✕ Fleurus 16-VI-1815), sous-lieutenant d'infanterie, s.a. [62],

du 2ᵈ mariage du père

3 - Marie-Ursule CERTAIN de CANROBERT (Saint-Céré 29-VIII-1805 - Saint-Céré 31-VIII-1805),

4 - *N*. [63] CERTAIN de CANROBERT (Saint-Céré 28-III-1807 - Saint-Céré 28-III-1807) [64].

NOTES

1 Alors unique.

2 Canton de Gramat.

3 Où il succède au maréchal de Castellane.

4 Où il succède au maréchal Magnan.

5 Après la mort de Canrobert, dernier survivant des maréchaux du Second empire, la France demeura 21 ans sans maréchal, jusqu'à la nomination de Joffre en 1916.

6 L'auteur fut reçu à de nombreuses reprises par le maréchal dans les derniers temps de la vie de celui-ci. Au cours de ces visites, Canrobert lui raconta sa jeunesse et les épisodes les plus importants de sa longue carrière. Bapst prenait des notes et, rentré chez lui, transcrivait les propos du maréchal. A la visite suivante, il relisait son texte avec ce dernier et y apportait les corrections qu'indiquait le vieux soldat. Il a reproduit intégralement dans sa série de volumes ces témoignages directs, en les plaçant entre guillemets. Si les pages correspondantes n'ont pas, à proprement parler, été écrites par Canrobert, il nous a semblé que celui-ci avait pris suffisamment de part à leur rédaction pour qu'on puisse les signaler sous cette rubrique.

7 Sauf indication contraire en note, les précisions données sous ce titre nous été fournies par les registres paroissiaux ou d'état civil des communes mentionnées.

8 La famille Certain résidait en fait à Laval-de-Cère, à l'époque village dépendant de la paroisse de Cahus. Laval-de-Cère ne devint une commune qu'au début de ce siècle, après que plusieurs établissements industriels s'y furent installés.

9 La date du contrat de mariage et la belle-mère d'Antoine Certain nous sont connus par un document figurant dans la liasse cotée F371 aux A.D. du Lot, libellé comme suit : *Je soussignée promets à Mᵉ Antoine Certain, avocat en parlement, outre la constitution de la somme de 500 livres que j'ai faite à Marie-Anne de Cancé ma fille dans leur contrat de ce jourd'huy, de lui laisser aussy deux cents livres, en déduction de laquelle somme lui ai conté* (sic) *50 livres... ce 9ᵉ novembre 1710... Marguerite de Fages.*

10 L'acte de mariage de Jean-Louis Certain et d'Anne-Louise de Verdal de Grugnac n'indique pas les parents des conjoints. Nous nous appuyons, pour faire de Jean-Louis Certain le fils d'Antoine, outre l'acte de baptême de Jean-Louis, sur un acte du 5-IX-1771, établi par Mᵉ Vaissié, notaire à Bretenoux, insinué à Saint-Céré le 12-IX-1771 (Arch. fam., voir note 43), par lequel le même fait un achat de Jean-Jacques de La Grange Gourdon, acte mentionnant son père.

11 Servit au régiment d'infanterie de Toulouse.

12 Anne-Louise de Verdal avait 6 frères qui, tous, suivirent la carrière des armes : Jean-Baptiste, né à Sousceyrac le 28-XII-1713, décédé en 1790, lieutenant-colonel (1768) ; Louis sieur de l'Etang, né à Sousceyrac le 7-V-1715, capitaine au régiment d'infanterie de Penthièvre ; Jean-Louis, capitaine au régiment de Périgord ; François sieur de Sainte-Foy, né à Sousceyrac le 27-VI-1716, capitaine au régiment d'infanterie de Penthièvre ; Lombard, tué à Fontenoy étant lieutenant ; Jean-Pierre (1725-1813), major (1782). La famille est toujours représentée et continue d'habiter le château de Grugnac à Sousceyrac.

13 Le père du maréchal Canrobert, sa sœur et ses deux frères (voir rubrique *Collatéraux*), prirent chacun le nom d'un bien de la famille, ainsi que cela se faisait volontiers au XVIIIe siècle dans la bourgeoisie, quand on s'élevait un peu, afin de se distinguer les uns des autres et de se donner un air de noblesse. Canrobert était une petite carrière de serpentine située à Laval-de-Cère : celle-ci appartient toujours aux descendants du maréchal. Le nom serait venu de *cam du roc vert,* cam voulant dire terrain aride en pays d'oc et vert s'y prononçant bert.

14 Le S.H.A.T. possède un dossier assez complet sur Antoine Certain de Canrobert. Celui-ci entre au service le 24-IX-1770 comme sous-lieutenant au régiment de Penthièvre infanterie. Après trois années passées en Corse, il devient lieutenant le 2-IX-1774, 1er lieutenant le 8-IV-1779, capitaine en 2d le 18-VIII-1784, étant toujours au même régiment. Il s'y trouve encore en 1791, date à laquelle il cesse de servir et émigre. Au début de 1792, il est à l'armée des princes, dans la compagnie d'officiers du régiment de Penthièvre. En 1794, il passe en qualité d'officier major au régiment d'Autichamp à la solde de l'Angleterre. Il y reste jusqu'à la fin de 1795 et quitte alors définitivement le service. Une supplique que l'intéressé adresse au roi le 14-VIII-1814 nous instruit sur son activité après 1795 : *Une mission très importante ne fut donnée à Mitau, par ordre de votre majesté, par feu M. le marquis de Foucauld Lardimalié, ex-député à l'Assemblée constituante... Dix mois de réclusion dans la prison du Temple furent le résultat de cette mission.* Une attestation établie par le maire de Saint-Céré le 10-IX-1816 indique que, *son bien ayant été vendu en 1793 par la nation, il a en outre perdu un riche mobilier et le bien de sa femme* et que *la perte totale peut être estimée à 300 000 F.* Le 15-X-1814, il sera fait chevalier de Saint-Louis. Un petit dossier se trouvant aux A.N., dans le fonds *Police générale. Affaires politiques* (F7 6284), apporte quelques précisions supplémentaires. Antoine Certain de Canrobert fut arrêté et emprisonné au Temple le 20-I-1801, à la suite des mesures de sûreté générale prises à l'égard des suspects après l'attentat de la rue Saint-Nicaise contre Bonaparte. Il obtint sa libération au début de septembre en raison de son état de santé et grâce au crédit de sa sœur Mme Marbot (voir plus loin). En 1811, il était encore surveillé par la police. Au cours d'une lettre en date du 24-VIII-1801 figurant dans ce dossier, l'intéressé fait de ses agissements entre 1791 et le moment de son arrestation un exposé assez différent de ce que révèle son dossier militaire. Il affirme notamment être resté à Paris jusqu'en 1793, s'être ensuite réfugié dans la chouannerie pour mettre ses jours à couvert et y avoir combattu sous le costume d'un cultivateur et le nom de Belrose. Apparemment, surpris à Paris en situation irrégulière, Antoine Certain de Canrobert dut-il juger plus avisé, dans le contexte de l'époque, de se donner pour un ancien chouan, plutôt que d'être tenu pour un émigré rentré en contrebande ?

15 Et p. c. de même date chez Me Duchalonge, notaire à Dinan (Arch. fam., voir note 43).

16 Jean-Baptiste Champeval indique dans le *Dictionnaire des familles nobles et notables de la Corrèze* (T. II, Tulle 1913) qu'elle mourut *des suites d'emprisonnement à la tour Solidor, de Saint-Servan,* où elle avait été incarcérée comme épouse d'émigré.

17 Jean-Joseph de Sanguinet appartenait à une famille originaire de Gascogne, établie en Bretagne à la fin du XVIIe siècle. Il existe un dossier à son sujet aux A.N., section marine, sous la cote C⁷ 300.

18 Et p. c. 12-II chez Mᵉ Canet, notaire à Saint-Céré.

19 La famille de Niocel avait été anoblie en la personne du père de Jean-François, Marc de Niocel, par une charge de conseiller secrétaire du roi auprès de la cour des comptes, aides et finances de Montpellier. Celui-ci en fut pourvu par lettres du 25-V-1774 : malade et dans l'impossibilité de se déplacer, il prêta serment en son domicile, à Saint-Céré, devant un délégué du chancelier de France, le 2-VI-1774 (A.D. du Lot, B 1394). Il mourut en charge à Saint-Céré le 11-XI-1775, âgé de 60 ans environ. Angélique de Niocel était la sœur notamment de Marie-Louise-Rose, née à Saint-Céré le 11-VI-1775, alliée à Brive le 28-XII-1802 à Philippe-Libéral Rivet (Brive 23-VIII-1772 - Paris 28-III-1852), directeur des contributions directes, député de la Corrèze (frère de Léonard-Philippe Rivet, chevalier, puis baron de l'empire, préfet, député de la Corrèze), et de Guillaume-Marc, né à Saint-Céré le 20-IX-1777, lieutenant de cavalerie, receveur des contributions indirectes, allié en 1803 à Jeanne Sembat (Soulomès 2-IV-1776 - Saint-Céré 22-III-1807), fille de Jean, maréchal-ferrant, et de Jacquette Murat (sœur aînée du roi Joachim) : Guillaume-Marc de Niocel était ainsi à la fois le neveu de Murat et l'oncle de Canrobert.

20 Jean-François de Niocel fut nommé sous-préfet de Gourdon grâce à l'intervention de Murat, dont son fils avait épousé la nièce (voir note 19). Il y a, à ce propos, dans le dossier de sous-préfet de l'intéressé (A.N., F¹⁶ I 168³), une lettre du futur roi de Naples, alors gouverneur de Paris, au ministre de l'intérieur, passablement arrogante, datée du 5-IV-1804, que nous avons publiée dans le nᵒ d'octobre 1976 de *Cavalier et roi*, bulletin des Amis du musée Murat.

21 Catherine de Gilibert était fille de Jean, seigneur du Teinchurier et de Neuvers, mousquetaire de la 2ᵈᵉ compagnie, et de Jeanne-Ursule de Sahuguet d'Amarzit d'Espagnac (sœur de Jean-Joseph, né Brive, Saint-Martin, 28-III-1716, décédé Paris 28-II-1783, lieutenant général, gouverneur des Invalides) et, par ailleurs, sœur de Frédéric de Gilibert, capitaine au régiment de Normandie, de Guillaume de Gilibert, grand vicaire de l'archevêque de Bordeaux, de Guillaume-Marie de Gilibert de Merlhiac (Brive, Saint-Martin, 7-XI-1739 - Paris 16-IV-1780), lieutenant-colonel d'infanterie, major de l'Hôtel royal des Invalides, et de Jean-Joseph de Gilibert de Merlhiac (Brive, Saint-Martin, 7-III-1742 - 3-VI-1819), maréchal de camp, allié le 23-I-1783 à Sophie Mirleau de Chatillon, donnée généralement comme fille naturelle de Godefroy de La Tour d'Auvergne, prince souverain de Bouillon (1726-1792). Léonard-Philippe baron Rivet, dont il est question à la note 19, avait épousé une fille de Guillaume-Marie : Geneviève de Gilibert.

22 Voir, à propos du nom de terre, la note 13.

23 Et p. c. du 6-IX chez Mᵉ Labrouste, notaire à Cahus.

24 Antoine Marbot et Marie-Louise Certain furent les parents d'Adolphe Marbot (Altillac 22-III-1781 - Altillac 2-VI-1844), maréchal de camp, et de Marcellin Marbot (Altillac 18-VIII-1782 - Paris 16-XI-1854), chevalier de l'empire (1811), baron de l'empire (1813), baron héréditaire (1815), pair de France (1845), lieutenant général, l'auteur des célèbres *Mémoires*.

25 Le S.H.A.T. ne possède pas de dossier personnel au nom de Jean-Baptiste Certain de L'Isle. Les contrôles du régiment de Penthièvre infanterie (YB 443), auquel il appartint jusqu'à la Révolution, permettent cependant de suivre sa carrière. Entré comme cadet gentilhomme le 4-IV-1778, il passe sous-lieutenant le 8-IV-1779, lieutenant en 2ᵈ le 23-IV-1785, lieutenant en 1ᵉʳ le 25-IV-1788, adjudant-major le 1-III-1791 et, le 15-VI suivant, est nommé capitaine de la gendarmerie nationale dans le département de la Corrèze. Grâce à un registre intitulé *Etat militaire du 2ᵉ régiment de cavalerie noble 1795*, conservé aux

A.N. sous la cote 0³ 2571, on sait qu'il émigre le 13-X-1791, fait la campagne de 1792 à l'armée de Bourbon, dans les chasseurs de Breuilpont, en qualité de capitaine, rejoint l'armée de Condé le 9-XII-1795 et y sert jusqu'en juillet 1796 au 2ᵉ régiment de cavalerie noble. On perd ensuite sa trace. Un passage des *Mémoires* de Marbot (voir note 24) non publié jusqu'ici (nous devons d'en avoir connaissance à M. François de Robillard de Beaurepaire, descendant de Marbot) apporte quelques précisions sur les dernières années de sa vie. Il rentre en France en 1803, mais repart peu après pour la Russie, où il est précepteur chez un membre de la famille Saltykov qu'il avait rencontré en Allemagne. Une déception sentimentale lui fait bientôt perdre la raison. Il trouve la mort en fuyant Moscou lors des événements de 1812.

26 François-Xavier Certain de Lacoste fut reçu comme garde du corps à la compagnie de Noailles le 30-VI-1782, sous le nom de François-Xavier de Certain Dupuy (Yb 17, S.H.A.T.). Le registre cité à la note 25 (A.N. 0³ 2571) nous apprend qu'il émigra le 21-IX-1791, fit la campagne de 1792 à l'armée des princes, entra au régiment d'Autichamp à la formation de ce corps en qualité de sergent-major, passa à l'armée de Condé le 6-XII-1795, servant au 2ᵉ régiment de cavalerie noble, la quitta en juillet 1796 et y revint en mai 1797.

27 Ce sont là, en fait, les armes des Certain de La Meschaussée, que le maréchal adopta après qu'il se fût mis à cousiner avec ceux-ci, famille de la même région, anoblie par lettres d'octobre 1738, en la personne de Pierre de Certain seigneur de La Meschaussée, éteinte dans les mâles avec Pierre-Antoine-Marie (Paris 4-V-1895 - ✕ Courcelles, Oise, 11-VI-1918), lieutenant d'infanterie. Le contact s'établit lorsque, après la guerre de Grimée, Canrobert fut fait maréchal. Les Certain de La Meschaussée, apparemment, prirent les devants en félicitant ce dernier de sa nouvelle dignité et en recourant à son crédit. Le maréchal leur fit bon accueil : même s'il s'était toujours obstenu de porter la particule (voir note 64), il ne lui déplut pas, semble-t-il, de feindre de croire que sa famille appartenait à la noblesse. Le *Journal du département de la Corrèze* (10-II-1895) a publié, à l'occasion d'un article intitulé *La famille du maréchal Canrobert en Bas-Limousin*, deux lettres, de 1858 et 1864, du maréchal à l'un des MM. Certain de La Meschaussée, assez intéressantes à l'égard de ces relations. A la vérité, bien que plusieurs auteurs aient affirmé le contraire, au premier rang desquels Albert Révérend (voir *Annuaire de la noblesse de France*, année 1896) qui, avec une légèreté dont il n'est pas coutumier, fait de Jean-Louis Certain, grand-père du maréchal, un fils cadet de l'anobli de 1738, rien dans les documents dont on dispose à l'heure actuelle ne permet d'affirmer que les deux familles aient une origine commune.

28 Un contrat fut signé le 17-I-1863, chez Mᵉ Gallut, notaire à Paris. Le mariage religieux eut lieu le 20-I-1863 dans la chapelle du Sénat, célébré par le chanoine A. Castaing, ancien aumônier de Crimée, ex-aumônier en chef de l'armée d'Italie.

29 Les Goncourt tracent dans leur journal, à la date du 7-IV-1869, ce rapide portrait de Leila-Flora Macdonald, réputée pour sa grande beauté : *... La maréchale Canrobert, diadémée de hauts cheveux en couronne, avec son front de la Renaissance, ses épaules de nymphe et sa grâce penchées sur une causeuse...*

30 Leila-Flora Macdonald était née anglicane et l'était toujours au moment de son mariage. Dans son allocution, le célébrant (voir note 28) s'adressant à elle, déclara en effet : *Si vous n'êtes pas fille de la même mère que nous, n'êtes-vous pas notre sœur, par notre commun et divin Père... Qui sait si, dans la communauté de vie..., l'union de vos deux cœurs... n'amènera pas... l'union de vos deux âmes, dans une même croyance* (B.N. 8° Ln ²⁷ 3511). Jean-Baptiste Champeval signale dans son *Dictionnaire des familles nobles et notables de la Corrèze* (TII, Tulle 1913) que la maréchale Canrobert abjura à son lit de mort.

31 Au 4ᵉ Bengal rifles.

32 Le père de la maréchale Canrobert était mort à Lucknow (Indes anglaises) le 2-I-1842. Sa mère décéda à Windsor le 2-II-1896, âgée de 78 ans. Cette dernière était fille de John-Nicolas Smith, général de division (major-général) dans l'armée de la Compagnie des Indes orientales, mort à Londres le 22-X-1842 à 83 ans.

33 L'une des Hébrides.

34 On pourra consulter à ce sujet : *The truth about Flora Macdonald* par Allan-Reginald Macdonald (Inverness 1938).

35 Canrobert et sa femme n'en cousinèrent pas moins avec des Macdonald de Tarente. Alexandre 2e duc de Tarente, fils du maréchal, est témoin lors de leur mariage. La duchesse de Tarente, épouse du précédent, et la marquise de Rochedragon, née Sidonie Macdonald de Tarente, sa sœur, signent au contrat. En 1869, le maréchal Canrobert sera l'un des témoins lors du mariage de la baronne de Pommereul, fille du 2e de Tarente.

36 Les renseignements donnés dans ce paragraphe et le précédent sur l'ascendance de la maréchale Canrobert et sa parenté avec les Macdonald de Tarente ont été tirés de l'ouvrage ci-après : *The clan Donald* par le Rev. A. Macdonald, ministre de Killearnan, et le Rev. A. Macdonald, ministre de Kiltarlity (3 vol., Inverness 1896, 1900, 1904).

37 Claire Certain de Canrobert eut pour parrain Mgr Georges Darboy, archevêque de Paris, qui devait tomber sous les balles des communards en 1871.

38 Démissionna en 1904.

39 Né Hyacinthe-Henry Fabre (Paris 21-III-1811 - Paris 7e 27-X-1898), celui-ci, frère de Paul Fabre (Paris 23-VII-1809 - Versailles 3-III-1871), procureur général à la Cour de cassation, avait eu pour parents André Fabre (Paris 23-II-1778 - Paris 13-XII-1856), marchand bonnetier, puis concessionnaire de mine à Alès et enfin receveur particulier des finances, et Virginie Barrot (Villefort, Lozère, 25-VIII-1787 - Paris 18-I-1859). Cette dernière était fille de Jean-André Barrot (Planchamp 30-VI-1753 - Paris 19-XI-1845), député à la Convention, au Conseil des anciens et au Corps législatif, et sœur d'Odilon Barrot (Villefort 19-VII-1791 - Bougival 6-VIII-1873), avocat, député, chef de l'opposition dynastique sous la Monarchie de juillet, 1er ministre (1848-1849), d'Adolphe Barrot (Paris 14-X-1801 - Paris 8e 15-VI-1870), ambassadeur, senateur (1864), et de Victorin-Ferdinand Barrot (Paris 11-I-1806 - Paris 8e 12-XI-1883), député, ministre de l'intérieur (1849), sénateur (1853), sénateur inamovible (1877). Jean-André Barrot, père de Virginie, avait épousé Jeanne-Virginie Borrelli, fille de Hyacinthe Borrelli, marchand, puis receveur général des finances, anobli par l. p. du 23-III-1816, et de Jeanne Roustand de Navacelle, sœur de Charles-Clément Borrelli, baron de l'empire (1813), vicomte héréditaire (20-I-1830), pair de France (1839), lieutenant général. Hyacinthe-Henry Fabre fut autorisé par décret du 15-I-1879 à relever le nom de son arrière-grand-mère Jeanne de Navacelle, éteint depuis 1852. Le titre de baron porté par l'aîné de la famille à partir de son fils n'est que de courtoisie. Les Roustand de Navacelle ne possédaient pas de titre et même n'appartenaient pas au 2d ordre : de toute façon, le décret de 1879 se limitait au seul transfert du nom. Les Cady-Roustand de Navacelle, qu'on a rencontrés au chap. VII (Castellane), sont issus d'un frère d'Hyacinthe-Henry : Amédée Fabre (Paris 23-IV-1819 - Amsterdam 24-III-1871), consul général de France. Une fille de celui-ci, Walborg Fabre (Oslo 13-IX-1857 - Paris 15e 29-XI-1940), épousa Georges Cady (Angers 26-IX-1849 - Le Lion d'Angers 3-I-1901), propriétaire. Ce dernier obtint le 20-IV-1907 un décret l'autorisant à s'appeler Cady-Roustand de Navacelle : Christian est son petit-fils.

40 Président quelque temps de la Société des études historiques, Hyacinthe-Henry Fabre de Navacelle a publié un certain nombre d'articles dans la revue de

celle-ci. Il est par ailleurs l'auteur de plusieurs ouvrages traitant notamment des campagnes d'Algérie et des guerres du Second empire ainsi que d'un volume de *Souvenirs militaires d'Afrique* (Paris 1861, 264 p.).

41 Aimée Massias était la petite-fille de Nicolas Massias (1764-1848), baron de l'empire (1814), baron héréditaire (1819), successivement confrère de l'Oratoire (non prêtre, ainsi que Fouché), colonel d'artillerie, chargé d'affaires auprès du margrave puis grand-duc de Bade, consul général de France à Dantzig, par ailleurs auteur d'un certain nombre d'ouvrages (des études de philosophie notamment), et la nièce de Caroline Massias (1813-1857), alliée à Jean-Pierre de Lostalot-Bachoué, docteur en médecine, dont la fille, Marie de Lostalot-Bachoué, épousa Philippe de Laborde de Monpezat, frère de l'arrière-grand-père du prince Henrik de Danemark (voir Joseph Valynseele *Les Laborde de Monpezat et leurs alliances*). Elle avait pour grand-père maternel Louis-Nicolas Dubois (1758-1847), comte de l'empire (1808), 1er préfet de police de Paris.

42 Fils d'Amable-Charles (1840-1919), maître des requêtes au Conseil d'état, auteur de nombreux ouvrages (droit et histoire), membre de l'Académie des sciences morales et politiques, créé comte romain le 1-IV-1870.

43 L'amiral de Navacelle a bien voulu nous ouvrir très libéralement ses archives familiales. Il nous a, par ailleurs, fait bénéficier des recherches qu'il effectue depuis de longues années dans les dépôts publics sur tout ce qui touche à ses parentés. Nous lui exprimons notre vive gratitude. C'est de ses archives qu'il s'agit lorsque nous indiquons comme source : Archives familiales.

44 Fils d'André (Muret 27-XII-1875 - Paizay-Naudouin 26-X-1948), général de brigade.

45 Petite-nièce du baron Georges Didelot, capitaine de vaisseau, qu'on trouvera dans la descendance du maréchal d'Ornano (chap. XVI) : elle est la petite fille de son frère aîné, Octave baron Didelot (1856-1912).

46 L'acte de décès a été établi à la date du 3-VI-1916 dans les registres de Paris 16e.

47 Antoine Redier, dont les nombreux ouvrages connurent un grand succès entre les deux guerres, a consacré à Charles de Navacelle la notice nécrologique ci-après, sous le titre *Un petit-fils de Canrobert*, dans le n° du 9-IV-1916 de *La revue française politique et littéraire* qu'il dirigeait, tout en étant lui-même au front : *Un jour de décembre, trop pressé d'aller jalonner en avant de nos lignes une tranchée nouvelle, il monte dans la plaine alors que la nuit n'est pas encore venue. Du petit poste allemand, deux balles claquent, presque à bout portant, et le manquent. Une 3e, qui vient de très loin et qui a dû ricocher, car elle fend l'air en miaulant, lui traverse la poitrine. Il crie faiblement : au secours, au secours, tourbillonne et tombe. Navacelle est tué !... Il sortait à peine de Saint-Cyr... Son trait dominant était l'autorité. Je ne l'ai jamais trouvé au dépourvu sur aucun sujet, qu'il s'agît de littérature, de philosophie, de théâtre, de musique, de sport. Il parlait couramment l'allemand et l'anglais.* Charles de Navacelle avait été cité à l'ordre de l'armée le 13-IV-1915 : *Officier de cavalerie passé sur sa demande au 338e régiment d'infanterie, commandant le 2-IV un détachement chargé d'une reconnaissance, a conduit l'opération avec autant d'intelligence que de courage. S'est jeté résolument sur une patrouille allemande dont il a abattu de sa main les deux premiers hommes. A sauté le premier dans la tranchée ennemie, mettant en fuite le poste qui l'occupait et permetant la capture d'un prisonnier dans des circonstances très difficiles et très dangereuses*, et à l'ordre de la division le 27-VIII-1915 : *Officier d'une exceptionnelle bravoure. A, pendant l'avance du 21-VIII, dans le secteur du 278e régiment, par son courage et son sang-froid, maintenu sur sa position sa section terriblement éprouvée par un bombardement violent.*

48 Jean Durant de Mareuil et Robert qu'on trouvera plus loin étaient frères d'Hélène de Mareuil (Paris 8e 20-X-1901 - Paris 16e 24-XII-1961), député de la Vendée, alliée Paris 16e 23-VIII-1922 au comte Jean de Suzannet (Chavagnes-en-

Paillers 11-X-1884 - Paris 16e 27-I-1938), capitaine d'infanterie, conseiller général et député de la Vendée.

49 Pierre de Mareuil était le petit-fils de Joseph (Paris 6-XI-1769 - Ay 13-I-1855), baron de l'empire (1809), baron héréditaire (1815), comte héréditaire (1846), pair de France (1832), député de la Marne, ambassadeur.

50 Marguerite Bourdon de Vatry avait pour grand-mère paternelle Marie-Joséphine Souham (Lubersac 20-XII-1801 - Paris 30-VI-1889), alliée 1) à Amédée Bourdon baron de Vatry (1790 - Paris 8-II-1831), propriétaire, 2) Paris 15-I-1833 à Aloys Ney duc d'Elchingen (Paris 22-IV-1804 - Gallipoli 14-VII-1854), général de brigade, député du Pas-de-Calais, fils cadet du maréchal Ney. Fille légalement de Joseph Souham, comte de l'empire (1810), général de division, Marie-Joséphine Souham passait pour être en réalité le fruit d'une liaison que Napoléon, encore 1er consul, aurait eue avec l'épouse de Souham, née Rosalie Desperiez. Un important article a été consacré à la question par André Gavoty dans le n° du 1-I-1960 de la *Revue des deux mondes* sous le titre *Le secret de Rosalie Souham*. A la vérité, il n'y a en faveur de la solide tradition familiale existant à cet égard aucune preuve décisive. La ressemblance très accusée de l'intéressée avec Napoléon, dont témoignent des portraits réalisés à des âges très différents — deux d'entre eux sont d'Ary Scheffer — et que l'on retrouve, assez frappante, chez certains de ses descendants — nous avons pu en juger personnellement —, incite cependant à penser qu'une paternité de l'empereur n'est pas invraisemblable.

51 Jean baron de l'Espée (Lunéville 26-IV-1898 - Guéthary 6-IV-1972) était le fils du baron Edouard de l'Espée, chef d'escadrons de cavalerie, et de Marguerite de Beaurepaire-Louvagny qui, devenue veuve, fut la 2de épouse de François de Cossé duc de Brissac. Propriétaire directeur du *Courrier de Bayonne* et du *Journal de Biarritz*, il fit partie du bureau de la Fédération nationale de la presse française et fut plusieurs fois candidat à la députation entre les deux guerres. Il a publié des essais et des récits de voyage.

52 Francine Gillon (Paris 30-VII-1919) est la sœur d'Etienne Gillon (Paris 21-III-1911), président du directoire de la Librairie Larousse, la fille d'André Gillon (Paris 5e 25-XII-1880 - Paris 7e 9-V-1969), directeur-gérant de la Librairie Larousse, directeur fondateur des *Nouvelles littéraires*, et la petite fille de Paul Gillon (Châteaurenard, Loiret, 31-X-1853 - Paris 7e 9-VI-1934), directeur-gérant de la Librairie Larousse, neveu d'Augustin Boyer qui avait fondé en 1852 la célèbre maison d'édition avec son ami Pierre Larousse. On trouvera plus de précisions sur la famille Gillon dans le *Dictionnaire des dynasties bourgeoises et du monde des affaires* d'Henry Coston (Paris 1975).

53 Le livre de Philippe Boegner *Oui patron... La fabuleuse histoire de Jean Prouvost* (Paris 1976) apporte quelques précisions biographiques intéressantes sur Anne de Navacelle : *Après son séjour chez Don, Jean Prouvost* — cela se situe en octobre 1944 alors que ce dernier se trouvait sous le coup d'un mandat d'arrêt pour une prétendue collaboration — *a trouvé refuge au 5e étage de la rue Casimir-Périer, chez la baronne de Mareuil qui dirigeait à Marie-Claire les rubriques consacrées à la cuisine et à la maison. Anne de Mareuil — Bébelle pour ses amis — est typiquement ce qu'on appelle une dame. Femme d'un capitaine de Saumur, elle a vécu au Maroc, dans l'entourage de Lyautey et d'autres résidents, la vie brillante de Rabat, de Casablanca, de Marrakech. Excellente cavalière, réputée pour sa beauté, elle mêle à un franc-parler parfois désarmant une énergie peu commune et un contrôle d'elle-même qui la font sourire face au danger. Très vite, elle a milité dans la résistance... Bébelle de Mareuil a été arrêtée par la milice à Lyon en 1943, enfermée pendant quatre mois à la prison Saint-Joseph, elle a récidivé à peine sortie, méprisant les risques et la peur.*

54 Le mariage religieux a été célébré le 13-V-1956.

55 Michel Clavel avait, de son côté, épousé précédemment à Paris 7e le 4-VII-1945

Denise-Suzanne Clément, mariage dissous par jug. du t. c. de la Seine le 4-XI-1954.

56 D'un accident de la circulation.

57 Xavier de Sevin appartient à la descendance de Racine (voir *Jean Racine et sa descendance* par Arnaud Chaffanjon, Paris 1964).

58 Le prince Charles Napoléon, fils aîné du prince Napoléon, a été témoin du mariage.

59 A *Paris-Match.*

59a De son côté, Jean-Marie Guilloteau s'est remarié à Paris 17e le 3-VI-1954 à Thérèse-Josèphe Escallier.

60 Entré au service comme chasseur le 4-IV-1885, Marcelin Certain de Canrobert passa brigadier le 4-X et maréchal des logis en 1886. En 1888 et 1889, il suivit les cours de l'Ecole de cavalerie en qualité d'élève officier et fut nommé sous-lieutenant le 19-VII-1890. En 1905, il est capitaine. Il quitta le service le 31-V-1918, mis à la retraite d'office pour ancienneté. Le 1-VII, il fut promu chef d'escadrons dans la réserve. Sa carrière se déroula notamment aux chasseurs d'Afrique, aux spahis et dans les dragons et le conduisit sucessivement en Algérie, au Soudan français, en Afrique noire, en Tunisie, à Casablanca et aux confins marocains. Le 16-II-1895, il se battit contre le député Gustave-Adolphe Hubbard pour défendre la mémoire de son père et le blessa légèrement : ce parlementaire avait interpellé le gouvernement à l'occasion des obsèques nationales faites à Canrobert, reprochant à ce dernier d'avoir été l'un des mitrailleurs du Deux-décembre et le 2d de Bazaine à Metz.

61 Louis Certain de Canrobert est mort de la tuberculose. Il avait eu le prince impérial pour parrain et la princesse Mathilde comme marraine.

62 Admis à l'Ecole spéciale militaire le 22-X-1809, Antoine Certain de Canrobert en sortit sous-lieutenant le 17-IV-1812. Incorporé au 24e régiment d'infanterie légère le 17-VI-1812, il fut fait prisonnier de guerre le 27-VIII-1813 à l'affaire de Lubnitz. Rentré de captivité le 3-VIII-1814, il passa le 11-VIII-1814 au 6e régiment d'infanterie légère.

63 Enfant de sexe féminin.

64 Dans un désir d'uniformité, nous avons donné à tous les descendants du père du maréchal le nom de Certain de Canrobert que celui-ci porte dans tous les actes et pièces le concernant, antérieurs à la Révolution, et qui, ainsi, était de droit le leur, conformément à la jurisprudence en la matière. Quelques remarques, cependant, sont nécessaires à ce propos. L'acte de naissance du maréchal fut établi au nom de Certain-Canrobert et ce dernier n'utilisa jamais que cette forme et même, de façon usuelle, le seul nom de Canrobert sans particule. Son fils aîné Marcelin fut, lui, déclaré comme Canrobert-Certain et, de son côté, se fit appeler, de façon courante, Canrobert simplement. Son 2d fils, Louis, porte le nom de Certain-Canrobert dans ses actes de naissance et de décès. C'est également là le nom de Mme de Navacelle, fille du maréchal : elle est en effet désignée de la sorte dans son acte de mariage.

XII

Pierre-*Joseph*-François Bosquet

18-III-1856

CARRIÈRE

1810 : naissance à Mont-de-Marsan (8-XI),
1829 : entre à l'Ecole polytechnique,
1830 : lors des journées de juillet, est du nombre des élèves qui se mêlent de manière active à l'insurrection [1],
1831 : sous-lieutenant élève d'artillerie à l'Ecole d'application de Metz,
1833 : sous-lieutenant, au 10e régiment d'artillerie (jusqu'en 1839),
1834 : lieutenant en 2d (1-I), passe en Afrique du Nord (8-VI, jusqu'en 1853),
1836 : lieutenant en 1er,
1839 : capitaine (27-VIII), au 4e régiment d'artillerie (4-IX), commande une compagnie de pontonniers (10-X),
1840 : détaché près du général Louis de Lamoricière (commandant de la province d'Oran), en qualité d'officier d'ordonnance,
1841 : au 1er régiment d'artillerie (20-III), détaché pour commander l'artillerie à Mostaganem (20-V), chef du corps d'infanterie indigène attribué au bey de Mascara et de Mostaganem (13-VIII),
1842 : chef de bataillon, à la tête du bataillon de tirailleurs indigènes à Oran (jusqu'en 1845),
1845 : lieutenant-colonel, au 15e régiment d'infanterie légère,
1846 : au 44e régiment d'infanterie de ligne,
1847 : colonel (8-XI), à la tête du 53e régiment d'infanterie de ligne (8-XI),
1848 : tout en conservant son régiment, assure le commandement de la subdivision d'Orléansville (IV), à la tête du 16e régiment d'infanterie de ligne et de la subdivision d'Orléansville (25-V), général de brigade (17-VIII) [2], commande la subdivision de Mostaganem (jusqu'en 1850),
1850 : commande la subdivision de Sétif (jusqu'en 1853),
1851 : participe à l'expédition de petite Kabylie à la tête d'une brigade et y est blessé (11-V) ; ne répond pas aux avances qui lui sont faites par les envoyés du prince-président dans la période qui précède le coup d'état ; à la nouvelle de ce dernier, demande sa mise en disponibilité ; sur les instances du gouverneur général (Randon), qui a pris sur lui de ne pas transmettre sa requête, accepte de rester à son poste [3],
1853 : convoqué à Paris, est conquis par l'accueil qu'il reçoit de l'empereur et se rallie sans réserve au nouvel ordre de choses (III) ; commande l'une des deux divisions lors de la nouvelle expédition de petite Kalybie (VI) ; général de division (10-VIII),
1854 : commande la 2e division d'infanterie de l'armée d'Orient (23-II), inspecteur général pour 1854 du 24e arrondissement d'infanterie (10-VIII) ; assure le succès de la bataille de l'Alma par un hardi mouvement tournant sur la gauche des Russes (20-IX) ; commande le corps d'observation, composé des 1re et 2e divisions, chargé de protéger les opérations du siège de Sébastopol contre toute armée de secours venant de l'intérieur de la Crimée ; à la tête de ce corps, prend une part décisive à la victoire d'Inkermann en sauvant les Anglais d'une situation désespérée, par sa prompte initiative (5-XI),
1855 : commande le 2e corps de l'armée d'Orient (10-I) ; prélude à la prise de Sébastopol, en enlevant les redoutes du Mamelon vert ; grièvement blessé à la partie postérieure de la poitrine par un éclat d'obus au cours de l'assaut final de la forteresse (8-IX) ; rentre en France (30-X) ;
1856 : sénateur (9-II), maréchal de France (18-III) ;
1858 : nommé commandant supérieur des divisions du sud-ouest à Toulouse, mais l'état de sa santé ne lui permet pas d'occuper ce poste,
1861 : meurt à Pau (3-II) [4], inhumé au cimetière de Pau [5].

ECRITS

- *Lettres du maréchal Bosquet à sa mère (1829-1858)*, Pau 1877-1879, 4 vol. [6],

- *Lettres du maréchal Bosquet à ses amis (1837-1860)*, Pau 1879, 2 vol. [7],

- *Lettres du maréchal Bosquet (1830-1858)*, Paris et Nancy 1894, 400 p. [8],

- *Lettres inédites du maréchal Bosquet*, Pau 1895, 48 p. [9],

- quelques lettres publiées dans l'ouvrage *Campagnes de Crimée, d'Italie, d'Afrique, de Chine et de Syrie. 1849-1862* (Paris 1898), cité à la note 205 du chap. VIII (Castellane) et dans le travail de Pierre Guiral et Raoul Brunon dont il est question à la rubrique *Ecrits* du chap. IX (Pélissier).

LE CADRE FAMILIAL

Ascendance [10]

I - Raymond I BOSQUET, mort avant 1711, qualifié juge [11], allié à Marie RODAT, dont

II - Gaspard BOSQUET, décédé à Villeneuve-sur-Vère le 18-II-1755, âgé de 74 ans, qualifié bourgeois, allié Villeneuve-sur-Vère 22-V-1719 à Anne CAMBARD, décédée à Villeneuve-sur-Vère le 31-VIII-1761, âgée de 75 ans, fille de René, notaire, et de Louise CARLES [12], dont

III - Raymond II BOSQUET, né à Villeneuve-sur-Vère le 18-VII-1719, décédé à Mont-de-Marsan le 7-X-1811, receveur de l'enregistrement, notaire royal à Villeneuve-sur-Vère, allié Villeneuve-sur-Vère 13-X-1751 à Jeanne BARTHE, âgée d'environ 26 ans, de la paroisse Saint-Salvy d'Albi, décédée à Villeneuve-sur-Vère le 3-VII-1764, fille de Marc-Antoine, qualifié bourgeois, et de Thérèse LALANE [13], dont

IV - Joseph-François BOSQUET, né à Villeneuve-sur-Vère le 2-VII-1764, décédé à Mont-de-Marsan le 7-X-1811, receveur de l'enregistrement des domaines et conservateur des hypothèques à Mont-de-Marsan, allié Pau 19-II-1802 à Marie-Anne COUAT, née à Pau (Notre-dame) le 3-III-1785, décédée à Pau le 28-I-1868 [14], fille d'André, marchand drapier, et Jeanne-Charlotte LOIR [15].

Collatéraux [10]

Autres enfants de Raymond I : Pierre BOSQUET, qualifié bourgeois, allié Villeneuve-sur-Vère 17-II-1711 à Marie GAU, de la paroisse de Saint-

Jean-de-Montredon (diocèse de Castres), fille d'Antoine et de *N.* de CAMBON [16] ; Antoine-Raymond BOSQUET, curé de Saint-Etienne-de-Brès en 1719 [17]. Autres enfants de Gaspard : Jean-François BOSQUET, décédé à Villeneuve-sur-Vère le 1-V-1754, âgé de 26 ans environ, clerc tonsuré, prébendier de l'église Sainte-Cécile d'Albi, enseveli dans l'église Saint-Sauveur de Villeneuve-sur-Vère ; Marie-Josèphe BOSQUET, âgée de 26 ans lors de son mariage, alliée Villeneuve-sur-Vère 21-XII-1756 à Jean-Joseph AZEMAR, bourgeois de Cordes, âgé de 38 ans. Autres enfants de Raymond II : Marie-Thérèse BOSQUET, née à Villeneuve-sur-Vère le 24-VI-1753, alliée Villeneuve-sur-Vère 16-X-1780 à Arnaud LAGRÈZE de SENOUILLAC, âgé de 27 ans, procureur à la cour royale d'Alby ; Pierre-Guillaume BOSQUET, né à Villeneuve-sur-Vère le 4-VII-1754, décédé même lieu le 9-X-1765 ; Jacques-Gaspard BOSQUET, né à Villeneuve-sur-Vère le 8-I-1757, décédé même lieu le 17-X-1759 ; Jeanne-Marie BOSQUET, décédée à Villeneuve-sur-Vère le 9-X-1761 ; Joseph-Pierre BOSQUET, né à Villeneuve-sur-Vère le 18-IX-1760 ; Jean-Antoine BOSQUET, né à Villeneuve-sur-Vère le 10-II-1762, décédé même lieu le 16-II-1762 [18]

ALLIANCE ET DESCENDANCE

Le maréchal Bosquet est demeuré célibataire.

FRERES ET SŒURS

1 - *Raymond*-André BOSQUET (Pau 5-II-1803 - Cayenne 8-V-1850), notaire et lieutenant commissaire commandant du quartier de Sinnamary, s.a. [19]

2 - *Sophie*-Eustachine BOSQUET (Pau 8-V-1805 - Pau 12-V-1846) alliée Pau 25-IV-1829 à Etienne LACOSTE (Oloron 7-IX-1798 - Caubios-Loos 13-X-1886), pharmacien, fils de David, inspecteur des contributions directes, et de Marthe LANUSSE [20] ; de ce ménage, naquirent 2 enfants : I) Anna LACOSTE (Pau 15-II-1830 - Pau 9-VII-1901) [21] alliée Pau 7-I-1857 à Gustave PRAT (Pau 26-II-1827 - Pau 6-VIII-1876), conseiller à la cour d'appel de Pau [22], fils de Charles [23], avocat à la cour d'appel de Pau, bâtonnier de l'ordre [24], et de Marie-Sophie DARAN [25], dont uniquement Marie PRAT (Pau 16-X-1857 - Pau 10-VIII-1928), s.a. [26] ; II) Pierre LACOSTE (Pau 15-VII-1837 - Pau 11-VII-1888), docteur en médecine, pharmacien, conseiller municipal et adjoint au maire de Pau [27], allié Baliracq-Maumusson 10-II-1863 à Amélie de FLORENCE (Baliracq-Maumusson 13-I-1845 - Pau 16-IX-1941), fille de Pascal-Anselme, capitaine d'infanterie [28], et d'Elisabeth de MALDEN de FEY-

TIAT [29] ; Pierre LACOSTE et Amélie de FLORENCE eurent eux-mêmes 3 enfants : A) Elisabeth LACOSTE (Pau 3-X-1864 - Pau 5-VII-1951) alliée Pau 18-XI-1884 à Clément MINVIELLE (Pau 2-XII-1856 - Pau 10-III-1904), pharmacien, fils de Cyprien, propriétaire, et d'Alexine SORBÉ [30], dont postérité qui suivra ; B) Marguerite LACOSTE (Pau 31-VIII-1865 - Pau 22-V-1871) ; C) Marguerite LACOSTE (Pau 13-V-1872 - Pau 19-XII-1939), s.a. ; d'Elisabeth LACOSTE et de Clément MINVIELLE est issue la postérité ci-après : 1) Jeanne MINVIELLE (Pau 25-VIII-1885 - Pau 10-XI-1901) ; 2) Henri MINVIELLE (Pau 30-V-1887 - Pau 30-IV-1940), ancien élève de l'Ecole polytechnique, directeur commercial des produits chimiques de la Compagnie de Saint-Gobain, allié Boucau 12-III-1924 à Mercedès LARRETCHE (Biriatou 19-X-1895 - Pau 15-VII-1972), fille de Bertrand, brigadier des douanes, et de Madeleine MUGABURE, dont a) Marcel MINVIELLE (Fenouillet, Haute-Garonne, 4-IX-1924), directeur de société (chimie, matières plastiques), allié Castel San Giovanni, Plaisance, 9-V-1959 à Natalina GROSSI (Castel San Giovanni 11-VIII-1936), fille de César, fonctionnaire municipal, et d'Elide QUARONI, dont Elisabeth MINVIELLE (Milan 8-VII-1961) et Jacques MINVIELLE (Milan 25-XI-1963) ; b) Simone MINVIELLE (Tonnay-Charente 22-III-1926), enseignante, alliée Bayonne 8-VI-1953 à Jean-René DUCLAU (Bayonne 2-V-1927), agent technique (industrie aéronautique), fils de René-Alexandre, employé à la S.N.C.F., et de Léonie TAFARE, employée à la S.N.C.F., dont Christine DUCLAU (Bayonne 23-III-1954), ingénieur de l'Ecole supérieure d'ingénieurs de Marseille, s.a.a. ; Elisabeth DUCLAU (Bayonne 28-VII-1956), professeur d'éducation physique, alliée Moncontour-de-Bretagne 8-VI-1978 à Robert JOUAN (Paris 15e 20-V-1954), employé municipal, fils de Pierre, chef jardinier, et de Marie HELLIO ; Michel DUCLAU (Bayonne 29-IX-1958), s.a.a. ; c) Henri MINVIELLE (Tonnay-Charente 15-VII-1927), ingénieur de l'Institut industriel du nord de la France, licencié ès sciences, diplômé d'études supérieures (aéro-hydrodynamique), ingénieur dans l'industrie (aéronautique) [31], allié Bourg-des-comptes 3-IV-1976 à Annik AUSSEDAT (Paris 9e 27-VI-1939), licenciée ès lettres, titulaire d'une maîtrise de grec, docteur du 3e cycle, ingénieur au C.N.R.S., fille d'Henri, directeur commercial des Papeteries Aussedat (Annecy), et d'Alix DUBURQUOIS, dont Pol-Henri MINVIELLE (Pau 11-XII-1977), Alix MINVIELLE (Pau 22-II-1979) et Ronan MINVIELLE (Pau 11-V-1980) ; 3) Paul MINVIELLE (Pau 30-III-1890 - Pau 9-VIII-1956), docteur en médecine [32], allié Pau 19-IV-1933 à Simone PRAT-ROUSSEAU (Pau 29-IV-1909), fille de Louis, négociant en draps, et de Marie-Thérèse LACANNETTE [33], dont uniquement Pierre MINVIELLE (Pau 23-I-1934), licencié en droit, écrivain [34], allié Paris 9e 26-V-1961 à Anne-Marie MINVIELLE (Paris 16e 16-IX-1943), fille de Charles, ingénieur, et de Kari-Bergsjoé JENSEN [35], dont uniquement Etienne MIN-VIELLE (Paris 17ᵉ 5-XI-1961).

3 - Brigitte BOSQUET (Pau 25-VI-1807 - Mont-de-Marsan 17-XI-1810) [36].

NOTES

1 De retour quelques semaines plus tard à Pau, où résidait sa famille, il y fut accueilli comme un héros et on donna un banquet en son honneur.

2 Bosquet dut à Lamoricière, alors ministre de la guerre, avec qui il était très lié, cette rapide promotion : il n'avait que 10 mois dans le grade de colonel. Elle valut au ministre une interpellation à l'assemblée nationale : Lamoricière répondit qu'il avait nommé Bosquet moins pour les services rendus que pour ceux qu'un tel homme était appelé à rendre.

3 On est renseigné de manière très précise sur ce moment de la carrière de Bosquet par les lettres qu'il envoie à sa mère à cette époque et tout particulièrement par celle du 17-I-1852 (voir rubrique *Ecrits*).

4 Selon la thèse officielle, la mauvaise santé de Bosquet à partir de 1858 et sa mort prématurée à 51 ans furent la conséquence de la blessure reçue en 1855 à Sébastopol. Une explication différente courut sous le manteau. Parfaitement remis de sa blessure de Sébastopol dès 1857, Bosquet aurait eu à ce moment une liaison avec la jeune femme d'un officier supérieur de son état-major. Il en serait résulté un duel. Le maréchal aurait été sévèrement touché au cours de celui-ci et c'est, en réalité, cette blessure-là qui aurait ruiné définitivement sa santé et provoqué sa mort. Raymond Ritter a étudié la question de façon très sérieuse dans l'étude signalée à la note 6. Certes, il n'apporte pas de preuve décisive, mais, du faisceau d'éléments qu'il a réunis, se dégage l'impression que cette version a de chances de correspondre à la vérité.

5 Les coordonnées de la tombe du maréchal sont les suivantes : zone A, carré 2, rang 16, tombe 1. Sa mère a été inhumée dans la même sépulture.

6 Ces 4 volumes ont été publiés à tirage réduit, pour les membres de la Société des bibliophiles du Béarn et la famille du maréchal, par les soins de Vastin Lespy, auteur de travaux remarquables sur les dialectes et l'histoire du Béarn, et de Paul Rémond, à qui l'on doit le monumental *Inventaire sommaire des archives départementales des Basses-Pyrénées* et de nombreuses études érudites. La réputation des éditeurs paraissait devoir garantir le sérieux du travail. Une longue série d'articles de Raymond Ritter, historien du Béarn, parue dans la revue *Pyrénées* de 1961 à 1973 sous le titre *Le maréchal Bosquet (1810-1861). Notes et documents,* a montré qu'en fait ceux-ci ont altéré et amputé gravement le texte de beaucoup de lettres. Poussés à la fois, semble-t-il, par leurs convictions politiques et un chauvinisme local, ils ont systématiquement supprimé ou retouché tout ce qui pouvait jeter un doute sur la sincérité des opinions républicaines que Bosquet avait manifestées en 1848 (propos témoignant de son ralliement à l'empire et de l'estime que Napoléon III avait su lui inspirer) ou ternir l'image d'Epinal que le maréchal était pour ses compatriotes béarnais (aventures galantes, détails trop terre à terre).

7 Publiés par Vastin Lespy seul, ces 2 volumes furent eux aussi édités à tirage réduit pour les membres de la Société des bibliophiles du Béarn et la famille du maréchal. Le grave reproche fait aux 4 volumes précédents (voir note 6) vaut également en ce qui les concerne. Toutefois, le maréchal s'exprimant ici avec moins de liberté, les altérations et les *coups de ciseaux* ne sont pas aussi nombreux.

8 Publié par le général Charles-Alexandre Fay, ancien aide de camp de Bosquet, cet ouvrage présente une sélection des lettres figurant dans les 6 volumes précédents.

9 Publiées et annotées par Hilarion Barthéty, à qui on doit d'autre part un ouvrage intitulé *Le maréchal Bosquet. Souvenirs d'histoire locale* (Pau 1894, 316 p.), ces lettres ont été adressées par Bosquet à son camarade, puis aide de camp, le futur colonel Philibert Cassaigne, de Bayonne, sauf une qui le fut au futur maréchal Pélissier.

10 Les précisions données sous ce titre nous ont été fournies par les registres d'état civil des communes concernées.

11 Cette qualité lui est donnée dans la *promesse de mariage* de Gaspard Bosquet et Anne Cambard, lue à l'église le 9-V-1719 et insérée comme feuille volante dans le registre des mariages (collection de la mairie).

12 Le nom de la mère ne figure pas dans l'acte de mariage : il est indiqué dans le document dont il est question à la note 11.

13 Un frère de Jeanne Barthe, Pierre-Guillaume, est en 1754 chanoine et archidiacre de la cathédrale Sainte-Cécile d'Albi : on le trouve mentionné comme oncle maternel dans l'acte de baptême à Villeneuve-sur-Cère, le 7-VII, de Pierre-Guillaume Bosquet, l'un des enfants de Raymond II et de Jeanne Barthe.

14 Le maréchal Bosquet fut toujours très attaché à sa mère, qui devait lui survivre. On peut en juger par les lettres qu'il adressa à celle-ci tout au long de sa carrière (voir rubrique *Ecrits*). Les *Mémoires* de Viel-Castel y ajoutent ce trait qui se situe le jour où Napoléon III apprit à Bosquet son accession au maréchalat : *Bosquet a pleuré comme un enfant, puis, après avoir remercié l'empereur, il a demandé la permission de faire parvenir cette bonne nouvelle à sa mère qui habite Pau. Le télégraphe électrique des Tuileries a été mis à sa disposition. Voici la dépêche qu'il a fait expédier : Le maréchal Bosquet à Mme veuve Bosquet. Ma mère priez Dieu pour l'empereur.* Après la mort de Bosquet, une pension annuelle et viagère de 6 000 F, à titre de récompense nationale, fut allouée à sa mère par une loi votée au Corps législatif le 30-V-1861, puis au Sénat le 6-VI et promulguée le 12-VI, avec jouissance à compter du 3-II, date du décès du maréchal.

15 Fils d'Arnaud et d'Angélique-Françoise Courtier, André Couat, décédé à Pau le 28-IV-1799 à l'âge de 59 ans, était originaire de Villeneuve-de-Rivière, gros village du Comminges, voisin de Saint-Gaudens. Jeanne-Charlotte (dite aussi Angélique-Françoise) Loir, décédée à Pau le 17-IX-1827 à l'âge de 84 ans, qu'André Couat avait épousée en l'église succursale Notre-dame de Pau le 15-II-1770, avait pour parents Jérôme Loir, marchand orfèvre, de Paris (paroisse Saint-Benoît), et Magdeleine Despouey. Ces derniers s'étaient mariés à Pau (Notre-dame) le 6-X-1740 : lui était fils de Nicolas Loir, bourgeois de Paris, et de Marie-Anne Gérin et elle fille de Dominique Despouey, marchand de Morlaas, et de Marie Catalogne. André Couat et Jeanne-Charlotte Loir eurent 13 enfants, nés entre 1771 et 1787, tous baptisés à Saint-Martin de Pau. Marie-Anne, mère du maréchal Bosquet, était l'avant-dernière. Lorsque Mme Couat née Loir rédigea son testament, le 15-VIII-1821 (déposé le 26-III-1828 chez Me J.-B. Sorbé, notaire à Pau, A.D. des Pyrénées-atlantiques III E 3128 acte 106), 4 de ces enfants survivaient : 1) Angélique-Françoise, née à Pau le 20-X-1775, alliée Pau 31-X-1795 à Jean Marimpoey, né à Coarraze le 1-VII-1757, négociant, officier municipal, fils de Pierre, cultivateur, et de Marie Tiroet ; 2) Pierre, né à Pau le 18-X-1783 ; 3) Mme Bosquet ; 4) Angélique-Raymonde-Thérèse (Pau 12-VII-1787 - Pau 17-IX-1827) alliée Pau 27-XI-1819 à Mathieu Méricam, né à Saint-Sever, Landes, le 3-XI-1785, chirurgien militaire, fils de Jacques, notaire royal, et de Marie Lagarde.

16 Il résulte de divers actes figurant dans les registres de Villeneuve-sur-Vère que

3 enfants naquirent de ce ménage : Antoine, Pierre né en 1714 qui fut maître cordonnier et Marie née en 1719.

17 Celui-ci est parrain de son neveu Raymond II le 18-VII-1719. Saint-Etienne-de-Brès était un prieuré-cure dépendant de l'abbaye Saint-Géraud d'Aurillac, situé sur le territoire de Villeneuve-sur-Vère.

18 On trouve la forme Bousquet au lieu de Bosquet dans certains des actes du début du 18e s.

19 Les qualités données à Raymond Bosquet sont celles qui figurent dans son acte de décès. Celui-ci était établi en Guyane depuis assez longtemps : on trouve, en effet, dans une lettre du futur maréchal à sa mère datée du 14-I-1834 qu'il vient d'être nommé juge de paix à Cayenne. Il apparaît, au travers d'autres lettres de Bosquet que ce frère traîna une existence assez médiocre. Ainsi, le 31-V-1850, Bosquet écrit à sa mère (passage non publié par Lespy et Raymond, restitué par Ritter) : *je te renvoie la lettre de ce pauvre Raymond, qui me navre le cœur. Je suis comme toi sans comprendre et, par conséquent, impuissant à lui venir en aide. Pendant que mes amis étaient au pouvoir, il a été près des notes très favorables et il avait des chances, mais tout aura été manqué à Cayenne même. Pourquoi n'expose-t-il pas clairement et sans phrase la situation bien nette? Il rendrait moins pénible et plus facile à corriger peut-être sa situation.* Le 25-XI-1850, Bosquet confie à Cassaigne : *Mon frère, qui songeait à quitter la Guyane pour venir vivre en Béarn et reformer un noyau de famille est mort désespéré. Les conséquences du fameux décret du gouvernement provisoire pour l'abolition de l'esclavage l'ont ruiné successivement. La douleur de voir s'anéantir tous ses rêves de retour au pays a achevé de briser ses forces, déjà usées par le climat.* Il résulte d'une lettre de Bosquet à sa mère du 31-X-1850 et de deux autres respectivement des 5-XI-1850 et 22-VII-1852 (passages non publiés par Lespy et Raymond, restitués par Ritter) que Raymond Bosquet avait eu, probablement d'une indigène, un fils naturel portant le nom de Saint-Julien.

20 Le 28-II-1829, un frère d'Etienne Lacoste, Jean-Antoine-Michel Lacoste, né à Oloron le 7-IX-1793, contrôleur des contributions directes, avait épousé à Arricau Marie-Magdeleine-Amantine de Pratviel, née à Arricau le 10-XII-1801, fille de Louis de Pratviel (d'une famille de notaires, anoblie par le capitoulat de Toulouse en 1778) et de Marie-Magdeleine de Lacoste, ce sans le consentement du père de la jeune fille.

21 Le maréchal était très attaché à cette unique nièce : il est constamment question de celle-ci dans les lettres qu'il adresse à sa mère.

22 Tout d'abord avocat à la cour d'appel de Pau, Gustave Prat entra dans la magistrature en 1853 comme substitut à Saint-Palais. Il devint substitut du procureur général de Pau en 1858 et conseiller en 1868. Son dossier de magistrat aux A.N. (BB6 II 349) montre que sa carrière dut beaucoup aux interventions du maréchal, puis, après la mort de celui-ci, au crédit qu'avait gardé sa famille.

23 Charles Prat était lui-même fils de Pierre Prat, receveur municipal à Pau.

24 Emile Prat, né à Pau le 26-X-1823, docteur en médecine, frère de Gustave, avait épousé à Baliracq-Maumusson le 3-IX-1855 Eulalie de Florence, née à Baliracq-Maumusson le 27-VII-1834, sœur d'Amélie qu'on trouvera plus loin. De ce ménage, vint au moins un fils, Charles Prat, né à Baliracq-Maumusson le 25-IV-1856, docteur en médecine, médecin major de 1re classe. Gustave Prat avait, par ailleurs, deux sœurs : Amanda, alliée à un avocat, et Marie qui épousa à Pau le 23-IV-1857 Pierre-Joseph-Jules-Scipion Odier, né à Mirande le 10-VIII-1825, colonel du génie.

25 Fille d'Isaac-Etienne Daran, sous-chef de division à la préfecture de Pau.

26 Marie Prat avait été quelque temps novice chez les Dames du Sacré-cœur.

27 Pierre Lacoste entra au conseil municipal de Pau en 1874. Son mandat devait

lui être renouvelé à quatre reprises. En 1876, il fut nommé adjoint du maire de Pau, qui était alors Aristide de Laborde de Monpezat, arrière-grand-père du prince Henrik de Danemark. Il le demeura jusqu'à la fin du mandat de M. de Monpezat en 1881 et se démit peu après l'élection du successeur de celui-ci. Il devait le redevenir par la suite. En cette qualité, il fut chargé par la municipalité de rendre un dernier hommage à M. de Monpezat lors des obsèques de celui-ci en avril 1888. Le 20 mai suivant, Pierre Lacoste était lui-même élu maire de Pau par 20 voix sur 24, mais les inquiétudes que lui donnait sa santé ne lui permirent pas d'accepter ce poste. Il mourut quelques semaines plus tard. Dans le discours qu'il prononça sur sa tombe, M. Faisans élu maire de Pau après son désistement rappela que Pierre Lacoste avait interrompu *de brillantes études, au risque de compromettre sa carrière médicale, pour se dévouer à son oncle, le maréchal Bosquet, que de glorieuses blessures condamnaient à une lente agonie.*

28 Entré au service comme soldat le 15-VII-1807, celui-ci devint sous-lieutenant dès le 10-VIII suivant. Capitaine le 30-X-1812, il prit sa retraite au début de 1831. Il fit campagne en Espagne de 1808 à 1813, puis à la grande armée en 1813 et 1814.

29 D'une famille du Limousin, anoblie par charge en 1643, maintenue noble en 1706.

30 Fille de Jean Sorbé, maître charpentier et entrepreneur de travaux publics, constructeur des anciennes halles de Pau, aujourd'hui démolies.

31 Henri Minvielle a publié un ouvrage intitulé *L'Amérique sans gratte-ciel* (Paris 1958, 224 p.), récit d'un périple effectué en 1953 à travers le Canada, les Etats-unis, le Mexique et Cuba.

32 Le docteur Paul Minvielle a collaboré à un guide touristique intitulé *Pyrénées,* rédigeant dans le t. II (Paris 1953) de celui-ci le chapitre sur *Les cañons espagnols.*

33 Simone Prat-Rousseau s'est remariée à Paris 16e le 8-VII-1961 à Robert Le Blant (Paris 10e 29-V-1893), docteur en sciences politiques, économiques et droit privé, conseiller de cour d'appel (Douai), auteur de nombreuses études historiques, articles, brochures, ouvrages, traitant notamment du Béarn et du Canada, fils d'Etienne, ingénieur de l'Ecole nationale supérieure des mines de Paris, et de Marguerite Delahaye. Etienne Le Blant, père de Robert, était le neveu d'Edmond Le Blant (Paris 12-VIII-1818 - Paris 16e 3-VII-1897), directeur de l'Ecole française de Rome, membre de l'Académie des inscriptions et belles lettres, auteur de nombreux ouvrages sur la Gaule chrétienne, et le cousin germain de Julien Le Blant, né à Paris le 30-III-1851, peintre d'histoire, illustrateur notamment du roman *Les chouans* de Balzac, de *Servitude et grandeur militaire* de Vigny, des *Cahiers du capitaine Coignet,* fils du précédent.

34 Pierre Minvielle est l'auteur entre autres des ouvrages ci-après : *La conquête souterraine* (Grenoble 1967, 259 p.), *Guide de la France souterraine* (Paris 1970, 479 p.), *Sur les chemins de la préhistoire* (Paris 1972, 255 p.), *Guide des parcs nationaux et régionaux de France* (Paris 1973, 437 p), *Grottes et canyons* (Paris 1977, 230 p.), *La Franche-comté* (Paris 1978, en collaboration avec Jean-Jacques Leblond et Jacques Renoux). Il donne par ailleurs des chroniques au quotidien *Le monde.*

35 Anne-Marie Minvielle est la fille d'un cousin issu de germain de son mari.

36 Nous remercions M. l'abbé Aloys de Laforcade, Mlle Geneviève Anthony, conservateur adjoint de la bibliothèque municipale de Pau, Mlle S. Bordenave de la même bibliothèque, M. Jean Vanel, président de la Société Les amis du musée Murat, et M. Henri Minvielle, descendant de la sœur du maréchal Bosquet, d'avoir bien voulu nous aider à réunir les éléments de ce chapitre.

XIII

Marie-Edme-*Patrice*-Maurice de Mac Mahon duc de Magenta

5·VI·1859

CARRIERE

1808 : naissance à Sully, Saône-et-Loire (13-VI),
1825 : entre à l'Ecole spéciale militaire [1],
1827 : sous-lieutenant, élève à l'Ecole d'application d'état-major,
1830 : détaché au 4e régiment de hussards (1-I), puis au 20e régiment d'infanterie de ligne (2-IV), s'embarque pour l'Algérie (12-V, jusqu'en 1831), est à la prise d'Alger (5-VII), officier d'ordonnance du général Michel-Jacques baron Achard (19-X),
1831 : lieutenant (20-IV), au 20e régiment d'infanterie de ligne (20-IV), lieutenant aide-major au 8e régiment de cuirassiers (29-IX), fait partie du corps d'intervention en Belgique (jusqu'en 1832),
1832 : aide de camp du général Achard (16-I),
1833 : lieutenant aide-major au 1er régiment de cuirassiers (15-III), capitaine (20-XII), détaché au 1er régiment de cuirassiers (20-XII, jusqu'en 1835),
1835 : aide de camp du général Antoine-Alexandre Julienne de Bellair (6-VIII),
1836 : à l'état-major général du camp de Compiègne (28-VII), aide de camp du général Louis Bro (18-X), en Algérie (29-X, jusqu'en 1837), prend part à l'expédition infructueuse contre Constantine (XI),
1837 : aide de camp du général Charles-Marie comte Denys de Damrémont, gouverneur général (5-IX) ; est au siège de Constantine (X),
1838 : à l'état-major de la 21e division militaire (Perpignan) [2],
1839 : à l'état-major général du camp de Fontainebleau (3-VIII), aide de camp du général Charles d'Houdetot (18-XII),
1840 : en Algérie (7-III), aide de camp du général Théodule Changarnier (12-VII), regagne la France, chef d'escadron au corps royal d'état-major (28-X), chef de bataillon (30-X), commande le 10e bataillon de chasseurs à pied (30-X, jusqu'en 1842),
1841 : en Algérie (jusqu'en 1855),
1842 : lieutenant-colonel (31-XII), au 2e régiment de la Légion étrangère (31-XII, jusqu'en 1845),
1845 : colonel (24-IV), à la tête du 41e régiment d'infanterie de ligne (jusqu'en 1847),
1847 : commande le 9e régiment d'infanterie de ligne,
1848 : comandant de la subdivision de Tlemcen (28-III, jusqu'en 1852), général de brigade (12-VI),
1850 : commande par intérim la division d'Oran,
1851 : commandant provisoire de la division d'Oran, chargé de l'inspection générale du 16e arrondissement d'infanterie,
1852 : commandant de la division de Constantine (17-III, jusqu'en 1855), inspecteur général pour 1852 du 19e arrondissement d'infanterie, général de division (16-VII),
1853 : inspecteur général pour 1853 du 21e arrondissement d'infanterie (27-V), commande l'une des deux divisions lors de l'expédition de petite Kabylie (VI).
1854 : inspecteur général pour 1854 du 21e arrondissement d'infanterie,
1855 : commande la 1re division d'infanterie du 1er corps de l'armée du Nord (13-IV), commande la 1re division d'infanterie du 2e corps de l'armée d'Orient (4-VIII), s'empare de la tour de Malakoff (8-IX), commande le corps de réserve de l'armée d'Orient (19-IX, jusqu'en 1856),
1856 : sénateur (24-VI), disponible (1-VIII),
1857 : commande une division active d'infanterie en Algérie (13-IV), participe à la

pacification de la grande Kabylie, inspecteur général pour 1857 du 24ᵉ arrondissement d'infanterie (30-V),

1858 : disponible (1-I), vote seul contre la loi de sûreté générale au Sénat (23-II), inspecteur général pour 1858 du 7ᵉ arrondissement d'infanterie (19-V), commandant supérieur des forces de terre et de mer employées en Algérie (31-VIII) [3],

1859 : commande le 2ᵉ corps de l'armée d'Italie (22-IV), remporte la victoire de Magenta (4-VI), maréchal de France (5-VI), duc de Magenta (5-VI) [4], prend une part importante à la victoire de Solferino (24-VI), commandant supérieur du 2ᵉ corps d'armée à Lille (17-VIII, jusqu'en 1862),

1860 : commandant en chef du camp de Châlons (25-V),

1861 : commandant en chef du camp de Châlons (26-V), représente la France au couronnement de Guillaume 1ᵉʳ roi de Prusse (18-X),

1862 : commandant supérieur du 3ᵉ corps d'armée à Nancy (14-X, jusqu'en 1864),

1864 : commandant en chef du camp de Châlons (25-V), gouverneur général de l'Algérie (1-IX, jusqu'en 1870),

1870 : commande le 1ᵉʳ corps de l'armée du Rhin (17-VII), son avant-garde est écrasée à Wissembourg (4-VIII), essuie la sanglante défaite de Froeschwiller (6-VIII), doit battre en retraite sur Châlons, reçoit le commandement de la nouvelle armée qui s'y constitue (19-VIII) ; inclinant personnellement à un repli vers Paris, entreprend sur la pression de l'impératrice-régente et du ministre de la guerre Cousin-Montauban comte de Palikao un mouvement en direction du nord-est destiné à secourir Bazaine ; est encerclé dans la région de Sedan (31-VIII), est grièvement blessé (1-IX) [5], prisonnier de guerre (2-IX, jusqu'en 15-III-1871),

1871 : commandant en chef de l'armée de Versailles (5-IV, jusqu'en 1873), reprend Paris à la Commune (28-V), président de la commission de classement pour l'avancement dans la cavalerie (11-XI, jusqu'en 1873),

1872 : membre du conseil supérieur de la guerre (jusqu'en 1873),

1873 : élu président de la république par l'Assemblée nationale (24-V), la durée de son mandat est fixée à 7 ans (19-XI),

1877 : congédie le ministère Jules Simon ayant la confiance de la majorité de gauche issue des élections du 20-II-1876 et charge le duc de Broglie de former un cabinet conservateur (16-V), dissout la chambre des députés (25-VI) ; les élections du 14-X-1877 ayant ramené une majorité de gauche, après le bref intermède du ministère Rochebouët composé d'hommes choisis en dehors du parlement (21-XI), s'incline définitivement devant la nouvelle orientation de l'opinion et appelle aux affaires Armand Dufaure, personnalité susceptible d'être agréée par la majorité (13-XII),

1879 : donne sa démission des fonctions et président de la république (30-I),

1893 : meurt à Montcresson (17-X), inhumé aux Invalides.

ECRITS

- *Note rédigée dans un intérêt historique dans le courant de janvier 1858, d'après les souvenirs de plusieurs officiers généraux et supérieurs ayant pris part à l'assaut de Malakoff et réunis en conférence par le général de Mac Mahon* (Autun, 1861, 20 p.),

- *Mémoires. Souvenirs d'Algérie* (Paris 1932, XVI, 338 p.) [6],

- nombreux rapports, notes, instructions, discours, proclamations, messages et manifestes.

LE CADRE FAMILIAL

Ascendance

Il a été écrit sur l'ascendance du maréchal de Mac Mahon des choses tout à fait étonnantes, le donnant comme issu en ligne masculine des rois d'Irlande du haut moyen âge.

La famille du maréchal fit ses preuves de noblesse devant Bernard Chérin. Un mémoire de ce dernier, daté de mai 1776, adressé au comte de Vergennes [7], récapitule les éléments de celles-ci et contient le sentiment du célèbre généalogiste des ordres du roi sur la question. Les Mac Mahon ne purent établir leur filiation sur pièces au-delà du XVIe siècle. Pour la période antérieure, ils présentèrent plusieurs généalogies dressées en Irlande à des époques successives, certifiées selon le cas par le roi d'armes ou diverses autorités de ce pays, mais ne mentionnant pratiquement aucune date. Ces généalogies remontent toutes jusqu'à Brien-Boro ou Boruma, monarque d'Irlande mort en 1033. Faisant montre de la rigueur et de l'indépendance qui lui sont habituelles, Chérin se refuse à prendre à son compte cette partie de l'ascendance des requérants : *Comme... ces généalogies,* écrit-il, *ne sont point accompagnées de preuves, les Irlandais peuvent seuls porter un jugement certain sur ces ouvrages. Les étrangers doivent se borner à l'exposition des faits qu'ils contiennent.*

Partageant les réserves de Chérin à l'égard des généalogies dressées par les hérauts d'armes d'outre-Manche — ceux d'Irlande et d'Ecosse tout particulièrement —, lesquels se bornaient le plus souvent à consigner les dires des intéressés, nous ne retiendrons ci-après que les générations données par Chérin comme établies sur pièces, complétant, pour les degrés postérieurs à l'établissement en France, les éléments fournis par celui-ci grâce à l'état-civil et à diverses sources mentionnées en note :

I - Turlogh ou Térence MAC MAHON, écuyer, seigneur de Feenish, de l'île de Fines etc..., décédé vers 1577, allié à Jeanne MAC NEMARA, fille de Jean, écuyer, dont

II - Bryan ou Bernard MAC MAHON, écuyer, seigneur de Feenish etc..., né vers 1568, allié à Marguerite O'BRIEN de DOAGH, fille de Donogh, dont

III - Mortough ou Moriart MAC MAHON, seigneur de Feenish et de plusieurs autres terres [8], allié à Eléonore NELAN, fille de Guillaume, colonel de cavalerie au service du roi Charles Ier, dont

IV - Morrough ou Maurice MAC MAHON de RINANAGH, écuyer, décédé en 1653, allié à Hélène FITZ-GERALD de BALLINOE, fille de Maurice, écuyer, dont

V - Mortough ou Moriart MAC MAHON de TOURDILE, décédé en 1739, allié à Hélène MAC SEEHY, fille d'Emmanuel, écuyer, dont

VI - Patrice MAC MAHON, écuyer, allié vers 1707 à Marguerite SULLIVAN, fille de Jean, dont

VII - Jean-Baptiste de MAC MAHON, né à Limerick, Irlande, le 23-V-1715, décédé à Spa le 15-X-1775 [9], docteur en médecine [10], bénéficiaire de lettres de naturalité en août 1749 [11], reconnu noble et maintenu dans sa noblesse d'ancienne extraction par arrêt du conseil d'état du roi le 3-VII-1750 [12], admis aux Etats de Bourgogne en 1757 [13], marquis d'Eguilly par lettres d'août 1763 [14], allié Sully 13-IV-1750 à Charlotte LE BELIN, dame d'Eguilly et autres terres, née à Dijon le 5-I-1716 [15], décédée à Sully le 21-VI-1798, fille de Jean, conseiller secrétaire du roi [16], et d'Anne de MOREY [Charlotte LE BELIN avait épousé précédemment à Dijon (Saint-Pierre) le 15-I-1737 Jean-Baptiste-Lazare de MOREY, décédé à Sully le 20-I-1748, lieutenant au régiment dauphin, gouverneur des ville et château de Vézelay, conseiller secrétaire du roi, fils de Hubert, receveur des décimes à Autun, contrôleur général du taillon en Bourgogne, et de Marie CHAUVEAU [17]] [18], dont

VIII - Maurice-François de MAC MAHON, né à Autun (Saint-Jean-de-la-grotte) le 13-X-1754, décédé à Autun le 22-III-1831, reçu aux Etats de Bourgogne en 1763 [19], lieutenant général [20], allié Bruxelles (Sainte-Gudule) 1-II-1792 à Pélagie de RIQUET de CARAMAN, née à Paris (Saint-Sulpice) le 12-X-1769, décédée à Sully le 28-XI-1819, fille de Marie-Jean-Louis, maréchal de camp [21], et de Marie-Charlotte-Eugénie BERNARD de MONTESSUS de RULLY.

Collatéraux [22]

Frère de Patrice (degré VI) : Morrough ou Maurice MAC MAHON, major du régiment de cavalerie d'Alcantara au Portugal, chevalier de l'ordre du Christ, allié à Catherine CARY, fille de Jean, 1er écuyer de la reine, épouse de Charles Ier roi d'Angleterre [23]. Frère de Jean-Baptiste (degré VII) : Maurice MAC MAHON, capitaine dans l'armée levée en Ecosse par le prince Edouard (1746), puis capitaine au régiment d'Ultonie en Espagne, naturalisé français par lettres de février 1760 [24], admis aux Etats de Bourgogne en 1760 [25], capitaine dans le régiment de Fitz-James cavalerie (1761), chevalier de justice de l'ordre de Malte (1761). Frère et sœurs [26] de Maurice-François (degré VIII) : Françoise-Claudine de MAC MAHON, née à Sully le 30-VIII-1750, alliée Paris p. c. du 5-IX-1773 [27] à Théodore comte de RAUGRAVE, né à Pont-à-Mousson (Saint-Laurent) le 26-XI-1742, maréchal de camp [28], fils de Théodore comte de RAUGRAVE, lieutenant général, et de Barbe de GOMBERVAUX [29] ; Charles-Laure 2e marquis de MAC MAHON, né à Autun (Saint-Jean-de-la-grotte) le 8-V-1752, décédé à Saint-Max le 18-X-1830, reçu aux Etats de Bourgogne en 1763 [19], maréchal de camp [30], pair de France (5-XI-1827), baron-pair héréditaire (l.p. du 4-VIII-1828) [31] ; Anne-Jacqueline de MAC MAHON, née à Autun (Saint-Jean-de-la-grotte) le 18-V-1753, alliée Sully 30-VIII-1777 [32] à Jean-Charles marquis de BRUNIER d'ADHÉMAR de MONTEIL, né à Nancy (Saint-Sébastien) le 14-XII-1748, capitaine de cavalerie, fils d'Alexandre, comte de Marsanne, capitaine de cavalerie, 1er gentilhomme de la chambre du roi de Pologne, duc de Lorraine [33], et d'Anne-Dorothée de BOUZEY, fille d'honneur de s.a.r. Elisabeth-Charlotte de Bourbon-Orléans, duchesse douairière de Lorraine et de Bar [34] ; Théodorine de MAC MAHON, née à Autun le 13-X-1754, décédée à Nîmes le 30-VII-1819, alliée en 1781 à Emmanuel-François d'URRE, né à Carpentras le 17-VI-1745, décédé à Nîmes le 26-VII-1805, capitaine de cavalerie [35], fils d'Alexandre-François-Joseph, lieutenant d'infanterie, et de Jacqueline-Marie de BASCHI d'AUBAIS [36].

ARMES

D'argent à 3 lions léopardés de gueules, armés et lampassés d'azur, à la tête contournée, et posés l'un sur l'autre.

L'EPOUSE

Le maréchal de Mac Mahon s'est allié à Paris le 13-III-1854 [37] à Elisabeth de LA CROIX de CASTRIES (Paris 12-II-1834 - Paris 7e 20-II-1900), fille d'Armand, propriétaire, gentilhomme ordinaire de la chambre du roi (1829), et de Marie-Augusta d'HARCOURT-OLONDE [38].

D'une famille anoblie en 1487 par la charge de président de la cour des aides de Montpellier, admise à 6 reprises aux honneurs de la cour avec dispense de preuves, le père de la maréchale de Mac Mahon était le petit-fils de Charles-Eugène-Gabriel marquis de CASTRIES (Paris 27-II-1727 - Wolfenbüttel 11-I-1801), ministre secrétaire d'état à la marine, maréchal de France, le fils cadet d'Armand-Charles-Augustin 1er duc de CASTRIES (Paris-Saint-Sulpice 23-V-1756 - Paris 19-I-1842), lieutenant général, député de la noblesse aux Etats généraux, pair de France (1814), duc- pair héréditaire [39] (1817) [40], et le demi-frère cadet d'Edmond-Eugène-Philippe-Hercule 2e duc de CASTRIES (Paris 10-X-1787 - Paris 7e 1-VIII-1866), maréchal de camp [41].

De la branche aînée de l'illustre maison d'Harcourt, d'extraction chevaleresque, dont la branche cadette a donné les ducs d'Harcourt, la mère de la maréchale de Mac Mahon était la petite-fille de Charles-Louis-

Hector d'HARCOURT-OLONDE (Ecausseville 15-VII-1743 - Paris 3-VI-1820), pair de France (1814), marquis-pair héréditaire (par ord. du 31-VIII-1817, sans l.p.), lieutenant général, et la sœur de Georges-Bernard marquis d'HARCOURT (Brighton 4-XI-1808 - Gurcy-le-Châtel 30-IX-1883), ambassadeur de France.

La maréchale de Mac Mahon avait un frère : Edmond 3e duc de CASTRIES (Paris 16-IV-1838 - Paris 7e 19-IV-1886), propriétaire, lieutenant d'infanterie, allié Paris 7e 21-V-1864 à la baronne Iphigénie SINA de HODOS et KIZDIA (Pentzing près Vienne 1-VII-1846 - Paris 7e 27-VII-1914), fille de Georges-Simon baron SINA de HODOS et KIZDIA, grand propriétaire, banquier, conseiller intime impérial et royal, membre de la chambre des seigneurs d'Autriche et de la chambre des magnats de Hongrie, envoyé extraordinaire et ministre plénipotentiaire du roi Othon Ier de Grèce auprès des cours d'Autriche, de Prusse et de Bavière [42], et d'Iphigénie GHIKA [43], et une sœur : Jeanne de CASTRIES (Paris 19-III-1843 - Paris 8e 2-V-1891) alliée Paris 7e 14-V-1864 à Robert comte BONNIN de LA BONNINIÈRE de BEAUMONT (Paris 6-IV-1833 - Coppet, Suisse, 3-VIII-1895), général de brigade, fils de Louis-Napoléon comte de BEAUMONT, pair de France (1833) [44], et de Geneviève-Adélaïde DUPUYTREN [45].

DESCENDANCE

I - Patrice 6e marquis [46] de MAC MAHON 2e duc de MAGENTA (Outreau 10-VI-1855 - Paris 7e 23-V-1927), général de brigade [47], allié Paris 8e 22-IV-1896 [48] à s.a.r. la princesse Marguerite d'ORLÉANS (Ham-Common, Richmond, Grande-Bretagne, 25-I-1869 - Montcresson 31-I-1940), fille de s.a.r. le prince Robert d'ORLÉANS duc de CHARTRES, et de s.a.r. la princesse Françoise d'ORLÉANS [49], dont

A - Marie-Elisabeth de MAC MAHON de MAGENTA (Lunéville 19-VI-1899 - Voreppe 27-IX-1951) alliée Paris 7e 22-IX-1924 à Henry comte de PLAN de SIEYÈS de VEYNES (Aix-en-Provence 6-XI-1883 - Montcresson 20-VI-1953), administrateur de sociétés, fils de Jean comte de PLAN de SIEYÈS de VEYNES, capitaine d'infanterie, et de Marie de LAURENCEL [50], dont

1 - Marguerite de SIEYÈS de VEYNES (Paris 7e 22-II-1926) alliée 1)Montcresson 20-XII-1946 au baron Octave BEGOÜGNE de JUNIAC (Paris 9e 13-VII-1916), ingénieur de l'Ecole centrale de Paris, directeur de banque, conseiller du commerce extérieur de la France, fils du baron James, ancien élève de l'Ecole des hautes études commerciales, docteur en droit, directeur général d'un groupe textile, commandant du génie, et de Rosemonde LEROY de LA BRIÈRE, mariage dissous

par jug. du t. c. de la Seine le 28-I-1952 [le baron Octave
BEGOÜGNE de JUNIAC s'est remarié à Paris 17ᵉ le 22-VII-1952
à Anne SPOLIANSKY (Odessa 25-XII-1919), fille d'Efime, docteur en médecine, professeur de pédiatrie à l'université
d'Odessa, et d'Eugénie SPOLIANSKY[51]], 2) Ollon-sur-Aigle,
Suisse, 26-I-1956 à Jean-Louis GILLIÉRON (Genève 24-IV-
1916), directeur de banque, fils de Louis, directeur de
banque, et d'Estelle GORJAT-GAY, s.p. du 1ᵉʳ mariage, dont
du 2ᵈ

a - Irène GILLIÉRON (Boulogne-Billancourt 15-II-1957), s.a.a.,

b - Armand GILLIÉRON (Boulogne-Billancourt 5-V-1958), s.a.a.,

2 - Isabelle de SIEYÈS de VEYNES (Paris 7ᵉ 8-XI-1927 - Montcresson 28-IV-1951)[52], s.a.,

3 - François-Xavier comte de SIEYÈS de VEYNES (Paris 7ᵉ 16-VII-
1929), directeur de banque, s.a.a.,

B - Amélie de MAC MAHON de MAGENTA (Lunéville 11-IX-1900),
conseiller général de Saône-et-Loire[53], alliée Paris 7ᵉ 5-II-1921 à
Amalric comte LOMBARD de BUFFIÈRES de RAMBUTEAU (Plainpalais, Suisse, 29-VIII-1890 - ✗ Neustassfurt-Buchenwald, Allemagne, 13-XII-1944[54]), propriétaire sylviculteur, conseiller général de Saône-et-Loire, fils de Louis comte LOMBARD de BUF-
FIÈRES, propriétaire, lieutenant de vaisseau[55], et de Marguerite
POURROY de LAUBERIVIÈRE de QUINSONAS[56], dont

1 - Françoise de RAMBUTEAU (Paris 16ᵉ 21-V-1922) alliée Ozolles
2-IX-1946 à Philippe comte de RODEZ-BÉNAVENT (Auch 2-I-
1913 - Montels, Hérault, 17-V-1977), propriétaire-viticulteur,
ingénieur de l'Ecole centrale de Paris, lieutenant-colonel d'artillerie, fils de Hugues vicomte de RODEZ-BÉNAVENT, propriétaire viticulteur, lieutenant-colonel de cavalerie[57], et d'Yvonne
de LAURISTON[58], dont

a - Marc-Antoine comte de RODEZ-BÉNAVENT (Mâcon 20-VII-
1947), docteur en médecine, réanimateur anesthésiste, allié
Montels, 26-VI-1971 à Odile BALDY (Béziers 26-X-1947),
fille de Joseph, avocat au barreau de Béziers, propriétaire
viticulteur[59], et de Geneviève GROTH, dont

— Hélène de RODEZ-BÉNAVENT (Perpignan 2-XII-1972),

— Françoise de RODEZ-BÉNAVENT (Montpellier 30-III-
1974),

— Henri de RODEZ-BÉNAVENT (Castres, Tarn, 5-VIII-1977),

b - comte Hugues de RODEZ-BÉNAVENT (Montpellier 13-VII-1951), œnologue, régisseur de propriété viticole, allié Voiteur 31-I-1975 à Isabelle LE GORREC (Lons-le-saunier 21-VIII-1954), fille d'Alain-Yves, propriétaire viticulteur, et de Marie-Josèphe DURAND, dont

— Charles-Emmanuel de RODEZ-BÉNAVENT (Lons-le-saunier 18-XII-1976),

— Adeline de RODEZ-BÉNAVENT (Béziers 22-X-1978),

— Pauline de RODEZ-BÉNAVENT (Béziers 2-I-1980),

c - Marie-Amélie de RODEZ-BÉNAVENT (Montpellier 30-VIII-1953), diplômée de l'Ecole des hautes études commerciales de Lille, alliée Cagnes-sur-mer 7-VI-1977 à Georges GHIGLIONE (Le Cannet, Alpes-maritimes, 3-VII-1951), diplômé de l'Ecole des hautes études commerciales de Lille, cadre commercial, fils de Joseph-Segond, inspecteur des ventes, et de Louise-Denise GOUMARRE, secrétaire médicale, dont

— Thomas GHIGLIONE (Montpellier 7-V-1979),

2 - Philibert comte de RAMBUTEAU (Paris 7ᵉ 14-IX-1923), propriétaire sylviculteur, conseiller général de Saône-et-Loire, s.a.a.,

3 - comte Henri de RAMBUTEAU (Ozolles 20-VII-1925) [60], ancien élève de l'Ecole des hautes études commerciales, directeur de société (textile), propriétaire viticulteur, allié Arnas 31-VII-1956 à Irmeline CLARET de FLEURIEU (Stockholm 18-X-1935) [61], fille du comte Médéric, ministre plénipotentiaire, chef de bataillon d'infanterie, et d'Edla NOBEL [62], dont

a - Jean de RAMBUTEAU (Villefranche-sur-Saône 20-VI-1957), sous-lieutenant, s.a.a.,

b - Marie-Edla de RAMBUTEAU (Villefranche-sur-Saône 9-XII-1958), attachée de direction, s.a.a.,

c - Claude [63] de RAMBUTEAU (Villefranche-sur-Saône 13-XII-1959), s.a.a.,

d - Philibert de RAMBUTEAU (Villefranche-sur-Saône 25-III-1966),

e - Charles de RAMBUTEAU (Villefranche-sur-Saône 16-VIII-1968).

4 - comte Maurice de Rambuteau (Paris 7ᵉ 5-II-1927), directeur de banque [64], administrateur de sociétés, allié Paris 9ᵉ 2-VII-1954 à Yolande de Mitry (Paris 9ᵉ 8-V-1929) [65], fille d'Emmanuel comte de Mitry, président-directeur général, gérant et administrateur de sociétés [66], et de Marguerite de Wendel [67], dont

a - comte Emmanuel de Rambuteau (Boulogne-Billancourt 12-XII-1954), titulaire d'une maîtrise de sciences économiques, cadre de banque, allié Paris 16ᵉ 18-V-1979 à Valérie-Charlotte Dolbois (Boulogne-Billancourt 4-I-1958), fille de Henri, conseiller référendaire à la Cour des comptes, directeur général de Radio Monte-Carlo, et de Delphine de Dreux-Brézé,

b - François de Rambuteau (Boulogne-Billancourt 19-VI-1956), diplômé de l'Institut d'études politiques de Paris, s.a.a.,

c - Aymar de Rambuteau (Boulogne-Billancourt 13-XII-1957), diplômé de l'Institut des hautes études de droit rural et d'économie agricole, s.a.a.,

d - Patrice de Rambuteau (Boulogne-Billancourt 21-VIII-1960), s.a.a.,

e - Lorraine de Rambuteau (Boulogne-Billancourt 18-III-1964),

f - Laurent de Rambuteau (Boulogne-Billancourt 7-X-1965),

C - Maurice 7ᵉ marquis de Mac Mahon 3ᵉ duc de Magenta (Lunéville 13-XI-1903 - Evreux 27-X-1954 [68]), propriétaire agriculteur et viticulteur, lieutenant-colonel de l'armée de l'air [69], allié Sully 24-VIII-1937 à la comtesse Marguerite de Riquet de Caraman-Chimay (Paris 8ᵉ 29-XII-1913), fille du prince Philippe, propriétaire, et de Jeanne de Boisgelin [70], dont

1 - Philippe 8ᵉ marquis de Mac Mahon 4ᵉ duc de Magenta (Paris 16ᵉ 15-V-1938), propriétaire agriculteur et viticulteur, allié Mollis, Suisse, 15-II-1978 à Claire-Marguerite Schindler (Genève 1-VIII-1953), fille de Jacques, cadre commercial, et de Monique de Durat, dont

Adélaïde-Philippine de Mac Mahon de Magenta (Autun 3-X-1978) [71]

2 - Nathalie de Mac Mahon de Magenta (Paris 16ᵉ 11-IV-1939), s.a.a.,

3 - Anne de MAC MAHON de MAGENTA (Sully 9-VIII-1941) alliée Sully 4-X-1963 [72] à Arnould baron THÉNARD (Neuilly-sur-Seine 3-III-1940) [73], directeur-propriétaire de journal [74], fils du baron Jacques ✕, directeur de journal [75], capitaine de cavalerie [76], et d'Edith LOWTHER [77], dont

a - Jacques THÉNARD (Paris 15e 23-I-1965),

b - Stanislas THÉNARD (Paris 17e 21-IV-1966),

c - Henri THÉNARD (Neuilly-sur-Seine 3-IV-1968),

4 - Patrick de MAC MAHON de MAGENTA (Lausanne 11-IX-1943), cadre de banque, allié Paris 16e 9-VI-1966 à Béatrix de BLANQUET du CHAYLA (Tain-l'hermitage 27-III-1945), fille de Bernard, inspecteur d'assurances, et d'Hélène de LASTEYRIE du SAILLANT [78], dont

a - Diane de MAC MAHON de MAGENTA (Boulogne-Billancourt 16-IX-1968),

b - Elisabeth de MAC MAHON de MAGENTA (Paris 16e 7-X-1970),

c - Sophie de MAC MAHON de MAGENTA (Boulogne-Billancourt 26-V-1973),

d - Amélie de MAC MAHON de MAGENTA (Boulogne-Billancourt 12-III-1976),

5 - Véronique de MAC MAHON de MAGENTA (Sully 5-VI-1948) alliée Paris 16e 20-I-1971 à Pierre JABOULET-VERCHERRE Brooklyn, New York, 31-III-1950), directeur général de société, fils de Michel, président-directeur général et administrateur de sociétés, et d'Eugénie GREGORY [79], dont

a - Isabelle JABOULET-VERCHERRE (Boulogne-Billancourt 14-VII-1971),

b - Camille [80] JABOULET-VERCHERRE (Boulogne-Billancourt 23-VI-1972),

c - Antoine JABOULET-VERCHERRE (Boulogne-Billancourt 7-I-1976),

II - Eugène de MAC MAHON de MAGENTA (Paris 16-IV-1857 - Paris 7e 15-VI-1907), s.a. [81].

III - Emmanuel de MAC MAHON de MAGENTA (Paris 26-XI-1859 - Paris 7e 6-VI-1930), général de brigade, président du Cercle de l'union artistique [82], allié Paris 8e 1-VI-1892 à Marguerite de CHINOT de FRO-

MESSENT (Paris 8ᵉ 25-IV-1872 - Paris 7ᵉ 13-V-1960), fille de Gaston, capitaine de cavalerie, et d'Amélie de VILLIERS de LA NOUE, dont

A - Marthe de MAC MAHON de MAGENTA (Paris 16ᵉ 26-III-1893 - Cairon 25-VIII-1980) alliée Paris 7ᵉ 18-II-1914 au comte Guy COPIN de MIRIBEL (Paris 8ᵉ 3-XI-1885), président-directeur général de société (publicité), lieutenant-colonel de cavalerie [83], fils du comte Joseph, général de division, chef d'état-major général de l'armée [84], et de Henriette de GROUCHY [85], dont

1 - Elisabeth de MIRIBEL (Commercy 19-VIII-1915), conseiller des affaires étrangères, consul général de France [86], s.a.a.,

2 - Monique de MIRIBEL (Vienne, Autriche, 22-XII-1919) alliée Bourlon 24-VII-1946 au comte Guy de FRANCQUEVILLE (Paris 7ᵉ 10-V-1917), propriétaire agriculteur, chef d'escadrons de cavalerie, fils du comte Bernard, avocat à la cour d'appel de Paris, professeur à l'Institut catholique de Paris, et d'Anne de LA FOREST d'ARMAILLÉ, dont

a - Bernadette de FRANCQUEVILLE (Paris 15ᵉ 27-II-1948) alliée Fontaine-Notre-Dame, Nord, 2-XII-1974 à Jean-François JAQUIN (Paris 15ᵉ 5-VIII-1947), agent commercial, fils d'André, employé de banque, et de Raymonde JAQUIN, dont

— Xavier JAQUIN (Paris 15ᵉ 28-VIII-1975),

— Pierre-Henri JAQUIN (Paris 15ᵉ 3-VIII-1978),

b - Elisabeth de FRANCQUEVILLE (Cambrai 17-VII-1949) alliée Fontaine-Notre-Dame 25-VI-1975 à Henri BOUTIGNON (Baba-Ali-Saoula, Algérie, 28-I-1951), docteur en médecine, fils de Jean-Louis, directeur de société, et de Marie-Thérèse ARNOULD, dont

— Guillaume BOUTIGNON (Cambrai 29-VI-1976),

— Ludovic BOUTIGNON (Levallois-Perret 30-XI-1978),

c - Hervé de FRANCQUEVILLE (Cambrai 28-VIII-1950), ingénieur de l'Ecole nationale supérieure de mécanique, allié Fontaine-Notre-Dame 26-X-1974 à Marie-Catherine BOUTIGNON (Pouilly-sur-Serre 25-I-1950), responsable d'administration et de gestion, sœur d'Henri précité, s.p.a.,

d - Yves de FRANCQUEVILLE (Cambrai 3-II-1952), ingénieur de l'Ecole des hautes études industrielles, allié Fontaine-Notre-Dame 23-VII-1976 à Isabelle CAVROIS (Hazebrouck

10-IV-1952), professeur, fille de Georges, docteur en médecine, et de Marie-Paule HAENTJENS, dont

— Loïc de FRANCQUEVILLE (Hazebrouck 26-VI-1978),

e - Armelle de FRANCQUEVILLE (Cambrai 1-VI-1953), infirmière, s.a.a.,

f - Hubert de FRANCQUEVILLE (Cambrai 25-II-1960), s.a.a.,

g - Christine de FRANCQUEVILLE (Cambrai 12-V-1963),

3 - Sibylle de MIRIBEL (Paris 7e 8-VIII-1924), attachée littéraire (édition), alliée Paris 7e 31-VIII-1960 à Marcel BILLOT (Saint-Pierre-le-Moûtier 31-V-1923), chargé de recherches, fils de Léopold-Arthur et d'Amélie MARTET, dont uniquement

Constance BILLOT (Boulogne-Billancourt 5-I-1963),

4 - Colette de MIRIBEL (Paris 7e 14-II-1926) alliée Paris 7e 3-III-1949 à Jacques baron de SEROUX (Paris 16e 17-I-1921)[87], propriétaire agriculteur, fils de Pierre baron de SEROUX, directeur de compagnie d'assurances, et de Simone BONNEAU du MARTRAY, dont

a - François de SEROUX (Paris 15e 4-XII-1949), ancien élève de l'Ecole des hautes études commerciales (Lille), cadre supérieur de banque[88], allié Ambenay 10-V-1980 à Caroline VELGE (Paris 8e 20-X-1958), ancienne élève de l'Ecole du Louvre, fille de Frédéric, président de sociétés, et de Mayalen THIERRY,

b - Bruno de SEROUX (Paris 15e 8-IX-1951), ingénieur agricole (Institut agricole de Beauvais), s.a.a.,

c - Emmanuel de SEROUX (Paris 15e 25-I-1955), ancien élève de l'Ecole des affaires de Paris, courtier en chevaux de courses, s.a.a.,

d - Myriam de SEROUX (Paris 15e 25-VI-1958), s.a.a.,

e - Eric de SEROUX (Paris 15e 19-IV-1960), s.a.a.,

5 - comte Patrick de MIRIBEL (Paris 7e 15-I-1935), ancien élève de l'Ecole polytechnique, administrateur à l'Institut national de la statistique[89], allié Chapaize 11-IX-1959 à Christiane de LA CHAPELLE d'UXELLES (Chapaize 19-XI-1939), fille du baron Ernest, colonel d'artillerie, et de baronne Anne-Marie SNOY et d'OPPUERS[90], dont

a - Anne de MIRIBEL (Paris 7ᵉ 25-X-1967),

b - Philippe de MIRIBEL (Paris 7ᵉ 19-XI-1969),

c - Henri de MIRIBEL (Paris 7ᵉ 13-VI-1973),

B - Brigitte de MAC MAHON de MAGENTA (Beauvais 6-VII-1900) alliée Paris 7ᵉ 11-III-1925 à Antoine marquis de TOUCHET (Paris 7ᵉ 3-II-1886 - ✕ Caen 6-VI-1944) [91], chef d'escadrons de cavalerie [92], fils de Gabriel marquis de TOUCHET, lieutenant-colonel de cavalerie, et de Marie HENNECART, dont

1 - France de TOUCHET (Orléans 16-II-1926) alliée Paris 16ᵉ 26-II-1953 à Gaétan GALOUZEAU de VILLEPIN (Alençon 10-I-1925), chef d'escadrons de cavalerie, fils de Geoffroy, général de brigade, et d'Anne-Marie d'ABOVILLE, dont

a - Pascale de VILLEPIN (Saumur 2-II-1954), s.a.a.,

b - Béatrix de VILLEPIN (Saumur 2-II-1955), avocate à la cour d'appel de Paris, s.a.a.,

c - Martin de VILLEPIN (Saumur 14-IV-1956), s.a.a.,

d - Christophe de VILLEPIN (Saumur 25-IV-1957), s.a.a.,

e - Laurent de VILLEPIN (Philippeville 2-X-1958), s.a.a.,

f - Nathalie de VILLEPIN (Caen 4-VI-1960), s.a.a.,

g - Geoffroy de VILLEPIN (Baden-Baden 28-XII-1961),

h - Patrick de VILLEPIN (Baden-Baden 10-VII-1963),

i - Alexis de VILLEPIN (Paris 16ᵉ 1-I-1966),

j - Jérôme de VILLEPIN (Paris 16ᵉ 1-I-1966),

2 - Béatrix de TOUCHET (Caen 26-VII-1927) alliée Saint-Gervais, Val-d'Oise, 24-IV-1956 à Jean-Yves OLICHON (Saint-Malo 22-VI-1914), architecte, fils d'Eugène-Magloire, architecte, et de Marie-Nancy ROZÉ [Jean-Yves OLICHON avait épousé précédemment à Agen le 17-V-1941 Marie-Thérèse HOTTAT (Grez-Doiceau, Belgique, 22-IX-1914), fille de Félix-Albert, entrepreneur, et de Jeanne DELORY, mariage dissous par jug. du t. c. de Saint-Malo le 13-X-1955], dont

a - Dominique [93] OLICHON (Lyon-Caluire 13-IX-1957), s.a.a.,

b - Brigitte OLICHON (Vienne, Isère, 12-IX-1961),

c - Marc-Helder OLICHON (Rio-de-Janeiro 25-IV-1965),

3 - Xavier de TOUCHET (Caen 7-VIII-1928 - ✕ Alger 29-IX-1956), lieutenant de parachutistes, s.a.,

4 - Michel marquis de TOUCHET (Caen 7-VII-1930), colonel de l'armée de l'air, allié Caen 2-IX-1956 à Françoise THOMASSET (Caen 1-XII-1932), fille de Joseph, agent général d'assurances, et de Henriette de LONGUEMARE, dont

a - Véronique de TOUCHET (Alger 12-VII-1957), s.a.a.,

b - Isabelle de TOUCHET (Orléans 12-I-1958), s.a.a.,

c - Antoine de TOUCHET (Caen 13-VII-1961),

d - Blandine de TOUCHET (Caen 14-VIII-1963),

e - Laurence de TOUCHET (Paris 17ᵉ 26-XII-1969),

f - Aude de TOUCHET (Paris 12ᵉ 16-IV-1975),

5 - Arlette de TOUCHET (Caen 20-IV-1934 - Caen 6-XII-1943),

6 - Chantal de TOUCHET (Caen 20-X-1936) alliée Baron-sur-Odon 11-VIII-1959 à Xavier DOUVILLE de FRANSSU (Abbeville 6-VI-1932), directeur de sociétés, fils de Michel comte DOUVILLE de FRANSSU, propriétaire agriculteur, et d'Agnès de BELLOY de SAINT-LIÉNARD, dont

a - Michel de FRANSSU (Dakar 27-V-1960), s.a.a.,

b - Arlette de FRANSSU (Dakar 17-XI-1961),

c - Jean-Baptiste de FRANSSU (Caen 8-VII-1963),

d - Catherine de FRANSSU (Neuilly-sur-Seine 2-II-1965),

e - Anne-Laure de FRANSSU (Neuilly-sur-Seine 30-IV-1970),

7 - Antoinette de TOUCHET (Caen 3-II-1942) alliée Baron-sur-Odon 5-VIII-1962 à Denis VIGNAT (Paris 8ᵉ 31-X-1937), ingénieur du génie rural, des Eaux et Forêts, fils d'Armand, propriétaire, et d'Anne-Marie JOBEZ, dont

a - Eric VIGNAT (Beaune, Côte-d'Or, 15-IV-1963),

b - Christine VIGNAT (Spire, Allemagne, 4-VI-1964),

c - Bénédicte VIGNAT (Besançon 30-XI-1965 - Besançon 1-III-1966),

d - Claire VIGNAT (Caen 5-VII-1967),
1966),

e - François-Xavier VIGNAT (Evreux 29-IX-1968),

f - Anne Vignat (Lons-le-saunier 10-XII-1972),

C - Patrick de Mac Mahon de Magenta (Paris 7ᵉ 30-X-1902 - ✕ Akréïdil, Mauritanie, 18-VIII-1932 [94]), lieutenant d'infanterie coloniale, s.a. [95],

IV - Marie-Marguerite de Mac Mahon de Magenta (Nancy 1-II-1863 - Paris 7ᵉ 1-VII-1954) alliée Paris 7ᵉ 28-XII-1886 à Eugène comte d'Halwin de Piennes (Sées 2-XI-1852 - Cairon 10-IX-1902), propriétaire, lieutenant de cavalerie, fils d'Eugène marquis d'Halwin de Piennes, propriétaire, conseiller général et député de la Manche [96], chambellan de l'impératrice [97], et de Blandine-Louise d'Auray de Saint-Pois, s.p. [99].

FRERES ET SŒURS [100]

1 - Charles-Marie 3ᵉ marquis [101] de Mac Mahon (Bois-le-duc, Hollande, 15-I-1793 - Autun 5-IX-1845), propriétaire, capitaine de cavalerie [102], allié Paris 28-VII-1823 à Henriette-Marie Le Pelletier de Rosanbo, décédée à Paris en 1835, fille de Louis marquis de Rosanbo, pair de France (1815), vicomte-pair (1817), marquis-pair (1822) [103], et d'Henriette-Geneviève d'Andlau [104] ; de ce ménage est venu un unique enfant : Charles-Henry 4ᵉ marquis de Mac Mahon (Paris 9-I-1828 - Sully 26-IX-1863), propriétaire, allié Paris 15-V-1855 à Henriette de Pérusse des Cars (Montamisé 28-X-1833 - Paris 7ᵉ 31-XII-1911), fille d'Amédée duc des Cars, pair de France par hérédité, duc-pair (1825) [105], lieutenant général, gentilhomme d'honneur du duc d'Angoulême, et d'Augustine-Joséphine du Bouchet de Sourches de Tourzel [106] ; Charles-Henry de Mac Mahon eut, lui, 3 enfants : 1) Charles-Marie 5ᵉ marquis de Mac Mahon (Paris 7ᵉ 10-IV-1856 - Sully 20-X-1894), propriétaire, allié Paris 7ᵉ 22-VI-1881 à Marthe de Vogüé (Paris 7ᵉ 21-XI-1860 - Paris 7ᵉ 9-VI-1923), présidente des Dames royalistes [107], fille de Melchior marquis de Vogüé, archéologue et historien, ambassadeur, membre de l'Académie française, et de Marie-Adélaïde de Vogüé [108], dont uniquement Henriette de Mac Mahon (Paris 7ᵉ 31-V-1882 - Paris 7ᵉ 5-VI-1882) ; 2) Marie-Eudoxie de Mac Mahon (Paris 28-III-1858 - Paris 7ᵉ 20-III-1892) alliée Paris 7ᵉ 24-X-1878 à Donald marquis d'Oilliamson (Paris 16-XI-1851 - Saint-Germain-Langot 27-I-1940), propriétaire, lieutenant de cavalerie, fils d'Elie marquis d'Oilliamson, propriétaire, et d'Alix-Gabrielle de Champagne-Bouzey [109], s.p. ; 3) Anne-Isabelle de Mac Mahon (Paris 9-IV-1859 - Paris 7ᵉ 11-XI-1933) alliée Paris 7ᵉ 29-VIII-1882 à Eugène comte de Lur-Saluces (Sauternes 21-VIII-1852 - Preignac 2-II-1922), propriétaire, chef d'escadrons de cavalerie, délégué du duc d'Orléans pour le sud-ouest, président d'hon-

neur de la Ligue d'action française [110], fils de Romain-Bertrand marquis de LUR-SALUCES, pair de France, propriétaire, et de Thérèse de CHASTELLUX, dont postérité en lignes masculine et féminine (notamment familles DURIEU de LACARELLE, HAINGUERLOT, LA FOREST DIVONNE) [111],

2 - Adèle de MAC MAHON (La Haye, Hollande, 5-I-1795 - Sully 1-II-1825) alliée Sully 11-XII-1813 à Augustin marquis POUTE de NIEUIL (Condé-Saint-Libiaire 18-XII-1790 - Paris 4-III-1864), propriétaire, lieutenant-colonel de cavalerie[112], fils d'Augustin marquis de NIEUIL [113], chef d'escadrons de cavalerie [114], et d'Anne-Françoise de LA LUZERNE [115] ; de ce ménage, vinrent 3 enfants : A) Georges marquis de NIEUIL (Poitiers 4-IV-1815 - Chalandray 4-IV-1889), propriétaire, allié Paris 3-II-1848 à Aliette du CAMBOUT de COISLIN (Nogentel 4-VII-1830 - Chalandray 21-VI-1874), fille de Pierre-Adolphe marquis de COISLIN [115a], et d'Elisabeth SAVARY de LANCOSME, dont postérité en lignes masculine (éteinte [116]) et féminine (notamment familles de LA RUELLE, CAFFARELLI) ; B) Céline de NIEUIL (Sully 19-V-1819 - Paris 21-IV-1848), religieuse visitandine ; C) Pélagie de NIEUIL (Sully 14-X-1821 - Mézidon 21-VII-1917) alliée Paris 16-II-1846 à Charles-René marquis de SARCUS (Paris 7-VII-1819 - Plessis-Sainte-Opportune 29-V-1889), propriétaire, fils d'Amédée comte de SARCUS, propriétaire, chef d'escadrons de cavalerie, et d'Adrienne DUFOUR de SAINT-LÉGER, dont postérité en lignes masculine et féminine (notamment familles GUYON de LA BERGE, CHÉRADE de MONTBRON, BILLEBAULT du CHAFFAULT),

3 - Françoise dite Fanny de MAC MAHON (Norwich, Angleterre, 8-VII-1796 - La Ferté-Beauharnais 23-XII-1872) alliée Sully 8-I-1820 à René de LA SELLE (Paris 2-XI-1776 - La Ferté-Beauharnais 27-II-1841), propriétaire, fils de Jean-Joseph, président de la cour des aydes de Paris, et d'Angélique-Bonne CHOART [117] ; de ce ménage, vinrent 5 enfants : A) Gaston de LA SELLE (Les Verchers-sur-Layon 15-X-1820 - La Ferté-Beauharnais 25-V-1894), propriétaire, lieutenant de louveterie, allié 9-I-1854 à Marie BOISSEAU de BEAULIEU, dont postérité en lignes masculine et féminine (notamment familles FLURY et LEMAIRE de MARNE) ; B) Fernand de LA SELLE (Les Verchers-sur-Layon 11-XI-1821 - Orléans 20-IV-1909), propriétaire, allié Boigny-sur-Bionne 22-VIII-1853 à Amélie d'AMBRY (Boigny-sur-Bionne 26-VI-1834 - Orléans 15-II-1917), fille d'Adrien-Charles, propriétaire, garde du corps du roi Charles X (compagnie de Luxembourg), et d'Adèle LEFEBVRE de CHASLES, dont postérité en lignes masculine et féminine (notamment familles de GASTINES, FOUGERON, PARMENTIER, de KERROS, d'ABOVILLE, SEEVAGEN, MAUBERT, CHARLEMAGNE, JOUSLIN de NORAY) ; C) Arthur de LA SELLE (Bouillé-Loretz 7-XII-1822 - Orléans 2-V-1895), propriétaire, allié 26-XII-1853 à Blanche GIBERT (1832 - Orléans 16-XII-1896), fille d'Achille, trésorier payeur général, et de Zoé de LA CHAISE, dont posté-

rité en lignes masculine et féminine (notamment familles de BAUDREUIL, BACH, CROZE-LEMERCIER, MARIN de MONTMARIN, de LA BOULAYE, de LA CHAISE, de LAVERGNE, HOMBERG, LESCOT, de FOUCAULD, DARBLAY, de RIOCOURT, de BOYSSON, FIRINO MARTELL, DURANT des AULNOIS, MAURE) ; D) Nathalie de LA SELLE (Saumur 23-X-1825 - Luché-Pringé 22-XI-1878) alliée 24-VI-1845 à Charles-Armand comte de LA FONTAINE de FOLLIN (5-V-1822 - Luché-Pringé 17-VIII-1863), propriétaire, fils de René-Victor et d'Henriette LEFEBVRE de CHASLES, dont postérité en ligne féminine (notamment familles ROGON de CARCARADEC, RUILLÉ) ; E) Caroline-Alix de LA SELLE (Saumur 13-IV-1832 - Montl'évêque 1-IV-1902) alliée La Ferté-Beauharnais 7-IX-1852 à Louis-Hippolyte comte de MAUSSAC (Pazayac 6-III-1822 - Orléans 20-II-1878), propriétaire, fils de Stanislas comte de MAUSSAC, propriétaire, capitaine d'état-major, et de Claude-Louise de BROSSE, dont postérité en ligne féminine (notamment familles de GEOFFRE de CHABRIGNAC, BOUHIER de L'ECLUSE, NICOLAS, FUSTIER, DELFAU de PONTALBA, LE CORDIER de BIZARS de LA LONDE, BALSAN, de MONTALEMBERT, de SAINT-MARS),

4 - Joseph de MAC MAHON (Münster, Allemagne, 14-VII-1799 - Autun 11-VII-1865), propriétaire, capitaine de cavalerie [118], allié Paris 20-VII-1829 à Eudoxie de MONTAIGU (Chaponost 5-IV-1806 - Autun 23-III-1863), fille d'Adolphe-Gabriel marquis de MONTAIGU, propriétaire, et d'Anastasie-Eléonore de ROCHEDRAGON, s.p.,

5 - Marie-Antoine-Alfred-Alexandre de MAC MAHON, né à Münster, décédé à Sully le 3-V-1806 à l'âge de 4 ans,

6 - Cécile de MAC MAHON (Sully 18-V-1804 - Montpellier 5-VII-1844) alliée Sully 2-III-1825 à Henri marquis de ROQUEFEUIL (Montpellier 10-VI-1799 - Montpellier 12-III-1859), propriétaire, fils de François-Henri marquis de ROQUEFEUIL, propriétaire, et de Marie-Joséphine de SERRES ; de ce ménage, vinrent 3 enfants : A) Marie de ROQUEFEUIL (Autun 10-VI-1826 - Montpellier 16-XII-1876) alliée Montpellier 29-IX-1857 à Adolphe marquis de CHASTELLIER (Vienne, Isère, 14-IX-1813 - Montpellier 3-IV-1869), lieutenant de vaisseau, fils de Maxime comte de CHASTELLIER, propriétaire, et de Marie-Camille DETRIVIO, dont postérité en ligne féminine (notamment famille de PIERRE de BERNIS) ; B) Elie marquis de ROQUEFEUIL (Montpellier 5-XI-1828 - Montpellier 11-III-1892), propriétaire, conseiller général du Gard, allié Rivières, Gard, 17-IX-1855 à Marie de MAUBEC (Alès 5-II-1835 - Montpellier 25-XII-1886), fille de Henri-Adrien, propriétaire, et d'Aglaé de CAMBIS d'ALAIS, s.p. ; C) Marie-Isabeau de ROQUEFEUIL (Mauguio 3-VII-1831 - Paris 7e 13-I-1898) alliée Montpellier 31-V-1854 à Louis-Georges vicomte de LOUVENCOURT (La Ville-aux-clercs 24-IX-1824 -

Saint-Aunès 13-I-1900), propriétaire, fils de François-Eugène vicomte de LOUVENCOURT, lieutenant-colonel de cavalerie, et d'Augustine-Marie de JOHANNE de LACARRE de SAUMERY, dont postérité en lignes masculine et féminine (notamment familles de BOISGELIN, du BOISHAMON),

7 - Nathalie de MAC MAHON (Sully 6-XII-1805 - Béziers 12-VI-1869) alliée Sully 13-XI-1827 à Adelbert de SARRET de COUSSERGUES (Béziers 18-II-1806 - Montblanc, Hérault, 18-IX-1844), propriétaire, fils de Louis, pair de France (1827), baron-pair (1829), contre-amiral, député de l'Hérault, et de Guillelmine d'ALPHONSE ; de ce ménage, sont venus 4 enfants : A) Marthe de SARRET de COUSSERGUES (Montpellier 2-IX-1830 - Bessan 2-XI-1887) alliée Béziers 17-VIII-1857 à Ferdinand comte de CASTELLANE-MAJASTRES (Béziers 18-VI-1824 - Bessan 3-IX-1887), propriétaire, capitaine de frégate, fils de César comte de CASTELLANE-MAJASTRES, préfet, et de Mélanie ESPIC de GINESTET [119], dont postérité en lignes masculine et féminine (notamment familles de RESSÉGUIER, de BRUC-CHABANS, REVIERS de MAUNY) ; B) Berthe de SARRET de COUSSERGUES (Montpellier 26-IX-1832 - Montpellier 2-III-1863) alliée Montblanc 1-VIII-1853 à Pierre-Edmond marquis de BARBEYRAC de SAINT-MAURICE (Montpellier 27-VII-1827 - Montpellier 17-VII-1892), propriétaire, fils d'Adolphe marquis de BARBEYRAC de SAINT-MAURICE, propriétaire, et de Clémentine JULLIEN, dont postérité en lignes masculine et féminine (notamment familles de KERGOLAY, de COYE de BRUNÉLIS, BOUCHER de LA RUPELLE) ; C) Emmanuel baron de SARRET de COUSSERGUES (Montpellier 15-IX-1835 - Paris 29-XI-1919), propriétaire, allié Paris 8e 17-VIII-1875 à Béatrix de CAULAINCOURT de VICENCE (Paris 29-X-1853 - Vassy, Calvados, 6-VII-1903), fille d'Adrien marquis de CAULAINCOURT, duc de VICENCE, sénateur (1852), président du conseil général de la Somme [120], et de Marguerite PERRIN de CYPIERRE, dont postérité en lignes masculine (éteinte) et féminine (notamment familles de BERTIER de SAUVIGNY, BENOIST D'AZY, DARU, DADVISARD) ; D) Pierre de SARRET de COUSSSERGUES (Béziers 22-V-1842 - Paris 10-IV-1916), allié Paris 23-IV-1872 à Aline de KERGOLAY (Paris 24-X-1852 - Fresnay-l'évêque 5-VIII-1925), fille du comte Alain, propriétaire, et d'Octavie TISSOT de LA BARRE de MÉRONA, s.p. [121],

8 - Marie-Henriette-Elisabeth de MAC MAHON (Sully 16-VII-1807 - Autun 15-IX-1835), religieuse du Sacré-cœur,

9 - Eugène de MAC MAHON (Sully 26-XII-1810 - Autun 13-XII-1866), propriétaire, sous-lieutenant d'infanterie [122], allié 5-II-1849 à Nathalie LEVESQUE de CHAMPEAUX (Beaune 22-IX-1826 - Autun 14-III-1885), fille de Louis-Lazare, propriétaire, capitaine de cavalerie, et d'Etiennette-Laure DUCHEMAIN, s.p. [123].

NOTES

1 Mac Mahon avait songé tout d'abord à embrasser l'état ecclésiastique : il fit ainsi une partie de ses études secondaires au petit séminaire d'Autun.

2 Commandée alors par le futur maréchal de Castellane.

3 A la suite de la création d'un ministère de l'Algérie et des colonies, il n'y avait plus à cette époque de gouverneur général.

4 Un même décret (A.N., 149 Mi, Sc 26) fit Mac Mahon maréchal de France et duc de Magenta : *le général de division de Mac Mahon, Marie-Edme-Patrice-Maurice, commandant en chef du 2ᵉ corps de notre armée d'Italie, est élevé à la dignité de maréchal de France et portera le titre de duc de Magenta.* Aucune mention n'ayant été faite du caractère héréditaire du titre de duc, un 2ᵉ décret fut pris le 11-II-1860 (même référence), stipulant que celui-ci serait héréditaire dans la ligne masculine, par ordre de primogéniture. Il n'y eut pas de l.p. : nous renvoyons en ce qui concerne la pratique du Second empire en la matière à la note 2 du chap. IX (Pélissier).

5 Cette blessure épargna à Mac Mahon la pénible obligation d'apposer sa signature au bas de la capitulation de Sedan.

6 Ce volume fut édité par les soins du comte Guy de Miribel, mari de l'une des petites-filles de Mac Mahon (voir *Descendance*). Des fragments de celui-ci avaient été publiés précédemment dans les livraisons des 15-VI, 1-VII, 1-VIII et 15-VIII-1930 de la *Revue des deux mondes*. Il ne s'agit là que d'une partie des mémoires rédigés par le maréchal au cours des années 1879 et 1880, à l'intention de ses enfants, et formant 5 volumes manuscrits : le reste est demeuré jusqu'ici inédit.

7 Ces preuves (B.N., Départ. des manuscrits, Fonds Chérin, volume 126, dossier 2576) furent présentées par Maurice, Charles-Laure et Maurice-François de Mac Mahon, respectivement grand-oncle, oncle et père du maréchal, en vue d'obtenir de monter dans les carrosses du roi, faveur qui ne leur fut pas accordée : les Mac Mahon, en effet, ne figurent pas dans la liste des bénéficiaires de celle-ci donnée par François Bluche dans son ouvrage exhaustif sur la question, *Les honneurs de la cour* (Paris 1957).

8 *Dont il fut dépossédé à cause de sa fidélité au roi Charles II, suivant... certificat de 40 membres du parlement d'Irlande,* indique le mémoire de Chérin.

9 Jean-Baptiste de Mac Mahon s'était rendu dans la célèbre ville d'eaux afin de tenter d'y rétablir sa santé. De passage à Paris quelques semaines plus tôt, il y avait fait son testament le 18-IX-1775 : *présentement à Paris, logé rue du Regard, paroisse Saint-Sulpice, en un hôtel appartenant à MM. les carmes déchaussés,* est-il précisé au début de celui-ci, *ledit seigneur, trouvé par les notaires soussignés en son lit..., malade de corps, ayant toute sa mémoire et non jugement* (A.N., M.C., XI 675). Le décès de Jean-Baptiste de Mac Mahon est signalé dans le *Mercure de France* de novembre 1775.

10 Le 1ᵉʳ des deux factums cités à la note 18 signale qu'il fut reçu docteur en médecine de l'Université de Reims le 4-VIII-1740 et agrégé ou collège des médecins d'Autun le 26-VII-1742.

11 Insinuées à Autun, ces lettres de naturalité furent enregistrées en 1749 à la chambre des comptes et au bureau des finances de Dijon (A.D. de la Côte-d'or, respectivement B 65 fol. 475 et C 2131 fol 302).

12 Cet arrêt fut suivi de lettres patentes données à Versailles le 23-VII-1750, enregistrées en la chambre des comptes de Paris le 20-VIII-1750 (A.N., P. 2594).

13 Voir *La noblesse aux états de Bourgogne de 1350 à 1789* par Henri Beaune
et Jules d'Arbaumont (Dijon 1864), chap. *Catalogue des Gentilshommes qui ont
assisté aux états généraux de Bourgogne de 1350 à 1789.*

14 Les l.p. érigeant en marquisat pour Jean-Baptiste de Mac Mahon la seigneurie
d'Eguilly et un certain nombre d'autres qui lui furent incorporées à cette
occasion ont été enregistrées en 1764 à la chambre des comptes, au parlement et
au bureau des finances de Dijon (A.D. de la Côte-d'or, resptivement B 67, fol.
319 ; B 12 134, fol. 407 ; C 2134, fol. 506). Ce titre, que les héritiers du bénéficiaire prirent l'habitude d'appliquer à leur patronyme, abandonnant le nom
d'Eguilly, a généralement été donné par les auteurs comme étant de simple
courtoisie : nous avons pu en établir la régularité grâce à l'aimable concours de
M. Jean Rigault, directeur des Archives départementales de la Côte-d'Or.

15 Lieu et date donnés d'après *Les émigrés de Saône-et-Loire* de Paul Montarlot
(in *Mémoires de la Société éduéenne,* t. 45, 1924-1927).

16 En la chancellerie près la chambre des comptes de Dole (*La chancellerie près le
parlement de Bourgogne de 1476 à 1790* par André Bourée, Dijon 1927, article
Morey).

17 Les précisions données sur les fonctions de Jean-Baptiste-Lazare de Morey et
à propos de ses parents ont été tirées de l'ouvrage de Bourée cité à la note 16.
Il fut reçu conseiller secrétaire du roi en la chancellerie près le parlement de
Bourgogne le 10-XI-1735 et resta en fonction jusqu'à son décès.

18 Arrivé à Autun en 1741, sans autre bagage que son diplôme de docteur en médecine, Jean-Baptiste de Mac Mahon, grâce à son entregent et à un concours de
circonstances favorables, réalisa en peu d'années une réussite sociale assez
exceptionnelle. Avant d'entrer dans plus de détails à ce propos, il est nécessaire
de donner quelques précisions sur la famille du 1er mari de son épouse, Charlotte
Le Belin. Hubert de Morey, allié à Marie Chauveau vers 1650, décédé à Paris
le 3-VI-1689, était lui-même fils de Claude de Morey, avocat à Autun, et d'Anne
Goujon, mariés au début du 17e siècle. Outre Jean-Baptiste-Lazare, il avait eu
3 fils : 1) Claude de Morey, seigneur du marquisat de Vianges, receveur des
décimes à Autun et contrôleur général du taillon en Bourgogne comme son père,
reçu secrétaire du roi en la chancellerie près le parlement de Bourgogne le
11-VIII-1718, charge qu'il résigna dès 1721 ; 2) Pierre de Morey, tout d'abord
1er président du présidial d'Autun, prêtre ensuite, abbé commendataire successivement de Tarpenay et de La Bussière, chapelain du roi Louis XIV de 1700 à
1711, chanoine puis doyen du chapitre de la cathédrale d'Autun ; 3) Jacques de
Morey, entré également dans les ordres, prieur de Mesvres, chanoine puis
doyen du chapitre d'Autun, reçu secrétaire du roi en la chancellerie près le
parlement de Bourgogne le 7-III-1748, charge qu'il garda jusqu'à sa mort, et une
fille : Reine de Morey, alliée à Jean Cortelot, avocat à Autun. Parvenus au soir
de leur vie, les 4 frères de Morey avaient résolu de vivre ensemble. Selon
la saison, ils habitaient leur hôtel d'Autun ou le château de Sully, acheté en
1714 aux Saulx-Tavannes, dont Bussy-Rabutin avait déclaré que la cour était la
plus belle de France. Ils passaient pour posséder l'une des plus importantes fortunes de la région. On les appelait communément *les riches de Bourgogne.* Claude
s'était marié en 1694 à Philiberte Chiquet, de Chalon. Celle-ci était décédée
depuis longtemps, ne lui laissant qu'une fille devenue religieuse. Jean-Baptiste-
Lazare n'avait pas de postérité de son union avec Charlotte Le Belin, sa
parente éloignée, fille d'une cousine issue de germain. Il existait une grande diffé-
rence d'âge entre les époux : lors du mariage, lui avait 68 ans et elle un peu plus
de 21. Pierre de Morey, le 2d des frères, devait mourir dès 1736, âgé de 75 ans,
laissant ses biens aux 3 survivants. En 1746, Jean-Baptiste-Lazare de Morey
tomba à son tour gravement malade. Jean-Baptiste de Mac Mahon, qui commen-
çait à être un peu connu à Autun, fut appelé à son chevet. Certes, il ne parvint
pas à l'arracher à la mort. Mais, durant de longs mois, il le soigna avec tant
de dévouement et, en même temps, se montra si rempli de qualités et d'agréments,

qu'il s'acquit l'affection de toute la famille. Les 2 frères survivants, auxquels le défunt avait légué sa part de la fortune familiale, décidèrent de s'attacher Jean-Baptiste de Mac Mahon, à la vérité davantage en qualité d'ami que de médecin. Celui-ci vint s'établir auprès d'eux et cessa désormais l'exercice public de son art. La jeune veuve ne montrait pas moins d'intérêt que les 2 vieillards à l'égard du noble irlandais. Bientôt, elle allait contracter avec lui une nouvelle union. Non seulement les 2 frères restituèrent à cette occasion sa dot à leur ex-belle-sœur avec la meilleure bonne grâce, mais, au fil des années suivantes, ils devaient effectuer en faveur de celle-ci et de son mari toute une série de donations, certaines fort importantes. Jacques de Morey prieur de Mesvres s'éteignit à Autun le 7-XII-1759, laissant au dernier des frères ce qu'il lui restait de biens. Celui-ci, Claude de Morey, mourut 2 années plus tard, à Sully, le 4-X-1761, âgé de 96 ans. Il avait fait de Mme de Mac Mahon sa légataire universelle. Les 2 filles de Mme Cortelot, l'unique sœur des 4 frères, tentèrent d'obtenir l'annulation des diverses dispositions prises par leurs oncles en faveur des époux Mac Mahon, s'appuyant sur la jurisprudence selon laquelle le médecin ne peut hériter de ses malades. Elles firent imprimer pour soutenir leur cause un factum intitulé : *Mémoire pour Reine Cortelot, veuve d'Hugues de Maizières, ... seigneur de Vaivres et de Vanteaux, et Anne Cortelot, veuve de Charles Richard, conseiller au parlement de Bourgogne, nièces et héritières de feu Claude de Morey, marquis de Vianges..., contre Jean-Baptiste Mac Mahon, irlandais, docteur en médecine de l'Université de Reims, ... se disant chevalier, comte et marquis d'Eguilly... et contre Charlotte Le Belin, épouse dudit sieur Mac Mahon* (1762, B.N. 4° Fm 20163). Jean-Baptiste de Mac Mahon leur répondit par un autre factum ayant pour titre : *Mémoire pour Jean-Baptiste Mac Mahon, chevalier, seigneur d'Eguilly, et Charles* (sic) *Le Belin, son épouse, contre Reine Cortelot, veuve de Pierre-Hugues de Maizières, ... receveur des décimes du diocèse d'Autun, et Anne Cortelot, veuve de M. Charles Richard* (1763, B.N. 4° Fm 20166). Les dames de Maizières et Richard furent déboutées. Ainsi, en l'espace de 20 ans, le modeste médecin de 1741 était devenu, de fait, l'un des plus riches propriétaires de Bourgogne. On a vu, dans le même temps, le roi l'avait reconnu comme noble d'ancienne extraction et lui avait accordé le titre de marquis. Assez curieusement, le notaire d'Autun, chez qui avaient été établis les divers actes assurant sa fortune, était maître Pierre Changarnier, grand-père du général de même nom dont le maréchal de Mac Mahon allait être le subordonné, puis le compagnon d'armes en Afrique et auquel on songea un moment pour la présidence de la république en 1873, avant que le choix ne se porte définitivement sur le duc de Magenta. Les éléments de cette note nous ont été fournis par les 2 factums précités, divers documents conservés au départ. des manuscrits de la B.N. sous la cote : Dossiers bleus 472, dos. 12475 famille de Morey, et la notice consacrée à cette dernière dans l'ouvrage de Bourée mentionné à la note 16.

19 Voir l'ouvrage cité à la note 13.

20 Nous empruntons au dossier de Maurice-François de Mac Mahon au S.H.A.T. les quelques précisions ci-après sur la carrière et la personnalité du père du maréchal. Mousquetaire à la 2e compagnie en 1768, à 14 ans, il a rang de capitaine dans le régiment de cuirassiers le 7-IV-1773 et est nommé à une compagnie le 16-IX-1775. Capitaine en 2^d en 1777, il est capitaine commandant en 1784 et devient mestre de camp en 2^d du régiment de Lauzun hussards le 7-X-1787. Créé chevalier de Saint-Louis le 14-X-1787, il est blessé d'une balle lors de la révolte de la garnison de Nancy au mois d'août 1790. Il émigre quelques mois plus tard, fait campagne à l'armée des princes de 1792 jusqu'au licenciement de 1793, est ensuite employé dans différentes circonstances, notamment par le comte d'Artois et rentre en France en 1803. A la Restauration, il obtient un brevet de maréchal de camp pour tenir rang le 8-X-1814 et, au début de 1815, est nommé adjoint à l'inspecteur général de cavalerie dans la 4e division militaire. Une lettre qu'il adresse le 25-VII-1815 au ministre de la guerre Gouvion-Saint-Cyr nous renseigne de façon intéressante sur son attitude au moment des Cent jours : *A l'arrivée de Buonaparte*, écrit-il, *je sollicitai vive-*

ment de marcher contre lui, mais n'ayant point reçu d'ordre, je restai à mon poste jusqu'à l'époque où cet usurpateur déclara que tous les officiers de l'armée que le roi avait replacés devaient retourner dans leurs domiciles respectifs. Je m'y rendis donc étant sans troupe et espérant être plus utile au roi, en France, qu'en émigrant une 2ᵉ fois... Comme l'on croyait que j'agirais comme en 1813, avec le même zèle pour notre roi, je fus dénoncé, arrêté, mis en prison à Chalon... Le retour du roi le rend au service. Inspecteur général de gendarmerie le 14-VIII-1816, il est admis à la retraite le 1-I-1819 et est fait lieutenant général honoraire le 31-X-1827.

21 Marie-Jean-Louis de Riquet de Caraman était l'arrière-arrière-petit-fils de Pierre-Paul de Riquet (1604-1680), constructeur du Canal du midi, et le frère de Victor-Maurice de Riquet de Caraman (1727-1807), lieutenant général, qui fut le père 1) de Victor-Louis-Charles (1762-1832), lieutenant général, ambassadeur, créé duc-pair héréditaire en 1830, 2) de Joseph (1771-1842), allié à Thérésa Cabarrus (Mᵐᵉ Tallien), fait prince de Chimay par le roi des Pays-bas (1824).

22 Comme pour l'ascendance, nous suivons le mémoire de Chérin en le complétant pour la période postérieure à l'établissement en France par l'état civil et diverses sources mentionnées en note.

23 Le mémoire de Chérin indique que des enfants sont venus de ce mariage.

24 Enregistrées en la chambre des comptes de Paris le 26-III-1760 (A.N. P. 2596).

25 Voir l'ouvrage cité à la note 13 (Chérin indique qu'il fit ses preuves *sur le fondement de celles de son frère*).

26 Ceux que nous citons sont les seuls enfants de Jean-Baptiste de Mac Mahon survivant lors du testament de celui-ci en 1775 (voir note 9). Le baron de Woelmont de Brumagne au t. II de ses *Notices généalogiques* (Paris 1923) et le comte Roland de Montrichard dans son livre *Trois siècles de parentés* (Paris 1953) donnent comme femme à Théodore comte de Raugrave : Caroline-Antoinette, née à Sully le 5-IV-1757. Il s'agit là d'une erreur. Il y a bien eu une Caroline-Antoinette, fille de J.-B. de Mac Mahon et de Charlotte Le Belin, née aux date et lieu précités, mais elle ne peut avoir été l'épouse de Théodore de Raugrave : elle fut le dernier enfant du ménage et J.-B. de Mac Mahon indique dans son testament que Mᵐᵉ de Raugrave était sa fille aînée. Il ne donne pas le prénom de celle-ci, alors qu'il le fait pour Anne-Jacqueline et Théodorine. Par ailleurs, nous n'avons retrouvé ni le contrat ni l'acte du mariage Raugrave-Mac Mahon. Françoise-Claudine étant la seule fille de J.-B. de Mac Mahon et de Charlotte Le Belin dont on ait trace avant Anne-Jacqueline, il nous a paru, cependant, que l'épouse de Théodore de Raugrave ne pouvait être qu'elle. Caroline-Antoinette, qui n'est pas citée dans le testament, dut mourir jeune.

27 Le mariage est annoncé dans le *Mercure de France* d'octobre 1773 : il est précisé que le roi et la famille royale signèrent au contrat.

28 Veuf de Françoise-Claudine de Mac Mahon, Théodore comte de Raugrave épousa en 2ᵈᵉˢ noces p. c. du 26-III-1779 à Remiremont Madeleine de Saint-Georges, précédemment dame chanoinesse du chapitre de Remiremont, fille de Louis-Hector et de Charlotte de Céris (B.N., Dép. des manuscrits, Chérin 179).

29 D'ancienne noblesse, originaire du Palatinat du Rhin, établie au pays de Liège et en Lorraine, la famille de Raugrave dite parfois Rougrave fut admise aux honneurs de la cour en 1782, en la personne de Théodore, époux de Françoise-Claudine de Mac Mahon, après avoir prouvé sa filiation devant Chérin depuis 1338 (même réf. qu'à la note 28).

30 Mousquetaire à la 2ᵉ compagnie le 14-III-1767, à l'âge de 15 ans, Charles-Laure de Mac Mahon est capitaine au régiment Royal Lorraine cavalerie le 4-VIII-

1770, capitaine en 2ᵈ le 11-VI-1776, capitaine commandant le 26-VIII. Le 11-VI-1780, il a rang de mestre de camp attaché à l'infanterie irlandaise. Il devient colonel en 2ᵈ dans le régiment des chasseurs de Gévaudan le 21-VIII-1784, puis colonel du régiment de Dauphiné infanterie le 10-III-1788. Démissionnaire le 25-VII-1790, il est nommé maréchal de camp pour sa retraite le 1-III-1791. Il émigre la même année, fait campagne à l'armée des princes 1792 et 1793, commandant la compagnie des officiers du régiment de Dauphiné, et regagne la France en 1800. A ces précisions, fournies par le dossier de l'intéressé au S.H.A.T., l'ouvrage de Jean Pinasseau *L'émigration militaire. Campagne de 1792* (Paris 1957-1964, 2 vol.) permet d'ajouter que, chevalier de Saint-Louis le 8-IV-1784, Charles-Laure de Mac Mahon avait été aide de camp de Rochambeau, puis de Lauzun en Amérique.

31 Charles-Laure de Mac Mahon fut autorisé par ordonnance du 18-VII-1828 à transmettre ce titre de baron-pair à son neveu Charles-Marie de Mac Mahon, frère aîné du maréchal, mais cette disposition se trouva caduque, les l. p. correspondantes n'ayant pas été levées.

32 Contrat le 29-VII-1777, devant Mᵉ Bretin, notaire royal à Sully.

33 Du Dauphiné, la famille de Brunier d'Adhémar de Monteil fut admise aux honneurs de la cour en 1782 et 1783 en la personne de Jean-Charles, époux d'Anne-Jacqueline de Mac Mahon, après avoir prouvé sa filiation devant Chérin depuis 1413 (B.N., Départ des manuscrits, Chérin 40).

34 Les précisions données sur Jean-Charles et ses parents nous ont été fournies par la source citée à la note 33.

35 Un arrière-petit-fils de ce ménage, Maurice dit le marquis d'Urre d'Aubais (Nîmes 26-IX-1856 - Paris 12ᵉ 21-V-1927), embrassa l'islamisme sous le nom d'Ahmed Nedjib Effendi.

36 On rencontre au 18ᵉ siècle de nombreux porteurs du nom de Mac Mahon à Paris et en province, appartenant à des conditions sociales fort diverses. Rien ne permet de penser que ceux-ci étaient de la même famille que le duc de Magenta. Ce patronyme est en effet très répandu en Irlande : ainsi, il est aujourd'hui abondamment représenté dans l'annuaire du téléphone de Dublin.

37 Le mariage civil eut lieu à la mairie de l'ancien 10ᵉ arrondissement et le mariage religieux à Saint-Thomas d'Aquin. Un contrat avait été signé le 12 chez Mᵉ Bazin notaire à Paris.

38 La maréchale de Mac Mahon fut, pendant de longues années, présidente du comité central de la Croix-rouge française. Le duc de Castries la qualifie de *robuste matrone à l'esprit réaliste* dans son livre *Papiers de famille* (Paris 1977). Très intelligente, écrit Jean-Bernard dans *La vie à Paris* (Paris 1920), elle *aimait la représentation ; empressée à intervenir dans les choses du gouvernement, elle exerçait une influence considérable sur son mari ; très pieuse, elle suivait les inspirations des prêtres et une parole d'évêque était pour elle parole d'évangile. Mgr Dupanloup était son habituel conseiller. Un jour que le maréchal avait cédé sur quelques points de politique libérale, l'évêque d'Orléans avouait à ses intimes : tout n'est pas fini, la maréchale n'a pas dit son dernier mot.*

39 Il avait été fait duc à brevet, c'est-à-dire non héréditaire, le 24-I-1884.

40 René duc de Castries (La Bastide d'Engras 6-VIII-1908), homme de lettres, membre de l'Académie française, appartient à une autre branche, aînée (l'ancêtre commun vivait au début du 17ᵉ siècle). Celle-ci, après l'extinction de la branche cadette avec Edmond 3ᵉ duc (voir plus loin), a relevé le titre ducal sur le plan mondain, en la personne du grand-père du duc actuel, se fondant sur le fait que les l. p. de 1817 créant le duché de Castries prévoyaient que la succession se ferait *par ordre de primogéniture ou par la ligne collatérale qu'il nous plaira d'y appeler* (A.N. 149 Mi 11).

41 Epoux de Claire-Clémence-Henriette-Claudine de Maillé (Londres 8-XII-1796 -
   Paris 7ᵉ 7-VII-1861), connue sous le nom de marquise de Castries pour s'être
   séparée de son mari alors qu'il n'était pas encore duc : elle fut l'amie de Balzac,
   le convertit au légitimisme et lui inspira le personnage de la duchesse de Lan-
   geais.

42 La famille Sina était d'origine grecque. Elle est connue depuis Georges-Simon I
   Sina, né à Sarajevo (Bosnie) en 1753, anobli en Hongrie le 3-IV-1818 sous le
   nom de Sina de Hodos et Kizdia. Le fils de celui-ci, Georges-Simon II, fut
   fait chevalier, puis baron en Autriche, respectivement les 1-IV-1826 et 8-III-
   1832. Ce dernier était le père de Georges-Simon III (Vienne 15-VIII-1810 -
   Vienne 15-IV-1876), dont naquit la duchesse de Castries, 6ᵉ et dernier de ses
   enfants. Xavier Marmier raconte dans son *Journal* (T.I. Genève 1968), à la
   date de février 1864, la façon dont le 1ᵉʳ Georges-Simon fit fortune : *Il était
   l'intendant d'un pacha très âpre au gain, très rapace. Un jour, le sultan, pen-
   sant que ce digne gouverneur avait assez amassé de ducats, le fait étrangler
   pour devenir plus vite son héritier. Tous les trésors du condamné étaient alors
   entre les mains de M. Sina, son habile caissier. M. Sina, grec de naissance et,
   par cette raison, ennemi des Turcs, pensa judicieusement qu'il manquerait à
   tous ses devoirs de patriotisme s'il livrait à un odieux gouvernement les cassettes
   qui lui étaient confiées et qu'il ferait infiniment mieux de les garder pour son
   propre agrément. Il se rendit en Autriche acheter à beaux deniers comptants
   des terres qui alors étaient à vil prix et qui, depuis, ont acquis une très grande
   valeur.* La fortune foncière de la famille Sina qui, en réalité, se trouvait en
   Hongrie était évaluée à 240 000 ha. Il y avait lieu d'y ajouter des lignes de
   chemin de fer, une flottille marchande sur le Danube et divers établissements
   bancaires.

43 La baronne Iphigénie Sina de Hodos et Kizdia s'est remariée à Paris 7ᵉ le
   15-X-1887 à Louis-Emmanuel vicomte d'Harcourt (Paris 23-VI-1844 - Ouzouer-
   sur-Trézée 18-IX-1928), secrétaire d'ambassade, secrétaire général de la présidence de la république (1873-1879), fils de Georges-Bernard marquis d'Harcourt, ambassadeur de France, et de Jeanne-Paule de Beaupoil de Saint-Aulaire,
   cousin germain de son 1ᵉʳ mari et de la maréchale de Mac Mahon.

44 *Jolie autant qu'on peut l'être et même belle avec son visage de Madone, ses
   beaux cheveux blonds, une carnation éclatante, une attache de cou que j'ai
   rarement trouvée chez personne, Jeanne de Castries avait une tournure distinguée et était une véritable dame, ce qui ne l'empêchait pas d'avoir de l'esprit
   et de l'intelligence... De plus, elle aime les arts et a un vrai talent de sculpture,*
   note le marquis de Breteuil dans son *Journal secret* (Paris 1979). La personnalité de Jeanne de Castries était fort différente de celle de sa sœur, la maréchale
   de Mac Mahon. Des années durant, ses aventures sentimentales défrayèrent la
   chronique parisienne. Le jeune Philippe-Raymond Hallez-Claparède, le prince
   de Metternich, ambassadeur d'Autriche à Paris, le général de Galliffet, Gambetta, furent quelques-uns de ceux qui, tour à tour, bénéficièrent de ses faveurs.
   Le 1ᵉʳ le paya de sa vie, blessé mortellement d'un coup d'épée dans la
   poitrine au cours d'un duel avec le mari. Le 2ᵈ s'en tira avec une estafilade de
   sabre. Le ministre de la guerre s'opposa à une rencontre avec Galliffet : celui-ci
   n'en reçut pas moins une volée en règle. Selon Jacques Chastenet, la liaison de
   Jeanne de Castries avec Gambetta changea peut-être le cours de l'histoire.
   Considérant la modération croissante de Gambetta, écrit-il, *un officieux, le
   sénateur Duclerc... obtient du maréchal-président l'autorisation de l'amener
   discrètement à l'Elysée... Or, deux jours avant la rencontre projetée, le maréchal, faisant au bois sa quotidienne promenade équeste, aperçoit, à l'orée d'une
   allée écartée, sa belle-sœur et Gambetta tendrement rapprochés. Le rouge
   monte au visage du vieux militaire, il éperonne son cheval, rentre à l'Elysée
   et décommande l'entrevue.* (In *Gambetta*, Paris 1968). Jeanne de Castries
   eut une fin dramatique : à la suite, sans doute, d'un chagrin d'amour, elle
   mit à ses jours en absorbant du poison.

45 Fille et unique enfant de Guillaume baron Dupuytren (1777-1835), le célèbre chirurgien.

46 A la mort s. p. de son neveu à la mode de Bretagne, Charles-Marie (voir rubrique *Frères et sœurs*).

47 Mme Gaétan Gallieni, belle-fille du maréchal, détentrice des carnets de celui-ci, inédits pour l'essentiel, a bien voulu nous donner connaissance de cette note en date du 14-VIII-1909 du futur gouverneur de Paris au sujet de Patrice de Mac Mahon, alors au 129e régiment d'infanterie, à l'occasion d'un voyage d'inspection au Havre : *Je rappelle au lieutenant-colonel Mac Mahon mes premières armes à Bazeilles avec son père et mon respect pour lui. On ne veut pas le faire passer à cause de son nom ! ! ! Que de maux la politique et l'affaire D. ont faits ! Peu d'officiers ont été épargnés.* Le 2e duc de Magenta devint colonel en 1912 et général de brigade le 15-II-1915. Ancien élève de l'Ecole spéciale militaire de Saint-Cyr, il avait participé, en 1895, comme capitaine, à l'expédition de Madagascar. En 1914, il prit une part importante à la bataille de l'Ourcq en qualité de colonel du 35e régiment d'infanterie. Général, il commanda la 43e brigade qui se distingua à l'attaque de Tahure le 25-IX-1915 et aux divers engagements de Verdun en 1916 et 1917. Il faisait partie de la 2e armée quand survint l'armistice.

48 Le mariage religieux fut célébré dans la chapelle du château de Chantilly, le 23.

49 La princesse Marguerite d'Orléans était la sœur du duc de Guise et, par conséquent, la tante de Mgr le comte de Paris. Ses parents se trouvaient tous deux petits-enfants du roi Louis-Philippe et donc cousins germains, le duc de Chartres étant le fils cadet de Ferdinand duc d'Orléans et la princesse Françoise la fille de François prince de Joinville. Au printemps de 1889, on avait annoncé les fiançailles de la princesse Marguerite avec Philippe duc d'Orléans, son cousin germain, fils de Philippe, 1er comte de Paris, frère aîné de son père. Le projet fut abandonné en raison notamment des réactions défavorables des milieux monarchistes, inquiets des risques présentés par une consanguinité excessive. C'est avec quelque amusement, qu'on lit dans le dossier du 2e duc de Magenta, au S.H.A.T., les résultats de l'enquête réglementaire qui précéda son mariage avec la princesse Marguerite : le maire de Paris 8e certifie que celle-ci *jouit d'une bonne réputation ainsi que sa famille*, tandis que le rapport de gendarmerie atteste que *la famille d'Orléans est universellement connue et jouit d'un très grande considération* !

50 La comtesse de Sieyès née Mac Mahon fut durant quelques années présidente de l'Association des dames et jeunes filles royalistes et d'Action française.

51 Cousine éloignée de son mari.

52 Etait filleule du duc de Guise.

53 De 1945 à 1955.

54 Il fut arrêté le 7-VI-1944 au château de Rambuteau, à Ozolles, en même temps que son épouse (celle-ci devait être envoyée à Ravensbrück) et ses deux fils ainés, en raison de la sympathie qu'ils avaient manifestée à l'égard de la résistance.

55 Amalric Lombard de Buffières de Rambuteau ajouta au nom de Lombard de Buffières celui de Rambuteau, après avoir été adopté en 1911 par son grand-oncle paternel Philibert Lombard de Buffières comte de Rambuteau (1838-1912), préfet, conseiller d'état, conseiller général de Saône-et-Loire, autorisé lui-même par l. i. du 4-V-1870 à relever le nom et le titre de son grand-père maternel, Claude-Philibert Berthelot de Rambuteau (1781-1869), comte de l'empire, préfet de la Seine sous Louis-Philippe. Probablement, possédait-il, tout comme sa femme, du sang de France : le préfet Rambuteau précité avait

en effet épousé en 1808 Marie-Adelaïde de Narbonne (1790-1869), fille de Louis comte de Narbonne (1755-1813), ministre de la guerre de Louis XVI, aide de camp de Napoléon, qui passait pour être né d'une liaison de sa mère avec Louis XV (voir Joseph Valynseele *Les enfants naturels de Louis XV,* Paris 1953). Amalric Lombard de Buffières de Rambuteau appartenait, par ailleurs, à la descendance du maréchal Mortier duc de Trévise (voir Joseph Valynseele *Les Maréchaux du Premier empire*).

56 Tante à la mode de Bretagne d'Artus marquis de Quinsonas, qu'on trouvera au chap. XIX (Le Bœuf).

57 Hugues vicomte de Rodez-Bénavent était le frère de Henri comte de Rodez-Bénavent (Montpellier 17-II-1877 - Montpellier 11-X-1952), propriétaire viticulteur, conseiller général et député de l'Hérault, et le petit-neveu de Marie-Théophile vicomte de Rodez-Bénavent (Montpellier 27-VIII-1817 - Cazilhac, Hérault, 12-IX-1883), propriétaire viticulteur, député puis sénateur de l'Hérault.

58 Arrière-arrière-petite-fille du maréchal de Lauriston (voir Joseph Valynseele, *Les maréchaux de la Restauration et de la Monarchie de juillet,* Paris 1962).

59 Dans l'Aude.

60 Filleul de Mgr le comte de Paris.

61 Irmeline de Fleurieu est la cousine germaine du comte Jacques (Souvigné-sur-Sarthe 12-V-1918 - Londres 15-XI-1965), capitaine de cavalerie, allié Paris 8e 16-VII-1946 à Marie-Claire Servan-Schreiber (Paris 8e 3-IV-1921), directrice de journaux, qui, fille de Robert, directeur-fondateur du quotidien *Les échos,* et de Suzanne Crémieux, sénateur du Gard, et cousine germaine de Jean-Jacques, s'est remariée à Montfrin le 2-I-1971 à Pierre Mendès-France, ancien président du conseil.

62 Petite-nièce d'Alfred Nobel (1833-1896), industriel et chimiste, inventeur de la dynamite, fondateur des prix de son nom.

63 Claude est ici prénom masculin.

64 A la Banque de Paris et des Pays-bas.

65 Yolande de Mitry est la sœur notamment d'Hélène de Mitry (Paris 9e 15-VI-1927), député et conseillère municipale de Paris, alliée Paris 9e 17-II-1948 à François Missoffe (Toulon 13-X-1919), député, plusieurs fois ministre, et de Marie-Thérèse de Mitry (Paris 9e 25-VI-1933) alliée Paris 9e 18-IV-1959 à Jean François-Poncet (Paris 16e 8-XII-1928), secrétaire général de la présidence de la république, ministre des affaires étrangères.

66 Notamment de différentes sociétés du groupe de Wendel.

67 Fille de François de Wendel (1874-1949), gérant des firmes familiales, président du Comité des forges, régent de la Banque de France, conseiller général, député et sénateur de Meurthe-et-Moselle.

68 Mort des suites d'un accident de cheval, survenu lors d'une chasse à courre.

69 Le 3e duc de Magenta, écrit le chanoine Denis Grivot dans une brochure sur *Sully-le-château* (Dijon 1972) *eut une carrière militaire brillante comme officier d'aviation, tant en France qu'au Maroc... En 1939, il reprit du service et devint le chef de la résistance dans la région du Nord ; c'est grâce au sang-froid de de Madame la duchesse de Magenta qu'il échappa à la Gestapo. Il fut ensuite chef du 2e bureau d'état-major des forces aériennes françaises.*

70 Le 3e duc de Magenta et sa femme sont des cousins éloignés : cette dernière est en effet l'arrière-arrière-petite-fille de Joseph fait prince de Chimay en 1824 (voir note 21).

71 De façon assez amusante, les parents n'ayant pu, paraît-il, se mettre d'accord sur un nom de baptême, la naissance de l'intéressée fut annoncée dans le carnet du *Figaro* par le duc et la duchesse de Magenta sous le prénom d'Adélaïde et par le marquis et la marquise de Mac Mahon (voir note 46) sous celui de Philippine, à quelques jours d'intervalle.

72 La cérémonie religieuse, à laquelle assistaient notamment le comte et la comtesse de Paris, eut lieu le 5 dans la chapelle du château de Sully.

73 Arnould baron Thénard a pour quadrisaïeul le chimiste Louis-Jacques Thénard (1777-1857), membre de l'Académie des sciences, créé baron en 1825.

74 Le baron Thénard est à la tête du *Bien public* de Dijon. Ce quotidien, fondé sous le Second empire par la famille Jobard, fut racheté peu après la guerre de 1914-1918 par son grand-père Louis baron Thénard (Boulogne-Billancourt 14-XII-1878 - Saint-Ambreuil 11-II-1968), par ailleurs président et administrateur de nombreuses sociétés. Jusqu'au début de 1977, le *Bien public,* qui tire aujourd'hui à près de 50 000 exemplaires, était la propriété du baron Thénard et de ses 2 sœurs : Mme Jean Lemut et la comtesse Jean de Luppé. A cette date, la Compagnie luxembourgeoise de télédiffusion a acquis 42 % de son capital, grâce notamment à la cession des parts de Mme de Luppé. Nous remercions notre confrère dijonnais Jean-François Bazin d'avoir bien voulu nous procurer les éléments de cette note.

75 *Le Bien public* (voir note 74).

76 Tombé à la tête de l'escadron qu'il commandait, à Bois-du-chat, Xivry-Circourt le 13-V-1940.

77 Remariée à Paris 6e le 12-II-1945 à Roger Levêque de Vilmorin (Paris 7e 12-IX-1905), directeur à la Société Vilmorin-Andrieux, puis maître de recherche au C.N.R.S., membre de l'Académie d'agriculture, lui-même veuf de Pauline Roissard de Bellet.

78 Hélène de Lasteyrie du Saillant est la sœur de Guy, allié à Isabelle Giscard d'Estaing, sœur de Valéry, président de la république.

79 Pierre Jaboulet-Vercherre est le directeur général de la Société Jaboulet-Vercherre et son père, Michel, le président-directeur général de cette même firme. La maison Jaboulet-Vercherre distribue des vins de Bourgogne, du Beaujolais et des Côtes du Rhône dans tous les pays du monde. Fondée en 1834 à Tain l'hermitage, établie à Beaune depuis 1920, elle est aujourd'hui l'un des trois plus importants négociants-éleveurs de vins de Bourgogne.

80 Camille est ici prénom féminin.

81 Il semble, d'après ce qu'en dit le marquis de Breteuil dans son *Journal secret* (Paris 1979), que ce 2e fils du maréchal de Mac Mahon ait été ce qu'on appelle aujourd'hui un handicapé.

82 Sorti de Saint-Cyr comme son frère aîné, Emmanuel de Mac Mahon de Magenta servit notamment en Tunisie et au Tonkin. Général de brigade depuis le 27-X-1914, il fut cité à l'ordre de l'armée en ces termes le 7-XII-1919 : *Colonel commandant le 155e régiment d'infanterie au début de la campagne, a fait preuve des plus belles qualités de sang-froid et de bravoure. A été blessé grièvement le 22-IX-1914 près de Lacroix-sur-Meuse, en marchant à l'attaque avec son bataillon de 1re ligne. Placé par la suite à la tête d'une brigade, a montré les mêmes qualités, mais a été obligé de quitter son commandement en raison des suites graves de ses blessures* (in *Journal officiel* du 10-II-1920, p. 2096).

83 Guy de Miribel a publié une partie des mémoires du maréchal de Mac Mahon (voir note 6) et a traduit différents ouvrages de l'allemand, de l'anglais, de l'espagnol. Il est, par ailleurs, l'auteur d'une brochure (Paris 1975, 125 p.) :

Marie de Miribel (Paris 8ᵉ 18-III-1872 - Paris 20ᵉ 7-XI-1959), où est évoquée la belle figure de sa sœur aînée, dame d'honneur de la duchesse d'Orléans, infirmière-major de la Croix-rouge durant la guerre de 1914-1918 et, surtout, fondatrice puis animatrice durant plus d'un demi-siècle des admirables œuvres sociales et hospitalières, toujours vivantes, de la Croix-Saint-Simon, créées à l'intention des déshérités du quartier de Charonne.

84 Le général de Miribel (1831-1893) occupa ces fonctions à trois reprises, s'y montrant un organisateur de premier ordre.

85 Henriette de Grouchy avait pour père Ernest-Henry de Grouchy (1800-1879), ingénieur des Ponts-et-Chaussées, préfet, conseiller général et député du Loiret, lequel était lui-même un fils du frère du maréchal de Grouchy (voir Joseph Valynseele, *Les maréchaux de la Restauration et de la Monarchie de juillet*).

86 Ce n'est pas une destinée ordinaire que celle d'Elisabeth de Miribel. Entrée au Quai d'Orsay en 1939, comme traductrice, elle est peu après envoyée à Londres avec la mission française de guerre économique en Grande-Bretagne, dirigée par l'écrivain diplomate Paul Morand. En juin 1940, Geoffroy Chodron de Courcel, aide de camp de de Gaulle, la présente à ce dernier. La désorganisation provoquée par la débâcle la laisse pratiquement libre de son temps. Le général lui propose de devenir sa secrétaire. Séduite par l'attitude de celui-ci face à l'abattement général, elle accepte aussitôt. Son 1ᵉʳ travail sera de taper péniblement avec 2 doigts — elle n'est pas dactylographe —, sur une vieille machine à écrire portative, le texte du célèbre appel du 18 juin. Durant de longs mois, elle va assurer auprès du chef de la France libre, cruellement dépourvu de ressources et de concours à cette époque, 10, 15, voire parfois 20 heures de travail par jour. En 1941, elle est envoyée à Ottawa pour y faire connaître la France libre : elle donne des conférences, organise des collectes. De retour à Londres en 1943, elle en repart bientôt, cette fois pour Alger où elle est chargée de mission au commissariat à l'information. Elle est ensuite, en mars et avril 1944, correspondante de guerre auprès de l'armée Juin, en Italie. Après le débarquement en Normandie, elle obtient, non sans mal, de suivre la 2ᵉ D.B. avec cette même qualité. Elle est présente à la capitulation de von Choltitz à la gare Montparnasse. Directeur des services de presse du cabinet du général de Gaulle, président du gouvernement provisoire, elle assiste à la conférence de San Francisco et accompagne celui-ci lors de son voyage à Washington. A la fin de 1948, elle passe le concours du cadre complémentaire des Affaires étrangères et est officiellement intégrée au cadre de ce ministère, avec le grade d'attaché d'ambassade. Au début de 1949, on annonce son entrée au Carmel de Nogent-sur-Marne. Sa santé ne supporte pas la rigueur de la règle et, en 1954, il lui faut quitter la bure à la veille des vœux perpétuels. Après quelques mois de repos, elle réintègre le Quai d'Orsay. Elle sera successivement : attachée au cabinet du ministre des Affaires étrangères cabinet P. Mendès-France), attachée de presse à l'ambassade de Berne, secrétaire d'ambassade à Rabat, employée à l'administration centrale, 1ᵉʳ secrétaire à l'ambassade de Santiago du Chili, consul général de France à Innsbruck. Elle occupe aujourd'hui cette dernière fonction à Florence. Elisabeth de Miribel a publié deux ouvrages : *Edith Stein, 1891-1942* (Paris 1954, 222 p.), paru alors qu'elle était carmélite et signé simplement *une moniale française*, puis *Toumliline. A la recherche de Dieu, au service de l'Afrique* (Paris 1961, 285 p.), sous le pseudonyme d'Elisabeth des Allues et a traduit quelques volumes de l'allemand et de l'anglais. Par ailleurs, elle a raconté les débuts de la France libre dans plusieurs articles, notamment : *J'ai tapé — avec deux doigts — le texte du général* (in *Figaro littéraire*, semaine du 17 au 23-VI-1965) et *18 juin 1940. J'étais la secrétaire de de Gaulle* (in *Historia*, juin 1972) et, le 18-VI-1980, a participé aux émissions de radio organisées à l'occasion du 40ᵉ anniversaire de l'appel du général de Gaulle.

87 Jacques de Seroux a été adopté selon jug. du t. c. de la Seine du 8-VII-1942 par Marie-Gabrielle-Joséphine Fouquet, veuve de René-Louis-Marie Personne

de Songeons. A la suite de cette adoption, lui-même et ses enfants portent à l'état-civil le nom de Seroux-Fouquet : ils emploient cependant le seul nom de Seroux de manière usuelle.

88 A la Banque Morgan (Bruxelles).

89 Patrick de Miribel a traduit de l'anglais *Analyse non linéaire* (Paris, 358 p.) de Walter-Jack Cunningham et a publié plusieurs ouvrages sur des questions touchant à l'informatique.

90 Sœur de Jean-Charles baron Snoy et d'Oppuers (Ophain, Belgique, 2-VII-1907), qui fut quelque temps ministre des finances de Belgique.

91 Antoine marquis de Touchet était le frère du comte Michel allié à Marie-Madeleine Exelmans, arrière-petit-fille du maréchal (voir chap. II).

92 Antoine marquis de Touchet, qui était membre du réseau de résistance *Alliance*, fut arrêté par la Gestapo à son domicile à Caen en avril 1944, suite à une dénonciation, et fusillé à la prison de la même ville.

93 Dominique est ici prénom féminin.

94 L'acte de décès a été transcrit sur les registres de Paris 7ᵉ.

95 *Pendant la campagne du Rif, le sous-lieutenant de Mac Mahon se signala par sa brillante conduite,* publiait *Le Figaro* du 27-VIII-1932, retraçant la brève carrière de celui-ci. *Après deux années, il rentra en France, mais tout de suite demanda à repartir. Après Ernest Psichari, il avait entendu les voix qui crient dans le désert. Il repartit sur sa demande, au Soudan, à la tête de compagnies méharistes... En 1930, le jeune lieutenant rentrait en France, mais n'ayant qu'un désir : repartir au plus tôt. Devançant son tour, il s'enfonçait jusqu'en Mauritanie, dans cette zone rebelle où il devait trouver la mort.* Nous empruntons au rapport officiel établi le 27-VIII-1932 à Nouakchott par le capitaine Delange, commandant le groupe nomade du Trarza, le récit des circonstances de cette mort : *Le 18-VIII-1932, le groupe nomade du Trarza, au lever du jour, rencontrait dans les dunes couvertes d'Ifernane, de Moutounsi, un fort razzi ennemi. Le combat s'engagea aussitôt. Le lieutenant de Mac Mahon se portait en avant, entraînant ses gardes méharistes à l'attaque d'un important groupe ennemi. De tous côtés, l'ennemi, supérieur en nombre, tirait. Le lieutenant de Mac Mahon reçut une 1ʳᵉ balle à la tête et presque immédiatement une 2ᵉ dans la poitrine. Il tombait mort sans avoir souffert et sans prononcer une parole. Le corps du lieutenant de Mac Mahon a été inhumé par les soins du groupe nomade du Trarza dans un petit cimetière aménagé à Moutounsi, à proximité de la piste auto... 5 sous-officiers européens, 21 gardes méharistes et 10 tirailleurs furent également tués au cours du combat.*

96 Il fut élu député avec l'appui du gouvernement le 7-XI-1868 et réélu le 24-V-1869. Il rentra dans la vie privée après le 4-IX-1870.

97 Le marquis de Breteuil écrit dans son *Journal secret* à la date du 31-I-1887 : *Mademoiselle de Mac Mahon... épouse un comte de Piennes, dont le nom m'est aussi inconnu que la personne.* Grâce à l'aimable concours de M. Rémy Villand, des Archives départementales de la Manche, nous pouvons apporter quelques précisions sur cette famille. Portant, à cette époque, le seul nom de Piennes, on la rencontre au début du 16ᵉ dans le Cotentin, où elle possède différentes seigneuries. Maintenu noble lors de la recherche de 1666, Michel est à cette occasion titré marquis de Piennes. C'est, semble-t-il, le 1ᵉʳ de sa lignée à avoir pris cette qualité. Ses descendants la porteront désormais. Le nom d'Halwin apparaît dans cette famille à la fin du 18ᵉ siècle et pour la 1ʳᵉ fois, à notre connaissance, le 28-IV-1781, avec l'acte de baptême, à Colomby, de Louise-Constance-Amélie Le Conte de La Varangerie (fille de Claude-Adrien Le Conte et d'Angélique-Marie-Christophe-Louise de Piennes), laquelle eut pour parrain Louis-Claude-Elisabeth *d'Halwin de Piennes*, gouverneur de Dol, né en 1743. Depuis lors, le nom de Piennes sera presque tou-

jours précédé de celui d'Halwin dans les actes d'état-civil. La prétention manifestée par cette adjonction de se rattacher à la famille de Charles d'Halwin seigneur de Piennes, dont les possessions furent érigées en duché-pairie sous le nom d'Halwin par lettres du roi Henri III de 1587, duché qui s'éteignit avec le petit-fils du 1er titulaire, est dépourvue de fondement. Aucune des généalogies anciennes de la maison d'Halwin ne fait état d'une branche établie en Normandie. D'autre part, alors que les ducs d'Halwin avaient pour armes *d'argent à 3 lions de sable, armés, lampassés et couronnés d'or*, la famille dont il est ici question porta jusqu'à la fin de l'ancien régime *d'azur à la fasce d'or, accompagnée de 6 billettes d'or, 3 en chef et 3 en pointe, rangées de même*. Il est amusant de signaler, à l'égard de cette prétention, que le faire-part de décès d'Eugène, beau-père de Marie-Marguerite de Mac Mahon — mort après son fils le 6-I-1911 à Vrbovec en Croatie, il fut le dernier mâle du nom —, lui donne le titre de duc d'Halwin, dont il paraît bien n'avoir jamais usé de son vivant.

99 Le duc de Castries évoque de la sorte Mᵐᵉ de Piennes née Mac Mahon dans son livre *Papiers de famille* (Paris 1977) : *J'avais le dessein de composer une vie du maréchal de Castries et la recherche des documents me conduisit chez ma tante de Piennes..., qui conservait dans un grenier du 70, rue de Bellechasse les archives du maréchal de Castries, emportées de Castries par la maréchale de Mac Mahon lors du décès de son frère. Mᵐᵉ de Piennes m'en fit don avec une grande générosité et y adjoignit, venant des Piennes, une copie du journal du maréchal de Castries. Ce fut le départ de ma carrière d'historien.*

100 Dans son ouvrage sur les *Titres, anoblissements et pairies de la Restauration*, Révérend donne au maréchal de Mac Mahon une sœur du nom de Nina alliée à un M. de Rességuier, qui serait née en 1792. Il s'agit là d'une erreur. Prénommée Christine, dite Nina, née à Nantes le 4-XI-1791, décédée à Sauveterre (Gers) le 8-III-1868, alliée le 14-XII-1811 à Jules comte de Rességuier (Toulouse 28-I-1788 - Sauveterre 7-IX-1862), maître des requêtes au Conseil d'état, auteur de volumes de poésie et de romans, fils de Louis-Emmanuel marquis de Rességuier, procureur général au parlement de Toulouse, et d'Elisabeth de Chastenet de Puységur, l'intéressée, en fait, était fille de Térence Mac Mahon, lieutenant d'infanterie (au régiment de Walsh), lequel n'avait pas de parenté, tout au moins proche, avec les Mac Mahon dont il est traité ici (voir note 36), et de Caroline-Elisabeth-Humbline de La Tour-Saint-Igest.

101 A la mort s.p. de son oncle Charles-Laure (voir rubrique *Collatéraux*).

102 Grands chasseurs, Charles-Marie de Mac Mahon et ses frères Joseph et Eugène apparaissent à différentes reprises dans l'un des ouvrages du marquis de Foudras, fécond auteur de littérature cynégétique du siècle dernier : *Les gentils-hommes chasseurs* (Paris 1848). Le *Journal* du maréchal de Castellane consacre ces quelques lignes à Charles-Marie de Mac Mahon, à l'occasion de sa fin tragique : *J'apprends qu'un accident affreux a causé, à Autun, la mort du marquis de Mac Mahon. Il a été écrasé par son cheval dans une course. Riche propriétaire, il faisait un magnifique usage de sa fortune. Je regrette beaucoup M. de Mac Mahon. Il était capitaine aux hussards de la garde à l'époque où j'en étais colonel... Il avait quitté le service en 1830... Brave, franc et loyal, cet honnête homme... emportera les regrets de tout le monde.* (T. III, 13-III-1845.)

103 Louis marquis de Rosanbo était le frère d'Aline-Thérèse (Paris-Saint-Eustache 26-II-1771 - Paris, sur l'échafaud, 22-IV-1794) alliée Paris (Saint-Laurent) 27-XI-1787 à Jean-Baptiste de Châteaubriand (Saint-Malo 23-VI-1759 - Paris, sur l'échaufaud, 22-IV-1794), frère de François-René. Leur mère à tous deux, Marguerite-Thérèse de Lamoignon de Malesherbes, était la fille de Chrétien-Guillaume (1721-1794), défenseur de Louis XVI devant la Convention.

104 Fille d'Antoine-Henri comte d'Andlau (1746-1820), lieutenant général, député

aux Etats généraux, ambassadeur, et de Geneviève-Adélaïde Helvétius (1754-1817), laquelle était fille de Claude-Adrien (1715-1771), le célèbre philosophe.

105 Accordé par ordonnance du 30-V-1825, ce titre ne fut pas confirmé par l.p.

106 Petite-fille de la duchesse de Tourzel, née Louise-Elisabth de Croÿ d'Havré (1749-1832), nommée gouvernante des enfants de France en août 1789 en remplacement de la duchesse de Polignac, célèbre pour son dévouement à la famille royale.

107 *Personnalité célèbre par ses activités politiques et par sa générosité*, écrit à son sujet Denis Grivot (*op. cit.*, note 69), *elle était propagandiste acharnée de la cause royaliste, prononçant un peu partout des discours enflammés, distribuant des journaux et des revues et transformant, comme on le disait alors, la région en petite Vendée.* A sa mort, elle légua au 3e duc de Magenta le château de Sully dont la branche de son mari avait hérité en qualité d'aînée.

108 Cousine germaine de son mari.

109 Donald marquis d'Oilliamson s'est remarié à Paris 8e le 17-VIII-1895 à la princesse Louise de Broglie-Revel (Paris 7e 3-XII-1864 - Saint-Germain-Langot 17-VI-1946), fille du prince Auguste, propriétaire, et de Pauline de Vidart, elle-même veuve de Renaud marquis de Tramecourt.

110 *Impliqué dans un complot nationaliste et antisémite et condamné par contumace à 10 ans de bannissement (1900), fut à sa rentrée en France (1901) arrêté et condamné à nouveau, cette fois à 5 ans de bannissement, grâcié le 14-VII-1905 et amnistié en novembre de la même année*, indique à son sujet Henry Coston dans son *Dictionnaire de la politique française* (T. I).

111 Bertrand marquis de Lur-Saluces (Melun 20-I-1888 - Bordeaux 19-XII-1968), licencié ès lettres (russe) et ès sciences, propriétaire-viticulteur, président du Syndicat viticole de la région de Sauternes et Barsac, *qui fut le représentant du duc de Guise, puis du comte de Paris pour le sud-ouest, avant la guerre de 1939-45,... et accueillit cordialement Khrouchtchev au printemps de 1960 en lui prodiguant maints compliments en langue russe* (Coston, *op. cit.*, note 110), était le fils d'Eugène et d'Anne-Isabelle de Mac Mahon.

112 Augustin marquis de Nieuil s'est remarié à Paris le 6-V-1829 à Renée-Octavie de Menou (Chalandray 9-VIII-1806 - 16-II-1865), fille de René-Louis-François marquis de Menou, propriétaire (neveu de Jacques, 1750-1810, député aux Etats généraux, général de division, commandant en chef de l'armée d'Egypte après l'assassinat de Kléber, qui épousa une égyptienne et se fit lui-même musulman), et de la princesse Octavie de Broglie.

113 Fils lui-même d'Arnould-Claude marquis de Nieuil (22-VII-1730 - Poitiers 19-IV-1806), contre-amiral.

114 D'une famille d'ancienne noblesse originaire de la Basse-Marche, Augustin marquis de Nieuil fut admis aux honneurs de la cour en 1785 et 1786 sur preuves remontant sa filiation à 1428 (B.N., Chérin 162).

115 Fille de César-Henri comte de La Luzerne (1737-1799), lieutenant général, ministre de la marine (1787).

115a Voir au sujet de celui-ci la note 206 du chapitre VII (Castellane).

116 Avec Maurice marquis de Nieuil (Chalandray 25-VIII-1859 - Paris 16e 12-II-1949), fils de Georges et de Mlle de Coislin.

117 René de La Selle avait épousé précédemment à La Chapelle-Gaugain le 10-III-1809 Elisabeth Pellegrain de L'Estang (Tours, Saint-Venant, 12-IX-1783 - Tours 23-I-1818), fille de Charles-Noël et d'Elisabeth-Louise Massüe.

118 Joseph de Mac Mahon démissionna le 23-I-1831, ne voulant pas prêter serment au roi Louis-Philippe (dossier au S.H.A.T.).

119 On verra en se reportant à la rubrique *Le cadre familial* du chap. VII comment cette branche se situe par rapport à celle du maréchal de Castellane.

120 Fils d'Armand marquis de Caulaincourt duc de Vicence (1773-1827), grand maréchal du palais et ministre des relations extérieures de Napoléon 1er.

121 Nous devons la plupart des précisions données pour cette branche aux dépouillements que M. Jean Debest a bien voulu effectuer à notre intention aux A.D. de l'Hérault.

122 Donna sa démission le 22-VIII-1834, pour raison de santé (dossier au S.H.A.T.).

123 Nous remercions les descendants et parents du maréchal de Mac Mahon du concours qu'ils ont bien voulu nous apporter en vue de la mise au point de ce chapitre, et tout particulièrement la marquise de Touchet née Mac Mahon et la comtesse Guy de Francqueville. Egalement, nous exprimons notre gratitude à MM. Albert Vendeuvre, Maurice de Varax et Jean-Louis Beaucarnot pour les dépouillements qu'ils ont eu l'amabilité d'effectuer à notre intention aux A.D. de Saône-et-Loire et aux A.M. d'Autun.

XIV

Auguste-Michel-Etienne
comte Regnaud de Saint-Jean d'Angély

5-VI-1859

CARRIERE

1794 : naissance à Paris (30-VII) [1],
1812 : entre à l'Ecole militaire de cavalerie de Saint-Germain (30-III), sous-lieutenant (21-IX),
1813 : au 8e régiment de chasseurs (21-I), au 8e régiment de hussards (30-III), fait la campagne de Saxe, lieutenant (10-X), aide de camp du général de division Jean-Baptiste comte Corbineau (6-XII, jusqu'en 1814),
1814 : fait la campagne de France, capitaine (15-III), remis lieutenant en application de la décision royale du 17-V, au 1er régiment de hussards (1-VIII, jusqu'en 1815),
1815 : capitaine et officier d'ordonnance de l'empereur (3-V), est à Waterloo (18-VI), chef d'escadron (21-VI), rentre dans ses foyers comme lieutenant (2-VIII), rayé des contrôles pour s'être rendu en pays étranger sans autorisation (28-VIII) [2],
1816 : rentre en France,
1825 : rejoint en Grèce le colonel Charles-Nicolas baron Fabvier alors au service de ce pays et y est chargé de l'organisation et de l'instruction d'un corps de cavalerie discipliné à l'européenne (jusqu'en 1827),
1828 : attaché comme secrétaire interprète à l'état-major du général de division Nicolas-Joseph marquis Maison [3] commandant en chef de l'expédition de Morée,
1829 : admis au traitement de réforme comme lieutenant (22-VIII) [4], confirmé dans le grade de capitaine et jouit du traitement de réforme de ce nouveau grade (27-XII),
1830 : lieutenant-colonel (17-IX), au 1er régiment de lanciers (17-IX, jusqu'en 1841),
1831 : fait la campagne de Belgique (jusqu'en 1832),
1832 : colonel,
1841 : maréchal de camp (18-XII), disponible (18-XII),
1842 : commande la 1re brigade de la 1re division de cavalerie du corps d'opérations sur la Marne (24-IV), disponible (1-IX), commande le département de la Meurthe (27-XII, jusqu'en 1844),
1844 : commande la brigade de cavalerie de la division de secours du corps d'opérations de la Moselle,
1845 : commande la brigade de cavalerie à Versailles (jusqu'en 1848),
1848 : lors de la Révolution de février, se distingue par la fermeté de sa conduite et l'ordre qu'il sait maintenir dans sa brigade ; commande le département d'Indre-et-Loire (3-III), puis la 1re brigade (cavalerie légère) de la division de cavalerie de l'armée des Alpes (10-IV), général de division (10-VII), commandant par intérim de la division de cavalerie de l'armée des Alpes (14-VII), élu député de la Charente-inférieure à l'Assemblée constituante (26-XI),
1849 : commande les troupes de terre du corps expéditionnaire de la Méditerrannée (15-IV), élu représentant de la Charente-inférieure à l'Assemblée législative (13-V), inspecteur général pour 1849 du 12e arrondissement de cavalerie (18-VI),
1850 : conseiller général de la Charente-inférieure (jusqu'en 1870) [5],
1851 : ministre de la guerre (9-I, jusqu'au 24-I) ; contresigne la révocation du général Changarnier, commandant des troupes de Paris (9-I) ; applaudit au coup d'état du 2-XII, membre de la commission consultative (3-XII), membre du comité consultatif de la cavalerie (26-XII, jusqu'en 1853),
1852 : sénateur (26-I), l'un des vice-présidents du Sénat (jusqu'en 1870), inspecteur général pour 1852 du 9e arrondissement de cavalerie (21-V),

1853 : président du comité consultatif de la cavalerie (3-V, jusqu'en 1854), inspecteur général pour 1853 du 11e arrondissement de cavalerie et du détachement de gendarmerie en Italie (27-V),

1854 : commandant de la garde impériale (1-V), inspecteur général de celle-ci pour 1854,

1855 : commandant provisoire du corps de réserve en Orient (20-III), commandant titulaire de celui-ci (28-IV), inspecteur général pour 1855 des bataillons de guerre du régiment de gendarmerie de la garde (20-VI), de retour en France reprend le commandement des troupes de la garde qui y sont stationnées (1-XI),

1856 : commandant en chef de la garde impériale (6-IV, jusqu'en 1869 [6]),

1857 : major général du camp de Châlons.

1859 : prend une part déterminante à la victoire de Magenta à la tête de la garde impériale (4-VI), maréchal de France (5-VI),

1864 : confirmé dans le titre de comte héréditaire conféré à son père, avec réversion en faveur du mari de sa fille adoptive (d.i. du 20-XI [7]),

1870 : meurt à Cannes (1-II), inhumé aux Invalides.

ECRITS

● *Rapport adressé à Monsieur le président de la république par le ministre de la guerre sur le gouvernement et l'administration des tribus arabes de l'Algérie* (Paris 1851, 91 p.),

● *Ordre général constitutf du camp de Châlons-sur-Marne* (Châlons 1857, 12 p.).

LE CADRE FAMILIAL

Ascendance [8]

I - Claude REGNAUD [9], professeur en l'Université de Paris, au Collège de Navarre, puis au Collège de Lisieux [10], allié à Nicole-Marie-Madeleine GUÉNARD, dont

II - Etienne-Claude REGNAUD, baptisé [11] à Paris (Saint-Séverin) le 20-V-1711, décédé à Saint-Jean d'Angély le 2-VIII-1794, avocat en parlement, bailli du comté de Saint-Fargeau [12], allié à Marie-Madeleine ALLENET [13], décédée à Saint-Jean-d'Angély le 30-VI-1789, âgée de 71 ans, fille de Paul, propriétaire aux Richards, paroisse de Mazeray, et de Marie PAULIAN [14], dont

III - Michel-Louis-Etienne REGNAUD, né à Saint-Fargeau le 3-XI-1760 [15] décédé à Paris le 11-III-1819, comte de l'empire sous le nom de REGNAUD de SAINT-JEAN d'ANGÉLY (l.p. du 21-IV-1808), avocat, député du tiers pour la sénéchaussée de Saint-Jean d'Angély aux Etats généraux, conseiller d'état (1799), président de la section de l'intérieur du Conseil d'état (1802), membre de l'Académie française (1803), procureur général près la haute cour impériale (1804), secrétaire d'état de la famille impériale [16] et ministre d'état (1807), député de la Charente-inférieure à la chambre des Cent-jours (1815) [17], allié p.c. Paris 30-VIII-1795 [18] à Augustine-Françoise- Eléonore dite Laure GUESNON de BONNEUIL, née à Paris en 1776, décédée à Paris le 8-II-1857 [19], fille de Nicolas-Cyrille, entreposeur du tabac à Bordeaux, puis maître d'hôtel ordinaire de la comtesse d'Artois et 1er valet de chambre de Monsieur comte de Provence [20], conseiller secrétaire du roi [21], et de Michelle de SENTUARY [22].

Le futur maréchal est issu d'une liaison de son père, antérieure à l'union précitée. Déclaré à sa naissance, le 30-VII-1794, comme *fils de Marie-Louise-Augustine Chenié, artiste, et de Michel-Louis-Etienne Desrichards* [23], *employé à l'armée du Nord,* il fut reconnu, suivant un acte passé le 23-XI-1794 devant Me Minguet, notaire à Paris [24], par Michel-Louis-Etienne REGNAUD, lequel stipule à cette occasion qu'*il entend que les noms dudit enfant soient Auguste-Michel-Etienne Regnaud,* et adopté par Laure GUESNON de BONNEUIL lors du mariage de celle-ci avec Michel-Louis-Etienne REGNAUD [25]. Marie-Louise-Augustine CHENIÉ était fille de Jacques-Toussaint CHENIÉ et de Marie-Jeanne-Perrine NEZ [26].

Collatéraux [8]

Sœur du degré II : Jeanne-Madeleine REGNAUD, baptisée à Paris (Saint-Benoît) le 22-IV-1712, décédée à Paris le 20-XII-1798 [27]. Sœur du degré III : Marie-Bénigne REGNAUD, décédée à Saint-Jean-d'Angély le 25-VII-1816, âgée de 59 ans [28], alliée à Saint-Jean-d'Angély le 7-II-1791 à Jean-Baptiste-Frédéric de LABASSÉE, né à Cassel, Hesse, le 15-X-1761, décédé à Saint-Jean-d'Angély le 7-VI-1832, chevalier de l'empire par l.p. du 20-VIII-1809, chef d'escadrons de cavalerie [29], fils de Charles-Maurice-Hubert, capitaine de cavalerie [30], et d'Anna-Gertrude CARTELESSE-REINEMANN [31].

ARMES

D'azur au coq d'argent, la patte droite levée et posée sur un 4 de sable, surmonté en chef d'une étoile d'argent ; à la bordure composée d'or et de sable ; au franc-quartier brochant des comtes ministres employés à l'intérieur : d'azur à la tête de lion arrachée d'or [32].

L'EPOUSE

Le maréchal Regnaud de Saint-Jean d'Angély s'est allié à Daubeuf-Serville le 21-VII-1851 [33] à Anne-Angélique RUBY (Bec-de-Mortagne

6-IX-1807 - Bec-de-Mortagne 3-IV-1890), fille d'Edme, propriétaire agriculteur, et d'Anne-Angélique-Rose SELLE.

Anne-Angélique RUBY avait épousé précédemment à Bec-de-Mortagne le 4-VII-1825 Philippe-Hyacinthe MONGRARD (Fécamp 18-X-1795 - Le Havre 24-III-1846), entrepreneur de travaux publics au port du Havre, fils de Pierre-Philippe, entrepreneur de travaux publics au port du Havre, et de Marie-Thérèse DELEAU.

DESCENDANCE

Le maréchal Regnaud de Saint-Jean d'Angély n'eut pas de postérité de son mariage avec Anne-Angélique Ruby. Il adopta Flore-Angélique MONGRARD (Le Havre 31-VIII-1834 - Paris 16e 7-VI-1917), née de la 1re union de cette dernière [34], alliée à Paris le 29-IV-1854 à Edmond DAVILLIER (Gisors 1-X-1824 - Paris 8e 20-XI-1908), autorisé par d.i. du 2-XI-1864 à s'appeler DAVILLIER-REGNAUD de SAINT-JEAN d'ANGÉLY, puis par d.i. du 20-XI-1864 à succéder au titre de comte [35] du maréchal, capitaine de cavalerie, officier d'ordonnance et 1er écuyer de l'empereur, fils d'Auguste DAVILLIER, manufacturier [36], et de Clémentine PASSY [37].

Du mariage d'Edmond comte DAVILLIER-REGNAUD de SAINT-JEAN d'ANGÉLY et de Flore-Angélique MONGRARD est venue une fille qu'on trouvera ci-après avec sa descendance :

> Angélique-Marie-*Magdeleine* DAVILLIER-REGNAUD de SAINT-JEAN d'ANGÉLY (Paris 24-I-1855 - Paris 8e 12-VI-1926) allié Paris 8e 19-IV-1876 à Antoine dit Tony baron MARIANI (Paris 29-I-1850 - Paris 8e 27-II-1896), capitaine de cavalerie, fils de Joseph baron MARIANI [38], chef d'escadron d'état-major, aide de camp du prince Napoléon (Jérôme), chevalier d'honneur de la princesse Clotilde Napoléon, chambellan honoraire de l'empereur, député de la Corse, sous-préfet [39], et de Thérèse ALLESINA de SCHWEITZER [40], dont
>
> 1 - Joseph-*Louis*-Napoléon MARIANI (Tours 21-V-1877 - Paris 8e 10-VII-1881),
>
> 2 - Thérèse MARIANI (Paris 8e 24-XII-1882 - Sainte-Radegonde-en-Touraine [41] 29-XII-1900), s.a. [42].

FRERES ET SŒURS

Le maréchal fut le seul enfant né de la liaison de son père avec Marie-Louise-Augustine Chénié. Par ailleurs, il n'y a pas eu de postérité du mariage de son père avec Laure Guesnon de Bonneuil.

NOTES

1 Enclos du temple de la raison, section de la cité (acte de naissance, voir rubrique *Ascendance* et notes 25 et 26).

2 Aux Etats-unis pour y accompagner son père (voir note 17).

3 Maréchal de France l'année suivante.

4 Un rapport du ministre de la guerre au roi en date du 27-XII-1828, figurant dans le dossier de Regnaud de Saint-Jean d'Angély au S.H.A.T., montre que c'est sur les instances de Maison, fort satisfait de ses services, qu'il fut réintégré dans l'armée.

5 Le maréchal fut président du conseil général en 1853, 1858-1859, 1862-1863 et 1865, vice-président en 1854 et 1856-1857.

6 Il fut relevé de ce commandement sur sa demande, le 15-X-1869, pour motifs de santé.

7 Voir rubrique *Descendance*.

8 Sauf indication contraire en note, les précisions données sous cette rubrique ont été tirées des registres paroissiaux ou d'état-civil des communes dont il est fait mention et, pour Paris, de l'état-civil reconstitué (A.P.).

9 Bien que les dictionnaires aient retenu généralement la forme *Regnault*, c'est *Regnaud* qu'on trouve dans la quasi-totalité des documents originaux, qu'il s'agisse du maréchal lui-même ou des divers membres de sa famille. Tel est le cas notamment des l.p. relatives au titre de comte conféré à Michel-Louis-Etienne.

10 L'acte de baptême de son fils Etienne-Claude déclare Claude Regnaud *professeur en l'Université de Paris* et celui de sa fille Jeanne-Madeleine (voir *Collatéraux*) ajoute *au Collège de Lisieux*. On sait qu'il avait été précédemment professeur au Collège de Navarre grâce à un petit dossier se trouvant au Départ. des manuscrits de la B.N. sous la cote Ms français 16868 *(Papiers du président Achille III de Harlay concernant le Collège de Navarre et principalement le projet de réforme du collège, au commencement du 18e siècle),* folios 226 à 233. Le mariage de Claude Regnaud souleva en effet une certaine agitation dans l'établissement. Célébré en 1708 avec dispense de bans, celui-ci était tout d'abord demeuré ignoré des autorités. Lorsqu'elles en eurent connaissance en 1710, l'intéressé fut invité à quitter la maison : il n'y avait jamais eu de régents mariés à Navarre. Regnaud opposa que, depuis la réforme de 1600, les régents avaient la faculté de se marier. Ses collègues prirent fait et cause en sa faveur. Un mémoire fut imprimé, intitulé : *Pour les régents de l'Université de Paris, présenté à Nosseigneurs les commissaires nommés par le Roy, pour revoir et régler les offices du Collège royal de Navarre.* Rien n'y fit : Regnaud dut s'incliner. Le mémoire précité nous apprend qu'il était professeur à Navarre depuis 6 ans.

11 Né le même jour.

12 L'*Histoire de la ville et du comté de Saint-Fargeau* d'Aristide Dey (1856) signale que, *devenu aveugle et obligé de se démettre de ses fonctions,* Etienne-Claude Regnaud, après avoir passé une grande partie de sa vie à Saint-Fargeau, se retira à Saint-Jean d'Angély : on verra (note 13) que sa femme était originaire de cette région.

13 Une brochure anonyme sur *Michel-Louis-Etienne Regnaud de Saint Jean d'Angély,* publiée en 1863, à Rochefort (imprimerie Ch. Thèze), rapporte ainsi les

circonstances du mariage d'Etienne-Claude Regnaud : *Le père de Regnaud, forcé de s'arrêter à Saint-Jean d'Angély en 1756 par un accident survenu à un ami qu'il accompagnait aux eaux des Pyrénées, avait été accueilli avec bienveillance et empressement dans la petite maison de la famille Allenet, rue du Château. L'année suivante, quand déjà l'aimable étranger paraissait oublié de tous, on le voyait revenir et épouser l'une des jeunes personnes qui avaient contribué à lui rendre agréable son séjour dans notre ville.* L'acte de mariage d'Etienne-Claude Regnaud n'a pu être retrouvé ni dans les registres de Saint-Jean d'Angély, ni dans ceux des deux communes proches de Mazeray et Lozay, où la famille Allenet avait des propriétés. L'union n'a pas, non plus, été célébrée à Saint-Fargeau.

14 L'acte de décès de Marie-Madeleine Allenet ne mentionne ni son lieu de naissance, ni ses parents. Sans doute était-elle née à Mazeray : les registres de cette commune antérieurs à 1737 ont malheureusement disparu. Ses parents nous sont connus par le testament de son père, ouvert le 26-I-1773 (Allenet, notaire à Saint-Jean d'Angély). Grâce à ce document, on sait d'autre part qu'elle avait à cette date 6 frères et sœurs : Paul-Zacharie, prêtre ; J.-Charles, chanoine de Luçon ; Pierre-Daniel, officier de vaisseau, aux Isles ; Marguerite, religieuse ; Marie et Marie-Thérèse encore célibataires.

15 Nous insistons sur le fait que cette date, différente de ce que donnent la plupart des dictionnaires, a été prise dans l'acte de baptême lui-même.

16 Il était, en cette qualité, chargé de tenir le registre spécial où étaient inscrits les actes d'état-civil relatifs aux membres de la famille impériale.

17 Michel-Louis-Etienne Regnaud, du fait des fonctions de son père, avait eu pour parrain Michel-Etienne Le Peletier de Saint-Fargeau (1736-1778), conseiller d'état, président au parlement de Paris et, par ailleurs, avait été la camarade d'enfance de Louis-Michel (1760-1793), fils du précédent, membre puis président de la Constituante, ensuite conventionnel. Esprit ouvert, mais modéré, désireux de concilier la royauté et les idées nouvelles, il se range en 1789 du côté des constitutionnels. Il se fait remarquer à l'assemblée par sa parole facile et agréable. Après la dissolution de la Constituante, il collabore activement au *Journal de Paris,* dont André Chénier est le principal rédacteur, et à *l'Ami des patriotes,* feuille qui passe pour être subventionnée par la liste civile. Il est contraint de se cacher pour échapper à l'arrestation sous la Terreur. On verra en se reportant à la note 24 du chap. V comment, à cette époque, il est, dans une circonstance, sauvé d'une mort certaine par celle qui sera la mère du maréchal de Saint-Arnaud. Il doit de connaître Bonaparte aux fonctions d'administrateur des hôpitaux de l'armée d'Italie, qu'il obtient en 1796, et désormais s'attache à sa fortune. Comme l'a très bien montré Jean Savant dans son livre sur *Les ministres de Napoléon* (Paris 1959), en dépit d'emplois qui ne sont pas de tout premier plan, il sera constamment, pour le 1er consul, puis pour l'empereur, un collaborateur très proche, écouté et exerçant une influence considérable. Il a sa place dans tous les conseils. Napoléon en fait volontiers le confident de ses grandes entreprises. Réputé le meilleur orateur de l'empire, il est chargé de faire entériner par le Sénat et le Corps législatif les mesures qui risquent de susciter l'opposition, telles que déclarations de guerre, demandes d'hommes et d'argent. Travailleur infatigable, quoique grand amateur de parties fines, il rédige nombre des discours, des lettres, des articles de Napoléon. Demeuré à l'écart sous la Première restauration, il reprend sa place auprès de l'empereur aux Cent-jours. La Seconde restauration l'exile. Il séjourne aux Etats-unis, puis en Belgique. Autorisé à rentrer en France par Decazes, il meurt dans la nuit qui suit son arrivée à Paris. Ainsi que l'atteste le dossier de police à son nom existant aux A.N. (F⁷ 6683), très affecté par la perte de ses fonctions et dignités, il souffrait depuis 1817 d'aliénation mentale.

18 A.N., M.C., XXXVIII 758 bis.

19 Le général baron Thiébault traite fort mal la comtesse Regnaud de Saint-Jean

d'Angély dans ses célèbres mémoires (T. III, Paris 1894). *Cette femme que l'empereur avait en grippe à cause des scandales de sa conduite... Cette femme qui avait la prétention d'être belle avec une tête et des dents de cheval, d'avoir de l'esprit parce qu'elle était méchante, d'être sensible parce que, à tout bout de champ, elle avait des attaques de nerfs...,* note-t-il à son sujet, ajoutant : *... Mme Regnaud qui semblait toujours mourante, aurait, en fait de plaisirs, tenu tête à tous les grenadiers de France.* Si elle eut, effectivement, une vie sentimentale assez agitée, ce qui, au reste, ne l'empêcha pas de faire le meilleur ménage avec son mari, lequel prenait de son côté les mêmes libertés, il paraît injuste de lui contester la beauté. Les portraits qu'on a d'elle témoignent en faveur de celle-ci et les autres mémorialistes sont unanimes à cet égard. *Mme Regnaud était belle, son mari la fit peindre par Gérard ; ce portrait fut un des premiers qui établirent la renommée du peintre...,* écrit Mme de Chastenay (*Mémoires,* Paris 1896). *Elle est le modèle le plus pur d'une belle tête grecque, aux lignes exquises dans leurs proportions, aux parfaits contours... Sa taille était de celles qui sont parfaites dans leurs proportions. Jamais, Mme Regnaud n'a mis de corset, même pour aller à la cour en grand habit...,* affirme avec enthousiasme la duchesse d'Abrantès (*Mémoires,* T. VI). Alors qu'elle atteint la cinquantaine, elle suscite encore l'admiration du maréchal de Castellane : *La comtesse Regnaud de Saint-Jean d'Angély, toujours belle, étrangement conservée,* consigne-t-il dans son *Journal* à la date du 1-II-1827. L'aversion de Napoléon à son endroit était de notoriété publique. La duchesse d'Abrantès rapporte (loc. cit.) une algarade que l'empereur lui fit un jour devant toute la cour : *Savez-vous que vous vieillissez terriblement, Mme Regnaud ?* L'intéressée, qui n'avait pas 30 ans, lui répondit sans perdre contenance : *Ce que votre majesté me fait l'honneur de me dire serait bien dur à entendre si j'étais d'âge à m'en fâcher.* Dans sa série *Napoléon et les femmes* (in *Cahiers de l'Académie d'histoire,* 1970), Jean Savant la classe parmi *celles qui ont dit non* et voit dans ce refus la cause de la hargne de l'empereur à son égard. *Sa maison, durant plusieurs années, fut une espèce de centre pour les artistes ou du moins pour quelques artistes du premier ordre, liés entre eux,* signale Mme de Chastenay (loc. cit.). Cela suffisait sans doute pour exciter l'animosité de l'empereur, qui ne supportait pas qu'une femme s'occupe d'autre chose que de faire des enfants et de tenir sa maison. Mme Regnaud, apparemment, n'était pas aussi méchante que le dit Thiébault. Ne gardant pas rancune à Napoléon de ses mauvais procédés, elle alla lui faire visite à la Malmaison le 26-VI-1815, alors qu'il était abandonné de tout le monde. On sait, grâce au *Mémorial* de Las Cases (chap. XI), que l'empereur reconnut à Sainte-Hélène l'injustice dont il avait fait preuve à son sujet : *Quelqu'un ayant dit à l'empereur combien elle avait montré d'attachement pour lui durant son séjour à l'île d'Elbe : Qui ? elle ? s'est écrié l'empereur avec surprise et satisfaction. — Oui, sire. — Ah ! pauvre femme, a-t-il ajouté avec le geste et l'accent du regret, et moi qui l'avais pourtant si maltraitée ! Eh bien ! voilà qui paie du moins pour les renégats que j'avais tant comblés !...* La fidélité de la comtesse Regnaud de Saint-Jean d'Angély à la dynastie des Bonaparte ne se démentit jamais. *En partant pour l'Amérique,* indique Achille Darnis dans *Essai sur la vie de s.e. le comte Regnaud de Saint-Jean d'Angély* (Poitiers 1859), *son mari lui confia la garde du registre de l'état civil de cette famille, qu'il avait sous clef, lorsque son ministère fut supprimé. La comtesse n'abandonna jamais ce précieux dépôt et sut le soustraire aux recherches de la police en le cachant dans une grotte de sa propriété du Val. Ce registre a été remis à l'empereur Napoléon III par le fils de l'ancien ministre d'état.* Fort âgée déjà, Mme Regnaud de Saint-Jean d'Angély devait écrire, sous la Seconde république et le Second empire, quelques opuscules de propagande en faveur du régime : *Napoléon* (1851, 5 p.), *L'empire* (1852, 4 p.), *La France est constante* (1858, 4 p.), ce dernier publié peu après sa mort. Elle ne s'éteignit pas à Fontainebleau le 14-III-1859, comme l'ont indiqué certains auteurs, mais bien à Paris à la date que nous donnons : son acte de décès figure dans l'état civil parisien reconstitué (A.P.). On a dit que Laure comtesse de Vallon, personnage fictif apparaissant dans *Les enchantements de Prudence* (Paris, 1873-1874), souvenirs littéraires publiés par Mme P. de Saman (pseudonyme d'Hortense

Allart de Méritens), serait en fait la comtesse Regnaud de Saint-Jean-d'Angély, que l'auteur avait beaucoup fréquentée.

20 Né à Paris (Saint-Nicolas-des-champs) en 1732, mort à Paris le 24-III-1803, Nicolas-Cyrille Guesnon de Bonneuil était fils de Jean-François Guesnon, contrôleur général des rentes de l'hôtel de ville de Paris, et de Marie-Madeleine Desbettes, petit-fils de Jean-François Guesnon, bourgeois de Paris, et de Marie Moulin. Outre la comtesse Regnaud de Saint-Jean d'Angély, il avait eu trois autres filles : A) Marie-Michelle (Bordeaux 24-XI-1767 - Paris 21-III-1853) alliée 1) à François du Bouzet (Bivès 16-X-1742 - Condom 23-III-1821), maréchal de camp (1815), lieutenant général honoraire (1816), fils de François-Barthélémy et de Marie-Paule du Bouzet, dont elle divorça (Paris 1-II-1794), 2) Paris 30-VI-1794 à Philippe Buffault (Paris 4-VI-1760 - Bréauté 4-XII-1850), successivement manufacturier à Paris et à Lyon, préfet, conseiller maître à la Cour des comptes, banquier, fils de Jean-Baptiste, manufacturier et négociant, échevin de Paris, et de Barbe-Liévine Pieters, marchande de modes à Paris (l'une des deux filles venues du 2ᵈ mariage, Marie-Aglaé Buffault, née à La Feratière, Rhône, le 16-XIII-1794, décédée à Paris le 15-I-1857, auteur de quelques romans, épousa à Paris le 3-IV-1813 Amédée-Louis Despans de Cubières, né à Paris, Saint-Eustache, le 4-III-1786, décédé à Paris le 6-VIII-1853, général de division, pair de France en 1839, ministre de la guerre en 1839 et 1840, condamné à la dégradation civique en 1847 à la suite d'une affaire de corruption, réhabilité en 1852, fils selon son acte de baptême de Simon-Amédée Despans, capitaine d'infanterie, et de Michelle-Cécile de Blois, en fait fils naturel de Simon-Louis-Pierre marquis de Cubières, naturaliste et agronome, qui l'adopta à Versailles le 25-IX-1802, et neveu de Michel de Cubières dit Dorat-Cubières ou Cubières-Palmézeaux, poète) ; B) Marie-Catherine-Jeanne (Paris, Saint-Nicolas-des-champs, 18-III-1770 - Paris 17ᵉ 30-IV-1866) alliée Paris 5-IX-1801 à Antoine-Vincent Arnault (Paris, Saint-Jean-en-grève, 22-I-1766 - Bréauté 16-IX-1834), chevalier de l'empire (l.p. du 6-IX-1811), homme de lettres, membre et secrétaire perpétuel de l'Académie française, député de Paris sous les Cent-jours, fils de Vincent, valet de chambre de Monsieur comte de Provence, et de Marie-Jacqueline Le Duc, femme de chambre de Madame comtesse de Provence, époux divorcé (Paris 31-VIII-1800) d'Elisabeth-Alexandrine Desforges (André Rives de Lavaÿsse dit Rives-Henrÿs, né à Saint-Aubin-sur-Gaillon le 24-I-1917, administrateur et président de sociétés, député de la Seine, puis de Paris, dont le *Who's who* de 1969-1970 signalait la parenté avec le maréchal Regnaud de Saint-Jean d'Angély, est par sa mère l'arrière-petit-fils d'une fille d'Antoine-Vincent Arnault et de Marie-Catherine-Jeanne Guesnon de Bonneuil); C) Augustine-Simplicie-Evelina (1792 - 10-IX-1861) alliée Paris 21-IV-1813 à Edouard Cardon (Gand 29-XII-1786 - Paris 7-VII-1849), chef d'escadrons de cavalerie, fils de Jean-Bernard, manufacturier (tabac), propriétaire, et d'Angélique Thomas (Edouard Cardon était le demi-frère d'Elise-Cécile Cardon épouse de Jean-Joseph-Pierre-Augustin de Lapeyrière, frère de la maréchale Bessières, et d'Adélaïde-Caroline Cardon épouse d'Auguste-Charles Lebrun de Plaisance, 3ᵉ fils de Charles-François 1ᵉʳ duc de Plaisance, architrésorier de l'empire).

21 Les titres et qualités de Nicolas-Cyrille Guesnon de Bonneuil sont indiqués d'après les articles d'Alain d'Anglade cités à la fin de la note 22.

22 Michelle de Sentuary (Saint-Denis-de-La Réunion 25-III-1748 - Paris 26-XII-1829) était fille de Jean de Sentuary, avocat au parlement de Bordeaux, puis procureur général au conseil supérieur de l'île Bourbon, et de Marie-Catherine Caillou. Mᵐᵉ de Chastenay la dépeint *jolie comme les Amours, aimable, vive, passionnée* (in *Mémoires*). La duchesse d'Abrantès, de son côté, affirme qu'elle était *la plus ravissante personne que jamais on ait vue* (in *Mémoires*, VI). Elle passait pour avoir été l'une des *berceuses* du financier Nicolas Beaujon : ce nom désignait les quelques jeunes femmes auxquelles, devenu trop vieux pour avoir des maîtresses, celui-ci demandait chaque soir de leurs propos et de leurs cajoleries. Agée de près de 35 ans, elle fut un moment la maîtresse d'André Chénier qui en avait 20 : le poète la chanta sous le nom de

Camille. L'une de ses sœurs, Marie-Catherine (Saint-Denis-de-La Réunion 15-I-1747 - Bordeaux, Notre-dame-du-Puy-Paulin, 24-IV-1783), alliée Bordeaux (Notre-dame-du-Puy-Paulin) 31-XII-1766 à Jean-Louis Testart (La Martinique 1744 - Bordeaux 20-VIII-1814), négociant, eut, elle, une liaison avec le chevalier Antoine Bertin, poète aimable et facile, émule de Parny : elle est l'Eucharis de ses élégies. Une autre sœur, Françoise-Augustine (Saint-Denis-de-La Réunion 31-III-1749 - Paris 23-V-1794), après avoir épousé à Bordeaux (Notre-dame-du-Puy-Paulin) le 25-IV-1768 Jacques Thilorier (Fort-Dauphin, Saint-Domingue, 1-VII-1742 - Bordeaux 28-XII-1783), conseiller au parlement de Bordeaux, puis maître des requêtes de l'hôtel (une fille issue de cette union, Augustine-Michelle Thilorier, née à Bordeaux le 15-XI-1771, s'allia à Paris le 3-V-1808 à Jean baron de Batz, le célèbre conspirateur royaliste), se remaria p.c. Paris 22-VIII-1786 à Jean-Jacques Duval d'Eprémesnil (Pondichéry 30-I-1746 - Paris 22-IV-1794), conseiller au parlement de Paris, député aux Etats généraux, qui fut l'un des artisans de la Révolution par son aveuglement et son inconséquence, ce qu'il devait payer de sa vie et de celle de sa femme : tous deux périrent sur l'échafaud. L'un des frères de Michelle Sentuary, Jean-Suzanne (Saint-Denis-de-La Réunion 16-IX-1750 - Bordeaux 14-IX-1827), chef d'escadrons de cavalerie, fut fait chevalier de l'empire par l. p. du 23-VII-1810. La famille de Sentuary a été étudiée de façon très intéressante et à partir de documents originaux par Alain d'Anglade dans deux articles intitulés *Trois sœurs créoles : Mlles de Sentuary,* publiés par la *Revue historique de Bordeaux et du département de la Gironde* (oct./déc. 1957, janv./mars 1962).

23 On a vu plus haut que c'était là le nom d'une propriété de la famille maternelle de Michel-Louis-Etienne Regnaud.

24 A.N., M.C., V 851.

25 On trouve en effet l'article suivant dans le contrat du mariage de Michel-Louis-Etienne Regnaud avec Mlle Guesnon de Bonneuil : *Le futur époux déclare qu'il a un enfant existant d'un mariage projeté, mais non réalisé entre lui et la citoyenne Marie-Louise-Augustine Chenié, décédée depuis la naissance dudit enfant, lequel enfant, de convention entre les parties, sera adopté par la future épouse dans les formes requises par la loi aussitôt après la réalisation du mariage dont les parties s'occupent* (voir note 18).

26 Michel-Louis-Etienne Regnaud avait bien l'intention d'épouser la mère du futur maréchal comme l'affirme le document cité à la note précédente : un contrat de mariage fut en effet signé entre lui et celle-ci le 19-X-1793, également chez Me Minguet (A.N., M.C., V 848). C'est par ce contrat que nous connaissons les parents de Mlle Chénié. S'appuyant sur un acte de notoriété reçu le 16-VI-1851 par Me Lefebvre, notaire à Paris, l'acte de mariage du maréchal indique que cette dernière mourut à Paris dans le courant du mois d'août 1794.

27 Une copie des actes de naissance et de décès est annexée à un acte de notoriété du 18-I-1805 (A.N., M.C., XCIII 261). L'intéressée resta célibataire.

28 L'acte de décès de Marie-Bénigne Regnaud indique qu'elle était née à Saint-Jean-d'Angély. Son acte de baptême n'a pu être retrouvé dans les registres de cette commune, ni dans ceux de Mazeray. Il n'y en a pas trace non plus à Saint-Fargeau.

29 L'un des documents figurant dans le dossier de Jean-Baptiste-Frédéric de Labassée au S.H.A.T. indique qu'il reçut *un sabre de la manufacture de Versailles, en récompense du zèle qu'il a montré au 18 brumaire.* Il était le frère de Mathieu de Labassée (Saint-Fargeau 20-II-1764 - Paris 27-VIII-1830), baron de l'empire (l.p. du 20-VIII-1809), général de brigade.

30 Marie-Bénigne Regnaud et Jean-Baptiste-Frédéric de Labassée ont eu 3 enfants qu'on trouvera ci-après avec leur postérité : A) Frédéric de Labassée (Saint-Jean-d'Angély 20-II-1792 - Paris 23-VIII-1845), capitaine de cavalerie, puis

huissier à la Chambre des pairs, allié III-1812 à Madeleine-Julie de Labassée (Bitche 1792 - Villecresnes 10-IX-1814), fille de Mathieu baron de Labassée, général de brigade, et de Marie-Louise Reboulleau, sa cousine germaine (voir note 29), dont uniquement Louise-Athenaïs de Labassée, née à Villecresnes 26-VIII-1814, décédée après 1853, alliée Saint-Jean-d'Angély 31-VII-1833 à Gustave Robert, né Saint-Jean-d'Angély 25-II-1810, décédé avant 1853, avocat à Saint-Jean-d'Angély, fils de Charles-Joseph, propriétaire, et de Marie Jaqueneau, dont au moins Gustave (Saint-Jean-d'Angély 9-V-1834 - Paris 5ᵉ 24-II-1888), colonel de cavalerie, s.a. ; B) Athénaïs de Labassée (Mazeray 11-XII-1793 - Les-églises-d'Argenteuil 12-VI-1865) alliée Paris 25-II-1812 à Guillaume Normand-Dufié (Saint-Jean-d'Angély 6-XI-1787 - Saint-Jean-d'Angély 27-VIII-1858), contrôleur principal des droits réunis, fils de Jacques, receveur particulier des finances en l'élection de Saint-Jean-d'Angély, et d'Elisabeth Micheau, dont 1) Charles Normand-Dufié, né Saint-Jean-d'Angély 3-XI-1813, mort jeune ; 2)Laure Normand-Dufié (Les églises-d'A. 24-I-1816 - Les églises-d'A. 20-VII-1889) alliée Les églises-d'A. 15-XI-1842 à René de Grimoüard (Saint-Jean-d'Angély 27-VII-1813 - Les églises-d'A. 26-XII-1891), propriétaire, fils de Julien, propriétaire, et de Claire-Elisabeth de Haüsen, dont uniquement Ludovic de Grimoüard (Saint-Jean-d'Angély 11-VII-1848 - Les églises-d'A. 13-VI-1873), avocat, lieutenant de mobiles, mort s.a. des suites de la campagne de 1870-71 ; 3) Victor Normand-Dufié (Les églises-d'A. 29-IV-1818 - Les églises-d'A. 5-IV-1883), propriétaire agriculteur, allié à Marguerite-Anaïs Pommier (Saint-Vivien, Charente-maritime, c. 1823 - Les églises-d'A. 17-I-1898), fille de Marguerite Pommier, dont a) Athénaïs Normand-Dufié (Les églises-d'A. 5-XII-1854 - Les églises-d'A. 10-III-1869) ; b) Bénigne Normand-Dufié (Les églises-d'A. 25-V-1857 - Les églises-d'A. 9-VII-1886), s.a. ; c) Elisabeth Normand-Dufié (Les églises-d'A. 6-VIII-1859 - Les églises-d'A. 31-V-1866) ; 4) Adolphe Normand-Dufié (Les églises-d'A. 11-XI-1821 - Les églises-d'A. 14-IX-1880), chef de bataillon d'infanterie, s.a. ; 5) Henri Normand-Dufié (Les églises-d'A. 18-VIII-1825 - Les églises-d'A. 12-I-1889), chef de bataillon d'infanterie, s.a. ; 6) Sixte-Guillaume Normand-Dufié (Saint-Jean-d'Angély 1-IV-1829 - Les églises-d'A. 5-V-1916), docteur en médecine, médecin major de la garde impériale, conseiller général de la Charente-inférieure, allié Paris 6-VII-1867 à Adèle-Geneviève Beisson (Paris 13-II-1846 - Les églises-d'A. 27-X-1923), fille d'Antoine, propriétaire, et de Victoire-Henriette Millié, s.p. ; 7) Septime Normand-Dufié, mort jeune ; C) Charles-Henry de Labassée, étudiant en droit à Paris en 1819, apparemment mort s.a.

31 Nous exprimons notre gratitude à Mᵐᵉ Emmanuel Chevreau, secrétaire du Cercle généalogique d'Aunis et Saintonge, pour l'aide précieuse qu'elle a bien vculu nous apporter en vue de la mise au point de cette partie. Nous remercions également le docteur Thierry Debussy et M. Pierre Verzat qui, apparentés à la famille Normand-Dufié (voir note 30), nous ont, de leur côté, procuré quelques éléments intéressants.

32 Il s'agit là du blason donné en 1808 au père du maréchal. Il n'y eut pas d'autre règlement d'armoiries lors de la confirmation du titre de comte en 1864 (voir note 2 du chap. IX).

33 Contrat le 19-VII chez Mᵉ Clacquerin, notaire à Goderville.

34 Unique enfant de cette union.

35 Voir note 2 du chap. IX.

36 Auguste Davillier était le 2ᵉ fils de Jean-Charles-Joachim (Montpellier 3-XI-1758 - Paris 18-X-1846), baron de l'empire (1810), négociant, banquier, manufacturier, régent de la Banque de France, pair de France (1831).

37 Clémentine Passy, qui, veuve, se remaria à Paul-Adolphe Dibon dit Mettol-Dibon, manufacturier à Louviers, était la sœur notamment d'Antoine (1792-1873), préfet, député, sous-secrétaire d'état, géologue, membre de l'Académie

des sciences, d'Hippolyte (1793-1880), député, pair de France, ministre, économiste, membre de l'Académie des sciences morales et politiques, et de Félix
(1795-1872), conseiller maître à la Cour des comptes, la tante de Louis (1830-
1913), fils d'Antoine, député, sous-secrétaire d'état, homme de lettres, membre
de l'Académie des sciences morales et politiques, et de Frédéric (voir au sujet
de ce dernier, fils de Félix, les notes 56 et 57 du chap. XIX, Bazaine).

38 De Corse, la famille Mariani a été étudiée par Jacques Meurgey de Tupigny
dans un livre intitulé *Les barons Mariani et leurs alliances* (Paris 1933). Joseph
baron Mariani était le frère aîné d'Hyacinte-Louis-Joseph Mariani (1827-1894),
général de brigade. Tous deux avaient eu pour parents Antoine-Dominique
Mariani (1776-1845), quelque temps secrétaire du cabinet du roi de Westphalie,
puis sous-préfet, qui aurait été fait baron par le roi Jérôme, et Louise Dard
d'Espinay, cette dernière fille de Louis-Gaspard Dard dit d'Espinay (1753-1808)
qui, porte-guidon à la fin de l'ancien régime, devenu rapidement sous-lieutenant,
puis lieutenant après 1789, passa en 1793 directement du grade de capitaine à
celui de général de brigade, refusa cette promotion sous prétexte de maladie,
appréhendant le sort réservé par la république aux généraux qui avaient le
malheur de se faire battre, et termina sa carrière comme chef d'escadrons.

39 Joseph Mariani (1815-1890) fut député de la Corse de 1857 à 1863 et sous-
préfet de Corte de 1863 à 1870.

40 D'une famille badoise, celle-ci était fille de Ferdinand, ministre du grand-duc
de Bade à Paris, et de Marie de Weiler.

41 Cette commune a, depuis, été absorbée par la ville de Tours.

42 Morte s.p., la baronne Mariani née Davillier-Regnaud de Saint-Jean-d'Angély
désigna comme légataire universel par testament du 14-IV-1921 Henri Salel
de Chastanet (Paris 8e 6-III-1888 - Paris 16e 26-V-1959), capitaine de cavalerie,
fils de Paul-Ernest, associé d'agent de change, et de Claire-Marguerite Meurice,
non parent, décédé lui-même s.p.

XV

Adolphe Niel

25-VI-1859

CARRIERE

1802 : naissance à Muret, Haute-Garonne (4-X),
1821 : entre à l'Ecole polytechnique,
1823 : sous-lieutenant, entre à l'Ecole d'application du génie (Metz),
1825 : lieutenant en 2d, au 3e régiment du génie (jusqu'en 1829),
1827 : lieutenant en 1er (14-VII), lieutenant breveté (1-X),
1828 : détaché aux travaux de défense de la place de Longwy,
1829 : détaché aux travaux de défense de la place de Toulon (8-I), capitaine en 2d (25-I), au 1er régiment du génie (25-I, jusqu'en 1831), chef du service aux îles d'Hyères (30-VI),
1830 : employé à Toulon,
1831 : employé à Bayonne (15-I), capitaine en 2d breveté (1-X), au 2d régiment du génie (1-X, jusqu'en 1835),
1835 : capitaine en 1er, au 1er régiment du génie,
1836 : employé au dépôt des fortifications à Paris (4-II), attaché à l'état-major du génie du corps expéditionnaire dirigé contre Constantine (31-XII),
1837 : conduit l'une des colonnes d'assaut lors de la prise de Constantine (13-X), reste à Constantine comme chef du génie après la reddition de la ville (28-X, jusqu'en 1839), chef de bataillon (24-XII),
1839 : au 3e régiment du génie (jusqu'en 1840),
1840 : employé aux travaux de fortifications de Paris (rive droite), comme directeur des fortifications à Saint-Denis (jusqu'en 1846),
1842 : lieutenant-colonel,
1846 : commande provisoirement le 2e régiment du génie à Montpellier (9-V), colonel (12-V), commande le 2e régiment du génie (27-V, jusqu'en 1849),
1849 : chef d'état-major du génie au corps expéditionnaire de la Méditerranée (12-V), conduit les travaux du siège de Rome ; après la chute de la ville (4-VII), est chargé par le général en chef Oudinot d'en porter la nouvelle au pape Pie IX réfugié à Gaète ; général de brigade (13-VII), commande le génie de l'armée expéditionnaire de la Méditerranée (14-VII), disponible (23-XII),
1850 : chef du service du génie au ministère de la guerre,
1851 : membre du comité des fortifications (21-III, jusqu'en 1859), inspecteur général pour 1851 du 5e arrondissement du génie (6-VI),
1852 : conseiller d'état en service ordinaire hors sections (26-I, jusqu'en 1857), inspecteur général pour 1852 du 7e arrondissement du génie,
1853 : général de division (30-IV), inspecteur général pour 1853 du 6e arrondissement du génie,
1854 : commande le génie du corps expéditionnaire de la Baltique (3-VII), obtient la capitulation de la citadelle russe de Bomarsund après un siège de 5 jours (16-VIII)[1],
1855 : aide de camp de l'empereur (8-I, jusqu'en 1860) ; préoccupé par la durée du siège de Sébastopol, ce dernier l'y envoie avec mission d'établir un rapport sur la situation exacte de l'armée et la conduite des opérations (9-I) ; commande le génie à l'armée d'Orient et assure la direction technique du siège de Sébastopol (3-V),
1857 : sénateur (9-VI), inspecteur général pour 1857 du 2e arrondissement du génie (17-VI), membre de la commission de défense des côtes (jusqu'en 1860),
1858 : conseiller général de la Haute-Garonne (14-VI), inspecteur pour 1858 du 2e arrondissement du génie (24-VI) ; chargé par l'empereur de négociations avec le roi Victor-Emmanuel II et Cavour en vue de la conclusion d'une

alliance et au sujet du mariage du prince Napoléon-Jérôme (XII, jusqu'en I-1859).

1859 : commande le 4e corps de l'armée d'Italie (22-IV), contribue à la victoire de Magenta (4-VI), prend une part décisive à celle de Solférino (24-VI), maréchal de France (25-VI), commandant supérieur du 6e corps d'armée à Toulouse (17-VIII, jusqu'en 1867), président du conseil général de la Haute-Garonne (VIII, jusqu'en 1869),

1861 : président de la commission de défense des côtes (jusqu'en 1867),

1865 : commandant en chef du camp de Châlons,

1867 : ministre secrétaire d'état à la guerre (20-I, jusqu'en 1869) ; entreprend une politique énergique de réformes visant à adapter l'armée aux nouvelles conditions de la guerre ; défend avec talent devant le Corps législatif et le Sénat une loi organique militaire destinée à accroître les effectifs disponibles en cas de guerre, grâce notamment à la création d'une garde nationale mobile comprenant les jeunes gens non appelés à servir dans l'armée active (du 12-XII au 31-I-1868),

1868 : obtient le vote de cette loi, mais avec de tels amendements et limitations que les dispositions en deviennent illusoires (1-II),

1869 : meurt à Paris 7e des suites d'une opération aux voies urinaires [2] avant d'avoir pu réaliser la tâche qu'il s'était assignée (13-VIII), inhumé dans le cimetière de Muret [3].

ECRITS

- *Siège de Bomarsund en 1854, journal des opérations de l'artillerie et du génie*, avec la collaboration du colonel de Rochebouët, Paris 1855, 54 p.,

- *Siège de Sébastopol, journal des opérations du génie*, Paris 1858, 599 p.,

- *Loi sur l'armée. Discours de son excellence M. le maréchal Niel, ministre de la guerre, prononcé au Corps législatif, le lundi 23-XII-1867*, Paris 1867, 31 p.,

- *Loi sur l'armée. Discours de son excellence le maréchal Niel, ministre de la guerre, prononcés au Corps législatif les 23, 24, 28, 30, 31 décembre 1867, 2, 9, 10, 12, 13 et 14 janvier 1868*, Paris 1868, 132 p.,

- *Rapport à l'empereur sur l'organisation de la garde nationale mobile*, Paris 1868, 8 p.,

- quelques lettres publiées dans l'ouvrage *Campagnes de Crimée, d'Italie, d'Afrique, de Chine et de Syrie. 1849-1862* (Paris 1898), cité à la note 205 du chap. VII (Castellane).

LE CADRE FAMILIAL

Ascendance [4]

I - André NIEL [5], bourgeois du lieu de Goyrans [6], allié Goyrans 24-VIII-

1711 à Marie de Moudoix, fille de Dominique, bourgeois, et de Marguerite de Filhol[7], dont

II - Guillaume Niel, né à Goyrans le 7-VIII-1713[8], décédé à Muret le 22-XI-1793, contrôleur général des gabelles du Languedoc au diocèse et siège de Toulouse[9], en 1778 rend hommage au roi pour un fief situé au lieu de Mauressac[10], allié à Magdelaine Bajon, décédée à Muret le 13-I-1798 à 80 ans[11], dont

III - Joseph Niel, né à Longages le 20-I-1752[12], décédé à Muret le 20-IV-1837, avocat au parlement de Toulouse[13], puis propriétaire agriculteur[14], conseiller général de la Haute-Garonne[15], allié Muret 19-I-1799[16] à Louise-Christine Lamothe, née à Maubourguet le 3-IV-1771, décédée à Muret le 1-I-1848, fille de Jean, avocat en parlement, subdélégué de l'intendance d'Auch, et de Françoise Dubois[17].

Collatéraux[4]

Frère et sœur de Guillaume (degré II) : Françoise Niel, née à Goyrans le 8-VII-1712 ; Joseph Niel, parrain en 1750 de son neveu André[18]. Frères et sœurs de Joseph (degré III)[19] : Dominique-André Niel, né à Longages le 12-XI-1748, lieutenant de dragons au régiment de Noailles[20] ; André Niel, né à Longages le 19-X-1750, décédé à Muret le 11-III-1812, colonel de cavalerie[21] ; Joseph-Thérèse Niel, décédé à Mauressac le 1-IV-1824, gendarme dans la compagnie d'Artois[22], puis propriétaire agriculteur, allié à Julie-Clotilde Belot[23] ; Théodose Niel[24] ; Jeanne Niel alliée à noble François de Lalène, coseigneur de Beaumont de Lezat[25] ; Marie-Magdeleine-Françoise Niel, morte avant 1784[26] ; Rose-Bernarde Niel, née à Longages le 17-X-1755, morte jeune.

ARMES

D'azur à un nid de gueules chargé de 3 petits de sable allumés d'argent posé en chef et à un L majuscule d'or posé en pointe[27].

L'EPOUSE

Le maréchal Niel s'est allié à Paris[28] le 24-IV-1843[29] à Charlotte-Clémence-Hélène Maillères (Bordeaux 18-VIII-1822 - Paris 8e 8-III-1901), fille de Guillaume-Maurice, receveur principal des douanes, et de Marguerite-Lucy Bonnaffé.

Né à Bordeaux le 2-II-1789, Guillaume-Maurice Maillères était fils de Pierre, notaire, puis juge de paix à Bordeaux, et de Marguerite Perrin.

Il avait un frère, Guillaume-Nicolas, qui fut avocat puis notaire à Bordeaux[30]. Guillaume-Maurice MAILLÈRES s'était allié à Marguerite-Lucy BONNAFFÉ à Bordeaux le 14-III-1821[31]. Née à Bordeaux le 29-VIII-1798, décédée à Paris le 7-V-1849, celle-ci était fille d'Etienne-François, négociant, et de Charlotte-Clémentine von DÖHREN[32].

La maréchale Niel avait une sœur[33], Marie-Octavie MAILLÈRES, née à Bayonne le 29-III-1826, qui épousa à Paris le 22-IV-1847 Bernard-Alfred BROCHOT, né à Paris le 2-XI-1817, décédé à Paris 16e le 9-VII-1895, avoué au tribunal de 1re instance de la Seine, fils de Jacques-Antoine, administrateur des contributions indirectes, et de Madeleine-Clarisse DOUYAU[34].

Un bref pontifical du 25-IV-1877 conféra à la maréchale Niel le titre de comtesse. Elle fut autorisée à porter ce titre en France par décret du président de la république en date du 25-IX-1877.

DESCENDANCE

I - Amélie NIEL (Saint-Denis, Seine-Saint-Denis, 7-XII-1844 - Paris 16e 6-X-1924) alliée Toulouse 21-IV-1865 à Gaston comte[35] DUHESME (Paris 21-VII-1833 - Versailles 29-VIII-1905), général de division[36], fils de Charles-Eugène comte DUHESME, chef d'escadrons de cavalerie, officier d'ordonnance du roi Louis-Philippe[37], et de Marie-Berthe de FRANCE[38], s.p.[39],

II - Léopold NIEL (Montpellier 2-X-1846 - Paris 7e 27-VII-1918), fait comte romain héréditaire par bref du 25-IV-1877[40], autorisé personnellement à porter ce titre en France par décret du président de la république du 25-IX-1877, général de brigade, allié Paris 9e 17-VII-1878 à Marthe CLARY (Paris 25-II-1857 - Nantes 8-X-1887), fille du comte François, propriétaire, sénateur du Second empire[41], et de Sidonie TALABOT[42], dont

  A - Adolphe comte NIEL (Sedan 13-V-1879 - Paris 8e 19-II-1966), chef d'escadrons de cavalerie, allié Paris 1er 23-VI-1921 à Victoire de GASQUET-JAMES (Islip, état de New York, 28-VII-1883 - Paris 8e 8-XI-1962)[43], fille d'Amédée, propriétaire[44], et d'Elisabeth-Tibbits PRATT[45] [Victoire de GASQUET-JAMES avait épousé précédemment à Dinard le 26-XII-1902 Rémond d'ABEL de LIBRAN (Paris 18e 22-IX-1869 - Lambesc 12-II-1939), lieutenant-colonel de cavalerie, fils d'Henri-Gaspard, contre-amiral[46], et de Marie-Adélaïde LEMARCHAND, mariage dissous par jug. du t. c. de la Seine le 24-VI-1920[47]], s.p.,

  B - Gaston comte NIEL (Tours 9-VII-1880 - Paris 15e 17-X-1970), chef d'escadrons de cavalerie, président puis président d'honneur de la

Société d'encouragement pour l'amélioration des races de chevaux en France, président de la Fédération nationale des sociétés de courses[48], allié Paris 7e 27-I-1909 à Marie de BRYAS-DESMIER d'ARCHIAC (Saint-Forget 4-I-1887 - Paris 16e 14-XI-1975), fille de Jacques comte de BRYAS, propriétaire, président du Concours hippique de Boulogne-sur-mer, et d'Ida de GRAMONT[49], dont

1 - Jacques comte NIEL (Paris 7e 26-XI-1909), propriétaire, s.a.a.,

2 - Marthe NIEL (Paris 16e 26-V-1913), s.a.a.,

C - Jeanne NIEL (Sézanne 30-IV-1882 - Blaye, Gironde, 31-IV-1940), fille de Saint François de Sales,

D - Charles NIEL (Villenoy 3-XI-1883 - Paris 8e 9-I-1889),

E - Paul NIEL (Nantes 30-IX-1887 - Paris 14e 30-XII-1960)[50], propriétaire agriculteur[51], capitaine de cavalerie, allié Pin-Balma 3-I-1930 à Olga ALVARES de AZEVEDO-MACEDO (Genève 11-XII-1904)[52], fille de Tancrède, propriétaire[54], et de Louise-Antoinette PETIT[55], dont

1 - Marie-Thérèse NIEL (Pin-Balma 31-VIII-1932) alliée São Paulo, Brésil, 19-VIII-1964 à Giorgio STECHER (Madrid 22-X-1922), docteur en sciences économiques, administrateur de sociétés[56], fils de Cesare, directeur de compagnie d'assurances, et de Rosy NAVARRA [Giorgio STECHER avait épousé précédemment à Madrid le 19-IV-1947 Rosina VALDELOMAR (Malaga 25-III-1922 - São Paulo 16-VI-1961), fille de Julio VALDELOMAR baron de FUENTE de QUINTO, propriétaire, et de Rosa de LA VEGA], s.p.a.,

2 - Marie-Hélène NIEL (Pin-Balma 13-II-1934) alliée Paris 17e 9-VI-1961[57] à Antoine comte FORGACH de GHYMES et de GACS (Vienne, Autriche, 29-XI-1915 - Heusden, Belgique, 23-IV-1977), docteur en droit, directeur de société[58], lieutenant d'artillerie, fils de Jean comte FORGACH de GHYMES et de GACS, docteur en droit, conseiller intime, ambassadeur d'Autriche-Hongrie[59], membre de la chambre des magnats de Hongrie[60], et de Gisèle LOVASSY de SZAKAL, dame du palais impériale et royale [Antoine comte FORGACH de GHYMES et de GACS avait épousé précédemment à Rolle, Suisse, le 23-II-1948 Elisabeth-Doreen KIMBER (Tonbridge, Angleterre, 25-X-1918), fille de Hugh et de Cicely-Kathleen WILLIAMS, mariage dissous par jug. du t. c. de São Paulo le 15-I-1960[61]], dont

a - comtesse Marie-Gabrielle FORGACH de GHYMES et de GACS (São Paulo 31-III-1962),

474

b - comtesse Antonella FORGACH de GHYMES et de GACS (São Paulo 15-III-1963),

3 - François NIEL (Pin-Balma 25-VIII-1936), diplômé de l'Institut agricole de Beauvais (études supérieures agronomiques, économiques et sociales), chef de travaux du laboratoire central du Service de la répression des fraudes (ministère de l'agriculture), allié Paris 5ᵉ 8-I-1972 à Anne-Marie FABUREAU (Dijon 8-VII-1941), licenciée ès sciences, fille de Louis, agent commercial, et de Jeanne-Gabrielle ANCERY, commissionnaire en marchandises, dont

Florence NIEL (Paris 6ᵉ 8-V-1973).

FRERES ET SŒURS

1 - Gustave NIEL (Muret 22-X-1799 - Toulouse 24-XII-1867), président de chambre à la cour d'appel de Toulouse, conseiller général de la Haute-Garonne, conseiller municipal de Toulouse, président de l'Académie de législation de Toulouse [62], allié Toulouse 7-II-1835 à Louise de SAGET (Toulouse 25-III-1810 - Toulouse 29-XII-1867), fille de Charles-Philibert, propriétaire, député de la Haute-Garonne, maire de Castelsarrazin [63], et de Gabrielle-Catherine DADVISARD [64] ; de ce ménage sont nés deux enfants : A) Cécile NIEL (Muret 2-II-1836 - Muret 27-IV-1907), s.a. ; B) Charles NIEL (Muret 29-VII-1837 - Muret 9-IX-1918), substitut du procureur général de Toulouse, conseiller général et député de la Haute-Garonne, maire de Muret [65], allié Paris 7ᵉ 7-IX-1880 à Laurence de PISTOYE (Paris 3-IX-1844 - Muret 16-IV-1927), fille d'Alphonse, avocat, puis chef de division au ministère des travaux publics [66], et de Louise-Félicie LE CLERCQ de LA PRAIRIE [67], dont 1) Louise NIEL (Muret 13-VII-1881 - Blagnac 24-XI-1965), s.a. [68] ; 2) Joseph NIEL (Muret 1-IX-1883 - Muret 5-I-1954), propriétaire, poète de langues française et occitane, s.a. [69],

2 - Herman NIEL (Muret 26-X-1801 - Muret 9-X-1801),

3 - Virginie NIEL (Muret 20-III-1805 - Toulouse 14-V-1827), s.a. [70].

NOTES

1 Le commandant Jean Lacombe de La Tour rapporte dans son livre *Le maréchal Niel, 1802-1869* (Paris 1912, 292 p.) que Niel envoya au curé de Muret la croix dorée qui surmontait la chapelle de Bomarsund.

2 Pratiquée par le célèbre chirurgien Auguste Nélaton.

3 Dans l'allée centrale du cimetière.

4 Sauf indication contraire en note, les précisions données sous cette rubrique ont été tirées des registres de naissances, mariages, décès des communes concernées.

5 On a donné parfois au maréchal Niel une origine irlandaise : Niel serait une forme francisée de O'Neill. Certains n'ont pas hésité à faire de sa famille une branche des grands O'Neill, dont le rôle a été considérable dans l'histoire de l'Irlande. On ne trouve pas le moindre indice en faveur de cette thèse, dans les documents originaux existant à l'heure actuelle. Celle-ci, au demeurant, paraît peu vraisemblable : Niel est un nom typique du midi, où il est assez fréquent. Il est intéressant de signaler à ce sujet que, dans les archives familiales en possession de la comtesse Paul Niel (voir note 70), figure une lettre sur papier armorié écrite le 7-XII-1857 de Dublin par Charles-Henri O'Neil, en réponse à un courrier que le futur maréchal lui avait adressé le 22-X.

6 Qualifié de la sorte dans le contrat de mariage cité à la note 7.

7 L'acte de mariage d'André Niel et Marie de Moudoix ne mentionne pas les parents des conjoints. Ceux de l'épouse figurent dans le contrat de mariage établi par Me Gillet, notaire royal à Cintegabelle, le même jour (A.D. de Haute-Garonne, 3 E 23005, année 1711). Ce contrat n'indique malheureusement pas les parents du marié.

8 Baptisé le 10.

9 Le testament de Guillaume Niel, rédigé le 12-VII-1778 et reçu le 13-VII suivant par Me Biros notaire royal à Toulouse (A.D. de Haute-Garonne 3E 11852, nº 7451), donne à Guillaume Niel la qualité de juge des gabelles. On trouve celle que nous avons retenue dans un codicile à ce testament rédigé le 24-V-1784 et reçu le 3-VI suivant par le même notaire (3E 11852, nº 7450). Le testament débute par cette profession de foi : ... *après avoir imploré la miséricorde de mon Dieu et lui avoir demandé pardon de mes péchés par les mérites infinis de la mort et passion de Iésus-Christ mon sauveur et rédempteur et par l'intercession de la Sainte-Vierge et de mon patron...*

10 Le document correspondant (A.D. de Haute-Garonne, K34, 3-VI-1778) précise que le fief a été acquis du sacristain de l'abbaye de Lezal par les parents de Guillaume Niel et que ce dernier avait déjà rendu hommage à son sujet au roi Louis XV le 12-VI-1753. La trace de ce précédent dénombrement n'a pu être retrouvée. La possession d'un fief, faut-il le rappeler, n'impliquait pas, au 18e siècle au moins, la noblesse de celui qui le détenait. L'anoblissement par la terre, qui était la règle au haut moyen âge, avait été supprimé par un édit d'Henri III, en 1579. Saint-Louis, déjà, l'avait limité, en exigeant une possession depuis 3 générations.

11 A défaut de l'acte de mariage de Guillaume Niel avec Magdelaine Bajon, qui n'a pu être retrouvé, on est assuré que celui-ci est bien le même personnage que le Guillaume, fils d'André, baptisé à Goyrans le 10-VIII-1713, grâce à l'acte de baptême d'autre André Niel, né à Longages le 19-X-1750, l'un des enfants de Guillaume (voir rubrique *Collatéraux*), lequel acte dit ce qui suit : *L'an 1750 le 19 octobre a été baptisé André Niel, fils légitime du sieur Guillaume Niel et de demoiselle Magdelaine Bajon mariés. Parrain : le sieur Joseph Niel frère du dit Guillaume, faisant pour le sieur André Niel son père...*

12 Le lieu de naissance figure dans le contrat de mariage cité à la note 16. La date est donnée d'après Jules Villain in *La France moderne* T. III (Haute-Garonne et Ariège) : il n'a pas été possible de la vérifier, les registres de Longages manquant pour cette période.

13 Cette qualité lui est donnée en 1778 dans le testament de son père (voir note 9).

14 Selon la tradition familiale, Joseph Niel avait un goût très vif pour les choses de l'esprit et aimait tout particulièrement s'adonner à la poésie.

15 Joseph Niel fut conseiller général de 1811 à 1831, la période des Cents jours exceptée (A.D. de la Haute-Garonne).

16 Un contrat fut signé le 17-I-1799 chez M⁰ Monna, notaire à Toulouse (A.D. de Haute-Garonne, 3 E 20993).

17 Louise-Christine Lamothe était la sœur 1) de Bertrand-Jean, propriétaire, qui, marié à Marie-Ange-Anastasie de Montaut, fut le père de Louis-Joseph-Ferdinand Lamothe (Maubourguet 14-X-1814 - Gelos 28-IX-1892), général de brigade, 2) de Marguerite, qui, alliée à Jean-Antoine d'Arricau, percepteur des contributions directes, fut la mère d'Eugène d'Arricau (Maubourguet 6-X-1807 - Cadéac 13-VIII-1881), général de brigade. Jean-Antoine d'Arricau était l'arrière-arrière-petit-fils d'Abraham d'Arricau († 1645), dont le frère Jacob († 1651), sieur de Monpezat, fut le père de Catherine d'Arricau qui, 1648, épousa Jean de Laborde, ancêtre du prince Henrik de Danemark (voir Joseph Valynseele *Les Laborde de Monpezat et leurs alliances*).

18 Voir note 11.

19 Le testament de Guillaume Niel (voir note 9) énumère 7 enfants en vie à cette date. Nous y ajoutons Rose-Bernarde, décédée antérieurement, dont nous avons retrouvé l'acte de baptême. Les données du testament précité ont été complétées grâce aux registres d'état civil des communes mentionnées et aux sources indiquées en note.

20 Le contrôle des dragons de Noailles de 1776 (Yb 637 bis, S.H.A.T.) retrace comme suit la carrière de Dominique-André Niel : volontaire dans Royal Navarre en 1767, rang de sous-lieutenant dans la légion corse 19-VI-1771, sous-lieutenant de dragons le 13-VII suivant, lieutenant 15-VI-1772, lieutenant en 2ᵈ à l'escadron de chasseurs des dragons de Noailles 23-XI-1776, passé aux chasseurs des Ardennes à la formation du 8-VIII-1784.

21 Il existe au S.H.A.T., sur André Niel, un dossier qui nous renseigne de manière assez précise à son sujet. Entré au service le 1-V-1767, à 17 ans, au Royal Navarre, il appartient successivement à la légion corse (1769), à la légion du Dauphiné (1775), à l'escadron de chasseurs du régiment de Noailles dragons (1776), au 6ᵉ régiment de chasseurs (1779), aux chasseurs des Ardennes (1784), au 12ᵉ régiment de chasseurs (1791). Sous-lieutenant le 19-VI-1771, il passe lieutenant en 2ᵈ en 1776, 1ᵉʳ lieutenant en 1780, capitaine en 1788, chef d'escadrons et lieutenant-colonel en 1792, chef de brigade c'est-à-dire colonel en 1793. Cette même année, le 17-III, il reçoit au cours d'une charge contre les Autrichiens, à Bouge, près de Namur, une blessure à la tête qui met un terme à sa carrière. Cette blessure, indique un certificat des officiers de santé en date du 18-II-1794, a été provoquée par *un coup de sabre à la partie droite de la tête qui a emporté 3 grands pouces de crâne en longueur sur un bon pouce de largeur... Il est résulté de cette blessure une déperdition considérable de la substance du crâne et... rien n'annonce depuis si longtemps que l'ossification doive se faire.* Sans ce coup de sabre, le nom de Niel eût fort probablement atteint la célébrité bien avant le Second empire. Frédéric Masson signale dans *Jadis* (T.I., Paris 1905) que cet oncle du maréchal Niel avait eu sous ses ordres en 1787-1788 le jeune Joachim Murat, aux chasseurs des Ardennes : la comtesse Paul Niel (voir note 70) garde dans ses papiers de famille une lettre de ce dernier montrant que, parvenu au faîte des honneurs, il n'avait pas oublié son ancien capitaine. André Niel ne contracta pas d'alliance.

22 Cette qualité lui est donnée dans le testament de son père (voir note 9), mais nous n'avons pas trouvé son nom dans les contrôles de cette formation.

23 Joseph-Thérèse Niel et Julie-Clotilde Belot eurent un fils (unique enfant) : André-Rose Niel (Auterive, Haute-Garonne, 13-I-1801 - Mauressac 16-VIII-

1873), propriétaire, conseiller d'arrondissement, allié Grépiac 17-IX-1830 à Jeanne-Rose Carrière, née à Auterive le 31-I-1810, fille de Jean-Joseph, propriétaire, et de Paule Lassalle. De ce fils est issue une postérité, toujours représentée, que nous donnons ci-après en nous limitant aux porteurs du nom : I) Gustave Niel (Auterive 7-XII-1831 - Mauressac 14-III-1892), propriétaire agriculteur, conseiller général de Haute-Garonne, allié Salerm 10-V-1876 à Noémi de Gauléjac (Toulouse 12-III-1849 - Marseille 5-VIII-1927), fille du vicomte Edmond, propriétaire agriculteur, et de Mathilde de Papus, dont A) André Niel (Auterive 3-V-1877 - Mauressac 3-XI-1927), propriétaire agriculteur, allié Castres, Tarn, 5-VI-1907 à Jeanne Barbara de Labelotterie de Boisséson (Benquet 4-II-1884 - Moncrabeau 30-III-1944), fille de Paul marquis de Boisséson, propriétaire, président du conseil des directeurs de la Caisse d'épargne de Castres, conseiller d'arrondissement (Mazamet) et conseiller général du Tarn, et de Charlotte de Lonjon, dont 1) Françoise Niel (Mauressac 22-III-1908) alliée Mauressac 29-XII-1933 à Renaud de La Devèze de Charrin (Montauban, Tarn-et-Garonne, 29-VI-1909), propriétaire agriculteur, fils d'Ivan, chef de bataillon d'infanterie, et de Fanny-Jeanne Sève, dont postérité ; 2) Jacqueline Niel (Mauressac 30-III-1909) alliée Mauressac 29-III-1932 à Emmanuel de Barrau (Salmiech 16-VIII-1905 - Olemps 19-X-1975), propriétaire agriculteur, fils de Guy, propriétaire agriculteur, lieutenant de cavalerie, et de Mercedès Van der Brande, dont postérité ; 3) Gustave Niel (Mauressac 16-V-1911), propriétaire agriculteur, allié Santrange 8-V-1936 à Hélène Tissier (Paris 7e 4-VII-1913), fille de Georges, docteur en droit, inspecteur d'assurances, et de Jeanne Mac Nab, dont a) Françoise Niel (Mauressac 12-VII-1937), religieuse bénédictine sous le nom de sœur Marie-Claire, licenciée ès lettres (histoire), titulaire d'un diplôme d'études supérieures d'histoire (mémoire sur la correspondance du maréchal Niel à sa famille) ; b) Catherine Niel (Mauressac 29-V-1946) alliée Mauressac 16-V-1970 à François Cambon (Amboise 24-I-1940), clerc de notaire, fils de Pierre, directeur commercial, et de Denise Billet, dont postérité ; c) André Niel (Mauressac 2-VII-1948), docteur en médecine, allié Saint-Simon, Cantal, 23-IX-1973 à Geneviève Laborie (Parie 10e 10-X-1948), docteur en médecine, fille de Pierre, commerçant, et de Denise Canis, dont Laure Niel (Aurillac 12-IX-1974) et Natalène Niel (Toulouse 23-VII-1976) ; d) Cécile Niel (Mauressac 24-VII-1950), assistante de gestion, s.a.a. ; e) Philippe Niel (Mauressac 11-XII-1952), s.a.a. ; 4) Colette Niel (Mauressac 10-X-1917), sœur de Saint-Vincent de Paul ; B) Mathilde Niel (Mauressac 18-X-1880 - Six-fours-la-plage 12-IV-1958) alliée Mauressac 11-XI-1903 à Léon Pihan de La Forest (Marseille 9-I-1876 - Sanary-sur-mer 18-VIII-1940), propriétaire, fils de Sosthène, lieutenant de vaisseau, et de Laure Audiffren, dont postérité ; II) Jenny Niel (Auterive 7-VIII-1838 - Lézat-sur-Lèze 17-I-1908) alliée Mauressac 25-I-1864 à Henry de Médrano-Malsang (Lézat-sur-Lèze 5-XI-1826 - Auterive 26-XII-1898), propriétaire agriculteur, fils de Joseph-Arnaud-Achille, propriétaire agriculteur, et de Charlotte de Roquemaurel de Lordat, dont postérité.

24 Il est qualifié élève tonsuré en 1778, dans le testament de son père (voir note 9).

25 L'alliance de Jeanne Niel nous est connue par le codicille au testament de Guillaume Niel (voir note 9). Elle eut au moins une fille alliée à *N.* Marquier de Villemagne.

26 Vivante lors du testament de Guillaume Niel, elle est dite morte dans le codicille (voir note 9).

27 Il semble que ces armes aient été portées dès avant l'octroi d'un titre de comte romain à la maréchale et à son fils : elles sont en effet gravées sur des couverts de famille paraissant dater du 18e siècle. Elles ne figurent pas, cependant, dans l'*Armorial général* établi sous la direction de Charles d'Hozier, en exécution de l'édit de 1696.

28 Mairie de l'ancien 5e arrondissement (un contrat avait été signé les 18 et 19-IV en l'étude de Me Thiac, notaire à Paris).

29 Le mariage religieux eut lieu le même jour en l'église Sainte-Elisabeth.

30 Celui-ci apparaît comme témoin dans l'acte de mariage de Guillaume-Maurice et Marguerite-Lucy Bonnaffé.

31 Guillaume-Maurice Maillères avait épousé précédemment Marie-Sophie Bouillon, décédée à Bordeaux le 29-I-1817.

32 Un frère de Charlotte-Clémentine von Döhren, Philippe, est témoin lors du mariage de Guillaume-Maurice Maillères et Marguerite-Lucy Bonnaffé : il est qualifié *propriétaire, domicilié à Saint-Laurent-en-Médoc*.

33 Il résulte d'un acte de notoriété établi le 13-XII-1854 (A.N., M.C., XIII 774) que, du mariage de Guillaume-Maurice Maillères et Marguerite-Lucy Bonnaffé, n'étaient nées que la maréchale et cette sœur.

34 Cette sœur de la maréchale Niel eut un unique enfant : Jacques-Maurice Brochot (Paris 29-VIII-1848 - Paris 4e 9-VI-1902), ingénieur, qui épousa Marthe Bouton.

35 Gaston Duhesme fut confirmé dans le titre de comte héréditaire par d.i. du 8-XII-1860 (nous renvoyons à propos des décrets du Second empire à la note 2 du chap. IX).

36 Alors capitaine, puis chef d'escadrons, Gaston Duhesme fut détaché en qualité d'officier d'ordonnance auprès du maréchal Niel du 15-II-1867 à la mort de celui-ci.

37 Charles-Eugène Duhesme était fils de Philibert-Guillaume Duhesme (Bourg-neuf-val-d'or 7-VII-1766 - Ways, Belgique, 20-VI-1815), général de division, comte de l'empire (d.i. du 21-II-1814, sans l.p.), pair des Cents-jours, mort d'une blessure reçue à Waterloo, et avait pour frère cadet Xavier-Hippolyte-Léon Duhesme (Touches, Saône-et-Loire, 4-XII-1810 - Paris 7e 29-VIII-1870), général de division.

38 Sœur de Jean-Ernest comte de France (Paris 6-II-1815 - Paris 8e 17-IV-1890), général de division, fille de Jean-Marie-Antoine Defrance alias de France (Wassy 21-IX-1771 - Epinay-sur-Seine 6-VII-1855), général de division, comte de l'empire (l.p. du 2-VII-1808), comte héréditaire (l.p. du 11-XI-1815), lui-même fils de Jean-Claude Defrance (Wassy 7-XI-1742 - Nantes 6-I-1807), docteur en médecine, membre de la Convention, du Conseil des cinq-cents et du Corps législatif.

39 La descendance en ligne masculine du comte de l'empire s'est éteinte avec Gaston Duhesme, époux de Mlle Niel. Les Duhesme figurant aujourd'hui dans les annuaires mondains avec les titres de comte et vicomte sont issus d'un frère du comte de l'empire : cette branche n'a pas de principe de noblesse. Assez curieusement, l'un des représentants actuels de celle-ci, Roger Duhesme (Limoges 31-X-1919), est allié à Claude Niel (Paris 16e 29-X-1924), laquelle n'a pas de parenté, tout au moins proche, avec le maréchal.

40 Au chap. consacré à la noblesse pontificale, dans le supplément (Paris 1977) de leur *Dictionnaire de la noblesse française*, Fernand de Saint-Simon et Etienne de Seréville indiquent que ce titre *s'est éteint avec la seconde génération comme le prévoyait le bref papal*. Il s'agit là d'une erreur. Nous avons pu obtenir des archives du Vatican une expédition du document original. Celui-ci crée la maré-chale (voir plus haut) et son fils Léopold respectivement comtesse et comte et précise que le titre sera transmissible par primogéniture dans la descendance masculine, légitime et catholique du second. La faveur est accordée en raison des importantes fonctions du futur maréchal lors du siège de Rome en 1849.

41 Neveu de Julie reine d'Espagne et de Désirée reine de Suède.

42 Sidonie Talabot était la nièce notamment de Léon-Joseph Talabot (Limoges 5-II-1796 - Soisy-sous-Etiolles 23-IX-1863), député de la Haute-Vienne, fondateur

des Mines de Denain-Anzin et des Hauts fourneaux et forges du Saut-du-Tarn, et de Paulin-François Talabot (Limoges 18-VIII-1799 - Paris 2ᵉ 20-III-1885), ingénieur en chef des Ponts-et-chaussées, directeur général des Chemins de fer du P.L.M., conseiller général du Gard. Par sa mère, née Eugénie Cunin-Gridaine, elle était la petite-fille de Laurent Cunin-Gridaine (Sedan 10-VII-1778 - Sedan 14-IV-1859), manufacturier à Sedan, député des Ardennes, ministre du commerce et de l'agriculture sous Louis-Philippe.

43 Evoquant le Dinard de sa jeunesse, Gabriel-Louis Pringué écrit dans *Portraits et fantômes* (Paris 1951) : *On voyait enfin, dans un saut, brusquement déboucher les deux plus radieuses amazones que j'ai jamais connues. Coiffées d'un chapeau de forme marquis gris perle, les cheveux noués d'un catogan, leurs tailles moulées dans des jupes amazones de même gris, c'étaient Mˡˡᵉˢ de Gasquet-James. Elles sont aujourd'hui la comtesse Niel et la vicomtesse Henri de La Mettrie* (cette dernière, morte à Dinard le 8-V-1977, était prénommée Andrée et son mari s'appelait exactement de La Choue de La Mettrie). La comtesse Niel avait une autre sœur, Elisabeth de Gasquet-James (La nouvelle Orléans 2-III-1881 - Leipzig - Gohlis 24-XI-1907), qui épousa à Dresde le 27-VI-1904 Léo von der Decker (Chemnitz 7-VII-1869 - ✗ Moronvilliers, Marne, 17-IX-1914), chef de bataillon d'infanterie. Du mariage de celle-ci, vint notamment une fille, Elisabeth von der Decker (Leipzig - Gohlis 25-X-1907 - Skyren, Prusse, 19-VI-1936), alliée à Berg, Bavière, le 5-IV-1929 à Adolphe comte Finck von Finckenstein (Francfort 22-VI-1901), représentant d'industrie, lequel contracta à Berlin-Charlottenburg le 28-XI-1940 une nouvelle union avec Isle Lüthje (Kiel 23-I-1918) qui, après divorce à Munich le 29-XI-1949, se remaria à Madrid le 1-III-1954 à Otto Skorzeny (Vienne 12-VI-1908 - Madrid 5-VII-1975), lieutenant-colonel aux Waffen S.S., célèbre notamment pour avoir enlevé le 12-XII-1943 Mussolini détenu au Gran Sasso.

44 Amédée de Gasquet-James (La nouvelle Orléans 5-VI-1840 - Dinard 28-VII-1903) était fils d'Andrew - B. de Gasquet-James et de Louise de Gasquet (précisions fournies par son acte de décès). Andrew-B. de Gasquet-James aurait été, en fait, un James qui, à la suite de son mariage avec Louise de Gasquet, prit le nom de Gasquet-James.

45 Veuve, Elisabeth-Tibbits Pratt († Ponovick, Yougoslavie, XI-1928), qui était fille de Charles-Watson Pratt, colonel dans l'armée des Etats-Unis, et d'Anna Tibbits, contracta une nouvelle alliance à Douvres le 15-VI-1911 avec s.a. le duc Henri-Borwin de Mecklembourg (Venise 16-XII-1885 - Sarszentmihaly, Hongrie, 3-XI-1942). Ce mariage fut déclaré nul par le tribunal de Rostock le 14-IV-1913. Le duc Henri-Borwin de Mecklembourg se remaria 1) vers 1915 à Natalie Oelrichs (Cheyenne, Etats-unis, 12-X-1880 - San Francisco II-1931), veuve de Peter-D. Martin, dont il divorça à Berlin le 4-VI-1921, 2) à Rome le 5-XI-1921 à Carola d'Alers (Wiesbaden 3-IX-1882), divorcée de Wladimir Schmitz.

46 Henri-Gaspard d'Abel de Libran (Aix-en-Provence 14-III-1833 - Paris 18ᵉ 5-VI-1901) était le frère de Louis-Gustave-Maxime d'Abel de Libran (Aix-en-Provence 7-II-1835 - Dinan 3-II-1897), général de brigade.

47 De son côté, Rémond d'Abel de Libran s'est remarié à Paris 7ᵉ le 7-III-1922 à Marguerite Vallot (Paris 8ᵉ 4-IV-1897), fille d'Emile et de Marie Chevalier, qui, veuve, contracta une nouvelle alliance à Paris 16ᵉ le 9-V-1941 avec Marcel Gautier (Paris 17ᵉ 27-II-1892), administrateur de sociétés, fils de Pierre-Alexandre, cuisinier, et de Blanche-Jeanne Schutz, lui-même veuf de Caroline-Germaine Baverez († Paris 8ᵉ 18-XII-1939).

48 Gaston Niel, qui avait quitté l'armée au lendemain de la guerre de 1914-1918, pratiqua toutes les formes d'équitation de compétition : steeple-chase, concours hippiques, championnat du cheval d'arme, remportant de nombreux succès. Il entra en 1933 au comité de la Société d'encouragement. Il devint dans les années suivantes commissaire-adjoint, puis commissaire. Il fut élu président de la Fédération nationale des sociétés de courses en 1949 et le demeura jusqu'en 1965. Il

succéda en 1954 au baron Foy comme président de la Société d'encouragement et conserva ce titre jusqu'en 1960. Il fut alors nommé président d'honneur. Il a été par ailleurs un bibliophile particulièrement averti. Sa collection, qui témoignait d'un goût très sûr, fut dispersée le 30-XI-1973 au Palais Galliera. La vente donna lieu à l'édition d'un fort beau catalogue, groupant 222 titres, intitulé *Livres illustrés la plupart du 18e siècle. Editions originales. Exemplaires de provenance royale et de la cour de France.*

49 Marie de Bryas avait été adoptée en date du 13-XII-1908 par Etienne comte Desmier d'Archiac (1845-1927), veuf d'Aglaé de Gramont (1848-1904), sœur de sa mère. Etienne Desmier d'Archiac était par sa mère, née Félicie Gérard, le petit-fils du maréchal Gérard (voir, du même auteur, *Les maréchaux de la Restauration et de la Monarchie de juillet*). Ida et Aglaé de Gramont étaient filles d'Auguste de Gramont dit le duc de Lesparre (1820-1877), général de division, fils cadet d'Antoine-Héraclius-Agénor duc de Gramont (1789-1855), lieutenant général, et frère cadet d'Antoine-Alfred-Agénor duc de Gramont (1819-1880), ambassadeur de France.

50 Léopold Niel demanda (*Journal officiel* du 18-I-1889) que son fils Paul soit autorisé à s'appeler Niel-Clary, mais n'obtint pas satisfaction.

51 Paul Niel exploita le domaine d'Aufrery, d'une superficie de 250 ha, acheté par le maréchal à Pin-Balma, dont il avait hérité. Cette propriété fut vendue en 1940.

52 La comtesse Paul Niel est la sœur du père Jean de Macedo (Genève 27-XI-1901 - Paris 15e 29-IX-1974), dont la destinée n'est pas sans rappeler celle de Charles de Foucauld. Après avoir fait l'Ecole Bréguet, celui-ci mène une jeunesse passablement dissipée, se taillant toutefois un certain renom sur les courts de tennis : il est l'émule et l'ami de Borotra, de Cochet, notamment. Depuis longtemps, il a perdu la foi. Un soir, subitement, le sentiment d'une présence ineffable l'envahit avec une telle évidence que toute résistance lui est impossible. En septembre 1933, à 32 ans, il commence son noviciat dans la Compagnie de Jésus. Il est ordonné en 1945. Jusqu'en 1956, il est missionnaire à Madagascar. La maladie le contraint alors à rentrer en France. Le reste de sa vie se passe à Perpignan et dans la région, où il est aumônier des Gitans et apporte le concours de son ministère aux paroisses démunies de prêtres. Une notice a été consacrée au père de Macedo dans le n° 155 (avril 1975) de la revue *Maduré-Madagascar* (p. 302-304).

54 La famille Alvares de Azevedo-Macedo, qui est brésilienne, est étudiée dans l'ouvrage d'Antonio-Joaquim Macedo Soares : *Nibiliarquia fluminense. Genealogia das principais e mais antigas familias da corte e provincia do Rio de Janeiro* (T.I., Rio de Janeiro 1947).

55 Fille d'Auguste Petit (1844-1925), artiste peintre : membre d'une mission culturelle française auprès de l'empereur du Brésil Pedro II, celui-ci fut le fondateur et le 1er président de l'Alliance française à Rio de Janeiro et enseigna à l'Ecole des beaux-arts de cette ville.

56 De nationalité italienne, Giorgio Stecher est administrateur notamment de différentes banques et compagnies d'assurances en Espagne.

57 Il y eut pour cette union une célébration religieuse le 10-VI en l'église Notre-dame-des-victoires : en effet le mariage précédent du comte Forgach n'avait été que civil (voir note 61).

58 En Belgique.

59 A Belgrade.

60 Les Forgach de Ghymes et de Gacs appartiennent à la noblesse immémoriale de Hongrie. Leur filiation est suivie depuis 1165. Les châteaux de Ghymes et de Gacs, situés aujourd'hui en Slovaquie, sont restés entre leurs mains respec-

tivement depuis les 13e et 14e siècles jusqu'en 1945. La famille s'est séparée en deux branches, toujours représentées, à la fin du 15e siècle. Celle qu'on a ici a reçu le titre de baron en 1560 et le titre de comte en 1640, ce dernier confirmé à tous les membres de la branche en 1783.

61 Elisabeth-Doreen Kimber avait épousé précédemment Claes-Jacques-Edward Arfwdson, de nationalité suédoise, et en était divorcée. Elle s'allia en 3e noces, après son divorce d'avec Antoine Forgach de Ghymes et de Gacs, à Donald Grant de nationalité britannique.

62 Charles de Rémusat (1797-1875), qui fut à différentes reprises député de la Haute-Garonne, porte au t. IV de *Mémoires de ma vie* ce jugement sur Gustave Niel : c'est *un homme intelligent, habile en son métier, sans autre opinion politique que l'amour de la tranquillité... réservé, froid, un peu pédant, un peu dévot.*

63 Chef du parti ultra dans sa région, Charles-Philibert de Saget fut maire de Castelsarrazin sous la Restauration et député de 1837 à 1839.

64 Louise de Saget était la sœur de Prospérie (1804-1860) alliée à Jules du Bernard (1800-1849), conseiller de cour d'appel, dont deux fils, Charles du Bernard (1833-1896) et Gustave du Bernard (1838-1915), ce dernier autorisé par décret du 21-V-1846 à ajouter à son nom celui de sa mère éteint dans les mâles, épousèrent respectivement en 1861 et 1864 Marie-Thérèse de Perignon (1840-1877) et Hélène de Perignon (1845-1926), petites-filles du maréchal de Perignon (voir Joseph Valynseele, *Les maréchaux du Premier empire*).

65 Nommé substitut du procureur général de Toulouse le 8-IV-1868, après avoir été substitut à Albi (1861), procureur à Saint-Girons (1863), substitut au tribunal civil de Toulouse (1865), Charles Niel fut révoqué lors de la chute du Second empire. Le procureur général de Toulouse s'exprime de la sorte à son sujet dans un rapport du mois d'octobre 1870 : *Les justes sévérités de l'opinion demandent la révocation de M. Niel... C'est un homme politique, membre du conseil général. Il a exercé une influence active, avouée, ostensible lors du vote du plébiciste dans l'arrondissement de Muret. C'est le neveu du maréchal Niel et un de nos adversaires politiques déclarés. Je dois dire néanmoins qu'il a le talent d'un logicien et que c'est un honnête homme* (dossier de magistrat, A.N., BB 6 II 315). Charles Niel fut député de 1877 à 1878, de 1879 à 1881 et de 1885 à 1889, siégeant dans le groupe de l'Appel au peuple.

66 Alphonse de Pistoye est l'auteur, en collaboration avec Charles Duverdy, d'un *Traité des prises maritimes* (Paris 1855, 2 vol.), qui a fait longtemps autorité. Il a, d'autre part, publié quelques brochures sur des sujets divers.

67 Un frère de Laurence de Pistoye, Louis (1843-1907), lieutenant-colonel d'artillerie, épousa Marie de Pourcet de Sahune (1858-1953), arrière-arrière-petite-fille de La Fayette (voir Arnaud Chaffanjon *La Fayette et sa descendance*, Paris 1976), et une sœur, Louise, s'allia à René-Emmanuel Monnerot-Dumaine (1844-1887), propriétaire d'exploitation sucrière à la Guadeloupe, dont elle eut Marie-Germaine (1879-1967) qui se maria à Jacques Jacobé de Naurois (1880-1963), propriétaire agriculteur, descendant à la fois de Racine et du maréchal Mouton (voir Arnaud Chaffanjon. *Jean Racine et sa descendance*, Paris 1964, et Joseph Valynseele, *Les maréchaux de la Restauration et de la Monarchie de juillet*, Paris 1962).

68 Louise Niel, qui partagea l'existence de son frère Joseph (voir note 69), légua par testament la propriété de Brioudes, à Muret, où avaient vécu les parents du maréchal et où celui-ci était né, aux aumôniers militaires pour en faire une maison de repos : cette propriété était revenue à sa branche en qualité d'aînée.

69 Joseph Niel fut, à Muret, une personnalité unanimement respectée, à cause tout à la fois de sa bienfaisance, de sa simplicité et d'une vaste culture. Grâce à lui, sa petite ville devint un centre félibréen très actif. Il a produit personnelle-

ment une œuvre poétique assez importante, qui obtint à plusieurs reprises des distinctions flatteuses : une trop grande modestie le dissuada de la faire imprimer. Ses conférences devant le public des diverses sociétés savantes auxquelles il appartenait étaient très prisées. La disparition de Joseph Niel donna lieu à de nombreux articles dans la presse locale. Le président Vincent Auriol, son compatriote muretain, envoya une gerbe lors de ses obsèques et celles-ci furent présidées par le cardinal Saliège, archevêque de Toulouse.

70 Nous remercions les membres de la famille du maréchal Niel qui ont apporté leur concours à la réalisation de ce chapitre et tout particulièrement la comtesse Paul Niel, qui a bien voulu inventorier longuement ses papiers de famille à notre intention et a mis à notre disposition ceux qui pouvaient nous être utiles, ainsi que M. Gustave Niel (voir note 23). Notre gratitude va également à MM. Charles Remaury, secrétaire du Cercle généalogique de Languedoc, André Selves, Georges Savarin de Marestan et Nicolas Enache qui ont eu la complaisance d'effectuer différentes recherches d'archives.

XVI

Philippe-Antoine comte Ornano

2-VI-1861

CARRIERE

1784 : naissance à Ajaccio (17-I) [1],

1799 : sous-lieutenant (31-III), au 9ᵉ régiment de dragons (jusqu'en 1804), sert en Italie (jusqu'en 1800),

1801 : détaché de son régiment pour participer à l'expédition de Saint-Domingue à l'état-major du général Victor-Emmanuel Leclerc commandant en chef (jusqu'en 1802), aide de camp de ce dernier (31-X),

1803 : lieutenant (8-I), capitaine à titre provisoire (6-III), adjudant-major à titre provisoire (15-VII),

1804 : confirmé dans l'emploi d'adjudant-major avec le grade de lieutenant (2-II), aide de camp du général Alexandre Berthier ministre de la guerre (3-II), confirmé dans le grade de capitaine (21-VI),

1805 : chef de bataillon (24-III), au 3ᵉ bataillon de chasseurs corses (jusqu'en 1807), à la Grande armée (jusqu'en 1808), est à Ulm (20-X), se distingue à Austerlitz (2-XII),

1806 : est à Iéna (14-X), se couvre de gloire à la prise de Lübeck (6-XI),

1807 : colonel (18-I), au 25ᵉ régiment de dragons (18-I, jusqu'en 1811), est à Ostrolenka (16-II),

1808 : comte de l'empire (l.p. du 22-XI) [2], sert en Espagne et au Portugal (jusqu'en 1812),

1809 : force le passage de la Navia (26-VI), est à Alba-de-Tormès (28-XI),

1810 : participe au siège de Ciudad-Rodrigo,

1811 : est à Fuentes-de-Onoro (5-V), général de brigade (16-VI),

1812 : commande la 16ᵉ brigade de cavalerie légère (24-III), à la Grande armée, sert en Russie, se trouve à l'affaire d'Ostrowno 25-VII), se distingue au combat de Krasnoé (15-VIII), charge à la tête de la cavalerie du 4ᵉ corps à La Moskova (7-IX), général de division (8-IX), commande la division de cavalerie légère du 4ᵉ corps (15-IX) ; blessé et tout d'abord laissé pour mort sur le champ de bataille de Krasnoé (18-XI), est sauvé grâce au dévouement de son aide de camp et à la bienveillance de l'empereur qui le recueille dans sa voiture.

1813 : colonel des dragons de la garde impériale (21-I, jusqu'en 1814), sert en Saxe, commande provisoirement la cavalerie de la garde impériale après la mort du maréchal Bessières (2-V, jusqu'au 29-VII), est à Bautzen (20-V), à Wurschen (21-V), à Dresde (27-VIII), au combat de Kulm (17-IX), à Leipzig (16-X), à Hanau (30-X),

1814 : commande les troupes de la garde impériale (infanterie, cavalerie et artillerie) restées à Paris (24-I) et prend part à la défense de Paris à la barrière de Pantin (30-III)[3], après la capitulation de Paris (31-III) rejoint l'empereur à Fontainebleau et reçoit le commandement des 1ʳᵉ et 2ᵉ divisions de cavalerie de la garde (5-IV) [4], assiste aux adieux de Napoléon à Fontainebleau (20-IV), colonel du corps royal des dragons de France (19-XI),

1815 : se rallie à l'empire rétabli, colonel des dragons de la garde impériale (14-IV); grièvement blessé au cours d'un duel avec le général Jean-Pierre-François comte Bonet, ne participe aux opérations [5] ; est arrêté (20-XI) [6] ; libéré, s'établit en Belgique [7],

1817 : regagne Paris (XI),

1818 : compris comme disponible dans le cadre d'organisation de l'état-major général, mais reste sans emploi,

1828 : inspecteur général pour 1828 dans les 2ᵉ et 3ᵉ divisions militaires,

1829 : président du jury d'admission à l'Ecole militaire de Saint-Cyr.

1830 : commande la 4ᵉ division militaire à Tours (10-VIII, jusqu'en 1848),
1832 : prend part à la répression de l'insurrection de Vendée, pair de France (11-X),
1848 : commandant de la 14ᵉ division militaire (4-V), ne prend pas possession de son poste pour raison de santé, en disponibilité (15-V), en retraite (3-VII),
1849 : député d'Indre-et-Loire à l'Assemblée constituante (7-I), puis à l'Assemblée législative (13-V, jusqu'en 1851),
1851 : adhère au coup d'état du 2-XII, membre de la commission consultative (3-XII),
1852 : sénateur (26-I), grand chancelier de la Légion d'honneur (13-VIII, jusqu'en 1853), relevé de sa retraite et admis dans la section de réserve (26-XII),
1853 : gouverneur de l'hôtel impérial des Invalides (24-III, jusqu'en 1863) [8], maintenu sans limite d'âge dans la 1ʳᵉ section du cadre de l'état-major général comme ayant commandé en chef devant l'ennemi (20-V) [9],
1861 : maréchal de France (2-IV) [10],
1863 : meurt à Paris 7ᵉ (13-X), inhumé aux Invalides.

ECRITS

Il n'a été publié aucun écrit du maréchal d'Ornano.

LE CADRE FAMILIAL

Différents personnages du nom d'Ornano se sont illustrés en Corse et en France aux 16ᵉ et 17ᵉ siècles. Par ailleurs, un certain nombre d'Ornano furent maintenus nobles en France aux 17ᵉ et 18ᵉ siècles. Selon l'ouvrage de Pierre-Paul Colonna de Cesari Rocca, *Histoire généalogique de la maison d'Ornano* (Paris 1893), les uns et les autres et le maréchal Philippe-Antoine d'Ornano, dont il est ici question, appartiendraient à une seule et même famille.

Le travail de cet auteur s'appuie pour l'essentiel, non pas sur des documents écrits irréfutables, mais sur les chroniques, témoins de la croyance commune à des époques successives. C'est dire que la réserve s'impose à son sujet. Il y a lieu, cependant, de prendre en considération une circonstance propre à la Corse : celle-ci est un pays où la tradition orale a toujours eu une importance considérable et bénéficié d'une grande autorité. En raison de ce fait, nous avons pensé devoir exposer à titre documentaire les grandes lignes du système développé dans l'ouvrage en question.

Le point de départ est un personnage prénommé Lupo vivant à cheval sur les 13ᵉ et 14ᵉ siècles. Celui-ci fut le père de deux fils : Orlando seigneur d'Ornano et Ghilfuccio. Le second eut pour descendant à la 5ᵉ génération Sampiero d'Ornano dit Sampiero Corso (1501-1567), l'un des héros de la lutte séculaire de l'île contre la domination gênoise. Celui-ci n'hésita pas à poignarder sa femme, Vanina, dont il sera question plus loin, parce qu'elle avait songé à se rendre à Gênes en vue de demander la paix pour son mari. Il périt assassiné par d'autres Ornano qu'on trouvera également dans la suite. Sampiero laissa comme fils Alphonse d'Ornano (1548-1610), passé au service de la France, colonel général des Corses, gouverneur successivement de Valence, de Pont-Saint-Esprit, du Lyonnais, de Guyenne, maire de Bordeaux, maréchal de France (1597), père à son tour de Jean-Baptiste d'Ornano (1581-1826), lui aussi au service de la France, colonel général des Corses, gouverneur de Gaston d'Orléans, maréchal de France (1626)[11]. Le 1er des fils de Lupo, Orlando, dont on trouve trace en 1340, eut pour arrière-petit-fils un autre Orlando qui fut lui-même père de deux fils : l'un légitime, Antonio, exclu de la succession de son père comme rebelle à la République de Gênes, l'autre, naturel, Alphonse, substitué à cette même succession en raison des services qu'il avait rendus à ladite République. Antonio est l'ancêtre des Ornano dits de Sainte-Marie-Siché, dont divers représentants seront maintenus nobles par le Conseil supérieur de Corse en 1776[12]. Alphonse fut père de 3 fils : Francesco († vers 1557), Bernardino et Paolo. Francesco eut une fille, Vanina, alliée en 1545 à son cousin Sampiero d'Ornano dit Sampiero Corso, qu'on a rencontré plus haut. Bernardino sera la souche des Colonna d'Ornano[13], lesquels[14] sont en fait des Ornano ayant obtenu le 7-III-1597 des Colonna de Rome une reconnaissance d'origine commune[15]. Paolo fut le grand-père des 4 frères : Michel-Angelo, Gian-Antonio, Cesare et Gian-Francesco qui, à l'instigation de Gênes et pour venger le meurtre de leur tante à la mode de Bretagne, Vanina, par son mari Sampiero Corso, assassinèrent celui-ci. Philippe-Antoine, fait maréchal de France par Napoléon III, descendrait du 2d de ces quatre frères[16].

On trouvera ci-après les 4 degrés d'ascendance du maréchal Philippe-Antoine d'Ornano que nous avons pu établir sur pièces[17] :

I - Gio-Battista ORNANO, capitaine, allié Ajaccio 16-XII-1661 à Colomba SPLENDIANO, fille d'Oneto, dont

II - Lodovico ORNANO, baptisé à Ajaccio le 14-II-1675, membre du Conseil des anciens d'Ajaccio[18], allié à Marfisa N.[19], dont

III - Philippe-Antoine ORNANO, né et baptisé à Ajaccio le 6-V-1717, allié Ajaccio 21-III-1745 à Geronina MAGGIOCO, fille de Giuseppe, dont

IV - Lodovico ORNANO, né à Ajaccio le 7-VI-1744, décédé à Ajaccio le 4-VI-1816[20], propriétaire, conseiller de préfecture et conseiller général du département du Liamone, puis de Corse[21], allié Ajaccio 16-II-1766 à Isabelle BONAPARTE, décédée à Ajaccio le 20-I-1816, âgée de 72 ans, fille de Napoléon, membre du Conseil des anciens d'Ajaccio, capitaine commandant la ville[22], et de Marie-Rose BOZZI.

ARMES

Coupé : au I parti à dextre des comtes militaires, c'est-à-dire : d'azur à l'épée haute en pal d'argent montée d'or, et à sénestre d'hermine plein ; au II de gueules au griffon essorant d'or [23].

L'EPOUSE

Philippe-Antoine d'ORNANO épousa à Bruxelles le 7-IX-1816 [24] Marie LACZYNSKA (Kiernozia, Pologne, 7-XII-1786 - Paris 11-XII-1817) [25], fille de Mathieu, propriétaire, staroste de Strzelce, et d'Eva ZABOROWSKA, d'une famille polonaise anoblie en 1574.

Marie LACZYNSKA avait épousé précédemment le 17-VI-1803 Anasthase WALEWSKI, né en 1736, décédé à Walewice, Pologne, le 18-I-1815 [26], propriétaire [27], d'une famille polonaise de noblesse immémoriale connue depuis 1382 [28] (mariage déclaré nul par jug. du t. c. de Varsovie le 17-VIII-1812 et par décision de l'officialité du diocèse de Varsovie le 24-VIII) [29].

Marie LACZYNSKA est célèbre sous le nom de Marie WALEWSKA, en raison de la liaison qu'elle eut avec l'empereur Napoléon au cours de sa 1re union [30].

Elle avait 6 frères et sœurs : 1) Benoît-Joseph, né à Kiernozia le 21-III-1779, décédé à Salzbrunn, Silésie, le 7-IX-1820, général de brigade dans l'armée du grand-duché de Varsovie, puis au service de la France [31] ; 2) Jérôme, dont on ne sait rien ; 3) Joseph-Théodore, né à Kiernozia le 9-XI-1785, décédé à Kiernozia le 15-I-1842, chef d'escadrons de cavalerie au service de la France, aide de camp de Duroc [32] ; 4) Honorée dont on ne sait rien ; 5) Catherine, née à Kiernozia le 13-VI-1794, décédée le 26-V-1864, qui fut successivement Mme LASOCKA, Mme RADWAN et la générale RYCHLOWSKA ; 6) Ursule-Thérèse dont on ne sait rien [33].

DESCENDANCE

Rodolphe comte d'ORNANO (Liège 9-VI-1817 [34] - Chambray-lès-Tours 14-X-1865), préfet, député et vice-président du conseil général de l'Yonne, chambellan et 1er maître des cérémonies de Napoléon III [35], allié Tours 16-VI-1845 à Aline de VOYER d'ARGENSON (Les Ormes-sur-Vienne 25-VII-1826 - Tours 24-XI-1899), fille de Charles-Marc-René marquis d'ARGENSON, propriétaire, conseiller général de la Vienne [36], historien [37], et d'Anne-Marie FAURE [38], dont

A - Vanina d'ORNANO (Les Ormes-sur-Vienne 12-IX-1846 - Saint-Rémy-en-Bouzemont 24-VII-1880) alliée Paris 7e 6-V-1868 à Jules baron de BOUVET (Douai 24-III-1833 - Paris 8e 9-XI-1897), propriétaire, capitaine de cavalerie, fils du baron Emile, propriétaire, sous-lieutenant de cavalerie, et de Sidonie FOUCQUES [39], dont

1 - Marie-Anne de BOUVET (Chambray-lès-Tours 26-IV-1869 - Orléans 23-V-1955) alliée Saint-Rémy-en-Bouzemont 16-XI-1898 au comte Emmanuel de FROISSARD de BROISSIA (Dôle 6-IV-1865 - Orléans 15-VIII-1935), chef de bataillon d'infanterie, fille du comte Edouard, propriétaire, et de Marie-Charlotte du METZ de ROSNAY, dont uniquement

Marie-Thérèse de BROISSIA (Saint-Denis, Seine-Saint-Denis, 12-II-1904 - Orléans 24-VIII-1920),

2 - Marie-Louise de BOUVET (Huismes 2-IX-1872 - Paris 16e 21-XI-1968) alliée Saint-Rémy-en-Bouzemont 15-II-1896 au baron Georges DIDELOT (Brest 29-VI-1868 - Paris 16e 6-VI-1944), capitaine de vaisseau [40], fils d'Octave baron DIDELOT, vice-amiral, vice-président du conseil général du Finistère [41], et d'Eugénie de LA HUBAUDIÈRE [42], dont

a - Magdeleine DIDELOT (Golfe Juan-Vallauris 30-IV-1897) alliée Paris 16e 25-III-1924 à Charles comte de SAINT-MARTIN (Amiens 21-VII-1886 - Angers 20-VII-1971), ingénieur agronome, propriétaire, fils de Gaston comte de SAINT-MARTIN, propriétaire, et de Noémie DELFAU de BELFORT, dont

— Gérard de SAINT-MARTIN (Orléans 22-VI-1925 - Angers 14-XI-1964), licencié ès sciences, s.a.,

— Guy comte de SAINT-MARTIN (Orléans 28-IX-1927), représentant, allié Angers 22-IV-1966 à Geneviève POTIER de COURCY (Morlaix 27-X-1930), fille de Tanneguy baron de COURCY, chef de bataillon d'infanterie [43], et d'Yvonne du BEAUDIEZ, dont

• Gérard de SAINT-MARTIN (Angers 24-XII-1966),

• Tanneguy de SAINT-MARTIN (Angers 4-III-1968),

• Marie de SAINT-MARTIN (Angers 9-I-1970),

— comte Bernard de SAINT-MARTIN (Orléans 20-XII-1928), conseiller en immobilier, allié Paris 16e 3-XI-1955 à Brigitte BEAUSSANT (Toulon 26-VII-1931), fille de Louis, directeur de compagnie d'assurances, et de Simone HURBIN, dont

- Marie-Bénédicte de SAINT-MARTIN (Paris 14ᵉ 6-VIII-1956), s.a.a.,

- Pierre de SAINT-MARTIN (Neuilly-sur-Seine 29-VI-1958), s.a.a.,

- Emmanuel de SAINT-MARTIN (Neuilly-sur-Seine 9-VII-1962),

- Charles-Gérard de SAINT-MARTIN (Neuilly-sur-Seine 17-V-1966),

— Marie-Jacqueline de SAINT-MARTIN (Orléans 3-XII-1930) alliée Angers 27-IV-1962 au comte Jacques LE MESRE de PAS (Nantes 17-X-1930 - Tours 18-XI-1978), industriel [44], fils du comte André, propriétaire, et de Gisèle QUECK d'HENRIPRET, dont uniquement

- Ghislaine de PAS (Tours 25-X-1965),

— comte Philippe de SAINT-MARTIN (Angers 14-III-1937), attaché de direction, allié Joué-lès-Tours 27-I-1961 à Christiane LE MESRE de PAS (Witternesse 1-VI-1934), sœur de Jacques précité, dont

- Benoît de SAINT-MARTIN (Nantes 20-II-1965),

- Damien de SAINT-MARTIN (Nantes 28-IV-1966),

- Vincent de SAINT-MARTIN (Nantes 8-VII-1967),

- Rita de SAINT-MARTIN (Nantes 5-II-1970),

- André de SAINT-MARTIN (Nantes 13-XII-1971),

- Myriam de SAINT-MARTIN (Nantes 24-VII-1973),

- Gabriel de SAINT-MARTIN (Nantes 24-VII-1973),

b - Pierre baron DIDELOT (Saint-Rémy-en-Bouzemont 7-VIII-1898), ancien élève de l'Ecole polytechnique, directeur des services d'Extrême-Orient de l'Agence radiotélégraphique de l'Indochine et du Pacifique [45], capitaine d'artillerie, allié Saïgon 2-VIII-1928 à Agnès NGUYEN-HUU-HAO (Saïgon 13-VIII-1903) [46], fille de Pierre NGUYEN-HUU-HAO, LONG-MY-QUAN-CONG [47], propriétaire riziculteur et planteur de caoutchouc, et de Marie LÊ-THI-BINH [48], dont

— Monique DIDELOT (Saïgon 10-VIII-1929)[49] alliée Paris
16e 8-VII-1957 à Aimery comte de LOUBENS de VER-
DALLE-LE GROING de LA ROMAGÈRE (Paris 8e 24-XII-
1922), ancien élève de l'Ecole des hautes études commerciales, licencié en droit et ès lettres, président-directeur
général de société[50], président de la Société des courses
de Montluçon-Néris, capitaine de frégate, président de
l'Intra-marine[51], fils de Hugues comte de LOUBENS de
VERDALLE-LE GROING de LA ROMAGÈRE, propriétaire,
président de la Société des courses de Montluçon-
Néris[52], et de Marie-Louise de REGNAULD de BEL-
LESCIZE, dont

• Hugues de LOUBENS de VERDALLE LA ROMAGÈRE
(Neuilly-sur-Seine 24-IX-1958), s.a.a.,

• Thérence de LOUBENS de VERDALLE LA ROMAGÈRE
(Paris 17e 22-IX-1959), s.a.a.,

• Philippe de LOUBENS de VERDALLE LA ROMAGÈRE
(Paris 17e 23-XII-1961),

• Isabelle de LOUBENS de VERDALLE LA ROMAGÈRE
(Paris 17e 26-II-1971),

— Marie-Agnès DIDELOT (Paris 7e 18-I-1931) alliée Paris
16e 19-V-1953 à André baron de LAMBERT des CHAMPS
de MOREL (Roanne 27-X-1925), ingénieur dans l'industrie (électro-mécanique), capitaine de frégate, fils d'André
baron de LAMBERT des CHAMPS de MOREL ✕ [53], lieutenant d'infanterie, et d'Andrée MEAUDRE de SUGNY[54],
dont

• Véronique de LAMBERT des CHAMPS de MOREL
(Neuilly-sur-Seine 8-VII-1954), archiviste paléographe,
alliée Paris 16e 17-V-1976 au vicomte Olivier de BEC-
DELIÈVRE (Angers 21-VII-1952), lieutenant de cavalerie, fils du vicomte Jacques, lieutenant-colonel d'artillerie, et d'Anne de LA GRANDIÈRE, dont

•• Ségolène de BECDELIÈVRE (Paris 17e 31-VII-1977),

•• Alix de BECDELIÈVRE (Paris 17e 13-IV-1979),

• Laurence de LAMBERT des CHAMPS de MOREL (Casablanca 12-X-1957), titulaire d'une maîtrise de gestion,
s.a.a.,

— Christiane DIDELOT (Saïgon 24-VI-1933), diplômée de l'Ecole nationale des langues orientales vivantes, alliée Paris 16ᵉ 24-IV-1963 à Nicolas d'ANDOQUE de SÉRIÈGE (Paris 7ᵉ 21-II-1931), titulaire d'un diplôme d'études supérieures de droit, cadre administratif[55], président de l'Association des anciens des affaires algériennes, fils d'Alban, colonel de cavalerie, et d'Yseult FAYET, dont

   • Ariane d'ANDOQUE de SÉRIÈGE (Paris 17ᵉ 10-II-1964),

   • Alexandre d'ANDOQUE de SÉRIÈGE (Paris 17ᵉ 30-XII-1964),

   • Laure d'ANDOQUE de SÉRIÈGE (Béziers 21-VI-1968),

— Sabine DIDELOT (Dalat 10-I-1937), diplômée de l'Institut d'études politiques de Paris, attachée au Conseil franco-britannique, puis chargée de mission à Radio-France, s.a.a.,

— baron Jean-François DIDELOT (Dalat 13-IV-1941), diplômé de l'Institut d'études politiques de Paris, licencié en droit, cadre de banque, s.a.a.,

c - baron Robert DIDELOT (Saint-Rémy-en-Bouzemont 9-VIII-1899), général de brigade, allié Paris 7ᵉ 19-X-1962 à Lucienne MICHELI (Sant Andrea di Cotone 7-XII-1909), fille de Charles-Louis, chef de bataillon d'infanterie, et de Marie-Françoise CESARINI, s.p.,

d - Elisabeth DIDELOT (La Seyne-sur-mer 6-V-1901 - Neuilly-sur-Seine 23-IV-1975) alliée Paris 16ᵉ 19-II-1925 au comte François du CAUZÉ de NAZELLE (Toulon 25-XI-1898 - ✕ combat de Moulay-Amrane, Maroc, 27-IV-1927), lieutenant d'infanterie, fils du comte Ferdinand, capitaine de corvette, et d'Anne-Marie de JOUFFROY-GONSANS, dont uniquement

   Marie-Thérèse de NAZELLE (Paris 16ᵉ 7-XII-1925) alliée Paris 16ᵉ 16-X-1953 à Christian vicomte de BOUËT du PORTAL (Brest 10-IV-1927), cadre commercial, fils de René comte de BOUËT du PORTAL, colonel de cavalerie, et d'Yvonne RIOU du COSQUER, mariage dissous par arrêt de la cour d'appel de Paris en date du 29-I-1971 et déclaré nul par sentences de la Sacrée rote romaine des 18-I-1965 et 7-XI-1966, dont uniquement

      François de BOUËT du PORTAL (Paris 15ᵉ 25-IX-1954), diplômé de l'Ecole des cadres, s.a.a.,

e - baron Georges-François DIDELOT (Guilers 12-VIII-1902), général de brigade, allié Réguiny 25-VIII-1937 à Claude de LONGEAUX (La Neuveville-lès-Raon 27-IX-1912), fille de Louis, ingénieur civil des mines, et de Jacqueline GEISLER, dont

— baron Jean-Claude DIDELOT (Nantes 30-XI-1939), directeur commercial (édition)[56], allié Paris 7e 27-VI-1969 à Aliette de LA BOURDONNAYE (Erquy 27-I-1944), fille du comte René, propriétaire, et d'Annick du BREIL de PONTBRIAND, dont

• Aude DIDELOT (Angers 1-VIII-1970),

• François-Xavier DIDELOT (Rouen 9-X-1971),

• Etienne DIDELOT (Rouen 3-V-1975),

— Françoise DIDELOT (Alger 26-V-1942) alliée Paris 16e 9-II-1972 à Jean-François VERNY (Chamalières, Puy-de-Dôme, 2-V-1942), diplômé de l'Institut d'études politiques de Paris, ancien élève de l'Ecole nationale d'administration, licencié en droit, maître des requêtes au Conseil d'état, fils de René, ancien élève de l'Ecole nationale d'administration, licencié en droit, trésorier payeur général[57], et de Jeanne POMMERIE, dont

• Antoine VERNY (Saint-Cloud 5-XI-1972),

• Elisabeth VERNY (Saint-Cloud 4-XI-1973),

• Charles-Henri VERNY (Saint-Cloud 23-III-1975),

— baron Xavier DIDELOT (Montargis 22-VI-1946), diplômé de l'Institut d'études politiques de Paris, licencié ès sciences économiques, directeur des programmes dans une société de promotion immobilière, allié Boulogne-Billancourt 24-VIII-1973 à Edith BELLEVAL (Tunis 23-VI-1948), ancien élève de l'Institut d'études politiques de Paris, licenciée ès lettres, ancien élève de l'Ecole française des attachés de presse, fille de Richard, président et administrateur de sociétés, et de Renée JANSEN, s.p.a.,

— Marguerite DIDELOT (Vannes 23-IV-1950) alliée Paris 16e 14-VI-1973 à Jean-Marie LOT (Paris 16e 22-I-1941), ancien élève de l'Ecole polytechnique, ingénieur, fils de Jean, greffier en chef de la cour d'appel de Paris[58], et de Monique VAILLANT de GUÉLIS, dont

- Camille [59] LOT (Paris 8e 27-VIII-1974),

- Constance LOT (Paris 8e 20-VIII-1975),

- Marie-Cécile LOT (Paris 13e 9-IX-1977),

f - baron Claude DIDELOT (Paris 16e 25-I-1904), propriétaire, s.a.a.,

3 - Michel baron de BOUVET (Huismes 23-II-1875 - Saint-Rémy-en-Bouzemont 13-X-1964), chef d'escadrons de cavalerie, allié Farincourt 6-II-1911 à Catherine de TRICORNOT (Paris 8e 3-IV-1886), fille de Henri, industriel (fonderie), conseiller général de la Haute-Marne, et de Valentine JOBEZ, dont

a - Christine de BOUVET (Joigny 30-XII-1911) alliée Paris 16e 1-XII-1953 à Albert comte RICHARD de VESVROTTE (Trouhans 17-X-1906), général de brigade, fils de Charles comte de VESVROTTE, propriétaire, et d'Eugénie BRUN d'ARTIS, s.p.,

b - François baron de BOUVET (Gray 27-XI-1914), propriétaire agriculteur, membre de la chambre d'agriculture de la Marne, conseiller général de la Marne, allié Cirey-sur-Blaise 27-VII-1957 à Hélyane de SALIGNAC-FÉNELON (Paris 16e 12-I-1932), fille de Jean comte de SALIGNAC-FÉNELON, administrateur de sociétés [60], et de Simone AZARIA, dont

— Vanina de BOUVET (Saint-Dizier 11-X-1961),

— Marie de BOUVET (Saint-Dizier 19-III-1963),

— Michel de BOUVET (Saint-Dizier 7-VI-1964),

— Laure de BOUVET (Saint-Dizier 28-III-1967),

c - Jacques de BOUVET (Vincennes 5-XII-1919 - ✕ Jebsheim 27-I-1945 [61]), lieutenant de cavalerie, s.a.,

d - Bernard de BOUVET (Vincennes 21-XI-1921 - ✕ Montbéliard 6-I-1945 [62]), s.a. [63],

e - baron Claude de BOUVET (Vincennes 22-I-1924), directeur commercial (métallurgie), capitaine d'artillerie, allié Rennes 24-X-1952 à Odile LE POITEVIN de LA CROIX-VAUBOIS (Rouen 9-VII-1930), fille du vicomte Gérard, conservateur des Eaux et Forêts, et d'Isabelle de MALÉZIEUX du HAMEL, dont

— baron Jacques de Bouvet (Rennes 28-VII-1953), s.a.a.,

— baron Olivier de Bouvet (Rennes 20-VII-1956), s.a.a.,

— Isabelle de Bouvet (Alger 15-I-1961 - Alger 15-I-1961),

— Renaud de Bouvet (Rennes 30-X-1962),

— Amaury de Bouvet (Rennes 15-VII-1964),

f - Marie de Bouvet (Saint-Rémy-en-Bouzemont 27-VIII-1927) alliée Saint-Rémy-en-Bouzemont 23-VI-1956 au comte Jacques de Lambilly (Nantes 19-I-1924), licencié ès sciences, ingénieur, fils du comte Henry, ingénieur de l'Institut national agronomique, agriculteur, et de Jeanne de Sesmaisons, dont

— Catherine de Lambilly (Paris 16ᵉ 17-VI-1957), s.a.a.,

— Hervé de Lambilly (Paris 16ᵉ 10-VIII-1959), s.a.a.,

— Henry de Lambilly (Paris 16ᵉ 9-IX-1965),

B - Alphonse comte d'Ornano (Les Ormes-sur-Vienne 29-I-1848 - Tours 6-I-1908), propriétaire, allié Bastia 29-IV-1882 à Marie Colonna d'Istria (Bastia 27-IX-1857 - Paris 16ᵉ 24-VIII-1920), fille de François comte Colonna d'Istria, procureur général, conseiller général de la Corse, et de Madeleine Pozzo di Borgo [64], dont

1 - Philippe-Antoine comte d'Ornano (Bastia 14-V-1883 - Paris 16ᵉ 27-X-1961), homme de lettres et historien [65], allié Scarsdale, comté de Westchester, état de New York, 23-IV-1926 [66] à Marcelle-Françoise Finet [67] (Amiens 17-VIII-1897), fille d'Augustin-Joseph, clerc de notaire, et de Stéphanie-Josèphe Wavelet, commerçante [Marcelle-Françoise Finet avait épousé précédemment à Amiens le 30-III-1915 Daniel-Victorin Rohaut (Amiens 22-X-1891 - ✕ Maizeray, Meuse, 7-IV-1915), sous-lieutenant d'infanterie, fils de Victorin-Armand, tailleur d'habits, et d'Alexandrine Abrianay], s.p., mais adopta suivant jug. du t.c. de la Seine du 23-V-1956 ses neveux Michel et Hubert d'Ornano (voir plus loin),

2 - Jean-Baptiste comte d'Ornano (Saint-Cyr-sur-Loire 18-VI-1887 - Chamalières, Puy-de-Dôme, 5-IX-1963), directeur commercial (parfums) [68], allié Clermont-Ferrand 23-VII-1918 à Andrette Rougier (Perpezat 7-II-1897) [69], fille de Jacques, conseiller à la cour d'appel de Limoges, et de Martha Ribey-rolles [70], dont

a - Rodolphe comte d'ORNANO (Paris 8ᵉ 29-II-1920), directeur commercial [71] et vice-président de société [72] (parfums), allié Paris 8ᵉ 9-XI-1946 à Pierrette de LA PUMARIEGA (Boucau 25-XII-1922), fille d'Eugenio, propriétaire [73], et d'Anna-Eugénie SAUTIER, dont

— Vanina d'ORNANO (Paris 8ᵉ 19-III-1948), attachée de presse, alliée Paris 17ᵉ 27-VII-1978 au comte Thierry de MASCUREAU (Paris 16ᵉ 9-XII-1953), agent commercial, fils du comte Bernard, chef de service, et de Donatella JACOPOZZI, dont

● Marie-Sandrine de MASCUREAU (Paris 14ᵉ 9-I-1978),

— Muriel d'ORNANO (Paris 8ᵉ 12-IV-1949) alliée Paris 16ᵉ 15-XI-1974 à José-Fernandes MARTINS-ALVES (Pampilhosa da Serra [74], Portugal, 27-XII-1943), journaliste, fils de Manuel, fonctionnaire, et de Maria-Amelia de JESUS, dont

● Rodolphe MARTINS-ALVES (Paris 15ᵉ 7-II-1977),

— Jean-Philippe d'ORNANO (Paris 9ᵉ 7-VI-1950), docteur en médecine, s.a.a.,

b - Christian d'ORNANO (Lyon 6ᵉ 29-XII-1928), agent commercial (parfums) [75], allié Cornas 25-II-1953 à Raymonde de BARJAC (Lyon 6ᵉ 9-VI-1930), fille de Raoul-Jean, cadre supérieur de banque [76], et de Marie-Blanche BRESSON, dont

— Patrick d'ORNANO (Chêne-Bougeries, Suisse, 18-VII-1953), ébéniste, allié Cornas 1-X-1977 à Maryse FONDARD (Montbrison 20-III-1953), fille d'André, gendarme, et de Huguette GUILLOT, dont

● Cédric d'ORNANO (Lyon 20-II-1980),

— Isabelle d'ORNANO (Saint-Fons 25-XI-1956), s.a.a.,

3 - Guillaume d'ORNANO (Tours 25-VI-1894), licencié en droit, président et administrateur de sociétés (parfums) [77], vice-président du Syndicat national de la parfumerie française [78], conseiller général de l'Indre [79], allié Varsovie 21-V-1921 à Elisabeth MICHALSKA (Trawniki-Biskupiec, Pologne, 1-VII-1901 - Paris 8ᵉ 15-VI-1954), fille de Joseph-Boleslas, propriétaire [80], et d'Alexandra MORCHONOWICZ [80], dont

a - Michel d'ORNANO (Paris 8ᵉ 12-VII-1924) [81], administrateur de société [82], conseiller du commerce extérieur de la France [83], maire de Deauville [84], président du conseil général et député du Calvados, ministre à différentes reprises [85], allié Mazé 17-IX-1960 à Anne de CONTADES (Paris 7e 7-XII-1936), maire de Deauville [86], fille d'Arnaud marquis de CONTADES, ancien élève de l'Ecole supérieure d'agriculture d'Angers, sous-directeur de banque, administrateur de société, lieutenant de cavalerie, et de Sonia RAOUL-DUVAL [87], dont

— Catherine d'ORNANO (Paris 14e 2-X-1967),

— Jean-Guillaume d'ORNANO (Paris 14e 27-II-1969),

b - Hubert d'ORNANO (Melgiew, Pologne, 31-III-1926) [81], président et administrateur de sociétés [88], conseiller du commerce extérieur de la France, allié Deauville 6-VII-1963 [89] à la comtesse Isabelle POTOCKA (Varsovie 6-VII-1937), fille du comte Joseph, ministre plénipotentiaire, et de s.a.s. la princesse Christine RADZIWILL [90], dont

— Philippe d'ORNANO (Boulogne-Billancourt 29-XII-1964),

— Marc d'ORNANO (Boulogne-Billancourt 25-IV-1966),

— Elisabeth d'ORNANO (Boulogne-Billancourt 5-IV-1968),

— Marie-Laetitia d'ORNANO (Boulogne-Billancourt 16-X-1970),

— Christine d'ORNANO (Boulogne-Billancourt 25-V-1973),

C - Isabelle d'ORNANO (Les Ormes-sur-Vienne 18-II-1850 - Paris 8e 26-I-1874) alliée Paris 7e 20-I-1873 à César LA GRUA et TALAMANCA, prince de CARINI, duc de VILLAREALE (Paris 26-IV-1843 - Saint-Cyr-sur-Loire 22-VI-1884), chef de bataillon d'infanterie, propriétaire, fils d'Antoine prince de CARINI, duc de VILLAREALE, ministre plénipotentiaire du roi des Deux Siciles [91], et de Marie-Amélie LAMBELIN [92] [César prince de CARINI s'est remarié à Marie d'ORNANO, sœur d'Isabelle (voir plus loin)], s.p.,

D - Laure d'ORNANO (Auxerre 5-XI-1852 - Paris 7e 4-V-1928) alliée Paris 8e 14-VI-1876 à Emmanuel comte de LAUGIER de BEAURECUEIL (Vernou-en-Sologne 6-I-1846 - Paris 7e 20-I-1908), propriétaire, fils de Maximilien comte de LAUGIER de BEAURECUEIL, propriétaire, et de Marie de LAUGIER de BEAURECUEIL [93], dont

1 - Max comte de LAUGIER de BEAURECUEIL (Blois 24-XI-1878 - Levallois-Perret 13-I-1945), propriétaire, s.a.,

2 - Pierre comte de Laugier de Beaurecueil (Chambray-les-Tours 1-IX-1880 - Hyères 23-XII-1961), chef d'escadrons de cavalerie, allié Paris 16ᵉ 27-I-1914 à Roberte de Quelen (Paris 16ᵉ 4-V-1893), fille de Raoul comte de Quelen, propriétaire [94], et d'Antoinette Oppenheim [95], mariage dissous par jug. du t. c. de la Seine le 13-V-1932, dont

   a - Serge de Laugier de Beaurecueil (Paris 16ᵉ 28-VIII-1917), religieux dominicain, docteur en théologie, docteur ès lettres (langues orientales), professeur à la faculté des lettres de Kaboul, professeur au lycée franco-afghan Estiqlal, conseiller pédagogique de l'annexe primaire de ce même lycée [96],

   b - Tonia de Laugier de Beaurecueil (Rennes 3-VI-1920), religieuse [97],

   c - Raoul comte de Laugier de Beaurecueil (Paris 7ᵉ 18-I-1922), éducateur spécialisé, conseiller conjugal et familial, allié Souligné-Flacé 22-IV-1953 à Eliane de Montesson (Le Mans 8-II-1925), fille de Jean marquis de Montesson, propriétaire, et de Marie de Vassal, dont

     — Jean de Laugier de Beaurecueil (Le Mans 26-I-1954), pharmacien, s.a.a.,

     — Anne de Laugier de Beaurecueil (Le Mans 1-I-1956), s.a.a.,

     — Eric de Laugier de Beaurecueil (Le Mans 3-VIII-1958), s.a.a.,

     — Roselyne de Laugier de Beaurecueil (Le Mans 29-VIII-1962),

     — Marie de Laugier de Beaurecueil (Le Mans 29-VIII-1962),

     — Marc de Laugier de Beaurecueil (Neuilly 26-IV-1968),

   d - Gisèle de Laugier de Beaurecueil (Paris 5ᵉ 10-VI-1924 - Paris 5ᵉ 28-X-1924),

E - Ludovic d'Ornano (Les Ormes-sur-Vienne 10-X-1855 - Menton 6-III-1886), sous-lieutenant de cavalerie, allié Paris 8ᵉ 28-IX-1880 à Olga Gérard de Rayneval (Paris 24-VIII-1852 - Chambray-lès-Tours 7-XI-1888), fille d'Eugène-Alexandre comte de Rayneval, capitaine de frégate, chambellan de Napoléon III [98], et de la princesse Olga Scherbatoff, dont

1 - Vanina d'ORNANO (Chambray-lès-Tours 3-I-1885 - Paris 14ᵉ 5-II-1929), s.a.,

2 - Ludovic d'ORNANO (Chambray-lès-Tours 9-VIII-1886 - Nancy 22-III-1934), chef de bataillon d'infanterie, allié Liévin 21-V-1931 à Marie-Elise DEMAREZ (Douai 1-II-1896), sténo-dactylo, fille d'Auguste-Rémi, forgeron, et de Florentine MOUI, dont uniquement

Antoinette d'ORNANO (Paris 14ᵉ 18-XII-1920), comptable, alliée Paris 15ᵉ 18-IX-1943 à Edouard PONTIÈRE (Liévin 7-VIII-1910), licencié ès lettres, professeur de mathématiques, directeur de collège, fils d'Edouard, contremaître d'accrochage aux mines de Liévin, et de Marie FIEVET, dont uniquement

Nicole PONTIÈRE (Perpignan 10-VI-1944), licenciée ès sciences naturelles, alliée Saint-Hilaire, Haute-Garonne, 5-XI-1966 à Alain THOMAS (Oran 19-XII-1942), licencié ès sciences, titulaire d'un diplôme d'études supérieures et d'un diplôme d'études approfondies, docteur en hydro-biologie, maître assistant à la faculté des sciences de Toulouse-Rangueil, fils d'Elie, chirurgien-dentiste, et de Jeanne CAMBON, dont

• Anne-Irène THOMAS (Toulouse 27-VIII-1967),

• Corinne-Claire THOMAS (Toulouse 10-X-1968),

F - Marie d'ORNANO (Chambray-lès-Tours 11-XI-1857 - Tours 1-XII-1911) alliée Paris 8ᵉ 29-V-1877 à César LA GRUA et TALAMANCA, prince de CARINI, duc de VILLAREALE, qu'on a rencontré plus haut allié à Isabelle d'ORNANO, sœur de Marie, dont

1 - Rodolphe prince de CARINI, duc de VILLAREALE (Paris 17ᵉ 11-III-1878 - ✗ Cherbourg 26-XI-1914 [99]), attaché d'ambassade [100], journaliste [101], s.a.,

2 - don Antoine LA GRUA et TALAMANCA de CARINI (Paris 17ᵉ 11-III-1878 - Paris 17ᵉ 31-VII-1880),

3 - Philippe prince de CARINI, duc de VILLAREALE (Paris 17ᵉ 29-VI-1879 - Fercé-sur-Sarthe 14-III-1952), licencié ès lettres (histoire), propriétaire, quelque temps journaliste [102], lieutenant de cavalerie, allié Paris 8ᵉ 17-III-1904 à Renée PICOT de VAULOGÉ (Paris 8ᵉ 9-XII-1878 - Fercé-sur-Sarthe 7-III-1966), fille du vicomte François dit Frantz, propriétaire, et de Thérèse de MENOU, dont

a - Alex-Antoine prince de CARINI, duc de VILLAREALE (Paris 8ᵉ 18-III-1905 - Paris 4ᵉ 27-III-1966), colonel de cavalerie, allié Paris 5ᵉ 18-XI-1965 à Suzanne FAVRE (Paris 15ᵉ 18-III-1910), fille d'Emile-Jean, licencié ès sciences mathématiques et physiques, professeur de lycée, conseiller général et député de la Haute-Savoie, maire de Bonneville, et de Marie-Louise DURET, institutrice [Suzanne FAVRE avait épousé précédemment à Paris 18ᵉ le 19-V-1930 Yves RAISIN (Annecy 22-VII-1910), docteur en médecine [103], chirurgien, fils de Jules-Henri, propriétaire, et de Camille-Humbertine DARVEY, mariage dissous par jug du t. c. d'Annecy le 16-VI-1945 [104]], s.p.,

b - Pierre prince de CARINI, duc de VILLAREALE (Paris 16ᵉ 18-IV-1906 - Fercé-sur-Sarthe 20-VII-1976), diplômé de l'Ecole supérieure d'agriculture d'Angers, propriétaire agriculteur et représentant, allié Bannay, Marne, 10-VIII-1959 à Elisabeth HUCHET (Saint-Philbert-de-Bouaine 13-IV-1917), fille de Jean-Baptiste, cultivateur, et de Marie GARNIER [Elisabeth HUCHET avait épousé précédemment à Saint-Malo le 31-X-1940 René-André OCTAVIEN (Dinan 13-XII-1909 - Las Avispas Negras, République argentine, 14-VI-1964), hôtelier, fils de Vincent, représentant, et d'Emilie-Célestine ESSIRARD, mariage dissous par jug. du t. c. de la Seine le 7-I-1958 [105]], dont uniquement

Rodolphe prince de CARINI, duc de VILLAREALE (Epernay 16-VII-1960), s.a.a.,

c - donna Marie-Béatrice LA GRUA et TALAMANCA de CARINI (Paris 16ᵉ 27-VI-1917) alliée Fercé-sur-Sarthe 24-IV-1946 à Scévole comte POCQUET de LIVONNIÈRE (Allonnes, Maine-et-Loire, 1-VI-1912), cadre commercial, propriétaire, fils de Scévole vicomte de LIVONNIÈRE, capitaine d'infanterie ✕, et de Marie LOISEL de DOUZON, dont

— Anne-France de LIVONNIÈRE (Le Mans 26-II-1948), s.a.a.,

— Marie-Claude de LIVONNIÈRE (Brion, Maine-et-Loire, 17-VI-1950) alliée Brion 2-IV-1970 au baron Hubert AUVRAY (Thouaré-sur-Loire 9-VIII-1946), administrateur de sociétés, arboriculteur, fils d'Albert baron AUVRAY, administrateur de société, propriétaire, et de Marie-Marguerite dite May BORDEAUX-MONTRIEUX, dont

● Elfrid AUVRAY (Angers 28-XII-1970),

● Géraldine AUVRAY (Angers 25-II-1975),

— Scévole vicomte de LIVONNIÈRE (Brion 22-VI-1953), ancien élève de l'Ecole des hautes études commerciales de Lille, cadre commercial (vente), sous-lieutenant de cavalerie, allié Fécamp 16-IX-1978 à Christiane VIEL (Saint-Louis-du-Sénégal 27-I-1955), titulaire d'une maîtrise d'histoire, attachée de presse, s.p.a.,

— Philippe de LIVONNIÈRE (Longué 22-III-1956), s.a.a.

FRERES ET SŒURS

1 - Jean-Baptiste ORNANO (Ajaccio 8-VIII-1767 - 1814), propriétaire, allié Ajaccio 29-IX-1803 à Marie-Hiéronyme SPOTURNO (Ajaccio 21-V-1778 - Ajaccio 30-XI-1829), fille de Dominique, propriétaire, et de Marie-Thérèse FORCIOLI, dont : A) Napoléon ORNANO (Ajaccio 29-IX-1806 - Vic-sur-Aisne 2-XII-1859), sous-lieutenant de cavalerie, inspecteur des palais, parcs et jardins impériaux (1852)[106], allié Paris 14-X-1848 à Louise-Estelle MICHEL (III-1810 - Paris 21-V-1850)[107], dont uniquement Hortense-Thadée d'ORNANO[108] (Paris 1-I-1846 - Florence 17-VIII-1874) alliée Paris 7e 24-XI-1863 à Stanislas comte BENTIVOGLIO d'ARAGON (Florence 16-XI-1821 - Florence 8-XII-1889), consul général de France[109], fils de Prosper comte BENTIVOGLIO d'ARAGON et d'Isabelle-Françoise PONIATOWSKA[110] ; B) Thadée ORNANO (Ajaccio 13-VII-1808 - 26-II-1849[111]), garde général des forêts, s.a.,

2 - Alfonso ORNANO, décédé à Ajaccio le 23-VIII-1771, âgé d'environ deux ans,

3 - Michel-Ange ORNANO (Ajaccio 5-I-1771[112] - Ajaccio 16-V-1859), consul général de France[113], député du Liamone[114], allié Ajaccio 20-VI-1798 à Marianne LÉVIE (Ajaccio 5-IV-1782 - Ajaccio 4-I-1862), fille d'Angelo-Santo, avocat royal, et de Léonora SPOTURNO, s.p., mais ont adopté deux enfants devant le juge de paix d'Ajaccio le 1-II-1834, adoption confirmée par jug. du t. c. d'Ajaccio du 5-II-1834 et arrêt de la cour d'appel de Bastia du 18-III-1834[115] : A) Michel-Ange AGOSTINI puis AGOSTINI-ORNANO (Tanger 3-VIII-1805 - Ajaccio 22-VIII-1861), conseiller de préfecture à Ajaccio, propriétaire[116], allié Ajaccio 14-VIII-1834 à Marie-Thérèse SEMIDEI (Ajaccio 8-IX-1813 - Bastia 30-X-1846), fille de Jérôme, agent comptable des subsistances militaires, propriétaire, et de Marie-Joséphine SPOTURNO, dont 1) Isabelle-Félicité AGOSTINI-ORNANO (Ajaccio 19-VI-1835 - après 1882), alliée

Ajaccio 7-XI-1853 à François Porri (Ajaccio 14-VII-1824 - avant 1882), propriétaire, fils de Dominique, capitaine d'infanterie, et d'Eléonore Spoturno, dont postérité ; 2) Marianne Agostini-Ornano (Ajaccio 29-III-1839 - 1925) alliée Ajaccio 16-II-1860 à Fabien Cunéo d'Ornano (Ajaccio 28-VII-1834 - Ajaccio 25-XII-1907), propriétaire, conseiller général de la Corse, fils d'Ascagne, propriétaire, conseiller général de la Corse, maire d'Ajaccio, et de Françoise Pinelli, dont postérité en ligne féminine (notamment famille Olivieri) ; 3) Jérôme-Louis Agostini-Ornano (Ajaccio 21-VI-1841 - Ajaccio 2-VII-1857) [117] ; B) Philippe Agostini puis Agostini-Ornano (Tanger 10-XI-1807 - Villé, Bas-Rhin, 23-VI-1886), sous-inspecteur des forêts, allié Villé 24-XI-1847 à Adèle Ebert (Villé 10-II-1829 - Villé 19-IV-1903), fille de Laurent, meunier, et de Marie-Joséphine Kemlin, dont uniquement Edgard Agostini-Ornano (Villé 10-XII-1851 - Villé 24-X-1907), propriétaire, s.a.,

4 - Marie-Giustina Ornano, née à Ajaccio le 22-IX-1774 [118], décédée avant 1781,

5 - Maria-Rosa Ornano, née en décembre 1777, décédée à Ajaccio le 10-VII-1778,

6 - Marie-Hiéronyme Ornano (Ajaccio 8-V-1779 [119] - Ajaccio 1-IV-1861), alliée Ajaccio 21-XI-1801 à Jean Ottavi (Ajaccio 11-II-1769 - Ajaccio 15-VI-1846), greffier de tribunal, propriétaire, fils de Joseph-Marie, propriétaire, et de Françoise-Marie Forcioli, dont A) Marie-Françoise Ottavi (Ajaccio 23-IV-1807 - Ajaccio 11-I-1842) alliée Ajaccio 7-XII-1837 à Charles-Henri Delacroix (Ajaccio 18-II-1800 - Ajaccio 22-VI-1870), percepteur des contributions directes à Ajaccio, receveur municipal de cette commune, fils de Pierre, propriétaire, et de Nunzia Susini [120], dont uniquement une fille née et morte en janvier 1842 ; B) Joseph-Mathieu Ottavi (Ajaccio 24-VII-1809 - Paris 9-XII-1841), conférencier et journaliste, s.a. [121] ; C) Isabelle Ottavi (Ajaccio 28-I-1812 - Ajaccio 7-VIII-1872), s.a. ; D) Ludovic-Antoine Ottavi (Ajaccio 13-XII-1814 - Ajaccio 21-XII-1815),

7 - Justine Ornano (Ajaccio 19-VII-1781 [122] - Ajaccio 29-XI-1847) alliée Ajaccio 11-VII-1799 à François Forcioli (Ajaccio 10-XI-1780 - Ajaccio 3-IX-1854), propriétaire, consul général du royaume des Deux-Siciles, fils de Domenico, conseiller à la cour d'appel d'Ajaccio, et de Camilla Vincenti, dont A) Pauline Forcioli (Ajaccio 24-XI-1805 - Ajaccio 22-XI-1870) alliée Ajaccio 15-IX-1824 à Paul-Félix Pozzo di Borgo (Alata 14-IV-1785 - Ajaccio 28-V-1838), propriétaire, trésorier payeur général de la Corse [123], fils de Jérôme, commissaire du roi près la junte de Mezzana [124], et de Marie Pompéani, dont postérité en lignes masculine [125] et féminine (notamment familles Colonna

d'ISTRIA, ORNANO, de LA BAUME-PLUVINEL, de BARBEYRAC de SAINT-MAURICE-MONTCALM, PERALDI) [126] ; B) Marie-Elisabeth FORCIOLI, née à Ajaccio le 15-X-1807, alliée Ajaccio 8-III-1842 à Joseph-Marie BOCOGNANO, né à Ajaccio le 13-VIII-1815, employé, fils de Félix, tailleur de pierre, et de Marianne *N.* ; C) Camille FORCIOLI, née à Ajaccio le 16-XII-1812, alliée Ajaccio 29-IV-1835 à César-Antoine PERETTI, né à Sari-d'Orciano en 1803, propriétaire, fils de Dominique, propriétaire, et d'Ange *N.*, dont postérité ; D) Philippe-Baptiste FORCIOLI (Ajaccio 29-VII-1814 - Ajaccio 5-IX-1854), propriétaire, s.a. ; E) Marianne FORCIOLI (Ajaccio 17-II-1817 - Marseille 24-VII-1889) alliée Ajaccio 14-VIII-1850 à Ascagne-Louis PONTE (Ajaccio 20-VI-1786 - Ajaccio 30-VIII-1864), chef de bataillon d'infanterie, fils de Philippe et de Laure PERALDI, dont postérité ; F) Dominique-Ludovic FORCIOLI (Ajaccio 14-IX-1819 - Ajaccio 12-V-1886), propriétaire, allié Ajaccio 24-IV-1845 à Marie-Madeleine PERALDI (Ajaccio 27-II-1824 - Ajaccio 19-V-1886), fille de Paul-François, propriétaire, quelque temps avocat, conseiller général de la Corse, et de Rosina ORTO, dont 1) François-Xavier-Simon FORCIOLI dit FORCIOLI-CONTI (Ajaccio 28-X-1847 - Ajaccio 29-I-1908), comte romain [127], avocat, conseiller général de Corse, maire d'Ajaccio [128], allié Ajaccio 18-XI-1871 à Marie-Madeleine CONTI, née à Ajaccio le 26-VIII-1843, fille d'Etienne, avocat, procureur général, conseiller d'état, député de la Corse, sénateur (1868), chef de cabinet de Napoléon III [129], et de Marie-Joséphine PERALDI [130], dont postérité en lignes masculine et féminine (notamment familles de BONAVITA, ABBATUCCI, SAFI, GREGORY, BONNOME [131]) ; 2) Pierre-Antoine-Eugène FORCIOLI, né à Ajaccio le 20-XII-1850, s.a.,

8 - Barthélemy ORNANO (Ajaccio 14-V-1786 [132] - Ajaccio 9-X-1786),

9 - Maria-Rosa ORNANO (Ajaccio 8-II-1788 [133] - Ajaccio 10-VII-1788),

10 - Barthélemy ORNANO (Ajaccio 18-XI-1789 [134] - ✕ Alba-de-Tormès 28-XI-1809 [135]), sous-lieutenant de cavalerie [136], s.a. [137].

NOTES

1 Ondoyé le 18-I, baptisé le 20-V-1786.

2 Le futur maréchal est fait par ces l. p. comte Ornano, sans particule. C'est là également le nom qu'il porte dans son acte de baptême et celui de ses 4 ascendants que nous avons établis sur pièces dans tous les documents les concernant. A l'instar de nombre de bénéficiaires de titres du Premier empire, il adopta la particule peu à peu à partir de la Restauration. Il porte celle-ci dans son acte de mariage en 1816. On la trouve également dans son acte de décès. La naissance de son fils Rodolphe fut déclarée sous le nom de *d'Ornano* et la particule figure à l'état civil pour toute la postérité de celui-ci. Les frères

du maréchal et leurs descendants, en revanche, ont continué de s'appeler Ornano simplement : nous renvoyons à ce sujet à la note 116.

3 C'est en raison de cet emploi qu'Ornano fut considéré comme ayant commandé en chef devant l'ennemi, lors de son maintien en activité sans limite d'âge en 1853, puis lors de son élévation au maréchalat.

4 Cette nomination resta sans effet par suite de l'abdication de l'empereur.

5 Les circonstances de ce duel, résultat d'un malentendu, ont donné lieu à un article intitulé *Un duel de généraux pendant les Cent-jours*, publié par le docteur L. Guillot dans la *Revue historique de l'armée* (n° 2, 1959).

6 Cette arrestation, qui paraît avoir été de courte durée, fut provoquée par des propos favorables au maréchal Ney tenus en public.

7 Contrairement à ce qui a parfois été écrit, Ornano ne fut pas exilé en application de l'article IV de l'ordonnance du 12-I-1816 qui bannissait du royaume à perpétuité *les ascendants et descendants de Napoléon Bonaparte, ses oncles et ses tantes, ses neveux et ses nièces, ses frères, leurs femmes et leurs descendants, ses sœurs et leurs maris :* comme on le verra plus loin, il n'en était que le cousin issu de germain. Simplement, une fois libéré, crut-il prudent de passer à l'étranger pour quelque temps, prenant du reste soin de solliciter à cet effet un congé en bonne et due forme et de se le faire renouveler régulièrement. Il attendit pour rentrer que tous apaisements lui aient été donnés. On trouve toute une correspondance à ce sujet dans son dossier au S.H.A.T.

8 Il succéda dans cette fonction au roi Jérôme.

9 Voir note 3.

10 Cette dignité lui fut conférée en sa qualité de plus ancien divisionnaire de l'armée, à l'occasion du transfert du cercueil de Napoléon 1er de la chapelle Saint-Jérôme dans le tombeau définitif, sous le dôme des Invalides.

11 L'appartenance de Sampiero Corso à la famille d'Ornano a été contestée par un certain nombre d'historiens : pour ceux-ci, il avait une origine très modeste et c'est en raison de leur mère que ses enfants prirent le nom d'Ornano. Une circonstance s'inscrit en faveur de la tradition, que Colonna de Cesari Rocca a suivie : l'admission des deux maréchaux d'Ornano de l'ancien régime dans l'ordre du Saint-Esprit, pour lequel un minimum de 3 degrés paternels de noblesse était exigé, règle à laquelle, affirme-t-on, il ne fut jamais accordé de dispense. Il existe, par ailleurs, dans le fonds dit Cabinet d'Hozier (vol. 259, B.N., Départ. des manuscrits), une généalogie, établie probablement en vue de cette entrée, en tout cas ancienne, faisant de Sampiero un Ornano et remontant son ascendance masculine sur 5 générations : les 2 degrés supérieurs, cependant, ne concordent pas avec ceux qu'indique Colonna de Cesari Rocca. Le Père Anselme (T. VII), en revanche, ne va pas au-delà de Sampiero dans la généalogie qu'il donne des deux maréchaux.

12 Du 12-III-1776, la maintenue en question énumère comme bénéficiaires : *François-Marie et Joseph-Antoine, frères, fils du feu colonel Luc-Antoine, Alphonse et Pierre-Marie, frères, fils du feu Jean-Baptiste, Jean-Baptiste et Jean-Luc, frères, fils du feu Alphonse, autre François-Marie, fils du feu Ignace, Joseph-Marie, fils de feu Jean-Luc, Pierre-François, fils de feu Pascal, Antoine-François, Paul-François et Ferdinand, frères, fils du feu Pierre-André et Fabrize, fils du feu Dominique, tous Ornano* (A.D. d'Ajaccio). Cette branche est toujours représentée : un jug. du t.c. de la Seine (1re chambre, 1re section) du 19-X-1960, puis un arrêt de la cour d'appel de Paris (1re chambre) du 5-XII-1962, rendus à la requête des descendants du maréchal du Second empire, ont fait défense à ses membres de porter le titre de comte, dont quelques-uns usaient jusque-là.

13 Les Cuneo d'Ornano et les Chansiergues d'Ornano se rattachent à cette branche par les femmes : ces deux familles ajoutèrent à leur nom celui d'Ornano à la suite d'une alliance avec une descendante de Bernardino, respectivement au 16e et au 17e siècles.

14 Cette branche, établie en France au moins pour une partie, fut maintenue noble à Montpellier le 10-I-1669 en la personne de Sébastien Colonna d'Ornano (dit aussi d'Ornano Colonna) : d'après les preuves que fit devant Chérin (vol. 150, B.N., Départ. des manuscrits) en 1764 son arrière-petit-fils, Silvius-Laurent, né le 13-XII-1724, ce Sébastien était le descendant à la 6e génération de Bernardino.

15 Cette origine a été revendiquée également par les autres branches, avec plus ou moins d'insistance, bien qu'elles aient gardé le seul nom d'Ornano. Plusieurs familles corses ayant le nom de Colonna dans leur patronyme y ont, elles aussi, prétendu. Les Ornano et ces dernières constitueraient les différents rameaux de la descendance en ligne masculine d'un certain Ugo Colonna venu de Rome, établi dans l'île à une époque mal définie du haut moyen-âge : ce personnage paraît bien être mythique.

16 La branche de Philippe-Antoine n'a pas été maintenue noble par le Conseil supérieur de Corse.

17 Sauf autre indication en note, les renseignements donnés ont été tirés des registres d'état civil d'Ajaccio.

18 Nous renvoyons au sujet de ce conseil à la note 7 du chap. I. Cette fonction lui est donnée dans une requête adressée au gouverneur, de passage à Corte, en date du 10-X-1724 (*Atti fatti in visita*, liasse 78, A.D. d'Ajaccio).

19 D'après l'ouvrage de Colonna de Cesari Rocca cité plus haut, le nom de famille de celle-ci serait de'Monticchi.

20 Ornano simplement dans son acte de baptême, il est appelé de Ornano dans son acte de décès.

21 Son dossier de conseiller de préfecture (A.N., F[1B] I 169[3]) indique qu'il fut installé dans cette fonction le 23-VII-1803 et montre qu'il la dut à l'intervention de Lucien Bonaparte. On y trouve en effet la lettre suivante de ce dernier, en date du 29-XII-1802, à Chaptal, ministre de l'intérieur : *Le citoyen Louis Ornano... sollicite une place vacante de conseiller de préfecture du département de Liamone. Je vous prie d'accueillir sa demande avec bienveillance. L'intérêt que je lui porte ainsi qu'à sa famille me fait désirer d'en apprendre la réussite.* Il garda cette place lorsque les départements du Liamone et du Golo furent réunis. La Restauration le révoqua. Une note de cette époque indique : *oncle de l'usurpateur, très ignorant* (voir note 22).

22 Napoléon Bonaparte, père d'Isabelle, était le frère de Joseph-Marie, grand-père de Napoléon 1er (voir rubrique *Collatéraux* du chap. I). Isabelle était donc la cousine germaine de Charles Bonaparte et le maréchal le cousin issu de germain de l'empereur. Un article publié anonymement par un érudit local sur ce Napoléon Bonaparte premier du nom dans *Le petit bastiais* des 7 et 6-XII-1936 apporte à son sujet quelques précisions intéressantes : *c'était une sorte d'entrepreneur dans des domaines variés. Il prenait à ferme les terres communales pour les exploiter directement ou les sous-louer aux paysans et bergers des villages environnants. Il fournissait la ville, le marché de la ville, les négociants au détail de vivres. Pour les besoins de ce dernier office, il pratiquait l'armement, le cabotage et, commandant ses propres navires, avait un rôle de 22 hommes.* Cela est à rapprocher de ce que nous disons à la note 6 du chap. I des activités des ancêtres de Napoléon. Isabelle fut le seul enfant de ses parents.

23 Ce sont là les armes données au futur maréchal lorsqu'il fut fait comte de l'empire en 1808.

24 Il s'agit là des lieu et date du mariage religieux, célébré en la collégiale des saints Michel et Gudule. Le mariage civil n'a pu être retrouvé : il n'a eu lieu ni à Bruxelles, ni à Liège où les époux résidèrent et où naquit leur fils. Les recherches faites dans les registres de Chaudfontaine et de Spa, où le futur maréchal paraît avoir effectué des séjours à l'époque de son mariage, sont également demeurées infructueuses. Un contrat fut signé le 18-IV-1816 chez Me Jacques Beaudenom de Lamaze, notaire à Paris : la pièce a malheureusement disparu de la liasse correspondante au M.C. des notaires des A.N. Ornano ne voulant pas encore se risquer à rentrer en France à ce moment (voir note 7), un acte préalable avait été établi le 25-III-1816 devant Me Pierre-Joseph Dupré, notaire à Bruxelles (Archives générales du Royaume de Belgique, Notariat général de Brabant n° 17179 I, acte n° 57), par lequel il constituait Louis-Frédéric Bourgeois de Mercey son mandataire en vue de la signature du contrat précité et où il lui donnait toutes instructions à cet effet. Ce document, qui est en fait une sorte de brouillon du contrat lui-même, apporte des précisions assez intéressantes sur la fortune des conjoints. La future épouse se trouve à la tête de 850 000 F de l'époque, auxquels il y a lieu d'ajouter un hôtel au 48 rue de la Victoire à Paris, 60 actions de 500 F de rente chacune sur les canaux d'Orléans et du Loing et des biens situés au Royaume de Naples apportant 180 000 F de rente. Le futur époux ne possède, lui, que 200 000 F. Le régime adopté est celui de la séparation de biens.

25 Marie Laczynska fut emportée par une fièvre infectieuse, consécutive à ses couches, qu'elle ne put surmonter pour s'être obstinée à allaiter son fils malgré l'avis des médecins.

26 Anasthase Walewski s'était allié précédemment 1) en 1763 à Marie-Madeleine-Eve Tyzenhaus, 2) en 1765 à Jeanne Pulaska, toutes deux décédées.

27 Athanase Walewski avait une sœur prénommée Edwige qui s'était alliée à un de ses cousins, Michel Walewski, et en eut 3 filles : l'une de celles-ci, Théodora, épousa le prince Stanilas-Paul Jablonowski († 1825).

28 De ce 1er mariage, était né à Walewice le 13-VI-1805 un fils prénommé Antoine, qui mourut relativement jeune, n'ayant eu de son union avec Constance Grotowska que deux filles : Marie et Emilie.

29 La nullité fut prononcée en raison du défaut de consentement de l'épouse. Benoît-Joseph Laczynski, frère aîné de celle-ci, témoigna qu'il l'avait menée de force à l'église, en larmes. Le mariage avait été combiné par la mère de Marie et Anasthase Walewski. On a écrit généralement que les Laczynski avaient été conduits à cette union par une situation matérielle difficile. Il semble bien qu'en fait ce soit le contraire qui ait eu lieu. Le père de Marie était propriétaire dans le district de Lowicz du bourg de Kiernozia et des villages de Kiernoska, Sokolow et Czerniew, le tout représentant en 1806 760 000 zlotys. Celle-ci, d'autre part, eut une dot de 100 000 florins. La fortune de Walewski, en regard, se trouvait assez délabrée : porté au faste, vivant au-dessus de ses moyens, il avait dû hypothéquer la plupart de ses biens.

30 Nous renvoyons à propos de cette liaison et du fils qui en naquit aux ouvrages de Philippe-Antoine comte d'Ornano (voir note 65), à Jean Savant, *L'affaire Marie Walewska* (Paris 1963) et à Joseph Valynseele, *La descendance naturelle de Napoléon 1er*.

31 Une notice lui est consacrée dans le *Dictionnaire biographique des généraux...* de Georges Six.

32 Il existe un petit dossier à son sujet au S.H.A.T. Il avait tout d'abord servi dans l'armée prussienne, qu'il quitta en 1806 avec le grade lieutenant. Il racheta après 1815 Walewice, domaine des Walewski : le fait est à rapprocher de la note 29.

33 Les renseignements inconnus jusqu'ici en France donnés sous cette rubrique, soit dans le texte, soit en note, ont été tirés de deux travaux polonais réalisés à partir de documents d'archives : un article d'Adam Mauersberger intitulé *Maria Walewska,* paru en mars 1938 dans la revue *Ateneum,* et l'excellent ouvrage de Marian Brandys *Klopoty z pania Walewska* (Perplexités à propos Mme Walewska), Varsovie 1969, 240 p. Nous remercions M. Simon Szyszman d'avoir bien voulu dépouiller ces deux études à notre intention.

34 Voir note 2.

35 Rodolphe d'Ornano, indique le *Dictionnaire des parlementaires* de Robert et Cougny, *débuta dans la carrière diplomatique comme attaché à la légation de France à Dresde, puis à l'ambassade de Londres, où ses relations avec le prince Louis-Napoléon le forcèrent de donner sa démission... Après la révolution de 1848, il se montra un des plus ardents prosélytes de la politique bonapartiste et, quelques jours avant le 2-XII, fut nommé préfet de l'Yonne... Une note confidentielle de 1852 dit de lui :* Dévoué, accès facile, mais ne se doutant pas de ce qu'est l'administration... *L'empereur lui fit donner sa démission en 1853, le nomma chambellan, maître des cérémonies de la cour, commandeur de la légion d'honneur et le fit présenter à la députation le 4-IX-1853 dans la 1re circonscription de l'Yonne... M. d'Ornano fut élu..., réélu le 1-VI-1863.* Il mourut n'ayant que 48 ans, victime de la fièvre typhoïde. Il avait publié plusieurs volumes de poésies : *Les tourangelles, poésies* (Paris 1839, 132 p.), *Les napoléoniennes et les tourangelles, poésies* (Paris 1842, 298 p.), *Les échos d'Espagne (Los ecos de España). Poésies* (Tours 1842, 160 p.) et une brochure intitulée *De l'administration de l'empire* (Paris 1860, 31 p.).

36 Charles-Marc-René marquis d'Argenson était le fils de Marc-René marquis d'Argenson (1771-1842), baron de l'empire (1810), préfet des Deux-Nèthes de 1809 à 1813, successivement député du Haut-Rhin, de l'Eure, de la Vienne et du Bas-Rhin entre 1815 et 1834, connu pour ses idées avancées : il se rallia à la Révolution en 1789, siégea dans les rangs de la minorité républicaine en 1830 et, à la fin de sa vie, participa au renouveau du babouvisme. Marc-René était lui-même le petit-fils de Marc-Pierre comte d'Argenson (1696-1764), lieutenant général de police de Paris, secrétaire d'état à la guerre, membre de l'Académie des sciences, créateur de l'Ecole militaire, à qui Diderot et d'Alembert dédièrent l'*Encyclopédie,* l'arrière-petit-fils de Marc-René marquis d'Argenson (1652-1721), lieutenant général de police de Paris, garde des sceaux, président du conseil des finances, membre de l'Académie française et de l'Académie des sciences, le petit-neveu de René-Louis marquis d'Argenson (1694-1757), secrétaire d'état aux affaires étrangères, auteur d'ouvrages sur la politique, ami de Voltaire et des *philosophes,* le neveu à la mode de Bretagne d'Antoine-René marquis d'Argenson dit le marquis de Paulmy (1722-1787), fils du précédent, secrétaire d'état à la guerre, ambassadeur, membre de l'Académie française, à qui on doit la bibliothèque de l'Arsenal.

37 Charles-Marc-René d'Argenson a publié quelques brochures et un certain nombre d'études parues dans des revues savantes. Il a, d'autre part, édité et réédité divers écrits de membres de sa famille (voir note 36).

38 Fille de Mathieu (1771-1832), banquier, maire de Saintes, député de la Charente-inférieure.

39 Est parfois dite Foucques de Wagnonville, son père Laurent-Georges Foucques ayant hérité à la fin de l'ancien régime du fief de Wagnonville à proximité immédiate de Douai et en ayant ajouté le nom à son patronyme, de façon usuelle.

40 Le baron Georges Didelot est le grand-oncle d'Odile Didelot, qu'on a rencontrée au chap. XI (Canrobert).

41 Octave baron Didelot était le fils de François-Charles-Luce Didelot (Paris 29-

III-1769 - Paris 1-XI-1850), baron de l'empire (1811), préfet, ministre plénipotentiaire, chambellan de l'empereur.

42 Fille de Prosper-François, maréchal de camp.

43 Tanneguy Potier de Courcy est le petit-fils de Pol (1815-1885), le célèbre héraldiste et généalogiste, auteur notamment du *Nobiliaire et armorial de Bretagne* (Rennes 1890, 3 vol.) et d'une continuation de l'ouvrage du père Anselme.

44 Possédait des intérêts dans un laboratoire.

45 Filiale de la Compagnie générale de T.S.F. et de l'Agence Havas.

46 Agnès Nguyen-Huu-Hao est la sœur de Mariette-Jeanne Nguyen-Huu-Hao (Saïgon 14-XI-1913 - Chabrignac 15-IX-1963) alliée à Hué le 20-III-1934 à l'empereur Bao-Dai (Hué 14-X-1913), impératrice d'Annam sous le nom de Nam-Phuong (doux parfum du sud).

47 *Long-My-Quân-Cong* correspond à un titre de noblesse, le plus élevé qui se décernait à la cour de Hué. On ne peut en donner une équivalence exacte, car l'assimilation est difficile entre notre noblesse et celle de l'ancien empire d'Annam, dont la conception était différente : ainsi les titres s'y abaissaient d'un degré à chaque génération jusqu'à extinction. Dans le cas présent, cependant, l'administration impériale et celle du protectorat traduisaient en français par *duc de Long-My*. Ce titre avait été accordé à Pierre Nguyen-Huu-Hao peu avant son décès, en 1937. Deux ans plus tôt l'empereur Bao-Daï l'avait créé *Long-My Hau,* titre moins élevé d'un degré, qu'on traduisait par *marquis de Long-My.*

48 Etablies en Cochinchine, les familles du père et de la mère d'Agnès Nguyen-Huu-Hao, catholiques depuis longtemps, ayant souffert au 19e siècle des persécutions du gouvernement impérial d'Annam contre les chrétiens — plusieurs de leurs membres moururent en déportation ; un oncle à la mode de Bretagne de Pierre Nguyen-Huu-Hao, Mathieu Le-Van-Gam, fils d'une sœur de sa grand-mère paternelle, décapité le 11-V-1847, devait être béatifié le 27-V-1900 —, furent de celles qui accueillirent avec faveur l'intervention française, gage de la paix religieuse : le concours prêté par elles aux nouvelles autorités leur valut rapidement la citoyenneté française.

49 Filleule de l'impératrice Nam-Phuong et de l'empereur Bao-Dai (voir note 46).

50 La Société Enzo-France, qui s'occupe de distribution d'articles de bureau.

51 Amicale des officiers de marine de réserve (branche interprétariat et transmissions).

52 Hugues de Loubens de Verdalle fut adopté suivant jug. du t.c. de Chambon-sur-Voueize le 8-XI-1924 par Guillaume Le Groing de La Romagère (1868-1937), dernier du nom, son oncle. L'adoptant était le demi-frère du père de l'adopté, Fernand de Verdalle : ils avaient tous deux pour mère Joséphine Cousin de La Tour-Fondue (1831-1902), l'un par son 1er mariage en 1857 avec Vincent de Verdalle, l'autre par son 2d avec Octave de La Romagère (1827-1879).

53 A Aïn-Aïcha (Maroc) le 24-V-1925.

54 Remariée au baron Etienne de Lambert des Champs de Morel, frère cadet de son 1er mari.

55 Directeur des études de développement des marchés à la Société Pechiney-Ugine-Kuhlmann.

56 Chez Hachette (département *classiques*).

57 Fils lui-même de François, instituteur.

58 Cette charge avait été acquise en 1829 par Thomas-Dominique Lot, trisaïeul de Jean Lot : elle resta constamment dans la famille jusqu'en 1972, date de sa nationalisation. Thomas Lot, bisaïeul de Jean, s'était allié à Joséphine-Eugénie Ordener, filleule de l'impératrice Joséphine et du prince Eugène, fille de Michel Ordener (1755-1811), comte de l'empire (1808), général de division, sénateur (1806), sœur de Michel comte Ordener (1787-1862), lieutenant général, sénateur (1852).

59 Camille est ici prénom féminin.

60 Jean de Salignac-Fénelon était le petit-fils d'Adolphe, frère de Jules allié à Claire Randon, fille du maréchal (voir chap. X et notes 49 et 50 de celui-ci).

61 Acte de décès transcrit à Paris 16e le 30-XI-1955.

62 Acte de décès établi à Montbéliard et transcrit à Paris 16e le 27-IV-1973.

63 Engagé volontaire au 2e bataillon de choc.

64 Madeleine Pozzo di Borgo était la cousine issue de germain de son gendre Alphonse d'Ornano : elle était en effet la fille de Paul-Félix Pozzo di Borgo allié à Pauline Forcioli, nièce du maréchal (voir rubrique *Frères et sœurs*). La note 123 indique sa parenté avec le célèbre diplomate Charles-André Pozzo di Borgo.

65 Philippe-Antoine d'Ornano a publié deux romans, *Laisse faire le temps* (Paris 1943, 337 p.) et *La pénitence du père Gordon* (Paris 1944, 205 p.), et deux études historiques, *Marie Walewska, l'épouse polonaise de Napoléon* (Paris 1938, 255 p.) et *La vie passionnante du comte Valewski, fils de Napoléon, avec les papiers secrets de Walewski et maintes notes ou lettres inédites de la grande tragédienne Rachel* (Paris 1953, 256 p.). La 1re des études historiques eut une 2de édition en 1947 et une 3e en 1958, cette fois dans un volume comprenant également des textes de Jean Jacoby, Henry Vallotton et Werner Keller sur des sujets divers. Elle était parue tout d'abord en langue anglaise sous le titre *Life and loves of Marie Walewska* (Montréal 1934, 429 p.).

66 Acte transcrit au consulat de France à New-York en 1959, sous le n° 69.

67 On trouve la forme Finey dans certains annuaires : l'état civil donne bien Finet.

68 Directeur de l'agence de Lyon (place Bellecour) de la Société Coty (parfums), puis agent général de Lancôme S.A. parfums.

69 Sœur de l'ingénieur général Roger Rougier.

70 Sœur de Me Lucien Ribeyrolles, avocat à la cour d'appel de Paris.

71 Zone Amérique Nord, division parfums beauté du groupe l'Oréal.

72 Senior vice-président de Cosmair Inc. N.Y.

73 D'une famille originaire des Asturies.

74 Paroisse de Janeiro de Baixio.

75 Agent général de Guy Laroche parfums.

76 Chef du service étranger à la Société générale.

77 Administrateur de la Société Coty (1932), cofondateur et administrateur de la Société Lancôme (1935), fondateur (1946) et président-directeur général (1946-1974) de la Société des parfums et produits de beauté Jean d'Albret-Orlane (affaire cédée à un groupe américain en 1974).

78 De 1970 à 1973.

79 En 1924.

80 D'une famille appartenant à la noblesse polonaise.

81 Adopté par son oncle Philippe-Antoine comte d'Ornano (voir plus haut).

82 De la Société Jean d'Albret-Orlane dont il fut fondateur avec son père (voir note 77).

83 De 1957 à 1973.

84 De 1962 à 1977, date à laquelle il a présenté sa candidature à la mairie de Paris (il a publié à cette occasion un volume intitulé *Une certaine idée de Paris,* Paris 1977, 217 p.).

85 De l'industrie et de la recherche (de mai 1974 à mars 1977), de la culture et de l'environnement (mars 1977 à mars 1978), de l'environnement et du cadre de vie (depuis avril 1979).

86 Depuis 1977 (voir note 84).

87 Nous renvoyons à propos de cette famille à Joseph Valynseele *Les Say et leurs alliances.*

88 Cofondateur avec son père de la Société Jean d'Albret-Orlane (voir note 77), il en a été administrateur-directeur général de 1969 à 1974 et vice-président de 1971 à 1974. Président-directeur général de Jean-Louis Scherrer S.A. (haute couture) de 1971 à 1974, il est depuis 1970 administrateur de la Société lyonnaise d'investissement en valeurs à forte rentabilité et depuis 1976 président de la Société Sisley (produits de beauté) dont il est le fondateur.

89 Le mariage religieux fut célébré par le père Alex-Ceslas Rzewuski, dominicain, qui, depuis, a publié des souvenirs sous le titre *A travers l'invisible cristal : confessions d'un dominicain* (Paris 1976, 525 p.).

90 La comtesse Isabelle Potocka appartient à la descendance du maréchal de Castellane (voir le chap. VII et les notes 107 et 151 de celui-ci).

91 Originaire de Catalogne, s'appelant primitivement Talamanca, cette famille passa en Sicile au 13e siècle à l'occasion d'une expédition militaire et s'y établit. Elle adopta le nom qu'elle porte actuellement à la suite d'un mariage au début du 15e siècle avec Ilaria La Grua héritière de la baronnie de Carini. L'aîné fut fait par le roi d'Espagne Philippe IV prince de Carini en 1622, puis duc de Villareale en 1641. La famille s'établit en France après la disparition du royaume des Deux-Siciles : Antoine fut le dernier ministre de celui-ci à Londres. Les titres de prince de Carini et de duc de Villareale ont été confirmés en Italie par décret ministériel le 30-IV-1904, avec transmission par primogéniture.

92 Fille de Jean-Baptiste Lambelin, capitaine d'artillerie (lui-même fils de Joseph, capitaine d'infanterie), et d'Henriette L'Espagnol.

93 Cousine germaine de son mari.

94 Petit-neveu de Louis de Quélen (1778-1839), archevêque de Paris, membre de l'Académie française.

95 Antoinette Oppenheim, qui avait épousé précédemment à Saint-Cloud le 20-VIII-1888 Ghislain comte d'Estourmel (Paris 5-II-1864 - Marseille 9-VIII-1892),

mariage dissous, était la sœur de Marie alliée le 8-IX-1877 à Joseph Berthelot de Baye et de Hélène-Marie-Ernestine alliée à Paris 8ᵉ le 28-VI-1883 à Maurice-Alphonse de Bernard de Saint-Jean-Lentilhac.

96 Le père de Beaurecueil est certainement à l'heure actuelle, dans le monde chrétien, l'un des meilleurs spécialistes de la spiritualité musulmane. La plus grande partie de sa vie de religieux s'est déroulée en terre d'Islam. De 1946 à 1963, il a appartenu à l'Institut dominicain d'études orientales au Caire. En Afghanistan à partir de 1963, il s'y trouve toujours en dépit des événements récents. Il a publié différents ouvrages savants qui font autorité. Il s'est consacré tout particulièrement à l'étude d'un mystique afghan du 11ᵉ siècle : Abdullâh Ansari. Il en a écrit la biographie : *Khwâdja Abdullah Ansari (396-481 H./1006-1089), mystique hanbalite,* suivie d'extraits de ses principales œuvres en français et en arabe (Beyrouth 1965, 319 p., in collection *Recherches,* éditée sous le patronage de l'Institut de lettres orientales de Beyrouth). Ce volume est dédié à Louis Massignon, dont le père de Beaurecueil a été le disciple. Un peu auparavant, il avait établi une édition critique, avec introduction, traduction et lexique, de l'œuvre la plus marquante d'Ansari : *Les étapes des itinérants vers Dieu* (Le Caire 1962, 181 p., Institut français d'archéologie orientale). Une dizaine d'années plus tôt, était parue avec une introduction de lui, en français, une édition en langue arabe du plus ancien des commentaires parvenus jusqu'à nous de l'œuvre précitée d'Ansari, datant du 13ᵉ siècle : *Abd Al-Muti Al-Lahmi Al-Iskandari* (Le Caire 1954, 320 p., Institut français d'archéologie orientale). A côté de ces travaux d'érudition, le père de Beaurecueil est l'auteur de deux volumes destinés à un public plus large : *Nous avons partagé le pain et le sel* (Paris 1965, 103 p.), et *Prêtre des non-chrétiens* (Paris 1968, 108 p.). Après avoir longtemps enseigné le français à la faculté des lettres et au lycée Estiqlal de Kaboul, il s'est, durant les dernières années, voué surtout aux œuvres d'assistance : ses fonctions de conseiller pédagogique et l'infirmerie qu'il a créée au lycée, accueillant par ailleurs chez lui des enfants pauvres. En mars 1980, le père de Beaurecueil a participé à plusieurs émission sur l'Afghanistan diffusées par France-culture.

97 Tonia de Beaurecueil mène une vie de solitude et de prière en ermitage, reliée au monastère des bénédictines de Valognes.

98 Nous renvoyons à propos de cette famille qui a produit une suite de diplomates distingués à un intéressant ouvrage paru dernièrement : Charles Sauter et Paul Bedel *Conrad-Alexandre Gérard. Chronique et généalogie de la famille Gérard* (Guebwiller 1978).

99 Simple soldat d'infanterie, il fut grièvement atteint à la défense d'Ypres et mourut des suites de ses blessures.

100 A Rome.

101 Correspondant du *Matin* à Rome.

102 Au *Gaulois.*

103 Il le devint en 1942.

104 Yves Raisin s'est, de son côté, remarié 1) à Annecy le 10-I-1949 à Germaine-Marie Bernard (Syracuse, Etats-unis, 20-IV-1910), fille de Félix-Adolphe et d'Antoinette Garcia, mariage dissous par jug. du t. c. d'Annecy le 12-XII-1957 (Germaine-Marie Bernard était elle-même divorcée de René-Georges Dupont), 2) à Annecy le 12-III-1964 à Eliane-Marie Vermillet.

105 René-André Octavien avait contracté une 1ʳᵉ alliance à Lorient le 19-IV-1933 avec Paule-Marie-Eugénie Eveillard (Paris 11ᵉ 28-II-1912), mariage dissous par jug. du t.c. de Saint-Malo le 6-VI-1940.

106 Napoléon Ornano participa aux côtés de Louis-Napoléon au coup de main

de Boulogne en 1840. Celui lui valut d'être condamné à 10 ans de détention et déchu de son grade par arrêt de la chambre des pairs du 6-X-1840. Il fut détenu à Doullens.

107 Son acte de décès, qui ne donne pas ses parents, la dit née à Saint-Quentin où l'acte correspondant n'a pu être retrouvé.

108 Porte la particule dans ses actes de naissance et de mariage.

109 A Smyrne.

110 Stanislas-Auguste Poniatowski, roi de Pologne (1732-1798), resté lui-même s.a., eut notamment 2 frères : André (1734-1773), père de Joseph (1763-1813), maréchal du Premier empire, s.a., et Casimir (1721-1780), père de Stanislas (1754-1833), s.a. Ce dernier eut d'une longue liaison avec Cassandra Lucci, ex-femme de Vincent Venturini, 2 fils et 2 filles. Les deux fils furent faits princes Poniatowski par l'empereur d'Autriche en 1850. Le 1er de ceux-ci, Charles (1808-1887), n'eut pas de postérité. Le 2d, Joseph (1816-1873), naturalisé français en 1854, sénateur la même année, est la souche des représentants actuels de cette famille. Isabelle-Françoise (1805-1885), qu'on a ici, était l'une des 2 filles. Veuve de Prosper Bentivoglio d'Aragon, elle se remaria à Zanobi de Ricci (1786-1844), puis au marquis Picolellis. De son 2d mariage, elle eut une fille, Marie-Anne de Ricci (1823-1912), qui sera la 2de épouse d'Alexandre Walewski, le fils de Napoléon et de Marie Laczynska.

111 Le *Journal des chemins de fer* du 3-III-1849 signale que Thadée Ornano fut tué au passage d'un tunnel près de Givors pour s'être penché à la fenêtre. Son acte de décès ne figure pas dans les registres de Givors.

112 Baptisé le 24-II.

113 A Tanger sous le Consulat et le Premier empire.

114 De 1800 à 1804.

115 Cette adoption fut précédée de différentes dispositions. Un jug. du t. c. d'Ajaccio du 2-II-1831 déclara que ces deux enfants étaient nés à Tanger, respectivement le 3-VIII-1808 pour Michel-Ange et le 10-XI-1810 pour Philippe. Un jug. du t. c. d'Ajaccio du 15-XII-1832 rectifia ces dates comme suit : 3-VIII-1805 pour Michel-Ange et 10-XI-1807 pour Philippe. Les intéressés étaient fils de Mlle Marie Agostini, couturière : celle-ci consentit par acte du 16-VII-1833 passé devant Me Jean-Ambroise Prost, notaire à Paris, à ce qu'ils soient adoptés par Michel-Ange Ornano et Marie-Anne Lévie. Un acte de notoriété du 13-I-1834, fait devant le juge de paix d'Ajaccio, établit que les deux enfants avaient été élevés par le ménage. Ces divers renseignements nous ont été fournis par le dossier de conseiller de préfecture de Michel-Ange Agostini-Ornano (A.N., F1B I 169³). On peut se demander si ces deux enfants adoptifs n'étaient pas en fait des enfants naturels de Michel-Ange Ornano.

116 Dans les pièces du dossier cité à la note précédente, Michel-Ange Agostini-Ornano porte presque constamment le seul nom d'Ornano et souvent accompagné de la particule. A propos de cette dernière (voir note 2), on trouve ce qui suit dans une lettre de l'intéressé au ministre de l'intérieur en date du 19-XII-1858 : *Je n'ai jamais eu l'intention de faire quelque chose de contraire aux dispositions de la loi du 28-V-1858, en mettant la particule d' avant le nom que l'article 347 du code Napoléon m'autorise à porter. Il est regrettable pour moi que s. e. le général gouverneur des Invalides, mon oncle, en demandant la place de conseiller de préfecture à s. e. le général ministre de l'intérieur, ait bien voulu l'y ajouter, comme le porte le décret de ma nomination. Que v. e. me permette de lui... donner la certitude qu'à l'avenir les actes officiels... seront signés par moi, M.-A. Ornano.*

117 Mort des suites d'une chute de cheval.

118 Baptisé le 25.

119 Baptisé le 9.

120 Charles-Henri Delacroix, lors de son mariage avec Marie-Françoise Ottavi, était veuf de Marie-Antoinette Susini († Ajaccio 1-III-1835). Redevenu veuf, il contracta une 3e alliance avec Marie-Françoise Bodoy.

121 Un certain nombre de textes de Joseph-Mathieu Ottavi ont été réunis dans un volume intitulé *L'urne. Recueil des travaux de J. Ottavi. Philosophie. Politique. Histoire. Biographie. Littérature. Critique littéraire. Beaux-arts. Instruction publique. Variétés. Avec une biographie de l'auteur par Léon Gozlan* (Paris 1843).

122 Baptisée le 22.

123 Paul-Félix Pozzo di Borgo était le cousin germain de Charles-André (1764-1842), député de la Corse à l'Assemblée législative (1792), ambassadeur de Russie à Paris (1814-1834), créé comte héréditaire par le tsar en 1826, célèbre par l'inimitié qui l'opposa à Napoléon, et le frère de Charles-Jérôme (1791-1879), fait duc héréditaire par le roi des Deux-Siciles.

124 Assemblée locale de la piève (équivalent de notre canton) de ce nom.

125 Les ducs actuels Pozzo di Borgo : Charles-Jérôme (voir note 123) étant mort s. p., son titre passa à la descendance de son frère Paul-Félix, conformément aux dispositions des l. p.

126 Voir la note 64.

127 Par bref du pape Léon XIII, en date du 9-IV-1880.

128 François-Xavier-Simon Forcioli a publié un volume intitulé *Notre Corse* (Ajaccio 1897, 383 p.), où sont évoquées les beautés naturelles, les coutumes de l'île et quelques pages de son histoire.

129 Il succéda dans ces fonctions à Jean-François-Constant Mocquard, à la mort de celui-ci en 1864.

130 Marie-Madeleine Conti était la cousine germaine de son mari : les deux mères étaient sœurs.

131 On trouvera le détail de cette descendance dans Fernand Beaucour *Un fidèle de l'empereur en son époque : Jean-Mathieu-Alexandre Sari (1792-1862)*, Paris 1973, T. III.

132 Baptisé le 20-V.

133 Baptisé le 13.

134 Baptisé le 29-XI.

135 Acte de décès transcrit à Ajaccio le 21-VI-1814.

136 L'acte de décès de Barthélémy Ornano lui donne le grade de maréchal des logis chef. Le mince dossier existant à son nom au S.H.A.T. indique qu'en fait il était sous-lieutenant depuis le 8-VII-1808. Les circonstances de sa mort sont racontées de la sorte dans le rapport de Kellermann, alors commandant provisoire du 6e corps, sur la bataille d'Alba-de-Tormes : *Parmi les morts, nous avons à regretter le jeune Ornano... Il marchait dignement sur les traces de son frère, colonel du 25e régiment de dragons... Ce jeune homme, aussi confiant et généreux que brave, arrivé sur une pièce de canon, fut assassiné par un canonnier, tandis qu'il en sauvait un autre de la fureur des dragons* (cité d'après Albert du Casse in *Les trois maréchaux d'Ornano*, Paris 1862). Barthélémy Ornano servait dans le régiment commandé par son frère, le futur maréchal.

137 Nous remercions les descendants du maréchal qui ont bien voulu nous aider à réunir les matériaux de ce chapitre et tout particulièrement le comte Guillaume d'Ornano et le baron Didelot. Nous disons également notre gratitude à M. Pierre Lamotte, directeur des services d'Archives de la Corse-du-sud et conservateur pour la région Corse, pour l'aimable compréhension dont il a bien voulu faire montre à notre égard, et à notre ami François Demartini, spécialiste des familles corses, qui nous a ouvert libéralement ses dossiers et nous a fait bénéficier de son expérience.

XVII

Elie-Frédéric Forey

2-VII-1863

CARRIERE

1804 : naissance à Paris (10-I),
1822 : entre à l'Ecole spéciale militaire de Saint-Cyr (14-XI),
1824 : sous-lieutenant (1-X), au 2ᵉ régiment d'infanterie légère (1-X, jusqu'en 1839),
1830 : s'embarque pour l'Algérie (11-V), prend part à la bataille de Staouëli (19-VI), lieutenant (8-IX), regagne la France (23-IX),
1835 : capitaine (22-VI), repart pour l'Algérie (8-XI, jusqu'en 1839), participe à l'expédition de Mascara (XI),
1836 : prend part à l'expédition de Tlemcen (I et II), puis à la 1ʳᵉ expédition de Constantine (XI),
1839 : chef de bataillon (15-XI), au 59ᵉ régiment d'infanterie de ligne (15-XI),
1840 : 1ᵉʳ chef de corps du 6ᵉ bataillon de chasseurs à pied nouvellement créé (jusqu'en 1842),
1841 : repasse en Algérie (8-VI, jusqu'en 1844), participe à l'expédition de l'Oued Foddah et aux opérations autour de Miliana,
1842 : blessé au combat d'Aïn Affour (4-VI), lieutenant-colonel (14-VIII), au 58ᵉ régiment d'infanterie de ligne (17-VIII),
1843 : commandant supérieur de Teniet el Haad,
1844 : blessé au combat de Tlélat (17-X), colonel (4-XI), au 26ᵉ régiment d'infanterie de ligne (4-XI, jusqu'en 1848),
1848 : général de brigade (17-VIII), commande la 2ᵉ brigade de la 2ᵉ division d'infanterie de réserve de l'armée de Paris (27-VIII, jusqu'en 1851),
1851 : commande la 2ᵉ brigade de la 2ᵉ division de l'armée de Paris (7-II), inspecteur général pour 1851 du 14ᵉ arrondissement d'infanterie (9-VI), prend une part active au coup d'état du 2-XII, général de division (22-XII),
1852 : membre du Comité de l'infanterie (16-IV, jusqu'en 1853), inspecteur général pour 1852 du 8ᵉ arrondissement d'infanterie (21-V),
1853 : inspecteur général pour 1853 du 14ᵉ arrondissement d'infanterie,
1854 : commande la division de réserve de l'armée d'Orient bientôt 4ᵉ division d'infanterie de cette armée (25-II), inspecteur général pour 1854 du 26ᵉ arrondissement d'infanterie (10-VIII),
1855 : rappelé de Crimée (21-III), mis en disponibilité (1-VII)[1], commande la 1ʳᵉ division d'infanterie de l'armée de Paris (18-XII, jusqu'en 1859),
1856 : inspecteur général pour 1856 du 4ᵉ arrondissement d'infanterie,
1857 : inspecteur général pour 1857 du 3ᵉ arrondissement d'infanterie,
1858 : inspecteur général pour 1858 du 3ᵉ arrondissement d'infanterie,
1859 : commande la 1ʳᵉ division d'infanterie du 1ᵉʳ corps de l'armée d'Italie (IV), bat les Autrichiens à Montebello-di-Casteggio (20-V), est à Melegnano (8-VI) et à Solferino (24-VI), sénateur (16-VIII), chargé de l'inspection générale pour 1859 des troupes placées sous son commandement (26-VIII), membre du Comité de l'infanterie (18-IX, jusqu'en 1861),
1860 : inspecteur général pour 1860 du 25ᵉ arrondissement d'infanterie,
1861 : commande la 1ʳᵉ division d'infanterie au camp de Châlons (3-IV), inspecteur général pour 1861 du 7ᵉ arrondissement d'infanterie (11-V), commande la 1ʳᵉ division d'infanterie du 1ᵉʳ corps d'armée à Paris (28-VIII),
1862 : inspecteur général pour 1862 du 3ᵉ arrondissement d'infanterie (28-V), nommé commandant en chef du corps expéditionnaire du Mexique (1-VII)[2], est chargé en même temps des fonctions de ministre plénipotentiaire de France dans ce pays (6-VII),
1863 : s'empare de Puebla (17-V), entre à Mexico (10-VI), maréchal de France (2-VII), rappelé en France (16-VII), cesse d'exercer le commandement en chef

au Mexique (1-IX) [3], commandant supérieur du 2ᵉ corps d'armée à Lille (24-XII),

1864 : commandant supérieur du 3ᵉ corps d'armée à Nancy (19-IX),

1867 : est frappé d'une congestion cérébrale (IV), est remplacé dans son commandement (12-IX),

1872 : meurt à Paris 8ᵉ (20-VI), inhumé dans le cimetière de Bourg-la-reine [4].

ECRITS

● Un certain nombre de lettres dans l'ouvrage *Campagnes d'Afrique. 1835-1848* (Paris 1898), cité à la note 205 du chap. VII (Castellane).

LE CADRE FAMILIAL

Ascendance

I - Jean I FOREY, marchand à Noiron-lès-Cîteaux [5], allié à Marie MASSÉ, dont

II - Thomas FOREY, né à Noiron-lès-Cîteaux le 15-IV-1680 [6], laboureur et marchand à Esbarres, allié Esbarres 2-X-1703 à Catherine MARLIEN, née à Esbarres le 6-V-1683 [7], fille de Bénigne, laboureur à Esbarres, et d'Antoinette PARISOT, dont

III - Jean II FOREY, né à Esbarres le 2-IV-1720, décédé à Saint-Jean-de-Losne le 1-II-1793, marchand à Saint-Jean-de-Losne, échevin de cette commune, allié Saint-Jean-de-Losne 27-IX-1753 [8] à Anne SAROLLE, fille de Jacques SAROLLE, maître chirurgien à Saint-Jean-de-Losne, et d'Anne GIMELET [9], dont

IV - Frédéric FOREY, né à Saint-Jean-de-Losne le 12-III-1773, décédé à Meudon le 4-II-1829, capitaine de cavalerie [10], puis successivement directeur de la poste de Meudon [11] et vérificateur en chef des poids et mesures de l'arrondissement de Versailles [12], allié Fontainebleau 27-IV-1803 à Angélique-Jeanne ROCHE, née à Paris le 30-X-1782, décédée à Paris (Passy) le 12-I-1858, directrice de la poste de Meudon [13], puis receveuse des postes à Château-Chinon [14], fille de Charles-François-Joseph, lieutenant de cavalerie [15], et de Marie-Françoise-Joseph NICAISE.

Collatéraux

Frères et sœurs de Jean II (degré III) : Bénigne, né à Esbarres le 20-VIII-1704 ; Antoinette, née à Esbarres le 30-IV-1706 ; Claudine, née à Esbarres le 8-II-1708 ; Pierre, né à Esbarres le 26-IX-1709, décédé à Esbarres le 29-IX-1709 ; Anne, née à Esbarres le 30-X-1710 ; Jean, né à Esbarres le 28-I-1712, décédé à Esbarres le 3-VIII-1718 ; Marguerite, née à Esbarres le 12-I-1714, décédée à Esbarres le 5-VIII-1718 ; Bénigne, né à Esbarres le 7-X-1715 ; Marie, née à Esbarres le 10-X-1717, décédée à Esbarres le 19-X-1717 ; Elisabeth, née à Esbarres le 11-XII-1718, décédée à Esbarres le 22-I-1719 ; Elisabeth, née à Esbarres le 9-IV-1722, décédée à Esbarres le 14-XI-1723 ; Antoinette, née à Esbarres le 9-IV-1722, décédée à Esbarres le 19-IV-1722 ; François, né à Esbarres le 24-IV-1724 ; Catherine, née à Esbarres le 24-VI-1726, décédée à Esbarres le 14-VII-1726. Frères et sœurs de Frédéric (degré IV) : Catherine, née à Saint-Jean-de-Losne le 10-VIII-1754 ; Louis, né à Saint-Jean-de-Losne le 25-VIII-1755 ; Jacques, né à Saint-Jean-de-Losne le 15-XI-1756 ; Magdeleine, née à Saint-Jean-de-Losne le 29-I-1758 ; Antoine, né à Saint-Jean-de-Losne le 24-IV-1759 ; Antoinette, née à Saint-Jean-de-Losne le 25-X-1761 [16] ; Marie, née à Saint-Jean-de-Losne le 15-IV-1764 [17] ; Charles, né à Saint-Jean-de-Losne le 4-VI-1765, décédé à Dijon le 14-X-1825, ingénieur en chef des Ponts-et-chaussées [18], allié Digoin 27-VII-1789 à Marie-Couronne-Sophie de LONGCHAMP [19], fille de François, contrôleur des traites foraines, et de Marguerite Brosse [20] ; Antoinette, née à Saint-Jean-de-Losne le 24-X-1766 [21], décédée à Saint-Jean-de-Losne le 19-III-1770 ; Jean-Baptiste, né à Saint-Jean-de-Losne le 11-XI-1768 [22].

ALLIANCE ET DESCENDANCE

Le maréchal Forey est demeuré célibataire [23].

FRERES ET SŒURS

Outre le futur maréchal, il n'y a eu du mariage de Frédéric Forey et Angélique-Jeanne ROCHE qu'une fille : Armande FOREY (Lunéville 8-V-1815 - Levallois-Perret 12-X-1901) alliée Paris 29-VII-1850 à Louis BOULLENOT (Château-Chinon 30-IV-1820 - Levallois-Perret 17-XII-1893), receveur des postes, fils de Philippe, docteur en médecine, et de Marie-Louise BOIZOT [24], s.p. [25].

NOTES

1 Dans ses entretiens avec Germain Bapst, le maréchal Canrobert (voir rubrique *Ecrits* du chap. XI) affirme que, manquant de tact, ayant le verbe grossier, Forey avait polarisé sur lui le mécontentement de l'armée, éprouvée par la longueur du siège de Sébastopol, au point que des manifestations hostiles s'étaient produites à son égard, et que ce fut là le motif de son retour en France. On ne trouve rien à ce propos dans son dossier (S.H.A.T). En revanche, d'après une lettre de Forey à l'empereur en date du 3-VI-1855, figurant dans ce dernier, Forey fut rappelé après qu'un courrier adressé à sa maîtresse à Paris, dans lequel il

parlait un peu trop de questions militaires, eût été ouvert par le *cabinet noir* et placé sous les yeux de Napoléon III. Peut-être, l'une et l'autre circonstances jouèrent-elles ? Nommé à son arrivée à Paris commandant de la division d'Oran, Forey demanda à être mis en disponibilité, son envoi en Afrique à ce moment lui apparaissant comme une disgrâce.

2 En remplacement de Charles-Ferdinand comte Latrille de Lorencez (1814-1892), général de division, petit-fils du maréchal Oudinot.

3 Le dossier de Forey ne nous renseigne pas sur les raisons de ce départ. Il eut pour successeur Bazaine, jusque-là son subordonné.

4 Forey possédait une propriété à Bourg-la-reine (chemin latéral, aujourd'hui rue du colonel Candelot). La sépulture, entretenue par la commune, consiste en une assez belle chapelle, où se trouve le buste du maréchal.

5 Actuellement Noiron-sous-Gevrey.

6 Baptisé le 18.

7 Baptisée le 9.

8 Un contrat avait été signé le 24-IX, devant Me Godard, notaire à Saint-Jean-de-Losne.

9 Ou Givelet, Grivelet, voire Gitoulet : ce nom est, en effet, peu lisible dans l'acte de mariage de Jean II Forey et Anne Sarolle.

10 Le dossier de Frédéric Forey au S.H.A.T. retrace comme suit les étapes successives de sa carrière : chasseur à cheval au 10e régiment le 16-XI-1790, à l'Armée de Condé le 11-IV-1793, rentré au 10e régiment de chasseurs le 6-XI-1801, brigadier le 3-IX-1801, maréchal des logis le 4-IX-1802, gendarme dans le département de la Seine le 24-III-1803, gendarme de la garde impériale le 8-I-1805, brigadier le 24-III-1806, maréchal des logis de gendarmerie dans le département de l'Ardèche le 23-IX-1806, maréchal des logis chef dans le 6e escadron de l'Armée d'Espagne le 25-XII-1809, sous-lieutenant le 20-VIII-1810, passé avec ce grade dans la légion à cheval de Burgos le 10-XII-1810, lieutenant dans la même légion le 11-IV-1812, capitaine au 2e régiment de carabiniers le 28-II-1813, licencié le 1-IX-1815.

11 Un document figurant dans le dossier du maréchal au S.H.A.T. indique que Frédéric Forey résigna cette fonction en faveur de sa femme dès avant 1826.

12 Cette qualité lui est donnée dans son acte de décès.

13 Voir note 11.

14 *La mère du maréchal*, indique une correspondance publiée dans *L'intermédiaire des chercheurs et curieux* du 30-VI 1901 *vint à Château-Chinon comme receveuse des postes de 1841 à 1842, époque à laquelle son nom figure pour la première fois dans l'annuaire. Elle y resta jusqu'en 1854 ou 1855... On s'adressait souvent à elle pour recommander nos conscrits à son fils.*

15 Né à Arras (Saint-Nicaise) le 4-III-1751, Charles-François-Joseph Roche était fils de Jean-Baptiste-François et de Scholastique-Joseph Minart. Telle fut sa carrière d'après son dossier au S.H.A.T. : entré au service comme gendarme dans la gendarmerie de France (compagnie d'Artois) le 19-VIII-1773 (sorti le 10-X-1774), dans la garde de Paris le 16-I-1780, caporal le 1-I-1781, dans la cavalerie de Paris le 6-I-1782, sous-brigadier le 1-I-1786, brigadier le 27-IX-1787, maréchal des logis le 1-X-1789, lieutenant de 1re classe le 15-VIII-1792 (en janvier 1791, la cavalerie de Paris est devenue la 29e division de gendarmerie), à l'armée du Rhin le 8-IX-1792 (jusqu'au 16-XI-1795), lieutenant de 1re classe dans différentes unités de vétérans jusqu'en 1811.

16 Baptisée le 26.

17 Baptisée le 16.

18 Les A.N. possèdent à son sujet un dossier, conservé sous la cote F ^{14} 2226 [1]. Entré à l'Ecole des ponts-et-chaussées des Etats de Bourgogne en 1786, il fut nommé ingénieur ordinaire des Ponts-et-chaussées par brevet du roi en date du 31-III-1792. Il devint en 1808 ingénieur en chef de la Côte-d'or chargé du Canal de Bourgogne alors en construction. A partir de 1815, ses attributions s'étendirent également aux routes du département.

19 Un frère de celle-ci apparaît comme témoin dans son acte de mariage : Jean-François de Longchamp, négociant à Mâcon.

20 De ce Charles Forey, oncle du maréchal, est issue toute une postérité qui ne manque pas d'intérêt. Il laissa 2 fils : I) François Forey, décédé à Lunel-vieil le 27-VIII-1854, conservateur des Eaux-et-forêts, allié à Constance-Elisabeth Chambon, décédée à Privas le 29-IV-1833, puis à Victoire-Eugénie Haon, père au moins, par son 1er mariage, d'une fille, Betzy-Sophie Forey, née à Rodez le 22-III-1831, qu'on retrouvera plus loin, mariée à son cousin germain ; II) Charles Forey Chalon-sur-Saône 1-VI-1795 - Grenoble 19-VI-1839), contrôleur principal des contributions directes, allié Dijon 16-VI-1819 à Sophie Anthony (Dijon 6-X-1797 - Dijon 7-I-1875), fille de Jean-Baptiste, propriétaire, et d'Anne-Elisabeth Soucelier. De ce dernier, vinrent 4 enfants : A) Caroline, B) Charles, C) François-Victor, D) Auguste. Nous ne savons rien de Charles et d'Auguste. Caroline Forey (Dijon 7-XII-1819 - Paris 16e 26-VI-1900) épousa à Dijon le 1-XII-1847 Pierre-Alexandre Jeanniot (Champlitte 28-V-1826 - Vesoul 16-V-1892), avocat, puis directeur de l'Ecole des beaux-arts de Dijon, artiste peintre, fils de Jacques, tanneur, et de Marguerite Simon. De ce ménage, naquit entre autres un fils, Pierre-Georges Jeanniot (Plainpalais, Suisse, 2-VII-1848 - Paris 16e 2-I-1934), capitaine d'infanterie, puis artiste peintre, allié Diénay 20-VIII-1877 à Henriette Grandjean (Paris 17-X-1859 - Paris 17e 29-VI-1937), fille de Pierre-Henry, agent de change, et d'Elise-Estelle Lebrun. Ceux-ci, à leur tour, eurent notamment une fille, Marcelle Jeanniot (Diénay 18-X-1879 - Paris 17e 20-I-1965), laquelle se maria 3 fois : 1) Paris 16e 24-IV-1899 à Raymond-Maurice Duez, né à Villerville le 22-IX-1877, remisier, fils d'Ange-Ernest, artiste peintre, et d'Amélie-Joséphine Lebâtard, union dissoute par jug. du t. c. de la Seine le 22-VI-1904 ; 2) Paris 16e 31-V-1907 à André Lebey (Dieppe 10-VIII-1877 - Paris 3-I-1938), historien, romancier, poète, ami et biographe de Jean de Tinan, député de S.-et-O., fils de Georges, associé d'agent de change, et de Jeanne Dinet, union dissoute par jug. du t. c. de la Seine le 13-XII-1911 ; 3) Paris 17e 14-X-1919 à Charles Dullin (Yenne 12-V-1885 - Paris 12e 11-XII-1949), acteur et directeur de théâtre, fils de Jacques, notaire, juge de paix, et de Camille Vorthier. *Comédienne de talent*, indique le *Dictionnaire de biographie française*, au sujet de Marcelle Jeanniot, *elle devait, après son mariage avec Charles Dullin, participer à la fondation du théâtre de l'Atelier en 1921, donner des cours aux jeunes acteurs et être une précieuse collaboratrice pour son mari, s'efforçant particulièrement de le décharger des soucis matériels et financiers. Cela ne l'empêcha pas de jouer à ses côtés.* François-Victor Forey (frère de Caroline), né à Gray le 20-VIII-1826, qui fut receveur des postes, épousa à Dijon le 9-X-1855 Betzy-Sophie Forey, sa cousine germaine qu'on a rencontrée plus haut, et en eut la descendance ci-après : I) Louis-Frédéric Forey (Dijon 18-IX-1856 - Marseille 30-IV-1911), colonel d'infanterie, allié Paris 16e 26-IX-1892 à Marguerite Talandier (Limoges 21-XI-1861 - Toulon 6-VI-1952), fille de Jules, chef de bataillon d'infanterie (lui-même fils de Félix, général de division), et de Françoise-Marie Pinthon [Marguerite Talandier était veuve de René-Germain Simon, décédé à Vanves le 26-II-1888], dont A) Madeleine Forey (Laval 2-IX-1893 - Breuil-le-sec 10-XI-1978) alliée La Seyne-sur-mer 4-VI-1918 à Paul Iung (Colmar 18-VIII-1887 - Toulon 17-XI-1936), agent général d'assurances, fils de Paul et de Marie-Antoinette Schwœrer, dont postérité en ligne féminine (familles Canac, du Cheyron de Beaumont d'Abzac, Storme, Franchet d'Esperey) ; B) Fernand Forey (Laval 3-VIII-1894 - Draguignan 24-IV-1959), visiteur médical,

allié Paris 16e 3-V-1922 à Hélène Le Houelleur (Nantes 17-IV-1890 - Rueil-Malmaison 18-IX-1957), fille de René, courtier maritime, et d'Hélène Bougourd, dont 1) Gildas Forey (Paris 16e 2-IX-1923), cadre administratif (chimie), allié Neuilly-sur-Seine 27-II-1960 à Marie-Thérèse Tertrais (Feneu 8-VII-1922), fille de Robert, propriétaire, et de Magdelaine Babin de Lignac, dont uniquement un fils : Dominique Forey (Neuilly 14-II-1962) ; 2) Geneviève Forey (Montrouge 13-I-1926), directrice de centre pour enfants handicapés, s.a.a. ; 3) Bernard Forey (Saint-Meen-le-grand 21-XII-1928), directeur de société, allié 1) Paris 16e 26-VI-1952 à Gisèle Maillot (Lille 30-I-1928), fille de Cyrille, directeur de banque, et de Marie-Louise Carrière, mariage dissous par jug. du t. c. de Paris le 15-XII-1971, 2) Singapour 22-VII-1972 à Nyuk-Fong Soh dite Grace Soh (16-I-1949), mariage dissous par jug. du t. c. de Paris le 29-XI-1979, s.p. du 2d mariage, dont du 1er uniquement Patricia Forey (Alger 2-VI-1954) qui est aujourd'hui l'épouse (mariage à Rabat le 16-VI-1978) de Bertrand Chamard (Paris 17e 17-I-1953), docteur en droit, conseiller juridique, fils d'Edouard Chamard dit Sablier, journaliste, homme de lettres, et de Martine Delacommune ; C) Robert Forey (Laval 3-VIII-1894 - Saint-Louis-du-Sénégal 13-V-1934), lieutenant d'infanterie coloniale, allié Chambéry 20-VI-1919 à Nina Carbon (Tarascon-sur-Ariège 11-X-1889 - Sceaux 20-III-1973), fille de Paul et de Henriette-Delphine Pougeard-Dulimbert (arrière-petite-fille du maréchal Jourdan), s. p. ; II) Fernand Forey (Auxonne 25-III-1860 - Sidi-bel-Abbès 18-VII-1946), lieutenant-colonel d'infanterie, s. a. ; III Marguerite Forey, dont nous ne savons rien. Nous remercions M. Gildas Forey de nous avoir aidé à réunir les éléments de cette note.

21 Baptisée le 25.

22 Sauf indication contraire en note, les précisions données sous cette rubrique ont été tirées des registes d'état civil des communes concernées. Une partie importante des dépouillements nécessaires a été effectuée par le regretté comte Xavier de Saint-Seine, avec l'obligeance qui lui était habituelle, à la faveur de ses fréquents séjours en Bourgogne. Nous avons, par ailleurs, bénéficié de l'aimable concours de M. Jean-Claude Garreta, conservateur de la bibliothèque de l'Université de Dijon, et de M. Bernard Savouret, conservateur des archives municipales de la ville de Dijon, à qui nous disons notre bien vive gratitude.

23 En vertu d'un testament olographe du 27-II-1864, déposé chez Me Descheaux, notaire à Paris, le 21-VI-1872, Forey eut pour légataire universelle Palmire-Fortunée Mante (Portoferraio, île d'Elbe, 25-IV-1814 - Bourg-la-reine 11-VIII-1892), alliée La Guillotière 9-II-1832 à Alphonse Titard (Versailles 2-III-1795 - Bourg-la-reine 28-VI-1875), colonel d'infanterie : celle-ci, dont le mari était l'aide de camp du maréchal, tenait la maison de ce dernier depuis de longues années. Le colonel Titard et sa femme reposent dans la même sépulture que Forey, à Bourg-la-reine (voir note 4).

24 Louis Boullenot avait un frère, prénommé Philippe, docteur en médecine comme son père.

25 Nous remercions notre ami Michel Sementery pour les recherches qu'il a bien voulu effectuer sur la famille Boullenot aux A.D. de la Nièvre.

XVIII

François-Achille Bazaine

5-IX-1864

CARRIERE

1811 : naissance à Versailles (13-II) [1],
1830 : se présente au concours d'entrée à l'Ecole polytechnique [2] et échoue,
1831 : engagé volontaire (28-III), au 37e régiment d'infanterie de ligne (28-III, jusqu'en 1832), caporal (8-VII),
1832 : caporal fourrier (13-I), sergent fourrier (16-VII), à la Légion étrangère (16-VIII, jusqu'en 1837), sergent-major (4-XI),
1833 : en Algérie (jusqu'en 1835), sous-lieutenant (2-XI),
1835 : lieutenant (22-VII) ; en Espagne (19-VIII, jusqu'en 1838), la Légion étrangère ayant été cédée à la reine Isabelle II pour contribuer à ce qu'elle l'emporte sur don Carlos ; capitaine au titre espagnol (8-VIII),
1836 : aide de camp et chef d'état-major du colonel Joseph Conrad qui commande la Légion étrangère (20-VIII, jusqu'en 1837),
1837 : le colonel Conrad ayant été tué et la Légion étrangère durement éprouvée au combat de Barbastro (2-VI), en rallie les débris et les dirige sur Pampelune en vue de leur rapatriement ; adjoint du lieutenant-colonel Jean-François de Cariès de Sénilhes, commissaire français près des armées de la reine régente (18-X),
1838 : au 4e régiment d'infanterie légère,
1839 : capitaine (20-X), à la Légion étrangère (20-X),
1840 : en Algérie (jusqu'en 1854), au 8e bataillon de chasseurs à pied (jusqu'en 1844),
1844 : chef de bataillon (10-III), au 58e régiment d'infanterie de ligne (10-III, jusqu'en 1847), chef du bureau arabe de Tlemcen (jusqu'en 1849),
1845 : fait montre d'une grande activité lors de l'insurrection de septembre,
1847 : au 5e régiment d'infanterie de ligne (12-X), participe à l'encerclement et à la capture d'Abd-el-Kader (XII),
1848 : lieutenant-colonel (11-IV), au 19e régiment d'infanterie légère (11-IV), au 5e régiment d'infanterie de ligne (30-VIII, jusqu'en 1850), commandant supérieur de la place de Tlemcen,
1850 : colonel (4-VI), au 55e régiment d'infanterie de ligne (4-VI), directeur des affaires arabes de la division d'Oran (2-VII),
1851 : au 1er régiment de la Légion étrangère (4-II, jusqu'en 1854), commandant de la subdivision de Sidi-bel-Abbès (13-III, jusqu'en 1854),
1854 : général de brigade (28-X), commande les 2 régiments de la Légion étrangère à l'armée d'Orient (28-X),
1855 : fait partie avec sa brigade de la 6e division d'infanterie de l'armée d'Orient (9-II), commandant militaire de Sébastopol après la prise de la forteresse (10-IX), général de division (22-IX) ; chargé de s'emparer de la place forte de Kinburn à l'embouchure du Dnieper, en obtient la reddition après 3 jours de siège (X),
1856 : commandant provisoire de la 2e division d'infanterie du 1er corps de l'armée d'Orient (9-I), inspecteur général pour 1856 du 18e arrondissement d'infanterie (28-VI),
1857 : inspecteur général pour 1857 du 23e arrondissement d'infanterie (30-V), commande la 19e division militaire à Bourges (13-XI, jusqu'en 1859),
1859 : commande la 3e division du 1er corps (Baraguey d'Hilliers) de l'armée d'Italie (24-IV), se distingue par son courage au feu à Melegnano (8-VI) et à Solferino (24-VI),
1860 : continue de commander la division précitée, devenue après son retour en France la 2e division d'infanterie du 1er corps à Paris (jusqu'en 1862), inspecteur général pour 1860 du 4e arrondissement d'infanterie (19-V),

1861 : inspecteur général pour 1861 du 5e arrondissement d'infanterie,
1862 : inspecteur général pour 1862 du 5e arrondissement d'infanterie (28-V), commande la 1re division d'infanterie du corps expéditionnaire au Mexique (1-VII),
1863 : son action est décisive lors de la prise de Puebla (17-V), nommé commandant en chef du corps expéditionnaire au Mexique en remplacement de Forey (16-VII), prend ce commandement (1-IX, jusqu'en 1867),
1864 : maréchal de France (5-IX), sénateur (5-IX),
1865 : dirige en personne le siège d'Oaxaca (II),
1867 : quitte le Mexique avec les dernières troupes françaises (12-III), ne reçoit pas les honneurs militaires dus aux maréchaux à son arrivée à Toulon (3-V) [3], commandant du 3e corps d'armée à Nancy (12-XI, jusqu'en 1869),
1869 : commande en chef le 1er camp de Châlons (1-V au 30-VI), commandant en chef de la garde impériale (15-X),
1870 : commande le 3e corps de l'armée du Rhin (16-VII), commande en chef les 2e, 3e et 4e corps de l'armée du Rhin (9-VIII) ; sous la pression de l'opinion publique alarmée par les 1res défaites, est nommé commandant en chef de l'armée du Rhin : estimant ne pas posséder les qualités requises pour ce poste, ne l'accepte que sur un ordre formel de l'empereur (12-VIII) ; après les sanglantes batailles de Borny (14-VIII), Rezonville (16-VIII), Saint-Privat (18-VIII), Noisseville (31-VIII), est peu à peu encerclé dans Metz ; les réserves de vivres étant épuisées, capitule et est fait prisonnier de guerre (28-X) ; est transféré en Allemagne,
1871 : libéré, s'établit en Suisse (27-III) [4] ; regagne Paris (fin VIII),
1872 : le conseil d'enquête sur les capitulations lui inflige un blâme sévère (12-IV), demande à être traduit devant un conseil de guerre (3-V), le ministre de la guerre ordonne l'ouverture d'une information (7-V), se constitue prisonnier (14-V),
1873 : dépôt du rapport d'instruction concluant qu'il y a lieu à mise en jugement (6-III), est traduit devant un conseil de guerre (ordonnance du 24-VII), ouverture du procès devant le 1er conseil de guerre permanent de la 1re division militaire siégeant au Trianon à Versailles sous la présidence du général de division duc d'Aumale (6-X), est condamné à mort et à la dégradation militaire pour avoir capitulé sans qu'ait été fait tout ce que prescrivaient le devoir et l'honneur (10-XII) ; les juges adressent le même jour au ministre de la guerre une lettre demandant que la sentence ne soit pas exécutée, le condamné ayant pris le commandement de l'armée du Rhin au milieu de difficultés inouïes et s'étant toujours retrouvé lui-même au feu ; peine commuée en 20 ans de détention avec dispense des formalités de dégradation militaire par décision du président de la république (12-XII) [5], est interné au fort de l'île Sainte-Marguerite (25-XII),
1874 : s'évade dans la nuit du 9 au 10-VIII [6] ; après un court séjour en Belgique [7], s'établit à Madrid (19-XI) qu'il ne quittera plus [8],
1887 : un Français [9] le blesse assez sérieusement au-dessus de l'œil, d'un coup de poignard (17-IV),
1888 : meurt à Madrid d'une congestion cérébrale (23-IX), inhumé au cimetière de San Justo (patio San Millau, niche 1916).

ECRITS

• *Rapport du maréchal Bazaine. Bataille de Rezonville, le 16-VIII-1870*, Bruxelles 1870, 14 p.,

• *Rapport sommaire sur les opérations de l'armée du Rhin, du 13 août au 29 octobre 1870, par le commandement en chef, maréchal Bazaine*, Berlin 1870, 28 p.,

- *Capitulation de Metz, rapport officiel du maréchal Bazaine,* Lyon 1871, 32 p.,

- *L'armée du Rhin, depuis le 12 août jusqu'au 29-X-1870,* Paris 1872, 305 p. [10],

- *Episodes de la guerre de 1870 et le blocus de Metz,* Madrid 1883, 328 p. [11],

- lettres publiées dans différents ouvrages et journaux [12].

LE CADRE FAMILIAL

Ascendance [13]

I - Didier BAZAINE allié à Marie ORION, dont

II - François BAZAINE, né à Scy [14] le 1-X-1645, décédé à Scy le 29-XII-1720, seigneur en partie du Ban-Malvoisin, maire royal de Scy, échevin de l'église de Scy, allié à Magdelaine MILLET, décédée à Scy le 1-I-1716, âgée de 70 ans [15], dont

III - Nicolas BAZAINE, né à Scy le 29-VII-1678, décédé à Scy le 26-VIII-1768, vigneron à Scy, allié Scy 18-XI-1721 à Anne LAMBEAU, fille de Jacques, habitant de Châtel-Saint-Germain, et de Jeanne NICOLAS, dont

IV - Claude BAZAINE, né à Scy le 30-X-1724, mort après 1788, propriétaire à Scy, syndic de la communauté, allié Lessy 26-XI-1748 à Anne PERRIN, née à Lessy le 18-IX-1732, décédée à Scy le 1-VI-1764, fille de Henry-François, propriétaire vigneron à Lessy, et d'Anne MARTIN, dont

V - Pierre BAZAINE, né à Scy le 2-III-1759, décédé à Blénod-lès-Pont-à-Mousson le 16-IV-1832, vigneron propriétaire à Scy (1781), puis successivement portier rue Sainte-Anne (1792), receveur du droit de passe à Paris (1798), contrôleur-jaugeur de l'octroi de bienfaisance à la barrière de Bercy (1794) [16], ensuite d'Enfer (1815) [17], professeur de jaugeage à l'Athénée des arts [18], auteur de différents ouvrages scientifiques [19], allié Sainte-Ruffine le 12-IX-1780 à Françoise GILBERT, née à Sainte-Ruffine le 27-VI-1758, décédée à Nancy le 24-X-1840, fille de Jean-Philippe, propriétaire vigneron, et de Suzanne CHANDELIER [20], dont

VI - Pierre-Dominique dit Adolphe BAZAINE, né à Scy le 13-I-1786, décédé à Paris le 28-IX-1838, ingénieur des Ponts et Chaussées, directeur de l'Institut du corps des voies de communication de l'empire de Russie avec rang de lieutenant général [21], ingénieur en chef puis inspecteur divisionnaire après son retour en France [22], allié Saint-Pétersbourg 15-XI-1817 à Stéphanie dite Alexandrine de Sénovert, décédée à Paris le 23-XII-1847, fille d'Etienne-François [23], directeur de l'Institut du génie des communications de Saint-Pétersbourg avec rang de général major [24], et de N. Tichborn [25].

Le futur maréchal est né d'une liaison de Pierre-Dominique Bazaine, antérieure à son mariage, avec Marie-Madeleine-Josèphe dite Mélanie Vasseur, née à Paris (Saint-Leu) vers 1788, décédée à Versailles le 2-II-1840, lingère à Paris, puis marchande lingère à Versailles [26], fille de Jean-Baptiste, tailleur, et de Marie-Josèphe Viverais [27].

Collatéraux [13]

Frère de Nicolas (degré III) : Jean Bazaine, décédé à Scy le 20-XII-1727, âgé de 45 ans, maire du Ban-Malvoisin [28], allié à Barbe Conrard, décédée à Scy le 3-VII-1728, âgée de 38 ans. Frère et sœurs de Claude (degré IV) : Nicolas Bazaine, né à Scy le 20-IX-1726, propriétaire à Scy, allié à Barbe Perrin, née à Lessy le 15-IX-1733, sœur d'Anne qu'on a rencontrée plus haut ; Madeleine Bazaine, décédée à Scy le 19-XII-1766, âgée de 33 ans, alliée Scy 9-I-1753 à Pierre Merselet, né à Scy le 8-XI-1722, décédé à Scy le 12-III-1781 [29], propriétaire vigneron à Scy, fils de François, échevin de l'église de Scy, et d'Anne Robert [30] ; Barbe Bazaine, alliée à Nicolas Hannesse, propriétaire à Scy [31]. Frères et sœurs de Pierre (degré V) : Nicolas Bazaine, né à Scy le 19-II-1750 ; Henri-François Bazaine, né à Scy le 20-IX-1751 ; Jean-Baptiste Bazaine, né à Scy le 27-IX-1753 ; Nicolas Bazaine, né à Scy le 3-III-1755 ; Anne Bazaine, née à Scy le 1-X-1757 ; Henri-François Bazaine, né à Scy le 16-IV-1761 ; Marianne Bazaine, née à Scy le 7-V-1763 ; Nicolas Bazaine, né à Scy le 29-V-1764 [32]. Frères et sœurs de Pierre-Dominique dit Adolphe (degré VI) : Claude Bazaine, né à Scy le 17-IX-1781, ✕ à Avesnes, Nord, le 21-VI-1815, capitaine d'infanterie [33] ; Barbe Bazaine, née à Scy le 15-IX-1783, décédée à Nancy le 24-XI-1843, alliée Paris (Saint-Sulpice) 22-IX-1807 à Jacques-Nicolas Zeiller, né à Coblence vers 1778, décédé à Paris le 31-III-1828, tailleur d'habits, puis négociant, fils de Jean-Georges et d'Anne-Barbe Selges [34] ; Marie-Anne Bazaine (Scy 2-XI-1788 - Nancy 1-III-1838) [35] ; Marie-Françoise Bazaine, née à Paris le 9-III-1792, décédée à Blénod-lès-Pont-à-Mousson le 6-II-1834, alliée à Blénod-lès-Pont-à-Mousson 12-IX-1832 à Antoine-Dieudonné Pernet, né à Nancy le 4-IV-1781, percepteur, fils de Hyacinthe, percepteur, et de Marguerite Potel [36] ; Adèle Bazaine, née à Paris (Saint-Roch) le 12-V-1795 [37] ; Dominique-Claude Bazaine, né à Paris le 16-XI-1798, décédé à Saint-Dié le 26-IV-1827, ingénieur ordinaire des Ponts et Chaussées [38].

LES EPOUSES

1ᵉʳ mariage

A Versailles le 12-VI-1852 avec *Maria* de la soledad-Juana-Gregoria TORMO, née à Murcie (paroisse Sainte-Eulalie), Espagne, le 24-XII-1827, décédée à Croissy-sur-Seine le 17-X-1863, fille de Manuel et de Juana ORCAJADA [39].

2ᵉ mariage

A Mexico le 26-VI-1865 [40] avec Maria-*Josefa* de LA PEÑA y BARRAGAN, née à Mexico le 14-V-1847, décédée à Tlalpam près Mexico le 6-I-1900, fille de Francisco, propriétaire, et de Maria-Josefa AZCARATE.

Francisco de LA PEÑA y BARRAGAN était mort le 24-II-1862 [41]. Maria-Josefa AZCARATE décéda à Madrid le 5-IV-1885. Une sœur de cette dernière, Juliana AZCARATE, décédée le 14-II-1871, avait épousé Manuel PEDRAZA, décédé le 14-V-1851, général, président de la République du Mexique en 1833 [42].

DESCENDANCE

Il n'y a pas eu de postérité du 1ᵉʳ mariage. Du 2ᵈ, est venue la descendance ci-après :

I - Maximilien BAZAINE (Mexico 3-VI-1866 [40] - Paris 9ᵉ 18-I-1869) [43],

II - *François*-Pierre-Joseph-Miguel BAZAINE (Paris 9ᵉ 28-VI-1867 - Cuba VIII-1895), sergent (infanterie) dans l'armée espagnole, aspirant (cavalerie) dans l'armée mexicaine, s.a. [44]

III - Louise-*Eugénie*-Joséphine-Marie-Nicole BAZAINE (Nancy 3-IX-1869 - Madrid 30-X-1935), s.a. [45],

IV - *Alphonse*-Martin-Antoine-François BAZAINE (Cassel, Allemagne, 13-XII-1870 [46] - Larache 7-X-1949), chef d'escadrons de cavalerie dans l'armée espagnole [47], s.a. [48]

FRERES ET SŒURS

de la liaison avec Mˡˡᵉ Vasseur

1 - Mélanie VASSEUR (1-IV-1808 - Paris 6-VI-1852) [49] alliée Paris (Saint-Eustache) 7-I-1834 à Emile CLAPEYRON (Paris 26-I-1799 - Paris 9ᵉ 28-I-1864), ingénieur en chef des mines, professeur à l'Ecole des Ponts

et Chaussées, membre de l'Académie des sciences[50], fils de Claude, négociant, et de Marie GODDE[51], dont A) Arthur CLAPEYRON (Arras 1-XII-1834 - Paris 16e 2-II-1896), lieutenant-colonel de cavalerie[52], allié Paris 7e 17-I-1865 à Augustine POULAIN (Paris 9e 10-V-1829 - Paris 16e 13-XI-1892), fille de Jean-Louis-Victor, doreur sur métaux, et d'Anne-Adèle BOURSIER, s.p.[53] ; B) Alice CLAPEYRON (Paris 19-IV-1839 - Paris 2-X-1855), s.a. ; C) Marguerite CLAPEYRON (Paris 19-IV-1839 - Rome 14-V-1869) alliée Paris 8e 10-XI-1860 à Pierre-Ernest SAGERET (Paris 1-I-1837 - ✕ Vesoul 11-X-1870[54]), ancien élève de l'Ecole polytechnique, ingénieur[55], fils de Jules, avoué au tribunal de la Seine[56], et de Marie-Florence dite Irma MORICET[57], dont 1) Jules SAGERET (Paris 9e 11-X-1861 - Paris 7e 13-V-1944), ingénieur de l'Ecole centrale de Paris, propriétaire, homme de lettres[58], allié Paris 7e 23-IV-1890 à Madeleine POSTEL-VINAY (Paris 7e 13-IX-1866 - Paris 7e 26-V-1944), fille de Pierre-Emile, ingénieur civil, et de Jeanne-Caroline MONTAURIOL, s.p. ; 2) Emile SAGERET (Paris 9e 5-X-1864 - Carnac, Morbihan, 24-VIII-1935), propriétaire, homme de lettres, président de la Société polymathique du Morbihan[59], allié Auray 6-I-1892 à Eulalie-Anne GUYOT d'ASNIÈRES de SALINS (Auray 7-XII-1867 - Carnac 14-VI-1943), fille de Christophe, propriétaire, conseiller général du Morbihan, et d'Eulalie MARTIN, s.p. ; 3) Marie-Alice SAGERET (Paris 8e 29-IX-1866 - Versailles 7-XII-1932) alliée Versailles 4-V-1886 à Louis de LA RUELLE (Nogent-sur-Seine 15-IX-1854 - Versailles 22-VII-1921), colonel de cavalerie, président du comité de Versailles de la Société de secours aux blessés militaires, fils d'André-Marie, docteur en droit, vice-président du tribunal civil de Versailles, et de Marie-Ester SERVOIS, s.p.[60]

2 - Pierre-Dominique dit Adolphe BAZAINE-VASSEUR[61] (Versailles 1-XII-1809 - Paris 16e 2-II-1893), ingénieur en chef des Ponts et Chaussées, professeur à l'Ecole des Ponts et Chaussées[62], allié 1) Londres (Sainte-Marylebone) 21-V-1832 à Georgina HAYTER (Londres 11-I-1813[63] - Cannes 16-VI-1874[64]), fille de sir Georges, artiste peintre, principal peintre ordinaire de la reine[65], et de Sarah MILTON[65a], 2) Paris 9e 29-V-1882 à Julie-Zoé CARBON (Versailles 29-VI-1831 - Paris 8e 14-XI-1903), fille de Hippolyte-Joseph, tulliste, et d'Adélaïde DUHEMME[66], s.p. du 2d mariage, dont du 1er : A) Pierre-Paul BAZAINE (Mulhouse 23-II-1833 - Mulhouse 9-IV-1833)[67] ; B) Georgine-Amélie BAZAINE (Mulhouse 22-X-1835[68] - Paris 6-III-1854[69]), s.a. ; C) Achille BAZAINE (Mulhouse 18-V-1840 - Grésy-sur-Aix 21-I-1928), ancien élève de l'Ecole polytechnique, ingénieur[70], allié Montpellier 27-I-1870[71] à Marguerite BAZILLE (Montpellier 7-II-1848[72] - Grésy-sur-Aix 26-XI-1933)[73], fille de Jacques-Paulin, commis, et de Coralie BLANCHER, directrice de pension de famille, s.p.[74] ; D) Adolphe BAZAINE (Mulhouse 15-VI-1841 - Tarbes 13-VI-1935), ancien élève de l'Ecole polytechnique,

lieutenant-colonel d'artillerie [75], allié 1) Mexico 8-V-1867 [76] à Marie-Emilie LABAT (Mexico 6-VII-1848 - Paris 17e 28-VII-1910) [77], fille de Jean-Ulysse, courtier, et de Maria-Noémi de DAVID de PERDREAU-VILLE [78], 2) Orthez 29-IX-1910 à Victoire-Dominiquette dite Honorine COUROUAU (Louey 28-II-1852 - Toulouse 25-VI-1938), fille de Domi-nique, cultivateur, et de Marie-Anne CAYRET [79], s.p. du 2d mariage, dont du 1er : 1) Marie BAZAINE (Strasbourg 13-II-1868 - Paris 13e 24-I-1961), s.a. [80] ; 2) Pierre-René BAZAINE (Nancy 23-VIII-1869 - Saint-Sébastien, Espagne, 2-II-1871) ; 3) Georges BAZAINE (Saint-Sébastien 25-II-1871 - Paris 17e 27-III-1951), inspecteur d'assurances [81], s.a. ; 4) Léon BAZAINE (Châtellerault 2-IV-1872 - Paris 7e 14-IX-1955), direc-teur d'usine (aviation) [82], allié Paris 17e 4-XII-1901 à Clémence TEM-BLAIRE (Neuilly-sur-Seine 7-XI-1877 - Paris 17e 27-XI-1945), fille de Napoléon, inspecteur général des établissements de bienfaisance au ministère de l'intérieur, et de Corinne SAULIÈRE [83], dont uniquement Jean BAZAINE (Paris 17e 21-XII-1904), artiste peintre [84], allié Paris 7e 23-XI-1943 à Micheline FUMET (Les Martres-de-Veyres 1-IX-1900), fille de Victor-Louis-Julien dit Victor-Dynam, compositeur de musique, maître de chapelle [85], et de Marcelle JURY [86], dont uniquement [87] Marie-Catherine BAZAINE (Paris 7e 31-I-1944), docteur en psychologie, écri-vain [88], alliée Paris 7e 22-XII-1966 à Bernard RIBEAUD (Lyon 3e 12-IV-1940), ingénieur, fils d'Alphonse, industriel (bois), et de Madeleine BAZIN, dont postérité ; 5) Albert BAZAINE (Paris 17e 8-VI-1874 - Paris 6e 22-I-1952), directeur de banque, allié Neuilly-sur-Seine 4-VII-1900 à Marianne BAVIER (Paris 8e 14-IV-1881 - Suresnes 5-VI-1963), fille d'Antoine [89], ingénieur de l'Ecole polytechnique de Zurich, président de société [90], et de Fanny CHAUFFOUR [91], mariage dissous par jug. du t. c. de la Seine le 28-VI-1922, dont : a) Jacques BAZAINE (Paris 8e 5-V-1901), président-directeur général de société (publicité) [92], allié Paris 5e 10-IX-1923 à Lydie BELNET (Paris 15e 24-X-1902), dont uni-quement Martine BAZAINE (Neuilly-sur-Seine 19-III-1924 - Moutiers-Tarentaise 28-II-1948 [93]) alliée Neuilly-sur-Seine 14-I-1947 à Jacques LAFOURCADE (Neuilly-sur-Seine 15-V-1916), docteur en médecine, professeur à la faculté de médecine de Paris, fils de Pierre-Charles, directeur commercial (décoration et ameublement), et de Marguerite DELAVIGNE, dont postérité ; b) Jacqueline BAZAINE (Neuilly-sur-Seine 1-XII-1904) alliée Neuilly-sur-Seine 6-III-1923 à Jean-Jacques CHAPLIN (Versailles 26-IV-1897 - Barbizon 14-III-1972), journaliste, fils de William, ingénieur des mines, et de Marguerite BAVIER [94], dont posté-rité ; E) Albert BAZAINE puis BAZAINE-HAYTER [95] (Amiens 4-XII-1843 - Marcotte, Suisse, 30-I-1914), général de division [96], allié 1) Paris 9e 10-XII-1867 à Amélie PIRARD (Paris 25-II-1849 - Paris 9e 2-VI-1887), fille de Charles-Joseph, docteur en médecine, et de Virginie-Clarisse DUCRET, 2) Paris 17e 15-II-1892 à Henriette MEYNIER (Paris 2e 28-II-

1862 - Paris 16ᵉ 3-V-1949), fille de Jules-Joseph, propriétaire et artiste-peintre, et de Marguerite RÉGNARD [97], s.p. de part et d'autre [98].

du mariage avec Mˡˡᵉ de Sénovert

1 - Mathilde BAZAINE (Saint-Pétersbourg 1-V-1819 - Paris 8ᵉ 24-VI-1899) alliée Paris 25-V-1842 à Ernest PEPIN-LEHALLEUR (Paris 26-XI-1819 - Coutençon 26-X-1869), ingénieur en chef dans les chemins de fer, fils de Jean, fabricant, puis directeur général de compagnie d'assurance et administrateur des Chemins de fer du Nord, président du tribunal de commerce de la Seine [99], et de Marie-Elisabeth SIMONET de MAISON-NEUVE, dont A) Robert PEPIN-LEHALLEUR (Paris 7-III-1843 - Paris 8ᵉ 1-VIII-1905), administrateur de compagnies d'assurances [100], allié Paris 9ᵉ 14-XII-1871 à Marguerite EYQUEM (Paris 12-X-1846 - Paris 8ᵉ 23-XII-1926), fille de Jean, ingénieur, et de Sophie LEFEBER, dont uniquement : Jeanne PEPIN-LEHALLEUR (Paris 9ᵉ 5-X-1872 - Menton 2-I-1897) alliée Paris 8ᵉ 5-III-1892 à Armand-Lucien CHAMPION (Bizanos 24-I-1867 - Paris 8ᵉ 9-II-1944), propriétaire, fils d'Edme-Théodore et de Jeanne-Sylvie LEYGUE, s.p. ; B) Hélène PEPIN-LEHALLEUR (Paris 2-III-1847 - Nogent-sur-Marne 1-X-1916) alliée 1) Paris 2ᵉ 11-XI-1867 à Pierre-Eugène SCHAEFFER (Strasbourg 16-VIII-1839 - Paris 16ᵉ 14-XII-1878), propriétaire [101], fils d'Antoine-Eugène, avocat, bâtonnier du barreau de Strasbourg, puis directeur de la Manufacture de pianos et harpes Erard, et d'Elisabeth-Laure FÉVRIER [102] ; 2) III-1880 [103] à Théodore GALLET (Villeneuve-les-Bordes 8-III-1848 - Nogent-sur-Marne 3-VIII-1916), valet de chambre, puis propriétaire, fils de Théodore, manouvrier, et de Catherine LERY, s.p. du 2ᵈ mariage, dont du 1ᵉʳ : 1) Etienne SCHAEFFER (Paris 2ᵉ 20-X-1868 - Paris 16ᵉ 3-XI-1940), prêtre, chapelain de Montmartre, chanoine de la cathédrale de Paris ; 2) Alice SCHAEFFER (Paris 16ᵉ 18-V-1874 - Paris 8ᵉ 29-VIII-1891), s.a. ; C) Pierre PEPIN-LEHALLEUR (Paris 4-X-1854 - Paris 9ᵉ 22-VII-1917), associé d'agent de change, chef de bataillon d'infanterie, allié Paris 9ᵉ 23-IV-1884 à Madeleine CLICQUOT de MENTQUE (Paris 7ᵉ 29-II-1865 - Montfort-en-Chalosse 16-V-1948), fille de Henry, colonel de cavalerie, et de Marie-Cécile ROMAN [104], dont 1) Jean PEPIN-LEHALLEUR (Saint-Germain-en-Laye 10-VI-1885 - Versailles 2-XII-1959), ancien élève de l'Ecole nationale supérieure de chimie de Paris, ingénieur chimiste, allié Paris 16ᵉ 15-IX-1910 à Germaine GOGNIET (Paris 8ᵉ 6-I-1889), fille de Maurice, fondé de pouvoir d'agent de change [105], et de Marguerite POUSSET, dont a) Jacques PEPIN-LEHALLEUR (Paris 16ᵉ 20-VIII-1911), contre-amiral, allié Paris 17ᵉ 4-XII-1945 à Denise PROT (Paris 17ᵉ 18-VII-1920), fille de Pierre, ingénieur, et d'Anne-Marie COLMET-DAÂGE [106], dont postérité en lignes masculine et féminine (famille GRAGLIA) ; b) Pierre PEPIN-LEHALLEUR (Paris 16ᵉ 9-X-1913), colonel d'infanterie, allié Hanoï 10-II-1943 à Ginette-Renée GROLHIER (Bohain-

en-Vermandois 7-V-1923), fille de René-Amédée, rédacteur, et de Madeleine-Léonie LAVIE, dont postérité en ligne masculine ; c) François PEPIN-LEHALLEUR (Arendonck, Belgique, 10-XI-1914), général de brigade, allié Pornichet 11-VIII-1939 à Yvonne MÉNAGER (Nantes 21-VIII-1919), fille de Henri, importateur de denrées, et de Suzanne ECOMARD, dont postérité en lignes masculine et féminine (familles BOSC, ICHON, BUDIN, MARTINEZ et FALQUE-PIERROTIN) ; 2) Robert PEPIN-LEHALLEUR (Paris 9e 14-V-1890 - Versailles 8-IV-1971), ancien élève de l'Ecole polytechnique, directeur général de compagnie d'assurance [107], allié Paris 8e 12-XI-1919 à Germaine JAGET-GAUDICHIER [108] (Paris 9e 29-VIII-1889 - Versailles 31-III-1949) [109], 2) à Paris 6e 18-VIII-1956 à Marie-Hortense d'ABBADIE de LURBE (Le Robert, Martinique, 21-XI-1898), fille de Louis-Antoine, gérant d'habitation, et de Gabrielle HUYGHES-DELIVRY, s.p. du 2d mariage, dont du 1er a) Alyette PEPIN-LEHALLEUR (Paris 8e 13-VIII-1920) alliée Versailles 27-II-1943 à Pierre CHOVÉ (Rochefort-sur-mer 4-XI-1921), contre-amiral, fils de Louis, ingénieur de 1re classe du génie maritime, et de Suzanne-Thérèse FIEVET, dont postérité ; b) Micheline PEPIN-LEHALLEUR (Versailles 14-III-1923), institutrice, alliée Versailles 12-VI-1945 à Michel MIRON-NEAU (Paris 15e 26-X-1924), agent technique, fils de Marie-Léon, ingénieur, et de Luce CHOUARD, mariage dissous par jug. du t. c. de Versailles le 2-VI-1965 [110], dont postérité ; c) Claude PEPIN-LEHALLEUR (Versailles 27-VI-1925) alliée Versailles 19-VII-1945 à André SEIGNEU-RIN (Paris 11e 3-VI-1923), ingénieur conseil, fils de Démosthène-Gabriel et de Cécile-Mireille SEGARD, mariage dissous par jug. du t. c. de la Seine le 15-V-1951 [111], dont postérité ; d) Yves PEPIN-LEHALLEUR (Versailles 22-V-1929), cadre commercial (métallurgie), allié Versailles 18-XII-1952 à Brigitte LAMBERT (Chauny 25-III-1931), fille de Paul, industriel, puis cadre commercial, et de Suzanne-Mauricette BAILLET, dont postérité en lignes masculine et féminine ; 3) Simone PEPIN-LEHALLEUR (Saint-Germain-en-Laye 16-V-1893 - Montfort-en-Chalosse 3-X-1943) alliée Paris 5e 29-III-1921 à André MAHON (Orléans 8-IV-1882 - Montfort-en-Chalosse 21-I-1943), artiste peintre et sculpteur, fils de Henri, fonctionnaire des postes, et de Marie-Joséphine BIGOT, s.p. ; 4) Marcel PEPIN-LEHALLEUR (Paris 9e 1-I-1896 - Clichy-la-Garenne 30-III-1968), artiste dessinateur humoristique [112], fonctionnaire du service de santé en Algérie [113], allié Paris 18e 11-I-1927 à Paule MAILLARD (Paris 18e 8-III-1904), fille de Robert, avocat au barreau de Paris, puis industriel (fabrication de peintures) [114], et de Suzanne-Catherine GNAD, couturière, mariage dissous par jug. du t. c. d'Alger le 19-XII-1947 [115], s.p. ; D) René PEPIN-LEHALLEUR (Paris 27-V-1856 - Paris 8e 24-II-1928), agent de change, s.a. [116].

2 - *N.* BAZAINE, né à Saint-Pétersbourg VII-1821, mort jeune [117].

NOTES

1 On trouvera des précisions sur l'acte de naissance du maréchal Bazaine à la note 27.

2 C'est une grossière erreur d'affirmer comme l'ont fait certains auteurs que Bazaine n'avait fait aucune étude. On trouve dans A.N., 320 A.P. 1 (voir note 81) un certificat de l'Institution Barbet en date du 24-II-1831 attestant que François-Achille Bazaine a passé 6 ans dans l'établissement *pour y faire ses études classiques et y étudier les mathématiques.* Par ailleurs, il est question de la présentation du futur maréchal au concours d'entrée à l'Ecole polytechnique dans la correspondance d'Antoine Zeiller (voir note 35).

3 On s'est appuyé sur cette circonstance pour affirmer que Bazaine se trouvait en disgrâce : Napoléon III lui aurait reproché notamment de s'être enrichi de manière impudente à la faveur de ses hautes fonctions. Le fait qu'un autre grand commandement ait été confié au maréchal dès le mois de novembre, ce qui était un délai normal après une aussi longue absence de France, incite à douter de la réalité de cette disgrâce. Le motif allégué est, en tout cas, parfaitement invraisemblable : la situation très précaire de Bazaine sur le plan matériel dès les premières années de son exil en Espagne (voir note 8) montre que celui-ci ne possédait aucune fortune. Le marquis Philippe de Massa, qui avait appartenu quelque temps à l'état-major particulier du maréchal au Mexique, explique ainsi, dans ses *Souvenirs et impressions* (Paris 1897), la réception qui lui fut faite à Toulon en 1867 : le gouvernement impérial préféra *accueillir en silence le retour du chef d'une expédition, glorieuse pour nos armes, mais dont le but politique n'avait pas été atteint.*

4 Dans une lettre à la comtesse de Mirabeau (voir note 42), datée de Paris le 31-VIII-1871, le maréchal écrit, parlant de ce séjour en Suisse : *Notre habitation était près de celle de s.a.r. Mgr le comte de Chambord qui, malheureusement, venait de partir en voyage lors de notre arrivée. Sans cela, nous nous serions empressés d'aller offrir nos hommages. Vous avez bien raison : c'est la seule chance de salut pour la société française et si elle n'aide pas à cette restauration, nous n'avons plus que des calamités en perspective.* (A.N. 320 A.P. 3, voir note 81.)

5 Henri Guillemin, dont l'indulgence cependant n'est pas le trait dominant, s'exprime de la sorte à propos de la condamnation de Bazaine : *L'armée, trop visiblement compromise, jugea opportun qu'un seul homme, une fois de plus, pérît pour le salut des autres. Afin de donner le change aux bonnes gens et de préserver, vaille que vaille, l'honneur des camarades, Bazaine fut sacrifié* (in *Les temps modernes*, nᵒˢ 109 et 110, janv./fév. et mars 1955, *Bazaine, nom collectif, ou la sécession des généraux*). En 1894, le général François-Charles du Barail, qui s'était trouvé à Metz avec le maréchal, avait écrit déjà dans *Mes souvenirs* (T. III, p. 445) : *... Il fallait un bouc émissaire, il fallait une victime expiatoire qui portât le poids de tous nos malheurs et qui permît à notre orgueil de se décharger sur elle.* Quoi qu'il en soit, il est nécessaire de faire remarquer que Bazaine ne fut pas condamné pour trahison, comme on l'a souvent affirmé, mais pour insuffisance.

6 Certains auteurs ont prétendu que Bazaine ne s'était pas évadé, que les portes lui avaient été délibérément ouvertes, le gouvernement souhaitant se débarrasser d'un prisonnier encombrant. Après la publication par André Castelot (Paris 1973, 271 p.) du récit détaillé de l'évasion laissé par le lieutenant-colonel Henry Willette, aide de camp du maréchal et son compagnon de captivité (père du peintre et dessinateur Adolphe Willette), sous le titre *L'évasion du maréchal Bazaine de l'île Sainte-Marguerite*, le doute n'est plus possible à ce sujet. On verra à la note 42 le rôle joué par la maréchale dans cette circonstance.

7 Traversant la Suisse, le maréchal fit une courte visite à l'impératrice et au prince impérial à Arenenberg. On trouvera des précisions sur son séjour en Belgique à la note 56 du chap. VI (Magnan).

8 Bazaine choisit de s'établir en Espagne en raison à la fois des origines de la maréchale et des relations amicales qu'il avait nouées avec la famille royale à l'époque où la Légion étrangère combattait de l'autre côté des Pyrénées. La reine Isabelle II, qui résidait alors en France, avait tenu à lui faire une visite à sa *prison* de Trianon, avant qu'il ne soit transféré à Sainte-Marguerite. On trouvera à la note 47 un autre témoignage de ces relations. Celles-ci contribuèrent à adoucir quelque peu les premiers temps de l'exil du maréchal : il est reçu à la cour. Il sera bientôt contraint de ne plus s'y rendre, moins à cause des représentations de l'ambassadeur de France au gouvernement espagnol qu'en raison d'une situation matérielle difficile. Rapidement, en effet, il ne lui reste d'autres ressources que l'inlassable générosité de son frère Pierre-Dominique (voir note 62). La gêne ayant peu à peu entraîné la désunion de son foyer (voir note 42), les dix dernières années du maréchal seront extrêmement pénibles. Ses nombreuses lettres à son frère durant cette période, conservées aux A.N. (320 A.P. 4, voir note 81), l'établissent. Certaines sont poignantes, telles celle-ci du 9-IV-1877 : *... Par moment, si j'étais assuré de retrouver ma prison de Sainte-Marguerite dans les mêmes conditions que par le passé, l'idée me vient de rentrer en France m'y constituer prisonnier de nouveau pour y mourir à la volonté de Dieu* ou cette autre du 12-II-1881 : *Demain, j'entre dans ma 71e année ! C'est un bel âge quand on est heureux et que l'on se porte bien. Mais, pour moi, c'est le purgatoire. J'espère que Dieu m'en tiendra compte.*

9 Louis Hillairaud, voyageur de commerce.

10 Ce volume a été traduit en allemand sous le titre *Feldzug des Rhein-Heeres vom 12 August bis 28 Oktober 1870* (Leipzig 1872, 175 p.).

11 Le catalogue de la B.N. cite en outre *Ma justification, par Basaine* (sic), *réponse aux brochures intitulées L'homme de Metz*, Bruxelles 1870, 15 p., mais en indiquant qu'il s'agit d'un apocryphe.

12 Notamment dans *Bazaine et Changarnier. Discours, lettres, proclamation* (Paris 1871, 46 p.), *Bazaine fut-il un traître ?* (Paris 1904) et *Bazaine devant ses juges* (Paris 1912) d'Elie Peyron et dans les numéros du *Gaulois* des 2 et 11-V, du 3-VI-1883.

13 Sauf indication contraire en notes, les précisions données sous cette rubrique ont été tirées des registres d'état civil des communes concernées. Nous remercions M. Charles Tribout de Morembert, archiviste honoraire de la ville de Metz, et M. l'abbé Pierre Fauveau d'avoir bien voulu effectuer à notre intention les dépouillements nécessaires.

14 Aujourd'hui Scy-Chazelles.

15 La pierre tombale de François Bazaine et de Magdelaine Millet existe toujours dans l'église de Scy-Chazelles (où il y a quelques années fut inhumé le président Robert Schuman). Les révolutionnaires de 1789 y ont martelé l'adjectif *royal* après la qualité de maire ainsi que le mot *seigneur*.

16 Qualité donnée dans la suscription de la lettre citée à la note 20.

17 On trouve cette qualité dans la suscription de différentes lettres de l'intéressé figurant dans le fonds A.N., 230 A.P. (voir note 81).

18 Ce titre est mentionné au début du 1er des 2 ouvrages de l'intéressé figurant à la B.N. (voir note 19).

19 On trouve des notices sur Pierre Bazaine, se répétant plus ou moins l'une l'autre, dans un certain nombre de dictionnaires biographiques et dans le

Grand dictionnaire universel du XIXe siècle de Pierre Larousse. Ce dernier écrit à son sujet : *Il était simple vigneron comme ses parents, lorsque les événements de la Révolution l'attirèrent à Paris, où il se fit une sorte de célébrité dans les clubs. Il publia ensuite divers ouvrages sur les poids et mesures du nouveau système et sur leur application à la géométrie et au jaugeage.* La B.N. possède de lui les deux volumes suivants : *Métrologie française ou traité du système métrique d'après la fixation définitive de l'unité linéaire...* (Paris 1802, 404 p.), rédigé en collaboration avec un nommé Brillat, et *Cours de stéréométrie appliquée au jaugeage assujeti* (sic) *au système métrique* (Paris 1806, 190 p.). La *Biographie de la Moselle* d'Emile-Auguste Bégin (T. IV) cite en outre : *Transformateur (nouv.) des poids et mesures* (Paris 1806) et *Cours de géométrie pratique appliquée à la mesure des objets de commerce, assujetis au calcul métrique* (Paris, 1807). On sait, par une lettre figurant dans le dossier d'ingénieur des Ponts et Chaussées de son fils Dominique-Claude (voir note 38), que Pierre Bazaine passa ses dernières années à Blénod, dans une maison que lui avait achetée son autre fils Pierre-Dominique et qu'il vivait alors d'une pension servie par ce dernier.

20 Un frère de Françoise Gilbert, Jacques, est qualifié maire et propriétaire à Sainte-Ruffine dans l'acte de mariage de celle-ci, puis de jaugeur-juré de la ville de Metz et du pays messin dans l'acte de baptême de sa nièce Barbe Bazaine en 1783. Une lettre d'un certain Luc Boichegrain, pharmacien de 2e classe attaché à l'armée de Saint-Domingue, adressée du Cap le 4-V-1794 à Pierre Bazaine, apporte des précisions sur deux autres frères de Françoise Gilbert : *...J'ai rencontré le 4 germinal Mme Gilbert, votre belle-sœur. Elle arrivait de Charleston. Elle s'était embarquée avec son mari à Bordeaux. Il avait établi une brasserie à Charleston. Il y faisait bien ses affaires à ce qu'elle m'a dit, quand l'envie a pris à Gilbert de venir au Cap avec un chargement de biens pour les vendre et prendre connaissance de l'habitation de son frère. Mais, par malheur, au bout de 8 jours, il y est mort le 7 thermidor sans avoir eu le temps de prévenir son épouse de sa maladie... Elle a cédé sa brasserie de Charleston et est venue au Cap... Elle se trouve dans un cruel embarras, sans aucunes connaissances et à la merci de tout le monde..., obligée de servir pour subsister* (A.N., AB XIX 3353 dos. 4).

21 Ce rang, étant donné le système d'anoblissement par charge en vigueur en Russie, ouvrait l'accès à la noblesse héréditaire. Il ne semble pas que P.-D. Bazaine se soit fait reconnaître celle-ci : il n'existe pas de dossier à son nom dans les archives du Sénat de l'empire de Russie qui avait les problèmes de noblesse dans ses attributions (information du prince Dimitri Schakhovskoï, auteur d'un travail en cours de publication sur la noblesse russe, réalisé à partir des archives du pays).

22 Il existe aux A.N. un dossier assez important sur P.-D. Bazaine dans le fonds des Ponts et Chaussées (F¹⁴ 2164²). Des notices lui ont, par ailleurs, été consacrées dans un certain nombre de dictionnaires biographiques en France et en Russie. Entré à l'Ecole polytechnique en 1803, à l'Ecole des Ponts et Chaussées en 1805, il fut tout d'abord employé quelque temps à Gênes, puis dans la Drôme. En 1810, l'empereur Napoléon mit à la disposition du tsar Alexandre quelques ingénieurs des Ponts et Chaussées en vue de faciliter la création en Russie d'un système calqué sur le nôtre. Sur sa demande, P.-D. Bazaine fut l'un de ceux-ci. Il quitta la France au printemps de 1810, pourvu d'un congé illimité. Il devait demeurer en Russie plus de 30 ans et parvenir aux plus hautes fonctions, y réalisant une œuvre considérable : ports, digues, canaux, écluses, ponts, routes, constructions diverses. Le maréchal Marmont duc de Raguse, qui le rencontra à différentes reprises lorsqu'il fut envoyé en Russie comme ambassadeur extraordinaire à l'occasion du couronnement de Nicolas 1er, en 1825, parle assez longuement au tome VIII de ses *Mémoires* (livre XXIII, p. 42 à 45 et 66 à 68) de la position de P.-D. Bazaine à cette époque. Il se trouvait à la tête à la fois du corps des Ponts et Chaussées de Russie, comprenant 600 ingénieurs, et de l'école formant

les ingénieurs, qui comptait une centaine d'élèves. Il avait, toutefois, au-dessus de lui, exerçant une sorte de surintendance, le duc Alexandre de Wurtemberg, oncle maternel des empereurs Alexandre Ier et Nicolas Ier (par ailleurs oncle paternel de Catherine épouse de Jérôme Bonaparte). Cette circonstance n'allait pas sans lui compliquer la tâche. Ainsi se plaignit-il à Marmont *du triste sort d'un homme de métier dont les projets sont soumis à l'opinion et à la volonté d'un prince amateur...* P.-D. Bazaine apparaît également dans les souvenirs de Philippe Viegel, haut fonctionnaire russe de l'époque. Celui-ci le peint comme un homme doué d'un caractère heureux, très habile, extrêmement diplomate, sachant à merveille se concilier les esprits, ce qui dut lui être précieux dans la situation à la fois très élevée et délicate qui était la sienne. Atteint d'une maladie de cœur, P.-D. Bazaine regagna la France en 1835 et y réintégra le corps des Ponts et Chaussées. Il est l'auteur d'un certain nombre d'études techniques sur des problèmes de sa spécialité : quelques-unes de celles-ci ont été traduites en russe.

23 Né à Toulouse le 2-VII-1753, Etienne-François de Sénovert était fils de François-Ignace, avocat au parlement de Toulouse, capitoul de Toulouse de 1778 à 1781 (charge qui lui conféra la noblesse : d'après un mémoire généalogique en date du 1-VIII-1763, présenté en vue de l'entrée d'Etienne-François dans le corps royal d'artillerie avec l'apostille d'Henri-Auguste de Chalvet de Rochemonteix, sénéchal gouverneur de Toulouse et pays d'Albigeois, et figurant dans le dossier de l'intéressé au S.H.A.T., il semble que la famille vivait noblement depuis quelques générations déjà), et de Marie-Jeanne de Lavaysse. Cette dernière était sœur de Gaubert de Lavaysse, célèbre pour avoir partagé le dîner de la famille Calas le soir de la mort de Marc-Antoine Calas, et de Victoire de Lavaysse épouse de Laurent Angliviel de La Baumelle (1726-1773), homme de lettres protestant, l'une des bêtes noires de Voltaire. Etienne-François de Sénovert avait une sœur, Alexandrine (1766-1860), qui s'était alliée à Toulouse le 29-VII-1793 à Georges Bergasse-Laziroule (Saurat 15-III-1763 - Rabat-les-trois-seigneurs 8-IV-1827), député de l'Ariège aux Etats généraux, puis au Conseil des cinq-cents.

24 Etienne-François de Sénovert était entré au service de la Russie à l'époque de la Révolution. Il avait jusque-là servi dans le corps royal du génie : entré comme aspirant en 1777, il était capitaine lorsqu'il émigra en 1792 (dossier personnel S.HA.T.).

25 Le lieu et la date du mariage de P.-D. Bazaine avec Mlle de Sénovert nous ont été fournis par l'inventaire après décès de celui-ci (A.N., M.C., LXXV 1146, 6-XII-1838). Le père de Mlle de Sénovert est indiqué dans une lettre de P.-D. Bazaine du 4-X-1817, figurant dans son dossier d'ingénieur des Ponts et Chaussées (voir note 22), par laquelle il sollicite du ministre l'autorisation de se marier. Le document ne mentionne pas le nom de la mère de Mlle de Sénovert. *La France moderne* de Jules Villain (T. III, 1) signale qu'Etienne-François de Sénovert avait épousé une demoiselle Thiosehbaru. Maurice Baumont (voir note 27) donne pour mère à Stéphanie de Sénovert une anglaise du nom de Tichborn, sans préciser la source sur laquelle il s'appuie. Nous avons retenu cette dernière forme, la 1re, assez insolite, paraissant devoir résulter d'une transcription fautive.

26 Mélanie Vasseur paraît bien avoir été, de son côté, enfant naturel. Nous avons, en effet, trouvé dans l'E.C.R., A.P., l'acte de décès ci-après : *Jean-Baptiste-Joseph Vasseur le 4 floréal au 3, 50 ans, natif de Valenciennes, tailleur, domicilié 683, rue Trainée, Paris, section du Contrat social, sur déclaration de Henry Dauphin, 54 ans, fripier, même adresse, et de Marie-Josèphe Vivrais* (la forme Viverais que nous avons retenue figure dans l'acte de décès de Mélanie Vasseur), *30 ans, même maison, voisine.* On sait par l'une des lettres de Pierre Bazaine à Mélanie Vasseur (voir note 27) que celle-ci avait un frère et une sœur. Il semble que cette dernière avait épousé un M. Desforges : Mélanie, sœur du maréchal, parle dans l'une des lettres adressées à

sa mère pendant son séjour en Russie (voir note 49) de sa tante Desforges et on ne trouve pas ce nom du côté Bazaine. Grâce à l'aimable concours d'un jeune correspondant de Valenciennes, Luc Mondanel, nous pouvons préciser que Jean-Baptiste-Joseph Vasseur était né dans cette ville (paroisse Saint-Nicolas) le 6-VII-1745, qu'il était fils de Nicolas-Joseph, cordonnier, et de Marguerite Decouwez, qu'il eut pour parrain Jean-Baptiste Vasseur, grand-père, cordonnier, et pour marraine Marie-Claire Fleurent, grand-mère maternelle.

27 Quelques auteurs ont contesté que le maréchal fût bien le fils naturel du lieutenant général Pierre-Dominique Bazaine. Cela n'est plus possible après la publication de l'excellent livre de Maurice Baumont, membre de l'Académie des sciences morales et politiques, conservateur du Musée Condé : *Bazaine. Les secrets d'un maréchal (1811-1888)* (Paris 1978, 429 p.). Utilisant l'abondante correspondance, qui constitue l'élément le plus intéressant du fonds Bazaine des A.N. (320 A.P.), auquel nous avons fait référence à plusieurs reprises déjà et dont nous indiquerons l'origine à la note 81, l'auteur établit de façon péremptoire et surabondante la liaison du futur lieutenant général avec Mélanie Vasseur et sa paternité tant à l'égard du maréchal que de la sœur et du frère nés avant lui, qu'on trouvera plus loin. En route vers la Russie, P.-D. Bazaine envoie à son amie des lettres d'Anvers, de Berlin, où il parle des deux aînés sans équivoque possible. Parvenu à destination, il lui écrit de la même façon de Saint-Pétersbourg, puis d'Odessa et lui fait parvenir de l'argent. Le 29-III-1811, dans une lettre expédiée d'Odessa, il se réjouit de la naissance d'un second fils, le futur maréchal, qu'il vient d'apprendre. Quand, en 1812, les relations sont coupées entre la France et la Russie par suite de la guerre, Mélanie Vasseur, se trouvant sans ressources, se fait connaître de Pierre Bazaine, le père de son amant, qui, jusque-là, ignorait son existence. Celui-ci, bientôt, correspond à son tour avec elle, l'appelant *ma chère et bien-aimée fille*. P.-D. Bazaine continue de s'occuper des enfants qu'il a eus de Mélanie Vasseur après son mariage avec Mlle de Sénovert. Afin de pouvoir s'y employer plus commodément, il les fait passer désormais pour les enfants de son frère Claude mort en 1815 et ceux-ci prennent l'habitude de lui donner de l'oncle. Nous compléterons ici Maurice Baumont en recouvant directement, sur quelques points, aux documents originaux. Le 5-V-1823, P.-D. Bazaine écrit à son ancienne maîtresse : *J'ai reçu avec bien du plaisir avant-hier la lettre qu'Adolphe* (alias Pierre-Dominique) *m'a fait l'amitié de m'écrire... J'ai appris avec plaisir qu'Achille devait bientôt faire sa 1re communion... Je pense que Mélanie grandit et qu'elle continue de bien apprendre...* Par une lettre de cette dernière à son frère Pierre-Dominique, nous savons que, à Paris pour un bref séjour, le lieutenant général fait le 18-III-1828 une visite à Mlle Vasseur. Il avait chargé un ami de jeunesse, Jacques-François Roger — capitaine de vaisseau, un moment gouverneur du Sénégal, celui-ci recevra un titre de baron personnel en 1825 et sera député du Loiret de 1831 à 1849 ; son amitié avec P.-D. Bazaine se prolongera par-delà la mort : il apparaît en effet dans l'inventaire après décès de ce dernier (voir note 25) comme subrogé tuteur de Mathilde Bazaine, née du mariage du lieutenant général avec Mlle de Sénovert —, de le suppléer un peu auprès de ses 3 enfants naturels. Le 3-X-1828, J.-F. Roger écrit au jeune Pierre-Dominique dit Adolphe, citant une lettre du lieutenant général qui a été informé de l'intention du futur maréchal de se présenter à l'École polytechnique : *Il sera indispensable qu'Adolphe lui consacre la plus grande partie de ses jours de sortie et de ses vacances... Notre bon et aimable polytechnicien me rendra personnellement un service essentiel... s'il peut inspirer à son frère les goûts studieux... qui le distinguent si éminemment.* Les nombreuses lettres adressées au frère du maréchal par leur cousin germain Antoine Zeiller (voir note 35) montrent que l'intimité la plus grande régnait entre les divers membres de la famille du lieutenant général et les 3 enfants nés de Mélanie Vasseur. Ces derniers, par exemple, allaient passer leurs vacances chez le vieux Pierre Bazaine, à Blénod (voir note 19), en compagnie de leurs jeunes cousins et, même, une année, de Mathilde, née du mariage du lieutenant géné-

ral avec Mlle de Sénovert. Il est intéressant enfin de faire remarquer que la suscription des lettres envoyées par le lieutenant général à ses enfants naturels leur donne toujours le nom de Bazaine, alors que seul le futur maréchal porte celui-ci à l'état civil (voir plus loin dans cette note et notes 49 et 61). Si on a pu mettre en doute la paternité du lieutenant général à l'égard de François-Achille Bazaine, avant que ces documents n'aient été divulgués, sans doute est-ce en raison du moyen de défense, tout de circonstance, utilisé lors des procès que la veuve du lieutenant général intenta en 1839 et 1840 à Bazaine, alors capitaine. L'acte de naissance du maréchal le donne comme *fils de Dominique Bazaine, ingénieur en chef, et de Marie-Madeleine Vasseur, son épouse.* On trouve le même libellé dans son acte de baptême le 14-II-1811 à la paroisse Notre-dame de Versailles. S'agit-il d'une erreur ? Plus probablement, la mère ou son entourage, soucieux de respectabilité, ont-ils abusé les autorités concernées. Cette circonstance étant venue à la connaissance de Mme P.-D. Bazaine née de Sénovert, celle-ci, peu après la mort du lieutenant général, engagea une action contre François-Achille Bazaine en vue de lui faire interdire de porter le nom de Bazaine, mettant en avant que le prétendu père — dont, au reste, la signature ne figurait pas sur les actes — n'avait ni épousé Mlle Vasseur, ni reconnu l'enfant : apparemment, elle voulait faire en sorte que le jeune officier ne pût être tenté de se mettre sur les rangs pour la succession. Dans l'impossibilité évidemment d'infirmer les dires de son adversaire, mais fort désireux de garder un nom qu'il avait commencé d'illustrer, François-Achille Bazaine prit le parti de répondre qu'en dépit des similitudes le Dominique Bazaine mentionné dans son acte de naissance n'avait rien de commun avec le lieutenant général et qu'il ne prétendait à aucune parenté avec ce dernier. Il obtint ainsi que Mme Bazaine née de Sénovert fût déclarée par jug. du t. c. de Paris en date du 12-IV-1839 *non recevable, attendu que rien ne tend à attribuer au capitaine Bazaine une filiation et une parenté avec la famille du général et qu'en l'absence de toute prétention à des droits de famille et de successibilité, la demande a été formée sans droit et sans intérêt légal.* (in *Gazette des tribunaux* du 13-IV-1839). Ce jugement fut confirmé par arrêt de la cour d'appel de Paris le 2-III-1840 (*ibid.* 2 et 3-III-1840).

28 Sa pierre tombale existe toujours dans l'église de Scy-Chazelles (voir note 15).

29 Il était veuf de Jeanne Jeoffroy.

30 On sait par une quittance au roi établie le 20-II-1786 par Me Raffeneau, notaire à Paris (A.N., M.C., XXI R 536) que de Pierre Merselet et Madeleine Bazaine naquirent 2 enfants : Nicolas Merselet, prêtre, en 1786 vicaire à Pommerieux près de Metz, et Catherine Merselet, épouse de Pierre Thomassin.

31 Barbe Bazaine et son mari nous sont connus par un document faisant partie d'un dépôt de pièces effectué le 23-XII-1785 chez le notaire cité à la note 30 (A.N., M.C., XXI 534).

32 On trouve dans la lettre écrite de Saint-Domingue à Pierre Bazaine en 1794, citée à la note 20, cette information à propos de l'un de ses frères, que nous n'avons pu identifier : *Je vous dirai que votre frère est mort depuis deux ans au Dondon, où il avait son habitation...*

33 Le dossier de Claude Bazaine au S.H.A.T. nous apprend que celui-ci entra au service comme soldat au 4e régiment de ligne le 28-VI-1801, devint caporal en 1802, sergent en 1803, sergent-major en 1807, adjudant sous-officier en 1809, sous-lieutenant en 1810, lieutenant en 1811, capitaine en 1812, fit les campagnes des ans XII et XIII au camp de Saint-Omer, de 1805, 1806, 1807 et 1808 à la Grande armée, de 1809 à l'armée d'Allemagne, de 1812 en Russie, fut fait prisonnier à Gumbinen (Prusse) le 2-XII-1812 et ne rentra que le 29-XI-1814 pour tomber quelques mois plus tard au cours de la campagne de Belgique. Il était célibataire.

34 Plusieurs enfants naquirent de ce ménage. L'un d'eux, Antoine Zeiller (Paris 21-II-1810 - Nancy 28-VIII-1861), ingénieur en chef des Ponts et Chaussées, fut très lié avec P.-D. Bazaine, frère du maréchal, à la fois son cousin germain et son collègue sur le plan professionnel. Un grand nombre de lettres qu'il adressa à ce dernier figurent dans A.N. 320 A.P. 1 (voir note 81) : nous avons renvoyé à cette correspondance dans les notes 2 et 27.

35 Il est beaucoup question de Marie-Anne Bazaine dans la correspondance d'Antoine Zeiller dont nous parlons à la note 34 ainsi que dans les lettres que Mélanie Bazaine, sœur du maréchal, la future Mme Clapeyron, adressa à sa mère durant son séjour en Russie (voir note 49). Demeurée célibataire, pourvue d'une forte personnalité, elle paraît avoir exercé beaucoup d'influence sur son entourage familial. Elle fit, autour de 1830, un assez long séjour en Russie auprès de son frère le lieutenant général.

36 Veuf de Barbe-Anastasie Béchet, décédée à Laxou le 23-III-1824, qu'il avait épousée à Laxou le 23-III-1808.

37 Adèle Bazaine paraît être restée célibataire et être morte relativement jeune. Le mémorialiste russe Philippe Viegel (voir note 22) qui, séjournant à Paris autour de 1820, fit une visite à la famille de son ami Bazaine, indique qu'outre la femme du tailleur (Mme Zeiller), celui-ci avait 2 sœurs, qui s'adonnaient à des travaux de couture : Adèle était donc morte à cette époque.

38 On sait par le dossier d'ingénieur des Ponts et Chaussées de Dominique-Claude Bazaine (A.N., F^{14} 2164^1) que celui-ci était assez gravement malade depuis 1825 : il souffrait d'une splénite chronique. Il est mort célibataire.

39 D'après ce qu'il nous est parvenu de la rumeur de l'époque, la mère de Maria Tormo tenait une auberge à Tlemcen, Bazaine y avait remarqué celle-ci âgée alors d'un peu plus de 15 ans et, trouvant qu'elle méritait une condition meilleure, avait proposé de lui faire donner, à ses frais, une éducation soignée, ce qui fut agréé. Il semble bien que tout cela soit exact. Dans une lettre du 8-IV-1852, expédiée de Sidi-bel-Abbès, par laquelle il annonce son prochain mariage à M. Henrotte de Sainte-Lucie, un vieil ami de Versailles — âgé de 84 ans, il sera son témoin deux mois plus tard —, le futur maréchal écrit en effet : *Je ne vous avais jamais parlé de cette liaison parce que, quand j'ai, pour ainsi dire, adopté cette jeune fille, je ne savais pas quelles en seraient les suites et si sa conduite répondrait à ce que je faisais pour elle. Mais, les Dames du Sacré-cœur sont si satisfaites de ses progrès, de sa piété, que l'intérêt que je portais à cette chère enfant est devenu un vif attachement...* (A.N., 320 AP 1, voir note 81). La suite de la lettre précise que l'intéressée se trouve au Sacré-cœur de Marseille. Lors du mariage, la mère de Maria Tormo est dite décédée et il est indiqué à propos du père : *absent sans nouvelles.* Le registre des baptêmes de la paroisse Sainte-Eulalie de Murcie pour 1827, où l'on aurait peut-être trouvé d'autres précisions sur les parents de Maria Tormo, a malheureusement été détruit. Cette 1re union de Bazaine paraît avoir été une réussite, en dépit de son caractère romanesque. La jeune femme suivit son mari en Algérie, en Crimée, en Italie. Le maréchal Canrobert, usant de la plume de Germain Bapst (voir rubrique *Ecrits* du chap. XI), évoque à deux reprises la 1re Mme Bazaine dans *Souvenirs d'un demi-siècle* (T. II), au chapitre consacré à la guerre de Crimée. Il en trace ce petit portrait : *Mme Bazaine, avec ses toilettes élégantes, faisait — du côté des Français — concurrence aux misses et aux ladies qui avaient leur centre à Balaklava. Mme Bazaine, malgré un peu d'exubérance et une tenue parfois exagérée, était réellement jolie et le général Pélissier, qui avait eu Bazaine sous ses ordres à Oran, la connaissait depuis longtemps et n'était pas insensible à ses charmes ; aussi aimait-il la recevoir à sa table...* Il rapporte d'autre part, ce trait, à propos de la mort du 2e duc d'Elchingen, fils cadet du maréchal Ney, victime du choléra à Gallipoli en 1854 : *Mme Bazaine était excellemment bonne et toujours prête à rendre service. Elle ne voulut pas laisser le duc d'Elchingen seul dans son*

intérieur rudimentaire. Elle le fit transporter dans sa chambre et le soigna jusqu'à son dernier moment. Elle avait pu, dans ce pays de sauvages, se procurer un piano, dont elle jouait en artiste. Se sentant près de mourir, le duc d'Elchingen lui demanda d'exécuter une sonate de Mozart qu'il affectionnait... L'article nécrologique que Félix Feuillet de Conches lui consacra dans le *Journal des débats*, le 22-XI-1863, indique que *l'extrême délicatesse, toujours menaçante, de sa santé* empêcha Mme Bazaine d'accompagner son mari au Mexique. Elle mourut durant cette campagne, d'une pleurésie. L'acte de décès précise qu'elle s'éteignit au domicile de son beau-frère Emile Clapeyron. Des choses extravagantes ont été écrites au sujet de cette mort. Le fort sérieux *Dictionnaire de biographie française* les a lui-même prises à son compte, sous la plume du général P. Azan : Mme Bazaine *avait eu la faiblesse de se laisser séduire et l'imprudence d'écrire à son séducteur ; ce dernier avait, comme autre maîtresse, une actrice qui, ayant découvert ces lettres, les expédia à Bazaine au Mexique. Mme Bazaine alla supplier Napoléon III de la sauver ; un navire envoyé à la poursuite du courrier n'ayant pu le rattraper, elle se suicida, tandis que les officiers d'ordonnance brûlaient ses lettres sans les remettre.* La mort naturelle de la 1re épouse de Bazaine est établie par deux lettres d'Emile Clapeyron à P.-D. Bazaine, frère du maréchal, dont la reproduction photographique se trouve dans A.N., 230 A.P. 2 (voir note 81). La 1re datée du 14-X-1863, soit 3 jours avant le décès, dit notamment : *Marie ne va pas bien. Voilà la 2e crise depuis une dizaine de jours. Ensuite, voilà les voies respiratoires prises. Il n'y a, pourtant, qu'un poumon d'engagé. On parle d'une légère pleurésie.* La 2de, du 17, rédigée quelques instants après la mort de l'intéressée, décrit de la sorte ses dernières heures : *Tout est fini. Notre chère Marie, à l'arrivée du médecin, a été prise d'une syncope au moment où l'on essayait de la changer. Il était 8 h. Malgré tous les soins du docteur, son état s'est rapidement aggravé et, après quelques alternatives d'espoir, elle s'est éteinte dans nos bras à 3 h du matin.*

40 L'acte correspondant se trouve dans le registre d'état civil du corps expéditionnaire du Mexique (S.H.A.T.).

41 Les restes de celui-ci furent transférés en France en 1867 et réinhumés au cimetière du Père Lachaise, dans une sépulture qui existe toujours. Le fils aîné du maréchal, Maximilien, mort en 1869, y a également été enterré.

42 Le colonel Charles Blanchot, qui fut aide de camp de Bazaine au Mexique, raconte dans ses *Mémoires* (t. II, Paris 1911) que le maréchal remarqua celle qui devait être sa 2de épouse lors d'un bal donné à la résidence du commandant en chef. *Presque tous ses parents masculins*, ajoute-t-il, *étaient militants dans le clan de Juarez. Mais elle avait un cousin germain, H. de La Peña, à moitié français, car son père, étant consul du Mexique au Havre, avait épousé une jeune fille de Normandie...* Emile de Kératry, dans son livre *L'élévation et la chute de l'empereur Maximilien* (Paris 1867), indique que Mlle de La Peña appartenait à une famille *d'origine espagnole, puissante plutôt par ses attaches que par une fortune aujourd'hui compromise, ... ayant fourni à la magistrature comme à l'armée des généraux et des avocats distingués.* Après avoir signalé la parenté avec le général Pedraza, il ajoute : *Sa propre tante s'était même vue choisie comme dame d'honneur par l'impératrice Iturbide.* Dans la lettre par laquelle, le 28-III-1865, il sollicite du ministre de la guerre l'autorisation de contracter son 2^d mariage, Bazaine déclare que Josefa de La Peña est la *nièce d'un ex-président du Mexique et du préfet actuel de Mexico* (dos. pers., S.H.A.T.). Annonçant le 29-III-1865 sa prochaine union à son frère Pierre-Dominique, Bazaine décrit ainsi la nouvelle élue : *Cette jeune fille a une énorme ressemblance avec ma chère Marie, comme caractère, comme beauté.* (A.N., 320 A.P. 1, voir note 81). Gyp en trace un portrait plus détaillé dans *Du temps des cheveux et des chevaux. Souvenirs du Second empire* (Paris 1929) : *La maréchale Bazaine était très petite et un peu boulotte déjà. Elle avait 18 ans, une peau mate admirable, de longs yeux bruns caressants et des cils invraisemblables. Son fin profil, sa bouche souriante, don-*

*naient à son visage quelque chose d'enfantin. Mais, la mâchoire un peu dure
et le resserrement aux tempes de la tête trop longue faisait penser au type
classique des Peaux-rouges. Sa mère avait ces défauts à l'excès. Et je pensais
que les La Peña espagnols avaient dû mêler à leur sang du sang mexicain.*
Le mariage fut célébré au palais impérial de Mexico : l'empereur Maximilien
et l'impératrice Charlotte signèrent à l'acte en qualité de témoins. L'empereur
avait donné comme dot à Mlle de La Peña le palais de Buena-Vista à Mexico.
Les 1res années de cette 2e union furent sans histoire. On trouve dans une
petite brochure (*Maréchale Bazaine*, Paris 1874, 36 p.), publiée par la comtesse
de Mirabeau née Marie Le Harivel de Gonneville, sous son nom de plume
habituel d'Aymar de Flagy — mère de Gyp, celle-ci avait été fort liée avec
les Bazaine lorsque le maréchal commandait à Nancy —, quelques anecdotes
amusantes sur la façon dont la jeune épouse, d'un naturel assez jaloux, sur-
veillait, bien inutilement semble-t-il, son vieux mari. *La petite maréchale,*
ainsi que Bazaine l'appelle constamment dans ses lettres à son frère, fit tout
d'abord face avec beaucoup de force d'âme à l'adversité. Ayant obtenu de
partager la captivité du maréchal, elle passa de longs moments à l'île Sainte-
Marguerite, dans des conditions mal commodes. Après quelques mois, elle
sollicita de Mac Mahon une audience, qui fut accordée avec difficulté, et
lui demanda la libération de son mari. La démarche étant restée sans effet,
elle organisa l'évasion de celui-ci avec une ingéniosité et une maîtrise qui
suscitent l'admiration. Mais, avec le temps, sa jeunesse — elle avait 26 ans
lors de la condamnation de Bazaine — fut la plus forte : elle ne put résister au
désir de s'évader de l'existence étriquée et recluse qui est désormais celle du
maréchal (voir note 8). Le 9-IV-1877, ce dernier écrit à son frère : *... Il paraît
que la malchance ne soit pas encore finie pour moi, car elle attaque aujour-
d'hui mon intérieur, dans la conduite privée de la petite maréchale... Je me
borne à patienter pour éviter le bruit qui amènerait du scandale et puis à
cause des enfants.* (A.N., 320 A.P. 4, voir note 81). En avril 1879, Arthur Clapeyron, neveu du maréchal, venu voir celui-ci à Madrid, écrit au lieutenant-
colonel Willette (voir note 6) : *Quant à la maréchale, c'est toujours la même
chose. Les apparences sont à moitié sauvées, mais elle vit tout à fait en
dehors* (cité par Baumont, voir note 27). Lorsque Bazaine meurt, la maréchale
se trouve depuis quelques mois au Mexique, où elle tente de récupérer des
débris de la fortune paternelle. Elle protestera par un lettre publiée dans
Le Figaro du 19-XI-1888 contre le reproche qui lui a été fait d'avoir abandonné le maréchal. Elle se fixe bientôt définitivement au Mexique. Décédée
en sa 53e année, elle sera inhumée au cimetière de La piedad à Mexico, dans
la sépulture de la famille Pedraza.

43 Maximilien Bazaine eut l'empereur Maximilien et l'impératrice Charlotte pour
parrain et marraine. Il mourut d'une méningite.

44 Très attaché à son père, François Bazaine, qui était appelé Paco en famille,
ne voulut pas démordre de demeurer auprès du maréchal lorsque celui-ci
se constitua prisonnier en 1872 : il en partagea ainsi la captivité durant
l'instruction et le procès, puis ensuite à l'île Sainte-Marguerite, d'où il ne fut
retiré par la maréchale que quelques jours avant l'évasion. Le maréchal
parvint en 1880 à le faire entrer au Collège royal de San Lorenzo à l'Escorial.
Mais, assez piètre élève, il n'y fut gardé qu'un an. *Ça n'est pas un mauvais
garçon, mais il est d'une indifférence désespérante, puis d'une paresse sans
égale et ne pourra être que soldat ou gardien de troupeaux,* écrivait Bazaine
à son frère le 22-X-1884 (A.N., 320 A.P. 4, voir note 81). D'après une lettre
du même au même du 1-IX-1885 (ib.), François Bazaine entra au service
comme simple soldat à cette date, au 19e bataillon de chasseurs à pied dit
de Punto Reis. La suite de sa carrière militaire nous est connue, pour la
partie espagnole, grâce à une note de l'ouvrage de Carmen Llorca Vilaplana
El mariscal Bazaine en Madrid (Madrid 1951), rédigée à partir des Archives
militaires de Ségovie, et pour la partie mexicaine par une lettre du 7-X-1962
du capitaine Jean E. Castaingt, français établi à Mexico, consignant à l'intention du général Jean Regnault (A.N., 320 A.P. 2, voir note 81) le résultat de

recherches effectuées par lui dans les archives militaires mexicaines. Portant à l'époque le grade de sergent, François Bazaine obtint en 1888, lors de la mort de son père, un congé d'un an afin d'aller régler des affaires au Mexique. Il fut peu après son arrivée dans ce pays admis dans l'armée mexicaine comme aspirant (alferez) et y demeura jusqu'en 1894. S'étant fait pardonner de n'être pas rentré dans le délai convenu, il réintégra le service espagnol cette même année, comme sergent, dans l'armée coloniale. Il mourut de la fièvre jaune à Cuba au début d'août 1895 : Carmen Llorca Vilaplana s'appuie à ce propos sur un article du journal *El imparcial* du 16-VIII-1895, reproduisant une information parue dans le *Herald*.

45 Eugénie Bazaine avait eu pour parrain Napoléon III et pour marraine l'impératrice Eugénie. Dans une lettre à son frère du 12-II-1881, le maréchal déplore l'indifférence de cette dernière à l'égard de sa filleule : *L'ex-impératrice reste muette pour Eugénie et les cordons de sa bourse ne se dénouent pas malgré ses promesses à M. Rouher* (A.N., 320 A.P. 4, voir note 81). Une lettre du même au même du 14-I-1885 dépeint ainsi la fille du maréchal âgée alors de 16 ans : *Quant à Eugénie, elle travaille très bien et est toujours très gentille* (ib.). Eugénie Bazaine vécut au Mexique avec sa mère jusqu'à la mort de celle-ci. Elle revint alors à Madrid et ne le quitta plus, subsistant tant bien que mal d'une modeste pension que lui versait un cousin mexicain. Ses dernières années paraissent avoir été extrêmement pénibles. Le 12-VII-1933, en effet, son frère Alphonse écrivait à leur cousin Georges Bazaine (voir rubrique *Frères et sœurs*) : *Ma sœur... toujours... enfermée dans sa cave...!! pauvre et triste ne voulant voir personne... et sans pouvoir ni vouloir ouvrir ses malles empilées l'une sur l'autre...* (320 A.P. 5).

46 Acte transcrit à Paris 16ᵉ le 19-VIII-1880.

47 En dépit d'une grossesse très avancée, la maréchale avait tenu à rejoindre son mari détenu en Allemagne. C'est ainsi qu'Alphonse Bazaine naquit à Cassel. Il eut pour marraine la reine Isabelle II d'Espagne et pour parrain le roi Alphonse XII son fils, à cette époque encore prince des Asturies (voir note 8). Le baptême fut célébré le 30-V-1871 à Genève par le futur cardinal Gaspard Mermillod, alors évêque d'Hébron et auxiliaire de Genève. La jeunesse d'Alphonse Bazaine se passe à Paris, chez son oncle Pierre-Dominique Bazaine qui l'a pris en charge. Ses études terminées, il part pour l'Espagne et, attiré par l'état militaire, s'y engage, escomptant que ses liens avec la famille royale lui assureront des appuis. De 1895 à 1898, il participe à la campagne de Cuba. Autour de 1910, tout en continuant de servir dans l'armée espagnole, il entreprend des démarches en vue d'obtenir la révision du procès du maréchal et publie à ce propos une brochure intitulée *Ma requête en révision* (Paris 1911, 85 p.). En 1912, il prend part aux opérations du Rif. Il est à ce moment lieutenant. *L'Illustration* du 2-III-1912 signale sa belle conduite : *Dans cette expédition du Rif, où la valeur des officiers est si souvent mise à l'épreuve, le lieutenant Bazaine a déjà eu l'occasion de se distinguer et son courage lui a valu, en même temps que la sympathie de ses camarades, l'estime particulière du roi Alphonse XIII qui le tutoie...* Il devient peu après capitaine. En 1914, il est officier d'ordonnance du ministre de la guerre. Lorsque la guerre éclate entre la France et l'Allemagne, il demande un congé illimité et obtient de servir dans les rangs de l'armée française, au 29ᵉ régiment de dragons, avec son grade, sous le nom d'Alfonso Bazo. Les qualités dont il fait montre lui valent le 29-VIII-1918 la Croix de guerre avec cette citation : *Capitaine espagnol servant la France, rend les plus grands services à son armée d'adoption par son dévouement à toute épreuve et fait honneur à son armée d'origine par son ardeur guerrière et sa bravoure. Du 16 au 20-VII-1918, attaché à l'état-major du groupement de cavalerie qui a contribué à rejeter l'ennemi sur la rive droite de la Marne, s'est fait remarquer par sa belle attitude au feu et par son courage communicatif.* En 1921, il recevra la Légion d'honneur. La guerre terminée, Alphonse Bazaine réintègre l'armée espagnole. Il combat de nouveau dans le Rif lors de la rébellion de 1925. Il prend sa

retraite peu après comme commandant : l'intermède de la guerre de 1914-
1918 a fait tort à sa carrière, d'autant plus qu'à l'opposé du roi, les hautes
sphères militaires espagnoles sont assez germanophiles. Il s'établit alors à
Larache, au Maroc espagnol. Il y noue bientôt des relations amicales avec
le duc et la duchesse de Guise qui, en 1910, ont acquis à proximité une
concession et y font de fréquents séjours. C'est ainsi que, le 4-IX-1929,
Alphonse Bazaine est victime d'un assez grave accident à bord d'une voiture
appartenant à la maison de France, où se trouvaient également Mlle Marie-
Anne de Chorog, demoiselle d'honneur de la duchesse de Guise, et le général
de Gondrecourt, chargé d'assurer la formation militaire du comte de Paris.
Le véhicule se renverse du fait du mauvais état de la route : alors que les
autres occupants s'en tirent avec des contusions, il doit subir l'amputation
de la partie inférieure du bras droit. Cette infirmité et son âge ne l'empêcheront
pas d'écrire en 1939 au président Albert Lebrun pour tenter d'obtenir l'autorisation de servir à nouveau dans l'armée française. Une étude intéressante,
en dépit de quelques à-peu-près, a été consacrée à Alphonse Bazaine par
Robert Christophe dans la revue *Miroir de l'histoire* (n°s 119 et 120 de
nov. et déc. 1959) sous le titre *Les révélations du fils de Bazaine* : l'auteur,
en effet, a entretenu une longue correspondance avec le fils du maréchal, à
la suite de la publication de son livre *Bazaine innocent* (Paris 1938, 335 p.),
réédité après la guerre avec un titre nouveau : *La vie tragique du maréchal
Bazaine* (Paris 1947, 313 p.).

48 Alphonse Bazaine a eu de Ruth-Elena Jourand (Cannes 28-V-1885 - Montbéliard 2-V-1962), fille de Pierre-Louis, instituteur, et de Julie Nardin, une
fille : Alphonsina Bazaine (Chierry 6-II-1917), ouvrière dans le textile à Héricourt (Haute-Saône), alliée Larache 11-IX-1939 à Raphaël Colomer (Melilla,
Maroc espagnol, 21-V-1904), employé du port de Tanger, puis ouvrier dans
le textile à Héricourt, fils de Raphaël, sous-officier du génie, et de Francisca
Cubero, dont 1) Hélène Colomer (Larache 5-IX-1940 - Larache 25-IX-1940),
2) Raphaël Colomer (Larache 16-XI-1944 - Tanger 20-VII-1946), 3) Hélène
Colomer (Tanger 4-XII-1947), infirmière diplômée d'état, alliée Héricourt
12-VI-1972 à André-Pierre Schweitzer (Mulhouse 18-XI-1951), rédacteur juridique à l'équipement (Strasbourg), fils de René, commerçant (poteries, porcelaine, cuir), et d'Alice-Juliette Locqueneux, dont a) Raphaël Schweitzer (Strasbourg 8-IV-1973), b) Olivia Schweitzer (Strasbourg 9-X-1975), c) Alexis
Schweitzer (Strasbourg 29-I-1979). Nous remercions Mme Raphaël Colomer
d'avoir bien voulu nous apporter une aide précieuse en mettant à notre disposition ses papiers de famille.

49 Mélanie Vasseur n'est pas née à Versailles où vinrent au monde ses deux
frères : bien que son acte de naissance ne figure pas dans l'état civil parisien
reconstitué, on peut penser qu'elle vit le jour à Paris où sa mère habitait au
début de la liaison qu'elle eut avec le futur lieutenant général Bazaine. A
l'inverse de ses frères, elle ne porta à aucun moment le nom de Bazaine :
elle est dite Vasseur dans ses actes de mariage et de décès. Des trois enfants,
c'est elle qui paraît avoir entretenu avec le lieutenant général les relations
les plus proches. Celui-ci la fit venir en Russie et la garda auprès de lui
durant une période assez longue. C'est durant ce séjour qu'elle fit la connaissance de son futur mari : dans l'une des nombreuses lettres envoyées de Saint-
Pétersbourg à sa mère (A.N., 320 A.P. 1, voir note 81), elle raconte qu'Emile
Clapeyron (voir note 50) lui donne ainsi qu'à sa *tante* Alexandrine des leçons
de chimie. Son faire-part de mariage figure dans le fonds précité, libellé de
la sorte : *Le lieutenant général Bazaine et Madame de Bazaine font part du
mariage de Mélanie Bazaine, leur nièce, avec M. Emile Clapeyron, ingénieur
des mines* (voir note 27). Mme Bazaine née de Sénovert fit le voyage de Paris
à l'occasion du mariage : elle signe en effet comme témoin lors de la cérémonie religieuse, à côté du baron Roger (voir note 27) et de M. de Sainte-
Lucie (voir note 39).

50 Emile Clapeyron, dont une rue du 8e arrondissement porte le nom, eut un

rôle de tout premier plan dans la construction du réseau ferroviaire français. *... A sa sortie de l'Ecole des mines en 1820,* indique à son sujet le *Dictionnaire de biographie française* (T. VIII, 1959), *... il partit pour la Russie... Il enseigna les mathématiques à l'Ecole des travaux publics de Saint-Pétersbourg et fit quelques réalisations techniques. Rentré en France en 1830, ... il construisit la 1re voie ferrée française entre Paris et Saint-Germain en 1835, puis celle qui réunissait Paris à Versailles (R.D.). Il commanda des locomotives en Angleterre, les modifia, réalisant ainsi les premières locomotives françaises. Il étudia également le tracé des chemins de fer du Nord, les lignes Bordeaux-Sète et Bordeaux-Bayonne. On lui doit le pont d'Asnières et un pont sur la Garonne...* Le praticien se double chez lui d'un savant : il présente à l'Académie des sciences de nombreux et intéressants mémoires, notamment sur le tracé des engrenages, la théorie mathématique de l'élasticité des corps solides, la stabilité des voûtes etc... Il existe à son sujet un important dossier aux A.N. sous la cote F^{14} 2718^2.

51 Emile Clapeyron s'est remarié à Versailles le 18-X-1854 à Fanny de Martiny (Preische, Moselle, 26-XII-1809 - Paris 1er 20-XII-1903), fille de Charles, propriétaire, et de Henriette Vandenbrock.

52 Peintre amateur, Arthur Clapeyron a réalisé un certain nombre d'œuvres sur toile, sur faïence et sur porcelaine : l'une de celles-ci, *L'hiver,* fut admise au salon de 1882. Après sa retraite, il sera quelque temps commissaire aux comptes à la Compagnie générale transatlantique.

53 Augustine Poulain avait eu précédemment un fils, Auguste-Victor Kolb, d'Auguste-Louis Kolb avec qui elle n'était pas mariée, mais qui reconnut l'enfant : on retrouvera ce fils à la note 66.

54 Pierre-Ernest Sageret avait levé à ses frais une compagnie de francs-tireurs, à Neuilly-sur-Seine : il fut grièvement blessé à la tête de celle-ci dans les Vosges et mourut à l'hôpital de Vesoul.

55 Pierre-Ernest Sageret a laissé deux ouvrages : *Du progrès maritime, étude économique et commerciale* (Paris 1869, 400 p.) et *Olivier d'Anet, épisode du temps de Jeanne d'Arc* (Paris 1896, 2 vol.), roman historique publié par son fils Emile.

56 Jules Sageret (Paris 19-IX-1797 - Paris 30-X-1838) était fils d'Augustin Sageret (1763-1851), propriétaire agriculteur, agronome, membre de la Société royale d'agriculture, ami de Parmentier. Il s'était allié en 1res noces à Paris le 4-III-1826 à Marie-Adèle Moricet (Paris, Saint-Eustache, 13-VIII-1806 - Versailles 20-VIII-1827), sœur de Marie-Florence dite Irma, sa 2de épouse. De cette 1re union, était née une fille, Blanche Sageret (Versailles 30-V-1827 - Neuilly-sur-Seine 18-XI-1900), qui épousa à Paris le 27-II-1847 Frédéric Passy (Paris 20-V-1822 - Neuilly-sur-Seine 12-VI-1912), économiste, député de Paris, membre de l'Académie des sciences morales et politiques, 1er prix Nobel de la paix en association avec Henri Dunant (voir note 57).

57 Devenue veuve, Marie-Florence dite Irma Moricet (Paris 17-VI-1809 - Versailles 6-XII-1871) se remaria à Paris le 31-III-1847 à Félix Passy (Marolles-en-Brie 14-IV-1795 - Versailles 6-IV-1872), conseiller maître à la Cour des comptes, veuf également, père de Frédéric dont il est question à la note 56 : à la suite de cette union, Blanche Sageret, épouse de ce dernier, se trouva être à la fois sa nièce et deux fois sa belle-fille. On aura d'autres précisions sur la famille Passy en se reportant à la note 37 du chap. XIV (Regnaud de Saint-Jean-d'Angély).

58 Jules Sageret a publié des romans, des biographies, des essais sur des problèmes philosophiques et religieux. Le plus connu de ses ouvrages est probablement : *Les grands convertis : M. Paul Bourget, M. J.-K. Huysmans, M. Brunetière, M. Coppée* (Paris 1906, 268 p.).

59 Emile Sageret a consacré de nombreuses études à l'histoire de la Bretagne à l'époque révolutionnaire et sous le Consulat. Son œuvre la plus importante est : *Le Morbihan et la chouannerie morbihannaise sous le Consulat* (Paris 1910 à 1918, 4 vol.).

60 Nous devons d'avoir pu retracer cette branche et établir les notes correspondantes au concours obligeant de Mlle Ariane Gayet et à une étude extrêmement fouillée et de grande qualité de Jean Lagny sur *Pierre-Joseph Moricet (1775-1850) et sa villa du carrefour de Montreuil,* publiée dans la *Revue de Versailles* (1970) : Pierre-Joseph Moricet, qui réalisa une fortune considérable dans la chapellerie et la passementerie, était le père de Marie-Adèle et Marie-Florence dite Irma Moricet dont il est question aux notes 56 et 57.

61 Son acte de naissance le nomme *Dominique Bazaine Vasseur* et le déclare *fils de Marie-Madeleine-Josèphe Vasseur, fille âgée de 24 ans.* Bazaine apparaît comme un 2^d prénom : en effet, le rédacteur de l'acte, qui souligne toujours les noms de famille dans le registre correspondant, ne le fait que pour Vasseur. L'intéressé semble avoir porté assez tôt de façon usuelle le seul nom de Bazaine et les deux prénoms de Pierre-Dominique, ses proches l'appelant cependant Adolphe (voir note 27). Ses enfants furent déclarés sous le seul nom de Bazaine. On retrouve, toutefois, le nom de Bazaine Vasseur dans l'acte de son 2^d mariage.

62 Tout comme son beau-frère Clapeyron, Pierre-Dominique Bazaine fut l'un des grands constructeurs du réseau ferroviaire français. *Il fit ses débuts comme ingénieur à Mulhouse. Il collabora à l'établissement des lignes de chemins de fer de Mulhouse à Thann en 1839 ; de Strasbourg à Bâle en 1841... En 1846, il fut attaché à Amiens à la construction de la ligne d'Amiens à Boulogne. En 1848, le gouvernement provisoire le chargea de la direction des ateliers nationaux établis en Sologne. Après leur suppression, il revint à Paris prendre le secrétariat général de la section des chemins de fer au conseil général des Ponts et Chaussées. En 1853, il fit exécuter les premiers tramways parisiens. En 1856, la Société des chemins de fer du Bourbonnais lui confia la construction de son grand réseau, terminé en 1868... Entré à la Compagnie des chemins de fer P.L.M., il fut chargé de la construction de la ligne de Roanne à Montbrison et à Lyon. Il exécuta aussi les lignes de Moret à Nevers et à Vichy. Pendant 15 ans, il professa le cours des chemins de fer à l'Ecole des Ponts et Chaussées, mais, en 1873, à la suite de la condamnation de son frère, demanda sa mise à la retraite. En 1875, cependant, la Compagnie des chemins de fer des Charentes le chargea de la direction de son réseau, qu'il administra jusqu'à l'époque de sa rétrocession à l'état et, en 1885, la Société internationale du canal de Corinthe lui confia également la direction de ses travaux* (in *Dictionnaire de biographie française,* T. V, 1951). P.-D. Bazaine est, par ailleurs, l'auteur de différents ouvrages techniques sur des questions touchant aux chemins de fer. Il avait été quelque temps conseiller municipal de Mulhouse, alors qu'il se trouvait en Alsace. *Ce réalisateur cachait une âme sensible, prompte à l'enthousiasme,* écrit André Brandt au cours d'une excellente étude, publiée dans le *Bulletin de la Société de l'histoire du protestantisme français* (juil.-août-sept. 1968), sous le titre *Le réveil à Mulhouse vu par Pierre-Dominique Bazaine,* nourrie d'abondants extraits du journal que tenait l'intéressé. *Polytechnicien, il fut aussi saint-simonien. Nommé à Mulhouse, Bazaine se lia, dans cette ville, avec un apôtre de la secte, le docteur Paul Curie. Mais, tandis que Curie, diacre de l'Eglise française de Mulhouse, s'éloignait du protestantisme pour se faire le propagateur de la nouvelle doctrine, Bazaine, catholique de naissance, quittait le saint-simonisme pour se rapprocher de l'église protestante. Son séjour dans une ville où le protestantisme était encore prépondérant, son mariage avec une anglaise... devaient contribuer à cette évolution... En résidence à Amiens lors de la révolution de 1848, il posa sa candidature aux élections législatives. Ses adversaires le dénoncèrent comme un affilié au communisme, au socialisme, au fouriérisme. Dans une lettre de protestation adressée au* Courrier de la Somme, *il se défend d'appartenir à*

aucune secte socialiste et termine par cette affirmation : ... de tous les noms dont on peut baptiser un homme qui prend intérêt aux questions sociales, il en est un que je voudrais accepter sans réserve, c'est celui de chrétien... *Il était considéré dans sa famille comme un vieux républicain de 1848, mais il est mort catholique* (son faire-part de décès signale qu'il s'est éteint muni des sacrements et que ses obsèques eurent lieu à Saint-Pierre-de-Chaillot le 5-II-1893). Un passage du journal de P.-D. Bazaine, non publié par A. Brandt, indique que c'est chez lui que furent arrêtés, le dimanche 7-XII-1851, Victor Chauffour et Charles Kestner, dont nous reparlerons à la note 91. P.-D. Bazaine entretint toujours avec le maréchal des relations étroites et très affectueuses : les innombrables lettres de ce dernier à son frère figurant dans le fonds 320 A.P. des A.N. (voir note 81) en témoignent. On a vu (note 8) que le maréchal dut à la générosité de Pierre-Dominique de pouvoir subsister durant son exil en Espagne.

63 Baptisée le 8-VI-1813 à l'église Saint-Georges (Hanover Square).

64 Georgina Hayter mourut à l'occasion d'une visite que son mari et elle avaient faite au maréchal à l'île Sainte-Marguerite. Pierre-Dominique annonce ainsi la nouvelle dans une lettre écrite le jour même à ses enfants : ... *En cinq jours, votre mère a été enlevée... Les remèdes les plus énergiques n'ont pu combattre cette maladie intestinale dont elle est morte... L'intestin était chez elle un organe très affaibli, très malade. La fatigue du voyage, nos dix jours du régime de pension, le spectacle émouvant de cette cruelle infortune supportée avec la plus admirable grandeur d'âme, tout cela, dit le médecin, a dû donner le coup de grâce à cet organisme languissant... La maréchale a obtenu de venir donner des soins à ma pauvre chère malade et elle a été pour elle et pour moi à une vraie sœur. Le maréchal a même obtenu de venir un jour, incognito, mais la permission est malheureusement venue après la mort que personne ne voyait si proche...* (A.N., 320 A.P. 1, voir note 81).

65 Le *Dictionary of national biography* de Leslie Stephen et Sidney Lee (T. XXV, Londres 1891) permet d'apporter quelques précisions sur Georges Hayter et sa famille. Spécialisé dans le portrait et les scènes d'histoire, Georges Hayter (Londres 17-XII-1792 - Londres 18-I-1871) avait tout d'abord été le peintre attitré de la princesse de Galles, Charlotte, et du prince Léopold de Saxe-Cobourg son mari. Après l'accession au trône de la reine Victoria, en 1837, il devint peintre de la reine, puis, en 1841, principal peintre ordinaire de celle-ci et fut, l'année suivante, créé chevalier. Autour de 1830, il avait fait un séjour à Paris et réalisé au cours de celui-ci quelques portraits de personnalités françaises. Il était l'auteur d'un essai sur la classification des couleurs. Un frère de Georges Hayter, John (1800-c.1891), fut lui aussi peintre portraitiste. Leur père, Charles Hayter (24-II-1761 - Londres 1-XII-1835), peintre de miniatures, avait été le professeur de dessin de la princesse Charlotte et publié plusieurs ouvrages sur des questions touchant à la peinture. Celui-ci était le fils d'un autre Charles, entrepreneur et architecte dans le Hampshire.

65a Une demi-sœur de Georgina Hayter, Louise Hayter, née à Londres le 15-IV-1824 (baptisée à Ealing, Middlesex, le 3-V-1824) du 2ᵈ mariage de Georges Hayter avec Louise Canty, épousa elle aussi un Français, à Amiens le 1-III-1847 : Charles-Barthélémy Pays (Lunéville 22-IV-1810 - Avignon 18-VII-1893), colonel d'artillerie, fils de Jean-Charles, négociant, et de Marie-Catherine Guibal.

66 Julie-Zoé Carbon avait eu, hors mariage, avant cette union, deux filles : Amélie-Clotilde Carbon (Paris 21-XII-1855 - Levallois-Perret 13-XI-1938) et Zoé-Marie Carbon (Paris 7-X-1859 - Guérande 14-X-1941). Une circonstance permet de penser que Pierre-Dominique Bazaine connaissait Julie-Zoé Carbon dès l'époque de la naissance de la 1ʳᵉ de ces filles. Celle-ci, baptisée le 6-IX-1856 à Saint-Thomas-d'Aquin, eut pour parrain Pierre-Adolphe Vasseur : outre que ce nom est par lui-même significatif déjà, l'intéressé signe comme le faisait Pierre-Dominique Bazaine et indique habiter 17 bd de la Madeleine, ce qui

était alors l'adresse de ce dernier. On est en droit, ainsi, de se demander s'il n'était pas le père de ces deux filles. La 1re demeura célibataire et porta usuellement le nom de Carbon-Bazaine après le mariage de sa mère avec P.-D. Bazaine : elle figure avec ce nom sur le faire-part de décès de ces derniers. La 2de épousa à Paris 8e le 19-III-1887 Auguste-Louis Kolb (Paris 14-XII-1847 - Saint-Nazaire 24-IV-1912), capitaine d'infanterie, dont il a été question à la note 53, et il naîtra de ce mariage 2 filles : Suzanne Kolb (Paris 8e 17-I-1888 - Cannes 14-VI-1930), religieuse du Bon pasteur, et Andrée Kolb (Fontenay-le-comte 18-I-1890 - Guérande 23-III-1969), s. a.

67 Dans une lettre du 28-I-1833 à son fils Pierre-Dominique, le lieutenant général Bazaine déclare qu'il sera le parrain de cet enfant (A.N., 320 A. P. 1, voir note 81).

68 Baptisée à l'église française (réformée) de Mulhouse.

69 Ses obsèques eurent lieu à l'église luthérienne de la Rédemption à Paris, le 8-III.

70 Achille Bazaine fut notamment ingénieur à la Compagnie des chemins de fer de l'Hérault (1868), ingénieur auxiliaire des Ponts et Chaussées (1874), ingénieur aux Chemins de fer du sud de la France (1885), ingénieur à la Compagnie des travaux hydrauliques de Lille à Aix-les-bains, chargée de la distribution de l'eau dans cette dernière ville (de 1888 à sa retraite en 1905). Achille Bazaine à écrit quelques études sur des problèmes techniques, parues dans des publications savantes.

71 Mariage religieux protestant mêmes lieu et date.

72 Baptisée protestante le 9-III.

73 D'une vieille famille protestante de Montpellier, ayant donné à cette ville toute une dynastie d'orfèvres éminents, Magdeleine Bazille était la sœur de Nelly Bazille (Montpellier 8-IX-1841 - Nice 19-IV-1924), alliée Montpellier 28-IX-1864 à Léon Brachet (Grésy-sur-Aix 23-X-1840 - Grésy-sur-Aix 25-IX-1898), docteur en médecine, auteur de nombreux travaux sur des questions touchant au thermalisme, adjoint au maire d'Aix-les-bains dont il contribua grandement à étendre le renom, et une cousine éloignée de Jean-Frédéric Bazille (Montpellier 6-XII-1841 - ✕ Beaune-la-Rolande 28-XI-1870), peintre impressionniste, fils de Gaston-Jean-François (Montpellier 29-VIII-1819 - Montpellier 28-IV-1894), propriétaire viticulteur, sénateur de l'Hérault : l'ancêtre commun le plus proche était Pierre Bazille, né à Montpellier le 4-XII-1644, marchand orfèvre (voir pasteur Paul Romane-Musculus *Généalogie Bazille*, Toulouse 1970).

74 Achille Bazaine et sa femme reposent dans le cimetière de Grésy-sur-Aix : ils ont une sépulture protestante.

75 Officier d'ordonnance de son oncle le maréchal au Mexique, à Nancy, puis à Metz, Adolphe Bazaine se trouvait dans cette dernière place lors de la capitulation.

76 Acte transcrit à Paris 9e le 20-XII-1867.

77 *... Une jeune femme ravissante entra dans le salon. Celle-là était vraiment complètement jolie. Grande, longue, fine, souple, avec un teint de jasmin et des yeux caressants, elle me parut idéale...*, écrit Gyp au sujet de Marie-Emilie Labat dans l'ouvrage cité à la note 42.

78 D'une famille du Vexin, connue depuis le 15e s., maintenue noble en 1704.

79 Victoire-Dominiquette dite Honorine Courouau était divorcée de Constantin Félix.

80 Voir note 81.

81 Georges Bazaine consacra toute sa vie à défendre la mémoire du maréchal, son grand-oncle. Il rédigea à cet effet un gigantesque ouvrage, pour lequel il ne put jamais trouver d'éditeur, en raison de son importance. Une lettre que lui adressèrent le 4-XI-1946 les Editions de la colombe, se trouvant dans les archives de son neveu le peintre Jean Bazaine, donne une idée de la dimension de ce travail : *Il est nécessaire de faire 5 volumes de 300 p. environ qui auraient pu être publiés les uns après les autres, sous un titre général, par exemple : 60 ans de l'histoire de France.* Par ailleurs, Alphonse Bazaine, fils du maréchal, lui ayant donné à cet égard une procuration permanente, Georges Bazaine suivait avec vigilance tout ce qui pouvait paraître dans la presse sur ce dernier et, usant du droit de réponse, rectifiait la moindre inexactitude. C'était au point qu'avant la dernière guerre, un certain nombre de journalistes prenaient la précaution de venir lui soumettre au préalable tout article où Bazaine était mis en cause ! A la faveur de ces diverses activités, Georges Bazaine avait rassemblé une documentation considérable sur le maréchal et son entourage, constituée pour une très grande partie de documents originaux, notamment toute la correspondance familiale, dont les innombrables lettres envoyées par Bazaine à son frère Pierre-Dominique. Peu après la mort de Georges Bazaine, sa sœur, Mlle Marie Bazaine, qui vivait avec lui, fit don de l'ensemble de ces papiers au général Jean Regnault qui préparait alors l'ouvrage qu'il publia en collaboration avec le général Edmond Ruby sous le titre *Bazaine coupable ou victime ?* (Paris 1960, 392 p.). Le 31-III-1971, les A.N. ont racheté cette exceptionnelle documentation à la veuve du général Regnault : elle constitue aujourd'hui le fonds 320 A.P., comprenant 5 volumineux cartons numérotés de 1 à 5, que nous avons eu maintes fois l'occasion de citer au cours de ce chapitre. Le manuscrit de l'énorme travail réalisé par Georges Bazaine sur le maréchal ne fait pas partie de ce fonds : il a été cédé par le général Regnault lui-même au Musée de l'Empéri (voir à propos de celui-ci la note 26 du chap. IX, in fine). On n'y trouve pas non plus le journal de P.-D. Bazaine dont André Brandt a publié des extraits dans l'article dont il est parlé à la note 62, bien que Georges Bazaine puis sa sœur Marie aient été détenteurs de ce document (4 petits carnets) d'après le témoignage de la veuve de M. Brandt : Mme la générale Regnault, interrogée à ce propos, nous a déclaré se souvenir que ce journal avait été volé à Mlle Bazaine par un marchand d'autographes, alors qu'elle en négociait la vente au Musée de Colmar.

82 Directeur des usines Nieuport.

83 Filleul du futur Napoléon III, Napoléon Temblaire était le fils de Charles-Edouard Temblaire : sous-préfet, puis inspecteur général au ministère de l'intérieur sous le Second empire, celui-ci avait publié de 1842 à 1848 la *Revue de l'empire* et s'était fait en 1848 l'éditeur des œuvres complètes de Louis-Napoléon Bonaparte.

84 Jean Bazaine est l'un des très grands peintres de notre temps. A côté d'innombrables tableaux et aquarelles, présentés dans maintes expositions en France et à l'étranger et dont quelques-uns figurent dans les principaux musées d'Europe et d'Amérique, on lui doit des cartons de tapisseries, des mosaïques (église d'Audincourt, Unesco, Maison de la radio à Paris), des vitraux, notamment pour les églises d'Assy, d'Audincourt, de Villeparisis, de Noisy-le-grand et surtout le chœur de l'église Saint-Séverin de Paris, où son œuvre s'allie si heureusement à la spiritualité de l'édifice. Jean Bazaine, qui a obtenu en 1964 le Grand prix national des arts et est commandeur des Arts et lettres, occupe une place bien à lui dans la peinture contemporaine. Non figuratif, son art cependant n'est pas abstrait : ainsi que l'écrivait Jeanine Warnod dans un article publié (*Figaro* du 25-X-1965) à l'occasion d'une exposition rétrospective organisée au Musée national d'art moderne de Paris en 1965, *Bazaine part de l'objet, le prolonge, l'épanouit, va au-delà de son apparence, mais ne l'abandonne jamais.* Parallèlement à son œuvre, il s'est toujours préoccupé de

pratiquer une certaine réflexion sur l'art. Durant près de 20 ans, il a collaboré à la revue *Esprit*, avec laquelle il se sentait des affinités. Il est, par ailleurs, l'auteur de deux petits livres : *Notes sur la peinture d'aujourd'hui* (Paris 1948, 71 p.) et *Exercice de la peinture* (Paris 1973, 101 p.).

85 Il adopta les prénoms de Victor-Dynam alors que, dans sa jeunesse, il était anarchiste, ami de Louise Michel et collaborateur de *La révolte*.

86 Micheline Fumet est la sœur de Raphaël Fumet (Juilly, Seine-et-Marne, 31-V-1898 - Angers 28-IX-1979), compositeur de musique, et de Stanilas Fumet (Lescar 10-V-1896), homme de lettres et journaliste, conseiller de Paris, l'un des représentants les plus éminents du catholicisme social en France, ami de Jacques Maritain, directeur de l'hebdomadaire *Temps présent* (1939-1940 et 1944-1947), lauréat du Grand prix catholique de littérature pour son livre *Histoire de Dieu dans ma vie* (Paris 1978, 800 p.).

87 Jean Bazaine a eu également, de Catherine de Seynes-Maysonnade de Larlenque (Paris 16e 16-XI-1930), comédienne, fille de François, représentant de banques étrangères en France, et de Margareta Palmstierna (sœur du baron Carl - Frédérik Palmstierna, secrétaire particulier du roi Gustave VI Adolphe de Suède), un fils : Jean-Baptiste de Seynes-Bazaine (Gävle, Suède, 25-XII-1955), s.a.a.

88 Elle a publié *Les enfants des exclus. L'avenir enchaîné des enfants du sous-prolétariat* (Paris 1976, 257 p.) et *La maternité en milieu sous-prolétaire* (Paris 1979, 275 p.).

89 Les Bavier sont une vieille famille des Grisons. On trouve une notice à leur sujet dans le *Dictionnaire historique et biographique de la Suisse* (T. II, 1924). Reçus dans la bourgeoisie de Coire en 1527-1528, ils adhèrent à la Réforme dès le début de celle-ci. Ils ont formé 5 branches, dont de nombreux membres se sont distingués dans les charges publiques, le commerce, la banque, l'industrie, l'armée, le clergé protestant, la médecine, la diplomatie. L'un d'eux, Simon, fut en 1882 président de la Confédération helvétique. Un frère de ce dernier, Jean-Baptiste, après avoir servi dans l'armée autrichienne — il parvint au grade de lieutenant-colonel —, fut créé baron par l'empereur François-Joseph en 1895.

90 Président fondateur de la Compagnie française des charbonnages du Tonkin.

91 Fanny Chauffour était la fille de Victor Chauffour (Colmar 13-III-1819 - Paris 24-VI-1889), avocat, professeur à la faculté de droit de Strasbourg, député du Bas-Rhin en 1848 et 1849, et de Fanny Kestner. Victor Chauffour était le frère d'Ignace (Colmar 13-I-1808 - Colmar 6-XII-1879), avocat, député du Haut-Rhin en 1848, et de Louis (Colmar 8-IV-1816 - Paris 16e 5-VII-1888), avocat, député du Haut-Rhin en 1871, 1er président à la cour d'appel de Dijon, conseiller à la Cour de cassation. Fille de Charles Kestner (Strasbourg 30-VI-1803 - Thann 12-VIII-1870), fabricant de produits chimiques, député du Haut-Rhin, arrière-petite-fille de Christian Kestner (Hanovre 28-VIII-1741 - Lünebourg 24-V-1800), haut fonctionnaire hanovrien, allié Wetzlar 4-IV-1773 à Charlotte Buff (Wetzlar 11-I-1753 - Hanovre 16-I-1828), qui servit de modèle à Gœthe pour le personnage de Charlotte dans *Werther*, Fanny Kestner (1831 - 1850) était la sœur notamment d'Eugénie Kestner (1828-1862) alliée à Camille Rissler (1821-1881), fabricant et négociant, dont notamment Eugénie Rissler (1850-1920) alliée en 1875 à Jules Ferry (1832-1893), député, sénateur, ministre et président du conseil, de Céline Kestner (1838-1893) alliée en 1856 à Auguste Scheurer (1833-1899), député, sénateur, vice-président du Sénat, et de Hortense Kestner (1840-1913) alliée en 1869 à Charles Floquet (1828-1896), député, sénateur, ministre et président du conseil (voir au sujet d'autres alliances de celui-ci la note 11 du chap. III). Les familles Chauffour et Kestner étaient de confession protestante. Victor Chauffour et son beau-père Charles Kestner furent appréhendés puis bannis pour avoir protesté contre le coup d'état du 2-XII : ainsi que nous

l'avons indiqué à la note 62, leur arrestation eut lieu chez Pierre-Dominique Bazaine, grand-père d'Albert Bazaine.

92 Jacques Bazaine est le président de la Société Bazaine-publicité, qu'il a fondée. Celle-ci, qui occupe une place importante dans la profession, a réalisé notamment des campagnes pour Banania, les Cycles Peugeot, le groupe Thompson. C'est elle qui a créé, ces dernières années, pour une marque de machines à laver, le personnage populaire de la mère Denis. Homme de goût, Jacques Bazaine a sauvé de la ruine la *folie* de la comtesse de Provence à Versailles et y a rassemblé des objets, notamment des livres, lui ayant appartenu.

˗93 Accidentellement.

94 Sœur de Marianne, qu'on a rencontrée plus haut.

95 Albert Bazaine fut autorisé à ajouter à son nom celui de sa mère par décret du 28-IV-1883. Cette modification fut ressentie assez péniblement par l'entourage familial où l'on faisait montre d'une solidarité sourcilleuse à l'égard du maréchal. *Un fait qui dans une autre famille pouvait n'avoir qu'une importance secondaire revêt dans la nôtre, par suite des circonstances, une tout autre forme... Le fait d'une adjonction à notre nom sous un prétexte futile ne peut et ne doit prêter qu'à des suppositions dont les journaux se sont déjà fait l'écho,* écrit à Albert Bazaine son frère Adolphe le 27-IV-1883 (arch. de Jean Bazaine). Pierre-Dominique Bazaine s'exprime de la sorte à ce propos dans une lettre publiée dans *Le Figaro,* datée du 27-IX-1886 : *Il est exact que l'un de mes fils a obtenu le droit d'ajouter à son nom celui de sa mère. Dès que je l'ai su, j'ai désapprouvé mon fils, parce que cette autorisation ne pouvait qu'être interprétée d'une manière fâcheuse pour lui.*

96 Albert Bazaine était entré au service le 19-VII-1862. Il devint sous-lieutenant en 1864. Il fit la campagne du Mexique. Il se trouvait à Metz lors de la capitulation, en 1870. Général de brigade en 1899, de division en 1903, il fut placé en 1907 à la tête du 4e corps d'armée au Mans. Jean-Bernard indique dans *La vie de Paris* (1914), à l'occasion de sa mort : *Il appartenait par ses idées au parti républicain et avait manifesté des opinions très avancées.* Il a publié deux études sur des questions touchant aux chemins de fer dans les *Annales industrielles* en 1874. Par ailleurs, l'ouvrage *La nation armée. Leçons professées à l'Ecole des hautes études sociales* (Paris 1909) contient un texte de lui intitulé *L'armée-école et la démocratie française.* Il a en outre préfacé plusieurs ouvrages traitant de problèmes militaires On lui a attribué un petit livre intitulé *Histoire d'un soldat. Bazaine. Sa vie. Son procès.* (Paris 1874, 64 p.), donné comme écrit par un *ex-sous-officier de l'armée du Rhin.*

97 Henriette Meynier avait épousé précédemment à Paris 2e le 6-VI-1883 Charles-Adolphe Chanton (Paris 6-I-1852 - Paris 8e 17-XII-1884), importateur d'antiquités de Chine et du Japon, fils d'Adolphe-Alexis, même profession, et d'Elisa Carrier. De ce mariage, était née une fille : Marguerite Chanton (Neuilly-sur-Seine 7-VII-1884 - Boulogne-Billancourt 14-III-1979) alliée Paris 8e 14-V-1906 à Robert Lesourt (Paris 7e 4-XII-1874 - ✗ Nevraumont, Belgique, 22-VIII-1914), capitaine d'infanterie, fils de Stéphane-Godefroy, avocat à la cour d'appel de Paris, et de Marie-Amélie Didiez, dont postérité en lignes masculine et féminine.

98 Nous exprimons notre gratitude à M. Jacques Bazaine et au peintre Jean Bazaine, qui nous ont permis de prendre connaissance des papiers de famille dont ils disposaient et ont apporté un concours précieux à la mise au point de leur branche. Nous avons une dette également pour cette partie à l'égard de M. Guy Muleau, dont le grand-père fut très lié avec Pierre-Dominique Bazaine et ses proches.

99 Jean Pepin-Lehalleur (1785-1861) — né Pepin simplement, il devint Pepin-Lehalleur après avoir été adopté par son grand-oncle, Thomas Lehalleur — était issue d'une très ancienne famille parisienne. Fabricant de garnitures métalliques

pour orner les coiffures et habillements militaires sous le Premier empire, il fonda à l'époque de la Restauration la Société d'assurance mutuelle immobilière contre l'incendie pour la ville de Paris et dirigea celle-ci jusqu'en 1857. Il devint président du tribunal de commerce de la Seine en 1839. Son nom apparaît un certain nombre de fois dans la *Correspondance d'Honoré de Balzac* (Paris 1960 à 1969, 5 vol.). Il était en effet assez lié avec la famille de ce dernier : sans doute les relations se nouèrent-elles alors que le père du romancier était directeur des subsistances militaires de la 1re division de Paris. En 1820, Jean Pepin-Lehalleur soumit, infructueusement d'ailleurs, l'une des 1res œuvres de Balzac, *Cromwell*, une tragédie, au jugement de Pierre Rapenouille dit Lafon, sociétaire de la Comédie française, qui était de ses amis. Par la suite, l'auteur de *La comédie humaine* eut très souvent recours aux conseils de Jean Pepin-Lehalleur à propos de ses diverses entreprises ou des procès dans lesquels il fut entraîné. Outre Ernest, qui épousa Mathilde Bazaine, Jean Pepin-Lehaleur fut le père notamment d'Emile (1817-1879), un moment avocat, directeur de la compagnie d'assurance mentionnée plus haut, député de Seine-et-Marne durant quelques mois en 1851, grand-père de Germaine alliée au baron René de Dorlodot et d'Aline alliée à Jean comte de Ribes.

100 La métropole et Le secours.

101 Frère de Marie (1844-1900), 1re épouse d'Amable-Charles Franquet de Franqueville (1840-1919), comte romain, auteur d'ouvrages sur les institutions de l'Angleterre, membre de l'Académie des sciences morales et politiques (voir note 42 du chap. XI).

102 Elisabeth-Laure Février était la sœur de Camille Février (1813-1889) alliée en 1838 à Pierre Erard (1794-1855), neveu et héritier de Sébastien Erard (1752-1831), le célèbre facteur de pianos.

103 Un contrat fut signé le 13-III-1880 chez Me Poletnich, notaire à Paris. La mariée y est dite domiciliée à Paris mais résidant de fait à Saint-Germain-en-Laye. Le marié est donné comme habitant Paris. L'acte de mariage, cependant, n'a pu être retrouvé ni à Paris, ni à Saint-Germain-en-Laye. Les actes de décès des intéressés confirment que le mariage a bien été célébré.

104 De la famille des célèbres facteurs d'orgues originaires de Reims, apparentés aux Colbert, dont une branche s'illustra par ailleurs dans le commerce du champagne, Henry Clicquot fut autorisé par d. i. du 1-IX-1869 à s'appeler Clicquot de Mentque, sa mère étant née Martin de Mentque. Elisabeth Clicquot de Mentque, épouse de Paul Fleuriot de Langle, qu'on rencontrera au chap. XIX (Le Bœuf), est la petite-fille de Charles-Eugène, frère de Henry, bénéficiaire du même décret.

105 Frère de Marcel Cogniet (Paris 11-III-1854 - Paris 8e 13-V-1914), artiste peintre.

106 Denise Prot avait épousé précédemment à Paris 17e le 9-VII-1942 Henri Cogniet (Mézy, Yvelines, 19-XI-1915 - disparu en mer au large de Carthagène 26-IV-1943), lieutenant de vaisseau, fils d'André, capitaine de corvette, membre de l'Académie de marine, et d'Henriette Penaud. André Cogniet, père d'Henri, est le frère de Germaine.

107 La Société d'assurance mutuelle de la ville de Paris (voir note 99).

108 Fille adoptive d'Henriette-Marie Gaudichier, veuve Jardin.

109 Germaine Jaget-Gaudichier avait épousé précédemment à Paris 8e le 23-I-1911 Henri-Noël Mouchet (Paris 8e 14-III-1887 - ✗ Langemark, Belgique, 28-XII-1914), docteur en droit, sergent d'infanterie, fils de Gabriel-Paul, propriétaire, et de Louise-Emma Poulet.

110 Michel Mironneau s'est remarié à Chartrettes le 6-XI-1965 à Michelle-Marie Huonnic (Paris 14e 18-III-1932), secrétaire, fille de François-Marie et d'Irmine-Jeanne Forêt.

111 André Seigneurin s'est remarié à Paris 14ᵉ le 15-XI-1952 à Hélène-Marie Drouhin (Paris 15ᵉ 13-XII-1927), fille de Louis et d'Emma-Marie Drouhin.

112 Sous le pseudonyme de Marcel Prangey.

113 Il avait abandonné des études de médecine déjà très avancées.

114 Fils d'Adolphe Maillard, inspecteur des beaux-arts à Paris, et frère de Paul Maillard, artiste peintre.

115 Paule Maillard s'est remariée à El Biar (Algérie) le 11-VI-1948 à Rodolphe Ruffé (Alger 9-XI-1888 - Pierrefeu-du-Var 24-II-1974), propriétaire, statuaire, fils de Joseph, négociant, et de Reine Ben Cimon.

116 Nous devons d'avoir pu établir la descendance d'Ernest Pepin-Lehalleur et mettre au point les notes correspondantes à l'aide obligeante notamment de de M. Yves Pepin-Lehalleur, de Mᵉ Roland Jousselin et M. Paul Bicharzon (ce dernier décédé entre-temps), l'un et l'autre alliés de certaines des familles concernées, et à Mᵐᵉ B. Saez Martinez, née Tassin de Montaigu.

117 L'existence de cet enfant nous est connu grâce à une lettre du lieutenant général Bazaine à ses parents, de fin juillet 1821, dans laquelle il indique que *Stéphanie est à son 9ᵉ mois* (A.N., 320 AP 1, voir note 81). Il mourut certainement jeune, car Malthilde Bazaine apparaît seule dans la déclaration de succession du lieutenant général (A.P., DQ⁷ 3455, 3-I-1839).

XIX

Edmond Le Bœuf

24·III·1870

CARRIERE

1809 : naissance à Paris (5-XII),

1828 : entre à l'Ecole polytechnique,

1830 : lors des journées de juillet, est du nombre des élèves qui se mêlent de manière active à l'insurrection ; sous-lieutenant (6-VIII), entre à l'Ecole d'application d'artillerie (Metz),

1832 : lieutenant en 2^d,

1833 : lieutenant en 1er (1-II), au 1er régiment d'artillerie (12-II, jusqu'en 1837),

1837 : capitaine en 2^d (13-I), détaché pour être employé à l'état-major de l'artillerie du corps d'expédition sur Constantine (16-VII),

1838 : adjoint à la direction d'artillerie d'Alger et employé comme officier d'ordonnance du maréchal Valée, gouverneur général (23-II, jusqu'en 1841),

1841 : capitaine en 1er (18-II), au 2e régiment d'artillerie (20-III), au 1er régiment d'artillerie (1-IV, jusqu'en 1846),

1846 : chef d'escadron (15-IX), au 6e régiment d'artillerie (30-IX, jusqu'en 1848),

1848 : détaché comme commandant en 2^d de l'Ecole polytechnique (jusqu'en 1850),

1850 : lieutenant-colonel (8-IV), au 8e régiment d'artillerie (16-X, jusqu'en 1852),

1852 : colonel (10-V), au 14e régiment d'artillerie (10-V, jusqu'en 1854),

1854 : commande l'artillerie de l'armée d'Orient (23-II), chef d'état-major de l'artillerie de l'armée d'Orient (15-IV), général de brigade (24-XI), maintenu chef d'état-major de l'artillerie de l'armée d'Orient (24-XI),

1855 : commande l'artillerie du 2e corps de l'armée d'Orient,

1856 : commande l'artillerie de la garde impériale (12-I), inspecteur général du train des équipages de la garde impériale (20-VII), attaché à l'ambassade extraordinaire de M. de Morny en Russie pour le couronnement d'Alexandre II (28-VII),

1857 : général de division,

1858 : membre du comité de l'artillerie (9-I, jusqu'en 1864), inspecteur général pour 1858 du 2e arrondissement d'artillerie (11-VI), inspecteur général pour 1858 du train, parcs et ouvriers, dans l'intérieur, y compris l'escadron du train de la garde impériale (8-VII),

1859 : commande l'artillerie de l'armée d'Italie (23-IV), joue un rôle capital à la tête de celle-ci lors de la bataille de Solferino (24-VI), inspecteur général pour 1859 du train, parcs et ouvriers, dans l'intérieur, y compris l'escadron du train de la garde impériale (30-VIII), aide de camp de l'empereur (27-IX, jusqu'en 1869),

1860 : inspecteur général pour 1860 du 4e arrondissement d'artillerie,

1861 : inspecteur général pour 1861 du 3e arrondissement d'artillerie,

1862 : inspecteur général pour 1862 du train, parcs et compagnies d'ouvriers, des équipages militaires en Algérie (28-V), inspecteur général pour 1862 du 9e arrondissement d'artillerie, Algérie et Rome (28-V),

1863 : inspecteur général pour 1863 du 5e arrondissement d'artillerie,

1864 : président du comité consultatif de l'artillerie (1-I, jusqu'en 1868), inspecteur général pour 1864 de l'Ecole impériale polytechnique (30-IV), conseiller général de l'Orne (19-VI, jusqu'en 1870),

1865 : inspecteur général pour 1865 du 1er arrondissement d'artillerie,

1866 : inspecteur général pour 1866 du 1er arrondissement d'artillerie (2-V) et de l'Ecole impériale polytechnique (12-V) ; lors de la cession de la Vénétie par l'Autriche, commissaire de s. m. l'empereur des Français pour, en son nom, recevoir cette province et la remettre au roi Victor-Emmanuel II (22-VIII),

1867 : inspecteur général pour 1867 du 1er arrondissement d'artillerie (25-V),
1868 : inspecteur général pour 1868 du 1er arrondissement d'artillerie et de l'Ecole impériale polytechnique (11-IV), commandant en chef du 2e camp de Châlons-sur-Marne (13-IV), commande le 6e corps d'armée à Toulouse (28-XII),
1869 : président du conseil général de l'Orne (7-VIII)[1], ministre secrétaire d'état à la guerre (21-VIII), démissionne en même temps que tous ses collègues pour permettre à Emile Ollivier de constituer un nouveau cabinet (27-XII),
1870 : son portefeuille lui est rendu (3-I), maréchal de France (24-III), sénateur (24-III), major général de l'armée du Rhin (20-VII), est contraint de se démettre après les 1res défaites (9-VIII), commande le 3e corps de l'armée du Rhin (15-VIII), participe aux grandes batailles sous Metz ; se fait remarquer par sa bravoure à Rezonville (16-VIII), à Saint-Privat (18-VIII) ; se prononce avec force pour une trouée par les armes lors du conseil présidé par Bazaine le 28-VIII, se distingue à Noisseville (31-VIII), est encerclé dans Metz avec l'ensemble de l'armée du Rhin, fait prisonnier de guerre (28-X),
1871 : libéré, s'établit quelque temps à La Haye (III), regagne la France (VIII),
1873 : se rend aux obsèques de Napoléon III en Angleterre,
1888 : meurt au château du Moncel à Bailleul, Orne (7-VI), inhumé dans la chapelle de celui-ci[2].

ECRITS

Il n'a été publié aucun écrit du maréchal Le Bœuf[3].

LE CADRE FAMILIAL

Ascendance[4]

I - Nicolas I Le Bœuf, recteur d'école (1703), puis notaire royal (1736), l'un et l'autre à Sommevoire, allié Sommevoire 12-II-1703 à Marie Martin, dont

II - Nicolas II Le Bœuf, né et baptisé à Sommevoire le 10-I-1704, huissier à verge du roi en son Châtelet de Paris, allié Wassy 6-VIII-1736 à Jeanne-Louise Jurvilliers, née et baptisée à Wassy le 22-VII-1715, fille de François, chirurgien et apothicaire, et de Louise Pécheur, dont

III - Nicolas III Le Bœuf, né à Wassy le 31-V- 1737, décédé à Paris le 5-II-1824, maître des arts et de pension à Paris[5], membre du conseil général de la commune de Paris à l'époque révolutionnaire[6], allié Paris (Saint-Germain-l'Auxerrois) 29-VIII-1768[7] à Françoise Magny, née le 5-V-1742[8], décédée à Paris le 26-I-1820, dont

IV - Jean-Claude Le Bœuf, né à Paris (Saint-Eustache) le 24-VI-1776, décédé à Saint-Christophe (Orne) le 25-IX-1861, maître des requêtes au Conseil d'état, directeur de la comptabilité à la grande chancellerie de la Légion d'honneur, allié Paris 24-X-1808[9] à Marie-Jeanne-

Justine NORMAND, née à Paris le 20-II-1786, décédée à Paris 6ᵉ le 3-III-1862 [10], fille de Jean-Baptiste-Paul, entrepreneur de bâtiment, et de Marguerite-Brigitte DISLY [11].

Collatéraux [4]

Frères de Jean-Claude (degré IV) : Nicolas-Joseph LE BŒUF, né à Paris (Saint-Eustache) le 15-VI-1771, décédé à Paris le 26-V-1825, négociant, allié p. c. du 20-XII-1799 à Paris [12] à Louise-Thérèse BENOIT, née à Paris, décédée à Paris le 22-VIII-1856, âgée de 84 ans, fille de Jean-Baptiste et d'Odile-Thérèse GUILLAUME [13] ; Claude-Emmanuel LE BŒUF, né à Paris (Saint-Eustache) le 16-VI-1772, décédé à Paris le 16-VI-1849, chef de division au ministère des finances, allié Paris 8-II-1801 [14] à Jeanne-Marie-Aimée TOURNÉ, née à Toulouse le 24-VII-1776, décédée à Paris le 9-I-1849 [15], fille de François, employé [16], et d'Anne DELPECH [17] ; Denis-Marie LE BŒUF, né à Paris (Saint-Eustache) le 24-IX-1773, décédé à Neuilly-sur-Seine le 23-VII-1853, entreposeur des tabacs à Reims [18], puis propriétaire, allié Paris 4-IV-1804 à Henriette-Aimée BAILLET, née le 10-IV-1782 [8], décédée à Paris le 5-VII-1820, fille d'Edme-Mathurin et de Geneviève LAJOIE [19].

L'EPOUSE

Le maréchal LE BŒUF s'est allié à Paris le 16-V-1848 [20] à Marie DAUCHE (Houécourt 16-I-1826 - Sens-sur-Yonne 15-I-1909), fille d'*Emile*-Antoine, ancien élève de l'Ecole polytechnique, chef d'escadron d'artillerie, et de Marguerite BOURGUIGNON.

Né à Paris le 22-V-1794, décédé à Condé-sur-l'Escaut le 28-IV-1847, *Emile*-Antoine DAUCHE était fils de Hugues, propriétaire, et de Marie LOBÉ [21]. Il avait épousé Marguerite BOURGUIGNON à Paris le 13-III-1825. Celle-ci était fille de Philippe BOURGUIGNON, maréchal-ferrant, et de Marie-Jeanne COGNARD [22].

Emile DAUCHE avait au moins 2 sœurs : Marie-Fanny alliée Paris 16-I-1830 à Pierre-François FAUCHEUR, commissionnaire de roulage, fils de Pierre et de Françoise-Sophie CHAMPION [23], et Marie-Joséphine, née à Paris le 24-VIII-1806, alliée Paris 25-V-1824 à Pierre-*Louis-Dominique* VERNANT, né à Arcis-sur-Aube en 1797, maître menuisier, fils de Georges et de Marie-Cyr CARTERON. Marguerite BOURGUIGNON avait, elle, au moins un frère, Jacques-Philippe, qualifié sculpteur en 1848 et âgé alors de 54 ans [24].

DESCENDANCE

Marguerite LE BŒUF (Paris 28-VII-1849 - Paris 7ᵉ 5-V-1923) alliée Paris 8ᵉ 19-I-1869 à Arsène marquis d'AUBIGNY (Thionville 28-I-1832 - Paris 7ᵉ 4-II-1912), général de division, fils de Hugues-Henri-Brice, capitaine d'infanterie, et de Rose MARTIN[25], dont

A - Antoinette d'AUBIGNY (Bailleul, Orne, 8-XI-1869 - Carantec 25-XII-1952) alliée Rennes 23-I-1893 au vicomte Eugène de PARSCAU du PLESSIX (Carantec 26-VII-1860 - Carantec 30-IX-1924), général de brigade, fils de Paul, propriétaire, et de Françoise de KERMOYSAN, dont

1 - Edmond comte de PARSCAU du PLESSIX (Amiens 20-XI-1893 - Sainte-Blandine, Isère, 24-II-1963), lieutenant de vaisseau, puis gérant de société (laiterie et chocolaterie), allié Sainte-Blandine 5-X-1919 à Colette ARNAUD des ESSARTS (Sainte-Blandine 18-VIII-1897 - Sainte-Blandine 6-IV-1971)[26], fille d'Amédée, gérant de société (laiterie et chocolaterie), et de Jeanne-Amélie LASSALLAS, dont

a - Olivier vicomte de PARSCAU du PLESSIX (Sainte-Blandine 15-VIII-1920 - ✕ Muong Noc, Laos, 31-I-1948[27]), lieutenant de cavalerie, allié Montélier 31-VIII-1942 à Anne-Marie de MONTEYNARD (La Buisse 25-X-1920), fille de Bruno marquis de MONTEYNARD, propriétaire, et de Roselyne de COLBERT-TURGIS[28] [Anne-Marie de MONTEYNARD s'est remariée à Grainville-sur-Odon le 18-VI-1951 à Pierre BENOIT du REY (Caen 8-I-1913 - Versailles 30-V-1965), représentant, fils de Jules-Ernest, docteur en droit, directeur général d'assurances, et de Suzanne TREUILLE], dont

— Guy comte de PARSCAU du PLESSIX (Sainte-Blandine 3-VI-1943), capitaine d'infanterie, allié Paris 16ᵉ 30-III-1968 à Marie-Christine TURQUAN (Innsbruck 11-III-1946), fille de Jean-Louis, capitaine de cavalerie, puis agent commercial, et de Madeleine du BARET de LIMÉ, dont

● Madeleine de PARSCAU du PLESSIX (Suresnes 1-III-1969),

● Anaïs de PARSCAU du PLESSIX (Versailles 15-V-1970),

● Marguerite-Marie de PARSCAU du PLESSIX (Versailles 14-IV-1974),

● Fanny de PARSCAU du PLESSIX (Versailles 23-II-1976),

— vicomte Henri de PARSCAU du PLESSIX (Montélier 31-X-1944), agriculteur et chef de produit (alimentation), allié Montmelas-Saint-Sorlin 4-IV-1970 à Emmanuelle d'HARCOURT (Villefranche-sur-Saône 14-III-1951), fille du comte Henri et de Françoise de DURAT, dont

● Olivier de PARSCAU du PLESSIX (Villefranche-sur-Saône 14-XII-1970),

● Guénaëlle de PARSCAU du PLESSIX (Villefranche-sur-Saône 27-XI-1971),

● Blandine de PARSCAU du PLESSIX (Lyon 22-X-1973),

● Jean de PARSCAU du PLESSIX (Lyon 12-V-1975),

● Benoît de PARSCAU du PLESSIX (Tassin-la-demi-lune 21-III-1980),

b - Blandine de PARSCAU du PLESSIX (Sainte-Blandine 14-VII-1922) alliée Sainte-Blandine 29-IV-1943 au comte André de RIVERIEULX de VARAX (Sainte-Croix, Saône-et-Loire, 13-VII-1913), administrateur de société (laiterie et chocolaterie), fils du comte Louis ✕, lieutenant d'infanterie, et d'Hélène de MASSON d'AUTUME[29], dont

— comte Amaury de VARAX (Sainte-Blandine 8-V-1944), directeur commercial, allié Bourg-Argental 25-V-1968 à Annick MATHIEUX (Bourg-Argental 21-V-1947), fille de Pierre, gérant de société (tissage), et d'Anne BLÉHAUT, dont

● Charlotte de VARAX (Jallieu 1-II-1969),

● Julie de VARAX (Jallieu 30-VII-1975),

— France de VARAX (Sainte-Blandine 27-I-1946 - Sainte-Blandine 20-I-1960),

— comte Hervé de VARAX (Sainte-Blandine 25-IX-1947), ingénieur électronicien, s.a.a.,

— Brigitte de VARAX (Sainte-Blandine 22-VIII-1949), monitrice-éducatrice, alliée Sainte-Blandine 8-VII-1972 à Thierry MITTIFIOT de BÉLAIR (Lyon 4e 11-VI-1949), inspecteur des impôts, fils de René, attaché commercial, et de Françoise MARTIN, dont

● Caroline de BÉLAIR (Jallieu 21-VI-1973),

● Frédéric de BÉLAIR (Jallieu 2-IX-1975),

● Perrine de BÉLAIR (Bourgoin-Jallieu 2-II-1978),

— Béatrice de VARAX (Sainte-Blandine 28-II-1953), aide-soignante, alliée Sainte-Blandine 19-IV-1975 à Hubert GUÉRIN (Lyon 17-VIII-1951), ingénieur agronome, fils de Bernard, attaché de direction (banque), et de Chantal de LA SAYETTE, dont

● Benoît GUÉRIN (Bourgoin-Jallieu 17-IV-1977),

c - vicomte Bertrand de PARSCAU du PLESSIX (Sainte-Blandine 26-VII-1926), gérant de sociétés, allié Ville-sous-Anjou 30-VIII-1952 à Elisabeth de RIVÉRIEULX de VARAX (Cannes 30-I-1932), fille du comte Louis, propriétaire, et de Hélène VERNOT de JEUX[30], dont

— vicomte Xavier de PARSCAU du PLESSIX (Jallieu 10-XI-1953), ingénieur de l'Ecole catholique des arts et métiers (Lyon), allié Pommiers, Rhône, 2-VII-1977 à Catherine MULSANT (Villefranche-sur-Saône 6-VIII-1953), secrétaire, fille de Robert, propriétaire agriculteur, et de Françoise FORET, dont

● Solène de PARSCAU du PLESSIX (Bourgoin-Jallieu 14-IV-1979),

— Loïc de PARSCAU du PLESSIX (Jallieu 2-XI-1954), docteur en médecine, s.a.a.,

— Sabine de PARSCAU du PLESSIX (Jallieu 20-IX-1958) alliée Sainte-Blandine 16-IX-1978 à Patrice REPELLIN (Bad-Wildingen, Allemagne, 12-IX-1953), ingénieur de l'Ecole supérieure d'électricité, fils de Jean, lieutenant-colonel de cavalerie, et de Marie-Louise de PRADEL de LAMAZE[31], dont

● Olivier REPELLIN (Bourgoin-Jallieu 5-XI-1979),

— Philippe de PARSCAU du PLESSIX (Jallieu 1-I-1962),

— Catherine de PARSCAU du PLESSIX (Jallieu 16-VIII-1963),

d - Béatrice de PARSCAU du PLESSIX (Sainte-Blandine 26-VIII-1928) alliée Sainte-Blandine 18-V-1951 au vicomte Humbert de RIVÉRIEULX de VARAX (Lyon 2e 6-XI-1926), ancien élève de l'Institut national agronomique, ingénieur agronome, frère d'Elisabeth précitée [30], dont

— comte Bernard de VARAX (Sainte-Blandine 13-IV-1952), ancien élève de l'Ecole supérieure d'agriculture d'Angers, allié Morlaix 19-VIII-1977 à Béatrice BOBIERRE de VALLIÈRE (Morlaix 26-VII-1955), fille de Jean, propriétaire agriculteur, et de Christiane de LANGLE, dont

• Jean de VARAX (Troyes 17-IX-1978),

• Pierre de VARAX (Villefranche-sur-Saône 27-V-1980),

— Misel de VARAX (Sainte-Blandine 31-VII-1953) alliée Amareins 7-X-1977 au comte Henry de SONIS (Lille 17-XII-1950), licencié en droit, attaché de direction (banque), fils du comte Joseph [32] et de Marie-Noëlle MIGNOT, dont

• Emmanuelle de SONIS (Bourgoin-Jallieu 9-VIII-1978),

• Eric de SONIS (Lyon 8e 15-IV-1980),

— Patrick de VARAX (Sainte-Blandine 13-III-1957), ancien élève de l'Institut supérieur d'agriculture Rhône-Alpes, s.a.a.,

— Roland de VARAX (Jallieu 17-II-1960), s.a.a.,

— Marguerite de VARAX (Jallieu 17-II-1960), s.a.a.,

— Bruno de VARAX (Jallieu 12-VI-1965),

e - vicomte Amédée de PARSCAU du PLESSIX (Sainte-Blandine 9-VII-1930), chef de vente, allié Marseille 16-VI-1966 à Chantal BRÉZUN (Marseille 23-III-1939), fille de Paul, industriel (fonderie), puis directeur commercial, et d'Odile JOANNON, dont

— Eugène de PARSCAU du PLESSIX (Jallieu 26-XII-1968),

— Pierre de PARSCAU du PLESSIX (Bourgoin-Jallieu 23-XII-1971),

— Marina de PARSCAU du PLESSIX (Bourgoin-Jallieu 2-IX-1973),

f - vicomte Antoine de PARSCAU du PLESSIX (Lyon 6e 25-XII-1935), attaché commercial (immobilier), s.a.a.,

2 - Sibylle de PARSCAU du PLESSIX (Amiens 2-V-1895 - Le Raincy 13-III-1958), fille de la charité, supérieure de la maison de charité du Raincy,

3 - Olivier de PARSCAU du PLESSIX (Quimper 21-XI-1898 - ✕ disparu en mer 3-V-1918 [33]), enseigne de vaisseau de 2ᵉ classe, s.a.,

4 - Andrée de PARSCAU du PLESSIX (Quimper 26-VII-1900) alliée Carantec 6-II-1924 au vicomte Louis BERNARD de COURVILLE (Vitré 9-V-1896 - Pertheville-Ners 13-VIII-1949 [34]), chef de bataillon d'infanterie, propriétaire agriculteur, fils du vicomte Henri, propriétaire, et de Lucie de RAISMES, dont

a - vicomte Henri de COURVILLE (Coblence 2-XII-1924), lieutenant-colonel d'artillerie, allié Luceau 26-V-1951 à Yvonne MAYOLET (Paris 15ᵉ 4-X-1923), infirmière, fille de Raoul, miroitier, et de Louise-Emilienne MORO, s.p.,

b - vicomte Alain de COURVILLE (Le Mans 1-XII-1925), propriétaire agriculteur, allié Penhars 26-IX-1950 à Ida de KERGOS de KERNAFFLEN (Penhars 19-IV-1929), fille du comte François, propriétaire, et d'Edmée DECAZES [35], dont

— Guillaume de COURVILLE (Falaise 26-VII-1951), s.a.a.,

— Bertrand de COURVILLE (Falaise 10-X-1953), ingénieur de l'Ecole supérieure d'aéronautique de Toulouse, s.a.a.,

— Emmanuel de COURVILLE (Falaise 15-II-1957), s.a.a.,

— François de COURVILLE (Falaise 26-V-1960), s.a.a.,

— Arnaud de COURVILLE (Falaise 4-VII-1962),

— Raymond de COURVILLE (Falaise 25-VI-1964),

c - vicomte Arnaud de COURVILLE (Le Mans 20-II-1927), ingénieur de l'Ecole de chimie de Lyon, directeur technique de société (chimie), allié 1) Saint-André-le-gaz 18-XII-1948 à France GUYON de MONTLIVAULT (Sainte-Blandine 25-III-1927 - Lyon 7-IV-1975), fille du comte Robert, propriétaire, gérant de société (laiterie), et d'Isabelle ARNAUD des ESSARTS [36], 2) Lyon 2ᵉ 1-VII-1978 à Magdeleine DÉCHELETTE (Roanne 23-IV-1926), fille de Paul, gérant de société (textile), et de Marie-Cécile DÉCHELETTE [37] [Magdeleine DÉCHELETTE avait, de son côté, épousé précédemment à Vougy, Loire, le 4-VI-1951 Olivier d'HERBÈS (Manosque 10-II-1921 - Manosque 13-VII-

1965), agriculteur, fils de Jean, propriétaire agriculteur, et de Marie de Jacomel de Cauvigny], s.p. du 2ᵈ mariage, dont du 1ᵉʳ

— vicomte Louis de Courville (Saint-André-le-gaz 14-V-1950), ingénieur de l'Institut catholique des arts et métiers de Lyon, ingénieur dans une société de travaux publics, allié Saint-Didier-au-mont-d'or 9-IX-1973 à Aliette de Bannes-Gardonne (Lyon 4ᵉ 5-V-1954), fille de Pierre, directeur du personnel dans une société, et d'Isabelle Frécon, dont

  • Laure de Courville (Bourgoin-Jallieu 11-VII-1975),

  • Olivia de Courville (Evian-les-bains 31-VIII-1976 - Saint-André-le-gaz 21-XI-1976),

  • Marion de Courville (Chambéry 3-I-1978),

  • Yann de Courville (Chambéry 7-IV-1979),

— vicomte Christian de Courville (Sidi-Slimane, Maroc, 23-I-1952), ancien élève de l'Institut supérieur d'agriculture Rhône-Alpes, allié Saint-André-d'Huirat 1-VIII-1975 à Isabelle de Brosses (Mâcon 13-IV-1953), secrétaire, fille du comte Gonzague, propriétaire agriculteur, et de Paul de La Perrière, dont

  • Gaétan de Courville (Lyon 10-I-1977),

  • Alexandra de Courville (Reims 23-V-1978),

— Yolande de Courville (Montmerle-sur-Saône 3-II-1957), éducatrice, alliée Saint-André-le-gaz 8-IV-1978 à Philibert Prunier (Lyon 6ᵉ 4-VI-1955), employé, fils d'André, gérant de société, et d'Odile d'Hennezel, dont

  • Lionel Prunier (26-XI-1978),

d - Madeleine de Courville (Pertheville-Ners 21-XII-1932) alliée Pertheville-Ners 31-VIII-1963 à Félix Cauvel de Beauvillé (Bonvillers, Oise, 22-XI-1923), ancien élève de l'Ecole supérieure des sciences économiques et commerciales, cadre administratif (métallurgie), fils de Félix et de Marguerite Doé de Maindreville [38], dont

— Sibylle de Beauvillé (Falaise 2-VIII-1964),

— Irène de Beauvillé (Falaise 31-VIII-1967),

— Marie-Félix de Beauvillé (Paris 17e 7-XI-1970),

5 - Bertrand de Parscau du Plessix (Vannes 8-VII-1901 - Taza, Maroc, 17-VII-1926), lieutenant d'infanterie, s.a.,

6 - Françoise dite Fanny de Parscau du Plessix (Quimper 14-II-1904 - Paris 7e 31-I-1967) alliée Carantec 7-IV-1926 à Albin baron de Gayardon de Fenoyl (Phu-Lang-Thuong, Tonkin, 21-IV-1902 - Paris 7e 23-III-1978), directeur général de la Manufacture de Baccarat, secrétaire de la Fédération des arts de la table, conseiller du commerce extérieur de la France, fils de Jacques baron de Gayardon de Fenoyl, secrétaire général de société [39], et de Lucy de La Hamayde [Albin baron de Gayardon de Fenoyl s'est remarié à Paris 7e le 4-II-1974 à Renée de La Forest d'Armaillé (Saint-Pierre-Montlimart 25-IV-1908), fille de Hervé marquis d'Armaillé, propriétaire, et de Raymonde de Nicolay [40]], dont

a - Jacques baron de Fenoyl (Paris 6e 17-I-1928), capitaine de vaisseau, allié Boulogne-Billancourt 25-VIII-1949 à Aliette Fleuriot de Langle (Paris 14e 14-VI-1928), fille du vicomte Paul, historien [41], conservateur de la Bibliothèque Marmottan [42], et d'Elisabeth Clicquot de Mentque [43], dont

— baron Olivier de Fenoyl (Saïgon 30-I-1951), docteur en médecine, allié Paris 15e 13-IX-1978 à Véronique de Maistre (Tours I-IV-1953), fille du comte Henri-Hubert, lieutenant-colonel (air) [44], et de Monique Bordes, dont

• Amaury de Gayardon de Fenoyl (Paris 12-IX-1980),

— Chantal de Fenoyl (Toulon 8-XII-1953) alliée Carantec 12-VII-1975 à Xavier Bourel de La Roncière (Nantes 27-VII-1951), lieutenant de vaisseau, fils de Roch, cadre administratif, et de Monique Jochaud du Plessix, dont

• Laure de La Roncière (Toulon 25-XI-1977),

• Bertrand de La Roncière (Brest 23-XII-1979),

— Béatrice de Fenoyl (Lorient 25-V-1956) alliée Carantec 26-VIII-1978 au comte Eric de Bermondet de Cromières (Alger 20-XI-1953), ancien élève de l'Ecole des hautes études commerciales, cadre commercial, fils de Pierre marquis de Bermondet de Cromières, colonel de cavalerie, et d'Eliane de Vigneral, dont

• Sibylle de Bermondet de Cromières (Roanne 30-X-1979),

— Anne de Fenoyl (Toulon 14-IV-1960), s.a.a.,

b - Sibylle de Fenoyl (Paris 6ᵉ 17-VIII-1930) alliée Paris 7ᵉ 19-II-1960 au comte Charles-Conrad Tardieu de Maleissye-Melun (Brumetz 7-X-1928), directeur de service informatique [45], fils de Guillaume comte de Maleissye-Melun, ancien élève de l'Ecole supérieure d'agriculture d'Angers, cadre administratif dans l'industrie, capitaine de cavalerie, et de Marie-Thérèse de Chauliac, dont uniquement

— Françoise de Maleissye-Melun (Paris 15ᵉ 9-V-1967),

c - Luce de Fenoyl (Paris 7ᵉ 31-I-1939), religieuse carmélite [46],

B - Andrée d'Aubigny (Aix-en-Provence 23-VIII-1871 - Paris 16ᵉ 17-XI-1909) alliée Amiens 7-XI-1893 à Edouard baron Morel de Foucaucourt (Paris 7ᵉ 5-IX-1867 - Pau 20-XII-1929), propriétaire, lieutenant d'infanterie, fils de Gaston baron de Foucaucourt, propriétaire, artiste peintre [47], et de Jeanne Fouache d'Halloy [48] [Edouard baron de Foucaucourt s'est remarié à Paris 7ᵉ le 2-III-1911 à Marie Bourilly-Borely de La Touche (Hambourg 10-IV-1865 - Cambo-les-bains 13-V-1924), fille de Léon-Auguste, secrétaire d'ambassade, et de la comtesse Sophie-Jeanne Esterhazy de Galantha et Zolyom], dont

1 - Guy-Gaston de Foucaucourt (Amiens 25-II-1895 - Belloy-en-Santerre 8-V-1897),

2 - Jean baron de Foucaucourt (Amiens 30-III-1896 - Ounyanga, Tchad, 23-II-1939), inspecteur général des finances, allié Amiens 28-XII-1928 à Louise Ducroquet de Guyencourt (Amiens 1-IV-1908 - Ounyanga 23-II-1939), fille d'Antoine comte de Guyencourt, propriétaire, et de Charlotte de Mathan, s.p. [49],

3 - Guy baron de Foucaucourt (Amiens 3-VIII-1897), colonel de cavalerie, allié L'Albenc 10-V-1925 à Anne-Marie de Tardy de Montravel (Avignon 11-VIII-1902 - Neuilly-sur-Seine 20-IV-1957), fille du baron Marc, ancien élève de l'Ecole polytechnique, propriétaire, capitaine du génie, et de Carmen Pasquier de Franclieu [50], dont

a - baron Marc de Foucaucourt (Melun 4-III-1926), directeur adjoint d'une agence de publicité, allié Trèves, Allemagne, 29-X-1949 à Rose-Marie HEIDICKER (Trèves-Kürenz 9-VII-1928), fille de Ernest-Otto, conducteur de locomotive, et de Catherine ACKERMANN, dont uniquement

— Alain de FOUCAUCOURT (Trèves 4-XI-1949), attaché de direction, s.a.a.,

b - Andrée de FOUCAUCOURT (Melun 12-IV-1927) alliée L'Alblenc 31-VII-1955 au comte Yves BAUDENET d'ANNOUX (Paris 8ᵉ 22-XI-1921), licencié en droit, agent d'assurances, fils du comte Joseph, propriétaire, et de Françoise EMÉ de MARCIEU, dont

— Guy d'ANNOUX (Caen 11-XII-1956), diplômé de l'Institut des hautes études de droit rural et d'économie agricole, s.a.a.,

— Jacques d'ANNOUX (Tullins 14-V-1961),

— Pierre d'ANNOUX (Annecy 17-XI-1964),

c - Hélène de FOUCAUCOURT (Melun 1-IX-1928) alliée Saint-Germain-en-Laye 27-X-1950 à Hubert BOUDOUX d'HAUTEFEUILLE (Amiens 27-VIII-1923), attaché de direction, fils de Joseph, propriétaire, et de Germaine de WITASSE-THÉZY, dont

— Yolande d'HAUTEFEUILLE (Paris 16ᵉ 25-VIII-1951), bibliothécaire, alliée Paris 7ᵉ 27-IV-1974 à Louis-Pascal RENAUDIN (Paris 8ᵉ 29-VI-1950), attaché commercial, fils de Denys, propriétaire, et de Françoise BERNARD, dont

• Jean RENAUDIN (Paris 21-VI-1976),

• Hélène RENAUDIN (Paris 3-IX-1977),

• Paul RENAUDIN (Paris 8-VIII-1979),

— Hugues d'HAUTEFEUILLE (Paris 16ᵉ 17-XII-1952), ancien élève de l'Ecole des hautes études commerciales, cadre administratif au C.N.R.S., s.a.a.,

— Laure d'HAUTEFEUILLE (Paris 8ᵉ 25-II-1957) alliée Monsures, Somme, 30-VII-1977 au comte Bérold COSTA de BEAUREGARD (Paris 16ᵉ 25-XI-1954), ancien élève de l'Ecole normale supérieure, ingénieur au corps des mines, fils du comte Olivier, docteur ès lettres, directeur de recherche au C.N.R.S. (physique) [51], et de Nicole de PEYRONNET, dont

● Alexis COSTA de BEAUREGARD (Paris 23-II-1979),

d - Monique-Marie de FOUCAUCOURT (Bordeaux 16-III-1936) alliée Paris 7e 27-IV-1958 à André de SAVIGNAC (Angers 25-II-1931), ancien élève de l'Ecole polytechnique, ingénieur dans l'industrie (informatique), fils de François, capitaine de frégate, et de Françoise BRICHET, dont

— Anne-Andrée de SAVIGNAC (Lille 8-IV-1959), s.a.a.,

— Christine de SAVIGNAC (Paris 16e 30-VII-1970),

4 - baron Gaston de FOUCAUCOURT (Amiens 4-II-1899 - ✕ Constansen, Bavière, 11-V-1945 [52]), chef d'escadrons de cavalerie, allié Paris 7e 17-VI-1930 à Hélène POURROY de L'AUBERIVIÈRE de QUINSONAS (Paris 16e 30-VI-1910 - ✕ Constansen 11-V-1945 [52]), assistante sociale aux armées, fille d'Artus marquis de QUINSONAS [53], propriétaire, capitaine d'état-major, et de Germaine de CORBEL-CORBEAU de VAULSERRE [54], s.p.,

5 - baron Henry de FOUCAUCOURT (Belloy-en-Santerre 25-IX-1905), colonel de cavalerie, président-directeur général de banque [55], allié Tours 13-I-1940 à Charlotte GOÜIN (Paris 16e 12-II-1913), fille de Louis-Emile, président de conseil d'administration de banque [55], administrateur de sociétés, chef de bataillon d'infanterie [56], et de Marie-Josèphe LEFEBVRE [57], dont

a - Christine de FOUCAUCOURT (Alger 4-I-1942), enseignante, alliée Paris 7e 22-I-1972 au baron Alexandre JORDIS de LOHAUSEN (Berlin 3-V-1937), docteur en droit, directeur de banque, fils du baron Henri, général d'artillerie [58], homme de lettres [59], et de la baronne Krysia de WANGENHEIM, docteur en médecine, dont

— baronne Sophie JORDIS de LOHAUSEN (Londres 7-VIII-1974),

— baron Tristan JORDIS de LOHAUSEN (Paris 7e 3-IV-1978),

b - baron Jean de FOUCAUCOURT (Constantine 1-II-1943), directeur de société, allié Tokyo 19-III-1971 à Rina MORIMOTO (Kobé 8-II-1949), dont

— Karin de FOUCAUCOURT (Neuilly-sur-Seine 27-III-1972),

c - baron Charles-Henry de FOUCAUCOURT (Tours 12-III-1947), cadre commercial (marketing), s.a.a.,

C - Edmond d'AUBIGNY (Paris 8ᵉ 6-III-1875 - Rennes 21-II-1889),

D - Jean marquis d'AUBIGNY (Bailleul 26-X-1877 - Paris 7ᵉ 26-X-1955), chef d'escadrons de cavalerie, allié Saint-Albin-de-Vaulserre 14-V-1923 à Yolande de CORBEL-CORBEAU de VAULSERRE (Saint-Albin-de-Vaulserre 12-IX-1887 - Lausanne, Suisse, 19-XII-1945) [60], fille de Maurice marquis de VAULSERRE, lieutenant-colonel de cavalerie, et d'Isabelle-Marie de RAMOUZENS de MORACIN [61], s.p.

FRERES ET SŒURS

1 - Emile LE BŒUF (13-XI-1811 - 17-I-1816),

2 - Jules LE BŒUF (Paris 6-VI-1815 - ✗ Varna, Turquie, 1-IX-1854), ancien élève de l'Ecole polytechnique, capitaine d'artillerie, puis sous-intendant militaire [62], allié Nancy 27-VII-1852 à Clara SERRIÈRES (Nancy 7-V-1829 - 22-I-1896), fille de Sébastien, docteur en médecine, médecin en chef des hospices civils de Nancy [63], et de Louise-Marie-Madeleine VIDIL [64], dont uniquement Jeanne LE BŒUF (Nancy 26-VI-1853 - Toulouse 21-XII-1934) alliée 1) Nancy 15-XI-1871 à Pierre-Lucien LE BOUL (Paris 21-VI-1843 - Versailles 6-V-1878), garde général des forêts, fils de Jean-Pierre, chef de bureau au ministère de la guerre, et d'Antoinette-Virginie de SAINT-JEAN, 2) Nancy 4-XII-1886 à Emmanuel BAROU (Labécède-Lauraguais 13-III-1847 - Toulouse 24-IV-1939), chef d'escadrons de cavalerie, fils de Gabriel-Florent, propriétaire, et de Rosalie FRIZAC, s.p. du 2ᵈ mariage, dont du 1ᵉʳ uniquement Suzanne LE BOUL (Clermont-de-l'Oise 9-II-1873 - Toulouse 3-IV-1941) alliée Paris 7ᵉ 22-II-1897 à Raoul AUGÉ de FLEURY (Trémel 22-XII-1866 - Paris 16ᵉ 10-IX-1932), agent d'assurances, fils de Raoul, propriétaire [65], et de Marie-Noémi DURIEUX de GOURNAY, dont A) Pierre AUGÉ de FLEURY (Paris 16ᵉ 22-I-1898 - Paris 16ᵉ 2-III-1925), s.a. ; B) Michel AUGÉ de FLEURY (Paris 16ᵉ 24-I-1899 - Fontenay-aux-roses 18-XI-1975), chef du personnel à la Compagnie des wagons-lits, allié Paris 16ᵉ 13-V-1939 à Thérèse MENNESSIER (Charleville 3-I-1906), fille de Maurice, inspecteur de l'enregistrement [66], et d'Antoinette FRÉMY d'ARGIERRES, dont 1) Raoul AUGÉ de FLEURY (Paris 15ᵉ 15-VI-1942), ancien élève de l'Ecole catholique des arts et métiers de Lyon, ingénieur dans l'industrie automobile, allié Chabeuil 14-III-1970 à Edith LASSARA (Rabat 2-IX-1949), fille de Pierre, gérant de domaine agricole (Maroc), et d'Elisabeth MALLET, dont a) Marc

(Boulogne-Billancourt 9-XII-1971), b) Anne-Hélène (Boulogne-Billancourt 19-I-1973), c) Emmanuel (Vélizy 23-II-1976), d) Jacques (Chevreuse 3-IV-1979) ; 2) Jean AUGÉ de FLEURY (Paris 12e 15-I-1944), expert comptable, allié Paris 16e 13-X-1973 à Elisabeth MONTGUILLON (Le Mans 2-II-1947), fille de Jean, directeur de banque [67], et de Solange LAMANTE, dont a) Olivier (Paris 14e 6-V-1975), b) Soizic (Paris 14e 8-II-1978), c) Solène (Paris 14e 11-XII-1979) ; 3) Bernard AUGÉ de FLEURY (Paris 12e 15-I-1944), ingénieur électricien, allié Hambourg 22-XII-1969 à Marie-Françoise PICARD (Halifax, Canada, 2-IV-1948), fille de Robert, consul général de France, et d'Angèle MERMOUD, dont a) Bénédicte (Québec 12-II-1971), b) Philippe (Paris 13e 26-IX-1974) ; C) Guy AUGÉ de FLEURY (Paris 16e 25-IX-1900 - Chalon-sur-Saône 19-VIII-1959), directeur à la Banque de France [68], allié Rosnes 19-VI-1933 à Marthe ALEXANDRE de HALDAT du LYS (Verdun-sur-Meuse 28-XI-1907) [69], fille de Paul, colonel d'infanterie, et de Geneviève de SAINT-LAURENT, dont 1) Louis AUGÉ de FLEURY (Epinal 25-VII-1934), gérant de société (électro-ménager), allié Saint-Benoît-sur-Loire 30-VI-1958 à Marie-Paule DUPAQUIER (Chalon-sur-Saône 5-I-1936), fille de Jean, cadre administratif (métallurgie), et d'Emilienne-Anne VERGES, dont a) Isabelle (Tours 1-IX-1959), s.a.a., b) Pascale (Chalon-sur-Saône 28-VIII-1961), c) Véronique (Chalon-sur-Saône 16-XII-1964), d) Hélène (Saint-Rémy, Saône-et-Loire, 30-VI-1966) ; 2) Monique AUGÉ de FLEURY (Metz 18-VI-1936) alliée Chalon-sur-Saône 30-IV-1959 à Michel JACROT (Chalon-sur-Saône 30-XII-1929), ingénieur de l'Ecole d'électricité de Grenoble, ingénieur dans l'industrie, fils de Henri, huissier de justice, et de Marie JACROT [70], dont postérité en lignes masculine et féminine ; 3) Chantal AUGÉ de FLEURY (Paris 16e 22-V-1942) alliée Puligny-Montrachet 12-X-1963 à Christian LOŸ (Neuilly-sur-Seine 24-VI-1938), chef de publicité, fils de Jean, ingénieur de l'Ecole spéciale des travaux publics de Paris, ingénieur dans l'industrie (électricité), et de Suzanne MALENFANT, dont postérité en lignes masculine et féminine [71].

NOTES

1 Sa nomination au ministère de la guerre peu après empêcha Le Bœuf d'exercer effectivement cette fonction.

2 Gravement endommagé pendant la bataille de Normandie, en août 1944, le château du Moncel, que le maréchal avait acquis autour de 1860 et où il vécut après la guerre de 1870, a été rasé. La chapelle, qui se trouvait dans le parc, fut cependant conservée et subsiste toujours. Les restes du maréchal reposent dans la crypte de celle-ci. L'épouse, la fille et le gendre de Le Bœuf y ont été également inhumés.

3 Au cours de sa longue retraite au château du Moncel, le maréchal entreprit de rédiger des souvenirs à l'intention de ses petits-enfants. Il n'alla pas au-delà de la guerre de Crimée. Ces souvenirs sont, jusqu'ici, demeurés inédits. Le manus-

crit se trouve à l'heure actuelle entre les mains du vicomte Bertrand de Parscau du Plessix, arrière-arrière-petit-fils de Le Bœuf. L'essentiel du document a été transcrit dans un important travail, lui aussi inédit, réalisé par le général Césaire-Albert Lanty sous le titre *La vie du maréchal Le Bœuf*. Cette biographie, qui forme deux gros volumes manuscrits, est également la propriété du vicomte Bertrand de Parscau du Plessix. Le général Lanty, qui acheva cet ouvrage en août 1896, précise dans l'introduction qu'il avait été *attaché au maréchal... comme officier d'ordonnance et comme aide de camp depuis 1855 jusqu'en 1870, honoré de sa haute amitié jusque dans ses derniers jours, c'est-à-dire depuis plus de 35 ans.*

4 Sauf indication contraire en note, les renseignements donnés sous cette rubrique ont été tirés des registres d'état civil des communes concernées. Pour Paris, nous avons eu recours, outre les différentes reconstitutions de l'état civil, aux table de décès de l'enregistrement (DQ 8). Nous remercions bien vivement M. Jacky Bachschmidt d'avoir eu la complaisance d'explorer à notre intention les registres de Sommevoire et de Wassy.

5 Le maréchal indique dans ses souvenirs (voir note 3) que Nicolas III Le Bœuf avait été professeur au Collège Mazarin. La qualité que nous lui donnons est celle qui figure dans les actes où il apparaît.

6 Nicolas III Le Bœuf tint un petit bout de rôle dans la tragédie révolutionnaire. *Mon grand-père, très royaliste mais constitutionnel,* rapporte le maréchal dans ses souvenirs (voir note 3), *avait été appelé plusieurs fois, comme officier municipal, à faire le service près de la famille royale détenue au Temple. Dans ses relations avec les augustes prisonniers, il apportait tous les égards dûs au malheur et les formes de la plus respectueuse étiquette. Après la mort du roi, il voulut prendre le dauphin sous sa protection et fit de sévères observations à l'infâme cordonnier Simon. Celui-ci dénonça mon grand-père comme ayant conspiré, avec plusieurs autres municipaux, pour faire évader la famille royale. Mon grand-père fut arrêté et ne fut acquitté par le Tribunal révolutionnaire qu'aux approches de Thermidor, après 8 mois de détention.* Alcide de Beauchesne rapporte les mêmes faits, avec un peu plus de détail, dans son ouvrage célèbre *Louis XVII. Sa vie, son agonie, sa mort* (Paris 1868, T. II, p. 112 et 113), s'appuyant sur les procès verbaux des séances du conseil général de la commune des 28 et 29-VIII-1793. C'est en réalité le 19-XI-1793, donc assez longtemps avant Thermidor et après seulement un peu moins de 3 mois de détention, que Nicolas Le Bœuf fut traduit devant le Tribunal révolutionnaire (A.N., W 296), en même temps que plusieurs de ses collègues à l'égard desquels on avait les mêmes griefs : tous furent acquittés. Dans son livre *Louis XVII et l'énigme du Temple*, G. Lenotre, partisan de la thèse de l'évasion, explique l'acquittement de Le Bœuf et des autres inculpés, insolite de la part du redoutable tribunal, par le souci des autorités d'éviter au maximum qu'il soit question publiquement du Temple, en raison des intrigues qui s'étaient nouées autour de celui-ci durant les mois précédents.

7 Précision connue grâce aux archives du cabinet généalogique Andriveau.

8 Cette date est un renseignement d'origine familiale que nous n'avons pu vérifier.

9 Un contrat avait été signé à Paris le 21-X (A.N., M.C., XXXVIII 831).

10 *Ma mère, qui fut pendant 20 ans dame de charité du 11ᵉ arrondissement de Paris (faubourg Saint-Germain), n'a reculé devant aucune des charges de ses fonctions et s'est signalée par son dévouement, pendant la terrible épidémie cholérique de 1832,* note le maréchal dans ses souvenirs (voir note 3).

11 Marguerite-Brigitte Disly mourut à Paris (Saint-Sulpice) le 15-IX-1790.

12 Cité dans la déclaration de succession de Nicolas-Joseph Le Bœuf (A.P., DQ⁸ 3716), ce contrat manque dans la liasse correspondante de l'étude concernée : Petit à Paris, A.N., M.C., CXIV 28.

13 Il n'y a pas eu de postérité de ce ménage.

14 Un contrat avait été signé à Paris le 1-II (A.N., M.C., XCIII 234).

15 Jeanne-Marie-Aimée Tourné avait au moins un frère : Antoine-Aimé, né le 31-VIII-1772, décédé à Saint-Domingue le 3-V-1802, volontaire au 11ᵉ bataillon de Paris en août 1793, capitaine de cavalerie et aide de camp du général Leclerc à sa mort (dossier personnel au S.H.A.T.).

16 Né à Toulouse, François Tourné mourut à Paris le 19-V-1821, âgé de 85 ans.

17 Claude-Emmanuel Le Bœuf fut le père de 3 enfants : 1) Emmanuel (Paris 27-IX-1803 - 17-VIII-1823), s.a., 2) Emilie (Paris 20-II-1806 - Paris 10ᵉ 8-I-1880) alliée Paris (Saint-Roch) 3-VI-1830 à Aimé-François Petit de Coupray (Paris 15-V-1795 - Paris 10ᵉ 11-I-1863), commissaire priseur, puis caissier principal de la Compagnie du chemin de fer d'Orléans, fils de Simon, peintre d'histoire, et de Marie-Louise Gaye [Aimé-François Petit de Coupray avait épousé précédemment Louise Badre, décédée à Paris le 23-VI-1828], 3) Françoise-Emma (15-VII-1807 - 31-VII-1807). Emilie Le Bœuf épouse Petit de Coupray eut elle-même 5 enfants : 1) Eugène (1831-1832), 2) Emma (Paris 25-V-1832 - Paris 17ᵉ 25-II-1919) alliée Paris 1-V-1852 à Félix Mathias (Leipzig 5-II-1821 - Spa 21-IX-1889), ingénieur en chef de l'exploitation à la Compagnie du chemin de fer du Nord, fils de Herz et de Bella Victor, dont postérité en ligne féminine, 3) Edmond (1834-1835), 4) Sophie (Paris 2-IX-1837 - Paris 16ᵉ 6-I-1924) alliée Paris 25-I-1858 à Hippolyte Mantion (Montchauvet, Yvelines, 25-IV-1825 - Saint-Lunaire 20-VIII-1897), ingénieur en chef des Ponts-et-chaussées, directeur de compagnies de chemin de fer, fils de François-Thomas et de Marie-Catherine Hubert, dont postérité en ligne féminine, 5) Emile (Paris 12-I-1843 - Paris 8ᵉ 21-II-1898), colonel d'artillerie, allié Paris 6ᵉ 8-X-1894 à Christine Chevallier (Paris 13-I-1856 - Paris 17ᵉ 4-IV-1932), fille de Charles-Réaumur, inspecteur général des Ponts-et-Chaussées, et de Caroline Minard, s. p.

18 Nous donnons cette profession d'après une information d'origine familiale. Les actes d'état civil ou notariés où nous avons trouvé mention de Denis-Marie Le Bœuf — ils correspondent tous à une époque où l'intéressé avait déjà un certain âge — le qualifient de rentier. Dans ses souvenirs (voir note 3), le maréchal indique que cet oncle, comme son frère Claude-Emmanuel, avait été employé supérieur dans l'administration des finances.

19 Denis-Marie Le Bœuf fut le père de deux enfants : 1) Nicole-Marie (7-IV-1818 - 18-II-1831), 2) Marie-Antoinette (Paris 18-II-1820 - Paris 10ᵉ 18-I-1866) alliée Paris 5-IX-1839 à Félix-Maximilien Timmerman (Boulogne-sur-mer 24-III-1809 - Paris 9ᵉ 16-II-1874), négociant, fils de Jean-Baptiste, négociant, et de Marie-Anne Pine. Marie-Antoinette Le Bœuf, épouse Timmerman, eut elle-même 4 enfants : 1) Félix (Paris 20-VIII-1840 - Paris 13-IV-1900), administrateur français des chemins de fer et télégraphe d'Egypte, allié à Mathilde Drake, dont postérité, 2) Henri (Paris 4-V-1842 - 30-III-1888), receveur des finances, allié à Marie de Lagorie, 3) Louise (19-VIII-1844 - 2-II-1846), 4) Edmond († 13-IV-1848).

20 Un contrat fut signé le 30-IV chez Mᵉ Fournier à La Chapelle-Saint-Denis.

21 D'après l'acte de naissance de leur fils Emile, Hugues Dauche et Marie Lobé s'étaient mariés à Paris (Saint-Laurent) en 1792.

22 Il semble que la maréchale Le Bœuf ait été l'unique enfant de ses parents.

23 De ce ménage, vint au moins une fille, Angélique-Fanny Faucheur, née à Paris le 9-IX-1831, alliée Meudon 22-XII-1860 à Jean-Baptiste Vittot (Cahors 28-VI-1820 - Aix-les-bains 29-VIII-1902), général de brigade.

24 Celui-ci signe à l'acte de mariage du maréchal.

25 D'ancienne noblesse, originaire du Bourbonnais, la famille d'Aubigny fut maintenue noble en 1715. Sa filiation est suivie depuis 1538. Le titre de marquis

est de courtoisie : il fut adopté par le mari de Mlle Le Bœuf. Arsène d'Aubigny était le frère de Georges (Saumur 3-VI-1844 - Lyon 13-XI-1925), général de brigade. On trouvera une étude détaillée de cette famille dans le *Nobiliaire de Berry* de Hugues-A. Desgranges (T. I, Saint-Amand-Montrond, 1971).

26 Sœur d'Isabelle, qu'on trouvera plus loin.

27 Acte de décès transcrit sur les registres de la commune de Sainte-Blandine le 24-V-1948.

28 Les Colbert-Turgis descendent d'un frère du grand-père du ministre de Louis XIV.

29 André de Varax est le cousin issu de germain de Louis de Varax, père d'Elisabeth et d'Humbert qu'on rencontrera plus loin.

30 Voir note 29.

31 Sœur de Jean, colonel de cavalerie, actuel chef de famille.

32 Joseph de Sonis était l'arrière-petit-fils de Gaston (1825-1887), général de division, célèbre pour le courage dont il fit montre à Loigny en 1870 et son attachement à la foi catholique et aux principes légitimistes.

33 Victime d'un accident d'hydravion (décès constaté par jug. du t. c. de Brest le 12-VI-1918).

34 Des suites d'un accident de cheval.

35 Arrière-petite-fille de Joseph-Léonard baron, puis vicomte Decazes (1783-1868), préfet, député du Tarn, lequel était le frère cadet d'Elie duc Decazes (1780-1860), 1re ministre de Louis XVIII.

36 Voir note 26.

37 Marie-Cécile Déchelette était la cousine au 4e degré de son mari. On trouvera des précisions sur cette familles à la p. 279 (note 70) de notre ouvrage *Les Say et leurs alliances.*

38 Cousine issue de germain de Michel et Suzanne Doé de Maindreville, frère et sœur, qu'on a rencontrés respectivement aux chap. II (Exelmans) et III (Harispe).

39 De la société Le nickel.

40 Renée de La Forest d'Armaillé avait elle-même épousé précédemment à Paris 7e le 7-VII-1931 Pierre Desplaces de Charmasse (Chef-du-pont 19-VI-1900 - La Tagnière 3-VII-1965), propriétaire, fils de Jean, propriétaire, et de Christine Michel de Roissy.

41 Auteur notamment de biographies historiques (époque napoléonienne) et décrypteur des *Cahiers de Sainte-Hélène* du général Bertrand.

42 Paul Fleuriot de Langle était l'arrière-arrière-petit-fils de Paul-Antoine-Louis (1744-1787), capitaine des vaisseaux du roi, membre de l'Académie de marine (second de Jean-François de La Pérouse au cours de son voyage autour du monde), massacré par les indigènes de l'île de Maouna (Océanie), et le petit-neveu d'Alphonse-Jean-René (1809-1881), vice-amiral.

43 Voir note 104 du chap. XVIII (Bazaine).

44 Descendant et arrière-neveu respectivement des écrivains Joseph et Xavier de Maistre.

45 Au Cenre national pour l'aménagement des structures des exploitations agricoles.

46 A Paray-le-monial, sous le nom de sœur Anne de Jésus.

47 Gaston de Foucaucourt (1835-1891) fut l'élève de Henri Harpignies. L'une de ses toiles *Vue des bords de la Somme* se trouve au musée d'Amiens. Son père, Marie-Louis-Edouard (1798-1868), avait été lui aussi peintre : on lui doit des paysages et des scènes d'histoire.

48 Fille d'Aristide Fouache d'Halloy (1795-1881), conseiller à la cour d'appel d'Amiens.

49 Jean baron de Foucaucourt et sa femme se firent, entre les deux guerres mondiales, les pionniers du tourisme aérien. Ils avaient installé un aérodrome privé dans le parc de leur château de Monsures et organisaient régulièrement des rallyes à partir de celui-ci. Ils réalisèrent, par ailleurs, un certain nombre de grands voyages. *Le baron de Foucaucourt, l'un de nos plus intrépides touristes aériens,* annonçait ainsi l'*Echo de* Paris du 1-II-1934, *a entrepris un grand voyage en Afrique qui va le mener à Gao, Niamey, Ouagadougou, Djenni et Tombouctou. M. de Foucaucourt se propose de faire d'intéressantes études, au cours de cette belle randonnée, qu'il accomplit avec sa femme...* Ils devaient trouver tous deux une fin dramatique au cours de l'un de leurs périples. *Le temps* du 24-II-1939 donne ces précisions sur les circonstances de leur mort : *D'après un radio reçu de Fort-Lamy, la baronne et le baron de Foucaucourt..., président de l'aéro-club du Beauvaisis, ont péri dans la chute de leur avion près d'Ounianga, à 200 km au nord-est de Faya, près de la frontière du Soudan français et du Soudan anglo-égyptien. Partis d'Alger le 11-II, la baronne et le baron de Foucaucourt se rendaient aux sources du Nil par un itinéraire inexploré.* Jean de Foucaucourt avait raconté quelques-unes de ses vastes randonnées dans plusieurs ouvrages : *Les deux rives du Tanezrouft N'Ahenet. De l'Algérie au Soudan par le Sahara...* (Paris 1928, 159 p.), *20 000 lieues dans les airs. Tour d'Europe, tour d'Afrique dans un petit avion de tourisme* (Paris 1938, 253 p.)...

50 Grand-tante de Béatrice Pasquier de Franclieu, épouse du prince Michel d'Orléans.

51 La thèse de doctorat d'Olivier Costa de Beauregard est intitulée : *La théorie physique et la notion de temps, l'équivalence entre espace et temps, premier principe de la science du temps* (Bordeaux 1963, 208 p.) et sa thèse complémentaire : *Le second principe de la science du temps, entropie, information, irréversibilité* (Paris 1963, 158 p.). Il est l'auteur de plusieurs autres ouvrages traitant de questions de même ordre.

52 Dans un accident de voiture.

53 Arrière-arrière-petit-fils du maréchal Oudinot duc de Reggio (voir Joseph Valynseele *Les maréchaux du Premier empire*).

54 Sœur de Yolande qui se trouve plus loin.

55 Banque Goüin et tourangelle à Tours.

56 Neveu de Marie-Cécile Goüin qu'on a rencontrée au chap. III (voir note 132 de ce chap. : Louis-Emile est le petit-fils d'Eugène).

57 De la famille des industriels du textile de Roubaix, alliée notamment aux Prouvost : c'est ainsi que Louis-Emile Goüin fut, durant un certain temps, président des conseils de surveillance du Peignage Amédée Prouvost et de La lainière de Roubaix.

58 Originaire de Féternes en Haute-Savoie, où elle exerçait le négoce, la famille de celui-ci s'établit à Francfort-sur-le-Main en 1733, fut anoblie en Autriche en 1839 et y reçut le titre de baron en 1854 : Jordis simplement jusque-là, c'est depuis cette dernière date qu'elle porte son nom actuel.

59 Auteur d'ouvrages et d'articles assez nombreux, traitant de questions politiques et militaires.

60 Emportée par la tuberculose.

61 Voir note 54.

62 Jules Le Bœuf était passé dans le corps de l'intendance en 1853. Il fut emporté par le choléra au début de la guerre de Crimée, étant alors chef des services administratifs de la division commandée par le prince Napoléon (Jérôme). Le maréchal indique dans ses souvenirs (voir note 3) que son frère mourut dans ses bras. *C'est son moral énergique qui a tué M. Le Bœuf*, écrivait le 1-IX-1854 l'intendant de l'armée au ministre de la guerre. *Atteint depuis longtemps d'une dysenterie grave, il n'a pas voulu interrompre un instant son service à la 3e division d'infanterie. Enfin, il y a 4 jours, son frère, effrayé de sa situation, l'a forcé de quitter son camp et de descendre en ville. Atteint du choléra hier matin, il a succombé aujourd'hui.* (S.H.A.T., dossier personnel).

63 Sébastien Serrières avait été quelque temps médecin de Louis Bonaparte, roi de Hollande.

64 Clara Serrières avait une sœur unique : Marie-Christine-Caroline (Nancy 15-II-1819 - Nancy 15-I-1877), alliée Nancy 29-VIII-1837 Edmond Simonin (Nancy 25-VI-1812 - Nancy 31-III-1884), docteur en médecine, directeur de l'Ecole de médecine et professeur à la faculté de médecine de Nancy, directeur des services départementaux de l'Assistance publique, membre de l'Académie de médecine, fils de Jean-Baptiste, docteur en médecine, directeur de l'Ecole de médecine de Nancy, et de Félicité-Rosalie Guérin.

65 Cette famille fut anoblie par l. p. du 30-VI-1830 en la personne de Josué-Alexis Augé (1787-1850), notaire, maire de Passy, père de Raoul marié à Mlle Durieux de Gournay.

66 Maurice Mennessier était le neveu de Jules Mennessier allié en 1830 à Marie Nodier (Quintigny 26-IV-1811 - Fontenay-aux-roses 18-XI-1893), fille de l'écrivain Charles Nodier, et autorisé par ordonnance du 11-IX-1844 à s'appeler Mennessier-Nodier.

67 De la succursale de Dublin du Crédit industriel et commercial.

68 De la succursale de Chalon-sur-Saône.

69 Sœur de dom Marie-Louis qui fut abbé de Saint-Benoît-sur-Loire.

70 Cousine germaine de son mari.

71 Nous remercions les descendants et parents du maréchal Le Bœuf qui nous ont aidé à rassembler les matériaux de ce chapitre et tout particulièrement : le vicomte Bertrand de Parscaux du Plessix, le baron de Foucaucourt, Madame Michel Augé de Fleury, M. Jean-Benoît Lion (descendant de Claude-Emmanuel Le Bœuf).

TABLE ALPHABETIQUE
DES FAMILLES MENTIONNEES DANS L'OUVRAGE

TABLE DES MATIERES

Achevé d'imprimer le 1er octobre 1980
sur les presses de l'imprimerie Laballery et Cie
58500 Clamecy
Dépôt légal 4e trimestre 1980
No d'imprimeur : 19696